Marco
Palmezzano
il Rinascimento nelle Romagne

Marco
Palmezzano
il Rinascimento nelle Romagne

a cura di
Antonio Paolucci
Luciana Prati
Stefano Tumidei

SilvanaEditoriale

in copertina

Marco Palmezzano
Annunciazione, circa 1495-1497,
particolare.
Forlì, Pinacoteca civica

Silvana Editoriale

Progetto e realizzazione
Arti Grafiche Amilcare Pizzi Spa

Direzione editoriale
Dario Cimorelli

Coordinamento editoriale
Anna E.G. Albano

Art director
Giacomo G. Merli

Redazione e impaginazione
Ferrari – studio editoriale, Cologno Monzese

Ufficio iconografico
Alice Jotti, Sabrina Galasso

Ufficio stampa
clp relazioni pubbliche, Milano

Marco
Palmezzano
il Rinascimento nelle Romagne

Forlì, Musei San Domenico
4 dicembre 2005 - 30 aprile 2006

Sotto l'Alto patronato del presidente
della Repubblica Italiana
Carlo Azeglio Ciampi

a cura di
Antonio Paolucci
Luciana Prati
Stefano Tumidei

La mostra è promossa e realizzata da
Fondazione Cassa dei Risparmi
di Forlì

in collaborazione con
Comune di Forlì - Musei San Domenico

Soprintendenza per i Beni
Architettonici e per il Paesaggio
di Ravenna
Soprintendenza per il Patrimonio
Storico Artistico ed Etnoantropologico
di Bologna, Ferrara, Forlì-Cesena,
Ravenna e Rimini
Soprintendenza per il Polo Museale
Fiorentino
Soprintendenza per il Patrimonio
Storico Artistico ed Etnoantropologico
per le province di Milano, Bergamo,
Como, Pavia, Sondrio, Varese, Lecco
e Lodi
Diocesi di Forlì-Bertinoro
Musei Vaticani

con il patrocinio di
Presidenza del Consiglio dei Ministri
Ministero per i Beni e le Attività
Culturali
Ministero dell'Istruzione,
dell'Università e della Ricerca
Università di Bologna
Regione Emilia Romagna
Provincia di Forlì-Cesena

Comitato d'onore

Carlo Azeglio Ciampi
presidente della Repubblica Italiana

Marcello Pera
presidente del Senato della Repubblica

Pier Ferdinando Casini
presidente della Camera dei Deputati

Silvio Berlusconi
presidente del Consiglio dei Ministri

Rocco Buttiglione
ministro per i Beni e le Attività Culturali

Letizia Brichetto Moratti
*ministro dell'Istruzione, dell'Università
e della Ricerca*

Cardinale Angelo Sodano
segretario di Stato della Santa Sede

Cardinale Pio Laghi
*prefetto emerito della Congregazione
per l'Educazione Cattolica*

Cardinale Achille Silvestrini
*prefetto emerito della Congregazione
per le Chiese Orientali*

Cardinale Ersilio Tonini
arcivescovo emerito di Ravenna-Cervia

Andrea Manzella
senatore della Repubblica

Sauro Turroni
senatore della Repubblica

Walter Bielli
deputato alla Camera dei Deputati

Roberto Pinza
deputato alla Camera dei Deputati

Sauro Sedioli
deputato alla Camera dei Deputati

Pier Ugo Calzolari
*magnifico rettore dell'Università
degli Studi di Bologna*

Mario Serio
*direttore generale dell'Ufficio centrale del
Ministero per i Beni Culturali e Ambientali*

Elio Garzillo
*dirigente generale del Dipartimento
per la ricerca, l'innovazione
e l'organizzazione presso il Ministero
per i Beni e le Attività Culturali*

Salvatore Montanaro
prefetto di Forlì

Domenico Lerro
prefetto di Mantova

Calogero Germanà
questore di Forlì-Cesena

Monsignor Vincenzo Zarri
vescovo della Diocesi Forlì-Bertinoro

Pier Giuseppe Dolcini
*presidente della Fondazione Cassa
dei Risparmi di Forlì*

Nadia Masini
sindaco di Forlì

Gianfranco Marzocchi
*assessore alla Cultura e Università
del Comune di Forlì*

Vasco Errani
presidente della Giunta Regionale

Alberto Ronchi
*assessore alla Cultura Regione Emilia-
Romagna*

Massimo Bulbi
presidente della Provincia di Forlì-Cesena

Iglis Bellavista
*assessore alle Politiche culturali e del Lavoro
della Provincia di Forlì-Cesena*

Renato Ascari Raccagni
*presidente della Cassa dei Risparmi
di Forlì Spa*

Aureliano Benedetti
*presidente della Cassa di Risparmio
di Firenze Spa*

Sergio Mazzi
*presidente della CCIAA di Forlì-Cesena
presidente dell'APT Emilia Romagna*

Anna Maria Iannucci
*soprintendente per i Beni Architettonici
e per il Paesaggio di Ravenna*

Franco Faranda
*soprintendente reggente per il Patrimonio
Storico Artistico ed Etnoantropologico
di Bologna, Ferrara, Forlì-Cesena, Ravenna
e Rimini*

Maurizio Galletti
*soprintendente per i Beni Architettonici
e per il Paesaggio per il Comune di Roma*

Luisa Arrigoni
*soprintendente reggente per il Patrimonio
Storico Artistico ed Etnoantropologico
per le province di Milano, Bergamo, Como,
Pavia, Sondrio, Varese, Lecco e Lodi*

Claudio Strinati
soprintendente per il Polo Museale Romano

Ezio Raimondi
*presidente dell'Istituto per i Beni Artistici,
Culturali e Naturali dell'Emilia Romagna*

Guido Gambetta
*preside del Polo Scientifico Didattico
di Forlì-Cesena Università degli Studi
di Bologna*

Redazione del catalogo
Stefano Tumidei
Serena Togni
Luciana Prati
Gianfranco Brunelli

Autori delle schede
Sauro Casadei
Matteo Ceriana
Anna Colombi Ferretti
Andrea De Marchi
Francesca Del Torre Scheuch
Simone Ferrari
Stefano L'Occaso
Francesca Nanni
Alessandra Olivetti
Filippo Panzavolta
Vittorio Sgarbi
Anna Tambini
Anchise Tempestini
Serena Togni
Stefano Tumidei
Giovanni Carlo Federico Villa
Giordano Viroli

Crediti fotografici
Mario Gatti
Giorgio Liverani
Luca Massari
Nazario Spadoni

*Si ringraziano tutti gli enti, i musei
e i privati che hanno consentito i prestiti
delle opere e tutti coloro che a vario titolo
hanno offerto la propria disponibile
collaborazione, in particolare:*
Chiara Angelini
Floriana Arfelli
Gianfranco Argnani
Luisa Arrigoni
Curio Assirelli
Maria Elisa Avagnina
Errio Bandini
Jean-Luc Baroni
Maria Grazia Bernardini
Daniela Bertocci
Ariana Bocchini
Gianpiero Borghesi
Marie-Sophie Boulan
Raffaele Braschi
Giuliano Brocchi
Flavia Bugani
Rosaria Campioni
Mirko Capuano
Monsignor Gian Matteo Caputo
Claudio Casadio
Valter Casadio
Rina Cavallini
Roberto Cavallucci
Alessandro Checchi
Giorgio Cicognani
Giordano Conti
Roberto Contini
Betzy Dahl
Giovanna Damiani
Fiorenza Danti
Benedetta Diamanti
Fausto Ercolani
Monsignor Giuseppe Fabiani
Franco Fabbri
Monsignor Quinto Fabbri
Monsignor Mariano Faccani Pignatelli
Marzia Faietti
Sylvia Ferino Pagden
Padre Giuseppe Ferrari
Giovanna Ferrini
Maria Teresa Fiorio
Giuseppe Fiumana
Luciana Fiumicelli
Gianluca Foca
Pierangelo Fontana
Don Agostino Fornasari
Pierluigi Foschi
Ario Franciosi
Maurizio Fussi
Rosanna Gardella
Jean-Claude Gaudin
Ennio Gelosi
Monsignor Tommaso Ghirelli
Guido Giorgi
Antonio Giosa
Padre Mauro Giovanni
Don Paolo Giuliani
Stefano Granini
Loredana Grisolini
Fabrice Hergott
Dominique Jacquot
David Jaffè
Christina Jaros
Raymond Keaveney
Jan Kennedy
Elfriede Kovats
Johann Kraftnër
Laura Laghi
Paul Lang
Bernd W. Lindemann
Monsignor Livio Lombardi
Nicola Ann Mac Gregor
George Malkemuz
Carlo Maltoni

Monsignor Guido Marchetti
Sr. Carmen Marconi
Danielle Maternati-Baldouy
Alessandro Mazzoni
Casar Menz
Giulia Misirocchi
Lorenza Mochi Onori
Mauro Mordenti
Giorgio Morrone
Fabrizio Moretti
Patrice Mugny
Noelia Paci
Roberto Papis
Massimiliano Paridi
Simona Parisini
Anna Maria Petrioli Tofani
Giovanni Piccinini
Mario Proli
Don Antonio Renzi
Paolo Rivalta
Lisa Rodi
Alessandra Rusticali
Don Ugo Salvatori
Cesare Sangiorgi
Sara Scatragli
Karl Schütz
Herrn Mag. Michael Schweller
Kim Smit
Sergio Spada
Nicola Spinosa
Claudio Strinati
Cornelia Syre
Mirella Talenti
Felicia Tan
Vanni Tesei
Alberto Tessiore
Guy Tosatto
Davide Trevisani
Filippo Trevisani
Renate Trnek
Mario Turci
Milena Vasumini
Lucina Vattuone
Viviana Venturelli
Loris Venturi
Manuela Veronesi
Monsignor Giuseppe Verrucchi
Maria Lucrezia Vicini
Joanna Wartson
Stefan Weppelmann
Anthony Yurgaitis
Antonio Ventrella
Paolo Zoffoli
Marino Zorzi

La Fondazione ringrazia
Gianfranco Baldassari
Chiara Alfieri
Marinella Braghin
Maria Carla Brumat
Mariaelena Perissinotto

*Un ringraziamento particolare
all'amministrazione comunale di Forlì
che ha avviato il progetto di recupero
del San Domenico e ha sostenuto fin
dagli inizi l'organizzazione della mostra*
Franco Rusticali, sindaco di Forlì
Giovanni Tassani, assessore alla Cultura
Mauro Bacciocchi, assessore alla Cultura

Con il sostegno di
Cassa dei Risparmi di Forlì Spa
Assicurazioni Generali
C.C.I.A.A. di Forlì-Cesena
APT Servizi - Regione Emilia
Romagna
Gruppo Hera
Permasteelisa Interiors srl
Elettronica Cortesi srl

Con il contributo di
Assindustria di Forlì-Cesena
Legacoop di Forlì-Cesena
Confocooperative di Forlì-Cesena
Arteria

Ufficio stampa
Studio Esseci di Sergio Campagnolo

Sito ufficiale della mostra
www.marcopalmezzano.it

*Il catalogo è dedicato alla memoria
di Ettore Torriani*

Non posso nascondere i sentimenti di profonda emozione, ma di anche giustificato orgoglio che provo nel presentare il catalogo scientifico della mostra dedicata a "Marco Palmezzano. Il Rinascimento nelle Romagne".

Abbiamo inteso pensare all'esposizione come a un progetto della Fondazione per la città di Forlì e il territorio delle Romagne.

Un progetto per più ragioni.

In primo luogo quella che appariva sempre più urgente di garantire una nuova indagine condotta col massimo rigore scientifico su uno degli artisti più significativi della nostra storia culturale e del Rinascimento. Marco Palmezzano, infatti, fece parte con altri grandi artisti della "brigada di Melozzo", che animò la vita culturale forlivese di fine Quattrocento assicurando alla città e alle Romagne una posizione di primo piano sulla scena storico-artistica italiana.

Occorreva poi – e la mostra è stata l'occasione per questa importante iniziativa – dar corso in modo organico a un lavoro di restauro e di conservazione di una parte significativa delle opere di Palmezzano e di altri artisti del suo tempo. E la Fondazione – mi sembra – ha dato un'adeguata risposta a questa esigenza col restauro di ben trenta dipinti. Un lavoro questo che ha nel contempo consentito l'apertura di un nuovo archivio di informazioni su Palmezzano. Nel caso più fortunato in assoluto, quello della cappella Ferri, i restauri sono riusciti a recuperare non solo la pala d'altare ma anche il suo contesto, la sua ambientazione, che non consisteva come si è creduto per secoli in un asettico sfondo monocromatico, ma in un ciclo di affreschi che si poneva in relazione diretta con la pala dell'Immacolata concezione, tessendo un coinvolgente dialogo artistico e spirituale.

Dal punto di vista storico-culturale l'opera di Marco Palmezzano ci ha poi restituito l'immagine di una città per troppo tempo dimenticata: una città dotata di un atteggiamento di grande apertura verso le esperienze culturali maturate oltre confine, una città pronta a confrontarsi con queste esperienze per rielaborarle sulla base della propria identità e della propria storia. Nelle tavole di Palmezzano si riconoscono i paesaggi della tradizione umbra, i colori della scuola veneta e la moda romana delle grottesche, ma l'opera nel suo complesso parla distintamente il linguaggio sintetico delle Romagne. Romagne che, vale la pena sottolinearlo, in Palmezzano sono diverse da quelle del luogo comune dantesco che le vuole facili all'ira fino alla violenza; una Romagna dai paesaggi distesi e solari, una Romagna certamente vivace ma non impulsiva, una Romagna che rivela anche nei volti più asciutti e duri orgoglio di sé ma non prepotenza, quello stesso orgoglio che Marco Palmezzano testimoniava in tutti i suoi cartigli allorché si firmava "pictor foroliviensis".

Nella prima metà del Cinquecento, con la caduta del Valentino e la scomparsa di artisti come Palmezzano, Forlì è di fatto entrata in un cono d'ombra dal quale nei secoli successivi è uscita solo a tratti e, talora, contraddittoriamente. Si è spezzato un filo tra storia locale e storia nazionale che ha finito col pesare negativamente anche sul rapporto di ciascun forlivese con la propria città e la sua storia. Quel filo andava riannodato. Forlì ha bisogno di riscoprire sé stessa, per ritrovare il proprio futuro.

La mostra dedicata a Marco Palmezzano è stata allestita nel ritrovato complesso monumentale del San Domenico. Palmezzano e il San Domenico rappresentano un progetto per la città, un modello di interazione e di collaborazione tra diverse istituzioni pubbliche e private, tra istituzioni e cittadini, e tra diverse competenze e professionalità.

L'auspicio è davvero che la mostra dedicata a Marco Palmezzano si trasformi in un "progetto Palmezzano" per la città, e che si possa cominciare a parlare di Rinascimento delle Romagne.

Pier Giuseppe Dolcini
presidente della Fondazione Cassa dei Risparmi di Forlì

Desta sconcerto pensare agli anni vissuti dalle mura del San Domenico nel periodo in cui, affidati alle autorità militari, gli spazi claustrali venivano adibiti ad alloggiamenti e la chiesa a ricovero per gli automezzi pesanti.

Poi, dopo l'uso militare, l'abbandono per lunghi decenni. Riandare con la mente a quel degrado e confrontarlo con gli spazi che quasi miracolosamente si sono aperti oggi a ospitare la mostra sul Palmezzano, primo passo per una riappropriazione dell'edificio da parte della storia e dell'arte, dà la misura di quanto sia mutata la sensibilità verso il patrimonio comune e dà un senso di intima soddisfazione per gli sforzi non lievi compiuti in tutti questi anni.

Ma a riappropriarsi del San Domenico sarà soprattutto la città, che vedrà, fattore più importante ancora del recupero di un'area inutilizzata e trascurata per troppo tempo, la nascita di un ganglio vitale per la mappa culturale cittadina.

Il San Domenico, per la sua collocazione strategica e per l'importanza delle raccolte che ospiterà, diventerà finalmente il nodo portante della rete che unirà musei, raccolte bibliografiche, sedi espositive, itinerari d'arte e turistici, scuole, università, luoghi dello spettacolo.

L'intervento sul complesso conventuale, grazie alla mostra dedicata a Marco Palmezzano, si paleserà finalmente verso l'esterno, producendo una reazione a catena (si pensi soltanto all'ampliamento delle biblioteche che ora condividono con le raccolte museali lo stesso edificio e al loro raccordo con gli ambienti universitari limitrofi) che mi autorizza a pensare a una vera e propria rivoluzione culturale forlivese e a pensarla non in termini di decenni, ma in termini di mesi. Vicinissima.

Una rivoluzione alla quale abbiamo non solo il privilegio di assistere, ma anche e soprattutto di contribuire con i nostri atti, con i nostri sforzi, con le nostre risorse umane e materiali.

Certamente non avremmo potuto fare tutto da soli. Abbiamo trovato nella realtà forlivese importanti compagni di viaggio, che hanno creduto e credono in questo grande progetto al punto da mettere in campo gran parte delle proprie risorse, delle proprie energie. Prima fra tutti la Fondazione Cassa dei Risparmi di Forlì, che non si è limitata a sponsorizzare questa o quella sezione del progetto, ma che si è posta accanto al Comune e agli altri enti come soggetto paritario, con grande forza propositiva.

Ne è prova questa mostra su Marco Palmezzano, della quale la Fondazione è stata fin dall'inizio, a pieno diritto, titolare, in piena collaborazione con il Comune. Ed è una mostra che svolge un ruolo importantissimo di sostegno ai primi passi della vita del San Domenico. Non solo, ma con la campagna di restauri e di studi che ha favorito ha dato un contributo di primaria importanza alla conservazione e valorizzazione del patrimonio artistico cittadino.

Si tratta di restauri compiuti non solo su opere del Palmezzano, ma anche su altre opere coeve che contribuiranno a documentare e ad ampliare il percorso espositivo.

Restauro è a volte sinonimo di salvataggio, sempre di valorizzazione. Tuttavia spesso soltanto il movimento di fondi e risorse che l'organizzazione di una mostra genera e porta con sé può consentire di procedere a interventi su opere che altrimenti subirebbero il contraccolpo di quella crisi dei finanziamenti alla cultura che tutti ben conosciamo.

Le grandi mostre, è inutile nasconderselo, hanno anche questa funzione collaterale ma tutt'altro che secondaria, indispensabile per chi avverte i rischi, per tante opere d'arte, di venire sacrificate alla necessità di stabilire ristrette priorità di interventi.

Un mutuo vantaggio, quindi, che rappresenta il migliore esempio per quello che ci auguriamo sarà il modus operandi del futuro, un futuro in cui tutte le realtà cittadine in grado di svolgere un ruolo attivo concorreranno alla definizione delle linee progettuali e alla realizzazione di grandi momenti culturali.

Un'ultima considerazione su Marco Palmezzano, sul quale scriveranno in queste pagine persone e personalità molto più competenti di me. Più che una considerazione è una sensazione, la sensazione che finalmente si renda giustizia a una personalità del mondo artistico rinascimentale che a fronte dei grandi, universalmente riconosciuti giganti della pittura di quel fantastico periodo è stata a lungo lasciata in disparte.

La sua scelta di operare principalmente in una città di confine, decentrata rispetto agli ambienti delle grandi corti e ai cantieri nei quali si decideva la massima rivoluzione artistica di tutti i tempi, ha senza dubbio penalizzato il Palmezzano nella memoria storiografica, riducendolo alla classificazione di "allievo di Melozzo".

Mi auguro che questa mostra varrà a riportare all'attenzione dei critici, degli storici dell'arte e del pubblico più sensibile una personalità molto più complessa e completa di quanto non sia fin qui emerso. Una personalità che, pur non pretendendo certamente di essere affiancata ai grandi del Rinascimento, non ultimo a Melozzo stesso, si fece comunque interprete di quell'ampio movimento culturale e contribuì alla diffusione e al radicamento nelle Romagne di una nuova sensibilità artistica.

Nadia Masini
sindaco del Comune di Forlì

Sommario

Introduzione ai saggi

Antonio Paolucci

Aveva superato da poco i trent'anni il pittore Marco Palmezzano quando gli capitò il colpo di fortuna della vita. Luca Pacioli lo cita nel suo *Summa de Arithmetica geometria proportioni e proporzionalità* (Venezia 1494). Già il titolo mette soggezione, ispira una specie di timore riverenziale. Luca Pacioli (l'inquieto francescano, matematico e amico dei pittori, mobilissimo ambasciatore e propagandista della cultura scientifica applicata alle arti) doveva apparire ai contemporanei proprio come ce lo presenta Jacopo de' Barbari nel ritratto di Capodimonte; *incipit* della mostra che la città di Forlì, in questo dicembre 2005, dedica al "suo" Marco Palmezzano.

Nel quadro, il frate è la perfetta personificazione della scienza intesa come speculazione filosofica, liturgia e religione. La sua lezione *ex cathedra* sui corpi regolari ha la solennità che di solito caratterizza le azioni e i gesti del rito. Questa – c'è da credere – è l'immagine che il frate matematico e prospettico amava dare di se stesso, e così dovevano pensarlo gli intellettuali e gli artisti di fine Quattrocento.

Ebbene, nel libro sopra citato, Luca Pacioli nomina Marco Palmezzano con onore e, quel che più conta, lo colloca nella linea maestra della grande arte contemporanea, quella che ha il suo fondamento nel dominio della prospettiva e il maestro dei maestri in Piero della Francesca "el monarcha ali tempi nostri de la pictura". Il manipolo dei pittori "famosi e supremi" che danno immagine alla visione prospettica si limita, secondo l'autore, a una decina di nomi eccellenti. A Venezia ci sono Gentile e Giovanni Bellini; Alessandro Botticelli con Filippino Lippi e Domenico Ghirlandaio a Firenze; Perugino a Perugia; Signorelli a Cortona; a Mantova Andrea Mantegna, "e in Furli Meloçço con suo caro alievo Marco Palmegiano. Quali sempre con libella e circino lor opere proportionando a perfection mirabile conducono".

Quando Luca Pacioli scriveva alludeva certamente alla forlivese cappella Feo nella chiesa di San Girolamo, che Melozzo aveva iniziato ad affrescare nel 1493 con la collaborazione dell'allievo. Melozzo, però, morì nel 1494, quando l'impresa era ancora in corso. Avvenne così che Palmezzano ereditò, nello stesso momento, il cantiere, l'ufficialità del suo alunnato melozzesco garantito dalla citazione di Luca Pacioli e conseguentemente un solido e duraturo prestigio nella sua città. Dove abitò fino alla morte (1539) lavorando per circa un quarantennio con vasto successo professionale.

Questa in sintesi è la storia del pittore che si colloca con speciale visibilità e fortuna all'interno di quel *rinascimento* regionale cui la città di Forlì, nel 1938, volle dedicare la grande mostra pioniera intitolata *Melozzo e il Quattrocento romagnolo*.

L'esposizione – ci assicura in apertura il catalogo del 1938 – era nata "sotto gli auspici del Duce", che a Forlì giocava in casa e che certo avrà fatto di tutto perché la storia artistica della sua terra ottenesse riconoscimenti adeguati. Ciò non influì tuttavia (a parte l'inevitabile scotto pagato alla retorica del Ventennio e pur "nel profilo generale di una celebratività per molti aspetti stentorea" [Emiliani 1994]), sul livello scientifico della mostra che è da considerare, per quegli anni, eccellente. Anche perché poteva contare sulla consulenza di Roberto Longhi, professore a Bologna e ascoltatissimo mentore del ministro Giuseppe Bottai, e sulla partecipazione al catalogo di storici dell'arte del livello di Cesare Gnudi e di Luisa Becherucci, all'epoca giovani ispettori di Soprintendenza. Anche Carlo Ludovico Ragghianti partecipò all'impresa: il soprintendente Calzecchi Onesti lo cita, nella prefazione istituzionale al catalogo, con parole di calorosa gratitudine.

Il fatto merita di essere sottolineato perché Ragghianti – unico fra gli storici dell'arte e gli archeologi di qualche fama operosi in quel periodo – era notoriamente antifascista, schedato dalla polizia politica e, per questo, impossibilitato a partecipare al concorso per funzionari di Soprintendenza. Ciò nonostante, nell'Italia del 1938, poteva accadere che, in una mostra voluta dal Duce, a un antifascista conclamato come Ragghianti fosse concesso di distinguersi nella professione di studioso e di meritare l'elogio ufficiale, ad apertura di catalogo, del soprintendente, alto funzionario del Regno. Dimostrazione eloquente – se mai ce ne fosse bisogno – di come nell'Europa dei totalitarismi, l'Italia di Mussolini fosse oggettivamente diversa dalla Germania di Hitler e dalla Russia di Stalin. Ma questo è un altro discorso che ci porterebbe lontano. Conviene quindi chiuderlo subito.

Sono passati quasi settant'anni da allora e la mostra – a cura di Luciana Prati, responsabile dei musei cittadini, voluta e finanziata dalla Fondazione Cassa dei Risparmi di Pier Giuseppe Dolcini – e organizzata negli spazi restaurati del San Domenico rinuncia all'argomento troppo estensivo del 1938. Da allora gli studi sono cresciuti a tal punto che presentare in mostra assieme a Melozzo tutti i protagonisti del Quattrocento romagnolo risulterebbe oggi impresa troppo vasta e scarsamente governabile. Del resto l'idea di fare di Melozzo l'alfiere di una ipotetica cultura artistica regionale (assunto "politico" della mostra del 1938) risultava già fallita e minuziosamente contraddetta nel catalogo di impianto longhiano di Gnudi e della Becherucci. Né la hanno certo riproposta, quell'idea, Marina Foschi e Luciana Prati, curatrici di una non dimenticata esposizione del 1994 dal titolo *Melozzo da Forlì. La sua città e il suo tempo*. Una esposizione che – mentre definiva l'opera, la cultura e il ruolo di Melozzo sottraendolo per la prima volta in età moderna all'indistinzione di un consolidato *cliché* fatto di sacre estasi, di colorata armonia, di gloriosa bellezza formale – ha avuto il gran merito di consegnarci un prezioso e documentatissimo ritratto di Forlì nel secondo Quattrocento. È anche grazie agli studi raccolti nel catalogo del 1994 (e al saggio di Stefano Tumidei in particolare) se oggi Marco Palmezzano può essere il saldo protagonista della monografia a lui dedicata e costruita su una base approfondita e credibile di nuove acquisizioni filologiche e di convincimenti critici ormai collaudati.

Dentro il San Domenico restaurato e allestito secondo il progetto del parigino Wilmotte e dello studio forlivese Lucchi & Biserni, Palmezzano occupa l'intero percorso espositivo con la sua produzione che attraversa quasi mezzo secolo. Ma sono anche presenti, con esemplificazioni significative, i colleghi pittori attivi nelle Romagne di quegli anni: Baldassarre Carrari, il cosiddetto Maestro dei Baldraccani, Nicolò Rondinelli, il delizioso naïf Bernardino di Tossignano, i due Zaganelli, "Il fiore più fragrante di cultura figurativa cresciuto in Romagna", e quanto questo giudizio di Roberto Longhi sia vero il visitatore capirà di fronte alla incantevole anconetta, preziosa e luminosa come una gemma, che l'antiquario fiorentino Fabrizio Moretti ha concesso in prestito.

Sono altresì presenti i *modelli* che hanno direttamente o indirettamente influito sullo stile di Palmezzano.

E quindi Melozzo *in primis,* con i suoi celebri affreschi staccati dai Santi Apostoli di Roma, e poi Perugino, Antoniazzo Romano, Giambellino, Marco Zoppo, Cima da Conegliano, Bartolomeo Montagna.

La cappella Feo è uscita sbriciolata dai bombardamenti del 1944. Ci manca quindi (nonostante le eccellenti foto Alinari scattate prima del disastro e riproposte in mostra in formato gigante) la possibilità di verificare sull'originale l'effettivo ruolo svolto da "Marco forlivese" alunno di Melozzo. Cesare Gnudi, nel 1938, riteneva che Palmezzano nella cappella Feo avesse ricoperto incarichi poco più che esecutivi, di parziale messa in opera di idee e disegni del maestro. Probabilmente aveva ragione. In realtà il melozzismo di Palmezzano non è così direttamente esclusivo e condizionante, come le parole di Luca Pacioli e l'impresa della cappella Feo indurrebbero a credere. Anche perché Melozzo non fu pittore di ancone, ma piuttosto di grandi decorazioni murali (gli affreschi staccati dei Santi Apostoli, Sisto IV e il Platina in Vaticano, la sagrestia della basilica di Loreto) mentre Marco Palmezzano, fin dall'inizio della carriera e per tutta la lunga vita, si specializzò (e per questo fu apprezzato dai suoi committenti) nelle pale d'altare destinate alle chiese, ai conventi, alle cappelle private di Forlì e del territorio.

La civiltà prospettica di cui Marco Palmezzano partecipa e che concretamente manifesta nelle sue opere – una cultura indirettamente melozzesca e ancora più indirettamente pierfrancescana – è quella che negli stessi anni esprime Antoniazzo Romano al punto di incrocio fra classicismo devoto e consapevolmente arcaicizzante e suggestioni da Pinturicchio, da Perugino, dai fiorentini attivi nella cappella Sistina agli inizi del nono decennio.

In Palmezzano i virtuosismi prospettici che incontriamo nei leggii poligonali (*Annunciazione* della Pinacoteca di Forlì) nei troni a punta di diamante (pala di Faenza, pala di Matelica) nelle policrome scatole prospettiche che ospitano gli eventi sacri (*Incoronazione della Vergine* di Brera) non contraddicono la metrica spaziosa e dolcemente ritmica che veniva dagli esempi umbro romani di fine secolo e che è già evidente nella bella Sacra conversazione datata 1493. Un dipinto, quest'ultimo, che va visto insieme a due altre opere, fondamentali per capire la civiltà artistica romagnola a chiusura di secolo: la pala di proprietà privata attribuita al Maestro dei Baldraccani e quella di Baldassarre Carrari conservata all'arcivescovado di Ravenna. "Tre opere – scriveva Matteo Ceriana nel 1997 illustrando la pala di Brera dopo il restauro – che sono l'espressione compiuta di un dibattito artistico vivo e intrecciato in una dimensione tutt'altro che marginale e periferica".

È possibile che Palmezzano sia stato a Roma al seguito di Melozzo. Roberto Longhi aveva indicato la possibilità di una presenza di "Marco forlivese" all'interno della squadra che (governata dal pittore impresario Antonio Aquili) lavorava, all'inizio dell'ultimo decennio del secolo, agli affreschi di Santa Croce in Gerusalemme. La questione ancora intriga gli specialisti, ma al momento, in mancanza di documenti certi, non è risolvibile. Di sicuro, però, Palmezzano è stato a Venezia, dove è documentato nel 1495.

E, infatti, l'altro fondamentale modello di riferimento nello stile del pittore forlivese è il mondo pittorico veneziano. Giovanni Bellini in primo luogo, probabilmente ammirato nella pala di Pesaro (la citazione dal *Compianto* e nella pala di Matelica e nella tavola di Vicenza) e di nuovo studiato durante il soggiorno in laguna, di sicuro Marco Zoppo (come ha notato Matteo Ceriana, la sua Sacra Conversazione oggi a Berlino ha impressionanti punti di contatto con la tavola braidense del 1493), e poi ancora alcuni grandi maestri di terraferma, come Cima da Conegliano e Bartolomeo Montagna, artisti che sentiamo particolarmente vicini e quasi fraterni alla visione pittorica del forlivese. Di fronte al *San Girolamo penitente* di Giambellino, proveniente dagli Uffizi e databile agli anni novanta del Quattrocento – nel tempo cioè in cui Palmezzano è documentato a Venezia – o alla mirabile Sacra Conversazione di Cima prestata da Parma, occorre riconoscere che dalla civiltà veneta del colore Marco forlivese è stato assai più che "slightly influenced", come schedava Berenson nei suoi *Indici*.

In realtà, Palmezzano seppe bilanciare e mediare le diverse suggestioni mantenendo un'intelligente centralità fra colore veneto, pieghevoli ritmi umbri, istanze devote e quella "idea di Rinascimento" – idea del mondo visibile inteso come specchio di intellettuali rapporti, di proporzionate armonie – che veniva da Firenze ma anche dalla Urbino di Piero della Francesca e di Laurana e dalla Roma di Melozzo e di Antoniazzo.

"Marco forlivese" ebbe in sorte di vivere molto a lungo e il confronto con la "Maniera moderna" (esemplificata in mostra da una rara tavola di Girolamo Genga documentato a Forlì dal 1518) non poteva che vederlo soccombente. Fu la sua, tuttavia, una sconfitta onorevole: mantenne con dignità e coerenza il suo stile bene avanti nel XVI secolo, rifiutando gli adeguamenti che l'opportunismo avrebbe consigliato. D'altra parte, i committenti erano contenti della sua pittura e l'area geografica di riferimento è rimasta, in cinquant'anni, sempre la stessa. La produzione pittorica di Palmezzano si colloca, infatti, in un territorio ben delineato. A nord-est arriva fino alle porte di Faenza, a sud-est fino a Forlimpopoli. A nord il confine è la grande pianura che porta a Lugo e a Ravenna; a sud sono i dolci borghi dell'Appennino, fra Castrocaro e Brisighella, a segnare i termini. È un territorio che ha in Forlì il suo centro e che può essere dominato, tutto intero, dalla cima del campanile di San Mercuriale, meridiana di Romagna.

La patria che ha il suo cuore in San Mercuriale, Marco Palmezzano l'ha conosciuta e amata come nessuno altro ai suoi giorni. Credo che l'aspetto che colpirà di più nella mostra sarà la rappresentazione dei paesaggi domestici nei dipinti del nostro pittore. Da Giambellino "Marco forlivese" aveva capito, per non dimenticarlo mai più, che i paesi che si mettono sullo sfondo delle sacre rappresentazioni devono assomigliare a quelli che vediamo quando ci guardiamo intorno, e che le nuvole devono essere quelle che ci passano sulla testa quando alziamo gli occhi al cielo; nuvole che restano *vere* anche quando il sogno e la fantasia le trasfigurano.

Un giorno d'estate il nostro pittore guardò il cielo e si accorse che le nuvole portate dal vento possono assumere forme fantastiche e assomigliare a un cavallo o a una persona che corre. Così l'idea dei cirri antropomorfi, che veniva da Mantegna (*San Sebastiano* di Vienna), diventò aerea e poetica finzione pittorica nel cielo che sovrasta la Vergine in trono nella pala del 1493, oggi a Brera.

Marco Palmezzano era affascinato dal paesaggio. Se ne accorse per primo Cesare Gnudi, che pure, nel catalogo del 1938, non diede del pittore un giudizio troppo benevolo. A me sembra che a Palmezzano paesaggista vada riconosciuto assai di più di "qualche accento sincero" e della "tenue nota inventiva" che Gnudi, circa settanta anni fa, era disposto a concedere.

"Marco forlivese" guardava la sua città e i suoi paesi con autentico stupore e commozione e sapeva rappresentarli con obiettività affettuosa. Fosse vissuto qualche secolo dopo, al tempo del suo quasi compaesano Silvestro Lega, si sarebbe dedicato – ne sono certo – alla pittura *d'après nature*.

I suoi paesaggi sono sempre quelli domestici. E bene hanno fatto gli architetti allestitori a esaltarli come l'elemento unificante e quasi la chiave di lettura dal percorso espositivo. Dietro le pale di Palmezzano – a far da sfondo a Madonne compunte e un po' trasognate, a santi miti e giudiziosi – ci sono gli scenari appenninici che ben conosciamo: linee frastagliate di colline punteggiate di rocche, rocchette, torri di guardia (come a Bertinoro, a Meldola e a Brisighella), friabili calanchi, un alternarsi di pascoli, di coltivi, di boschi e i grandi monti sullo sfondo, i gioghi che portano in Toscana, sfumati, per la distanza, in grigio cenere e in azzurro.

Fin dai tempi di Schmarsow (1886), suo primo biografo moderno, Melozzo appartiene alla storia universale del Rinascimento. I suoi celebri *Angeli musicanti* li abbiamo incontrati per la prima volta nel manuale di liceo, subito dopo la *Battaglia di Ponte Milvio* di Piero della Francesca, poco prima della *Scuola d'Atene* di Raffaello. Melozzo è di Forlì – lo è al punto che l'indicazione della patria sostituisce il cognome – ma la sua storia e il suo destino lo collocano nel firmamento nazionale, insieme a Perugino, a Mantegna, a Giambellino, a Botticelli, proprio come elencava Luca Pacioli nel *Summa de Arithmetica*. In un certo senso possiamo dire che la fama gloriosamente conquistata, se ha esaltato l'orgoglio dei forlivesi, ha sottratto Melozzo alla patria. Palmezzano, al contrario, è totalmente cittadino. La gran parte della sua vita e della sua produzione artistica si consuma all'ombra del campanile di San Mercuriale e il suo nome fa fatica a essere conosciuto fuori dei confini romagnoli. Più ancora delle celebrazioni melozzesche del 1994, che pure hanno avuto il grande merito – è opportuno ripeterlo ancora – di consegnarci una radiografia ammirevole della civiltà forlivese nel XV secolo, questa su Marco Palmezzano è la vera mostra dell'orgoglio cittadino. Lo è per vari motivi: perché ha per argomento un pittore interamente forlivese che la città non deve dividere con nessuno; perché la mostra si chiude con un giudizio critico complessivo che colloca "Marco forlivese" a un livello di qualità e di originalità espressiva decisamente superiore a quello fino a ieri conosciuto e condiviso. Il catalogo, che le mie righe introducono e che rimarrà negli studi come la moderna monografia sull'artista fino a oggi mancante, lo analizza nella sua fortuna, nelle sue relazioni, nei suoi contesti, come mai era stato fatto prima. Il giudizio critico *nuovo* sul pittore, sulla sua città e sulla sua epoca è il risultato di una pluralità di interventi specialistici che analizzano e quasi disarticolano l'argomento in tutte le sue sfaccettature. Ed ecco, accanto al saggio monografico sull'artista affidato a Stefano Tumidei, il quadro politico e culturale della "generosa patria" forlivese *Tra Firenze e Roma* di Adriano Prosperi, il *Palmezzano maestro d'arte sacra* di Timothy Verdon, lo scenario romano affidato ad Alessandra Barbuto, i rapporti con Venezia ad Anchise Tempestini e la fortuna critica a Simonetta Nicolini. L'elenco potrebbe continuare citando le tecniche pittoriche analizzate da Vincenzo Gheroldi, i restauri di cui relaziona Anna Colombi Ferretti, la committenza religiosa approfondita da Franco Zaghini, i preziosi regesti documentari curati da Serena Togni e Simona Dall'Ara e le "ricognizioni forlivesi" di Giovanni Battista Cavalcaselle nello studio di Marco Mozzo. Insomma, l'orgoglio cittadino ha dato il meglio di sé in questa mostra che, prima di essere la *riscoperta* e la *rivalutazione* di un autore (per usare lo sbrigativo linguaggio giornalistico), è atto di consapevole, civile e affettuosa conoscenza di un protagonista della storia patria.

Non dimentichiamo, infine, che questa è la vera mostra dell'orgoglio cittadino soprattutto perché inaugura San Domenico parzialmente restaurato. Questo venerabile relitto dell'antica Forlì massacrato dalle soppressioni e dalla guerra – e ancora bello in certe sue parti dirute come una romantica rovina del Piranesi – è oggetto da molti anni di un ambizioso progetto di restauro e graduale recupero. Nel dicembre del 2005, in concomitanza con la mostra dedicata a Marco Palmezzano, il progetto presenta il suo primo cospicuo risultato. Il mio compianto amico Ettore Torriani voleva che in questo scorcio di anno i forlivesi fossero allo stesso tempo orgogliosi del *loro* pittore e del *loro* San Domenico. Per questo aveva voluto la mostra, per questo metteva fretta ad allestitori e a restauratori, quasi fosse consapevole che il tempo, per lui, si era fatto breve. Fino all'ultimo ha seguito il nostro lavoro con l'entusiasmo del suo animo generoso, dimostrando un amore per Forlì che, ripensandoci, ancora mi commuove. Alla sua cara memoria la fatica mia e di tutti noi, è dedicata.

Tra Firenze e Roma

Adriano Prosperi

"Io veggo la sua corte piena di fiorentini"[1]: così Niccolò Machiavelli scriveva da Forlì nell'estate del 1499 alludendo alla corte di Caterina Sforza. La notizia era rassicurante per l'inviato della repubblica fiorentina mandato a trattare con la Sforza la concessione di uomini d'arme per l'impresa di Pisa. Ma che cosa fosse quella corte di Forlì e come vi potessero trovare radici le espressioni di cultura e d'arte della città resta ancora da chiarire. Quello che è certo, e che tutti sanno, è l'indiscutibile fatto che Forlì in un momento critico della signoria di Caterina dette qualche spunto di riflessione al genio politico di Niccolò Machiavelli per capire i caratteri del problema italiano. Sull'esperienza delle signorie di Romagna il segretario fiorentino doveva poi riflettere nella quiete forzata del suo confino all'Albergaccio. Insieme alla corte di Caterina Sforza Riario altre e più celebri corti entrarono allora nella loro stagione autunnale, tanto che si può legittimamente affermare che finiva in quell'estate l'epoca d'oro delle corti italiane. Mentre i mercanti fiorentini trattavano con Caterina e assoldavano mercenari per turare le falle dello stato territoriale toscano, si addensava sulla penisola italiana l'ombra dell'alleanza tra il papato e il re di Francia: era finita la lunga parentesi dell'età di Lorenzo de' Medici. La politica dell'equilibrio, che aveva garantito la conservazione di un frammentato insieme di forme politiche diverse e concesso a Firenze un prestigio superiore alle dimensioni reali del suo potere, lasciava ormai il campo a un confronto militare e politico dominato sempre più dalla forza e sempre meno dall'astuzia. Nel pensiero politico di Machiavelli il gioco della forza e dell'astuzia – "la golpe" e "il lione", secondo il suo bestiario simbolico – trovò lo scenario adatto nel territorio delle signorie romagnole della cui realtà fu osservatore diretto, proprio nel momento decisivo del cambiamento o – come si diceva allora – della "revoluzione".

Se fissiamo lo sguardo per un attimo sul quadro di Forlì come si presentò agli occhi di Machiavelli possiamo dire che Caterina Sforza si trovava allora nella fase più difficile del suo mai tranquillo esercizio del potere. L'intera Romagna era al centro di un'area di signorie cittadine e piccoli stati territoriali di incerta natura e di deboli strutture: nell'Italia padana si era creato un vuoto di potere tale da attirare molte ambizioni. C'erano quelle della repubblica di Venezia insediata a Ravenna; c'erano i progetti di potere del papato. Nell'estate del 1499 l'alleanza tra Alessandro VI Borgia e il re di Francia Luigi XII aveva disegnato chiaramente i termini dell'aggressione che si preparava ai danni del ducato di Milano e a favore dei progetti del figlio di Alessandro VI, Cesare Borgia. Ma gli esiti di quell'alleanza e delle ambizioni borgiane erano ancora nascosti dal futuro. Le traballanti dinastie dell'Italia padana potevano rifugiarsi in esercizi di astuzia chiudendo gli occhi in attesa che passasse l'onda alta degli eserciti oltramontani: guadagnare il beneficio del tempo, ecco la regola d'oro della diplomazia, la grande invenzione che l'Italia di allora lasciò in eredità alla politica dei secoli a venire. E guadagnarlo con l'abilità di mediatori, con le complicazioni di accordi da interpretare, con le lente approssimazioni al momento della messa in campo delle proprie forze. Fu un esercizio di questo genere quello che impegnò Machiavelli e Caterina Sforza.

La donna giocò d'astuzia: dopo alcune incertezze iniziali era diventato urgente per lei che il figlio Ottaviano Riario ottenesse il rinnovo della condotta da parte di Firenze per poter opporre la protezione fiorentina alle ambizioni di Cesare Borgia o alle minacciose pressioni veneziane. Così si rivolse direttamente alla signoria come fedele alleata e come cittadina di Firenze (grazie al matrimonio recente con Giovanni di Pier Francesco de' Medici, da cui doveva nascere il celebre condottiero Giovanni dalle Bande Nere). Il patto fu rinnovato e Machiavelli concluse la sua missione occupandosi dell'arruolamento di fanti romagnoli e della pacificazione della Val di Lamone dove le lotte di fazione erano sempre più violente. Così Caterina credette di avere impegnato i fiorentini "ad deffensori deli Stati soi"[2]. Ma i fiorentini non la pensavano così e lo misero subito in chiaro: nessun trattato di alleanza, solo un atteggiamento genericamente benevolo e protettivo verso la contessa Caterina.

Questo episodio della trattativa politico-militare mostra che, se i fiorentini erano di casa a Forlì e se Caterina stessa si considerava cittadina di Firenze, quegli antichi legami si erano fatti fragili e poco sicuri. Lo si vide di lì a poco quando la tempesta politica e militare del duca Valentino si abbatté sulla città. Niente valse a salvare il fragile regime della virile contessa dall'avanzata del progetto statale del papato romano e dal riassetto complessivo dei rapporti di forza in Italia e in Europa. Per Forlì il nuovo secolo si aprì sotto il segno di Roma, non sotto quello di Firenze. Nel mondo dei legami politici e dei rapporti di forza, ma anche in quello degli studi e della cultura i nomi delle due città rappresentavano i poli fondamentali verso i quali si orientava la vita forlivese. Le tracce di questa polarità fondamentale, di sicuro superiore a quella rappresentata dalla pur vicina Bologna, sono numerose, non solo nella vita quotidiana della società forlivese, ma soprattutto nelle carriere dei suoi figli più eminenti. Si venne invece attenuando la forza di attrazione a lungo esercitata da Venezia che premeva ai confini ravennati. La crisi politica e militare della Serenissima ai primi del '500 non fu senza conseguenze per la posizione di Forlì. Anche per la cultura forlivese furono questi i poli fondamentali intorno a cui si possono raccogliere orientamenti ideali e scelte individuali.

Dietro le forme caute e astute delle trattative diplomatiche e dei carteggi si avverte il clima di incertezza e di timore che dominava l'orizzonte politico degli stati italiani. Rendono bene quel clima le previsioni degli astrologi che si intrecciavano allora con i cupi annunci di profeti diffusi per l'Italia. A Forlì l'interpretazione dei segni celesti e l'esercizio della divinazione del futuro godevano di un credito dove la non cancellata memoria di Guido Bonatti si sommava alla fortuna dei pronostici a stampa. Non per niente la lunga durata della gloria di Guido Bonatti nella tradizione culturale di Forlì conobbe allora una fase di ripresa: "Guido Bonatto grand'astrologo" si fa incontro al lettore nel proemio delle *Cronache* di Leone Cobelli; e la fiducia del cronista nell'efficacia dei segni dello zodiaco lo spingeva a un esercizio di conciliazione tra l'astrologia e la morale cristiana delle opere là dove avvertiva i suoi lettori che le "opere vertudiose laudabile et oneste" facevano ascendere l'anima dopo la morte fino al cielo della stella assegnata all'uomo fin dalla nascita. Per questo, il cronista era sicuro che l'anima di Pino III Ordelaffi era finita non tra le stelle ma "a l'inferiori in loco hoscuro et tenebruso" a scontare tra i tormenti le sue colpe[3]. Col passaggio dagli Ordelaffi ai Riario la pressione romana e papale si fece più forte. E ne vennero alimentate tendenze anticlericali, data la coscienza forlivese delle minacce che l'avidità della Curia romana faceva gravare sulle istituzioni ecclesiastiche locali. Lo si era visto quando si era dovuto arginare il tentativo di affidare in commenda l'abbazia di San Mercuriale. Ora sullo scorcio del '400 la cronaca dei tumulti cittadini, delle guerre e dei disastri naturali inclinava la popolazione ad accogliere profezie e pronostici e a dare credito ai predicatori di penitenza occasionali. Uno di questi fu il romito senese Giovanni Novello la cui predicazione ebbe gran successo a Forlì nel 1487: il clero locale gli fu ostile perché Giovanni era "uno secularaze de poche inzegne ed era uno simulatore". Ma le sue prediche suscitarono un movimento popolare favorevole alla creazione di un Monte di pietà accompagnato, come accadeva allora, da sentimenti di odio contro il "cane zudìo, nomigo dela fede cristiana"[4]. Le cronache registravano tutti i segni naturali cercando di decifrarne il significato: una gran burrasca di pioggia e di vento, un'estate eccezionalmente asciutta, un raccolto miracolosamente abbondante. Si spiavano le costellazioni del cielo e si traeva dalla celebre congiunzione di Marte e Saturno nel 1484 la sicura previsione di "varie e deferente cose sopra questa nostra regione de Italia"[5]. Tra le voci significative delle tendenze del tempo vorremmo conoscere meglio quella di Antonio Manilio, il maestro di scuola autore del *Dialogale pronosticon de revolutione mundi* (edito da Paolo Guarino forlivese e da Giacomo Benedetti nel 1495): un titolo che riecheggia quello più celebre del "Pronosticon" dell'Arquato che nel suo *De revolutione Europae* sovrappose alla letteratura dei pronostici astrologici una corda di apocalittica cristiana che doveva risuonare da allora in poi sempre più forte nelle prediche dei romiti e nella letteratura religiosa.

Ma la voce di un Dio corrucciato si faceva sentire non soltanto attraverso i segni della natura: la cronaca era ricca di eventi eccezionali in quello scorcio di secolo. Fra tutte clamorosa fu la fine traumatica della predicazione del Savonarola a Firenze. Il rogo di piazza della Signoria fu registrato con grande risalto nelle cronache forlivesi. Andrea Bernardi, impegnandosi solennemente coi suoi lettori a dichiarare "la casone perché al fu", raccontò le profezie penitenziali "et signe sopra natura" annunzianti i flagelli e la "renovacione" della Chiesa e di Firenze; vi aggiunse la narrazione della mancata prova del fuoco e i risultati del processo: la fede nel profeta ne era stata scossa, ma era rimasta salda nel cronista la convinzione che le cose avvenute in quell'anno 1498 erano "indute per le vertù deli inflovencie celeste... hordinate in mente divina per li nostre mali fari"[6]. Gli uomini potevano ingannare, le stelle no. Ma a parte la non insolita saldatura fra la concezione antica pagana del potere degli astri e la moralità cristiana delle opere, l'evento del processo al frate e la sconfessione delle sue doti profetiche dovette apparire a Forlì come un segno evidente della crisi della potenza fiorentina e dell'avanzata di quella romana. Fino ad allora, durante tutta la signoria di Lorenzo, le cose fiorentine avevano trovato ammirati spettatori a Forlì: i doni mandati dal Soldano a Lorenzo erano stati raccontati e descritti come "una mirabile cosa"[7].

L'influenza delle stelle era l'argomento di un carme di Tullio Fausto Andrelini che intanto si conquistava fama di astrologo esperto in Francia. Ma anche se la città si considerava "come avvolta da un cerchio di magia"[8] e si affidava alla protezione congiunta delle stelle e della Madonna del Fuoco, la fine del secolo segnò una svolta drammatica registrata anch'essa nelle note del cronista: l'attacco condotto da Cesare Borgia spazzò via le difese della città, distrusse la cittadella, mise a fuoco la rocca e "Forolivio fo saccomanato"[9]. Il sacco della cittadella fu seguito da un così "grande e teribile homicidio" che Andrea Bernardi dovette ricorrere all'immagine del massacro degli Innocenti per spiegare ai suoi lettori quale spettacolo si presentasse allora agli occhi dei forlivesi in quel "Paradiso" della cittadella diventato preda "deli diavole dell'inferne" per opera del figlio del papa: quel papa che oltre a essere come "Dio in terra" aveva su Forlì un dominio politico diretto e lo dimostrò mandando subito un "comisario et locotenente della romana Ghiesia"[10]. Quel nuovo volto assunto dal potere del papato, non poteva lasciare indifferenti le coscienze dei contemporanei. Se ne ha un documento straordinario negli scritti e nell'opera di Gabriele Biondo, ultimo figlio del grande storico forlivese di cui parleremo più avanti, che da Roma, dove viveva negli anni di Sisto IV, era passato a Firenze e da lì a Molinella in Romagna dove – ha scritto Carlo Dionisotti – teneva "le fila, estese fino all'Emilia e al Veneto, di una setta religiosa fortemente sospetta di eresia"[11]. La minaccia dell'anticristo gli appariva imminente nella Chiesa dei suoi tempi, tanto da risvegliare i temi e i toni della predicazione fraticellesca contro la corruzione cresciuta nella Chiesa fino al vertice papale.

Sentimenti di questo tipo dovettero rafforzarsi davanti alla violentissima fase delle conquiste di Cesare Borgia predisponendo gli animi alla lacerazione dell'unità della Chiesa che di lì a non molto doveva propagarsi anche in mezzo alle coscienze degli italiani. Di fatto intanto quella operata dalla conquista di Cesare Borgia fu una svolta radicale nell'assetto del potere a Forlì. Il breve rientro degli Ordelaffi fu un episodio senza storia e dette la misura di come un'epoca si fosse definitivamente chiusa[12]: di Caterina Sforza restò il ricordo di una donna bella ("molto formosa del so corpo" secondo il Bernardi) e favorita dal papa Sisto IV finché era durato, dotata di un forte temperamento da vera "domenatrice" almeno finché non aveva perduto i "soi state". Conquistare e perdere lo stato era cosa soggetta alla fortuna: "donde vole

fortuna, sapere non vale", commentava Andrea Bernardi[13]. Niccolò Machiavelli non doveva discostarsi troppo dal senso di quel proverbio popolare.

Il mutamento di regime che si attuò allora, con rapidi e drammatici passaggi a Forlì e nella Romagna, doveva lasciare tracce profonde nella vita della società forlivese. La selciatura dei borghi nel 1502 è considerata una tappa importante nella storia del volto moderno della città. Ma è l'imponente qualità delle "fabriche", di nuovi edifici di culto in quegli anni – la cappella grande nella chiesa di San Mercuriale, la costruzione di San Domenico – a dare l'idea di una città che conosceva un nuovo impulso. Alla sua venuta a Forlì nel 1506 papa Giulio II poté ammirare nuovi edifici e nuove pitture, tra cui le "dignissime cose" di Marco Palmezzano[14].

Di quella vita cittadina, segnata dai toni crudi delle sue lotte di fazione, ma anche dai colori vivaci dei rituali e delle feste, abbiamo una registrazione fedele ed efficace nelle cronache della città. Si tratta di una fonte importante per chiunque voglia conoscere come quella vita si fosse svolta nei suoi dettagli quotidiani; ma la serie delle cronache offre al lettore anche una traccia per capire come si andò modificando il contesto più ampio in cui quella vita si svolgeva. Di questi cronisti forlivesi è stata segnalata, come tratto comune, l'appartenenza al mondo delle botteghe artigiane[15]. Che in alcuni di loro l'arte del racconto si alleasse a quella della pittura non appare certo strano: il gusto della narrazione colorita, che si trova nell'immagine della *Madonna del Fuoco* di Mastro Pedrino è quello stesso che anima la scrittura dei fatti quotidiani. Ma è l'orizzonte in cui quei fatti si svolgono che sembra mutare colore e allargarsi sensibilmente nell'ottica di chi li registra e li commenta. Le cronache appaiono così come un documento fondamentale, non solo del sentimento di appartenenza alla piccola patria cittadina, ma anche del suo esaurirsi tendenziale con l'avvento di nuove e più vaste configurazioni politiche. Tutto cittadino è l'orizzonte che domina il mondo raccontato da Giovanni di Mastro Pedrino e da Leone Cobelli. Da lì si passa, col primo '500, a un'attenta registrazione di fatti politici e militari di ambito italiano da parte di Andrea Bernardi detto Novacula, cronista dotato di un'alta coscienza del proprio potere immateriale. Fosse per effetto della solenne nomina ricevuta dal duca Valentino o per una coscienza umanistica dell'importanza della fama, il Bernardi si considerò in possesso della chiave per aprire la porta dell'immortalità. Le memorie cittadine erano materia preziosa da redigere con alto senso di responsabilità e da trasmettere con ogni cura: il Bernardi dedicò una speciale attenzione nel suo testamento alla sorte dell'"opera Cronicarum, distincta in pluribus voluminibus" che affidò alla biblioteca del convento di San Domenico e alla responsabilità di fra Leandro Alberti con la prospettiva che il comune ne facesse tradurre il testo in latino e la pubblicasse[16]. Segno evidente che era consapevole della necessità di una mediazione linguistica e culturale perché si potesse realizzare la promessa della immortalità della fama.

Il nome di fra Leandro Alberti, che venne in mente a Novacula per assicurare la sorte della sua cronaca, suggerisce l'opportunità di passare dai cronisti cittadini alla storiografia dotta dell'epoca, per verificare quale coscienza si avesse allora del mutamento generale e dei cambiamenti del paesaggio politico e culturale italiano. Ma accanto alle pagine degli storici si dovrà tenere conto dell'osservatorio da cui guardarono alla realtà. Il tracollo delle signorie romagnole e l'avvento del dominio diretto da parte dello Stato della Chiesa furono il risultato di una più generale crisi italiana che lasciò il suo segno sulle scelte biografiche e sui percorsi intellettuali di tutti coloro che ebbero allora a che fare con gli studi e con le lettere. Di quella crisi si discusse già allora tra i contemporanei: se fosse stata una svolta improvvisa e radicale – una rivoluzione – o se invece non la si dovesse considerare una rivelazione di debolezze antiche: come una drammatica trasformazione improvvisa del paesaggio italiano apparve a Francesco Guicciardini mentre a Niccolò Machiavelli sembrò piuttosto una conseguenza di errori e debolezze profonde: siamo davanti alle celebri diagnosi di due fiorentini che della realtà romagnola ebbero esperienza diretta, l'uno per conto del governo papale, l'altro per conto della repubblica fiorentina. Se Machiavelli elaborò nelle celebri pagine del *Principe* un'analisi politica di quel che avvenne in Romagna all'inizio del Cinquecento, una distesa narrazione della crisi italiana fu l'impresa della *Storia d'Italia* del Guicciardini. Storici e politici, i due fiorentini ebbero personalmente a che fare con Forlì e con la Romagna, ma anche e soprattutto con la crescente importanza dello Stato Pontificio come forza egemone del sistema italiano. Di Machiavelli e della sua legazione forlivese si è accennato; le sue riflessioni sulla natura del "principato ecclesiastico" e sulla presenza della Chiesa nella società italiana ebbero l'efficacia di una diagnosi lucidissima delle contraddizioni politiche e morali della vita italiana del tempo. Quanto al Guicciardini, prima di farsi storico fu come delegato del potere papale che si impegnò in una decisa azione di governo per stroncare le lotte di fazione e per imporre alla riottosa società romagnola il fermo dominio di un'autorità centrale. Vero uomo di stato, cresciuto in mezzo all'élite di governo fiorentina, fu al servizio dei da lui "maladetti preti" che portò avanti con altri mezzi la costruzione di un'autorità statale centrale sulle signorie della Romagna. Ma prima e dopo i due grandi fiorentini un bilancio dei fatti forlivesi e romagnoli nel disegno più ampio della storia d'Italia fu l'obiettivo perseguito da due autori nati a Forlì e le cui opere delimitano nettamente i confini del secolo decisivo per il mutamento: abbiamo da un lato l'*Italia illustrata* di Biondo Flavio alla metà del '400 e dall'altro la *Descrittione di tutta Italia* di fra Leandro Alberti alla metà del '500. Si tratta di due grandi lettori del paesaggio e della storia italiana che ebbero con Forlì rapporti decisivi: l'uno, Biondo Flavio, a Forlì nacque e il suo rapporto con la città fu complicato da una carriera personale e intellettuale che lo condusse attraverso l'Italia fino a fermarsi al servizio del papa. Anche l'altro, partendo da Forlì, percorse i passaggi di una carriera interna alla Chiesa: ma fu grazie all'ingresso di un potente ordine religioso, quello domenicano, e impegnandosi come uomo dell'Inquisizione contro streghe ed eretici, che poté godere dell'agio e dei mezzi per gli amati studi. Nella vicenda di Biondo e di Alberti cogliamo la conferma di un problema che doveva riguardare tutti gli uomini di cultura italiani dell'età loro: il chiudersi degli spazi politici cittadini, con poche eccezioni e la grande attrazione esercitata dalla corte papale. L'opera di Biondo, tuttavia, era accumulata in spazi più aperti e in tempi migliori. E senza l'esperienza politica accumulata percorrendo l'Italia e seguendo gli affari politici dallo scenario della Curia, non sarebbe immaginabile la realizzazione della sua imponente opera di ricognizione storica e geografica della penisola. Invece nel caso di Alberti fu la pratica fratesca della visita ai conventi, insieme alle ricchezze bibliografiche dello Studio domenicano bolognese a fornirgli gli strumenti per aggiornare e arricchire il disegno tracciato da Biondo. Diverse le loro carriere, come fu diverso il colore complessivo del disegno storico a cui lavorarono. L'opera di Biondo era stata animata da una vigorosa ispirazione unitaria, che faceva discendere dalla memoria della grandezza romana gli auspici di una rinascita allora in atto. L'opera del Biondo era nata, come sappiamo, per somma e aggiunta di parti diverse, dedicate a diversi destinatari politici: ma aveva proposto un'illustrazione dell'Italia intera e per di più aveva anche risposto alla domanda su come si definisse questa realtà italiana. Alla frammentata realtà politica dell'Italia del suo tempo aveva sovrapposto l'ordine delle province antiche, creando le premesse del moderno regionalismo. Altro modo non c'era, se non quello di richiamarsi all'impero di Roma. In questo la sua *Italia illustrata* presupponeva il grande impegno dell'opera delle *Historiae ab inclinatione*. Da un lato la descrizione e dall'altro la storia, come due componenti dello stesso disegno. E, poiché la storia era legittimazione di ambizioni e disegni politici del presente, richiamarsi all'antico significava attribuire alla nuova realtà italiana e a chi avesse saputo mettersene a capo i titoli di erede dell'antica grandezza. Il richiamo a Roma antica era allora obbligato nella cultura umanistica.

Ma da vero e grande storico, Biondo ebbe vivissima la coscienza di quanto difficile cosa fosse ricostruire l'antico. "Così gran mutatione fatta de luochi", "molti popoli estinti, molte città ruinate" hanno cambiato profondamente la realtà presente dell'Italia, "lasciando di dire de la grandezza del popolo di Roma, che, come non hebbe nel mondo pare, così è hoggi quasi del tutto estinta"[17].

E tuttavia la risposta di Biondo non fu improntata al pessimismo. La Roma dei suoi tempi gli apparve ancora ricca di caratteristiche simili a quelle antiche. Nel libro terzo della sua *Roma instaurata* si leggono considerazioni confortanti. Grande è la differenza della Roma di oggi da quella antica – scrive in sostanza Biondo – e tuttavia "non siamo noi de l'oppinione di coloro, che così hanno per niente lo stato de le cose di Roma d'hoggidì, come s'a punto ogni memoria di lei se ne fusse ita via con le leggioni, con consoli, col senato e con le bellezze e con gli ornamenti del Campidoglio e del Palatino. Egli sta ancora in piè certa la gloria e la maiestà di Roma, e fundata in più saldo terreno, benché non sia così ampia come prima, et ha bene anco hoggi Roma qualche iuriditione sopra i regni e sopra le molte nationi, a conservatione et aumento de la quale non bisognano gli esserciti, non di cavalli, non di fantarie, non bisogna che venghino o per forza o per bona voglia o di Roma o di tutta Italia i soldati a scriversi, né bisogna tenere le guardie nei confini per paura de gli nemici, perché a mantenimento di questa republica non bisogna spargervi il sangue con l'arme in mano, solamente vi basta la religione sacratissima del Signor Giesu Christo, vero Iddio e vero Signore, et imperator nostro, che 1400 anni insino a hoggi ha con tanti trionfi di santi martiri fatto, che Roma con tanti templi e reliquie di santi tenga soggetta una gran parte del mondo, con benignità e carità, più che non fè già con spavento e timore il dittatore perpetuo. E l'imperatore non è il successore di Cesare, ma è il successore e vicario del pescatore Pietro, il quale è adorato e reverito da tutti i principi de la terra, et in luoco del senato sono hoggi i cardinali…"[18].

Biondo aveva evidentemente trovato nella Roma papale non solo il luogo di elezione dove un uomo di cultura poteva mettere a frutto il suo talento, ma anche la forza politica e i valori simbolici adeguati per una possibile candidatura alla rinascita dell'antica grandezza.

Nella ricognizione spaziale e temporale dell'Italia come paese unitario Biondo propose allora un ordinamento regionale che, fondato sul disegno antico, consentiva di aggirare il problema della frammentazione politica presente. Fu, come è stato notato, un disegno destinato a riaffiorare nei tempi lunghi della storia d'Italia e a proporsi come soluzione del contrasto fra potere centrale e realtà locali. Ma, nell'ela-

borare quel disegno, Biondo incontrò speciali difficoltà proprio nella parte dedicata alla sua Romagna. Se come autore avvertì in questo caso la forza del legame di appartenenza con la patria d'origine, va detto che esistevano ragioni oggettive a rendere difficile l'impresa: la speciale rissosità e la continua mutevolezza delle realtà politiche ostacolavano qui più che altrove la definizione geografica e politica della regione. Per datare le origini del nome "Romandiola" Biondo scelse l'atto solenne con cui Carlo Magno e Adriano I avevano decretato il riconoscimento del titolo onorifico a Ravenna e alle città vicine, per ricompensa della fedeltà costante al "Romano populo". Grandezza antica di Roma e lealtà di legami del popolo di Romagna col popolo romano sono i tratti che restano in mente della ricognizione storica compiuta dall'umanista: quanto alle potenzialità politiche del papato, esse gli apparvero di carattere eminentemente simbolico, legate al vincolo che la religione era capace di creare nei cuori. Il peso reale di quel vincolo religioso garantiva la permanenza di un potere per la conservazione del quale "non bisognano gli esserciti – aveva scritto Biondo - … né bisogna tenere le guardie nei confini per paura de gli nemici, perché a mantenimento di questa republica… vi basta la religione sacratissima del Signor Giesu Christo". Machiavelli doveva ricordarsi di questa pagina quando ne riprese, in tono sarcastico, l'argomento fondamentale della forza degli "ordini antiquati nella religione": "Costoro soli hanno stati e non gli difendono; hanno sudditi e non li governano. E gli stati per essere indifesi, non sono loro tolti"[19].

Quegli "ordini antiquati" mantennero in buona salute lo Stato della Chiesa e gli permisero di realizzare in qualche modo il progetto politico di una restaurata grandezza antica quale Biondo e Machiavelli avevano meditato. Ne troviamo un bilancio nell'opera storica di Leandro Alberti. Ma vediamo in primo luogo come l'Alberti affrontò il problema della definizione della Romagna e dell'inserimento in essa della realtà forlivese. A un secolo di distanza quello che c'era di scommessa sul futuro nelle pagine di Biondo doveva fare i conti con la realtà che si era venuta delineando. Per questo la lettura delle pagine del domenicano Leandro Alberti, anch'egli legato profondamente a Forlì e attento studioso della sua storia, ci si offre come una fotografia da giustapporre a quella di Biondo. I sentimenti di appartenenza forlivese emergono a prima vista dalle pagine dell'opera. "Generosa patria" fu per Leandro Alberti la città di Forlì: la sua *Descrittione di tutta Italia* le dedicò uno spazio che a lui stesso apparve più ampio del consentito, tanto da doversene scusare coi lettori[20]. Il luogo lo descrisse come si presentava discendendo dal castello di Santa Sofia alla via Emilia, verso la sinistra del fiume Montone. Un resoconto sommario delle vicende politiche portava il lettore fino al momento in cui, morto Cesare Borgia e conclusasi la dinastia degli Ordelaffi, la città "ne venne sotto la chiesa". La vita civile di Forlì è tratteggiata a rapidi schizzi: "martiali" gli abitanti, tanto che "volentieri maneggiano l'armi e contro di sé e etiandio contra gli altri", la violenza delle fazioni che era il tratto generale della Romagna si incanalava qui nelle due parti dei Numai e dei Moratini, versione locale della generale divisione tra guelfi e ghibellini. Ma c'erano stati cambiamenti importanti a questo proposito. L'opera di Francesco Guicciardini era stata ferma e decisa nel domare i capiparte. E, dopo di lui, c'era stato Giovanni Guidiccioni che aveva portato l'esperienza lucchese e la sua speciale sensibilità ai problemi religiosi e sociali nell'affrontare il problema delle fazioni. La creazione del magistrato dei Novanta Pacifici aveva i suoi modelli nella creativa maniera di governarsi di un "pacifico e populare stato" come si definiva la repubblica di Lucca. E l'Alberti poteva indicare a questo proposito un significativo progresso rispetto ai tempi del suo predecessore e modello Flavio Biondo: il magistrato dei Novanta Pacifici, deputato a provvedere ai tumulti e autorizzato a ricorrere all'uso legittimo delle armi, teneva sotto controllo "gl'isturbatori della patria". Il provvedimento aveva portato negli anni a lui vicini una relativa quiete. A chi abbia in mente le storie di violenza che riempiono le cronache forlivesi – e non solo quelle, visto che ben più ampia era l'area infestata da quelli che uno scrittore del tempo definì gli "horribili mostri" partoriti dalla divisione in fazioni – la notizia apparirà in tutta la sua importanza. L'ingresso in uno stato territoriale di tipo nuovo dotato di un forte potere centrale, aveva significato per Forlì la chiusura della lunga epoca dei contrasti di parte, che avevano opposto "parte guelfa a parte gibilina"[21]. Passando poi a esaminare la natura dei luoghi, l'Alberti elogiava la bontà dell'aria e del terreno, l'abbondanza dei raccolti di frumento e di vino che superavano il bisogno degli abitanti e permettevano di "mandarne altrove". Ma i prodotti che importavano allo storico erano quelli della cultura e del sapere. Si apre a questo punto la rassegna degli uomini illustri forlivesi: precedono tutti gli altri i santi, i cardinali, i vescovi, seguono poeti, legisti, filosofi, medici, astrologi, con una particolare menzione riservata ai nomi di Guido Bonatti e di Fausto Andrelini. La società forlivese del suo tempo aveva ospitato i due fatti nuovi dell'introduzione della stampa e della vittoria del volgare in letteratura: ne era stato protagonista quel Paolo Guarini che l'Alberti dice di aver conosciuto come "huomo di dolcissimo ingegno, e molto urbano e civile", ignorante di latino ma esperto versificatore in volgare insieme alla sua consorte Maddalena. Come stampatore il Guarini aveva pubblicato il trattato di Guido Peppi detto Stella, *De componendis in lingua materna versibus compendiulum*. Per l'Alberti il suo nome era quello dell'autore di storie di Forlì che aveva letto manoscritte e da cui aveva tratto la maggior parte delle sue informazioni[22]. Ma un nome eccelle sopra tutti gli altri e a quello l'Alberti riserva uno spazio speciale: Flavio Biondo, "huomo di raro e curioso ingegno et investigatore dell'antichitati e scrittor dell'historie". Era quello il nome che brillava di luce propria e che si doveva ringraziare se la gloria di Forlì si era diffusa nel mondo. Il riconoscimento che l'Alberti gli tributava era pieno e incondizionato: "Certamente sono obligati a quest'huomo tutti i curiosi ingegni". Nel ricordarne la vita e l'opera l'Alberti registrò debitamente il fatto che quell'ingegno forlivese aveva trovato la sua sistemazione a Roma nella cancelleria papale. Sulla gloria romana, conquistata dallo storico umanista, non c'erano ombre e si poteva celebrare l'ingegno forlivese dell'uomo il cui corpo era stato sepolto "avanti la porta maggior della chiesa di Santa Maria Ara Coeli". Quella morte a Roma, accompagnata da speciali indulgenze papali e dalla solenne sepoltura "con magno honore come dottore e poeta cortixano", era stata registrata debitamente nelle cronache forlivesi di Giovanni di Maestro Pedrino. Ma non era stato così tranquillo il percorso che da vivo lo aveva condotto a Roma, se è vero che il servizio papale gli era valso una reazione di "dispeto assae" da parte di Antonio degli Ordelaffi, verso il quale tuttavia Biondo si sarebbe poi comportato "verilmente come suo bono servidore"[23]. Un piccolo particolare registrato dall'Alberti doveva tuttavia essere un indizio anche per i lettori del '500 che qualcosa era cambiato dai tempi di Biondo: il grande umanista forlivese morendo aveva lasciato "cinque figliuoli tutti di lettere ornati" e aveva svolto il servizio come segretario papale pur essendo laico e coniugato. La cosa era singolare se considerata dall'angolo visuale del pieno '500, quando la scelta del servizio alla Chiesa e la ricerca di fortuna a Roma andavano necessariamente d'accordo con la condizione di chierico e col celibato ecclesiastico.

Quanto alla regione Romagna, Leandro Alberti ne descrisse l'origine romana con l'orgoglio di chi esibisce una genealogia nobile. Riprese, in questo, un modulo storiografico di origine umanistica e seguì da vicino il modello di Biondo. Ma la genealogia antica non si accompagnava più al disegno di un'Italia in ripresa, pronta a misurarsi con un modello antico insuperabile, ma di nuovo attuale, quale si avvertiva nelle pagine dell'*Italia illustrata* di Biondo. La Roma che domina l'orizzonte del domenicano Alberti è quella papale. La stessa definizione di Romagna offre un esempio del mutamento di prospettiva che si era verificato nel secolo trascorso. Se per Biondo il nome di "Romagna" era stato concesso alla regione come riconoscimento di una speciale fedeltà al "Romano populo", per l'Alberti si era trattato di una speciale "ubbidienza a i Pontefici romani"[24].

Anche in questo caso il giudizio sul passato velava una trasparente ricognizione del presente. L'obbedienza politica era ormai garantita, non solo e non tanto dalla forza del potere centrale e dai suoi mezzi di coercizione, quanto piuttosto da una fedeltà religiosa che si era radicata nelle coscienze individuali e nei rituali collettivi. Quando i gesuiti giunsero a Forlì riferirono importanti successi: tutte le gentildonne della città si affollavano davanti ai loro confessionali[25]. Una religione dell'obbe-

dienza ordinata aveva preso il posto del vivace e conflittuale mondo di sentimenti e di passioni che un secolo prima aveva animato la città e riempito i conventi, grazie al movimento dell'Osservanza, ma aveva anche stimolato la predicazione eversiva di romiti e di fraticelli. Anche nel nuovo secolo non mancarono a Forlì spiriti inquieti e tendenze ereticali. Ma la sorveglianza esercitata dai vescovi tridentini, con un efficiente sistema di visite diocesane, non registrò niente di veramente pericoloso per il nuovo assetto politico e religioso del mondo romagnolo.

[1] Machiavelli alla Signoria, Forlì 22 luglio 1499. Niccolò Machiavelli, *Legazioni e commissarie*, Sergio Bertelli (a cura di), Milano 1964, vol. 1, p. 41.

[2] Così scriveva Giovanni da Casale a Ludovico il Moro il 29 luglio 1499 riferendo l'andamento delle trattative condotte da Machiavelli; v. S. Bertelli, in Machiavelli, *Legazioni e commissarie*, vol. I, p. 18.

[3] L. Cobelli, *Chronache forlivesi*, G. Carducci, E. Frati (a cura di), Bologna 1874, pp. XX-XXI.

[4] *Cronache forlivesi di Andrea Bernardi (Novacula)*, Bologna 1895, vol. I, pp. 194-197.

[5] *Ibidem*, p. 137. Sulla congiunzione del 1484 si rinvia al classico studio di A. Warburg, *Divinazione antica pagana in testi e immagini dell'età di Lutero*, in *La rinascita del paganesimo antico, contributi alla storia della cultura* raccolti da G. Bing, Firenze 1966, pp. 309-390.

[6] *Cronache forlivesi di Andrea Bernardi (Novacula)*, Bologna 1896, vol. I, p. II, pp. 171-180.

[7] *Ibidem*, pp. 191-194.

[8] E. Casali, *Astrologia e superstizione nell'età di Melozzo*, in *La cultura umanistica a Forlì fra Biondo e Melozzo*, Forlì 1997, pp. 65-88: v. p. 70.

[9] L. Cobelli, *Chronache*, p. XXVI.

[10] *Cronache forlivesi di Andrea Bernardi (Novacula)*, Bologna 1896, vol. I p. II, pp. 277, 279, 291, 296.

[11] C. Dionisotti, *Resoconto di una ricerca interrotta*, in "Annali della Scuola Normale Superiore di Pisa", classe di Lettere, storia e filosofia, s. II, vol. XXXVII, 1968, pp. 259-269.

[12] Cfr. M.T. Fuzzi, *L'ultimo periodo degli Ordelaffi in Forlì*, Forlì 1937.

[13] *Cronache forlivesi di Andrea Bernardi (Novacula)*, Bologna 1986, vol. I, p. II, pp. 294-95.

[14] *Cronache forlivesi di Andrea Bernardi (Novacula)*, Bologna 1895, vol. I, pp. 309-310. Sulle costruzioni del primo '500 v. *ibidem*, vol. II, Bologna 1897, pp. 181-186.

[15] P. Mettica, *Cultura potere e società nei cronisti tardomedievali*, in *Storia di Forlì*, vol. II, *Il Medioevo*, A. Vasina (a cura di), Forlì 1990, pp. 185-207.

[16] Il documento è riportato da G. Mazzatinti, *Della vita e delle opere di Andrea Bernardi*, in *Cronache forlivesi di Andrea Bernardi (Novacula)*, Bologna 1895, vol. I, pp. IX-XL; v. p. XV.

[17] *Roma instaurata, et Italia illustrata* di Biondo da Forlì, tradotte in buona lingua volgare per Lucio Fauno, In Venetia 1542, p. 66 rv.

[18] *Roma instaurata, et Italia illustrata* di Biondo da Forlì, tradotte in buona lingua volgare per Lucio Fauno, In Venetia 1542, cc. 61 v-62r.

[19] N. Machiavelli, *Il Principe*, cap. XI (cito dall'ediz. delle *Opere* di Machiavelli, C. Vivanti [a cura di], Torino 1997, vol. I, p. 148).

[20] "Assai altre cose si potrebbono scriver di questa generosa patria, che le lascio per non esser troppo lungo" (L. Alberti, *Descrittione di tutta Italia*, Venezia 1568, c. 314r).

[21] G. di Maestro Pedrino depintore, *Cronica del suo tempo*, vol. II, ed. G. Borghezio e M. Vattasso, Roma 1934, p. 474. A *Gli horribili mostri, che partoriscono le parti guelfe et ghibelline*, è dedicato il libro del bolognese M. Mattessilani, Bonardo, Bologna, 1587.

[22] La cronaca che l'amico gli aveva fatto leggere era quella degli *Annales Forolivienses* editi nei *Rerum Italicarum Scriptores* (cfr. G. Ortalli, *Gli Annales Caesenates tra la cronachistica canonicale trecentesca e l'erudizione storiografica quattrocentesca*, in "Bullettino dell'Istituto storico italiano per il Medio Evo e Archivio muratoriano", LXXXVI, 1976-77, pp. 279-386 ripreso da P. Mettica, *La società forlivese del Quattrocento dalla cronachistica cittadina*, Castrocaro 1983, pp. 115-119. Il Guarini aveva probabilmente trascritto almeno in parte le cronache redatte da Guido Peppi.

[23] G. di Maestro Pedrino depintore, *Cronica del suo tempo*, II, p. 397.

[24] L'osservazione è di S. Ugolini, *Leandro Alberti di fronte al problema dei confini della Romagna*, in *Il territorio emiliano e romagnolo nella "Descrittione" di Leandro Alberti*, M. Donattini (a cura di), Bergamo 2004, pp. 41-54: v. p. 52.

[25] Cfr. M. Scaduto, *L'opera di Francesco Borgia, 1565-1572*, Roma 1992, p. 285.

Marco Palmezzano (1459-1539).
Pittura e prospettiva nelle Romagne

Stefano Tumidei

Forlì 1506

L'immagine della Romagna che emerge dal diario di Paride de Grassi, l'inflessibile maestro di cerimonia che fu al fianco di Giulio II nelle due spedizioni emiliane, al tempo della presa di Bologna (1506-1507) e, poi, della guerra contro Ferrara (1511-1512), sembra già anticipare gli sconsolati resoconti dei primi presidenti di Legazione[1]. "Questo popolo, per quanto povero e meschino, si rivela così sfrenato nelle private fazioni per reciproci assassini, esilî, prede e rapine che è per lui quasi una novità comportarsi dabbene" ("benefacere"). E inoltre, strade inaffidabili, città troppo piccole per alloggiare quel corteo straordinario. Lasciata Urbino e il suo "pulcherrimum palatium", al cerimoniere si prospetta il tempo delle ambasce per un protocollo pontificale sempre disatteso: a Cesena, "pro missa solenni" nella chiesa di San Francesco, "factum fuit cum magna difficultate et diligentia propter angustiam chori, et penuriam rerum necessariarum missae papali". A Forlì i baldacchini forniti dalle magistrature per l'entrata trionfale non furono nel numero prescritto; a Imola risultarono invece "multo simplices". Qui, tuttavia, l'affronto senza precedenti si registrò lungo il percorso cittadino del corteo, dove le armi rovereische apparvero affiancate ai "signa tyrannidis" del precario padrone della città, Giovanni Sassatelli. Solo una volta giunto in patria, il bolognese Paride de Grassi sembra tirare un sospiro di sollievo, descrivendo con mal celato orgoglio anche il fasto delle decine di archi trionfali eretti in onore del pontefice, "pulcherrime designati".

Le cose non sarebbero andate meglio qualche anno dopo al tempo della seconda venuta di Giulio II: così l'ingresso a Ravenna fu "solemnis, sed confusus, et inordinatus"; a Rimini si dovette rinunciare all'ufficio dell'Ascensione "quoniam […] nec paramenta, nec ministri, nec cantores adfuerunt". Ma l'incertezza della campagna militare, l'inclemenza del tempo, la salute precaria del pontefice e, infine, l'assassinio a Ravenna del cardinale Alidosi, dovettero far passare in secondo piano i mille inconvenienti di quell'ingrato soggiorno romagnolo.

Nel confronto con i resoconti di tutt'altro tenore restituitici nelle cronache locali[2], è quanto mai prevedibile che il punto di osservazione curiale marchi anche il limite di un divario culturale quasi incolmabile. Per il palato fino dei chierici umanisti, fu quanto meno singolare che la messa in scena antichizzante, approntata a Imola nel 1506, fosse poi accompagnata da "vulgari cantico", mentre apparve senz'altro "indoctus et ineptus" il latino dell'orazione recitata nella cattedrale di Forlì dal vicario del vescovo Tommaso Asti. Eppure non si può dire che il passaggio del pontefice nelle città recentemente recuperate alla Santa Sede non avesse innescato meccanismi emulativi a catena e consapevoli autopresentazioni di orgoglio municipale.

Le origini romane delle città vennero ricordate tanto a Forlì quanto a Imola. Ai loro archi effimeri in fronde di rovere, Rimini oppose, per la venuta del 1510, un "nobil arco di pietra a capo del borgo S. Genese" tutto addobbato con le insegne dipinte da Lattanzio da Rimini. E furono certo all'antica gli apparati di Ravenna se a realizzarvi le statue fu chiamato Severo Calzetta[3]. Nei luoghi in cui il pontefice aveva soggiornato si approntarono tempietti commemorativi, lapidi, ma anche ritratti. Nell'affresco dedicatorio ormai poco leggibile rimasto nel santuario di Fornò – tappa, sia all'andata sia al ritorno, del primo viaggio bolognese – Giulio II è ancora raffigurato senza la barba che prese a far crescere solo qualche anno più tardi, dopo la malattia del 1512, come voto per la cacciata dei francesi dall'Italia. E del resto, era datata 1507, a Tossignano, anche un'altra sua immagine che lo rievocava "maestosamente sedente, con un memoriale nella mano sinistra": un dipinto firmato (o dedicato) da un non meglio noto Bartolomeo Balducci, pervenuto più tardi, a metà Settecento, nella collezione Hercolani di Bologna[4].

Nell'incontro con le città, insieme alle riconferme di antichi statuti e privilegi, alle pacificazioni fra fazioni rivali, non poteva essere mancato, invece, per Giulio II, qualche segno di più informale riconoscimento per quelle realtà locali. Certo non fino al punto di concedere al barbiere cronista forlivese Andrea Bernardi, detto il Novacula, una nuova patente letteraria (dopo quella che, quasi per scherzo, gli aveva concesso il Valentino), nel corso di un'udienza che, nel racconto dello stesso protagonista, tocca apici di comicità involontaria[5]. Piuttosto, tempo dopo, in anni già segnati da qualche recriminazione antivasariana, si poteva ancora ricordare a Ravenna la visita compiuta nel 1511 alle chiese della città, non solo in omaggio alle sacre reliquie e alla veneranda antichità delle basiliche. A Giulio II dovettero essere mostrate anche le pitture moderne, se, in San Domenico, ebbe parole di apprezzamento per la pala della cappella Bonamici (oggi a Brera) da poco licenziata da Nicolò Rondinelli (l'episodio è riferito da Vincenzo Carrari nel 1584)[6]. E si sa che il pontefice non mancò la sosta al santuario del Piratello, fabbrica nuovissima e forse non ancora terminata, lungo la via Emilia, nell'imolese.

Anche a Forlì, per l'entrata del 1506 e nell'ambito di quella stessa gara fra le città, si era messo in campo il maggiore pittore locale. Furono insomma rispettate le prescrizioni cerimoniali fatte allora circolare a che "ipsi Canonici Ecclesiae Cathedralis, ad quam Papa est iturus, ipsam Ecclesiam quantum possint ornent, cum omnibus ornamentis possibilibus, tam in porta Ecclesia […], quam apud altare festivissime adornent". I canonici della cattedrale infatti – è lo stesso Bernardi a riferircelo – "avando fato una bela ancola per la representactione dal Corpe de Criste per l'altare grande, la mesene suso cercha la prima setemana dal mese d'octobre, anno Domini 1506, per la venuta dela S.tà de papa Iulio secondo. […] La quale ancona avea fate dito M. Marco Palmezano"[7].

La pala della *Comunione degli apostoli* (cat. 38) – perché di questa, com'è noto, si tratta – non rappresentò forse la consacrazione per un pittore che già da oltre una decina d'anni aveva saputo raccogliere le maggiori commissioni cittadine. Fu, tuttavia, impresa di impegno fuori dell'ordinario, per la profusione dell'oro campito, "more geometrico", nei riquadri delle lesene a grottesca, per quell'impianto prospettico replicato fino all'"horror vacui" in un'evidenza cromatica suntuosissima. Il mondo delle forme dell'artista vi si riversò senza risparmio, nella varietà fisionomica degli apostoli, nelle ridondanze ghiacciate, per nettezza di volumi, dei loro panneggi.

La tradizione locale non seppe tramandare alcun giudizio riferito al pontefice su quell'impresa di indubbio rilievo cittadino (nella lunetta, oggi a Londra, si erano voluti i patroni san Mercuriale e san Valeriano ai lati della Pietà). Ma per chi da giovane era stato pur sempre ritratto da Melozzo nell'affresco della Biblioteca Vaticana, non è detto che, alle date, gli sviluppi della

maniera moderna (o del protoclassicismo peruginesco) rendessero già perentorie le censure che saranno poi di Vasari: quelle cioè riferite ai pittori – e Palmezzano nella forma più industriosa fu certo fra quelli – che attendendo soltanto alla prospettiva ne cavano fuori una "maniera secca e piena di profili". Anche a Venezia, se è lecito il confronto, un sospetto di "diligenza" nella pittura di Giovanni Bellini saprà insinuarsi solo negli anni e nei giudizi dell'Aretino[8].

Proprio Vasari in ogni caso, dovendo ricostruire a posteriori e secondo un paradigma tutto cinquecentesco lo "studioso corso" in patria di un artista moderno come Francesco Menzocchi, non trovò esempio migliore della "bellissima tavola" con la *Comunione degli apostoli* (che pure riferì a Nicolò Rondinelli), davanti alla quale immaginare le prime prove del futuro pittore nell'esercizio della copia dal modello, "a disegnare da sé, immitando e ritraendo". L'omaggio di ben due citazioni nelle *Vite* (nei capitoli dedicati a Genga e a Palma il Vecchio), dov'è anche il ricordo della cimasa e della perduta predella con "alcune storie di figure piccole con i fatti di Santa Elena […] condotte con gran diligenza", sancirà la fortuna successiva della pala, dalle pagine seicentesche di Francesco Scannelli fino alla *Storia della pittura* di Cavalcaselle e Crowe[9]. Né una sua riproduzione al tratto risulterà fuori luogo nel corredo illustrativo, di provata fede purista, che accompagnò a metà Ottocento l'opera del pisano Giovanni Rosini.

Se si è scelto però di aprire con la *Comunione degli apostoli* e con il contesto cerimoniale della visita di Giulio II, non è solo in omaggio al dipinto a lungo più celebre di Marco Palmezzano, un primato che solo la critica moderna ha inteso ridimensionare (Cesare Gnudi vi rilevò semmai un preoccupante "squilibrio fra l'intento monumentale e l'insufficienza di respiro" che la produzione successiva del pittore avrebbe confermato)[10]. Per quanto non venisse dal corteo curiale, ma dalla parte del municipalissimo Novacula, un giudizio sulla pala venne effettivamente espresso, per così dire, a caldo. Il cronista non si limitò infatti a registrare la sua messa in opera; aggiunse in merito due pur parzialissime osservazioni che finiscono per illuminare sul credito, la disposizione percettiva, le preferenze dei contemporanei. E implicitamente sul lungo e incontrastato successo incontrato, non solo a Forlì, dalla pittura di Palmezzano. Negli stessi anni anche Francesco Uberti, umanista e maestro di scuola a Cesena con buone ambizioni di poeta latino, si rivolgeva all'artista forlivese. Non si cava molto però da quei topoi un po' triti d'encomio pittorico fra i quali rimase impigliato: Zeusi, Apelle, l'illusione dei "vultus spirantes"[11]. Per il tanto più concreto Novacula, invece, fra le "degnissime cose" della pala del Duomo, "i era […] masime l'ostia santa che in mane Cristo avea et una policia che era dipinta, che notificava il nome del Maestro, et era alquante straciata; parea veramente che fuse stacata; era cosa molte memorando".

L'effetto percettivo, registrato dal cronista, dell'ostia scorciata e della relativa patena rette dal Cristo, può, ai nostri occhi, riuscire meno evidente. Quell'artificio di profondità ricorre non a caso nel passaggio compositivo più "difficile" della pala, là dove la scalatura di piani fra le teste degli apostoli e la figura stante del san Giovanni si fa più irta e intarsiata. Ma è quasi impossibile non utilizzare la testimonianza per l'intero repertorio dei congegni spaziali che Palmezzano seppe disseminare nelle sue pale con anche più esibita suggestione iconica (e calcolato impatto visivo). Nessuno dei luoghi canonici della figurazione prospettica venne in effetti risparmiato: la costruzione in tralice delle ante aperte nel leggio dell'*Annunciazione* del Carmine (cat. 20); il tema del corpo ottagonale scorciato, che nello stesso *De Prospectiva pingendi* di Piero della Francesca ricorre nella formula del "pozzo" (propria poi di tanti maestri di tarsia), riadattato ora come altare nel *San Giovanni Gualberto* di San Mercuriale (cat. 29). E, soprattutto, nei troni delle ancone di San Michelino a Faenza (cat. 21), di Matelica, di Sarasota e in quella già Ferniani oggi a Cesena (cat. 40). La preferenza accordata all'artificio del mazzocchio a punte di diamante che, ancora nei trattati prospettici del Cinquecento, quando ormai il rapporto con la pittura aveva meno ragion d'essere, mantiene il primato della più sensazionale fra le costruzioni geometriche[12].

A pensarci, anche la linea per così dire nobile e più consapevolmente speculativa della riflessione prospettica quattrocentesca, quella che da Alberti transita in Piero della Francesca per giungere a Luca Pacioli, aveva toccato, da giovane, il pittore di Forlì. È notissima la lettera dedicatoria che apre la *Summa* (1494) dove proprio Pacioli, stilando l'elenco sovra regionale dei "boni perspettivi", "quali sempre con libella e circino lor opere proportionando a perfettion mirabile conducono", aveva incluso anche Melozzo con il suo "caro alievo" Palmezzano[13]. Certo, di quel mondo di forme teoricamente ragionate, a Palmezzano erano rimasti solo gli strumenti del mestiere, la squadra, appunto, e il compasso. Eppure la sua proposta di pala prospettica dalle poche e salde idee spaziali, dagli aggetti ben calcolati in una pittura di smalto, si impose fra Quattro e Cinquecento come modello canonico in Romagna. Verrebbe quasi da dire che nel quadro così vario per gravitazioni culturali e steccati municipali, della produzione figurativa locale prima dell'avvento della maniera romana – un quadro difficile da riassumere, dopo Lanzi, in un unico, coerente capitolo di storia pittorica – l'esempio di Palmezzano identificò un momento di incontro fra parlate orgogliosamente diverse. Quanto meno definì un fronte di attese fra i committenti soggiogati dal decoro di quelle ar-

chitetture "daurate" che già nel 1506 a Cesena venivano prescritte per contratto al ferrarese Aleotti nella pala per l'ospedale di Sant'Antonio ("se obligat hornare cum tribus figuris […] et colone misse ad aurum")[14]. Francesco Zaganelli, negli stessi anni, ne cavava fuori vertiginosi puzzle di stiacciato irrealistico, eppure otticamente così esatti, ma il confronto coinvolse al contempo il belliniano Rondinelli dopo il ritorno a Ravenna e una piazza assai vivace di presenze artistiche, locali e forestiere, quale fu Faenza.

Più tardi, eccezion fatta per il caso sovranamente dirompente di Girolamo Genga venuto a lavorare fra Cesena e Forlì, anche lo sdoganamento della maniera moderna, da queste parti, richiese qualche credenziale di continuità: ci resta da sapere come le eludesse Francesco Menzocchi al tempo della sua prima uscita in pubblico a Forlì nel 1525 alla Trinità, visto che non ci è pervenuta la pala che il committente Matteo Bruni fu disposto a pagargli quindici ducati d'oro a patto riuscisse "pulcram e auratam" come quelle di Palmezzano (il modello indicato era l'ancona della cappella Denti, messa in opera poco più di dieci anni prima e ora in pinacoteca)[15]. Non è però un caso che questa mostra si chiuda con una pala giovanile di Luca Longhi, quella realizzata nel 1530 per Antonello Zampeschi a Forlimpopoli (cat. 57), dove un'umanità ormai tenera e mielata prende ancora in affitto le inscenature spaziose di Palmezzano, abitandole con discrezione.

La seconda "cosa molte memorando" che colpì Novacula nella pala della *Comunione degli apostoli* fu il polizzino stracciato "che notificava il nome del Maestro". Quel modo di dichiararsi, da parte dell'artefice, attraverso l'ennesima dimostrazione delle possibilità della pittura nel "far parere ciò che non è", contava già su una consolidata tradizione, specie a Venezia[16]. Per quanto un cartellino compaia già nella pala di Dozza del 1492 (cat. 6), a indicare il nome del committente, lo stesso Palmezzano dovette ripensare l'efficacia illusionistica del motivo dopo le esperienze lagunari alla metà del decennio, abbandonando anche la sottoscrizione in caratteri lapidari che compare nella pala del 1493 (cat. 8). In ogni caso, ancora nel 1506, quell'artificio non doveva essere così scontato in Romagna se meritò la puntuale registrazione del cronista; una registrazione che, va rilevato, mancò singolarmente in tanta, più togata letteratura umanistica.

Un modo per avvicinarsi a Palmezzano potrebbe considerare anche queste sue autopresentazioni d'artista, l'ossessiva ricorrenza cioè dei suoi polizzini firmati, esposti spesso nell'ambiguità illusiva del basamento marmoreo, sul primissimo piano, come appunto avviene nella *Comunione degli apostoli*. Si tratta di un percorso che in catalogo svolge Simonetta Nicolini. Qui basterà dire che, a parte l'evidente carattere romozionale da riconoscersi nei due casi relativamente giovanili (pala di Sant'Antonio Abate [cat.

1.
Marco Palmezzano,
*Sacra Famiglia con
san Giovannino*,
Phoenix, Art Museum.

28] e pala di Matelica), in cui il pittore scelse di dichiararsi erede di Melozzo ("Marcus de Melotius fatiebat"), il modo in cui Palmezzano firmò fino all'ultimo quasi ogni dipinto licenziato dalla sua bottega – fossero pale d'altare o quadri da stanza, "Cristi portacroce" o "Sacre Famiglie" destinate al corredo dotale di monache e spose – sembra mettere in crisi ogni più corrente paradigma interpretativo di una casistica *sociale* delle firme, neppure così rare, in Romagna, fra Quattrocento e Cinquecento.

Si spiega più facilmente che Bernardino e Francesco Zaganelli, stretti in "fraternitate" o già autonomi l'uno dall'altro, firmassero di preferenza le opere destinate fuori piazza, a Ravenna, a Imola, a Faenza, a Pavia[17]. Mentre la sostanziale assenza di sottoscrizioni nelle pale faentine del periodo – assenza che, fra l'altro, ha ritardato così a lungo l'identificazione del fiorentino Biagio d'Antonio – è un dato ancor più rilevante, vista la varietà dell'offerta figurativa in loco rivelata dai documenti (i *forestieri* Zaganelli, Busati e appunto Palmezzano sono le eccezioni, mentre Giovan Battista Bertucci appose il proprio nome solo nella pala del 1506, per la chiesa dei Santi Lorenzo e Ippolito)[18]. Anche a Ravenna, a ben vedere, l'implicita notorietà delle botteghe artistiche locali rese di norma pleonastiche le firme tanto di Nicolò Rondinelli quanto di Baldassarre Carrari, nonostante le origini forlivesi di quest'ultimo. E il discrimine viene confermato dalla vicenda di Francesco Zaganelli che smise di sottoscriversi nelle ancone ravennati solo dopo il suo definitivo trasferimento in città nel 1513[19].

Palmezzano invece si dichiara "pittore forlivese" in ogni dipinto. Proprio a Forlì, dove seppe instaurare un monopolio figurativo a lungo senza alternativa (tanto da spingere il comprimario Carrari a un più promettente trapianto ravennate), il suo nome finì per contrassegnare la quasi totalità delle immagini moderne, se dobbiamo credere a Giorgio Viviano Marchesi (1726), secondo il quale "in cunctis pene Forolivij Templis Divorum tabulas perfecit"[20]. Secondo un meccanismo esattamente inverso rispetto alle consuetudini registrate negli altri centri romagnoli, quel primato pittorico si tradusse, visivamente, nell'immancabile attestazione di paternità; in una firma che fu insieme, se si vuole, *marchio di fabbrica* (specie negli ultimi tempi e nei dipinti di devozione privata) e dichiarazione di autocoscienza professionale. Ma anche segno di una *presenza* cittadina che forse non stupisce a Forlì, dove, per tutto il Quattrocento, alla figura del pittore si era riservato quel ruolo particolarissimo di coscienza civica e di memoria collettiva che altrove, spettò a letterati e notai: sia Giovanni di Mastro Pedrino sia Leone Cobelli, infatti, prima di essere i cronisti che conosciamo, furono pittori[21].

Di certo la fascinazione per la formula scritta ebbe, a Forlì, risvolti non scontati. Si pensi alle firme *imprevedibili*[22] di Baldassarre Carrari, tanto nel *San Sebastiano* del Musée Grobet-Labadie di Marsiglia (di cui si parlerà) quanto nella *Deposizione* Luzzetti. O a Giovan Battista Rositi rappresentato in mostra dalla grande pala del 1500 lasciata a Velletri (cat. 15), forse nel corso di un viaggio a Roma su cui non siamo altrimenti informati. Lo stesso Rositi, in patria, sia pur con l'animo del madonnero veneto-cretese più che dell'erede di Apelle, si dichiarava "Theotokos" firmando in greco la *Madonna con il Bambino* oggi a Esztergom[23]. Palmezzano non fu da meno quando trasfuse in un pausato e monumentale alfabeto ebraico le lettere del suo nome – come si poteva fare nella colta e cosmopolita Ferrara, fra il giovane Costa e l'umoroso Mazzolino – in una *Sacra Famiglia* oggi a Phoenix e nel *Cristo portacroce* della Tosio Martinengo[24] (fig. 1, 55).

Più difficile semmai dar conto del pluralie majestatis, cioè del "Marcus Palmizanus fecerunt" che il pittore adottò in altre due occasioni (e che almeno nel primo caso non è certamente contraffazione di restauro), nella pala del 1493 (cat. 8) e in quella del 1509 per Cesena (oggi a Sarasota) (fig. 39). Di tutte le spiegazioni possibili, la scarsa conoscenza del latino è comunque la meno probabile. Non che Palmezzano dovesse necessariamente usarlo con proprietà (ci fu senz'altro chi avrebbe potuto farlo per lui). Ma quelle firme, fra le poche presentate in epigrafica antica, hanno un carattere troppo sicuro ed esibito. Esplicitano ambizioni (ben inteso anche velleitarie) che si prolungarono nella stessa sfera privata del pittore, se i suoi figli si chiamarono Traiano, Panfilo, Fabrizio, Silvio, Pentesilea, Adriana, Faustina, Giulia. L'orizzonte culturale di Palmezzano si definisce anche attraverso la figura del fratello Tommaso, che fu notaio ma che per tutta la vita rogò i suoi protocolli in una chiarissima umanistica corsiva, quasi non si trattasse di registrare vendite di terre, testamenti e transazioni mercantili ma di copiare, per la lettura, qualche buon testo classico[25]. Ed è questo stesso umanesimo di provincia, con cui Palmezzano intrattenne rapporti anche professionali, questo mondo di canonici della cattedrale, grammatici, maestri di scuola, personaggi imprevedibilmente versatili come Paolo Guarini (notabile, raccoglitore di storie, poligrafo e impresario architettonico), a garantirci che forse non fu casuale neppure la scelta definitiva del pittore riguardo alle sue firme latine. L'adozione cioè della formula "faciebat" e non "fecit" o "pinxit". La stessa che Plinio riferiva agli antichi e che Poliziano aveva verificato fra i marmi classici perlustrati a Roma nel 1488. L'imperfetto come "titulus pendens", formula provvisoria, per alludere che "l'arte è qualcosa di perennemente iniziato e non finito"[26], sempre suscettibile di nuovi studi, non poteva forse trovare collocazione meno adeguata che nella pittura di Palmezzano, così a lungo uguale a se stessa. Riprendendo molti anni dopo, a Venezia, quegli argomenti pliniani, quando ormai le opere con la "boletta" (il cartellino), apparivano "cosa risibile", (almeno al suo interlocutore fittizio, nel *Dialogo di Pittura*, 1548), Paolo Pino poteva sempre anteporre al tema dell'umiltà dell'artista quello della fama per le generazioni a venire: "Che le sue opere siano, ne rimanghi memoria, che lui fu pittore"[27]. Nel generale naufragio della pittura rinascimentale a Forlì, almeno nella sua fase quattrocentesca, i dipinti firmati di Palmezzano sopravvissero in un numero che sorpassa di molto i cataloghi noti di ogni altro, successivo pittore locale. Non si trattò solo di amor patrio. Quando Francesco Scannelli si trovò a correggere l'attribuzione vasariana a Rondinelli della *Comunione degli apostoli*, poteva appellarsi al "carattere della maniera" quanto alla "continua e indubitata testimonianza in essa tavola" del "solito finto polizino coll'inscrittione"[28]. E quando la fiducia erudita e settecentesca per il documento firmato si trasformerà in un'ipotesi museografica di impianto già illuminista e didattico, alle pale di Palmezzano acquistate a Faenza e a Cesena verrà riservato, auspice Luigi Crespi, un posto di riguardo nella collezione Hercolani di Bologna[29].

"Marcus de Melotius"

Marco Palmezzano era nato a Forlì nel 1459[30]. Per quanto i documenti non esplicitino la professione del padre Antonio, la famiglia era notabile e di indubbio prestigio: una famiglia di notai, medici, legisti che vantava un sepolcro nella chiesa dei domenicani (lo stesso in cui nel 1539 verrà sepolto il pittore), e che nel giro di qualche generazione potrà anche fregiarsi di un'arma gentilizia.

Il primo documento che lo dice "pictor", ma, si badi, non ancora "magister", cade nell'anno stesso della raggiunta maggior età, vale a dire nel 1484, quando Palmezzano intenta causa al priore dell'Ospedale della casa di Dio per il mancato saldo di tre ducati d'oro "pro eius mercede de pictura de 4 figuris pictis". Non è chiaro se le parti dessero poi corso all'arbitrato richiesto allora da tal "magistro Francisco", procuratore del priore, e per noi l'episodio si chiude qui, salvo rilevare che, qualunque ne fosse il motivo, le figure (probabilmente a fresco) di Palmezzano non erano parse all'altezza del pur modesto compenso pattuito. E che la Domus Dei, uno dei sei enti ospedalieri presenti in città, e il solo controllato dalla Comunità risultava già dotata di un proprio tradizionale corredo di immagini: la visita pastorale del 1464 segnala, nella chiesa annessa, l'esistenza di due altari, l'uno, maggiore, dedicato ai santi Filippo e Giacomo, l'altro a santa Marta[31].

Quando i documenti ci riparlano di Palmezzano, vale a dire nel giugno del 1492, data del contratto per Dozza (cat. 6), al pittore è ormai riconosciuta insieme alla qualifica di "magister", anche la totale responsabilità progettuale dell'ancona che dovrà realizzare per Giovanni Bonardi de Mazoli, cornice architettonica compresa, da intagliarsi "secundum designum [...] manu ipsius pictoris". Palmezzano figura ancora al fianco di un garante forlivese, ma l'eventualità di un arbitrato finale, cui allude l'atto di allogazione, verrà superata, di comune accordo, tre mesi dopo, alla consegna dell'ancona, che dunque risultò agli occhi del committente, "bene et diligenter condita, picta, constructa et aurata ac ornata". I giudizi critici moderni, mai troppo favorevoli alla pala di Dozza, importano meno al momento. Il dipinto si legge d'un fiato con la *Crocifissione e santi* del monastero della Ripa (cat. 7), anche perché, in questo caso, delle due date possibili tramandate da chi ebbe agio di controllarle *de visu* sull'affresco, regge soltanto il 1492, non il 1495. Il confronto con la pala oggi a Brera (cat. 8), firmata e datata l'anno dopo (1493), precisa la fisionomia di un talento ancora in crescita, per sottigliezze pittoriche e ricchezza d'invenzione, ma non rivela, a ben vedere, scarti di cultura figurativa. E questa cultura è già indubitabilmente di matrice centroitaliana e melozzesca.

Ora, se non siamo in grado di stabilire la sede originaria (comunque domenicana) del dipinto oggi a Brera[32], è certo che la pala spedita a Dozza, avamposto del dominio sforzesco nell'imolese, rientra solo apparentemente fra le commissioni minori, da contado. Giovanni Lanzi, che garantì per Palmezzano, risulta vicario *in loco* per Caterina Sforza. La chiesa dell'Assunta, riedificata in quegli anni dal priore umiliato Antonio Cardani, e ancor più, l'invaso ornato e toscanizzante della cappella di Santa Margherita dove trovò posto il dipinto, partecipano della stessa stagione edilizia che Girolamo Riario aveva avviato in forme principesche a Imola, all'indomani dell'acquisto della città. Una stagione che certo aveva subìto una battuta d'arresto dopo la morte di Sisto IV (1484), ma che neanche allora poteva dirsi in tutto esaurita: non nei cantieri del duomo (quando vi è documentato, fra gli altri, proprio un maestro scalpellino di Dozza, Francesco Fuzzi), non all'Osservanza dove si stavano approntando le cappelle gentilizie cui forse andò il pensiero di Giovanni Bonardi *alias* Mazoli[33].

Ancor più, a Forlì, il monastero femminile della Ripa era fondazione recentissima, di diretto patrocinio comitale. Nel 1492 risultava badessa Beatrice Buglioni, una delle monache che Girolamo Riario aveva ottenuto di far trasferire da Ferrara nel 1484[34]. La stessa che, di lì a poco, avrebbe ottenuto dal pontefice Alessandro VI, per intercessione di Caterina Sforza, quel sospirato "predone plenario" che permise di ultimare i lavori nella chiesa, solennemente consacrata dal vescovo Tommaso dall'Aste nel 1497. Il catalogo delle clarisse presenti alla Ripa in questi anni sembra poi sovrapporsi di misura al catalogo della stessa nobiltà forlivese: le consorelle si chiamano Morattini, Numai, dall'Aste, Maldenti, Aleotti, Paolucci (anche i Palmezzani vi sono rappresentati con una Timotea figlia di Gabriele senior).

L'impressione è insomma che, archiviato l'incidente professionale occorsogli nel 1484, solo all'inizio degli anni novanta Palmezzano potesse presentarsi in patria come pittore indiscutibilmente moderno, aggiornato *extra moenia*, tanto da ambire a commissioni di prestigio. E la conferma viene da un documento dello stesso 1492 aggiuntosi da poco al regesto stabilito anni fa da Carlo Grigioni e non ancora valutato nella sua importanza.

Il 16 settembre di quell'anno i canonici della cattedrale di Forlì, fabbrica anch'essa rinnovata con il patrocinio della corte, commissionano a un maestro Antonio da Faenza "marangone" l'esecuzione della tavola "pro altare maius". È possibile si tratti dello stesso "Antonius quondam magistri Joanis polidj de Faventia" che nel 1516 provvedeva alla carpenteria della pur mediocre ancona di Carlo Mengari e Sebastiano Scaletti per la pieve del Tho sopra Brisighella, e che, stando a una segnalazione di Grigioni, risulta ancora attivo per la cattedrale di Faenza nel 1517[35]. A un maestro intagliatore di quel nome, in ogni caso, veniva allora richiesta una "tabulam [...] secundum modum e formam designi sibi dati [...] per Magistrum Marcum de Palmizanis pictorem et Magistrum Paxii a Banbatis, electos per dictos d. de Capitulo super predictis"[36]. È scontato che Palmezzano fosse l'artista designato per la pittura, ma è ancor più rilevante che agisse nei riguardi del progetto e degli "ornamenti" dell'ancona, di concerto con l'architetto ricamatore Pace di Maso del Bombace, vero arbitro di campo in quegli anni

nella costruzione, proprio a lato della cattedrale, della cappella della Canonica, avviata nel 1490. Si tratta dell'edificio a pianta centrale per il quale l'architetto aveva fornito anche un modello ligneo e che, nel decennio, sembra calamitare la quasi totalità delle energie finanziarie della cattedrale, se non della stessa comunità forlivese, vista la rilevanza del miracolo che ne aveva sollecitato la costruzione[37]. Viene così il dubbio che l'"altare maius" indicato nel documento possa anche essere questo della cappella, se, come sappiamo, sull'altare maggiore della cattedrale salì, ma solo nel 1506, la *Comunione degli apostoli* e se Vasari segnalava in chiesa una seconda importante pala di Palmezzano, "una Nostra Donna, San Ieronimo ed altri Santi", di cui non abbiamo altre notizie[38].

Le competenze riconosciute al pittore per lo stesso ornato architettonico dell'altare di Dozza[39] si precisano, dunque, anche in rapporto a Pace Bombace, "amato oniversalmente, e masime da Papa e Ri et altre signur de Talia" e per noi soprattutto personaggio ben noto della "brigada" melozzesca[40]. Che Palmezzano potesse riconoscersi in quella stessa compagnia già nel 1492, prima del ritorno definitivo di Melozzo a Forlì nella tarda primavera del 1493, è un dato non scontato, che dà probabilmente ragione dell'impennata delle sue commissioni nello stesso giro d'anni, quanto del precedente silenzio dei documenti dal 1484, molto sospetto in un regesto così martellante in seguito e sino alla fine, nel dar conto delle tante attività forlivesi del pittore. Palmezzano doveva insomma essere tornato in patria da poco, latore di ultimissime novità melozzesche e romane, e il "caro alievo di Melozzo" che Pacioli avrebbe conosciuto a Forlì nel 1494, sui palchi della cappella Feo, era artista ormai più che trentenne e ben referenziato.

Personalmente mi è però ancora difficile riconoscerlo al fianco del maestro sin dai tempi della sacrestia di San Marco a Loreto (fig. 10), fra il 1483 e il 1484 (gli affreschi appartengono, infatti, alla stessa campagna decorativa che registra in parallelo la presenza nel santuario di Luca Signorelli); tanto più nel ruolo di collaboratore principale, un'idea che, dopo Cavalcaselle, fu anche di Berenson e di altri[41]. Non che Palmezzano, nella *Crocifissione* della Ripa, non potesse poi dimostrare di conoscere anche quei partiti d'ornato architettonico, o il costone roccioso che domina l'apertura paesaggistica dell'*Entrata a Gerusalemme*; ma il senso vero delle sperimentazioni lauretane, il dialogo con i pittori della Sistina che Melozzo instaurava allora, in tema di preziosità pittoriche e colorazioni sentimentali, non trova traccia in Palmezzano.

A prescindere dalle attestazioni che ne documentano la presenza in patria fra il 1483 e il 1484, le opere che ci sono giunte presuppongono un momento di cultura melozzesca più tardo e diversamente calato nella realtà romana di fine decennio. È già stata

segnalata la derivazione del gruppo con la Madonna e il Bambino di Dozza da un'invenzione dei tardi anni ottanta di Antoniazzo Romano, fra la pala del 1487 oggi alla Galleria Nazionale di palazzo Barberini e la tanto più alta Madonna della Rota vaticana (che il testamento del committente consente di porre poco dopo il 1488)[42]. Perché lo stesso Antoniazzo pervenga a stesure altrettanto vellicanti, occorre forse attendere la redazione del Museo di Le Mans del 1494, ma per Palmezzano l'autorità del modello (fig. 2-4) è dichiarata anche dal motivo del velo trasparente sul Bambino, e ancor più dall'attitudine pensosa, che sa già di presagio, della Vergine, riproposta dal forlivese anche nell'incantevole tavola di Baltimora (cat. 9) unico altro numero da confermare a questo suo primo tempo pittorico. Simili accenni di sospensione psicologica si faranno davvero più rari in seguito, e già nella *Vergine annunciata* della gran pala del Carmine (cat. 20) ogni moto di sorpresa o di mutuo assenso alle parole dell'ange-

8.
Antoniazzo Romano,
San Giovanni Battista,
Francoforte, Städelsches
Kunstinstitut.

9.
Marco Palmezzano,
*Madonna in trono
con il Bambino e i
santi Giovanni Battista,
Pietro, Domenico e Maria
Maddalena*, Milano,
Pinacoteca di Brera
(particolare).

lo pare quasi annullarsi nell'esercizio di stereometria prospettica con cui è risolto l'ovale perfetto del volto, stondato dall'ombra.

Per altri versi, torna utile ricordare anche il vecchio riferimento a Palmezzano del *San Giovanni Battista* dello Städelsches Kunstinstitut di Francoforte[43], opera in realtà di forte risalto antoniazzesco, se può essere utile nel far luce, nell'equivoco attributivo, sulle fonti figurative presenti al nostro artista allorché si trovò a realizzare la stessa figura per la ribalta della pala del 1493 (fig. 8-9). Ma si direbbe che il suo orologio romano non batta ora diversa neppure per gli scorci di paesaggio che già tralignano alle spalle della *Sacra conversazione* di Dozza, e per i quali occorre attendere che fossero piuttosto i "lontani" di Pinturicchio, con la loro ricchezza decorativa e le accese saturazioni cromatiche, a imporsi a Roma come l'ultima e più aggiornata novità: dunque non prima dello scoprimento delle Logge di Innocenzo VIII al Belvedere (1487-1488)[44]. Antoniazzo sembra registrarne la fascinazione già nel *San Francesco che riceve le stimmate* datato 1488 della collezione Perkins ad Assisi, o nella *Natività* Contini Bonacossi (cat. 3) che continuo a credere sua[45], ma il confronto non dovette cogliere imprepa-

rato neppure Melozzo: proprio in tema di aperture illusive, a Loreto, era stato del resto un battistrada e nell'ambientazione dell'*Entrata a Gerusalemme* sono già intuizioni di narratività ornata, tutta condotta in punta di pennello. Nel riferire di Melozzo dopo Loreto, si impone ovviamente lo scoglio insormontabile della mancanza delle opere, e l'indagine storica si trova costretta ad aggirare l'ostacolo raccogliendo solo tracce indirette di quell'attività perduta, a cominciare magari dalla nuova, spianata spaziosità di cui da prova fra Fano e Urbino (ma dopo il 1484) Giovanni Santi, che, negli stessi anni, omaggiava l'amico pittore in un distico famoso della sua *Chronica rimata*[46].

Se le opere mancano, non tacciono tuttavia i documenti, ed è coincidenza ben poco casuale che proprio l'anno dell'ultima attestazione forlivese del giovane Palmezzano (il 1484) sia anche quello dell'improvvisa ricomparsa in patria di Melozzo, ormai nelle vesti di cavaliere di Girolamo Riario. L'esito del suo scontro con il governatore Giacomo Bonarelli, che giustifica la registrazione del cronista Cobelli, lascia intendere che il pittore non si muoveva allora al seguito della corte riario-sforzesca (attestata a Forlì sono nell'autunno di quell'anno) e alla quale doveva comunque essere legato sin dalla scomparsa (1474) di Pietro Riario, l'ambizioso cardinale artefice delle fortune politiche di Girolamo, come della sua prima memorabile affermazione nella Roma sistina (se spetta al prelato, come afferma Vasari, la committenza dell'abside dei Santi Apostoli: cat. 1)[47]. Con tutto questo è difficile che Melozzo si trovasse a Forlì nel 1484 solo per "visitare la sua brigata", come riferisce il cronista, e torna utile il ricordo "della Cuppola egregiamente dipinta" nella chiesa di San Giovanni Battista in Faliceto, cui andava il rimpianto di Francesco Scannelli nel 1657 quando, da poco più di un lustro, era andata distrutta per la "simplicità di quei buoni Padri" cappuccini, subentrati da un secolo nella chiesa, già dell'ordine di San Marco di Mantova[48]. Nulla è noto sull'edificio quattrocentesco, salvo l'identità del commendatario negli anni che ci interessano, vale a dire Bartolomeo Urcei, un nome in grado di ricondurci tuttavia nel vivo delle iniziative per Forlì di Girolamo Riario. Bartolomeo figura, infatti, in qualità di vicario capitolare nelle controversie sorte nel 1483 fra il Capitolo di Santa Croce e il capomastro Domenico di Francesco Zanobi, detto "Capitano", responsabile con altre maestranze, del rinnovamento della cattedrale e di quelle volte un poco ribassate che ancora all'inizio dell'Ottocento recavano lo stemma dei Riario Sforza[49].

A farci caso, risultava "fabricata con volto ottuso", anche la cupola di San Giovanni Battista che Scannelli, per polemica vasariana, non mancava di paragonare ai fasti dei Santi Apostoli, per il "ben posseduto artificio" dei "Profeti, putti con libri, istrumenti musicali, ed altri ornamenti convenevoli all'invenzione e luogo talmente adeguati, che porgendo a gli spettatori continuo l'inganno, si dimostravano più tosto rilevati, e veri in sito retto e sfondato, che artificiati in luogo convesso". Descritta così, in effetti, la cupola sembra porsi giusto a metà strada fra la tribuna romana e la più tarda cappella Feo, anche perché l'immagine dei profeti proiettati artificiosamente in "sito retto e sfondato" non esclude scorci di figure stanti che parrebbero ritornare episodicamente nella pittura forlivese successiva, senza debiti evidenti nei confronti dell'altra, più tarda, realizzazione melozzesca, nota almeno attraverso le vecchie fotografie Alinari[50].

Riflessi più diretti di un tale innesto di cultura postlauretana non è dato cogliere a Forlì, salvo, forse, nel primo Palmezzano, e le preferenze locali per una pittura d'illusione, negli anni della signoria Riario-Sforza, si misurano piuttosto sul *Pestapepe* della pinacoteca, se, in origine, sulla bottega priva di portico di borgo Ravaldino, l'affresco accampava davvero le insegne araldiche di Girolamo e di Caterina Sforza, ancora descritte da Girolamo Reggiani[51]. Non è questo il luogo per riaprire la questione del vecchio riferimento melozzesco che risale allo stesso Scannelli, e pare più utile rilevare, sulla traccia di un simile documento figurativo, la vitalità, a Forlì agli inizi del nono decennio, di una cultura di matrice ferrarese e di lunga fedeltà cossesca che in parallelo riscontriamo anche altrove in Romagna, fra Faenza e Imola nel gruppo di pale che andò sotto il nome di Leonardo Scaletti, e a Cesena, dopo il 1486, nell'officina dei Corali del duomo (dove pure si colgono riferimenti a impaginati architettonici di indubbia matrice romana)[52]. Null'altro ci è giunto, per questi anni, della pittura forlivese, dalla quale Palmezzano doveva prendere le distanze, facendosi allievo di Melozzo. Rispetto a dieci anni dopo, e salvo il caso di Ravenna, la forza di attrazione di Venezia era ancora ben poca cosa nei prodotti da esportazione e di bottega vivariniana che è dato registrare anche a Forlì (la *Madonna in trono* della Galleria Borghese risulta ceduta nel 1908 dalla locale Congregazione di carità). E solo più tardi, dopo i soggiorni lagunari, Palmezzano poté forse apprezzare le profilature taglienti e "antonellesche" così peculiari di Alvise, che un suo polittico giovanile dovette pure inviarlo in qualche chiesa di Cesena (ne rimaneva *in loco*, ancora negli anni di Alberto Graziani, un ridipintissimo *San Bernardino*, riemerso poi sul mercato antiquario, liberato da quelle ridipinture ma anche pesantemente decurtato)[53].

Nel 1487, al momento del testamento della madre che pure veniva ad avvantaggiarlo fuor di misura, Melozzo non compare già più fra i testimoni (vi è ricordato invece Pace Bombace) e "moram trahens in Urbe" lo dichiara un documento forlivese del 1489. Non aveva dunque atteso la definitiva rovina di Gi-

rolamo Riario, la cui immagine vincente di "Ecclesiae Imperator" e di "princeps novus" aveva del resto già ricevuto il colpo mortale con la fine del pontificato sistino (1484)[54]. Ma un ritorno a Roma di Melozzo, proprio a queste date, dopo aver oltre tutto dato prova anche a Forlì del proprio travolgente talento, sembra l'aggancio ideale per dar conto della cultura che Palmezzano avrebbe riportato in patria all'inizio del nuovo decennio, prima ancora di ritrovarsi, fra il 1493 e il 1494, a fianco del maestro per l'ultima impresa comune in San Girolamo.

Sempre più teorematico nel modo di concepire le intelaiature architettoniche delle sue cupole dipinte, stando almeno agli esiti quasi metafisici che ne ricaveranno più tardi Falconetto a Verona e il forlivese Giovanni del Sega in San Nicolò a Carpi[55], anche Melozzo non poteva ormai evitare il confronto con l'onda montante della pittura umbra, peruginesca e pinturicchiesca. A documentare una tal linea di sottili mediazioni concorre in mostra un prestito d'eccezione come il *San Sebastiano* di collezione privata (cat. 5 e fig. 14) che sino ad ora si conosceva solo per riproduzione fotografica e che invano abbiamo cercato di poter presentare a fianco dell'altro dipinto certamente della stessa mano, vale a dire il *Sant'Eustachio* già di collezione Figdor a Vienna, approdato sin dal 1936 ai musei di Berlino, ma ignorato e mai esposto fino a tempi recenti[56] (fig. 12).

Per queste opere, l'attribuzione allo stesso Melozzo avanzata da conoscitori illustri, come Longhi, Volpe, Zeri, costituisce un buon viatico per intendere l'estrazione culturale di un simile maestro, certo più giovane del forlivese, più eccentrico nell'accordare motivi melozzeschi alle spazialità slittanti, narrative del Pinturicchio preborgiano. Con il Maestro del sant'Eustachio Figdor, ché ancora non trovo altro nome con cui chiamarlo, si chiarisce probabilmente l'estrazione umbro-romana dei migliori aiuti nella sacrestia di San Marco di Loreto e, per riflesso, un buon tratto degli sviluppi coevi dello stesso Ambrogi[57]. Che sia proprio il tratto percorso in parallelo da Palmezzano giovane, a fianco del maestro, lo rivela la recente proposta di riconoscerlo quale autore dei dipinti in questione. Ma più alta e sperimentale mi pare la temperatura del *San Sebastiano*, più umbra nei suoi accordi di rosa e grigiazzurro la preziosità sgranata del *Sant'Eustachio*, una tavola che, nel tempo, ha anche portato riferimenti a Fiorenzo di Lorenzo, Pinturicchio, Perugino giovane[58]. Palmezzano saprà far propria l'idea dei paesaggi pietrificati dove le radici degli arbusti innervano le rocce nitide e sfaldate dalla luce, ma non aderirà mai ad anatomie così sguscianti anche negli scorci. Le stesse che effettivamente ricorrono, insieme a partiti di pieghe di morfologia similissima, anche nel *Cristo crocifisso* già Nicholson e oggi a Szekesfervar in Un-

gheria, che Longhi, già nel 1946, negandone il precedente riferimento berensoniano a Domenico Morone, legava al *Sant'Eustachio*, anche in termini di contesto materiale, quale elemento di uno stesso complesso. Anni fa mi era parso di poter minimizzare quell'indicazione, che andrà pur sempre verificata *de visu* ora che tutte e tre le tavole dell'anonimo sono riemerse agli studi[59].

Ne riuscirebbe meglio confermata la sua estrazione centroitaliana, da prendersi tuttavia solo come la più probabile delle ipotesi di lavoro: da quel mondo di volumetrie melozzesche, intessute di lume vibrante, emerge pur sempre la sagomatura compatta del profilo del *Sant'Eustachio* inginocchiato, che verrà riecheggiata poi a Forlì, nella postura dei genitori nel *Miracolo dell'impiccato* della cappella di Giacomo Feo (fig. 12-13). Melozzo poteva ben esserne l'origine, ma in questa partita di riscontri incrociati, con il Maestro del sant'Eustachio, Palmezzano e, fra poco, l'altro anonimo romagnolo fatto conoscere da Zeri (specie per gli accordi in giallo e rosa del panneggio del san Pietro della pala già Muti Bussi) (fig. 19)[60], si ha anche la sensazione che proprio il *San Sebastiano* o qualcosa di molto simile, fosse noto in Romagna, al più geniale fra gli esordienti dell'ultimo decennio del Quattrocento. Il confronto con questa frammentaria *Deposizione* giovanile di Bernardino Zaganelli (fig. 14-15) rivela, infatti, affinità difficilmente aggirabili, nello scarto di scala fra le figure e la costa rocciosa, in quelle architetture inerpicate e alabastrine, nell'aspetto del Nicodemo, così simile agli arcieri in abisso della tavola ora ricomparsa[61]. Affinità che stupiscono oltre modo in un artista che, a differenza del fratello

Francesco, pare sin dagli inizi meno suggestionato dalla pittura forlivese di quegli anni.

Ai fini dei rapporti di Melozzo e Palmezzano prima della decorazione in patria della cappella del nuovo favorito di Caterina Sforza, non sembra di poco conto neppure che il maestro nel 1493 muovesse da Ancona alla volta di Forlì, abbandonando un cantiere, nel palazzo degli Anziani, di qualche legame con la corte urbinate[62]. È fondato, infatti, il sospetto che Palmezzano, nelle vesti di pittore ormai autonomo ma ancora in viaggio di studi, avesse tratto qualche beneficio anche dalle ottime credenziali riconosciute a Melozzo presso le corti marchigiane, dei Montefeltro a Urbino, di Giovanni della Rovere a Senigallia e di Alessandro Sforza a Pesaro (in questo caso i contatti risalivano ad almeno un trentennio prima). Ancora a Matelica, nel 1501, tornava utile al più giovane pittore alludere a quell'antica primogenitura, nella sottoscrizione dell'altare di San Francesco. Ma all'ipotesi di un soggiorno pesarese di Palmezzano entro il 1493 concorrono tanto i riflessi dei capolavori veneti lasciati in città da Bellini e Marco Zoppo, già indicati dalla critica nella pala di Brera di quell'anno, tanto l'originaria presenza in loco di un documento figurativo che recenti riscontri documentari sembrano rimettere in gioco. Il riferimento a Palmezzano per l'*Annunciazione* monumentale della Pinacoteca Vaticana (fig. 16), che le guide antiche di Pesaro ricordavano nella chiesa dell'Annunziata come opera di Francia, non va oltre, nella letteratura specifica, l'edizione del 1932 degli indici di Berenson (quando già l'aveva rifiutata Venturi)[63]. Nel seguito ha sempre creato un certo imbarazzo l'impianto decisamente melozzesco dell'Angelo e della Vergine in primo pia-

no rispetto alla *naïveté* aneddottica del paesaggio, o all'immaginario antichizzante da cui derivano le architetture sullo sfondo, memori forse degli apparati effimeri organizzati da Girolamo Genga per la corte urbinate nel secondo decennio. La proposta inaccettabile di identificarvi, appunto, una precoce traccia roveresca per Gerolamo pittore ha avuto almeno il merito di collegare strettamente la pala all'affresco di analogo soggetto e ambientazione architettonica di San Domenico a Cagli (già riferito a Giovanni Santi)[64]. Ma si direbbe che proprio il ricalco palmezzanesco delle due figure centrali, nella pala vaticana, abbia a lungo impedito il riconoscimento del suo più naturale autore, il fanese Giuliano Presutti, per confronto con le pitture della cappella Andreoli a Gubbio che Timoteo Viti, primo intestatario del contratto nel 1521, non fece in tempo a realizzare (fig. 17). Ai fini della cronologia si può procedere fino all'*Immacolata Concezione* di Serrungarina (1527 circa), per le tipologie dei cherubini ai lati del Dio Padre e per la varietà narrativa del paesaggio[65].

Alle difficoltà poste dall'*Annunciazione* vaticana sembra dare ora salomonica soluzione il referto di una guida pesarese di primo Seicento, di cui si è potuta accertare, in altri casi, l'affidabilità, secondo la quale la pala era "opera a guazzo di Marco da Forlì", "rifatta a olio da Giuliano Presiutto che dipinse anco tutta la chiesa"[66]. Ma un simile, imprevisto apporto delle fonti non risolve tutti i problemi posti dal dipinto, che non lascia affatto sospettare, a più di vent'anni di distanza, un intervento di semplice maquillage o di aggiornamento figurativo da parte di Presutti che, oltre tutto, qualche attenzione palmezzanesca l'aveva rivelata in gioventù (il suo polittico del 1506, oggi a Monte San Pietrangeli vale come unico riflesso locale della pala di Matelica). Nessuna stesura a tempera si rivela al di sotto dell'attuale superficie dipinta, condotta con notevoli approssimazioni figurative e con medium indubbiamente oleoso. Quella veduta immaginaria di Pesaro con le case pittoresche allineate sullo sfondo o il tempio ornato a pianta centrale con i rilievi in facciata convengono al solo repertorio di Presutti, che li riproporrà anche altrove (e già nell'affresco di Cagli). È vero però che nelle figure il pittore tradisce una diligenza fuor d'ordinario, quasi intarsiando il colore sulla traccia di un disegno sottostante già finitissimo anche nelle indicazioni dell'ombra. Lo si vede affiorare in corrispondenza dei volti dell'ange-

lo e della Vergine, e si tratta di un disegno a fitto tratteggio incrociato davvero simile a quello rivelato dalle riflettografie sotto la pittura della pala del 1493 di Palmezzano (e, in genere riscontrato in quasi tutte le opere della sua prima maturità). Salvo nuovi accertamenti, sembra dunque lecito ipotizzare che Presutti intervenisse su un dipinto in cui il forlivese aveva fatto in tempo a impostare solo le figure principali e il pavimento a commessi marmorei, che prefigura, anche nel taglio prospettico, quello del 1493 (cat. 8).

Non era certo la prima volta che il fanese si trovava a rimediare in extremis alle insolvenze di colleghi forse più titolati di lui (era accaduto anche con Solario a Osimo e con Timoteo Viti), ma in questo caso, il registro dei tempi troppo allentato induce a credere che siano ancora da chiarire molti passaggi nella vicenda che portò i confratelli dell'Annunziata a Pesaro a dotarsi di una nuova pala per l'altare maggiore. A cominciare dal primo atto di quell'iniziativa che, nel 1490, aveva coinvolto lo stesso Perugino, negli anni in cui il pittore cominciava a divenire una presenza familiare in zona (nel 1488 aveva stipulato il primo contratto per la pala di Santa Maria Nuova a Fano)[67]. Se davvero Palmezzano ebbe modo di subentrargli subito dopo nella commissione, si spiegherebbero anche meglio i recenti riflessi perugineschi (di matrice fiorentina, più che romana) che registriamo a Forlì nell'affresco della Ripa. Anche se è evidente che la vera scoperta pesarese dovettero essere le pale venete lasciate in città da Giovanni Bellini e Marco Zoppo, di un impianto spaziale e di una scansione compositiva, nell'assieparsi dei comprimari ai lati della Vergi-

ne, che a Palmezzano parvero subito conciliabili con il suo linguaggio melozzesco e romano. E tanto più lo sarebbero divenuti in seguito, dopo un confronto alla fonte, cioè nella stessa Venezia, con quella pittura d'inarrivabile naturalezza e verità luminose.

Con tutto ciò abbiamo preferito non dare ancora per scontata, nel regesto, l'identificazione di Palmezzano, proposta di recente, con il Marco pittore (privo nel documento di toponimo) che proprio a Pesaro il 14 maggio 1490 riceveva un pagamento per "doi armi"[68]. I tempi del soggiorno in città poterono anche essere di poco successivi, di impegno e durata non compatibili con l'assolvimento di incarichi occasionali. E piuttosto, nella chiamata del pittore, resterebbero da chiarire le eventuali responsabilità sforzesche, che emergono più chiaramente nel caso dei successivi soggiorni pesaresi di altri romagnoli (Francesco Zaganelli, Girolamo Marchesi); per analogia interesserebbe anche il caso del bolognese Amico Aspertini, se la tappa sforzesca di quest'ultimo si consumò proprio nel ritorno da un viaggio di studio a Roma[69].

Siamo ormai ai tempi in cui la mappa sovraregionale della pittura prospettica, tracciata all'anno 1494 da Luca Pacioli nella *Summa de Arithmetica Geometria Proportioni et proportionalità*, può prevedere, accanto a Venezia, Firenze, Mantova, una menzione di riguardo

16.
Giuliano Presutti
(su parziale disegno
di Marco Palmezzano),
Annunciazione, Roma,
Pinacoteca Vaticana.

17.
Giuliano Presutti,
*Gloria di santa Maria
Maddalena*, Gubbio,
Duomo.

anche per la Forlì di Melozzo con il "suo caro alievo Marco Palmezzano". Si tratta di una registrazione di indubbio tempismo, pur considerando che la lettera dedicatoria a Guidobaldo da Montefeltro ove è contenuta dovette essere scritta per ultima, a Venezia, nelle more della stampa, conclusa il 10 di novembre, presso "l'opifitio del prudente homo Paganino de Paganini". La notizia della morte di Melozzo, avvenuta a Forlì l'8 novembre, non poté ovviamente raggiungere in tempo Pacioli, ma importa che i due non si fossero persi di vista, forse per il tramite della corte urbinate, anche dopo i comuni trascorsi romani, rievocati più tardi nel *De Divina Proportione* (1509).

Il celebre elenco dei pittori posti sotto il segno del "monarca a li tempi nostri della pictura maestro Pietro di Franceschi" ricostruisce soprattutto il catalogo degli incontri del frate girovago che solo tra qualche anno, a Milano, entrerà in contatto con Leonardo. Le discussioni geometriche con "Gentile e Giovan Bellini carnal fratelli" non potevano aver trovato verifica migliore che sui teleri, ancora in corso d'opera nel 1494, per la sala del Maggior Consiglio di palazzo Ducale, opere perdute, ma che sappiamo di apertura prospettica vertiginosa[70]. Nulla è noto di un soggiorno fiorentino di Pacioli precedente il 1500, cui accreditare la conoscenza di Botticelli, Filippino Lippi e

Ghirlandaio ugualmente citati nell'epistola. Ma l'incontro con Perugino ambientato a Perugia e non a Firenze, più stabile residenza del pittore, doveva risalire, per il frate, al suo secondo mandato di insegnamento in città, fra il 1487 e il 1488 (per quanto l'artista risultasse allora irreperibile per dar corso alla pala che i Decenviri gli avevano riconfermato nel 1485)[71]. In questo referenziatissimo curriculum di frequentazioni pittoriche, che prevede anche il richiamo al quasi conterraneo Luca Signorelli e all'immancabile Mantegna mantovano, occorre immaginare che per Pacioli il viaggio verso Venezia in vista della stampa della sua opera matematica avesse previsto appunto una tappa a Forlì, per un ultimo incontro con Melozzo e la probabile conoscenza di Palmezzano. Si ammette ormai da tempo e con buona verosimiglianza che il luogo dell'incontro non potesse che essere la cappella di Giacomo Feo, in San Girolamo, cui il maestro stava attendendo forse dagli ultimi mesi del 1493. Davanti a quella volta già a buon punto di lavorazione (alla morte di Melozzo rimaneva da dipingere solo la scena con il *Martirio di san Giacomo* sulla parete orientale), non dovette risultare difficile, per i due amici, riprendere il discorso dal punto in cui, anni prima, l'avevano interrotto a Roma: si immagina, ancora sul tema dei solidi regolari di euclidiana memoria, vera ossessione speculativa del frate matematico[72]. Ben pochi testi figurativi, del resto, all'anno 1494 avrebbero potuto meglio confermare le idee pacioliane riguardo alle possibili applicazioni in pittura e in architettura di quelle immagini geometriche: Meloz-

39

18.
Melozzo da Forlì
(e Marco Palmezzano),
Il profeta Baruch, già
Forlì, chiesa di San
Biagio in San Girolamo,
cappella Feo,
(particolare).

zo continuava, infatti, a concepire l'illusionismo delle cupole come una sorta di amplificazione retorica e "abitabile" del partito murario, regolarizzato per "circino e libella", nonostante l'inedito travestimento all'antica del motivo a cassettoni, conferendo al tutto la misura armonica di un ordine matematico di implacabile esattezza[73]. Solo i profeti nobilissimi e di ampio respiro, seduti sull'illusivo cornicione, sembravano riportare su scala umana quella cristallizzazione prospettica dello spazio che, in termini ormai del tutto velleitari, il frate si sforzerà di riconoscere più tardi nelle architetture reali del Bramante lombardo.

Il ricordo al fianco di Melozzo e in un contesto di tale elezione del "caro alievo" Palmezzano lascia intendere l'ormai raggiunta maturità di quest'ultimo nelle vesti di collaboratore fidato, più che di mero esecutore. Eppure, nel rinnovato confronto con il maestro, fianco a fianco, sui palchi della cappella, si gioca molto della divulgazione melozzesca di cui nel seguito Palmezzano darà conto: quella sicurezza di gradazione spaziale, quelle panneggiature misurate in assonometrie nettissime secondo la logica delle loro spezzature geometriche, l'allievo non doveva dimenticarle più (fig. 18). Semmai, nel tempo, solo allentarle. È possibile riconoscere la sua mano in alcuni dei profeti e in certe figure della lunetta con il *Miracolo dell'impiccato*, che, prima della distruzione bellica, si presentava meglio conservata, anche se qui l'impianto prospettico, così irto e abbreviato, ancora in linea con gli esperimenti del Maestro del Sant'Eustachio

Figdor, poteva ben risalire a Melozzo. Quel poco che, invece, rimaneva dell'arco di fondo, con la probabile *Disputa con Fileto*, dove si intravvedevano triangolazioni di manti ancora prossime al mondo di Antoniazzo, conferma invece che con il suo ritorno in patria, Melozzo dovette farsi garante anche delle aperture umbro romane su cui era già ben indirizzata la pittura forlivese (il paggio di spalle nella lunetta orientale è idea che risale al giovane Pinturicchio della cappella Bufalini all'Aracoeli).

Gli anni della cappella Feo coincidono probabilmente con l'attività locale del Maestro dei Baldraccani, l'anonimo romagnolo ricostruito da Zeri, e con il primo tempo melozzesco di Baldassarre Carrari[74]. Ma nella nuova "brigada" che si ricomponeva allora intorno al maestro, non poté mancare neppure Giovanni del Sega, né forse Giovan Battista Rositi, che di lì a poco si sarebbe provato a smerciare, un po' fuori tempo, anche nel contado romano se non proprio nell'Urbe, quel suo piccolo gruzzolo di conoscenze spaziose (dove si riconosce anche l'apporto di Palmezzano).

Per una Forlì sforzesca prossima al tramonto, fu quella anche l'ultima tentazione di una cultura cortigiana, aggiornata sugli esiti romani dell'abside di Santa Croce di Gerusalemme (ante 1495), disponibile a contaminazioni antiquarie di filologia ancora mal ferma, ma di indubbia nobiltà decorativa, come è appunto nei troni della pala già Muti Bussi del Maestro dei Baldraccani, e in quella per il duomo di Ravenna di Baldassarre Carrari (fig. 19-20). Alla moda parteci-

pava la cappella Feo con più elezione di modelli e, nella lunetta, riconosciamo il motivo dei grifi affrontati dalla trabeazione del tempio di Antonino e Faustina, e i primi saggi di lesene a grottesca di cui Palmezzano farà in seguito tesoro.

Tali tentazioni valevano anche per i committenti e si può considerare della partita il vescovo di Ravenna Filasio Roverella, di ottime frequentazioni umanistiche (almeno in gioventù), che scelse il Maestro dei Baldraccani per un suo ritratto compunto e prezioso nella materia pittorica (cat. 11) e che poté probabilmente avallare la scelta di Baldassarre Carrari per l'altare di San Matteo nella basilica ursiana (cat. 14 e fig. 20). Ancor prima, in ogni caso, doveva essersi mobilitata la famiglia dei Baldraccani che, in questi anni, conta su alcuni rappresentanti di rango: Giorgio, già segretario di Pino III degli Ordelaffi, e i figli Francesco e Antonio, quest'ultimo personaggio chiave dell'amministrazione sforzesca, più volte ambasciatore per Caterina Sforza alla corte di Ludovico il Moro, e suo fidato consigliere nei momenti difficili (stando ai rapporti dell'osservatore milanese Alessandro Orfeo)[75]. È lecito ancora credere che la monumentale pala con la *Madonna e i santi Pietro, Paolo, Francesco e Antonio da Padova* e lo stemma ridipinto della famiglia da cui trae il nome convenzionale il suo autore (fig. 19) fossero destinati proprio alla chiesa di San Girolamo, nonostante risulti ormai accertato che nel Settecento essa si trovava piuttosto in quella di Santa Maria di Valverde, da dove, al momento delle soppressioni, dovette passare sul mercato cesenate (quando fece in tempo a vederla Gaetano Giordani)[76].

Ora si può aggiungere che era stato Giorgio Baldraccani a ottenere nel 1489 in giuspatronato ben due cappelle nella chiesa osservante e con una procedura che non ho le competenze per valutare nella sua eccezionalità, visto che la richiesta venne approvata non in sede locale, ma dal Capitolo generale dell'ordine,

riunitosi a Cento in quell'anno[77]. Non è da escludersi che le necessità di rappresentanza sollecitate in tal senso dalla nobiltà locale cominciassero a travalicare la tradizione, cogliendo i frati impreparati. Ma il fenomeno era solo agli esordi e si può ben dire che Palmezzano si trovasse poi al momento e nel posto giusto nel provvedere a una richiesta crescente di altari gentilizi in città, che finirono per riconfigurare radicalmente gli spazi gotici delle antiche chiese cittadine. Né sarà di poco conto rilevare come quella stessa nobiltà che eleggeva allora Palmezzano a proprio pittore di fiducia fosse pur sempre la stessa che, a anni di distanza, continuava a riconoscersi nei valori e nei gusti del passato dominio sforzesco (perpetuati in fondo dal pittore attraverso la sua lunga fedeltà melozzesca).

Al momento, l'iniziativa di Giorgio Baldraccani potrebbe porsi come *ante quem* per la commissione all'anonimo della pala, da intendersi con qualche elasticità. Si sa che il personaggio testava nel 1491, senza dimostrare particolari attenzioni per la cappella in San Girolamo, e che dovette ancora sopravvivere vari anni, se la consolatoria al figlio Antonio, in occasione della morte, venne composta dal poeta Michele Marullo, giunto probabilmente a Forlì al seguito di Giovanni de' Medici nel 1497 e impiegato anche in seguito da Caterina Sforza più come uomo d'arme che come letterato[78]. Il documento del 1489 dice piuttosto qualcosa sui desideri di emulazione della famiglia nei confronti della stessa corte sforzesca, se la richiesta da parte di Giorgio Baldraccani di ben due vani a lato della cappella di San Bernardino, di antico patronato Ordelaffi, lascia intendere che quest'ultima fosse già unita sull'altro lato alla futura cappella Feo attraverso l'arco a tutto sesto che la bottega melozzesca affrescò poi nell'intradosso con un motivo a cassettoni. È difficile che Giacomo Feo potesse concepire il ciclo pittorico dedicato al suo santo patrono prima del 1492-1493: quando ormai il suo primato forlivese a fianco

21.
Marco Palmezzano,
*Storie e martirio di
san Giacomo*, già a Forlì,
chiesa di San Biagio
in San Girolamo,
cappella Feo.

di Caterina Sforza si rifletteva anche nella corrispondenza con Piero de Medici[79]. E, nel seguito forse parallelo dei lavori (anche dopo la morte di Melozzo), si spiega che i Baldraccani ricorressero forse al solo maestro, insieme a Palmezzano, in grado di dimostrare autonomi aggiornamenti *extra moenia*, nella qualità macchiata dei paesaggi pinturicchieschi, e in quel sentore di fiorentinismo alla Ghirlandaio, che rivelano le figure di san Pietro e di san Paolo della pala oggi irreperibile. Dove, in ogni caso, le cariatidi viste di scorcio ai lati del trono, si direbbero ancora versioni miniaturizzate di qualche angelo melozzesco, della specie di quelli che a Verona riportava Falconetto.

L'elaborazione dei modelli

Alla morte di Melozzo, nella cappella Feo, rimaneva da dipingere, insieme ad altre, minori decorazioni, solo la grande scena parietale con le *Storie e il martirio di san Giacomo* (fig. 21), che Palmezzano firmò da solo, probabilmente nel 1495, l'anno della congiura fatale e dell'uccisione di Giacomo Feo. Nessuna fonte ricorda in sito l'esistenza di una pala d'altare, ma ci sfugge soprattutto come quello spazio si raccordasse cerimonialmente alla cappella contigua di San Bernardino, cui Caterina Sforza riconobbe anche in seguito un ruolo di qualche rappresentanza (la vera cappella dei Riario era a Imola, in cattedrale). Nel 1499 la contessa vi faceva tumulare con ogni onore Ottaviano Manfredi, e forse anche Faustina Riario, figlia naturale del cardinale Raffaele[80]. Non è così vincolante insomma ai fini della cronologia dell'affresco palmezzanesco, la circostanza che anche le esequie di Giacomo Feo avessero luogo, alla fine di agosto del 1495, nella stessa cappella già Ordelaffi (si dice perché non ancora praticabile e ingombra di ponteggi quella di San Giacomo).

Occorre in ogni caso immaginare una qualche interruzione nei lavori dopo la morte di Melozzo, perché lo stile che Palmezzano rivela nel *Martirio*, di conservazione malandatissima anche prima della rovina e oltre tutto trascurato dalle campagne fotografiche Alinari, presuppone già in atto le conseguenze derivate dalla divisione del patrimonio concordata con i fratelli Tommaso e Sebastiano, il 30 maggio 1495. Si tratta del documento che ricorda l'esistenza di una casa a Venezia e che, a partire da Grigioni, s'interpreta come indizio dell'apertura di un nuovo fronte di attività nella Serenissima, da parte di Palmezzano, subito dopo la morte di Melozzo[81]. Varrà la pena di notare, tuttavia, che l'atto riguardava appunto la divisione di beni ancora goduti in comune dai tre fratelli (non viene fatta menzione, ad esempio, della casa in cui Marco vivrà per il resto della vita a Forlì e che forse aveva già autonomamente acquistato), e ancora comuni si consideravano allora i "debitores" e il "totum creditum" esigibile sulla piazza veneziana. L'allusione a "omnes

colores et masaricias ad artem et exercitium pingendi" riconosciuti a Marco non si collega univocamente, nel dettato notarile, ai "bona mobilia" ricordati poco prima nella casa affittata a Venezia. Una lettura più cauta del documento, che tenga conto globalmente della gestione patrimoniale della famiglia (ci mancano, ad esempio, notizie sull'attività svolta dal fratello Sebastiano), consentirebbe forse di superare alcune difficoltà. Palmezzano poteva anche essere il principale interessato a quegli affari lagunari, ma pare poco credibile che, proprio quando in patria cominciava a ottenere credito come titolato erede di Melozzo, decidesse di tentare in piena regola l'avventura su una piazza così competitiva. Le sue frequentazioni veneziane, che pure dovettero prevedere anche l'attività pittorica, sembrano rimanere ai margini dei maggiori cantieri aperti in città. E per quanto si rivelasse folgorante, proprio sul 1495, la conoscenza della pittura lagunare, l'artista non sembra granché interessato ad alcuno dei dibattiti che si immaginano in corso. Per un'intima fedeltà al magistero melozzesco, guarda piuttosto al Bellini prospettico dell'ottavo-nono decennio, anteponendo forse, nella sua considerazione, la perduta pala di Zanipolo (1475) alle ombre pulviscolari e al sublime rilassamento della *Sacra Conversazione* di San Giobbe (1480 circa). Più tardi saprà riportare a Forlì anche un ricordo del trittico dei Frari (fig. 31), ma solo per la soluzione più conchiusa e serrata dell'elemento centrale. È insomma sui testi già pubblicati nelle chiese di Venezia che Palmezzano sembra rimeditare il proprio linguaggio figurativo e si spiega che, indisponibile da vari anni Bellini a quel genere di commissioni per l'esclusiva impostagli dal Gran Consiglio, la novità del momento, anche per il forlivese, fossero le pale d'altare, di lume più terso e spazialità nitidissima, di Cima da Conegliano.

Ai rapporti di Palmezzano con Venezia e alle poche opere direttamente ascrivibili a quel contesto (in mostra si deciderà se il bellissimo ritratto di Vienna (cat. 27) può davvero confermarsi al pittore), sono dedicate altre pagine in catalogo. Qui importa controllarne gli effetti a Forlì, sin dal registro inferiore della cappella Feo, dove l'artista già accampa un solenne portico a due luci, ancora memore di certe simmetrie melozzesche, ma già in tutto debitore dei modelli veneziani e cimeschi. Certamente non nato per la pittura di storia, tradisce ancora qualche incertezza nella dislocazione dei personaggi in primo piano, nei quali doveva esser meno netta la soluzione di continuità rispetto ai repertori della sovrastante lunetta. Recupera poi brillantemente terreno, impostando quel rapporto del tutto nuovo in Romagna (e poi più volte replicato) fra le architetture e il paesaggio a perdita d'occhio e d'orizzonte un poco ribassato, per dare libero sfogo allo squarcio di cielo. Lo scarto rispetto agli altri pittori di brigata melozzesca (Maestro dei Baldraccani, Baldassare Carrari) sembra già incolmabile e non è detto che Palmezzano non avesse cercato a Venezia proprio nuove conferme a un'idea di pittura pur sempre condotta con "circino e libella", davanti agli eccessi iperornati e alle spazialità slittanti "grate all'occhio" di marca umbro-romana. Anche gli artifici prospettici che accamperà da subito nelle sue pale d'altare rivelano un indubbio sapore veneziano, per repertorio, costruzione, partitura luminosa. E in questo poteva averlo ben indirizzato anche Pacioli, che ricordava, fra i "perspettivi" di Venezia, Girolamo Malatini, maestro di geometria di Giovanni Bellini, e Vittore Carpaccio[82].

È ammissibile ritenere che proprio agli anni dei contatti più stretti con Venezia risalga la serie di opere che fa capo, cronologicamente, al contratto del 12 giugno 1497 per la pala di San Michelino a Faenza che il pittore si impegnava a realizzare entro l'aprile dell'anno successivo (cat. 21). Nel senso che quel referto documentario conferma la precedenza, sul dipinto faentino, della pala del Carmine (cat. 20), di concezione più monumentale e risolta, e costringe a immaginare forse nel 1498 (anno sguarnito di documenti forlivesi) un nuovo soggiorno a Pesaro e un più consapevole studio della pala di Bellini, in vista dell'esecuzione dell'*Incoronazione della Vergine* per gli Osservanti di Cotignola (cat. 22).

Si tratta, come sempre si riconosce, del momento di maggiore felicità creativa del pittore, quello in cui l'accordo fra misura monumentale melozzesca e spazialità veneta ricorre agli artifici più sperimentali, e non è di poco conto poterne subito controllare l'ottima ac-

coglienza in patria, presso un fronte di committenti non solo forlivesi. L'esito meno garantito rischiava di essere proprio quello richiesto dai sindaci della Compagnia di San Michelino a Faenza, che impegnarono Palmezzano in uno di quei contratti di norma riservati ai forestieri, imponendogli di eleggere un garante in città (che, ad indizio forse di un'ancora scarsa dimestichezza con l'ambiente locale, non fu un pittore ma un armaiolo) e soprattutto vincolandolo a un risultato che i periti avrebbero dovuto giudicare "dignior et melior quam unacumque (?) alterius tabule nunc Faventie existente". Ai vertici della considerazione dovevano essere allora i dipinti fiorentini che Biagio d'Antonio aveva già lasciato in Sant'Andrea, nell'altra chiesa di San Michele, ai Servi indicati, come modello, al bolognese Guido Aspertini nel 1489, o la misteriosa pala (che non sappiamo identificare) sull'altare Paganelli sempre presso i domenicani, alle cui ornate carpenterie doveva ancora attenersi nel 1503 Giovan Battista Bertucci[83]. Ma si direbbe che i sindaci di San Michelino avessero qualche nozione anche della nuova tecnica pittorica messa a punto da Palmezzano nei suoi soggiorni veneziani, se le prescrizioni del 1497 prevedevano non più soltanto la qualità intrinseca dei materiali ("coloribus finis et fino auro"), ma anche un certo effetto finale di stesura a olio che non ricorre in nessun altro contratto faentino precedente. Quell'indicazione("pingendum cum oleo"), come dimostra nelle pagine che seguono Vincenzo Gheroldi, lungi dall'intendersi quale prioritario procedimento esecutivo, valeva appunto a qualificare l'effetto splendente delle superfici con cui Palmezzano, a partire dall'*Annunciazione* del Carmine, traduce il suo mondo di incrollabili certezze prospettiche. Ma è evidente che, solo una misura spaziale di tale ferrea esattezza poteva consentire l'intarsio di colore puro, anche negli affondi dell'ombra. Nel seguito, il successo di Palmezzano andrà valutato, per la parte dei committenti, anche nel fascino di questa pittura a stesure compatte e d'immagine davvero incorruttibile, al di là delle prescrizioni per i "bonis coloribus et auro".

La particolarità, pur sempre "more veneto", di un tale prodotto figurativo emerge anche nel confronto con il più titolato "discipulus Bellini" attivo allora in Romagna, ovviamente Nicolò Rondinelli, sin dalla *Madonna in trono fra i santi Tommaso d'Aquino, Maddalena, Caterina e Giovanni Battista* della Pinacoteca di Ravenna (da San Domenico)[84] che mi pare la più belliniana delle pale realizzate dopo il ritorno in patria, per quei suoi effetti di saturazione atmosferica memori ancora del telero muranese per il Doge Agostino Barbarigo (capolavoro firmato da Giovanni nel 1488). Il confronto con Palmezzano dovette privilegiare però il *San Sebastiano* (cat. 32)inviato a Forlì nel 1497 e salutato con buon rilievo da Novacula come il primo dipinto che saliva su un altare privato della cappella della Canonica, luogo riservato al Capitolo e a poche famiglie selezionate. Lo stesso cronista riuscirà, da vivo, a porvi solo il proprio sepolcro, non un'ancona dedicata a san Ruffillo (come pure era nelle sue intenzioni). E certo doveva essere stato più convincente, oltre che più facoltoso di lui, quell'Antonio Merenda che sin dal 1492 si era impegnato a dotare nella cappella, l'altare di San Sebastiano e che, in quanto canonico di Ravenna, poco prima della morte, fu appunto responsabile dell'unica commissione *extra moenia* di Rondinelli in Romagna[85].

L'impianto insolitamente "antiquario" del *San Sebastiano* sembra appunto dialogare con la pittura forlivese di questi anni, ma la tecnica a impasti di colore, l'effetto di sordina tonale che preordina anche lo sbattimento dei lumi, si pongono agli antipodi delle tassellature di smalto di Palmezzano. Il quale per altro, nel 1496-97, sembra ormai rifuggire anche ogni tentazione d'ornamento superfluo all'architettura e, nell'*Annunciazione*, accorda i suoi tondi bronzei, le colonne mischie e i capitelli, all'impianto spaziale naturalizzato di Cima. Davanti alla pala del Carmine (cat. 20), si direbbe proprio che a Venezia, nella chiesa della Madonna dell'Orto, fosse già in opera, nel 1495, l'ancona di San Giovanni Battista, capolavoro cimesco del decennio, e modello difficilmente aggirabile per l'idea del portico aperto sul paesaggio, come per il suo stesso impianto neo bizantino, che il maestro immaginava romanticamente già in rovina e che Palmezzano recupera abitabilissimo e anzi di tettonicità ancor più monumentale[86]. L'elaborazione dei modelli prevede però l'adozione di un'iconografia filo-fiorentina (attestata in Romagna in Biagio d'Antonio) per i due protagonisti dell'*Annunciazione* utile, si direbbe, a riproporre, nella Vergine seduta davanti al leggio, le calibrature prospettiche con cui Melozzo sapeva rendere monumentale anche la semplice ricaduta di un panneggio, nelle sue figure delle cupole. Mentre ai contemporanei forlivesi dovette apparire miracoloso soprattutto l'effetto del leggio ad ante spalancate, che sembra quasi derivare dai maestri di tarsia il suo dosatissimo incastro di superfici (a Venezia, quel gusto per le profilature luminose, giungerà fino agli anni di Vincenzo Catena). In tralice sul piano e con assonometria appena ruotata, il breviario ostenta le sue pagine aperte, che tendono a sfogliarsi per la durezza della legatura o lo spessore della pergamena, non certo per un'improvvisa bava di vento, inimmaginabile in questo pomeriggio immoto e in queste atmosfere sospese, di una fissità quasi irreale. Dai repertori della scultura veneta derivano i capitelli a delfini che Palmezzano tuttavia dovette studiare soprattutto nelle pale belliniane ed è possibile, per questa via, che, come in San Zanipolo o a San Giobbe a Venezia[87], anche nella nuova cappella del Carmine, l'ancona dell'*Annunciazione* dovesse completarsi

con una carpenteria di foggia coordinata all'invenzione dipinta, magari su progetto, come in altri casi, dello stesso pittore. Una vaga aria veneta, qualche anno più tardi, hanno ancora i repertori d'intaglio entro cui si compone il trittico Becchi-Acconci in San Girolamo (fig. 31), di un aggetto plastico, nelle colonne rastremate e nella carnosità dei girali, non riproposta altrove[88]. Ma è chiaro che, restituita alle sue originarie dimensioni di quasi quattro metri di altezza, prima della decurtazione seicentesca, e immaginata entro una cornice che potesse prolungare fisicamente nello spazio reale, il motivo del portico in prospettiva, l'*Annunciazione* dovette avere le carte in regola per imporsi, nelle Romagne, come la più ambiziosa e sterminata fra le pale moderne (e tale dovette rimanerlo ancora a lungo). La chiesa del Carmine era anch'essa edificio moderno, eretta forse da Lorenzo da Bologna fra 1483 il 1490, sull'onda della devozione per l'ennesimo affresco miracoloso, come era già avvenuto per la fabbrica della Ripa e come, di lì a poco, si darà per la cappella della Canonica. L'iniziativa, in questo caso, sembra però nelle mani di un ceto abbiente di mercanti e ha alle spalle alcuni rappresentanti della famiglia Numai. Importa che fra i personaggi coinvolti, ben pochi risultino estranei alle vicende del pittore. I rapporti con Tommaso da Lugo risalivano almeno al 1483; l'"Andrea Barbiero" ricordato nella *Cronaca Albertina* fra i promotori, presso il Consiglio cittadino, dell'ampliamento dell'originaria cappella dell'Annunziata, è senza dubbio il cronista Novacula. Era noto il ruolo di punta giocato dal *mercatorem* Antonio di Cristoforo Ostoli, cognato del pittore per averne sposato la sorella Ghida; lo stesso che, garantitosi sin dall'inizio la cappella di sant'Antonio nel nuovo tempio, gli commissionerà di lì a qualche anno la pala, oggi in Pinacoteca (cat. 28). Ma si può aggiungere che, negli atti rogati dallo stesso Tommaso Palmezzano a favore della nuova fabbrica, compaiono anche un probabile nipote di Melozzo (Antonio di Giorgio, cavaliere gerosolimitano e, stando al Bonoli, governatore di Imola per Caterina Sforza) e il giureconsulto Paolo Guarini che nel 1506 affiderà al pittore l'erezione della propria cappella gentilizia in San Francesco[89].

Ancora Andrea Bernardi (il Novacula) figura, in veste di testimone, in un successivo documento palmezzanesco del 22 aprile 1499 che riconosce al pittore cento ducati d'oro per la parte di un non meglio noto Ottaviano de Blancis di Cotignola e all'interno di una più complessa transazione cui sembra nuovamente fare da sfondo lo stesso mondo di ricchi mercanti di panni che supportò l'erezione del Carmine (pur con attori ora diversi)[90]. Sul documento si dovrà tornare, ma al momento la data del tutto plausibile, l'esborso considerevole a favore di Palmezzano e la provenienza di Ottaviano de Blancis, lasciano pochi dubbi sul fatto che, in questo caso, si trattasse del saldo della pala con l'*Incoro-

nazione della Vergine (cat. 22) commissionata evidentemente al pittore qualche anno prima (forse per un rogito perduto del notaio Antonio Laziosi cui si fa ora riferimento) per la nuova chiesa degli Osservanti di Cotignola.

Stando alle fonti, l'edificio era stato consacrato nel 1495, anno che per Cotignola coincide con il passaggio sotto la diretta amministrazione del ducato milanese, lasciando immaginare nel seguito qualche più stretto legame anche con la corte di Caterina Sforza. È, in effetti, un'enclave figurativa ben aggiornata sui fatti forlivesi del momento quella che si ricostruisce nella chiesa degli Osservanti e nella vicina cappella di Santa Maria degli Angeli, avendo come prevedibili protagonisti i due pittori di Cotignola, Bernardino e Francesco Zaganelli. L'unico appiglio cronologico sicuro è, al momento, il 1499 segnato sulla pala oggi a Brera con la firma dei due fratelli, che figurò su uno degli altari della chiesa, ma si può credere che anche gli affreschi del contiguo sacello sforzesco non si allontanino troppo da quella data. Anche perché la seconda pala zaganelliana, descritta da Flaminio da Parma proprio in questo ambiente, e identificata di recente da Raffaella Zama, è opera ugualmente precoce del solo Bernardino[91]. Nella divisione dei lavori, a Francesco spettarono dunque gli affreschi della volta che aggiornano, secondo ritmi più cantabili, nuvole e aperture di cielo i partiti decorativi della cupola Feo (fig. 22). Gli apostoli sul cornicione hanno ormai rinunciato al pieno dominio su quello spazio troppo vasto, e in loro aiuto si accoccolano sulle nubi angeli musicanti di portamento affabile e minuto. Ma l'immagine che davvero merita l'intera decorazione è quella del Dio Padre planante entro il cerchio dei cherubini, con la sua collocazione eccentrica e lo sbuffo di manto che lo sovrasta, intarsiando di rosso il campo del cielo. Nel seguito romagnolo delle cupole dipinte (ripercorso anni fa da Shearman), è evidentemente l'edizione zaganel-

liana che dovette far testo anche per la bottega dei Coda, verso il 1512 in San Fortunato (Santa Maria di Scolca) a Rimini (fig. 24); non quella, risolta ormai in termini solo decorativi che spettava a Palmezzano o a un suo aiuto nella perduta cappella Becchi-Acconci in San Girolamo a Forlì (fig. 23) (già riecheggiata negli affreschi totalmente ridipinti del santuario di Fornò ove fu letta anche la data 1501)[92].

A Cotignola, è ancora con una certa sontuosità melozzesca che, nella pala firmata congiuntamente dai due fratelli, la Vergine s'introna sulla scena, e i riccioli dei capelli ricadono sulle spalle di san Giovanni Battista e di san Floriano, per quanto la figurazione presenti ben altra evidenza neo fiamminga, tutta lustri e velature trasparenti. Palmezzano poté anche prevedere, su questi aspetti, il confronto con gli Zaganelli quando rinterzò, nell'*Incoronazione*, l'effetto percettivo delle sue campiture prospettiche, ricamando d'oro e di perle i bordi dei tappeti, eccedendo negli incagli ottici sul primissimo piano con il libro, il polizzino già in tralice, non si sa se dentro o fuori il campo della pittura, il cordone di san Francesco che giunge a sporgere oltre il basamento. Ma un margine di anticipo, anche ristretto, dell'*Incoronazione* sul lavoro dei due fratelli, potrebbe offrire un riferimento locale al modo in cui Francesco, responsabile in toto, come sempre si riconosce, della lunetta (cat. 36) dovette ripensare i propri modelli veneti per la *Pietà*. È ormai chiaro, infatti, che per gli Osservanti di Cotignola, Palmezzano avesse puntato proprio a una riproposizione a suo modo integrale dell'*Incoronazione* di Bellini conosciuta a Pesaro e, si immagina, rivista da poco. Rispetto alla pala del 1493 sembra in effetti mutato l'approccio al modello e alla sua autorità iconografica, scopertamente dichiarata nel gruppo centrale anche nel rapporto con l'invaso architettonico. Si da il caso però che, nei suoi appunti ottocenteschi, stesi allorché la pala del forlivese era già passata a Brera, Gaetano Giordani riferisse alla chiesa osservante di Cotignola anche un'altra opera del pittore, già rivista sul mercato a Bologna, fornendone una descrizione che in tutto coincide con la *Pietà*, o se si vuole l'*Unzione di Cristo*, di Vicenza (cat. 25)[93]: vale a dire la più nobile fra le derivazioni palmezzanesche dalla celebre invenzione belliniana (oggi alla Vaticana) per la cimasa della pala di Pesaro. Va subito detto che la registrazione del dipinto, già allora a Vicenza, da parte di Luigi Lanzi nel taccuino del 1782, esclude che vi si possa riconoscere proprio l'originario coronamento dell'altare di Cotignola[94]. Ma nello stemma delle derivazioni che si ponevano tutte al seguito della pala di Matelica (1501) considerata fino ad ora la prima prova del forlivese sul tema[95], l'esemplare vicentino potrà ancor più salire di grado, restituendoci forse anche nel formato - rettangolare come a Pesaro e non centinato come sarà poi nelle più tarde redazioni - proprio la cimasa perduta di Cotignola. Più tardi, nella bottega degli Zaganelli, sarà dunque questa il riferimento diretto per il giovane Marchesi nel dipinto di Budapest; e, già nel 1499, Francesco Zaganelli ne poté tener conto per la rara inclusione di Giuseppe d'Arimatea nella sua *Pietà*, non mancando al contempo di sottoscrivere dell'*Incoronazione* di Palmezzano, il fascino per le campiture a marmi venati, anch'esse del resto, lontano ricordo del capolavoro pesarese.

Per la parte del nostro pittore, una scelta così orientata, non dovrebbe lasciare più dubbi neppure sul fatto che la pala di Cotignola dovesse poi comprendere nella predella anche la *Testa del Battista* (cat. 23), ugualmente pervenuta a Brera dal convento osservante, in una contaminazione di prototipi, come di sintonie figurative, che sembra quasi precorrere i dibattiti novecenteschi, se il modello fu in questo caso Marco Zoppo (ma Bellini per Roberto Longhi e Alessandro Conti)[96] del tondo del Museo di Pesaro (cat. 24), originario elemento del basamento dell'altro altare marchigiano ben noto a Palmezzano sin dal

1493. E proprio in Romagna, l'inserzione della *Testa del Battista* nelle predelle, ormai svincolata da più stringenti necessità iconografiche, ha un seguito a Cesena, in un altare di Bartolomeo Coda per la basilica del Monte[97].

Non capiterà più di sorprendere Palmezzano in una riedizione così integrale delle proprie affezioni giovanili, ma proprio quando la sua pittura sembra ormai avviarsi a quegli impianti semplificati, specie nell'architettura, che non abbandonerà più, si chiarisce anche il senso della sua futura divulgazione veneta in Romagna. Una divulgazione cristallizzata in certe formule belliniane del buon tempo andato, nei tipi iconografici ormai richiesti fra "gli ornamenti della casa" o nella pratica devota, com'è il caso delle Pietà nel paesaggio, dei Cristi portracroce o delle variazioni sul tema, pur sempre venezianissimo, della Sacra Conversazione a mezze figure. Solo una volta, e a date certamente più tarde, il pittore sembra confrontarsi con la Pietà belliniana di Rimini, entrando in diretta competizione con l'esclusiva che, sul modello, poteva vantare Benedetto Coda (di cui sono note riprese, almeno per la figura di Cristo, a Cesena e al Museo di Trevi)[98] (fig. 25-26). Mentre è conferma di una datazione ancora precoce, entro gli anni di Cotignola, l'impianto del *Cristo morto* Liechtenstein (cat. 26) che del resto pare provenire da Venezia. Semmai è lecito il dubbio che l'invenzione belliniana all'origine potesse davvero essere, per Palmezzano, quella coeva ma di tenuta ormai pre giorgionesca, documentata dal *Cristo* di Stoccolma.

A contatti ormai interrotti con Venezia, il pittore sembra ancora per qualche anno procedere in una personale decantazione di motivi e atmosfere lagunari: si avranno così l'abside a mosaico del trittico Becchi-Acconci in San Biagio (fig. 31), l'immersione veneto-belliniana nel paesaggio della *Crocifissione* degli Uffizi (cat. 30) o l'impianto a spazio aperto, ancora a suo modo cimesco, della pala con la *Vergine e i santi Giovanni evangelista e Caterina* di San Mercuriale che credo ugualmente di datazione assai alta, al giro del secolo. Il documento del 1499 già citato per l'altare di Cotignola, potrebbe per altra parte riferirsi anche a questo dipinto, perché nella cifra sborsata allora da tal Marcantonio Campsori, oltre ai cento ducati che competono a Ottaviano de Blancis, altri sedici giungono a Palmezzano per conto di Antonio di Lorenzo Orselli, che, si può precisare, alle date è proprio il committente della pala di santa Caterina. In quanto patrono della cappella "construende in S. Mercuriali"[99] compare citato nel giugno 1497, nei regesti della *Cronaca Albertina*, e i sedici ducati sborsati due anni dopo, potrebbero costituire un anticipo sul lavoro, già in corso d'opera. La pala rivela in effetti sottigliezze fuori d'ordinario, nelle nuvole antropomorfe, nella costruzione del paesaggio spalancato alle

spalle dei protagonisti, nell'impianto della Vergine in preghiera che sfrutta un'idea belliniana portata in patria anche da Rondinelli.

Ma, soprattutto, costituisce in San Mercuriale l'ornamento di una delle poche cappelle forlivesi in grado di documentarci l'originario sistema integrato fra invaso architettonico, ornamentazione all'antica, affreschi, carpenteria e pala d'altare che Palmezzano, sull'onda del proprio successo, sembra ormai in grado di controllare in prima persona (fig. 27). Si impone intanto la coincidenza di tempi e d'arredo, con l'antica (e scomparsa) cappella di San Giovanni Gualberto, che sorgeva quasi a fianco di questa, nella navata destra dell'abbazia. Il 21 novembre 1496 Guglielmo Lambertelli, "doctore civile celeberrimo", aveva ottenuto dall'abate di San Mercuriale "duodecem pedes terreni" per costruirla "cum altare et eius sepulcro". La commissione a Palmezzano della smagliante pala prospettica presente anche in mostra (cat. 29) dovette seguire di qualche anno, ma importa che ancora nel Settecento (e a un visitatore avvertito con Marcello Oretti) si imponesse la sostanziale omogeneità dell'altare, per struttura e carpenteria, con quello a fianco di Santa Caterina (che si conserva quasi integro). Anche l'ingombro architettonico della cappella, poté essere simile se Guglielmo Lambertelli si era davvero avvalso del terreno messogli a disposizione dall'abbazia[100].

Il buon coordinamento degli interventi sembra riflettersi nella cronologia dei dipinti licenziati entro i primi anni del Cinquecento dal pittore che alle date divide ancora la scena di San Mercuriale con il collega Baldassarre Carrari impegnato, nel 1498, nella cappella, sempre sul lato destro, del Battesimo e forse in un'altra pala che, per cronologia, potrebbe identificarsi proprio con quella in situ, vale a dire la *Visitazione*[101]. Ma, evidentemente, era sulle cappelle già realizzate, che, nel 1505, si fondarono gli scrupoli di omogeneità tettonica e decorativa, di cui si fece interprete l'abate Filippo da Vercelli, intervenendo nella navata sinistra. Ed è solo a questo punto che riconosciamo nei maestri impiegati, Cristoforo Bezzi e Bernardino Guiritti, capomastro facente funzioni di architetto l'uno, apparatore di ornamentazioni architettoniche l'altro, due personaggi chiave anche nel successivo rapporto di Palmezzano con l'architettura[102]. I repertori di grottesche, cornucopie, mascheroni approntati da Guiritti, nelle sue lesene fittili, risalivano pur sempre ai partiti decorativi della cappella Feo. Per quello che ne sappiamo tuttavia, sembrano prendere piede proprio in parallelo alla formulazione definitiva di pala prospettica che Palmezzano mette a punto a cavallo di secolo e che, in seguito, non vorrà o potrà più mutare. Nella riqualificazione in termini rinascimentali delle navate di San Mercuriale e, forse, di San Francesco e dei Servi, quel modello figurativo finì dunque per agire come una sorta di unità di misura: per l'indubbia solidarietà culturale degli artefici coinvolti (i rapporti con Cristoforo Bezzi si prolungano anche negli anni venti), perché spesso quegli spazi erano destinati proprio a pale e carpenterie palmezzanesche, e ancor più per gli sconfinamenti dell'artista stesso nell'architettura reale con i suoi strumenti di prospettico e inventore d'ornati.

Il modello di cui si parla risulta già in tutto compiuto nel *Sant'Antonio Abate* (cat. 28) dipinto per l'altare al Carmine del cognato Antonio Ostoli. La complessità dei portici cimeschi si è ormai ridotta alla cubatura spaziale del primo piano; un impianto di ostensiva chiarezza preordina l'inclusione degli artifici geometrici riservati di norma ai basamenti dei troni. Anche le figure vi si impiantano come icone spaziali, definite nella scheggiatura prospettica dei loro panneggi. In questo spazio intarsiato per spigoli vivi e metrature di marmo marezzato, ma anche aperto su paesaggi intensamente narrati, la massima evidenza è appunto per le grottesche dorate ricomposte nell'architettura, di repertorio se non, alle volte, di disegno identico agli ornati che ne avrebbero amplificato nello spazio reale, il decoro antico-moderno. Grottesche ancora poco debitrici ai modelli classici, se non per qualche eccentrica combinazione e piuttosto assimilabili per impianto e partiture, alle più tradizionali candelabre[103].

Si tratta in ogni caso del modello di pala *pulchra et aurata*, che in Romagna fece testo ben oltre l'avvento della maniera moderna. Per Palmezzano si era trattato di recuperare impianti larghi e pausati anche dalla cappella Feo, e non è un caso che proprio nel *Sant'Antonio abate* e a Matelica, nella versione certo più sontuosa e ben congegnata di questa pittura, egli scegliesse, nella firma, di dichiarare dopo tanti anni il proprio alunnato melozzesco.

Pittura e prospettiva in Romagna

La pala con la *Madonna in trono fra i santi Francesco e Caterina*, (fig. 28) eseguita nel 1501 per gli Osservanti di Matelica rimanda ancora all'altare pesarese di Giovanni Bellini, di cui riprende l'impianto (ma non le proporzioni quasi albertiane), con i santi ospitati nei pilastri laterali, il gradino sagomato, e, come s'è anticipato, la lunetta con la Pietà[104]. È possibile che il modello venisse in questo caso suggerito dai committenti, trovando non impreparato il pittore, tanto più che un'ancona liberamente ispirata alla *tabula magna* pesarese figurava già in San Francesco da un decennio. Non sappiamo nulla di quel "Zorzo guardiano" che volle comparire, secondo una consuetudine locale attestata anche altrove[105], a fianco di Palmezzano nella sottoscrizione sul trono, ma è chiaro che si tratta dello stesso fra Giorgio di Giacomo che, nel marzo 1491, era stato parte in causa (anche in termini finanziari) nel contratto stipulato da Ranuccio Ottoni, signore di Matelica, con Carlo Crivelli per l'esecuzione del dipinto destinato all'altare di famiglia, la cosiddetta *Madonna della Rondine*, oggi alla National Gallery (fig. 29) di Londra[106]. Una tavola di preziosità inaudita e come sbalzata nell'oro, che Crivelli poté firmare con il titolo di *miles* conferitogli dal principe Ferdinando di Capua l'anno precedente, ma di foggia ormai pienamente moderna. Proprio la cornice, a intagli dorati, che ancora la contiene, sembra essere stata di riferimento per la nuova ancona del 1501, che vi si accordò nell'articolazione pausata del fregio, e anche più letteralmente nei capitelli a foglie d'acanto, con il motivo centrale a palmetta. L'autorità dell'altare crivellesco derivava anche dal peso della famiglia che l'aveva commissionato, allorché gli Osservanti concepivano in risposta questa loro monumentale macchina a glorificazione dell'ordine, con inclusioni iconografiche talvolta assai rare: la *Beata Filippa Mereri* nel pilastrino di sinistra e, nella predella, il *Martirio dei protomartiri francescani*, a fianco dell'*Ultima cena*, e ancora un'immagine di san Bonaventura con il *Lignum Crucis* che non ha, per quanto ne so, altre attestazioni (il crocifisso vi compare associato alla palma e il testo dei cartigli dalla meditazione del *Lignum Vitae* è rielaborato con qualche libertà)[107]. Sorprende però l'omaggio autonomo di Palmezzano alla pittura di Crivelli – di cui dovette ammirare soprattutto gli effetti di materia incorruttibile – nel san Girolamo del pilastrino sinistro, che proprio dalla pala Ottoni (come si è accorto Matteo Ceriana), desume l'invenzione del santo corrucciato con il gran cappello cardinalizio calcato sul capo e l'apertura triangolare del mantello (fig. 30).

Si ricostruisce così, solo per tracce, il rapporto che dovette legare il pittore ai suoi committenti più periferici, in anni in cui il regesto forlivese non lascia immaginare trasferte di lunga durata. Palmezzano dovette comunque presentarsi come artista moderno, melozzesco nel repertorio spazioso e filo-veneto per la luminosità della pittura e ne leggiamo le conseguenze nell'impianto insolitamente aulico e monumentale della pala. Raramente, in seguito, il pittore avrebbe concepito in modo altrettanto dilatato l'architettura, complicandone il partito illusorio con un intero repertorio di "teoremi" complementari: dal basamento a croce del trono, al padiglione veneziano trasformato in un solido di prismatica regolarità (che poco dopo farà proprio anche Antonio Solario a Osimo)[108], alla ruota di santa Caterina in tralice, di costruzione non meno sorvegliata del mazzocchio a punte di diamante che le sta a fianco. A Matelica, dove non si erano ancora spenti i bagliori di Crivelli, e già circolavano le varianti locali del classicismo peruginesco, poté esser letta in chiave veneta questa riproposizione in grande stile dell'estetica "de quinque corporibus regolari-

28.
Marco Palmezzano,
Pala di Matelica, Matelica,
chiesa di San Francesco.

29.
Carlo Crivelli,
Pala Ottoni, Londra,
National Gallery.

30.
Marco Palmezzano,
San Girolamo, Matelica,
chiesa di San Francesco.

bus", affidata al vigore di una partitura luminosa oltre modo sintetica, che conferisce alle fisionomie dei personaggi una particolare stringatezza espressiva e ne sfaccetta i panneggi con trapassi quasi cangianti nel rosso-rosa del manto di santa Caterina.

All'umanità compunta e ancora assai florida di Matelica si associano il *Cristo risorto* già di collezione Serristori (da confrontarsi con il san Francesco per l'analoga prosciugata nettezza), e forse la *Sacra Famiglia* di Phoenix, firmata in ebraico, di impianto scandito e ricca di dettagli pittorici che ne fanno forse il più bel quadro da stanza uscito dalla bottega di Palmezzano nel primo decennio del Cinquecento (fig. 1)[109]. Si tratta, è ben vero, di oscillazioni stilistiche proprie di una pittura ormai collaudata, che d'ora in poi potrà conoscere solo sviluppi e assestamenti interni, non più reali accrescimenti figurativi. Il tempo della parsimoniosa conservazione dei modelli in bottega è ancora lontano, ma già dopo Matelica il montaggio delle pale d'altare può comportare passi differenziati fra tavola maggiore e figurazioni di corredo. È nota infatti un'altra serie di predelle in cui ritorna l'invenzione dell'*Ultima cena* (con gli episodi in sequenza dell'*Orazione nell'orto* e della *Flagellazione*)[110] che non sappiamo al momento ricollocare sotto una pala conforme al tema, mentre bisogna pur dare atto al pittore che la riproposizione della *Pietà* belliniana di Pesaro fu riservata a un'occasione di pari prestigio, al sommo, cioè, della *Comunione degli Apostoli* del 1506 (dell'altra redazione nota e pesantemente decurtata, ben poco può dirsi, ma occorrerà intanto risarcirla dell'ulteriore frammento con il *San Giovanni evange-*

31.
Marco Palmezzano,
La Madonna con il Bambino in trono e santi (Trittico Becchi-Acconci),
Forlì chiesa di San Biagio in San Girolamo.

lista passato sul mercato americano negli anni venti del secolo scorso)[111].

Affermatasi negli ultimi anni della dominazione sforzesca, la pittura di Palmezzano a Forlì compatta ormai gli orgogli municipali di una nobiltà di lungo corso, messa alla prova dai più delicati ricambi politici. Dopo il giurista Lambertelli, già governatore di Imola e poi membro della Rota istituita a Cesena dal Valentino, è la volta delle commissioni (1500) dei Paganelli e dei Corbici per Castrocaro. Più che la pala ancora in San Nicolò, di esecuzione e di impianto un po' affrettati, aiutano nella cronologia palmezzanesca le due ante, oggi in collezione Liechtenstein a Vienna, parte superstite dell'edicola commissionata nello stesso 1500 da Pier Francesco Corbici a Castrocaro "pro sua et suorum salute"[112]: allusione neanche tanto velata al recentissimo assassinio del padre Corbizo "primo homo di quella terra", consigliere di Caterina Sforza e Capitano della Repubblica fiorentina, di cui si trova menzione anche nei carteggi cancellereschi di Nicolò Machiavelli (nel 1499, com'è noto, in missione in Romagna). L'idea del *San Girolamo* e del *san Francesco* incorniciati dall'arco marmoreo ma posti sul limitare del paesaggio si ritrova solo nei laterali del trittico Becchi-Acconci in San Girolamo a Forlì, che resta invero di conduzione pittorica più risentita (fig. 31). Proprio l'altare salvatosi dal disastro dei bombardamenti del 1944, potrebbe per altri versi documentare le orgogliose aspirazioni dei committenti di Palmezzano, visto che è questo l'unico caso in cui incontriamo, presentata al gran completo ai piedi della Vergine, la famiglia del patrono. L'inclusione di ritratti gentilizi nella pittura sacra aveva, a Forlì, un riferimento il-

lustre nell'immagine di Pino III Ordelaffi posto sotto la protezione di sant'Antonio da Padova in un *ex voto* segnalato dalle fonti in San Francesco fino agli anni delle soppressioni napoleoniche[113], ma non può dirsi che su questo fronte la nobiltà forlivese prendesse poi partito, almeno fino agli anni della maniera moderna. E per quanto proprio sui committenti del trittico palmezzanesco si sia cimentata, di preferenza, la ricerca genealogica locale nella necessità di smentire l'antica e romanzesca opinione che vi vedeva ritratta la famiglia regnante dei Riario Sforza[114], non si sa molto dei Becchi (rinominati poi Acconci) cui toccò in San Girolamo il quarto posto di riguardo, dopo le cappelle di San Bernardino, Feo e Baldraccani. E che, per parte loro, non mancarono di guardare ancora alle volte melozzesche (almeno nell'ingombro decorativo) per gli affreschi della cappella.

Nel 1502 anche un personaggio quasi leggendario in vita come Luffo Numai, accorto traghettatore politico di più governi cittadini (dalla signoria degli Ordelaffi, a quella dei Riario alla conquista del Valentino), ricorreva a Palmezzano per la pala della propria cappella ai Servi. La futura destinazione del dipinto non veniva allora specificata e si sa che ai Numai spettava anche l'altare di sant'Andrea in San Mercuriale, ma la commissione a Palmezzano segue di poche settimane, per i rogiti dello stesso notaio, Guglielmo Prugnoli, l'accordo con Tommaso Fiamberti e Giovanni Ricci "de Cummo" per il ben noto monumento sepolcrale ancora addossato al muro di controfacciata della navata destra ai Servi, e si può credere che le due iniziative dovessero condursi in parallelo[115]. La cultura di Luffo Numai è tutta dichiarata nei ricalchi ovidiani (*Fasti* IV.1) e senechiani (*Phaed.* III, 915) che nobilitano il corredo epigrafico del monumento, in una meditazione umanistica sulla vita e sulla morte che si riproporrà anche nell'iscrizione ("non perii, mors est splendida vita bonis") apposta sull'altro sepolcro commissionato nel 1509 ancora a Fiamberti per la chiesa di San Francesco a Ravenna, dove il vecchio cavaliere ghibellino, bandito da Forlì, finì i suoi giorni "dissidente profecto".

I tempi del completamento del monumento forlivese, molto prima del forzato cambio di programma, con l'impegno in subappalto del toscano Gregorio di Lorenzo, in cui si tende oggi a identificare il "Maestro delle Madonne di Marmo"[116], poterono convenire anche alla perduta pala di Palmezzano (saldata nel dicembre del 1502). Doveva esservi raffigurata la Madonna fra i santi Sebastiano e Caterina, e, al momento, è solo un sospetto che ne fosse il coronamento la lunetta di collezione privata (con un'iscrizione sul retro che la ricorda nel 1789 nel castello dei conti Guidi di Bagno a Gatteo) con un Dio Padre d'invenzione imponente e mai più replicata (fig. 32). L'identificazione dei due santi presenti ai lati con Filippo

32.
Marco Palmezzano,
*Dio Padre benedicente
e i santi Filippo Benizzi
e Valeriano*, già Firenze,
Sotheby's.

33.
Marco Palmezzano,
*San Girolamo nel deserto
e san Francesco che riceve le
stimmate*, già New York,
collezione Roerich.

Benizzi (piuttosto che Antonio da Padova, per confronto con altre redazioni palmezzanesche) e con il patrono Valeriano cui conviene la palma del martirio e il vessillo crociato, depongono a favore dell'originaria pertinenza forlivese e servita del dipinto, mentre le dimensioni (170 cm) collimano esattamente con l'"anchonam latitudinis quinque pedum" prevista dal contratto dell'aprile 1502[117].

Nonostante il prestigio sovracittadino di Luffo Numai, e la lunga trafila di omaggi letterari che aveva saputo sollecitare sin dagli anni di Pino III Ordelaffi, non si può dire che, nel 1502, il legame con un simile committente, equivalesse a una scelta di campo neutrale, allorché il confronto più cruento fra le fazioni, finiva per disseppellire, a Forlì, persino le antiche bandiere dei guelfi e ghibellini[118]. Le proprie faide familiari, con i Rizzi di Castiglione e più tardi, i Ravaglia, Palmezzano le risolverà davanti al notaio; spicca però l'assenza fra i suoi committenti, così come nelle sue vicende private, di qualche rappresentante della famiglia Morattini, proprio l'antagonista guelfa dei Numai. Vi compaiono al contrario i Teodoli, i Maldenti, i Pontiroli, gli Orceoli di fazione ghibellina ed è pur sempre il fratello Tommaso, il notaio prescelto per formalizzare in San Mercuriale, nel 1505, il patto di sangue che la consorteria dei Numai volle celebrare con il rito medievale e quasi barbarico che ancora scandalizzava, a più di un secolo di distanza, lo storico Paolo Bonoli[119].

L'anno dopo lo stesso Tommaso Palmezzano raccoglie in San Francesco dagli "spectabili viri" Onofrio Framonti, Paolo Guarini ed Evangelista Aspini (per la parte di Giacoma Biriccioli) le convenzioni che impegnano Bernardino Guiritti a realizzare le loro cappelle gentilizie su "disegnum et modellum datum et factum per Marchum Palmizanum". Alle date, è probabile che anche il medico Bartolomeo Lombardini avesse già avviato la costruzione della sua, dedicata, sempre in San Francesco, alla Trinità, ottenuta in patronato sin dal 1497. E i disegni settecenteschi della cappella Lombardini lasciano immaginare che, anche in quell'occasione, l'affiatata équipe di Palmezzano, Guiritti e forse Cristoforo Bezzi, avesse avuto mano libera nella gestione del cantiere[120].

Entro un fronte così articolato di iniziative in San Francesco (a noi del tutto ignote, dopo la distruzione tardo settecentesca della chiesa), quello che sembrerebbe il naturale compimento dei lavori, la messa in opera cioè di un dipinto di Palmezzano negli spazi da lui stesso progettati, si controlla al momento, e con qualche scrupolo di cronologia, solo nel caso della cappella della Trinità per la quale venne indubbiamente dipinta la monumentale *Madonna fra i santi Gerolamo e Giovanni Battista* oggi alla Vaticana (fig. 48). All'iniziativa di Onofrio Framonti, potrebbe però spettare una delle molte redazioni palmezzanesche del san Girolamo penitente noto a partire dall'esemplare (forse datato 1503) oggi alla Galleria Nazionale d'Arte Antica di palazzo Barberini; la versione di ottima qualità, che fu nella collezione Roerich di New York (fig. 33), reca infatti lo stemma della famiglia; è l'unica ad avere il formato orizzontale assimilabile a un possibile paliotto d'altare, e presenta l'iconografia complementare, del tutto appropriata all'edificio conventuale del san Francesco che riceve le stimmate[121].

Nel drappello del 1506, il personaggio di maggior spicco è tuttavia Paolo Guarini, di cui interessano qui, non tanto i titoli conseguiti nel recente governo sforzesco, ben conformi all'identikit dei committenti che stiamo delineando, quanto piuttosto le curiosità culturali e le competenze architettoniche di cui darà prova, stando alla testimonianza di Sigismondo Marchesi, anche nel singolare concorso del 1517 per l'erezione della nuova sede della compagnia dei Battuti Rossi, a fianco ancora una volta di Palmezzano, di Cristoforo Bezzi, e di un Sigismondo Ferrarese "maestro delle Scuole pubbliche, insigne Geometra e Astrologo"[122]. Per generazione, interessi e senso imprenditoriale della cultura (introdusse la stampa a Forlì nel 1495), Guarini presenta aspetti assai più prossimi a Palmezzano del vecchio Luffo Numai. La sua fama di storico appare oggi molto ridimensionata, ma fu pur sempre attraverso quella sua opera di raccolta, assemblaggio, trascrizione di fonti, che prese piede anche a Forlì una mitografia municipale d'impronta erudita, in grado ormai di produrre i propri cataloghi di uomini illustri, antichi e moderni[123]. Più degli *Annales Forolivienses*

34.
Baldassarre Carrari,
San Sebastiano, Marsiglia,
Musée Grobet-Labadié.

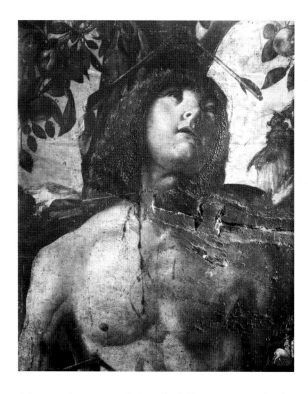

(che terminano con il ricordo della nomina cardinalizia di Stefano Nardini), fa testo ovviamente, la dedica al vescovo Tommaso dall'Aste delle *Constitutiones Marchiae Anconitanae* che Guarini stampava a Forlì in società con Giovan Giacomo Fontanesi nel 1507, con il suo elenco tutto al superlativo di "iureconsultissimi", "medicinae artis peritissimi", "poeti elegantissimi" forlivesi[124]. E, che vi potessero rientrare anche i pittori, lo chiarirà poco dopo l'impresa figurativa più in linea con una simile idea della storia e della città: ovviamente il pavimento maiolicato della cappella Lombardini, dove una delle formelle venne riservata appunto al ritratto di "Melotius pitor"[125].

La pittura dell'allievo Palmezzano poteva ben orientare al presente lo stesso sentimento di identità municipale; anche se è poi una conferma del persistente conservatorismo dell'ambiente forlivese (ben rilevato da Francesco Guicciardini nel suo mandato di presidente di Romagna), che lo stesso modello figurativo funzionasse ancora, senza cedimenti, dieci anni dopo, per Alberico Denti alla Trinità o per un altro vecchio milite degli anni sforzeschi, come Bernardino Maldenti, che, ancora nel 1517 ricorreva a Palmezzano per un'altra pala in San Francesco[126]. Anche sul piano figurativo è un fatto che, entro il primo decennio, le aperture nei confronti del classicismo prematuro di Francesco Francia e Lorenzo Costa si registrino a Cesena e a Faenza, non certo a Forlì.

La città insomma, per le imprese che contavano, aveva il suo pittore e uno soltanto come si vide, proprio nel 1506, anche in Duomo, con la messa in opera della *Comunione degli Apostoli*. Del Maestro dei Baldraccani si perdono, del resto, le tracce forse già a crinale di secolo e debole certamente fu la resistenza di Gio-

van Battista Rositi cui pure toccò di produrre, nel 1517, un'icona per la cappella della Madonna del Fuoco in Duomo. Almeno dal 1506, se non prima, Giovanni del Sega sembra aver già trovato una propria definitiva collocazione a Carpi[127], mentre la progressiva emarginazione di Baldassarre Carrari, dopo l'avvio melozzesco documentato in mostra dalla lunetta della pala del Duomo di Ravenna (cat. 14) e dalla *Sacra Famiglia* di Baltimora (cat. 13), si legge tutta nelle sue oscillazioni figurative, quasi sollecitate dalla volontà di proporsi in patria con un prodotto davvero alternativo a quello di Palmezzano.

Nella *Visitazione* di San Mercuriale, Carrari prova la via prospettica e ornata su materiali di seconda mano (e su qualche racconto da *Mirabilia Urbis* per quella specie di Colosseo cilindrico, già intaccato dagli arbusti, che dispone in secondo piano), ma costipa lo spazio e satura il colore come un veneto di provincia. Che potesse far meglio, su quella stessa strada, lo rivela ora un dipinto sorprendente e ancora ignorato dagli studi come il *San Sebastiano*, firmato, del Musée Grobet-Labadié di Marsiglia (fig. 34), che, in seguito all'amichevole segnalazione di Andrea De Marchi, abbiamo invano cercato di ottenere anche per la mostra[128]. Il temperamento espressivo di Carrari vi tocca corde che non era dato sospettare, interpretando in modo personale lo scorcio melozzesco (dai putti nei pennacchi della cupola Feo) battuto ora da una luce violenta e laterale che compatta la scalatura dei piani, prima di scivolare sul corpo del santo, con effetti d'epidermide lustrata. All'idea del *close-up* drammatico, propria di un dipinto di devozione privata, si contrappone la narrazione tutta domestica del martirio con il santo all'ombra di un melo cotogno dai rami pesanti di frutti che ricadono a ghirlanda come in un veronese di primo Cinquecento. E deve essere stata questa curiosa commistione di stereometria prospettica e di pittura "alla veneta" a orientare Roberto Longhi in direzione del vicentino Buonconsiglio (secondo un parere registrato negli archivi del museo), pensando ai suoi anni giovanili di maggiore avvicinamento a problemi di squadro bramantesco.

Per Carrari il miracolo non si ripete più, ma sembrano ancora forlivesi le sue gravitazioni al tempo della *Deposizione* Luzzetti, dove il pittore stonda le figure con intento più addolcito quasi per sintonizzarsi sulle volumetrie di Palmezzano[129]. La necessità di dar tempo al pittore per ritornare a questi suoi ranghi di narratore ruvido e a tratti gergale (dopo il *San Sebastiano* di Marsiglia), consiglia ormai di aggiungere qualche anno al 1500 che è la data parzialmente leggibile, sulla *Deposizione*, nel curioso cartiglio che, a bella posta, la nasconde con il risvolto della piega; se poi rispecchiasse una situazione più antica la presenza del dipinto, fino agli anni venti del secolo scorso nella collezione Lurati di Imola, avremmo un ulte-

35.
Nicolò Rondinelli,
Pietà, ubicazione ignota.

36.
Nicolò Rondinelli,
*Madonna con il Bambino
in trono e i santi Andrea
e Lorenzo*, Stoccolma,
Statens Konstmuseer.

delle tavole di Palmezzano, quanto a impianto geometrico, repertorio architettonico, intarsi a grottesca.
Vi contribuirono le aperture di mercato che il pittore aveva saputo ritagliarsi soprattutto a Faenza e a Cesena; ma anche a Ravenna, una piazza in cui sembra
essere stato presente con opere solo molto più tardi,
negli anni venti del secolo[132], non si sottrasse al confronto neppure Niccolò Rondinelli che, per altro, di
atmosfere baluginanti d'oro e di absidi belliniane incrostate di mosaici doveva ben intendersene. Più che
negli scorci abborracciati delle ante d'organo di San
Domenico, è quando Rondinelli costringe a una regola più ferrea le sue forme un po' snervate, che il
confronto con Palmezzano sembra diretto. In mostra
lo si potrà rilevare nella pala dei Santi Martiri che fu
in San Giovanni evangelista a Ravenna e che non
sfuggì all'attenzione di Vasari (cat. 33). Ma il discorso
conviene ancor più alla *Madonna fra i santi Andrea e
Lorenzo* dello Statens Konstmuseer di Stoccolma (fig.
36) per quell'inscenatura prospettica semplificata nella geometria e nei tagli di luce, per l'intento spazioso
con cui Rondinelli ricompone ora anche le sue più
tipiche pieghe a ventaglio. Il momento figurativo non
è distante da questa *Pietà* (fig. 35) d'impianto ugualmente rarefatto, nota al momento solo per fotografia
e di cui ignoro le dimensioni (che avrebbero potuto
confermare la sua pertinenza al dipinto di Stoccolma). E l'aggiunta varrà almeno a documentare l'approccio rondinelliano ai temi propri dei coronamen-
ti – al momento del tutto ignoti – delle sue pale ravennati, oltre che a scoprirlo, proprio su questo fronte, meno belliniano del previsto; anzi con un presen-
timento di protoclassicismo bolognese, d'età bentivolesca ormai al tramonto, che l'incorruttibile Palmezzano non avvertì mai.
Altrove, come nella tarda pala di San Domenico (Milano, Brera) ammirata da Giulio II nel 1511, l'immaginario dei teatrini di quinta, aperti su un cielo di luminosità velata, dichiara piuttosto la mediazione di
Francesco Zaganelli che di questa civiltà romagnola
degli ori a grottesca e dei marmi intarsiati nell'architettura fu l'interprete più eccentrico e originale, sin
dalla *Madonna in trono fra i santi Francesco e Giovanni
Battista* (Milano, Brera), inviata proprio a Ravenna nel
1504 e firmata ancora in società con il fratello[133]. Nella bottega in comune è però solo di Francesco l'uso
della squadra e del compasso, l'idea di trasferire gli sfa-
villii ottici della pittura fiamminga anche ai partiti
d'architettura, rimontati con l'acribia di un sontuoso
orafo di provincia (inteso ancora senza complessi di
subalternità culturale). Si deve probabilmente a Francesco e a una sua perduta pala d'altare simile a quella
spedita a Civitanova Marche nel 1505 (Milano, Brera), la soluzione prospettica dell'edicola absidata, già
proposta da Palmezzano nell'*Incoronazione* di Cotignola, arricchita ora con l'aggiunta delle colonne mi-

riore aggancio per sorprendere il pittore alla ricerca
di propri spazi professionali lontano da Forlì. Proprio
per Imola, centro meno monopolizzato dalle botteghe artistiche locali, e dove anche gli Zaganelli sono
di casa, Carrari doveva lasciare nel 1508 una pala ricordata dalle fonti in San Domenico.
Già dal 1502, in ogni caso, sembra seguire i suoi affari forlivesi preferibilmente da Ravenna, e quando nel
dicembre del 1509 si accorda con Filippo da Vercelli
per l'ancona maggiore di San Mercuriale (che conse-
gnerà quasi tre anni dopo) è ormai pittore di cultura
rondinelliana, sia pure d'accento più corposo e di tonalità più corrusche[130]. L'occasione di maggiore impegno della sua intera carriera, approfittava però della momentanea indisponibilità dello stesso Palmezzano che, in quell'anno, si era già impegnato a realizzare per San Mercuriale, la gran macchina dell'*Immacolata Concezione*, di organizzazione davvero laboriosa
per struttura e invenzione iconografica (fig. 38)[131].
Con buona pace di Carrari, il modello figurativo imposto dal suo più richiesto (e certo dotato) antagonista, aveva ormai guadagnato un fronte di consensi ben
più ampio dei soli committenti forlivesi e proprio
l'ancona dell'*Immacolata Concezione* chiude idealmente un decennio in cui in Romagna fu davvero difficile immaginare una pala d'altare che non rispondesse
in qualche modo all'accordo fra pittura e prospettiva

37.
Francesco Zaganelli,
*La Vergine con l'angelo,
i santi Giovanni Battista
e Antonio da Padova
e il donatore*, già Berlino,
Kaiser Friedrich
Museum.

schie sul fronte, che rimase una variante sul tema tutto ravennate, fino agli anni di Luca Longhi.

In nessun altro luogo tuttavia, Francesco riuscì a celebrare i trionfi della pittura "pulcra et aurata" come agli Osservanti di Imola, per la Pasqua del 1509 che, in quell'anno cadde l'otto di aprile. È giusto datata il giorno prima la pala di Dublino (cat. 37), dipinta forse per l'altare di San Bernardino[134], santo che Zaganelli raffigurò qui lontanissimo dall'iconografia tradizionale, per nulla macerato dalla penitenza e anzi d'aspetto corpulento come un buon frate di devozione mansueta, ma estranea a ogni rovello profetico. Per noi fa testo soprattutto il sistema delle quinte prospettiche e il dialogo ancora in corso con il Palmezzano, non solo dell'*Annunciazione* del Carmine, ma della più recente *Comunione degli Apostoli*. Vi si connette il modo di misurare lo spazio e di inscenare l'architettura, anche se è con temperamento diversissimo dal forlivese che Francesco sottoscrive poi il fascino dei "teoremi complementari", quando introna il Bambino su quella pila di scatole prospettiche da forzerinaio di lusso, e vi fa ruotare intorno, con atteggiamenti variati, l'accolita degli astanti.

Lo stravolgimento, per personale inquietudine, dei teoremi palmezzaneschi, doveva uscire ancor più allo scoperto nell'altra fastosissima pala che convenne agli Zoccolanti di Imola, e che venne messa in opera forse lo stesso giorno, con una regia di presentazione per la nuova pittura prospettica del tutto singolare. "1509. Aprilis" era quanto ancora si leggeva sul cartiglio dell'*Annunciazione* distrutta a Berlino nel 1945 (fig. 37), e, nonostante il fraintendimento sul santo francescano raffigurato, non può esservi dubbio che fosse proprio questo il "bell'antico quadro con la B.V. san Francesco, san

Giovanni Battista e il ritratto di uno ginocchione" (con "il nome dell'autore corroso" ma ancora ben leggibile la data), descritto sull'altare della sacrestia gli Zoccolanti imolesi da Marcello Oretti e sul quale, a fine Settecento, circolavano le più svariate opinioni[135]. Anche allora doveva riuscire spiazzante la diligenza arcana dell'intarsio dei marmi, l'idea di spazio compresso e quasi stiacciato nel cristallo che fa il fascino del dipinto. Ma l'originaria destinazione imolese chiarisce anche la sua particolare iconografia, che per una volta non fu scelta eccentrica dell'artista. Nella sequenza degli antichi altari di San Michele all'Osservanza, ricostruita all'inizio del Novecento da Serafino Gaddoni, la pala non poté che figurare su quello già eretto nel 1502 per le cure di un Battista da Cotignola, terziario francescano e dedicato all'Immacolata Concezione. Si spiega dunque che a Zaganelli venisse richiesta una riedizione della cosiddetta Annunciata "immacolistica" (con l'angelo del tutto in secondo piano e talvolta l'aggiunta del Bambino planante), di cui a Bologna fu quasi specialista Francesco Francia. La cappella nasceva comunque con l'intitolazione a sant'Antonio da Padova, raffigurato in tutta evidenza nel dipinto e, nel caso fosse stato firmato da entrambi i fratelli, come avvenne in quell'anno per l'altra pala osservante, andrà ripresa in considerazione la circostanza che proprio le tre storie di sant'Antonio dipinte dal solo Bernardino, divise fra i musei di Berlino e l'Accademia Carrara di Bergamo (quest'ultima pesantemente decurtata), sembrerebbe convenire di misura all'ingombro dell'originaria predella[136].

Su temi immacolistici Francesco Zaganelli si sarebbe confrontato con lo stesso Palmezzano a Forlì, nel 1513, quando, probabilmente per contratto, fu tenuto a riproporre in San Girolamo l'inedita soluzione iconografica licenziata poco prima dall'artista, pur derogando dall'impianto contegnoso e pausato del modello[137]. Palmezzano, ancora una volta, aveva accampato le sue migliori idee spaziose nei panneggi ricadenti della Vergine inginocchiata, nel libro in prospettiva aperto sulle topiche frasi di sant'Anselmo d'Aosta (fig. 38), ma non sembra bastare a Zaganelli quella legatura dei personaggi affidata soltanto al paesaggio che pure ci regala una veduta di Forlì inaspettatamente feriale, ritratta come città di mattoni e campanili e dove anche l'abbazia di San Mercuriale viene vista dall'abside. Nell'*Immacolata* che Francesco approntò per San Girolamo il gruppo dei santi si ripartisce in forme più compatte e, con un'idea capziosamente drammatica, la devozione della Vergine si anima del gesto contingente di cogliere al volo il cartiglio che uno dei putti, distolto dal canto angelico, sta per lasciar cadere a terra. Con tutto questo, proprio in seno alla bottega degli Zaganelli l'iconografia forlivese dell'Immacolata Concezione ha un seguito immediato nella pala giovanile di Marchesi a San Marino[138], prima ovviamente che sul tema intervenisse con tonante sicurezza Girolamo Genga a Cesena.

54

38.
Marco Palmezzano,
*Immacolata Concezione con
i santi Anselmo, Agostino,
Stefano*, Forlì, basilica
di San Mercuriale.

39.
Marco Palmezzano,
*Madonna con il Bambino
in trono e i santi Giovanni
Battista e Giovanni
Evangelista*, Sarasota,
The John and Mable
Ringling Museum of Art.

La sua pala per Sant'Agostino era certamente compiuta nel 1518[139], ma è lecito chiedersi se a Cesena ci si potesse già riferire a quel difficile modello, l'anno dopo, in San Francesco, quando donna Violante Morattini (di natali pur sempre forlivesi) commissionava ad Antonio Aleotti la pala perduta per la propria cappella "cum omnibus et singulis figuris necessariie ad concepcionem", indicazione quanto mai vaga per un soggetto d'iconografia ancora oscillante[140]: tanto più se affidato a un pittore della vecchia guardia la cui acclimatazione stilistica, nella Cesena di primi Cinquecento, aggiunge un altro tassello alla recezione dei modelli ornati e alla pala prospettica in Romagna e, si direbbe, ancora una volta con una mediazione zaganelliana. Stando ai versi di encomio di Francesco Uberti, la pittura di Palmezzano doveva essere, a Cesena, ai vertici della considerazione anche prima che, nel 1508, venisse richiesta al pittore, per Sant'Agostino, la *Madonna in trono fra i santi Giovanni Battista e Giovanni Evangelista* convincentemente identificata da Grigioni con il dipinto, di ottimo repertorio (fig.

39) ancorché assai malandato, oggi a Sarasota (il gruppo centrale è mutuato dal trittico Becchi-Acconci; per quanto semplificato rispetto alle redazioni precedenti, il teorema del mazzocchio tiene il primo piano con nitido rilievo)[141]. Ma davanti alla risposta cesenate di Aleotti, vale a dire la pala per l'ospedale di Sant'Antonio (Cesena, Pinacoteca, fig. 40) che per contratto, nel 1506, doveva prevedere anche colonne dorate, si vorrebbe sapere qualcosa di più sul misterioso dipinto di "Bernardo da Cotignola" che Antonio Cantoni nel 1779 annotava in San Domenico, visto l'aspetto più esile dell'architettura e l'acconciatura indubbiamente zaganelliana della Vergine, proposta ora da Aleotti.

Qualcosa di Bernardino Zaganelli dovette in effetti rimpolpare anche la vena di minuto narratore quattrocentesco, nel seguito robertiano, del pittore, che rimase il suo aspetto più ammirato a Cesena, ancora nel Settecento, quando si mostravano all'Algarotti, nel palazzo municipale, le sue storie di san Sebastiano, estratte dall'altare della comunità in sant'Agostino (e in seguito disperse), come opere di Ercole Grandi[142]. E se ne trova conferma (come è già stato notato) nella tavoletta già Farrer con la *Fuga in Egitto* (fig. 41), che meritò di figurare come "quadretto bellissimo" nei *Nuovi ampliamenti* longhiani dell'*Officina ferrarese*, per quella combinazione "di cultura robertiana con la gentilezza del Francia e con qualche tangenza romagnolo-veneziana". E su questa traccia è possibile forse recuperare qualcos'altro dell'Aleotti cesenate di primo Cinquecento[143].

A Faenza invece, fece probabilmente testo, di Palmezzano, la cappella per Mazone Morini nella chiesa osservante di San Girolamo, dove era previsto, ol-

40.
Antonio Aleotti,
*Madonna con il Bambino
in trono e i santi Michele
Arcangelo e Antonio Abate,*
Cesena, Pinacoteca
Ccomunale.

41.
Antonio Aleotti,
La fuga in Egitto, già
Londra, collezione Farrer.

42.
Antonio Aleotti,
*Madonna in trono e i santi
Gregorio papa e Giovanni
Battista,* già Firenze,
collezione Serristori.

tre a una pala d'altare di impianto gremito, anche un ciclo di affreschi con il nome del committente ben in vista (sembra parafrasare un'iscrizione esistente il passo relativo delle *Croniche* di Malazzappi, alla fine del Cinquecento)[144]. Il complesso doveva essere già compiuto nel settembre del 1505 se a quella data si ricorreva alla nomina di periti, per appianare il contenzioso sorto nel frattempo fra le parti. Palmezzano nomina Carlo Mengari, artista mediocrissimo ma di buon credito cittadino, mentre non stupisce trovare a fianco del committente, Giovan Battista Bertucci che anche in seguito si farà la fama di difensore un poco intemperante delle regole corporative locali, creando qualche difficoltà, nel 1511, a Bartolomeo Ramenghi e a Pupini, chiamati a Faenza dalla confraternita di Santa Maria delle Grazie[144]. Se la pala perduta va identificata (diversamente da quanto pensava Grigioni) con la *Madonna e i santi Lucia, Bonaventura, Girolamo, Ludovico, Francesco e Antonio,* descritta da Luigi Crespi nella collezione Hercolani di Bologna e in seguito mai più riemersa agli studi, si può sospettare però, che proprio per Faenza, Palmezzano avesse messo a punto per la prima volta il modello di Sacra Conversazione poi canonico nel decennio successivo, con la Vergine issata sull'alto trono, l'angelo musicante ai suoi piedi e un'inscenatura particolarmente spaziosa "con parte d'architettura e di paese"[146]. La stessa, in pratica, che riproporrà, nel 1513, nella pala oggi a Monaco (fig. 47). E si deve pur ammettere che nel 1505, quella variante di salda e melozzesca spazialità poteva ancora tener testa, nella considerazione del perito Bertucci, alla vera novità artistica del giorno, vale a dire l'altare di Lorenzo Costa messo in opera proprio in quell'anno in San Pietro in Vincoli, modernissimo, all'opposto, nell'eludere ogni diligenza di squadra e compasso, con i suoi spiazzamenti prospettici, il telaio architettonico ridotto quasi alla sola cor-

nice e la proiezione tutta all'aperto e in controluce del doppio ordine di sacre comparse[147].

Il processo di assimilazione di quel capolavoro dall'eleganza sottile occuperà gradualmente Bertucci per tutto il decennio e forse non solo lui a Faenza (sembrano copie dai registri superiori della pala, più che disegni preparatori costeschi i due fogli dell'Albertina, con *San Giovanni Battista* e *San Giovanni Evangelista*)[148]. E lo rivela anche una tavola con *San Francesco che riceve le stimmate* (fig. 43), passata sul mercato con un riferimento alla scuola di Perugino, ma da confrontarsi con il *Noli me tangere* della Pinacoteca di Faenza o con la *Sacra Famiglia* del Museum of Fine Arts di Boston, per il paesaggio filante, per quel tentativo di ritmica sinuosa del panneggio così tipica di Bertucci sul 1510[149]. In questa direzione il punto di arrivo si riconosce da

tempo nel dossale di San Tommaso d'Aquino realizzato fra il 1512 e il 1516 per suor Clarice Manfredi in Sant'Andrea dei Domenicani[150]. Ed è indubbiamente il modello costesco che finì a Faenza per legittimare le ragioni di lunga durata del polittico a doppio registro, su cui tardivamente poté omologarsi, a richiesta, lo stesso Palmezzano nelle tavole agostiniane della Pinacoteca di Faenza (cat. 41-42) che non vedo ragione di scorporare in due diversi complessi.

Se si considera però a monte il percorso di Bertucci, che a Faenza era tornato alla fine del Quattrocento, con un proprio bagaglio umbro-romano, diverso da Palmezzano solo nella più esclusiva osservanza pinturicchiesca, è meno sorprendente che proprio la pala "aurata" del forlivese potesse ancora costituire un confronto alla pari nel 1506, l'anno del dossale firmato per la chiesa dei Santi Ippolito e Lorenzo (Faenza, Pinacoteca). Nella difficile cronologia del faentino, il momento indubbiamente più filo-romano, che quasi inviterebbe a cercare la sua mano fra quelle dei mille aiuti dell'appartamento Borgia, è rappresentato dalla *Natività e santi*, dalla *Madonna col Bambino e san Paolo* della Pinacoteca di Faenza. Un momento che disporrebbe di un appiglio cronologico al 1503 se il pur ridipintissimo *Sant'Antonio abate* del Museo Diocesano, potesse davvero riconoscersi come parte del trittico commissionato in quell'anno dalla Società di Sant'Antonio (che prevedeva il santo in uno dei pannelli laterali)[151]. La pala dei Santi Ippolito e Lorenzo nel 1506 rivela già un aggiornamento in chiave peruginesca per il senso più dolce e tornito della forma; le

cubature spaziali di Palmezzano non dovettero apparire al pittore troppo distanti dai telai prospettici studiati sul Vannucci a Firenze (invero molto più ariosi). Anche se poi fu solo dalla pittura del forlivese (e dalla pala di San Michelino del 1497), che Bertucci trasse l'idea della cimasa, non solo per la curiosa foggia dei cherubini, ma anche per la scansione geometrica dei panneggi nel Dio Padre a mezzo busto. Il gusto per le grottesche dorate, che guadagnava in extremis anche il vecchissimo Biagio d'Antonio[152], non lascerà invece il faentino troppo presto e sembra poter contare su modelli palmezzaneschi più recenti per il portico in rovina dell'*Adorazione del Bambino* che fu a Londra nella collezione Erskine (fig. 45).

La presenza di Palmezzano a Faenza è, del resto, ben documentata anche dopo il 1505, e anzi, il suo ruolo di antagonista alle botteghe artistiche locali assume, nel secondo decennio, tratti quanto mai peculiari nel rapporto con la famiglia Naldi di Brisighella. Per la verità, è anche il cerchio dei committenti dell'artista che sembra chiudersi con le vicende di questa schiatta di piccoli feudatari di antico lignaggio, egemone incontrastata nella valle del Lamone. Una schiatta che faceva pur sempre capo a Dionigi Naldi, l'eroico difensore, per la parte di Caterina Sforza, della rocca di Imola, all'arrivo del Valentino. Il servitore "affezionato e fedele, ancor che abbia un cervello a suo modo", di cui la contessa scriveva a Lorenzo di Pierfrancesco de' Medici nel 1495 (per perorarne la scarcerazione da parte del duca d'Urbino)[153]. Il volgere degli eventi aveva significato, per Dionigi, il passaggio militare al soldo della Serenissima, e, alla morte nel 1510, l'onore di un sontuoso monumento in San Giovanni e Paolo a Venezia, a spese del pubblico[154]. Ma è evidente che, in patria, l'identità nobiliare e guerresca dei Naldi (perpetuata in particolare dal fratello Naldo e dal cugino Vincenzo) rimase fissata a tradizionalissime radici, ai modelli cortigiani di fine secolo, e soprattutto a un rapporto antico con Forlì contraltare delle mire di Faenza sul contado del Lamone[155]. Orgogli di schiatta, autonomie locali, preferenze figurative convergeranno per oltre un decennio sulla pittura ormai inossidabile e rassicurante di Palmezzano, scelto in deliberata alternativa alle botteghe dei Mengari, Scaletti, Bertucci, tanto nella valle del Lamone quanto a Faenza.

Il punto di partenza è per noi il contratto stipulato a Brisighella il 5 ottobre 1513 con lo "spectabilis vir" Naldo Naldi per la pala della parrocchiale di Rontana (Fig. 49), ultimo baluardo veneziano, dopo la riconquista papale del 1507, garantito alla Serenissima proprio dalla famiglia. Stando ai *Diari* del Sanudo, era stato del resto lo stesso Naldo, dopo la morte del fratello Dionigi, a presentarsi a Venezia, ottenendo di subentrargli nella condotta militare "con provvigione di 500 ducati l'anno", a fianco del cugino Vincenzo[156]. L'*Adorazione dei Magi* che Pal-

44.
Marco Palmezzano,
Natività, Milano,
Pinacoteca di Brera.

45.
Giovan Battista Bertucci,
Natività, già Londra,
collezione Erskine.

mezzano inviò nella sperduta Rontana non fu dunque un dipinto da contado, e del resto il soggetto, mai trattato prima, richiese una cura particolare[157]. Con una sovrana indifferenza per le mode e i gusti correnti, il pittore ritornò senza incertezze ai repertori umbro-romani della cappella Feo (se non addirittura dell'abside di Santa Croce di Gerusalemme), per il corteo inturbantato dei Magi, proprio quando Giovan Battista Bertucci a Faenza, nella pala Mengolini, distrutta a Berlino, inscenava cortei di ben altra colorazione cortigiana, e persino Baldassarre Carrari, in tarda età, credeva di dovere aggiornare il costume di qualche suo figurante in un'*Adorazione dei Magi*, che Cavalcaselle riferiva alla sede dei Battuti Verdi di Forlì[158]. Se un moto di nostalgia poté dunque aver luogo, davanti alla pala di Rontana e a quelle sue rievocazioni d'altri tempi, fu certo dalla parte dei committenti, non del pittore, ostinatamente fedele al suo mondo figurativo, alla piena efficacia degli antichi paludamenti, cui non aveva fatto mancare allora, nelle gamme fredde della sua tavolozza, ricami e orpelli scintillanti. A Rontana in ogni caso, l'ancona dell'*Adorazione dei Magi* rimase a lungo prodotto di inconfondibile confezione cittadina, nella sequenza affatto folklorica dei dipinti che nei decenni a seguire le si sarebbero affiancati e fra i quali trova posto, nel 1520, anche un'*Annunciazione* di Bernardino (e Antonio) da Tossignano, rappresentato in mostra dalla pala già Lee of Fareham (cat.

44) resa nota a suo tempo da Zeri, documento di una specifica recezione della pittura di Palmezzano anche in area imolese[159].
L'*Adorazione* di Rontana che ostenta al sommo della parasta dorata lo stemma dei Naldi, con il tricolore ungherese (verde, rosso e argento) e l'impresa di Vezzano (il loro feudo originario), si pone in ogni caso all'origine di una reiterata presenza di Palmezzano nella Valle del Lamone. È ancora in sito l'altare maggiore consegnato nel 1520 agli Osservanti di Santa Maria degli Angeli, opera già stanca e affastellata[160], ma non si potrà perdere di vista neppure l'*Andata al Calvario* della Galleria Spada (cat. 39), che, nella rara trasposizione monumentale del tema, riflette consuetudini iconografiche toscane (Biagio d'Antonio, Rodolfo del Ghirlandaio), più che romagnole. Sembra in ogni caso poco probabile che il suo ingresso nelle collezioni di Bernardino Spada entro il 1641, quando la si forniva di una nuova cornice da galleria, si dovesse a un acquisto deliberato (si tratterebbe di un caso anzitempo di fortuna collezionistica, non solo di Palmezzano, ma della stessa pittura dei "primitivi" in questo formato)[161]. E preferisco credere che il dipinto venisse ritirato da qualche altare di Faenza o, con ancora maggiore probabilità, proprio da Brisighella, patria adottiva degli Spada dove la famiglia risulta ancora assai attiva e munifica nei primi decenni del Seicento (al cardinale Bernardino si attribuiscono in particolare restauri nella chiesa osservante)[162]. All'Oratorio della Croce di Brisighella, da cui proviene anche una *Deposizione* faentina di secondo decennio del Cinquecento, fra Mengari e Scaletti, (oggi nel museo locale) faceva riferimento, nel 1627, il testamento di un tardo membro della famiglia Naldi, Francesco di Ludovico, in un elenco di legati pii che privilegiava per altra parte l'ordine francescano "per esser stata la sua famiglia da centinaia d'anni in qua osservante e caritatevole a quella religione"[163]. Non è pertanto da escludere che anche la commissione a Palmezzano dell'ancona del 1520 si dovesse ai buoni uffici della famiglia[164]. In quella sorta di topografia devota e familiare che si recupera dai molti lasciti di Francesco di Ludovico, anche l'altare maggiore dell'Osservanza ha infatti una menzione di riguardo, mentre è certo che i Naldi possedevano da un secolo un altare a Faenza nella chiesa di San Francesco, che il testamento chiama in causa come "cappella della Madonna delle Grazie del sig. Vincenzo il Vecchio". L'intuizione di Grigioni riguardo al committente e le successive precisazioni di Golfieri sull'originaria provenienza della *Madonna e santi* oggi all'Alte Pinakotek di Monaco, firmata e datata 1513 (fig. 47), trovano dunque una conferma risolutiva[165]. Fu dunque Vincenzo Naldi, con qualche anticipo sul cugi-

no a Rontana, a commissionare all'artista quel dipinto che più di altri dovette contribuire fra Sette
e Ottocento alla riscoperta di Palmezzano, dopo
l'acquisto, nel 1754, per la quadreria Hercolani di
Bologna. Delle due maniere di dipingere che Luigi
Lanzi riconosceva all'artista, fu certo ricavata dalla
pala del 1513 l'idea di uno stile "più artificioso ne'
gruppi, più largo ne' contorni, più grande anche
nelle proporzioni"[166]. In effetti, così solenne e nitido, così risentito nello squadro prospettico, il pittore non sarà davvero più, in seguito. L'esecuzione
sorvegliata si riflette anche nel repertorio delle
grottesche, dove trova spazio, come a Rontana, lo
stemma dei Naldi, di Vincenzo, in particolare, il cui
nome ricorre nella predella di collezione Albicini,
da tempo riconosciuta come parte del complesso di
San Francesco a Faenza. Nello stemma, l'antico
bouquet di foglie di loglio strette dalla mano guan-
tata (l'impresa di Vezzano), è però sostituito da una
rosa bianca, la stessa che più tardi si inquarterà con
le insegne degli Zauli, al momento dell'unione delle due famiglie. Si direbbe che, mettendo radici a
Faenza, Vincenzo Naldi, capitano di ventura della
valle del Lamone, si fosse adeguato, anche in termini simbolici, a una diversa urbanità di comportamento. Ricorreva però al pittore di Forlì e non a
una bottega faentina, per la sua cappella e, in quello stesso 1513, era ancora nel numero degli amba-
sciatori inviati al neo eletto Leone X dalle magistrature di Brisighella, per perorare la causa dell'intera valle del Lamone contro le nuove pretese di
Faenza, riguardo alla nomina del locale capitano e
al monopolio del sale[167].

L'industria e le varianti

La pala di Vincenzo Naldi condivide con quella che
fu nella cappella Lombardini in San Francesco a Forlì (fig. 48), l'invenzione della Vergine con il Bambino
benedicente, in leggero scorcio e con l'ampia falda del
mantello ricadente oltre il basamento del trono, certo
l'ultima idea di bella tenuta che il pittore elaborò, se
così si può dire, per il grande formato, conformando-
ci ormai al suo mestiere industrioso, dove le invenzioni non si impiegano mai una sola volta, e vanno te-

saurizzate in bottega, sotto forma di carte lucide e modelli[168]. La precedenza della pala oggi alla Vaticana è però tutta da dimostrare, visto che nel testamento, rogato il 15 ottobre 1511, l'"eximius doctor artium et medicinae", Bartolomeo Lombardini, rimandava in toto agli eredi Pierfrancesco, Girolamo e Marcolino Monsignani, l'onere dell'arredo della propria cappella gentilizia, quanto a "pictura, sepulcro et ancona"[169]. Nel 1511, dunque, la pala non era ancora stata commissionata, e, poiché non vi è dubbio che si tratti proprio della *Madonna fra i santi Giovanni Battista e Girolamo* della Vaticana, andrà almeno rilevato come la data 1510, fino a ora considerata affidabile, non si legga nel cartellino ormai abraso, ma risulti graffita da altra mano, poco più in basso sul basamento. Ammettendo che qualcosa si fosse già perso dell'iscrizione originale quando si decise di tenerne memoria, si spiega meglio che gli eredi saldassero solo nel 1516 il dipinto, di conduzione effettivamente meno eletta rispetto alla pala di Monaco, anche in causa della pessima conservazione e delle estese ridipinture[170].

Resta comunque il fatto che fino al 1516, le volontà di Bartolomeo Lombardini erano state rispettate anche nelle attese inespresse del testamento, riguardo cioè all'artista che avrebbe dovuto occuparsi non solo dell'"anconan condecentem", ma anche di "pingere dictam capellam ab alto et circumcirca". E fu dunque con un brusco cambio di programma che i Monsignani, liquidato Palmezzano di ogni suo avere per i lavori nella cappella, nell'aprile del 1518 colsero al volo l'occasione di servirsi dell'artista che si sa-

peva legato a Francesco Maria della Rovere, e che in Sant'Agostino a Cesena, stava aprendo a tutti gli occhi con la sua nuova pittura di cera fusa, dove le figure lievitavano con piena libertà nello spazio, legandosi l'una all'altra per rispondenze di gesti e di affetti. Un pittore, Girolamo Genga appunto, in grado di promettere ai Monsignani, per la cupola della loro cappella, un inaudito organismo compositivo di "angelis, tronis, patriarchis virginibus et talis sanctis pertinentibus" per un numero complessivo di ben novantaquattro figure. Così come di proporre sul fronte, "cum spiritu sancto, apostolis, et aliis sanctis pertinentibus", un Dio Padre ombroso e scapigliato, analogo senza dubbio a quello che, dal sommo dell'altare di Cesena, sembra pronto a planare nel bel mezzo della sacra assemblea[171].

Per Palmezzano fu indubbiamente il primo smacco subìto in patria dalla propria autorità fino ad allora indiscussa, dal suo ruolo più che ventennale di depositario di un'identità figurativa che aveva retto all'onda delle mode cortigiane di primo decennio, ma che si rivelava ormai del tutto impreparata davanti alle seduzioni della maniera moderna. La resistenza fu strenua ancora per anni, non solo dalla parte del pittore, ma anche dei committenti se, nel 1525, il giovane creato forlivese di Genga, Francesco Menzocchi era tenuto a conformarsi alla pittura del vecchio maestro nella pala che gli richiedeva allora Matteo Bruni da Varignana (almeno per l'affidabilità tecnica e l'evidenza decorativa). E si prolunga fra secondo e terzo decennio anche il rapporto di Palmezzano con il capomastro Cristoforo Bezzi.

L'incrocio documentario, fra i regesti dell'uno e dell'altro, consente anzi di dar conto della tavola che Caterina Franchi commissionava al pittore nel 1523 e che dovette necessariamente essere destinata alla cappella fatta costruire anni prima proprio dal Bezzi nella chiesa dei Servi[172]. La sua identificazione con la seconda redazione dell'*Annunciazione* oggi in pinacoteca, di provenienza servita, è resa probabile anche dal fatto che il riutilizzo dell'invenzione si registra solo negli ultimi anni di attività, a Forlimpopoli nel 1533, e addirittura nel 1539, l'anno della morte, nella replica per l'oratorio di Santa Maria in Valverde a Forlì (già identificata da Grigioni nel dipinto che, all'inizio del Novecento, fu di collezione Sedelmeyer)[173]. In tempi di evidente ripiegamento e di congiunture non più così favorevoli per il pittore, è in fondo tutto a suo merito che la pala abbia suggerito in genere datazioni assai alte, fra primo e secondo decennio, come a dire che il mestiere saldo e meticoloso era ancora l'argomento più convincente dell'industria palmezzanesca. Si intravede, in ogni caso, una sorta di dignità d'altri tempi nel rifiuto del pittore a scendere a patti con i modelli figurativi allogeni alla cultura locale, quelli che sancivano in fondo il nuovo status

50.
Marco Palmezzano,
La strage degli innocenti,
già Firenze,
collezione privata.

delle Romagne come provincia pacificata nel sistema delle legazioni pontificie. Nessuna deroga agli aulici quanto estranei repertori romani, nessun travestimento patetico in panni che non potevano essere i suoi, quando già la circolazione delle stampe raffaellesche sembrava porre alla portata dei più scaltri, patenti di novità a buon prezzo.

La tentazione non lasciò immuni i fratelli pittori di Tossignano nella pala di Rontana del 1520, quando si provarono a seguire il tracciato della stampa di Marco Dente dall'*Annunciazione* di Raffaello (quella che, stando a Malvasia, era giunta a Bologna in casa Grassi)[174], rimanendo a metà del guado per l'assoluta incomprensione del modello. E riesce ancor più grottesco il tentativo di quel Girolamo Agostini, figlio di orefici, che sempre nel 1520, a Forlì, si accordava con il procuratore del convento di San Domenico per la decorazione dell'organo e della sala del capitolo, se è suo l'affresco con la *Crocifissione* e le con *Storie di San Domenico* di recente riscoperto sotto lo scialbo, nei lavori di restauro del convento[175]. Dove il ricorso alle stampe di Marcantonio Raimondi, di Agostino Veneziano e addirittura di Michelangelo (che farebbero invero sospettare una datazione un poco più tarda dell'affresco), cerca di nobilitare, con frasi forbite ma di strascicata pronuncia, un dettato pur sempre palmezzanesco, o al massimo memore di certi sviluppi figurativi ravennati fra epigoni di Rondinelli e il giovane Girolamo Marchesi.

Piuttosto, è quasi commovente sorprendere in tarda età il nostro pittore alle prese con le regole moderne della figurazione coordinata e complessa, contando sulle sue sole forze e ricorrendo con parsimonia all'invenzione raffaellesca divulgata da Raimondi, in una *Strage degli innocenti* (già a Firenze, collezione pri-

vata) riconosciutagli da Longhi e da Federico Zeri, ma attribuita in precedenza, non a caso, anche a Garofalo[176] (fig. 50). Dove non è certo il risultato a contare, quanto piuttosto la bizzarra operazione di montaggio, da parte del pittore, del suo repertorio di figuranti relegati di norma ai paesaggi narrati, e costretti ora, sul primo piano, a rispondersi nei gesti, a calcare il registro patetico con ben poca convinzione. Tardivamente Palmezzano giunse anche a profilare le sue solite madonne, secondo forme più stondate, quasi che a distanza di molti anni, convenisse sull'effetto di certe rotondità genghiane. Lo si vede nella *Natività* di Grenoble del 1530 (cat. 46), nelle sue *Giuditte* (cat. 49), in molti dipinti da stanza, e soprattutto nella *Madonna e santi* del 1537, oggi alla Vaticana, che è pur sempre il congedo di un artista prossimo ormai agli ottant'anni. Per simili impegni monumentali di vecchio stampo, Palmezzano sembra ormai trovare più credito a Cesena che a Forlì, visto che la pala della Vaticana proviene con certezza da San Domenico e che per Sant'Agostino, sempre a Cesena, negli stessi anni, l'artista lavorava anche all'ancona con il *Matrimonio mistico di santa Caterina* già a Compton Wynyates, richiestagli dalla vedova di Giovanni Calzolari[177]. Del resto, diradatasi sensibilmente la generazione solidale dei committenti di primo e secondo decennio, non sorprende che la sua pittura trovi sempre più spazio, a Forlì, presso confraternite e sodalizi devoti, e, talvolta, non senza qualche contrasto interno fra le opposte preferenze degli stessi confratelli. Per i Battuti Bianchi di San Tommaso di Canterbury (vedi fig. 44), era ancora pacifico, nel 1516, ricorrere a Palmezzano per il trittico del loro altare maggiore, ricostruito di recente da Anchise Tempestini e Matteo Ceriana, come per le altre immagini da porre nell'oratorio[178]. In modo molto meno lineare, dovettero procedere invece, dieci anni dopo, i confratelli dell'Immacolata Concezione in San Francesco, alla ricerca di un onorevole compromesso fra l'ostinazione del vecchio priore Matteo Framonti e la disponibilità di finanziatori meno vincolati al passato anche in termini di scelte figurative. Mi era sfuggito, qualche anno fa, il nesso di evidente consequenzialità che lega l'operato dell'"eximis juris utriusque doctoris" Bernardino Xelli, committente di Francesco Menzocchi per una pala dell'altare di san Bernardino in San Francesco, e il successivo documento palmezzanesco del 1534 in cui è piuttosto Matteo Framonti ad agire in prima persona, come priore della Società della Concezione[179]. Le due iniziative, infatti, si spendevano per lo stesso altare, ottenuto sin dal 1511 da Matteo, fratello, è bene rilevarlo, dell'Onofrio Framonti che a Palmezzano in San Francesco, si era rivolto sin dal 1506 per l'altra cappella di famiglia e che risulta ancora in contatto con il pittore nel 1529. A Matteo si doveva probabilmente l'istituzione, nella cappella di

51.
Marco Palmezzano,
Sacra Conversazione,
ubicazione ignota.

52.
Bottega di Marco
Palmezzano,
Sacra Famiglia, Baltimora,
Walters Art Gallery.

san Bernardino, della Società della Concezione, riformata in età di Controriforma al pari dell'analogo sodalizio che aveva sede presso gli Osservanti di San Girolamo dove nel 1513 si era richiesta a Francesco Zaganelli una pala esemplata su quella palmezzanesca di San Mercuriale. Appare dunque ancor più significativo che allorché nel 1526, in San Francesco, Bernardino Xelli forniva a sue spese il dipinto per la Società dell'Immacolata, non solo ricorresse a un artista ancor giovane e moderno come Menzocchi, ma derogasse di proposito dall'iconografia forlivese del tema, scegliendo piuttosto la formula (rivelata dal contratto) della "mulier amicta sole", con la Vergine elevata in cielo e, in basso i santi Anna e Gioacchino. Ed è evidentemente questa la pala sulla quale nel 1534, a spese di Matteo Framonti, Marco Palmezzano interveniva ormai in sott'ordine, chiamato solo a dorare la cornice e a fornire, forse come dossale o cimasa, una "inmazinem pietatis Sancti Sebastiani et Rochi".

La scelta di Palmezzano per dipinti di medio formato e per immagini di devozione non stupisce in ogni caso in quest'ultima fase della sua carriera che è quella della produzione, su scala quasi industriale, dei Cristi portacroce, dei Battesimi di Cristo, delle Sacre Conversazioni, noti a decine di esemplari dagli stessi cartoni eppure mai del tutto rinunciatari in fatto di qualità, se per essa si intende quella particolare solidità tecnica, quella diligenza ormai senza tempo che accompagna Palmezzano fino alla fine. Paradossalmente, l'approssimazione figurativa che verifichiamo nella pur documentata *Annunciazione* di poca spesa richiesta nel 1533 per i Serviti di Forlimpopoli e che coincide con la nostra idea di prodotto di bottega, per

scelta dei materiali, ricalco maldestro dei cartoni, esecuzione poco sorvegliata, sembra registrarsi molto meno nell'innumerevole produzione dei dipinti da stanza degli stessi anni.

In realtà, se ci fu davvero un momento in cui Palmezzano poté delegare scopertamente ad altri, nella bottega, la divulgazione delle sue composizioni più fortunate, fu piuttosto fra secondo e terzo decennio, quando la produzione di pale d'altare aveva ancora ritmi considerevoli: parrebbero dimostrarlo le derivazioni sempre più approssimative (nella formula della *Sacra Famiglia*), ricavate da una *Sacra Conversazione* di impianto filo-veneto che difficilmente supererà il 1510[180] (fig. 51-52); così come le due redazioni, all'evidenza della stessa mano, dell'*Unzione di Cristo* negli esemplari del Courtauld Institut of Art di Londra e del Musée di Digione con le loro tonalità acide e chiare, che, non a caso, trovano spazio solo in certe lunette palmezzanesche lasciate in gran parte agli aiuti (com'è quella che sovrasta l'altare di Santa Maria degli Angeli a Brisighella)[181].

Diverso fu, evidentemente, negli anni tardi, l'investimento professionale per un tipo di produzione che, al di là del dato stilistico, meriterebbe di essere indagata sul versante delle abitudini devote, di una religiosità domestica meno soggetta agli avvicendamenti delle stagioni figurative. Una ricerca sul culto delle immagini nelle case a Rimini nel corso del Cinquecento rivela, ad esempio, come il "Signore miser Ihesu Christo cum la croce in spalla" soppianti, fra i dipinti devoti, la più tradizionale Veronica solo negli anni trenta del secolo, offrendo un singolare parallelo alla tardiva produzione palmezzanesca (mai docu-

53.
Francesco Bianchi
Ferrari (?), *Cristo portacroce*,
già Padova, collezione
Ferretto.

54.
Giovan Battista Bertucci,
Cristo portacroce, già
Londra, collezione
Drudy-Lowe.

mentato per altro in area riminese)[182]. Com'è noto, la formula iconografica, d'estrazione veneta e belliniana, aveva però avuto ben altro risalto all'inizio del secolo[183], e non è un caso che, per decenni, Palmezzano replicasse, anche a due, tre, quattro figure (cat. 51-52 e fig. 57), una sua particolare versione elaborata proprio nel primo decennio, con il Cristo mansueto di profilo che evita il confronto sconvolgente con il devoto, e si offre, su fondo scuro, come immagine mnemonica di pacata contrizione. Il prototipo, al momento, si riconosce nell'esemplare già Giustiniani ora a Berlino la cui data al 1503 sembra autentica[184], confermandoci dunque la precoce presenza sul mercato del pittore, anche su questo fronte di dipinti da stanza, per i quali il modello belliniano, appare subito filtrato, in Romagna, dall'esempio dei madonneri di lusso alla corte di Ercole I a Ferrara, e di Maineri (cat. 53) in particolare, con la loro "compunzione tecnica" elevata a paradigma devoto, per dirla con Roberto Longhi[185]. Tanto più variate e sperimentali saranno le soluzioni iconografiche e le evocazioni neo fiamminghe degli Zaganelli[186] (cat. 54), mentre non stupisce che un occhio di riguardo per la formula palmezzanesca sia stato piuttosto dalla parte di Girolamo Marchesi (cat. 55), che del resto fu pittore sempre pronto a sottoscrivere, nei suoi primi anni romagnoli, la chiarezza d'impianto e la semplificazione comunicativa proprie del forlivese.

Sono questi gli artisti che in mostra documentano la particolare e resistente fortuna locale del Cristo portacroce. Ma la casistica potrebbe anche estendersi a un quadrante emiliano più ampio (e di gravitazioni ugualmente veneto-ferraresi), considerando

certe vecchie attribuzioni a Palmezzano. Non mi risulta, ad esempio, sia mai stata riconsiderata dagli studi una tavola già di collezione padovana (fig. 53) resa nota negli anni venti da Andrea Moschetti, e che aggiunge una variante modenese, alle molte declinazioni sul tema, visto la sua prossimità a Francesco Bianchi Ferrari, altro maestro di seduzione fiamminga, nell'orientare la pietà privata dei suoi committenti[187].

È in Romagna in ogni caso che l'affezione devota per questo tipo di immagine, registrò gli sconfinamenti di campo più singolari. Come quando a Faenza, nel 1512, suor Clarice Manfredi chiedeva al suo pittore Bertucci, di prevedere al sommo della nuova ancona di San Tommaso d'Aquino di cui si è già parlato, proprio una "figura dominj nostrj Jhesu Christi cum Cruce super humeris" soggetto quanto mai inusuale per una cimasa. Se poi il dipinto potesse identificarsi nel *Cristo portacroce* che in collezione Drudy-Lowe a Londra portò un'attribuzione al fiorentino Bachiacca (fig. 54), la conferma sarebbe anche sul fronte di una scelta compositiva che ormai identificava il soggetto con il quadro di devozione[188]. Bertucci non credette di doverne mutare più di tanto l'impianto in vista della sua diversa e pubblica collocazione; semmai aderì con ancor più convinzione a un gusto d'impianto quasi purista, che è poi lo stesso rilevabile nei santi di Houston previsti per il registro inferiore. Il gusto maturato nelle sue recenti frequentazioni fiorentine, anche sul fronte della pittura "piagnona", che giustifica talvolta altri fraintendimenti attributivi, per le sue opere, in direzione di Piero di Cosimo.

55.
Marco Palmezzano,
Cristo portacroce, Brescia,
Pinacoteca Tosio
Martinengo.

56.
Floriano Ferramola,
Cristo portacroce, Brescia,
Pinacoteca Tosio
Martinengo.

57.
Marco Palmezzano,
Cristo portacroce,
collezione privata

58.
Pier Paolo Menzocchi,
Cristo portacroce, Santerno,
chiesa di San Sisto Papa.

Nelle richieste della committente poté avere un ruolo anche la sua estrazione conventuale. Proprio dalle secrete claustrali, in età napoleonica, dovettero uscire non pochi esemplari di immagini di pietà adatte, non meno dei matrimoni mistici di santa Caterina, al corredo di doti monacali. Dal convento del Corpus Domini di Forlì proviene tanto il *Cristo portacroce* di Palmezzano esposto in mostra (cat. 51), quanto l'esemplare traslucido e prezioso di Bernardino Zaganelli passato poi a Brera[189]. Quella sedimentazione figurativa poté certo aver luogo anche più tardi, ma i canali propri degli ordini religiosi e dei loro membri meno stanziali potrebbe dar conto della diffusione delle immagini devote di Palmezzano fuori dai confini patri. Diffusione di cui è esempio precocissimo la

59.
Pittore forlivese,
seconda metà
del sec. XVI, *Natività
con donatore*,
ubicazione ignota.

rali, forse più diffuse in ambiente monastico[190](figg. 55-56).

Per questi dipinti il mercato e la richiesta non potevano certo mancare. Ma per la storia cinquecentesca delle immagini, si rivela davvero raro il caso di un pittore che, così a lungo, continuò a fabbricare i suoi dipinti nell'unico modo in cui era capace, lisciando le imprimiture, trasponendo modelli collaudati con fare puntiglioso, tanto che, ancora in tarda età, si riesce talvolta a sorprenderlo in pentimenti radicali fra il disegno e la pittura, e pur sempre su motivi che doveva conoscere a memoria[191]. In effetti, Palmezzano continuò a stendere i suoi colori compatti ancora miscelati con la chiara d'uovo o con l'olio di lino,

quasi negli anni in cui il problema delle immagini si evolveva ormai in modi cruciali e distanti dalle stesse licenze della maniera moderna. Ma davanti a certe copie palmezzanesche del Cinquecento, viene quasi il sospetto che a Forlì, il momento del recupero, in chiave ideologica e controriformata, della diligenza dei "primitivi" non avesse avuto alle spalle alcuna vera cesura rispetto a quel popolo di Madonne, Cristi portacroce, Sacre Conversazioni che Palmezzano aveva continuato a produrre fino al 1539[192] (figg. 58-59).

copia eseguita a Brescia da Floriano Ferramola, dunque entro il 1528, dal *Cristo portacroce* anch'esso oggi alla Tosio Martinengo che, con la sua firma in ebraico, fu forse destinato a un committente di non comuni competenze bibliche o scritturali, forse più diffuse in ambiente monastico

Per suggerimenti e scambi di opinione ringrazio Matteo Ceriana, Andrea Bacchi, Andrea De Marchi, Anna Colombi Ferretti. Ma sono in debito anche con Anna Ottani Cavina, Elisabetta Sambo, Serena Togni, Valentina Branchini, Matteo Benini, Monia Bigucci, Daniele Carnoli. La dedica di queste pagine forlivesi è a Giulia e ad Alessandro.

[1] Grassi ed. 1886, pp. 50 sgg., 240, 260 sgg.; altri dati in Gozzadini 1886-1889; Baldisserri 1907. Per gli interventi di Giulio II in Romagna da ultimo Tuttle 2001.

[2] Bernardi ed. 1895-1897, I.2, pp. 187-212; Fantaguzzi ed. 1915, pp. 248-250; Rossi 1589 ed. 1996, pp. 671-674; cfr. anche Tonini 1895-1896, II, pp. 28-30.

[3] Per l'arco di Rimini: Clementini 1617-1727, II, p. 622; De Lucca 1997, p. 184. I pagamenti del 1511 a Severo da Ravenna per "la factura de le statue del S.mo papa Iulio II" in Bernicoli 1914, p. 555; cfr. anche Middeldorf 1977 ed. 1981, p. 136; J. Warren in Padova 2001, p. 134.

[4] Per il tempietto dedicato a Giulio II nel 1507, presso il convento dell'Osservanza a Imola: Gaddoni 1908, p. 6 sgg. Per l'affresco di Fornò: Santarelli 1857; Evangelisti 1987, pp. 150-152; Calandrini-Fusconi 1993, p. 804; M.C. Gori in Forlì 1994-1995, p. 316. Del dipinto già in collezione Hercolani a Bologna "acquistato nella terra di Tossignano" resta la descrizione in Crespi, ms. B 384 II.

[5] Bernardi ed. 1895-1897, I.2, pp. 195-196; sul cronista cfr. Mettica 1983, pp. 104-111; Vasina 1990b, pp. 13-29; Id. in *Repertorio* 1991, pp. 110-114; Vasina 1997.

[6] Si tratta dell'orazione funebre per la morte del pittore Luca Longhi, data alle stampe nel 1584: Carrari 1584 ed. 1854, p. 26 (sull'autore: Ascari 1977; da ultimo Turchini 2003, pp.

64-67). La testimonianza entra poi nella letteratura ravennate: Fabri 1664, p. 156. Sulla pala di Rondinelli (riferita dalle fonti a Baldassarre Carrari) A. Mazza in *Pinacoteca* 1991, pp. 302-304; Tempestini 1995-1996; Id. 1998, pp. 174-176.

[7] Bernardi ed. 1895-1897, I, pp. 309-310; l'episodio è ricordato con le stesse parole anche nella *Cronaca Albertina*, ms. 220, c. 617 cfr. Grigioni 1956 pp. 170-171. Per il memoriale di Paride de Grassi "ad praeparandis in ingressu alicuius Civitatis": ed. 1886, p. 14.

[8] Agosti 1996, p. 82 ma, prima della parte tenuta dall'Aretino nel trattato di Ludovico Dolce cfr. la lettera a Nicolò Franciotto del luglio 1550 (Aretino ed. 1957-1960, II, p. 339) e Pino 1548 ed. 1946, p. 106. Per la citazione da Vasari, 1568, ed. 1906, II, p. 203.

[9] Vasari 1568, ed. 1906, V, p. 253 (per il ricordo della cimasa e della predella); VI, p. 323; Scannelli 1657 ed. 1989, p. 281; Marchesi 1726, p. 257; L. Crespi in Bottari-Ticozzi ed. 1822-1825, VII, pp. 97-98; Lanzi 1809 ed. 1974, p. 24; Cavalcaselle-Crowe 1886-1908, VIII, pp. 337-338.

[10] C. Gnudi in Forlì 1938, pp. 100 e 108-109.

[11] Uberti ms. 504, cc. 16v-17r; cfr. Piccioni 1903, pp. 126-127; Id. 1912, p. 360; Grigioni 1956; Pasini-Savini 1998, p. 47.

[12] Sulle forme topiche della figurazione geometrica importanti considerazioni in Daly Davis 1980 (con riferimento all'ambiente veneziano di fine Quattrocento cui può connettersi anche l'esperienza di Palmezzano) in Ferretti 1982, p. 561 sgg. (per i maestri di tarsia). Sulla fortuna dei mazzocchi a punta di diamante: Kemp 1990, pp. 62-64; Id. in Washington 1991, p. 241 sgg.; A. Galli in Firenze 1992, pp. 81-84; E. Gamba in Urbino 1992, pp. 486-487.

[13] Pacioli 1494, c. 2r. Sul trattato, da ultima, Ulivi 1994, pp. 41 sgg.

[14] Grigioni 1910c, p. 444. Per la pala, firmata e datata 1510, oggi nella Pinacoteca di Cesena: Piraccini 1984, p. 48; N. Roio in *Pinacoteca Comunale di Cesena. Riflessioni su un dipinto*, novembre 1987; Pasini-Savini 1998, pp. 44-45; G. Pierpaoli in Cellini 1999, pp. 33-34 e *infra* nel testo.

[15] Per la discussione del documento (reso noto da Grigioni 1927b, p. 315-317, cfr. anche il regesto in Forlì 2003-2004, p. 299 n. 3) Tumidei 2003, p. 154. Per la paletta Denti di Palmezzano: Grigioni 1956, pp. 616-620; A. Mazza in Ravenna 1982, pp. 125, 127; Viroli 1991b, p. 45.

[16] Wázbínski 1963; Matthew 1998; Goffen 2001.

[17] Per il problema della "fraternitas" di Bernardino e Francesco Zaganelli cfr. Zama 1994, p. 29 e *passim* per le opere firmate (ma un più affidabile profilo di Bernardino Zaganelli in De Marchi in *Torino* 1990, pp. 101-113; Id. 1994; nonostante le riserve espresse da M. Lucco in *Vicenza* 2003, pp. 256-259).

[18] Per la pala firmata e datata 1514 di Francesco Zaganelli già sull'altare Laderchi in Sant'Andrea, e ora alla National Gallery di Londra: Zama 1994, pp. 176-178; la *Deposizione dalla croce* di Luca Antonio Busati è, com'è noto (Suida 1944), quella del Ringling Museum di Sarasota, già di collezione Hercolani a Bologna: Tempestini 1999, pp. 82-84. Per Bertucci: Casadei 1991, p. 6. Per le pale di Palmezzano a Faenza cfr. *infra* nel testo e cat. 21, 40-42.

[19] Per la fase tarda di Francesco Zaganelli: Paolucci 1966b; Zama 1994, pp. 198 sgg.; Viroli 1994c, pp. 263-265; Viroli in *Pinacoteca* 2001, pp. 165-167; De Marchi in Viadana 2000, pp. 107-110.

[20] Marchesi 1726, p. 257. La ricorrenza delle firme palmezzanesche a Forlì era rimarcata anche da Lanzi al tempo del suo viaggio romagnolo del 1782: *Viaggio* ms. 36.1, c.95v.

[21] A. Vasina in *Repertorio* 1991, pp. 96-99, 102-106; Id. 1997. Per le attenzioni figurative di Giovanni Pedrino cfr. anche Tumidei 1998. L'aggiornamento cortigiano di Leone Cobelli "bom depintore", "di bona fama et vere e digne instorico", "home de sonare baldosa che hogie se ritrovase in questa nostra provencia de Italia", si ricava dal ritratto che ne dà Bernardi (ed. 1895-1897, I.2, p. 301).

[22] Adotto la definizione da *L'art de la signature*, numero monografico de "La Revue de l'Art", a cura di A. Chastel, 1974, 26.

[23] Mravik 1975, pp. 53-56; A. Colombi Ferretti in *La pittura in Italia* 1988, II, p. 825; Heinemann 1991, pp. 90-91. Alcuni casi di firma in greco, per certi versi affini a questo, sono studiati da Lucco-Pontani 1997.

[24] Grigioni 1956, pp. 673, 644-645; per la *Madonna con il Bambino* entrata nel 1964 nelle collezioni dell'Art Museum di Phoenix, cfr. anche Berenson 1968, I, p. 316. Indubbiamente più tarda di queste opere di cui si dirà è la *Giuditta* di collezione privata conosciuta da Grigioni ed. 1988, pp. 63-66. Per le iscrizioni ebraiche nella pittura del Rinascimento: Ronen 1993 p. 608, che, quanto alle sottoscrizioni d'artista, censisce solo il *San Sebastiano* di Lorenzo Costa della Gemäldegalerie di Dresda.

[25] Su Tommaso Palmezzano: Grigioni 1956, p. 303 (che ne fissa la morte al 1507); Bernardi ed. 1895-1897, I.1, 305 (dove è ricordato come cancelliere e notaio della Comunità all'anno 1490); I.2 (1499: cancelliere di Giovanni Corradini, governatore di Imola). Nell'Ottocento (cfr. Pasquali ms. I. 38) lo si credeva l'estensore del cosiddetto *Codice Madonna*, vale a dire l'unico volume amministrativo dell'età sforzesca conservato nel fondo del Comune antico dell'Archivio di Stato di Forlì. Per i suoi incarichi di notaio della Curia del vescovo Tommaso dall'Aste: Calandrini-Fusconi 1993, *ad indicem*.

[26] Sul tema pliniano (*Nat. Hist. Praef.* 26-27) delle firme: Jurěn 1974; Goffen 2001, p. 318 sgg.

[27] Pino 1548, ed. 1946, p. 125 cit. in Goffen 2001, p. 324.

[28] Scannelli 1657 ed. 1989, p. 281

[29] L. Crespi in Bottari-Ticozzi ed. 1822-1825, VII, pp. 97-98; e ms. B 384 II. Sulla collezione Hercolani: Perini 1985, pp. 250-252, 261; Ead.1998, pp. 14-17; Giardini 2002; Ghelfi 2002.

[30] L'opportunità di circoscrivere verosimilmente al 1459 la data di nascita del pittore, già fissata da Grigioni fra il 1459 e il 1463, è offerta dalla plausibile retrodatazione al 1483 del documento cruciale (ma senza indicazione dell'anno), in cui Palmezzano viene detto maggiore di anni 23 e minore di 25: cfr. Regesto doc. 3.

[31] Per l'inventario della visita pastorale (1464) del vescovo Giacomo Paladini: ASFo, notai di Forlì, vol. 40, R. Filippo Asti, cc. 55 r e v; schede Zaccaria n. 6523; Zaghini 1984, p. 69 che fa riferimento anche a un successivo inventario del 1476. Per le vicende quattrocentesche dell'Ospedale: Brusi 2000, p. 236; Cerasoli 2001, pp. 14-20.

[32] Ceriana 1997, pp. 9-10, che dimostra l'improbabilità della provenienza della pala dalla confraternita di Valverde, attestata nell'inventario napoleonico e riferita poi nella letteratura successiva.

[33] La carica ricoperta da Giovanni Lanzi nel 1492, non si ricava dal documento, ma viene riferita da Grigioni 1956, p. 310. Per la chiesa di Santa Maria Assunta di Dozza: Mazzotti 1957, in part. pp. 42-46; l'identificazione della cappella di Giovanni Bonardi con quella di santa Margherita, segnalata nella visita pastorale, Marchesini del 1574 (ivi, p. 57) è già in Ce-

riana 1997, p. 43. Alla cappella fa riferimento anche Schofield 2004, pp. 634-639, con un riepilogo di documenti su Francesco Fuzzi da Dozza. Sull'edilizia imolese negli anni di Girolamo Riario cfr. in precedenza Mancini 1979; Zaggia 1999; Ceccarelli 2003; Zaggia 2003. Le vicende della chiesa dell'Osservanza si ricavano anche da Gaddoni 1911, pp. 70 sgg.

[34] ASFo, Atti dei notai di Forlì, Giacomo Morattini, vol. 205 (IV), c. 99r. Per le vicende del complesso G. Missirini in Forlì 1994-1995, pp. 300-302 cui si aggiunge Malazzappi 1581 c. 297v-298 per la notizia della traslazione il 26 marzo 1495 di un affresco miracoloso "sopra la grata dell'altare maggiore", che lascia intendere ormai ultimati i lavori nell'area absidale della chiesa. Cfr. anche Brusi 2000, pp. 233-234, 384-386.

[35] Grigioni 1956, p. 516; Corbara 1986, pp. 169-174.

[36] Calandrini-Fusconi 1993, p. 762; regesto doc. 8.

[37] Sulla cappella della Canonica informa la cronaca di Novacula (Bernardi ed. 1895-1897, I.1, pp. 306-310). Ulteriore documentazione in Calandrini-Fusconi 1993, pp. 157 sgg.; Gori 1994a, pp. 201-202.

[38] La cronaca di Bernardi lascia qualche margine di dubbio anche sull'identificazione della "capella granda" che Palmezzano avrebbe poi affrescato nel 1501 (ed. 1895-1897, I.1, pp. 309-310). La si crede generalmente l'abside maggiore (Grigioni 1956, pp. 71, 320-321, 435; cfr. invece Calzini 1895 che parla della cappella di san Valeriano) ma è pur vero che la *Descriptio Ecclesiae Cathedralis* del 1636 attesta l'esistenza di affreschi solo nella cappella della Canonica (Calandrini-Fusconi 1993, p. 165). Inoltre, ricordando subito dopo la messa in opera della *Comunione degli apostoli* nel 1506 e questa volta certamente sull'altare maggiore della cattedrale, il cronista allude anche all'apertura di "hochie sopra al dito altare", operazione quanto mai intempestiva, se la tribuna fosse stata appena dipinta. Per la citazione di una seconda pala di Palmezzano in cattedrale: Vasari 1568, ed. 1906, VI, p. 323; Oretti ms. B 291 c. 178v (ma forse sulla fede del solo referto vasariano). Come si dirà più avanti nel testo, la pala non può identificarsi con la *Madonna e i santi Lucia, Bonaventura, Girolamo, Ludovico, Francesco e Antonio* che fu in collezione Hercolani di Bologna (Calzini 1895, p. 55; Grigioni 1956, pp. 84, 458), vista l'evidente pertinenza francescana e la testimonianza di Luigi Crespi (ms. B 384 II) che la dice provenire da Faenza.

[39] Ceriana 1997, p. 12 per la segnalazione di studi e disegni di partiti architettonici, relativi alle incorniciature, sul retro della pala del 1493 e dell'*Incoronazione della Vergine* di Brera.

[40] Bernardi 1.II, p. 304. Su Pace Bombace: Calzini 1897; Servolini 1953; Di Paola 1982; Gori 1991, pp. 214-219; Ead. 1994a, pp. 201-202 e 309-311. Per i documenti che vedono Pace Bombace a fianco di Melozzo e della sua famiglia (e almeno una volta anche di Tommaso Palmezzani): Buscaroli 1938c, pp. 93-96, 107.

[41] Sulla sacrestia di San Marco da ultimi Frank 1993, pp. 189-192, 238-263; Tumidei 1994, pp. 62-64; Frank 1994; Viroli 1998, pp. 44-46; Roettgen 2000. Torna ora sull'ipotesi della presenza di Palmezzano come collaboratore di Melozzo negli affreschi A. De Marchi in *Pittori a Camerino* 2002, p. 413, che propone inoltre di riconoscere una primizia dell'artista nella *Natività* n. 43.240 dell'Allen Art Museum di Oberlin, opera invero di cultura più toscana, da confrontarsi semmai con il momento romano e pinturicchiesco di Nicolò Pisano (dalla *Sacra*

Famiglia già Sedelmeyer alla predella dell'altare di Pisa): Ferretti 1984b; Sambo 1995, pp. 95-97.

[42] Ceriana 1997, p. 13 sgg.; influenze antoniazzesche erano già rilevate da C. Gnudi in Forlì 1938, pp. 99, 102. Per le opere di Antoniazzo Romano: Paolucci 1992, pp. 118, 140; Cavallaro 1992, pp. 196-197, 198-199; Ead. 1997, pp. 42-45. Qualche precisazione sulla cronologia del pittore alla fine degli anni ottanta anche in Tumidei 1994, p. 175.

[43] Cavallaro 1992, p. 255. L'attribuzione a Palmezzano risale a Fabriczy (1910, p. 76) e venne corretta in favore di Antoniazzo da Roberto Longhi nel 1927 (1927b, ed. 1967 p. 256).

[44] Per il Pinturicchio pre borgiano da ultimi Scarpellini- Silvestrelli 2004, pp. 138-157.

[45] Zeri 1988, p. 118; Cavallaro 1992, p. 251, nella sezione delle opere retrocesse alla "scuola di Antoniazzo", dove peraltro finiscono censite alcune delle opere forse più inventive del pittore, secondo un curioso preconcetto critico che vorrebbe Antoniazzo sempre a rimorchio di allievi più dotati di lui: interpretazione cui non si sottrae ora anche Rossi 1997.

[46] S. Tumidei in *Pinacoteca* 1993, pp. 34, 36; è difficile concordare con lo sviluppo dell'artista proposto in più occasioni da R. Varese 1994, 2003, 2004; sul pittore anche Martelli 1984; Ciardi Dupré Dal Poggetto 1999, pp. 105-114. Per il passo dedicato a Melozzo nella *Chronica*: Santi ed. 1985, II, pp. 674-675.

[47] Per la presenza di Melozzo a Forlì: Cobelli ed. 1874, pp. 283-284; gli spostamenti della corte Riario Sforza sono ricostruiti in Robertson 1971 ed. 2000, p. 24. Per Melozzo "cavaliere di Girolamo Riario" Tumidei 1994, pp. 58 sgg., 64-65.

[48] Scannelli 1657 ed. 1989, I, pp. 122-123. La commissione a Guercino da parte degli stessi Cappuccini nel 1653 del *San Giovanni battista* (Forlì, Pinacoteca), ha tutta l'aria di un atto in qualche modo riparatore per la distruzione dell'opera melozzesca (E. Grimaldi in Biagi Maino 2002, p. 391).

[49] Calandrini-Fusconi 1993, p. 276 e pp. 155-156 (per la fabbrica delle volte in cattedrale); G. Viroli in Forlì 1994-1995, p. 282; Brusi 2000, pp. 365-372. Gli stemmi Riario-Sforza sono ricordati nella visita pastorale del 1636 e da Bosi 1820.

[50] Più della volta, anch'essa perduta, nella cappella Acconci in San Girolamo, probabile realizzazione di Palmezzano o della sua bottega (Buscaroli 1939a, pp. 292-293; Grigioni 1956, pp. 599-603; Shearman 1980 ed. 1983, pp. 179-180), merita segnalare l'inatteso scorcio della guardia addormentata, nella lunetta ad affresco del portale di Fornò, riferibile alla stessa campagna decorativa che in altre parti del fregio interno della chiesa, risulta datata al 1501: M.C. Gori in Forlì 1994-1995, p. 315.

[51] La vicenda critica in Viroli 1998, p. 44; cfr. inoltre Benati 1990b, p. 59 che avvicina l'affresco al cosiddetto Maestro dell'Agosto di Schifanoia, mantenendo la datazione longhiana all'ottavo decennio. A una cronologia anche più precoce ha mostrato di credere Mauro Natale, nel dar fede all'antico referto melozzesco (conferenza tenuta a Forlì nel 1994 e non uscita poi a stampa). Più di recente torna con poca plausibilità sui nomi di Ercole de' Roberti e Francesco del Cossa, Sgarbi 2003, pp. 235-236.

[52] Da ultimi: Lucco 1987, p. 253; Conti 1989, p. 18; Benati 1990a, p. 119; Tambini 1991, pp. 7-20; sui corali del Duomo di Cesena cfr. Ciucciomini 1989b; Lollini 1998, pp. 242-246; Id. 2000; Tambini 2000, pp. 95 sgg.

[53] Per la *Madonna con il Bambino* di Bartolomeo Vivarini della Galleria Borghese: Della Pergola 1955-1959, I, p. 138; Lucco 1987, p. 248 (che la

crede provenire dalla cattedrale di Forlì); per il *San Bernardino* già nella Pinacoteca di Cesena Novelli 1959-1960, p. 194; De Marchi 1987.

[54] Sulla fine della signoria di Girolamo Riario in particolare Pellegrini 1999. Per i documenti relativi a Melozzo: Buscaroli 1938c, pp. 91-94, 96.

[55] Tumidei 1994, pp. 62, 68.

[56] *Ibid.*, pp. 66-67; Berlino 1996, p. 122.

[57] In questa congiuntura melozzesca prossima alla sacrestia lauretana mi pare rientri anche una splendida tavola (fig. 11) con *San Paolo* (123,7 x 45,7 cm) passata sul mercato come opera di Antoniazzo (Christie's, New York, 10.1.1980, n. 104), ma con caratteri d'indubbia autonomia figurativa nei confronti del Romano, oltre che intriganti affinità con alcune delle figure della cupola lauretana, nella costruzione del volto, nella resa delle mani un poco tozze, nell'appiombo delle vesti.

[58] Per l'attribuzione a Palmezzano del *San Sebastiano*: A. Tambini in *Pinacoteca* 2001, p. 52; Tambini 2003b, p. 32 n. 10: Sgarbi 2003, p. 210. Per il *Sant'Eustachio* di Berlino si veda Venturi 1913, p. 464 (come Perugino); Baldass 1929 p. 468 (Pinturicchio). A un pittore prossimo a Pinturicchio e ad Antoniazzo Romano lo ascrive ora F. Todini (com. scritta 1994 in Berlino 1996, p. 122).

[59] Tumidei 1994, p. 42; per la proposta di R. Longhi 1947, ed. 1978, p. 81. In precedenza Berenson 1924-1925, pp. 698-699; 1968, p. 281.

[60] Zeri 1986 ed. 1988, pp. 321-322.

[61] Zama 1994, pp. 108-110.

[62] Buscaroli 1938c, pp. 99-103; per la paternità di Francesco di Giorgio del progetto (1484) del palazzo degli Anziani di Ancona: Fiore 1993, pp. 98-99.

[63] L'attribuzione a Palmezzano si deve a Garnier 1901, p. 104 (in precedenza Schmarsow 1886, p. 283 aveva fatto il nome di Antoniazzo Romano); cfr. inoltre Berenson 1908, p. 217; Venturi (1913, p. 90) ne parlava come di cosa melozzesca. Per la vicenda critica più antica cfr. Grigioni 1956, pp. 739-742. La proposta in favore di Genga (cfr. oltre nel testo) si deve invece a Fontana 1981, pp. 33-38; Id. in Urbino 1983, pp. 359-360, ed è ancora soprendentemente riferita da S. Frommel 1998, p. 44. Solo di recente il riferimento a Palmezzano ha ripreso credito: Valazzi 1989, p. 334; Cleri 1994, p. 14; G. Cornini in Pietrangeli 1996, p. 145 cat. 131; Berardi 2000, p. 72.

[64] La vicenda critica dell'affresco (per il quale va in ogni caso ribadita la paternità al Presutti): Cleri 1994, pp. 132-13a; Cleri 1999, p. 180.

[65] Per la cronologia di Presutti: G. Cucco in Fano 1984, p. 61 sgg.; Cleri 1994; Ead. 1999, p. 180.

[66] La fonte seicentesca, nota attraverso gli stralci di una lettera inviata da Giuliano Vanzolini nel 1869 al suo corrispondente bolognese Gaetano Giordani è stata resa nota da Ambrosini 2001, p. 9 (per il passo che ci interessa). Ne dà già conto R. Vitali in *Le Marche disperse* 2005, p. 214, preferendo tuttavia mantenere per il dipinto il riferimento a Palmezzano.

[67] Battistelli 1974, pp. 65-68; Scarpellini 1984 ed. 1991, p. 63; per il contratto di Perugino del 1490 con i confratelli dell'Annunciata: Bernardi 2000, pp. 73 sgg.

[68] *Ibid.*, p. 72.

[69] Valazzi 1990, pp. 328, 331; A. De Marchi in *Torino* 1990, p. 104; A. Mazza in *Pinacoteca* 1991, pp. 280-282. Per Aspertini: Faietti-Scaglietti Kelescian 1995, pp. 17-18.

[70] Agosti 1986.

[71] Per la biografia di Luca Pacioli: Ulivi 1994 pp. 21-32. Per le attestazioni documentarie di Perugino in questi anni: Scarpellini 1984 ed. 1991, p. 63.

[72] Dalai Emiliani 1984, pp. 5-12; 1987; Folkerts 1998, pp. 220-221; Maracchia 1998, pp. 307-311. Per il rapporto con le sperimentazioni prospettiche di Melozzo: Tumidei 1994, p. 58 sgg.; Finocchi Ghersi 1997.

[73] Da ultimi sulla cappella Feo: Tumidei 1994, pp. 63-69; Marconi 1997; Viroli 1998, pp. 46-49. Nel motivo a cassettoni adottato da Melozzo, oltre al più prevedibile riferimento ai lacunari del Pantheon, è stata vista una ripresa dei motivi anticamente presenti negli archivolti di Porta Aurea di Ravenna: Brighi 1997, p. 159.

[74] Zeri 1986 ed. 1988, pp. 321-323; Tumidei 1987; Viroli 1991b, p.151; Ceriana 1997, p. 14 sgg.

[75] Pasolini 1893, III, p. 375 sgg. e *passim*; cfr. anche Bernardi ed. 1895-1897, I.1, p. 81, 241, 259; Calandrini-Fusconi 1993, *passim*.

[76] Alla citazione di M. Oretti (1777c in Piraccini 1974a, p. 44) che già segnalavo (Tumidei 1987, p. 89), si aggiunge ora la testimonianza di Gaetano Giordani (Tambini 1993, p. 626; Ead. 1996, pp. 97-98) che, nei primi decenni dell'Ottocento descrive esattamente la pala presso i mercanti Ragazzini e Guerra di Cesena, dicendola provenire da Santa Maria di Valverde a Forlì.

[77] Calandrini-Fusconi 1993, p. 178: nell'atto di concessione si parla di "duas capelas in Ecclesia S. Hieronimo iuxta duas alias capelas ibi alias factas". Per le vicende successive della cappella Baldraccani in San Girolamo, ceduta nel 1620 alla Compagnia dell'Immacolata Concezione cfr. Flaminio da Parma 1760, I, p. 557. Di un'altra cappella ottenuta da Francesco Baldraccani con breve papale sin dal 1485 in San Francesco, mancano ulteriori notizie (Calandrini-Fusconi 1993, p. 287).

[78] Per il testamento di Giorgio Baldraccani: Calandrini Fusconi 1993, p. 222. Per la consolatoria di Michele Marullo cfr. Marulli ed. 1951, pp. 181-182; Pasini 1955, pp. 148-149; Calandrini-Fusconi 1993, p. 409.

[79] Zaccaria 1996.

[80] Bernardi ed. 1895-1897, I.2, pp. 221-225, 227 cfr. Calandrini-Fusconi 1993, p. 778.

[81] Grigioni 1956, p. 56. A una simile interpretazione del documento (cfr. Regesto n. 11) mi attenevo nel 1999, p. 78.

[82] Daly Davis 1980, pp. 183-184.

[83] Per le pale faentine di Biagio d'Antonio: Bartoli 1999; i contratti relativi a Guido Aspertini e a Giovan Battista Bertucci si leggono in Grigioni 1935b, pp. 253-258, 301-302. A Guido Aspertini nel 1489 fu data a modello la pala dell'altare maggiore di Sant'Andrea, datata 1483 e oggi nella Pinacoteca di Faenza (Ferretti 1993b, pp. 52-53). Più misterioso è il riferimento a Bertucci nel 1503 dai priori della Società di Sant'Antonio che facevano riferimento alla pala della cappella di Nicolò Paganelli, anch'essa per altro in Sant'Andrea e ricordata nei documenti sin dal 1490 (Grigioni 1935b, p. 259).

[84] G. Viroli in *Pinacoteca* 2001, p. 54. Sull'artista cfr. ora Tempestini 1998, pp. 168-183.

[85] Per la messa in opera del *San Sebastiano* nel 1497: Bernardi ed. 1895-1897, I.1 p. 308 con notizie sul committente in parte rettificate da Calandrini-Fusconi 1993, pp. 161-163. Per il sepolcro realizzato in vita dal Novacula: Bernardi ed. 1895-1897, I.2, p.195; Fusconi 2002, pp. 69, 126, 136.

[86] Humfrey 1983, pp. 30-31, 160-161 con una datazione della pala di Santa Maria dell'Orto al 1493-1495; Lucco 1990, p. 466.

[87] Goffen 1990, p. 143; Schmidt 1990, p. 712; Humfrey 1993a, pp. 184-188, 203 sgg. Sul tema dei capitelli con delfino cfr. Ceriana 2003, pp. 124-125.

[88] Grigioni 1956, pp. 589-599; Viroli 1991b, pp. 31-32.

[89] Com'è noto, sulle vicende della nuova chiesa carmelitana, ma non sulla pala palmezzanesca, informa un passo della *Cronaca Albertina* riportato integralmente da Grigioni 1956, pp. 408-409 (sulla chiesa quattrocentesca G. Viroli in Forlì 1994-1995, pp. 306-308). Fra i personaggi coinvolti, Tommaso da Lugo e la moglie Giacoma di Valdinoce risultano i proprietari della casa acquistata dalla madre del pittore nel 1483 (regesto doc. 2). Fra i rogiti di Tommaso Palmezzano (ASFo, Notai di Forlì, vol. 101, cc. 115r-116r) va segnalato, in data 3 agosto 1489, il testamento di Maddalena Numai, madre del notaio Stasio Prugnoli ricordato nella *Cronaca* fra gli eredi ed esecutori delle ultime volontà di Bartolino Numai relative appunto alla costruzione di una nuova cappella dell'Annunciata, per la quale, la stessa Maddalena lasciava allora un legato. In data 6 settembre (ibid. cc. 122v-124r) è invece un pagamento al priore carmelitano Cipriano da Brescia da parte di Antonio Ostoli, atto che fra i testimoni annovera Paolo Guarini (sul quale cfr. infra nel testo) e Antonio q. Georgii Ambrosi (sul quale Bonoli 1661 ed. 1826, p. 195; Calandrini-Fusconi 1993, p. 155). Su Antonio Ostoli, il cui nome ricorre frequentemente nei documenti palmezzaneschi e ancor più nei rogiti del fratello Tommaso: Bernardi ed. 1895-189, I.1, pp. 84, 86; Calzini 1895; Grigioni 1956, pp. 421-422.

[90] Grigioni 1956, p. 318; e, in questo volume, Regesto n. 14.

[91] Zama 1994, pp. 39, 42; De Marchi 1994, p. 134 nota 24.

[92] Per gli affreschi del sacello di Santa Maria degli Angeli: Zama 1994, pp. 110-115 e per il loro riferimento al solo Francesco: De Marchi 1994; cfr. inoltre Shearman 1980 ed. 1983, pp. 123, 159, 176. Gli affreschi di Santa Maria di Scolca, oggi San Fortunato a Rimini, sono datati, su una delle pareti 1512 (Buscaroli 1931, pp. 174-175; P.G. Pasini in Marcheselli 1754 ed. 1972, p. 127) e presentano buone affinità con quelli, più tardi, della sala capitolare della basilica del Monte di Cesena, riferiti al solo Bartolomeo Coda da Ferretti 1984a, pp. 57-58; Pasini 1988, p. 16. Per le decorazioni di Fornò M.C. Gori in Forlì 1994-1995, p. 316.

[93] Giordani ms. B 1813, c. 470.

[94] Lanzi *Viaggio* ms. 36.1, c. 96r "Vicenza: casa Vicentini, Cristo deposto fra Nicolò e Giuseppe ritratti vivissimi. È opera ripulita e bellissima, non si vorria barattare con un Bellini".

[95] Tempestini 1992b; M. Lucco in *Pinacoteca* 2003, pp. 214-216.

[96] Longhi 1927a ed. 1967, p. 181; Conti 1987, pp. 284-285, 1993, p. 99. Per la ricostruzione della predella originaria della pala del 1471 di Marco Zoppo: Humfrey 1993b, pp. 71-78.

[97] Ugolini 1989, p. 316; Tumidei 1999, p. 86. Ha poi curiose affinità palmezzanesche la testa di san Giovanni Battista (o san Giacomo?), compresa nella serie di formelle marmoree con figure di santi, conservata nella chiesa di Pievequinta, in territorio forlivese, dove si riconosce forse l'ultima attestazione in ordine di tempo della bottega del cosiddetto "Maestro delle Madonne di marmo" alias Gregorio di Lorenzo (cfr. nota 116): G. Viroli in Forlì 1994-1995, p. 319; Pisani 2002, p. 145.

[98] Il caso, per Palmezzano, riguarda la *Pietà* già di collezione Gross a Düsseldorf, entrata di recente (1986) nelle collezioni del Wallraf-Richartz-Museum di Colonia: Hesse-Schlangenhaufer 1986, p. 70; Mai 1995, p. 22. Il dipinto di Benedetto Coda del Museo Civico di Trevi fu pubblicato come opera di Sodoma da Berti

Toesca nel 1931, pp. 1337-1338; cfr. Tumidei 1999, p. 86.

[99] *Cronaca Albertina*, BCFo, ms. I.45 c. 107; la cappella risulta in costruzione "ex hereditate D. Romagnoli q. Hosilini de Hostilinis et D. p.ris Antonij Montesij"; la registrazione della cronaca riguarda la conferma da parte dell'abate di San Mercuriale, Nicolò Santi, del rettore Sebastiano Aleotti. Gli Orselli figurano ancora in qualità di patroni della cappella, per il solo titolo di santa Caterina, nel 1595 (Guiducci, ms. II 40, c. 74). Per la pala di Palmezzano: Grigioni 1956, pp. 610-612; Viroli 1991b, pp. 41-42.

[100] Oretti 1777c in Piraccini 1974a, p. 43. Ma su Guglielmo Lambertelli cfr. cat. 29.

[101] Per i documenti Grigioni 1896, p. 92; 1898, p. 240; 1913, p. 358. Per la pala di Carrari: Viroli 1991, p. 153. L'altare a essa intitolato sembra però attestato *ab antiquo* nella sacrestia di San Mercuriale: *Sacre visite*, c. 137v (1582); Guiducci ms. II. 40, c. 72 (che ne fa risalire la fondazione al 1462).

[102] Grigioni 1900, pp. 13-14; G. Montuschi *Simboli* 1984, pp. 172-173; Viroli in Forlì 1994-1995, p. 292 sgg.; Gori 1994a, p. 200; Foschi-Prati 1994, pp. 227-230. Un aggiornato regesto di Bernardino Guiritti, dal 1510 a Rimini in De Lucca 1997, pp. 409-413.

[103] M. Lucco in *Pittura in Italia* 1988, II, p. 723.

[104] Grigioni 1956, pp. 435-443; R. Varese in Ancona 1981, pp. 90-94; Viroli 1991b, pp. 32-33.

[105] La sottoscrizione del priore o del rettore, anche a fianco della firma dell'artista, ricorre, in ambiente marchigiano, in Boccati, nel Maestro dell'Annunciazione di Spermento (*Pittori a Camerino* 2002, pp. 263, 269, 343) e nello stesso Crivelli (Zampetti 1987, pp. 299-300).

[106] Lightbown 2004, p. 473.

[107] Le iscrizioni sui cartigli a lato del crocifisso sono trascritti da Sabatini 1979 p. 10. Per il simbolismo bonaventuriano della palma cfr. Neff 2002, p. 48.

[108] P. Castelli in Ancona 1981, pp. 98-99; Coltrinari 2000.

[109] Per il *Cristo* già Serristori: J. Winkelmann in Manni-Negro-Pirondini 1989, p. 23; Mazza 2001, p. 1 (con datazione all'ultimo decennio del Quattrocento); per la *Sacra Famiglia* di Phoenix cfr. nota 24.

[110] Già Firenze, collezione Genthrer (1943 circa) poi Roma, Sestieri. Documentazione presso la Fototeca dell'Istituto germanico di storia dell'Arte e presso la Fondazione Berenson di Firenze.

[111] Per la redazione frammentaria passata da Sotheby's, Firenze, 27 nov. 1989, n. 271: Tempestini 1992b, p. 9. Il frammento con il *San Giovanni evangelista* che credo le spetti, andò in vendita presso le American Art Galleries di New York nel 1922 (come Domenico Alfani. Per l'attribuzione a Palmezzano cfr. il parere di Zeri nei file della Frick Library di New York).

[112] Grigioni 1956, pp. 426-434; Viroli 1991b, p. 29-30.

[113] Sul polittico con la *Madonna e i santi Maddalena, Domenico, Onofrio, Antonio da Padova*, commissionato nel 1463 da Caterina Rangoni per la guarigione del figlio Pino III che vi figurava ritratto, informano Bonoli 1661 ed. 1826, II, p. 183; Oretti 1777c in Piraccini 1974a, p. 50 e Righini (ms. SC 372 della Biblioteca Gambalunghiana di Rimini, c. 345); Calzini 1894a, p. 131. Potrebbe riflettere qualcosa di quell'immagine perduta, un disegno già cinquecentesco, passato da Lepke a Berlino nel 1918, che l'iscrizione identifica come ritratto di Pino III Ordelaffi. Parrebbe esemplificato, in effetti, su un prototipo tardo gotico, latamente pisanelliano non identificabile con una medaglia (Galerie Ritter Gaston von Mallmann, Berlin, *Handzeichnungen und Kupferstiche*, Berlin 13-14 Juni 1918, Rudolph Lepke's Kunst-Auctions-Haus, Katalog 1809, Berlin 1918 n. 151 come "Melozzo da Forlì?").

[114] Calzini 1895e, p. 26; Grigioni 1956, pp. 596-597.

[115] Sul monumento G. Viroli in Forlì 1989, pp. 81-86; per l'allogazione del dipinto a Palmezzano Regesto doc. 24, 25. Su Luffo Numai anche Pasini 1956; Calandrini-Fusconi 1993, pp. 119-123. Il testamento (rogato a Ravenna il 27 agosto 1508) in Grigioni 1913a, p. 503.

[116] Pisani 2002; Caglioti 2004, pp. 58-62.

[117] Firenze, Sotheby's maggio 1980 n. 525. Hanno già preso in considerazione il dipinto Ceriana 1997, p. 40; Mazza 2001, p. 5; Tambini 2003b, p. 37 con l'esatta identificazione dei santi raffigurati ai lati del Dio Padre. L'iscrizione sul retro, datata 1789, oltre a ricordare il dipinto nella collezione Guidi di Bagno a Gatteo, nei pressi di Cesena (Mazza 2001), è di pugno del pittore pesarese Antonio Maria Lazzari che curiosamente risulta attestato anche per un altro restauro palmezzanesco, quello sull'*Adorazione dei magi* di Rontana cfr. Casali 177 CR 226.

[118] Casanova 1991, pp. 13-15; Casanova 1999.

[119] Bonoli 1661 ed. 1826, II, 338-339; Casanova 1999, p. 31.

[120] Montuschi *Simboli* 1984, pp. 169-172; Gori 1994a p. 199-200; per il sistema delle cappelle in San Francesco anche le pp. 324-327. Sulla cappella Lombardini Reggiani 1943; 1949-1952.

[121] *The Roerich Museum. A collection of important paintings*, American Art Association, New York 1930, n. 45, con una precedente provenienza dalla collezione Rapicavoli di Roma (sulla versione della Galleria Nazionale d'Arte Antica di Roma: Grigioni 1956, pp. 445-446). Va segnalato come ancora, nel 1517, Onofrio Framonti risultasse debitore di "libras centum et tres solidos sex bononiorum" a Palmezzano, che li girava a Giovan Battista da Firenze come saldo della dote della figlia Antonia (Regesto doc. 81).

[122] Marchesi 1678, p. 668; Pasini 1925, pp. 53-54; Grigioni 1956, pp. 173-174. Su Paolo Guarini: Ortalli in *Repertorio* 1991, pp. 107-109 con bibliografia; per l'attività tipografica Temeroli 1998 che, fra l'altro, a p. 91 dà notizia anche di una società stipulata nel 1498 con un Tommaso da Vigevano "ad quoquendum fornaci lapides, calcinas et alia similia", da intendersi forse in rapporto con la carica di soprintendente alla Rocca di Forlì (Bernardi ed. 1895-1897, 2, p. 61). Cfr. anche Casali 1997, pp. 83-84.

[123] In particolare Ortalli 1976-1977. Sulle *laudes civitatum* e una casistica un poco più tarda in Romagna: Turchini 2003 pp. 26-54 (per Forlì p. 42).

[124] Temeroli 1998, pp. 82-83. La lettera si può leggere in Calandrini-Fusconi 1993, p. 737 sgg.

[125] Sul pavimento della cappella Lombardini: Rackham 1940, pp. 90-94; Gardelli 1993, pp. 49-53; Foschi-Prati 1994, p. 234 con bibliografia.

[126] Grigioni 1956, pp. 616-620; Viroli 1991b, p. 45. La data al 1513 della pala Denti generalmente sottoscritta dalla critica (per quanto il cartiglio risulti ormai di difficile lettura), sembra coincidere, grosso modo, con le prime notizie disponibili sull'altare di San Bartolomeo di patronato della famiglia (Fusconi 2002, p. 63). Per il contratto di Palmezzano con Bernardino Maldenti cfr. Regesto doc. 84.

[127] Il regesto documentario in Calzini 1905; sull'artista, da ultimi A. Garuti in Semper ed. 1999, pp. 388 sgg.; Sarchi 2004, p. 18 sgg. Per Giovan Battista Rositi: Grigioni 1928; A. Colombi Ferretti in *La pittura in Italia* 1988, II, p. 825.

[128] Il dipinto è firmato nel cartiglio sul tronco "bar. carr. for. pinx". Lo si riproduce da una vecchia fotografia conservata presso l'Archivio di Federico Zeri, dove già figurava sotto il nome di Baldassarre Carrari.

[129] Sul dipinto Viroli 1991b, p. 153; Benati 1991, pp. 85-88; Tempestini 1999, p. 130.

[130] Viroli 1991b, p. 156, con notizia della commissione ricavata dalla *Cronaca Albertina* c. 114; a un contratto, rogato il 17 dicembre 1509 sembrerebbe invece fare riferimento Grigioni 1956, p. 473. Al regesto forlivese dell'artista va aggiunto un pagamento del 1512 per un'immagine dipinta nel palazzo Comunale ("m.o. Baldissarra dale Carra depintore de havere adi 30 de ottobre per fatura de una Imazine de nostra donna e una de Santo Mercurialo et una de Santo Valeriano fata in palazio", ASFo, Comune antico, vol. 640).

[131] Grigioni 1956, pp. 460-483; Viroli 1991b, p. 39; per il contratto del 17 aprile 1509 cfr. Regesto doc. 51.

[132] Oltre al *Cristo in trono fra i santi Rocco e Sebastiano* descritto da Cavalcaselle nella collezione Rasponi di Ravenna (Cavalcaselle-Crowe 1886-1908, VIII, pp. 349-350) sul quale ora Tambini 2003b, merita segnalare che ai tempi di Giordani si trovava nella Galleria Lovatelli un dipinto con "tre sante monache una in piedi altre due genuflesse" (ms. 1809 c. 195, con attribuzione a G. Sacchi), che mi pare corrispondere a quello di collezione privata, reso noto in Negro-Roio 2001, p. 34 come opera di Francesco Francia e bottega, ma indubitabilmente opera tarda di Palmezzano, e d'iconografia non comune (le due sante monache in ginocchio recano il nimbo delle beate).

[133] A. Mazza in *Pinacoteca* 1991, pp. 312-314; Zama 1994, p. 126.

[134] Prima dell'acquisto da parte della collezione Hercolani di Bologna, è a tutta evidenza questo l'antico quadro di cui fanno menzione i libri mastri del convento (cfr. Gaddoni 1911, p. 75), allorché si decise di rimuoverlo nel 1729 dalla cappella di San Bernardino per far posto a una tela di Francesco Monti. L'altare era allora di patronato Avenali, e in precedenza Lapi, nomi eventualmente da verificare per il patronimico del Bernardo da Modigliana (?) di cui ricorre il nome nella pala a fianco della firma di Francesco e Bernardino Zaganelli.

[135] Oretti ms. B 291 e Bentini 1974, p. 57; la pala è descritta anche da Villa 1794 ed. 1925, p. 82 ("la vogliono del Cotignola, ma è d'un far troppo secco, piuttosto è più antica d'assai"); cfr. anche Villa ed. 2001, p. 122 (c. 1228b); sul dipinto C. Gnudi in Forlì 1938, p. 123; A. De Marchi in *Da Biduino ad Algardi* 1990, p. 102; Zama 1994, p. 146.

[136] Per l'altare di sant'Antonio da Padova: Gaddoni 1911, p. 75. Dal 1582 il culto dell'Immacolata venne trasferito al contiguo sacello della Madonna delle Grazie, ma la pala zaganelliana dovette rimanere esposta in chiesa fino al 1692, anno in cui la famiglia Miti commissionò a Flaminio Torri il nuovo dipinto con sant'Antonio da Padova ancora conservato nella chiesa. Per l'iconografia dell'*Annunciazione* "immacolistica": Galizzi 1993; Galizzi Kroegel 2003. Per la predella di Bergamo-Berlino di cui è stata proposta più spesso la pertinenza all'*Adorazione del Bambino* di Dublino: Zama 1994, pp. 150-152.

[137] Viroli 1980, p. 98; Zama 1994, pp. 168-170.

[138] Fioravanti Baraldi 1986, p. 97.

[139] Per i documenti Grigioni 1909, pp. 57-59. Sulla pala: Colombi Ferretti 1985; A. Morandotti in *Pinacoteca* 1992, pp. 126-131; Id. 1993.

[140] Grigioni 1910c, pp. 447-448; sul pittore cfr. anche M. Ceriana in Daffra-Ceriana 1995-1996, p. 85 e in *Pinacoteca* 1996, p. 284.

[141] Grigioni 1956, pp. 458-459, 679; Pasini-Savini 1998, p. 47.

[142] La segnalazione di un dipinto di Bernardino da Cotignola a lato dell'altar maggiore di San Domenico è in Cantoni ms. 164.42 C, c. 77v. Esperienze zaganelliane (seppur più nella direzione di Francesco) sono sempre state rilevate, in effetti, nei santi Rocco e Cristoforo della Pinacoteca Comunale ricondotti all'Aleotti da M. Pulini (schede Pinacoteca di Cesena, dicembre 1989 cfr. anche G. Pierpaoli in Cellini 1999, pp. 36-37) come laterali dell'altare che in Sant'Agostino accampava al centro il *San Sebastiano*, più facilmente riconducibile allo stile del pittore (Colombi Ferretti 1985, pp. 57-58). Un primo contratto con Aleotti per la cappella di san Sebastiano sembra risalire al 1493 (Grigioni 1910c, p. 442), ma i lavori dovevano essere compiuti solo nel 1503 (Fantaguzzi ed. 1915, p. 178; Colombi Ferretti 1985, p. 57 nota 62). La predella perduta con le storie di san Sebastiano si trova già segnalata da Scannelli 1657 ed. 1989, p. 272 come opera di Ercole de' Roberti, ed è in seguito ricordata da Baruffaldi 1844, I, p. 138 e da Oretti (B 291). Stando a un passo della celebre lettera "romagnola" a Mariette, proprio su quelle tavolette, Francesco Algarotti avrebbe dato sfogo a Cesena alle sue competenze: "Mi arrisicai a giudicare: e al secco delle figure, a' loro vestiti, la più parte attillati alla persona, alla composizione sparsa, alle forme delle fabbriche tirate presentemente in prospettiva, che adornano i campi, a' bassi rilievi che le arricchiscono, giudicai che quei quadretti esser potessero del Mantegna" (in Bottari-Ticozzi 1822-1825, VII, 1822, pp. 488-489).

[143] Longhi 1956, p. 189; la restituzione all'Aleotti della tavoletta (di cui è noto un ultimo passaggio sul mercato presso Christie's, London, 8.7.1977 n. 35 come "ferrarese circa 1480"), spetta a Bondi 1993, p. 8. Mi pare che in questa congiuntura zaganelliana possa inserirsi anche una paletta con la *Vergine e i santi Gregorio papa e Giovanni Battista* (fig. 41) già a Firenze, in collezione Spinelli, utile a spiegare a Cesena, esiti nel seguito dell'Aleotti documentati ad esempio dall'affresco votivo con la *Madonna e il Bambino* del Santuario dell'Addolorata.

[144] Malazzappi 1581, c. 219v; Flaminio da Parma 1760. Sulla chiesa più di recente Celli 1984, p. 25; Bettoli 1991, pp. 8-10. Per il documento della cappella Morini cfr. Regesto doc. 35.

[145] Grigioni 1935b, pp. 293, 314, 460-463. Per la pittura faentina del primo Cinquecento Colombi Ferretti 1996 in part, pp. 15-20; Tambini 2003a. Su Giovan Battista Bertucci da ultime A. Colombi Ferretti in *La pittura in Italia* 1988, II, pp.; Montuschi Simboli 1995.

[146] La pala è descritta nella nota lettera di Luigi Crespi a Innocenzo Ansaldi del 1770 in Bottari-Ticozzi, VII, 1822, p. 97; nel catalogo manoscritto della raccolta (ms. B 384.II) è riferita la provenienza "da una chiesa di Faenza". Alla descrizione di Crespi si aggiunge poi quella di Gaetano Giordani (B 1813, c. 336) che vi leggeva però la data 1508. L'ipotesi, sottoscritta da Grigioni (1956, p. 84), che vi andasse invece identificata la pala palmezzanesca ricordata da Vasari nel duomo di Forlì, si deve a Calzini 1895e, p. 55.

[147] Gould 1975, pp. 72-73; Negro-Roio 2001, pp. 115-116.

[148] Come già sostenuto da Brown 1966, pp. 170 n. 53, 193, 352, 450; Faietti 1994a, p. 205. Per l'importanza del modello costesco a Faenza: Colombi Ferretti 1993; 1996, p. 20.

[149] Per il *San Francesco*, tavola, cm 90 x 63, Christie's, Roma, 14-15 novembre 1973, n. 41 (come scuola di Perugino); per le opere di Bertucci conservate presso la pinacoteca faentina: Casadei 1991. Per la *Sacra Famiglia* di Boston Corbara 1986, pp. 174-175.

[150] Per le tavole dell'altare divise fra la National Gallery di Londra e il Museo di Houston cfr. Davies 1961, pp. 232-236; Wilson 1996, pp. 290-298 e *infra* nel testo. Va segnalato che l'accertata provenienza dalla collezione Hercolani, consente di riconoscerle senza incertezze nelle "tre tavole dipinte" descritte nel catalogo di Crespi con un'attribuzione a "Francesco da Cotignola" (B 384. II), citazione fraintesa da Zama (1994, p. 136) propensa a identificare la "B. Vergine col suo Divino Figliuolo in gloria di angioli, e a basso due fanciulli che suonano stromenti in veduta di bel paese" con la pala di Bernardino alla Cà d'Oro di Venezia. Piuttosto, pare rilevante che i dipinti di Bertucci siano detti acquistati "da una chiesa di Brisighella diocesi di Faenza", che potrebbe essere il convento di Pergola dove si sa che, dopo la ristrutturazione settecentesca di Sant'Andrea, erano stati trasferiti molti degli arredi della vecchia chiesa domenicana di Faenza.

[151] Per il documento: Grigioni 1935b, pp. 301-302. La tavola del museo diocesano è riferita al fratello di Giovan Battista, Gerolamo (artista senza opere ma socio in bottega) da Montuschi Simboli 1995.

[152] Il riferimento è alla pala tardissima con la *Madonna e santi* della Kunsthalle di Brema (Bartoli 1999, p. 234) che ostenta sorprendenti repertori palmezzaneschi e può, per inciso, essere identificata con un altro numero della collezione Hercolani, precisamente con "la B. V. in trono, e a mano destra inginocchiati S. Lodovico, S. Girolamo, e S. Francesco, e alla sinistra S. Antonio, S. Bonaventura, e S. Lucia; tutte figure poco meno del vero (e mirabilmente dipinte)", ascritta a Francesco Zaganelli e che è detta provenire dal "convento de' PP. Conventuali di Brisighella".

[153] Pasolini 1893, II, p. 135.

[154] Markham Schulz 1991, pp. 203-206, con notizie anche sul personaggio; cfr. in precedenza Zauli Naldi 1925.

[155] Sulle dinamiche sociali in atto nella Valle del Lamone: Turchini 1977; Casanova 1982, pp. 15-40; Ead. 1999. Per la storia di Brisighella anche Metelli 1869-1872, I.1, pp. 494 sgg.; I.2, pp. 10 sgg.

[156] Cit. in Tabanelli 1975, p. 178.

[157] Grigioni 1956, pp. 504-508; Viroli 1991b, p. 46. Il documento di allogazione, trascritto da Metelli 1869-1872, I.2, p. 47, e considerato perduto da Grigioni, è stato ritrovato presso l'Archivio di Stato di Faenza da Casadei 2002-2003, pp. 199-201 cfr. Regesto doc. 65.

[158] Viroli 1991b, p. 158. Per i documenti che legano in tarda età Carrari alla confraternita forlivese: Grigioni 1929b, p. 241.

[159] Zeri 1986, ed. 1988, pp. 317-319. Su Bernardino da Tossignano cfr. anche Vicini 1993, p. 76. Sulla pieve di Rontana: Mazzotti 1973; Budriesi 1999, p. 158 con bibliografia.

[160] Grigioni 1956, pp. 514-516; Viroli 1991b, pp. 50-51.

[161] Zeri 1954, pp. 102-103; Cannatà 1992, p. 49, dove s'ipotizza l'acquisto della pala a Bologna nel 1639, quando Bernardino è cardinal legato a latere.

[162] Heimbürger Ravalli 1977, pp. 1-18; Carroli 1971, p. 81; per le committenze degli Spada a Brisighella cfr. anche R.E. Spear in Roma 1996-1997, p. 434. Sulla famiglia Casanova 1999.

[163] Faenza, Biblioteca Comunale Manfrediana, Archivio Naldi, b. 21, n. 10, testamento di Francesco di Ludovico Naldi, 22 ottobre 1627, copia senza indicazione del notaio. Quanto alla devozione francescana della famiglia nel Cinquecento cfr. anche b. 21 n. 35 (testamento di Nabone di Paolo Naldi, redatto a Verona il 2 maggio 1536, ove venivano date prescrizioni per la sepoltura in San Girolamo a Faenza).

[164] Sulle vicende della chiesa Osservante di Brisighella, solennemente consacrata nel 1525, e di cui era stato in particolare patrono Girolamo Bacchi della Lega, parente dei Naldi, ricordato anche in un'iscrizione del 1518 cfr. Metelli 1869-1872, I.2, pp. 88-89 Carroli 1971, pp. 79-81. Nel 1627 in ogni caso Francesco di Ludovico allude all'"altare maggiore per suo all'Osservanza".

[165] Grigioni 1956, pp. 498-503, e pp. 92, 505 per l'ipotesi che il committente potesse identificarsi in Vincenzo Naldi. Il collegamento con le parti della predella di collezione Albicini a Forlì (l'*Adorazione dei pastori* e la *Presentazione al tempio* dove compare l'iscrizione "Dñs Vicentius fieri fecit MCCCCCXIII fecit") era già in Calzini 1895e, p. 58, così come l'idea che il complesso provenisse da Pergola (ancora riferita in Viroli 1991b, p. 44). La rettifica, sulla base di una nota sul catalogo crespiano della collezione Hercolani (che parla dell'acquisto della tavola nel 1759 "dalli Rev. Padri di San Francesco di Faenza") è in Golfieri 1957a. Cfr. anche Tambini 1993, pp. 35-36. Sul patrimonio figurativo cinquecentesco della chiesa conventuale anche Zanotti 1993.

[166] Lanzi 1809 ed. 1974, III, p. 24.

[167] Metelli 1869-1872, I.2, p. 45.

[168] Grigioni 1956, pp. 486-490; Viroli 1991b, p. 41; Mazza 2001, pp. 9-12 per una terza versione pesantemente decurtata, datata 1516 o 1521, già di collezione Weber ad Amburgo e oggi presso la Cassa di risparmio di Cesena, alla quale appartiene forse la cosiddetta *Santa Cecilia* (in realtà l'angelo musicante frammentario che, come nelle altre redazioni, era collocato sotto il trono) venduta a New York nel 1924 e di cui si conserva documentazione fotografica presso la Frick Library (Anderson Galleries 1924, n. 49; Buscaroli 1931, p. 233).

[169] Del testamento, già noto a Bonoli (1661 ed. 1826, II, p. 355) e a Marchesi (1726, p. 199), da conto Reggiani 1943, p. 99, e in forma più estesa Grigioni 1962, pp. 93-94.

[170] Grigioni 1956, pp. 486-490; Viroli 1991b, p. 41. Per il collegamento della pala della Vaticana al documento del 1516: Colombi Ferretti 2003b, p. 64, nota 11. Il documento sembra fra l'altro alludere a una precedente convenzione, non ritrovata, fra Palmezzano e Lombardini, successiva dunque al testamento del 1511.

[171] Per i documenti del soggiorno forlivese di Genga cfr. Grigioni 1927a; meno noto è il saldo a Girolamo Genga in data 11 (?) ottobre 1521 (ASFo, Rogiti Brugnoli, 560, c. 226). Sulla cappella Lombardini: Reggiani 1943; Id. 1949-1952; Colombi Ferretti 1985, pp. 16-17; Ead. 2003, pp. 26-28. Ho però il sospetto che la data al 1512 riferita da Vasari per la decorazione di Genga derivasse dalla lettura della lapide commemorativa di Bartolomeo Lombardini allogata a Pietro Barilotto il 24 aprile 1516 (Grigioni 1962, pp. 55-56, 94-95), insieme al monumento sepolcrale oggi al Musée Jacquemart-André di Parigi: La Moureyre-Gavoty 1975, n. 150.

[172] Il pagamento, in data 6 settembre 1515 "pro unius capelle per dictum magistrum Christoforum facte in ecclesia sancte Marie Servorum de Forlivio" in Grigioni 1900, p. 17; per i documenti relativi a Palmezzano: Regesto doc.

98, 104. La pala dell'*Annunciazione* è ricordata dalle fonti più antiche sulla parete di controfacciata della chiesa servita, prima di passare in sacrestia: Grigioni 1956, pp. 490-494; Viroli 1991a, pp. 43-44.

[173] Grigioni 1956, pp. 544-545, 583-585. La pala già Sedelmeyer è di recente ricomparsa sul mercato antiquario in precario stato di conservazione (Christie's, New York, 30.5.1991, n. 19). Per l'*Annunciazione* dei Servi a Forlimpopoli cfr. anche Viroli 1991a, p. 53-54; Aldini 1993 e in questo volume il saggio di Vincenzo Gheroldi.

[174] Zeri 1986, ed. 1988, pp. 317-319.

[175] Sugli affreschi riscoperti: Muscolino 1997. Il contratto con Girolamo "quondam fratris Marci Antonii Ugolini aurificis" dell'8 luglio 1520, è in ASFo, Notarile, rogiti di Girolamo Albicini, vol. 299, c. 108r.

[176] Se ne pubblica la fotografia conservata nell'archivio dello studioso presso la Fondazione Zeri dell'Università di Bologna e per la quale i diritti patrimoniali d'autore risultano esauriti.

[177] Grigioni 1956, pp. 573-582; Viroli 1991b, p. 55. La provenienza da San Domenico della pala della Vaticana è indicata Gaetano Giordani nei suoi appunti cesenati di cui dà conto Tambini 1993, p. 626; 1996, pp. 98-99. Da Cesena proviene anche una *Presentazione al tempio* assai tarda che fu in collezione Lechi a Brescia (Calzini 1895e, p. 76 la dice datata 1535; cfr. Lechi 1968, p. 174).

[178] La vicenda del trittico prelevato dai commissari napoleonici nel 1809 per la Pinacoteca di Brera, dove rimase solo l'elemento centrale con la *Natività* è ricostruita da Ceriana 1997, pp. 10-11, sulla traccia di Tempestini 1992b, pp. 8-9 (cfr. in precedenza anche Tumidei 1987, p. 91). Un avvio alla restituzione della predella con le *Storie di san Tommaso di Canterbury*, ugualmente previste dal contratto del 1516 (Regesto doc. 80) in Tambini 2003b, pp. 25-28. Nell'oratorio sono ricordate altre due tavole di Palmezzano con *San Rocco* e *San Sebastiano*, prelevate nel 1809 e in seguito alienate a Milano. L'identificazione della prima con il *San Rocco* di collezione Visconti Venosta (cfr. Grigioni

1956, p. 658) si deve a Ceriana 1997, p. 39; per il *San Sebastiano* cfr. Benati 2000, pp. 12-16. Va detto che l'impianto di queste figure isolate doveva ricorrere anche nel *Santo Vescovo* del Fogg Art Museum di Cambridge, oggi pesantemente decurtato e assai prossimo anche per cronologia alle tavole un tempo in San Tommaso (Tumidei 1999, p. 86).

[179] Tumidei 2003, p. 151, e Forlì 2003-2004, p. 300; per Palmezzano cfr. Regesto doc. 146. Per l'identificazione della cappella di san Bernardino cui fa riferimento il contratto menzocchiano con quella ottenuta nel 1511 dal notaio Matteo Framonti (che roga molti documenti relativi a Palmezzano) cfr. *Crosanaca albertina* c. 115.

[180] La fotografia del dipinto si conserva presso l'Istituto germanico di storia dell'Arte di Firenze. Per le derivazioni: Zeri 1976, I, pp. 227-228 che a confronto dell'esemplare della Walters Art Gallery di Baltimora segnala le versioni già in collezione Vitetti a Roma (poi a Firenze da Sotheby's, 14.4.1986, n. 54) e già in collezione Rivers, a Hinton St. Mary, Dorset, oltre alla tavola del Museo di Forlì sulla quale Viroli 1991a, p. 43. All'invenzione s'ispira anche uno dei pochi falsi ottocenteschi che abbiano preso a riferimento la pittura di Palmezzano, quello che, nel 1937 era in collezione Aldrighi (documentazione fotografica presso la Fototeca Berenson di Firenze).

[181] Per l'esemplare del Courtauld Institute of Art Gallery: Grigioni 1956, p. 636 che, tuttavia, lo identifica erroneamente con quello già di collezione Costabili a Ferrara (per il quale cfr. invece Negro-Roio 1998, ill. p. 32; Tempestini 1999, p. 128 che accoglie il vecchio riferimento a Baldassarre Carrari per me problematico); per la *Pietà* di Digione: Guillaume 1980, p. 55.

[182] Un ampio censimento di inventari riminesi del sec. XVI in De Lucca 1997, in particolare pp. 739, 734; per l'interpretazione dei dati: Turchini 1980 ed. 2003, pp. 378, 386.

[183] De Marchi 1994.

[184] H. Nützmann in Roma-Berlino 2001, p. 254. Per una rassegna delle repliche di Palmezzano: Natale 1979, pp. 97-97-99; Mazza 2001, pp. 13-16.

[185] Longhi 1956, p. 63.

[186] Una nuova aggiunta alle opere censite da Zama 1994 e De Marchi 1994 in Tempestini 2000a.

[187] Moschetti 1920. Cfr. su Francesco Bianchi Ferrari: Benati 1990a.

[188] Per l'attribuzione a Bachiacca del *Cristo portacroce* Drudy-Lowe (poi Londra, Sotheby's, 24.3.1965 n. 60): Nikolenko 1966, p. 36. Per i documenti relativi all'altare di San Tommaso d'Aquino: Grigioni 1935b, pp. 293-294. Cfr. S. Tumidei in Milano 2002, p. 104.

[189] A. Mazza in *Pinacoteca* 1991, p. 307.

[190] Grigioni 1956, pp. 644-645; Passamani 1988, p. 33; De Marchi 1994, p. 133.

[191] Mazza 1995-1996, pp. 39-44; G. Villa in *Pinacoteca* 2003, p. 217 e per le indagini riflettografiche p. 575.

[192] Ho creduto di riconoscere Pier Paolo Menzocchi in un *Cristo portacroce* (fig. 58) conservato in San Sisto a Santerno (Tumidei 1991, p. 258; cfr. anche Viroli 1991b, p. 466 come scuola romagnola della fine del sec. XVI). Quanto alla fortuna dei dipinti devoti di Palmezzano in età di Controriforma, va segnalata la data 1566 apposta su una copia fedele della *Sacra Famiglia con santa Caterina* della Fondazione Cassa di Risparmi di Forlì (cat. 48) che si conserva nella chiesa del Suffragio a Forlì (foto GFS 12332). Il caso più interessante, documentato da una fotografia, purtroppo di cattiva qualità, conservata nelle cartelle del pittore dell'Archivio Zeri (senza indicazione di provenienza), riguarda però questa *Natività* (fig. 59) all'apparenza assai più veneta di quanto non fu mai la bottega dei Menzocchi a Forlì. Eppure l'estrazione locale del dipinto è indubbia se il misterioso committente, scegliendo di farsi rappresentare "in abisso" davanti a una *Natività*, rivelò una precisa preferenza per l'altare maggiore già in San Tommaso Cantauriense (fig. 44), commissionato a Palmezzano nel 1516 dalla Compagnia di san Domenico. E non è escluso che da un simile cortocircuito fra pratiche di pietà e immaginario devoto, si debba dedurre per l'effigiato, la sua comune appartenenza, cinquant'anni dopo, allo stesso sodalizio laico legato ai domenicani.

L'illusionismo prospettico nella pittura a Roma tra il 1480 e il 1490: matrici antiquariali e ricerche rinascimentali

Alessandra Barbuto

Se con Roberto Longhi volessimo risolvere il rebus degli affreschi del catino absidale di Santa Croce in Gerusalemme a Roma con la nota, ma non per questo meno fulminante, attribuzione al giovane Marco Palmezzano[1], dovremmo supporre un iter che, dopo una prima formazione in patria, avrebbe condotto il pittore forlivese a partire alla volta della città papale al seguito dell'illustre concittadino Melozzo, o, se non proprio in sua compagnia, almeno a fare affidamento sul suo appoggio. Nelle opere di Palmezzano, ma anche di Baldassarre Carrari e del Maestro dei Baldraccani, l'inizio degli anni novanta del XV secolo appare caratterizzato da una comune ispirazione melozzesca e soprattutto da una inflessione romana che potrebbe trovare una valida spiegazione solo con l'idea di una permanenza nell'*Urbe* di questi pittori[2]. È dunque plausibile che dietro al "pictor papalis", affermato presso i ceti nobiliari e ben inserito anche nell'ambiente artistico locale, si fosse creata una corrente di giovani e valenti artisti forlivesi poi partiti alla volta di Roma. Una conferma, seppur tarda e periferica, dei contatti intercorsi fra i pittori romagnoli e il contesto romano giunge con la pala di Giovan Battista Rositi, il *Trasporto della santa casa di Loreto* (Velletri, Museo Diocesano), data 1500[3].

Sebbene durante il pontificato di Sisto IV sia giunta a Roma una pletora di artisti "stranieri", chiamati soprattutto in vista della corale impresa della cappella Sistina, nell'ambiente romano non venne sancita, nei fatti, quella divisione tra committenze "alte" – i forestieri, impegnati nelle grandi imprese papali – e committenze "basse" – gli artisti locali che "sbarcavano il lunario" grazie a lavori commissionati da confraternite, ordini mendicanti, monasteri, corporazioni[4]. Non vi fu una netta cesura, ma un contesto ravvivato da tali importanti presenze, in cui gli incontri, il confronto condotto direttamente, grazie alle tante collaborazioni tra pittori, o indirettamente, sulla base di studi, copie e disegni, diede luogo a un ambiente estremamente vivace. La lingua parlata pittoricamente a Roma negli ultimi venti-trenta anni del XV secolo, mesceva elementi locali, impregnati fortemente di una matrice classica, e accenti forestieri, finendo col diventare una koinè con una propria grammatica e un'identità ben delineata. Il principale interprete di tale linguaggio è da riconoscere in Antonio Aquili, detto Antoniazzo Romano[5]. Personaggio di spicco dell'ambiente artistico locale, anche grazie al ruolo avuto nella fondazione della corporazione dei pittori (1478)[6], egli fu a capo di una ampia bottega che gestì con moderno spirito imprenditoriale, monopolizzando le committenze di ordini religiosi e confraternite, ma anche ottenendo incarichi dal papato e da alti prelati. Antoniazzo stipulava a suo nome contratti per lavori che realizzava con la sua o altre botteghe, anche consociandosi temporaneamente con altri artisti per condurli a termine: per questo la "bottega di piazza Cerasa"[7] era diventata un punto di riferimento per gli artisti forestieri, anche importanti, che giungevano in città, e le numerose collaborazioni documentate con pittori come Ghirlandaio, Pier Matteo d'Amelia, Melozzo o Perugino offrono lo spunto per ipotizzare circolazioni di cartoni e di aiutanti. Se assegnare un'opera ad Antoniazzo e "Socii" in molti casi non equivale a dirimere questioni attributive, parlare della bottega di Antoniazzo non sempre deve essere inteso come sinonimo di una produzione in tono minore. Sarebbe altrimenti impossibile spiegare come possano coesistere nel catalogo antoniazzesco opere la cui difformità travalica i limiti di una normale evoluzione all'interno di una singola parabola artistica, seppur sottoposta a differenti influenze. Così, la più antica opera di Antoniazzo, la *Madonna del latte e il committente* (Rieti, Museo Civico), firmata e datata 1464, reca il segno di un precoce interesse per una cultura antiquariale raffinata fino all'estenuazione, più tipica delle corti padane che della Roma curiale: Antoniazzo appare qui in bilico tra i motivi arcaici – il fondo d'oro e il richiamo alla raffigurazione bizantina della "Galaktotrophusa"[8] – e la volontà di parlare un linguaggio aggiornato su una cultura an-

1.
Antoniazzo Romano
e bottega, *Santa Francesca
Romana con il Cristo
Bambino fra le braccia;
Santa Francesca Romana
presa per mano da Gesù;
All'asciutto nell'acqua;
La gamba guarita*. Roma,
Monastero di Tor de'
Specchi.

tiquariale di "secondo grado". La complessa struttura del trono non sembra infatti desunta dal repertorio scultoreo antico che il pittore aveva sotto gli occhi, ma dalla raffinata e, a tratti, esasperata cultura delle corti padane, mutuata probabilmente dalla coeva produzione dei miniatori residenti a Roma[9]. I puttini alati che paiono più genii che angioletti, il punto di vista basso, ravvicinato e laterale, l'accuratezza della definizione dei motivi plastici apparentano questa Madonna alle pagane muse di Belfiore, e in particolare alla *Talia* di Michele Pannonio. Su un versante decisamente più tradizionale si colloca invece il ciclo della cappella delle Oblate a Tor de' Specchi[10], (figg. 1-2) decorata nel 1468 con scene della vita di santa Francesca Romana: probabilmente per compiacere le richieste delle oblate, Antoniazzo tradusse visivamente il volgare romanesco dei *Tractati* di Giovanni Mattiotti che raccontavano la vita della santa. Negli affreschi di Tor de' Specchi, orchestrazione corale diretta da Antoniazzo e interpretata da diverse mani, tutto concorre a creare un vero e proprio revival medievaleggiante: la disposizione delle scene su due registri, le generiche ambientazioni paesaggistiche o le convenzionali architetture dalle prospettive un po' incerte, il linearismo marcato, le pose teatrali delle figure, l'intento didascalico, chiaro nella descrittività minuziosa del racconto, illustrato e commentato anche dalle iscrizioni poste sotto ciascuna scena. La carta vincente della bottega di Antoniazzo fu forse questa capacità di entrare in sintonia di volta in volta con i suoi committenti: così trovano ragione le inflessioni arcaizzanti e devote

in cui il pittore seppe declinare gli spunti benozzeschi delle viterbesi *Storie di santa Rosa* oppure la scelta di assegnare alla *Visione dell'Inferno* uno spazio preponderante rispetto all'economia spaziale degli altri episodi. Dove la narrazione popolare si interrompe, nella *Madonna in trono fra i santi Benedetto e Francesca Romana*, eseguita certamente da Antoniazzo, tornano, seppur con una intensità diversa, i temi già presenti nella *Madonna di Rieti*: la luce che scandisce profondità e volumi plastici, il trono monumentale che è qui stilizzato, la minuziosa definizione di particolari come la tappezzeria o la nicchia a conchiglia. Pubblicato con una convincente attribuzione alla bottega di Antoniazzo Romano[11], un affresco staccato raffigurante una *Crocifissione*, ora al Museo Diocesano di Velletri ma proveniente dalla chiesa di Santa Maria dell'Orto, presenta la scena sacra vista attraverso un arco impostato su pilastri scolpiti con motivi a candelabre e capitelli corinzi. È notevole ritrovare la stessa impaginazione compositiva nell'opera di esordio di Marco Palmezzano, l'affresco della *Crocifissione con i santi Francesco e Chiara*, proveniente dal monastero di Santa Maria della Ripa a Forlì e ora al Museo Civico. La storia critica di questo affresco ha riconosciuto piuttosto concordemente l'esordio del catalogo di Marco Palmezzano in un'orbita centro-italiana, dove il modello permarrà ancora e si riproporrà negli stessi anni a Firenze, nel refettorio di Santa Maria Maddalena de' Pazzi, per opera di Perugino. Nell'affresco forlivese l'inquadramento architettonico della scena, lo sfondo di paesaggio, che richeggia presenze umbre operanti a Roma e nel Centro Italia, e la tipologia del crocifisso da confrontare anche con la *Crocifissione* del palazzo Vescovile di Szekesfervar in Ungheria, assegnata ad ambito romano da Tumidei[12], pongono l'interrogativo del periodo romano di Palmezzano e la problematica delle sue esperienze in quell'ambiente artistico. Rispetto alla *Crocifissione* veliterna, l'affresco di Forlì si pone come una autonoma rielaborazione del modello, presentando evidenti elementi di originalità: più affollata e drammaticamente movimentata la scena di Forlì, pacata e solenne quella di Velletri, con l'astante di profilo che denota una tipica consuetudine della produzione antoniazzesca, come nel *San Sebastiano* (Roma, Galleria Nazionale di Arte Antica di palazzo Barberini). Inoltre, certamente dovuta a necessità di adattamento spaziale, l'inquadramento architettonico di Forlì, uno slanciato arco strombato impostato su capitello contratto e trabeazione tripartita, appare come una complessa e tormentata divagazione sul tema dell'equilibrata orchestrazione architettonica della *Crocifissione* di Santa Maria dell'Orto, la cui esecuzione andrà collocata nei primi anni novanta, in relazione a una fase di ristrutturazione della chiesa[13]. Se fu Palmezzano all'opera nella chiesa di Velletri, certo rispettò le indi-

2.
Antoniazzo Romano
e bottega, *La piccola
paralitica risanata*. Roma,
Monastero di Tor de'
Specchi.

cazioni per un paesaggio ancora di marca umbra, in cui sono assenti quei picchi rocciosi che diverranno una nota distintiva dei suoi sfondi paesistici.

L'inquadramento architettonico della *Crocifissione* di Forlì mostra in ogni caso la ricezione da parte di Palmezzano di un gusto estremamente diffuso nella Roma quattrocentesca, che fondeva l'illusionismo prospettico con la connotazione antiquariale. Ciò avveniva soprattutto nelle logge, elemento architettonico estremamente diffuso nella tipologia della casina o della villa suburbana, in cui la rappresentazione del paesaggio, inquadrato da un'architettura dipinta, proseguiva illusionisticamente la veduta che si godeva dalla loggia. A Roma i palazzi erano raramente organizzati intorno a un cortile centrale e spesso accadeva che lo spazio riservato al giardino fosse collocato sul retro del palazzo stesso[14]. Portici e logge, sulle cui pareti un posto d'onore era riservato alle pitture di paesaggio, furono l'elemento architettonico che impresse un'impronta particolare all'architettura civile romana, che s'ispirava a quanto si poteva desumere a poeti e scrittori romani, come Orazio, Stazio, Vitruvio e Plinio. Nel *De Architectura* Vitruvio aveva infatti riservato uno spazio notevole alla descrizione dei giardini, specificandone la suddivisione in *viridarium*, dove erano piantati alberi sempreverdi, *pomarium*, dove invece si trovavano gli alberi da frutto, e *vivarium*, dove erano custoditi gli animali. Inoltre, si era soffermato nel narrare la nascita e lo sviluppo dell'*ars topiaria*, che conferiva alle chiome verdi degli alberi o delle siepi determinate figure geometriche o zoomorfe[15]. Dalla lettura del testo di Vitruvio committenti e artisti poterono trarre ispirazione dall'antico uso di affrescare illusionisticamente le pareti piene delle logge: "Nelle passeggiate coperte, invece, data la lunghezza degli spazi parietali, rappresentarono pittoricamente delle serie di paesaggi diversi, riprendendo le immagini di determinate caratteristiche della realtà naturale: dipinsero infatti porti, promontori, litorali, fiumi, fonti, canali, boschi sacri, monti, greggi, pastori"[16]. Anche dalle *Epistole* di Plinio il Giovane[17] si potevano ricavare importanti notizie sui giardini dell'antichità e sulla decorazione dei vari ambienti delle ville, chiusi o di passaggio, ornati da motivi di paesaggi e di giardini. Plinio il Vecchio nella *Naturalis Historia*, parlando del pittore Spurius Tadius che "per primo introdusse la moda di affrescare pareti con pitture di cose rustiche, portici, paesaggi, giardini"[18], attestava l'esistenza di una relazione tra i giardini realmente esistenti e quelli raffigurati sulle pareti, mentre in un altro passaggio tramandava il nome del pittore Ludius, specializzato nel dipingere paesaggi e città[19]. Quando nel vocabolario architettonico rinascimentale venne riproposto il tema della loggia[20], ciò ebbe innanzitutto il valore di una citazione che si basava su questi testi e probabilmente anche sulle pitture antiche, note ad artisti e umanisti. Le ricerche pittoriche sulla prospettiva davano luogo in molti casi a decorazioni prive di connotazioni narrative e didascaliche ed erano a Roma vivificate dalla conoscenza della pittura antica. Occorre riflettere sulla matrice antiquariale di tale illusionismo architettonico, che incontrò l'interesse dei tanti pittori coinvolti in ricerche prospettiche: conosciute direttamente o solo attraverso le descrizioni letterarie, le pitture delle case romane, che mostravano questo carattere illusionistico, esercitarono un notevole fascino su artisti e committenti.

L'ardita scelta di raffigurare sulle pareti di una sala o di una passeggiata coperta scene di paesaggio prive di figure umane nacque, dunque, dalla volontà di recuperare quei temi decorativi tanto in voga nell'Antichità. Ancor di più che negli ambienti interni della casa, nella decorazione delle logge l'elemento prospettico si intrecciava alla rappresentazione della natura, l'illusione alla realtà: nella loggia della casina del cardinale Bessarione[21], situata presso la chiesa di San Cesareo in *Palatio*, sull'Appia antica, il paesaggio che si ammirava attraverso le arcate reali era amplificato da quello raffigurato sulle pareti piene (fig. 3). Questo edificio, che è uno dei primi esempi di villa suburbana nella Roma del Quattrocento, non è correlato alla figura del porporato di origine greca da documenti, iscrizioni o da stemmi apposti sulle pareti, ma solo da una tradizione che riconosce in questa la dimora estiva in cui si radunava la cerchia di umanisti vicini al Bessarione, tra cui Lorenzo Valla, Flavio Biondo, Francesco Filelfo, Poggio Bracciolini e Bartolomeo Platina[22]. Le decorazioni delle diverse sale interne mostrano nei fregi lo stemma del cardinale Zeno, ma potrebbero anche essere state iniziate ai tempi del cardinale Bessarione: nei motivi ornamentali di quella che viene riconosciuta come la camera

3.
Maestranze tosco-romane,
Affreschi della loggia,
Roma, Casina del cardinale
Bessarione.

da letto e nella decorazione del salone si potrebbe postulare, infatti, una derivazione da miniature coeve. Il cardinale doveva essere in frequente contatto con gli artisti chiamati a decorare i suoi preziosi codici e la circostanza rende legittima l'ipotesi del loro coinvolgimento nella realizzazione delle pitture parietali delle sale, dove trova riscontro quel certo disinteresse per le questioni stilistiche e per gli aggiornamenti artistici che Bessarione mostrò nelle imprese che a lui sono state ricondotte[23]. Nelle sale della sua casina le pitture murali sembrano spesso ingrandimenti di pagina miniata: sia la tecnica utilizzata, pittura a secco, sia i motivi raffigurati, possono indurre a supporre che egli affidasse il compito a dei miniatori, peraltro non particolarmente esperti nella tecnica dell'affresco. L'impianto architettonico delle pitture della loggia utilizza, invece, un interessante repertorio di motivi illusionisticamente scolpiti: le nicchie a conchiglia, tipologia desunta da tanta scultura coeva, mutuata a sua volta dalla scultura antica, ospitavano probabilmente sculture dipinte ora andate perse; i pilastri a candelabre con rosette a rilievo nel capitello; nella trabeazione, il rilievo dei motivi ornamentali che proiettano l'ombra, il fregio monocromo con motivi vegetali e cherubini su fondo giallo, molto simile alla cornice dell'abside della cappella di Bessarione ai Santi Apostoli. Nelle scene di paesaggio è assente il racconto e solo gli edifici che si scorgono in lontananza sono una lieve allusione all'uomo e alla sua opera, come anche la croce stagliata sulla sommità di un colle rimanda, ma senza cadere nella descrizione dettagliata, all'episodio sacro della crocifissione. Come nell'antico *vivarium*, l'ameno ambiente naturale è ravvivato dalla presenza di animali: vi era infatti raffigurata una coniglia, che è stata scoperta durante recenti lavori di restauro (1994). Lo stemma dei Crescenzi[24], che compare nel fregio delle pitture della loggia, venne molto probabilmente a sostituire quello coevo alla decorazione, che pare di poter situare nel corso degli anni ottanta, quando, morto ormai Bessarione, la casina venne a far parte delle proprietà del cardinale Zeno, vescovo di Tuscolo dal 1479 al 1501, nonché nipote dell'ormai defunto papa Barbo, pontefice dal 1464 al 1471.

All'altro nipote di Paolo II, il cardinale Marco Barbo, si lega invece la decorazione della loggia della Casa dei cavalieri di Rodi[25] al foro di Augusto (fig. 4), realizzata durante il pontificato di papa Barbo, come sembrano indicare le parole incise sull'architrave del portale gemino situato nella loggia stessa: "Iussu Paoli II Pontificis Maximi ex proventibus Prioratus/ M. Barbus Vicentinus Praesul TT. S. Marci Praesbiter/ car aedes vetustate collapsas augustiore ornatu restituit". Sull'architrave del portale che si apre invece nel lato lungo del medesimo loggiato, l'iscrizione offre dei termini cronologici precisi, ribadendo la centralità della figura del cardinale Barbo nelle vicende dell'edificio: "Marcus Barbus Car. S. Marci MCCCCLXX". Entrambe le iscrizioni possono essere lette come un termine *post quem*, essendo relative alla realizzazione della loggia,

4.
Maestranze toscane
(Giuliano Amadei?)
e venete, *Affreschi della
loggia*, Roma, Casa dei
cavalieri di Rodi.

che concludeva una fase di lavori che trasformarono radicalmente l'antica dimora in cui monaci basiliani si erano insediati già a partire dal IX secolo[26]. La decorazione della loggia aerea, affacciata su un luogo simbolo dell'antica Roma, ma anche orientata verso palazzo Venezia, con una finalità di sostegno alla politica papale[27], era impaginata attraverso un apparato architettonico dipinto illusionisticamente, in cui sei vedute di paesaggio offrivano alla Casa dei cavalieri di Rodi un'ambientazione naturalistica che il sito non conosceva. Nei paesaggi, immersi in una luce solare e tersa, in primo piano sono collocati alberi e animali esotici, come uno struzzo e una scimmia, oltre a uccelli che volano tra le fronde degli alberi, mentre in lontananza si scorgono due vedute di città. E se il taglio della chioma erbosa di alcuni alberi sembra voler ripristinare l'*ars topiaria* descritta da Vitruvio, omaggio a una consuetudine antica e modo per fare sfoggio di cultura antiquaria, l'impronta generale delle scene, ma anche la definizione di particolari come gli uccelli che si tuffano nella folta vegetazione dell'albero per mangiarne i frutti più maturi, suggeriscono una suggestiva, seppur storicamente improponibile, filiazione da pitture antiche come quelle del triclinio della villa di Livia a Prima Porta. Questa somiglianza con un apparato decorativo antico di simile intonazione è sorprendente, considerando che non si hanno notizie certe sulla conoscenza nel XV secolo del complesso di età augustea: se si eccettuano le "grotte" della Domus Aurea, scoperta intorno al 1480 e frequentata da nu-

merosi pittori, fra cui sarebbe suggestivo immaginare anche Palmezzano, le altre pitture antiche vennero scoperte tra il XVIII e il XIX secolo. L'impressionante somiglianza tra le decorazioni pittoriche antiche e quelle rinascimentali dovrebbe indurre forse a riconsiderare il problema della conoscenza da parte degli artisti rinascimentali della pittura antica, sebbene si possa ipotizzare anche una derivazione di alcuni motivi da fonti letterarie antiche[28] che, come si è visto, ebbero un notevole peso nella cultura del XV secolo. In tale atmosfera si colloca anche il motivo, raffigurato nel fregio, non ancora ridotto a partito decorativo ma realisticamente poggiato sopra mensole inserite in una cornice marmorea di gusto cosmatesco, dei tondi con i ritratti di profilo degli imperatori (fig. 5): *Genius loci* del sito della Casa dei cavalieri di Rodi, i dodici Cesari erano un motivo tipico dello studiolo rinascimentale[29], nonché un indizio della cultura antiquariale di matrice veneta di papa Barbo e del cardinale Marco. Oltre alla connotazione etica di *exemplum*, i medaglioni con i profili degli imperatori assumono qui anche altre valenze, rispecchiando e celebrando la passione per la numismatica di Paolo II, la cui ricca collezione di monete antiche costituì probabilmente la fonte iconografica per le pitture. Per i ritratti degli imperatori sono state avanzate convincenti ipotesi di derivazione da alcune monete antiche[30], alle quali aggiungerei la proposta di identificare il settimo imperatore con Caligola, sulla base del confronto con un *asse* coniato sotto questo imperatore[31]. Sebbene la leggibilità degli affreschi sia parzialmente compromessa da precarie condizioni conservative, la qualità pittorica del ciclo appare, in generale, piuttosto alta, nonostante alcune ingenuità tradite, ad esempio, nell'incerta prospettiva delle mensole che reggono il fregio e nelle arcaiche vedute di città. Queste oscillazioni qualitative inducono a non posticipare troppo la datazione, anche tenendo conto dei dati storici in nostro possesso: la data inscritta sul portale (1470) e gli stemmi dipinti sul parapetto, in cui una corona di alloro cinge il simbolo araldico, il leone rampante sormontato dal cappello cardinalizio. Negli stemmi figura anche la croce astile del Patriarcato di Aquileia, titolo di cui il Barbo fu insignito nel 1471 pochi mesi prima della scomparsa di papa Paolo II, evento che determinò probabilmente la sua rinuncia agli incarichi in seno all'ordine dei cavalieri di Rodi. Durante il pontificato di Sisto IV, infatti, il potere di Barbo risulta notevolmente ridimensionato, rendendo improbabile che l'esecuzione del ciclo si sia svolta allo scadere degli anni ottanta, allorché il cardinale non sembra avere né l'interesse, né i mezzi per portare a termine l'impresa[32]. Queste considerazioni di ordine storico, che suggeriscono una datazione alta del ciclo, non oltre il 1471, non sono del resto contraddette né dall'intelaiatura illusionistica dell'architettura dipinta, che vuole ingannare ma non stupi-

5.
Maestranze venete,
*Medaglione con ritratto
di imperatore romano
(Caligola?)*, Roma,
Casa dei cavalieri
di Rodi, loggia.

6.
Ambito di
Melozzo da Forlì,
Sala della Piattaia
(particolare dell'attico),
Roma, palazzo Riario
(in seguito Soderini
e poi Altemps).

re con forme particolarmente elaborate, né dalla cultura antiquariale che improntò il fregio con i medaglioni, né dall'atmosfera di tersa luce solare di ascendenza pierfrancescana che illumina i paesaggi, ponendoli in una diretta linea di discendenza da diversi episodi centro-italiani, e soprattutto toscani, degli anni cinquanta e sessanta[33]. Sotto questo punto di vista la decorazione della loggia della Casa dei cavalieri di Rodi può apparire anche attardata, col suo prendere come modello di riferimento per i paesaggi più Piero della Francesca, o Gozzoli che Pinturicchio. Dal contesto sin qui delineato, sembrerebbe logico cercare l'autore degli affreschi della loggia nell'ambito artistico che ruotava intorno al pontefice Barbo: dei pittori attivi nelle fabbriche da lui promosse emergono due nomi, Cristoforo della Villa, che pare più un decoratore, e Fra' Giuliano Amadei da Firenze, pittore e miniatore[34]. Le poche notizie riguardanti la vita e l'opera di Fra' Giuliano, "papae familiari", come viene chiamato nel 1467[35], aiutano a ricostruirne la figura di artista "di corte" durante gli anni del pontificato di Paolo II: dal 1467 al 1472 sono documentati diversi pagamenti per

l'opera da questi prestata nella basilica di San Marco e nel cantiere del palazzetto Venezia, ove venne impegnato ad affrescare le volte del loggiato. Altri indizi, come la formazione fiorentina del monaco camaldolese, la sua permanenza a Borgo San Sepolcro e l'attività accanto a Piero della Francesca, la doppia qualifica con cui lo si designa "pictor ac miniator sub Pauli II"[36], consentono di ipotizzare, seppur più sulla base di prove indiziarie che di veri e propri riscontri stilistici, un rapporto tra l'opera di Fra' Giuliano e la decorazione della loggia della Casa dei cavalieri.

Altri apparati decorativi realizzati nelle sale di rappresentanza di importanti palazzi romani utilizzarono un impianto architettonico illusionisticamente dipinto. Nella Sala della piattaia di palazzo Riario, poi Soderini e infine Altemps[37], un poderoso colonnato a capitello composito scandisce gli intercolumni ricoperti da lastre di marmo screziato. In quella che era la sala di rappresentanza del palazzo, l'illusionismo prospettico, amplificato dai rimandi tra architettura vera e decorazione, è ravvivato dalla presenza di putti alati che si affacciano dall'attico, reggendo festoni vegetali e cartigli (fig. 6). Nella parete ovest, un arazzo dipinto raffigurante motivi floreali, trattati con grande accuratezza, costituisce lo sfondo alla piattaia, che è stata correlata all'occasione del matrimonio tra Girolamo Riario e Caterina Sforza, offrendo un importante termine cronologico per la datazione dell'opera. Interpretata come l'esibizione dei doni di nozze ricevuti nel 1477 dalla coppia, la piattaia esibirebbe il gusto sfarzoso e l'amore per i *thesauri* che trova una significativa corrispondenza nelle testimonianze sulla vita di Girolamo Riario[38]. Sulla scorta della suggestiva identificazione del palazzo di Sant'Apollinare con il teatro del celebre episodio della burla allo scalpellino, narrata da Luca Pacioli nel *De Divina Proportione* (1506)[39] e che vide coinvolto tra altri anche "Melozzo da Frullì", la Sala della piattaia è stata generalmente assegnata all'ambito dell'artista. Nel fregio, in particolare, le sicure lumeggiature che costruiscono la volumetria prospettica dei putti tradiscono una mano molto esperta, a cui è naturale far risalire l'intera invenzione dell'impianto architettonico. L'espediente sapientemente illusionistico di confondere l'architettura reale con quella dipinta, resa accuratamente con dovizia di particolari, ricorda la decorazione della Biblioteca Greca in Vaticano. Qui un finto porticato retto da colonne corinzie è simulato pittoricamente sulle pareti del piccolo ambiente, dove il pavimento reale della sala prosegue nel motivo dipinto in prospettiva. Sopra la trabeazione a metope e bucrani di spiccato gusto archeologizzante, una finta balaustra sostiene vasi ricolmi di fiori da cui si dipartono nastri svolazzanti. Sembra fin troppo precoce la datazione agli anni del pontificato di Nicolò V avanzata da Yuen[40], che attribuisce il ciclo ad Andrea del Castagno, mentre pare più convincente l'ipotesi di ricono-

7.
Antoniazzo Romano
e bottega, *Assunzione
della Vergine*, Tivoli,
San Giovanni
Evangelista.

8.
Antoniazzo Romano
e bottega, *Nascita di
san Giovanni Battista
e Imposizione del nome*,
Tivoli, San Giovanni
Evangelista.

9.
Antoniazzo Romano
e bottega, *Imposizione
del nome* (particolare),
Tivoli, San Giovanni
Evangelista.

scere la decorazione della Biblioteca Greca nell'ambito della stessa fase di lavori promossi da Sisto IV, dunque verso il 1475, poco prima dell'impiego di Melozzo nella Biblioteca Latina[41]. Ancora nella scia di questo gusto che coniugava una matrice antiquariale con l'illusionismo prospettico si pone, tra la fine degli anni ottanta e l'inizio del decennio successivo, la Sala del mappamondo di palazzo Venezia. La decorazione di questa sala, imponente per l'impianto, desunto dalla struttura degli antichi archi di trionfo, e assimilabile a un'aula classica, è stata generalmente raccordata all'attività romana di Andrea Mantegna, attivo nel palazzo del Belvedere di Innocenzo VIII nel 1489.

Un inquadramento architettonico solenne incornicia anche le scene affrescate sulle pareti del presbiterio della chiesa di San Giovanni Evangelista a Tivoli. Questa interessante chiesa ospedaliera, originariamente annessa al monastero di San Clemente con una dedicazione a san Cristoforo, era stata alienata nel 1345 dall'ordine ospedaliero dello Spirito Santo e mutò titolo quando la confraternita di san Giovanni Evangelista sostituì il precedente ordine ospedaliero dopo un temporaneo affiancamento[42]. La prima menzione del titolo di san Giovanni evangelista risale al 1424: grazie ai numerosi lasciti testimoniati dai documenti tiburtini, da quel momento iniziò un'intensa fase di lavori nella chiesa, che ne modificò ortogonalmente l'orientamento. Fu allora costruito il presbiterio, dove nel corso degli anni Ottanta vennero affrescate le scene dell'*Assunzione della Vergine* e la *Nascita di san Giovanni battista e Imposizione del nome* (figg. 7-9)[43]. Il ciclo proseguiva sulla volta con il *Salvatore benedicente* e nelle vele con le quattro coppie di *Evangelisti e Dottori della Chiesa*, mentre sull'intradosso dell'arco trionfale erano raffigurati *San Domenico e Dodici sibille*[44]. I numerosi rimandi tra il presbiterio tiburtino e al-

tri importanti cicli pittorici eseguiti a Roma e nel Lazio in anni strettamente contigui lasciano supporre un clima di intense collaborazioni che implicava anche il passaggio degli stessi cartoni da una bottega all'altra, configurando un molteplice gioco di rimandi fra diversi cicli decorativi. Estremamente chiara appare la molteplicità degli interventi nelle figure delle sibille, differenziate tra loro anche da particolari iconografici come la presenza o meno del cartiglio o degli attributi: spiccano per accenti di drammatico realismo i volti della *Elespontina* e della *Frigia*, mentre la *Delfica* e la *Sibilla Europa* mostrano analogie disegnative con alcune sante dipinte da Palmezzano nelle prime opere

10.
Antoniazzo Romano
e "Socii", *Storie della
Croce*, Roma, Santa
Croce in Gerusalemme.

realizzate dopo il soggiorno romano: la santa Margherita della Pala di Dozza o la Maddalena della pala del 1493, il cui panneggio solenne e scultoreo, come quello che ammanta il san Giovanni Battista nella medesima pala, rimanda ancora agli apostoli che nell'affresco tiburtino assistono all'evento dell'assunzione. Sebbene solo orecchiata a distanza la matura impostazione prospettica di Melozzo, l'ambientazione della scena appare ispirata all'aperto paesaggio che si schiudeva tra le due schiere di apostoli nell'abside di Melozzo ai Santi Apostoli. Di più immediato impatto e più semplice assimilazione il modello di Perugino nell'affresco sistino del *Battesimo di Cristo*, dove è possibile ravvisare un modello per i quattro angeli che elevano la mandorla dell'Assunta nel brano degli angeli che affiancano l'apparizione dell'Eterno: la somiglianza dei panneggi e dei motivi diventa quasi sovrapponibilità nel particolare disegno del piede degli angeli, con l'alluce separato dalle restanti dita. Ad ambiti toscani rimanda invece l'interno raffigurato nella scena della *Nascita*, con un impianto spaziale decisamente complesso: l'arcone dipinto che inquadra l'*Assunzione* è qui ripetuto, ma contiene a sua volta, prospetticamente arretrati, due archi impostati su pilastri che ospitano la duplice scena della *Nascita del battista* e dell'*Imposizione del nome*. Il volto di Zaccaria, intento a scrivere sul cartiglio, con lo sguardo abbassato e la barba bianca bipartita, è poi ripreso – e non replicato, direi – dalla vela con il *San Giovanni Evangelista* nella cappella Bufalini (Santa Maria in Aracoeli), ma ritorna anche nel *Giuda che assiste al risanamento dello storpio* dell'abside di Santa Croce in Gerusalemme. Familiare alle fisionomie dei santi antoniazzeschi, seppur di più debole disegno, appare il *San Domenico* del sottarco, mentre nella figura dei due apostoli di spalle, a sinistra nella scena dell'*Assunzione*, è poi tradita addirittura una certa ingenuità, essendo stato replicato senza

significative varianti lo stesso cartone. Il gioco dei rimandi potrebbe continuare all'infinito e proprio per questo l'attribuzione degli affreschi di San Giovanni Evangelista è stata variamente assegnata a Perugino[45], a Pinturicchio[46], e successivamente divisa tra Antoniazzo e Melozzo[47], fino alla individuazione del cosiddetto Maestro di Tivoli avanzata da Cannatà[48]. Quest'ultima soluzione non risolve il problema dell'individuazione puntuale delle diverse mani che operarono contemporaneamente nella chiesa dell'ospedale di Tivoli, dove è ragionevole supporre verso la metà del nono decennio un incarico ad Antoniazzo, che avrebbe orchestrato l'impianto dell'intera decorazione, e una esecuzione dovuta al maestro romano aiutato da numerosi "Socii", tra cui non escluderei anche lo stesso Marco Palmezzano.

Che questi invece fosse presente sul cantiere di Santa Croce in Gerusalemme (fig. 10) sembra un po' più complicato da dimostrare, sebbene non impossibile, se non altro per questioni di cronologia, venendo l'affresco dell'abside romana a sovrapporsi alla *Pala di Dozza* (datata 1492) e alla *Crocifissione* di Santa Maria della Ripa, in cui la data inscritta è di non facile lettura (1492 o 1495). Come è stato ampiamente dimostrato[49], gli affreschi nella basilica eleniana furono realizzati nell'ambito dei lavori promossi dal cardinale Mendoza, titolare della chiesa dal 1492 fino al 1495, data della morte del cardinale stesso[50]. Il ritrovamento di un'iscrizione siglata collocata sulla cintura dell'araldo collocato alla destra di sant'Elena con la croce, avvenuto durante la recente campagna di restauri condotta dalla Soprintendenza per i beni artistici e storici di Roma nel 1998-1999 sugli affreschi del catino absidale, risolverebbe l'enigma circa la paternità dell'opera, se, come interpretato da Tiberia, la sigla "OSAER>S" venisse sciolta in opus antonatii equitis romani > siciorumque[51]. In realtà, le questioni attributive sono risolte fino a un certo punto, poiché la discussione rimane aperta sull'identità e sul numero dei "Socii"[52], essendo da più parti accettata l'idea del coinvolgimento di Antoniazzo come ideatore del ciclo e principale referente del committente[53]. Ancora una volta, un cantiere diretto da Antoniazzo si configura come una impresa collettiva, dove si mescolano e talvolta si fondono accenti diversi che parlano un linguaggio a volte tradizionale, a volte moderno. Se l'idea della mandorla entro cui appare il Salvatore circondato da cherubini è comune alla tomba Coca in Santa Maria sopra Minerva, all'*Assunzione* di San Giovanni Evangelista e a molte altre raffigurazioni di sacre scene – non però la melozzesca *Ascensione di Cristo* nell'abside dei Santi Apostoli, dove si abbandonava questo linguaggio tradizionale per una visione prospettica luministicamente definita –, il cielo stellato non può non rimandare alla prima decorazione della volta della cappella Sistina, opera di quel Pier

Matteo d'Amelia con cui Antoniazzo collaborò in diverse occasioni; evidente poi la parentela della sant'Elena al centro del catino absidale di Santa Croce con santa Illuminata della pala di Montefalco dell'Aquili stesso, mentre in alcuni personaggi del corteo dell'imperatore Eraclio i volti fortemente scorciati rimandano all'*Assunzione* di Bartolomeo della Gatta (Cortona, Museo Diocesano), seppur con un minore accento realistico, e ancora all'abside dei Santi Apostoli; echi signorelliani si avvertono poi nelle tipologie delle donne dietro alla sant'Elena in preghiera e nel trapassare di toni e di lumi attraverso una trama grafica di tratti. Il paesaggio di ascendenza umbra, con i tipici alberi e le vedute di città in lontananza – data al 1492 la collaborazione di Antoniazzo con "Petro de Perugia" per lavori eseguiti in Vaticano in occasione delle cerimonie di incoronazione di Alessandro VI – unifica i diversi episodi narrati nel fregio continuo, scelta antica[54] e moderna al tempo stesso, che infrange l'aristotelica unità di spazio, tempo e azione.

[1] R. Longhi, *Officina Ferrarese 1934 seguita da Ampliamenti 1940 e dai nuovi ampliamenti 1944-1955*, Firenze 1980, p. 71.

[2] S. Tumidei, *Melozzo da Forlì: fortuna, vicende, incontri di un artista prospettico*, in M. Foschi, L. Prati (a cura di), *Melozzo da Forlì: la sua città e il suo tempo*, catalogo della mostra, Milano 1994, pp. 19-81; G. Viroli, *Appunti su pittura e scultura a Forlì fra Quattro e Cinquecento*, Ibidem, pp. 208-220; M. Ceriana, *Marco Palmezzano, la Pala del 1493*, Vigevano 1997.

[3] M. Di Gregorio, scheda dell'opera in R. Sansone (a cura di), *Museo Diocesano di Velletri*, Milano 2000, pp. 83-86.

[4] S. Rossi, *Tradizione e innovazione nella pittura romana del Quattrocento: i Maestri e le loro botteghe*, in S. Rossi e S. Valeri (a cura di) *Le due Rome del Quattrocento. Melozzo, Antoniazzo e la cultura artistica del '400 romano*, Atti del convegno internazionale di studi, Roma 1997, pp. 19-39.

[5] R. Longhi, *In favore di Antoniazzo Romano*, in "Vita artistica", II, 11-12, 1927, pp. 226-233; A. Cavallaro, *Antoniazzo Romano e gli Antoniazzeschi: una generazione di pittori nella Roma del Quattrocento*, Udine 1992; A. Paolucci, *Antoniazzo Romano: catalogo completo dei dipinti*, Firenze 1992; *Le due Rome* ..., cit. 1997

[6] In quell'anno Antoniazzo risulta estensore dei primi Statuti dell'Università dei pittori e miniatori: Cavallaro *op. cit.* 1992, pp. 530-531.

[7] Paolucci, cit. 1992, p. 8

[8] Sulla fortuna delle icone nella Roma di Paolo II e Bessarione, ma anche nei decenni seguenti: Cavallaro *op. cit.* 1992, pp. 54-60. Antoniazzo e Melozzo in competizione nel 1470 circa, su commissione di Alessandro Sforza, signore di Pesaro, dipinsero rispettivamente una copia dell'icona di Santa Maria Maggiore e di quella di Santa Maria del Popolo.

[9] Cavallaro, cit. 1992, cat. 1, pp. 177-178; R. Longhi (*Primizie di Lorenzo da Viterbo*, in *Vita Artistica*, I, 9-10, 1926, pp. 109-114) aveva rilevato invece una derivazione dalla "Marca crivellesca".

[10] F. Zeri, *Il Maestro dell'Annunciazione Gardner*, in *Bollettino d'Arte*, XXXVIII, 1953, (II), pp. 233-249; Longhi, cit. 1926; Idem, cit. 1927; Paolucci, *op. cit.* 1992, cat. 4, pp. 36-41; Cavallaro, cit. 1992, cat. 44, pp. 211-216; A. Paolucci, *Madre prodigio: gli affreschi di Tor de' Specchi*, in *FMR*, 111, 1995, pp. 77-102.

[11] S. Santolini, scheda dell'opera in R. Sansone (a cura di), *Museo Diocesano di Velletri*, Milano 2000, pp. 27-31.

[12] Tumidei, cit. 1994, p. 36.

[13] Rimando alla scheda in catalogo sulla pala del Rositi di Stefano L'Occaso, che ringrazio anche della segnalazione della *Crocifissione* del Museo Diocesano di Velletri.

[14] D. R. Coffin, *The Villa in the Life of Renaissance Roma*, Princeton 1979; D. R. Coffin, *Gardens and Gardening in Papal Rome*, Princeton 1991.

[15] A. Tagliolini, *I giardini di Roma*, Roma 1980, p. 19.

[16] Vitruvio, *De Architectura*, VII, V, 2 (ed. a cura di F. Bossalino, Roma 2002)

[17] Plinio il Giovane, *Epistola II*, 17, in L. Zenoni (a cura di) *C. Plinio Cecilio Secondo, Epistole scelte*, Venezia 1924; Idem, *Epistola V*, 6.

[18] Plinio il Vecchio, *Naturalis Historia*, l, XXXV, citato da C. Cieri Via, *Galaria sive loggia*, in W. Prinz, *Galleria*, Modena 1988.

[19] Plinio il Vecchio, cit., XXXV, pp. 116-117.

[20] Francesco di Giorgio Martini è il primo a utilizzare il termine "loggia", assente nella trattatistica architettonica antica. Parlando delle ville toscane, egli connette tale elemento architettonico al giardino: "E detta loggia sopra pilastri e colonne edificata. E in nell'aspetto e fronte e uscita sua un grande e dilettevole giardino". Cfr. C. Cieri Via, *Origine e sviluppi della decorazione profana fra '400 e '500*, in *La cultura artistica nelle dimore romane fra Quattrocento e Cinquecento: funzione e decorazione*, Roma 1991, p. 10.

[21] V. Orazi, *La Casina del Cardinale Bessarione*, in *Capitolium*, anno XXXIV, n. 1, Roma 1959; D. Biolchi, *La Casina del Cardinal Bessarione*, Roma 1967; T. Carunchio, *La Casina del Cardinale Bessarione*, Città di Castello 1991; R. Del Signore, *Il restauro della Casina del Cardinal Bessarione*, in L. Cardilli (a cura di), *Gli anni del Governatorato*, Roma 1995, pp. 121-124. È noto comunque che sin dal 1302 una bolla papale testimonia che la chiesa di San Cesareo, e quindi certamente anche la Casina che vi è annessa, fosse alle dipendenze del Vescovo di Tuscolo, titolo che Bessarione assunse nel 1449 e mantenne fino al 1468.

[22] Di parere contrario Fabrizio Lollini, *Bessarione e le arti decorative*, in G. Ficcadori (a cura di), *Bessarione e l'Umanesimo*, catalogo della mostra, Napoli 1994, pp. 149-170 e, in particolare, vedi la nota p. 167 e la bibliografia p. 170. A questo proposito, si ricordi però che Bessarione era stato il committente di Antoniazzo per la propria cappella funeraria nella basilica dei Santi Apostoli. Su questo ciclo decorativo, oltre a Cavallaro, cit. 1992, cat. 6, pp. 182-184; Paolucci, cit. 1992, cat. 2, pp. 30-32, e Lollini, art. cit. 1994, F. Lollini, *La cappella di Bessarione ai Santi Apostoli: una riconsiderazione*, in *Arte Cristiana*, LXXIX, 742, 1991, pp. 7-22 e L. Finocchi Ghersi, *Bessarione e la basilica romana dei Santi XII Apostoli*, in *Bessarione e l'Umanesimo*, cat. cit., pp. 129-136. Discutibile la monografia di V. Tiberia, *Antoniazzo Romano per il Cardinale Bessarione a Roma*, Todi 1992.

[23] Lollini, *Bessarione...*, cit. 1994.

[24] Il cardinale Crescenzi è attestato dalla pianta di Bufalini come proprietario della casina nel 1551. Del Signore, cit., p. 121.

[25] Sull'ordine di san Giovanni battista di Gerusalemme, poi di Rodi (1310) e infine di Malta (1530): G. Bascapè, *L'Ordine Sovrano di Malta e gli ordini equestri della Chiesa*, Milano 1940; A. Pecchioli, *Storia dei Cavalieri di Malta*, Roma 1978; C. Toumanoff, ad vocem *Sovrano Militare Ospedaliero Ordine di Malta*, in *Dizionario degli Istituti di Perfezione*, diretto da G. Pelliccia e G. Rocca, Roma 1988.

[26] I cavalieri di san Giovanni battista di Gerusalemme si erano insediati alla fine del XII secolo nella dimora realizzata sui resti del foro di Augusto, condividendo dapprima le strutture con i monaci basiliani, che intorno al 1320 lasciarono il sito. Abbandonata dalla fine del Trecento al 1466, anno della nomina del cardinale Barbo ad amministratore dei beni dell'ordine, la vecchia dimora dei giovanniti al foro di Augusto a partire dal 1466 o dall'anno seguente, quando fu nominato Gran maestro dell'ordine Giovan Battista Orsini, fu trasformata in una casa residenziale in linea con gli orientamenti più innovativi dell'architettura quattrocentesca. Per ricostruire una storia essenziale dell'edificio: G. Zippel, *Ricordi romani dei cavalieri di Rodi*, in *Archivio della Società Romana di Storia Patria*, XLIV, 1921, pp. 169-205; Idem, *I Cavalieri di San Giovanni di Gerusalemme a Roma*, in *Atti del I Congresso Nazionale di Studi Romani*, vol. I, Roma 1929, pp. 397-402; C. Ricci, *Il Foro di Augusto e la Casa dei Cavalieri di Rodi*, in *Capitolium* 1930, pp. 157-189; G. Fiorini, *La Casa dei Cavalieri di Rodi al Foro di Augusto*, Roma 1951; R. U. Montini, *L'Ordine di Malta in Roma. La Casa dei Cavalieri di Rodi al Foro di Augusto* in *Capitolium*, anno XXX, n° 11, novembre 1955, pp. 325-334; C. Pietrangeli, A. Pecchioli, *La Casa di Rodi e i Cavalieri di Malta a Roma*, Roma 1981; S. Danesi Squarzina, *La Casa dei Cavalieri di Rodi: architettura e decorazione*, in AA.VV., *Roma, centro ideale della cultura e dell'Antico nei secoli XV e XVI*, Atti del Convegno, Milano 1989, pp. 102-142; M. Piras, P. Subiali, *La Casa dei Cavalieri di Rodi al Foro di Augusto*, in *Rassegna di architettura e di urbanistica*, 23, 1989-1990, pp. 25-35.

[27] S. Petrocchi, *Gli affreschi del ciclo di Ercole nell'appartamento Barbo del palazzo di Venezia a Roma*, in *Temi profani e allegorie nell'Italia centrale del Quattrocento*, Roma 1995, pp. 97-105.

[28] Plinio il Giovane (*Epistole*, V, 6), ad esempio, descrivendo la sua villa in Toscana, riferisce di "un affresco raffigurante dei rami e degli uccelli che vi si posano sopra".

[29] Questa loggia costituiva l'unico accesso alla torretta, dove era situato lo studiolo del cardinale Barbo.

[30] Danesi Squarzina, cit., 1989.

[31] J. P. C. Kent, B. Overbeck, A. V. Stylow, *Die Römische Münze*, München 1973, fig. 169.

[32] Le notizie riguardo alle circostanze della morte del Barbo lasciano supporre addirittura una situazione finanziaria non particolarmente florida: nella *Lettera di Messer Cosimo della morte del Chardinale di San Marco* del 18 marzo 1471

si legge infatti : "Non li ànno trovato danari, altro che sexanta duchati; gioie, tantum le pontificali". Si veda: A. Torroncelli, *Note per la Biblioteca di Marco Barbo*, in *Scrittura biblioteche e stampa a Roma nel Quattrocento. Aspetti e problemi*, Atti del seminario, Città del Vaticano 1980, vol. I, pp. 343-352, e in particolare p. 342; G. Zippel, *La morte di Marco Barbo, cardinale di San Marco*, in *Scritti storici in onore di G. Monticolo*, Venezia 1922, pp. 119-203. Per la vita del cardinale Barbo: G. Gualdo, ad vocem *Barbo Marco*, in A.A.V.V., *Dizionario Biografico degli Italiani*, vol. VI, Roma 1984, pp. 249-252.

[33] Corrado Ricci, art. cit. 1930, ravvisava infatti nelle pitture della loggia punti di contatto con l'opera di Benozzo Gozzoli e di Alesso Baldovinetti, per il tema dell'*hortus conclusus* e per il tipo di descrizione del giardino. Più recentemente Sandström (*Mantegna and the Belvedere of Innocent VIII*, in *Konsthistorisk Tidskrift*, XXXII, 1963, pp. 121-122) propone di anticipare l'esecuzione dei dipinti al periodo precedente l'elezione di Pietro Barbo al soglio pontificio, collegando a questo personaggio, e non al nipote, gli stemmi raffigurati. Tale ipotesi, tuttavia, non discutendo la vicenda della costruzione della loggia, non offre un esauriente commento storico alla realizzazione degli affreschi, e inoltre non tiene conto che negli stemmi è raffigurata la croce astile del Patriarcato di Aquileia, carica che Pietro Barbo non ha mai ricoperto. Börsch Supan (in *Landschafts und Paradiesmotive in Inneraund,* Berlin 1967, p. 241) correla l'impostazione architettonica delle pitture della loggia, la prospettiva, l'ornamento dei pilastri e del fregio con i medaglioni, alla presenza a Roma di Andrea Mantegna (1489). Una datazione tarda è proposta anche da Silvia Danesi Squarzina (art. cit. 1989) che suppone il 1489 come data di esecuzione delle pitture, che attribuisce invece a Pinturicchio.

[34] M. Salmi, *Piero della Francesca e Giuliano Amedei*, in "Rivista d'Arte", 1942, pp. 26-44; S. Petrocchi, *La pittura a Roma all'epoca di Paolo II Barbo. Giuliano Amidei Papae Familiari*, in *Le due Rome..*, cit, Roma 1997, pp. 229-235; J. R. Banker J. R., *The Alterpiece of the Confraternity of Santa Maria della Misericordia in Borgo S. Sepolcro*, in *Piero della Francesca and His Legacy*, a cura di M. Aronberg Lavin, Washington 1995, pp. 21-35; A. De Marchi, *Identità di Giuliano Amadei miniatore*, in *Bollettino d'arte*, 93-94, 1995, pp. 119-158; S. Petrocchi, *Ancora su Giuliano Amadei, artista della corte di Paolo II*, in *Roma nel Rinascimento*, 1998, pp. 95-103.

[35] E. Müntz, *Les arts à la cour des papes*, Paris 1879, p. 78.

[36] De Marchi, art. cit. 1995. Lo studioso ascrive a Giuliano Amidei un gruppo di manoscritti miniati "variamente legati alla curia romana scaglionati in un lasso di tempo che va fino al pontificato di Innocenzo VIII", precedentemente assegnati al Maestro degli Studioli. De Marchi ravvisa molti punti di contatto tra queste miniature e l'opera di Beato Angelico e Piero della Francesca, quest'ultimo individuato come il tramite attraverso cui Amidei potrebbe essersi inserito nell'ambiente pontificio, già negli anni di papa Piccolomini. In seguito Giuliano avrebbe operato accanto a maestri di matrice mantegnesca e me-

lozzesca, "ma nulla di tutto ciò sembra avvertito dal prolifico miniatore Camaldolese, che manteneva i suoi legami con l'Alta Valtiberina e rimaneva al fondo nostalgico del tempo dell'Angelico e di Piero". Secondo De Marchi il *Trittico di Tifi* mostrerebbe abbastanza chiaramente come la pittura in grande scala per Giuliano Amidei fosse un'attività secondaria, e dunque dagli esiti meno felici, rispetto alla produzione di miniature. In effetti, nelle pitture in esame piuttosto evidenti risultano alcune ingenuità, che lasciano pensare ad una personalità di fiducia dell'ambiente papale, che si sentiva però poco a suo agio nella pittura di grande formato.

[37] P. Petraroia, *"Per far piacere a la speculatione". Dipinti sacri e profani nella dimora di Girolamo Riario, di Francesco Soderini e degli Altemps*, in F. Scoppola (a cura di), *palazzo Altemps. Indagini per il restauro della fabbrica Riario, Soderini, Altemps*, Roma 1987, pp. XXXX; F. Scoppola (a cura di), *palazzo Altemps*, Milano 1997. Una poco convincente attribuzione della Sala della piattaia allo spagnolo Pedro Berruguete è stata avanzata da Fabio Benzi in *Arte a Roma sotto il pontificato di Sisto IV*, in AA.VV., *La storia dei Giubilei- Volume Secondo 1450-1475*, Prato 1998, pp. 124-149, e in particolare pp. 130-131.

[38] Tumidei, cit. 1994, in particolare p. 50. La datazione dell'affresco dovrebbe essere compresa tra il 1477 e il 1484, quando Girolamo tornò in Romagna dopo la morte di Sisto IV ed il palazzo venne saccheggiato.

[39] "Al tempo de la fabrica del palazzo de la bona memoria del conte Girolamo in Roma...", in L. Pacioli, *De Divina Proportione*, cfr. A. Bruschi, C. Maltese (a cura di) *Scritti rinascimentali di architettura : patente a Luciano Laurana, Luca Pacioli, Francesco Colonna, Leonardo Da Vinci, Donato Bramante, Francesco Di Giorgio, Cesare Cesariano, Lettera a Leone X*, Milano 1978, pp. 82-83.

[40] T. E. Yuen, *The Biblioteca Greca: Castagno, Alberti and the ancient sources*, in *The Burlington Magazine*, CXII, 812, 1970, pp. 725-736.

[41] Tumidei, cit. 1994, p. 48.

[42] R. Mosti, *Istituti assistenziali e ospitalieri nel Medioevo a Tivoli*, in *Atti e memorie della Società Tiburtina di Storia e d'Arte già Accademia degli Agevoli e Colonia degli Arcadi Sibillini*, 54, 1981, p. 87-205.

[43] Sulla parete di fondo del presbiterio esistono tracce di una decorazione distrutta successivamente per realizzare un altare; probabilmente la parete ospitava un episodio relativo al santo titolare della chiesa.

[44] E. Male (*Quomodo Sibyllas recentiores artifices repraesentaverint*, Paris 1899), poi Cavallaro, 1992, citano come fonte della raffigurazione delle sibille il libretto di Filippo de' Barberiis *Discordiantiae nonnullae inter sanctum Hieronymum et Augustinum* , edito a Roma nel 1481.

[45] C. Crocchianti, *L'istoria delle chiese della città di Tivoli*, Roma 1726.

[46] C. Ricci, *Pintoricchio (Bernardino di Betto de Péruse)*, Paris 1903.

[47] La prima attribuzione ad Antoniazzo si trova in A. Rossi, *Opere d'arte a Tivoli*, in *L'Arte*, VII, 1904, pp. 146-157; poi A. Gottschewski, ad vocem *Antoniazzo*, in U. Thieme-F. Becker, *Allgemeines Lexikon der bildenden Künstler*, I, Leipzig 1907, pp. 575-576; più recentemente l'ipotesi è

sostenuta da G. Hedberg, *Antoniazzo Romano and his school*, New York 1980. V. Pacifici (*Un ciclo di affreschi di Melozzo da Forlì*, in *Atti e memorie della Società Tiburtina di Storia e d'Arte*, XI-XII, 1931-1932) attribuiva invece gli affreschi a Melozzo, considerando di averne trovato la firma e la data 1475 in un particolare della *Nascita del Battista*. G. Noehles (*Antoniazzo Romano. Studien zur Quattrocentomalerei in Rom*, Münster 1973) considerava il ciclo di Tivoli opera di collaborazione tra Antoniazzo e Melozzo, che avrebbe impiegato come aiuto Giovanni del Sega, poi attivo nel duomo di Carpi. Cavallaro, 1992, pp. 270-272 li pone tra le opere attribuite e Paolucci, *op. cit.* 1992, p. 96, considera la paternità di Antoniazzo e della bottega, seppur in un momento caratterizzato da influssi melozzeschi.

[48] R. Cannatà, *La pittura*, in *Il Quattrocento a Roma e nel Lazio. Umanesimo e Rinascimento in S. Maria del Popolo*, Roma 1981, pp. 53-60; Idem, scheda su Antoniazzo Romano, in *Un'antologia di restauri. 50 opere d'arte restaurate dal 1974 al 1981*, catalogo della mostra, Roma 1982, pp. 27-32.

[49] M. Ciartoso, *Note su Antoniazzo Romano. Degli affreschi in Santa Croce in Gerusalemme e di due immagini votive*, in *L'Arte*, XIV, 1911, pp. 42-47; e soprattutto F. Cappelletti, (*L'affresco nel catino absidale di Santa Croce in Gerusalemme. La fonte iconografica, la committenza e la datazione*, in *Storia dell'Arte*, 66, 1989, pp. 123-126) che propone la convincente identificazione del cardinale ritratto nell'affresco con il Mendoza e scarta definitivamente l'ipotesi di riconoscere nel ritratto e nel committente degli affreschi il successore del Mendoza, il cardinal Bernardino Carvajal.

[50] È noto quanto riportato da Stefano Infessura, che riferisce dell'accidentale ritrovamento avvenuto il 1 febbraio 1492 delle reliquie della santa Croce in una concavità posta nell'arco trionfale.

[51] V. Tiberia, *L'affresco restaurato con Storie della Croce nella Basilica di Santa Croce in Gerusalemme a Roma*, Todi 2001. Il volume ricostruisce soprattutto il contesto storico in cui nasce il ciclo del catino absidale di santa Croce, e le sue implicazioni politiche, riservando ben poche righe all'analisi stilistica dell'opera.

[52] Anche la varietà di tecniche esecutive, messa in luce dal recente restauro, conferma la molteplicità di interventi seppur sotto un'unica direzione tecnico-artistica (Tiberia 2001, p. 69)

[53] Così Cavallaro, cit. 1992, pp. 263-264; S. Rossi, cit. 1997, pp. 33-35, individua anche l'opera di Marcantonio Aquili nell'episodio del *Miracolo della croce*, e di pittori di ambito pinturicchiesco. Interessante il recente articolo di Christa Gardner von Teuffel (*Light on the Cross: Cardinal Pedro González de Mendoza and Antoniazzo Romano in Sta. Croce in Gerusalemme, Rome*, in *Coming about...* Cambridge, 2001, pp. 49-55), dove la studiosa analizza un disegno di sconosciuta provenienza venduto di recente sul mercato londinese. Paolucci, cit. 1992, espunge invece dal catalogo di Antoniazzo il ciclo eleniano.

[54] Gardner von Teuffel, cit. 2001, propone per il ciclo a narrazione continua un suggestivo rimando al motivo nastriforme della colonna Traiana.

Marco Palmezzano e Venezia

Anchise Tempestini

Anchise Tempestini

1.
Cima da Conegliano
Battesimo di Cristo
Venezia, San Giovanni in
Bragora.

Sembra proprio che Marco Palmezzano sia uno dei pochi pittori romagnoli attivi a cavallo tra il XV e il XVI secolo che non hanno svolto una parte notevole della loro attività a Venezia. L'artista, che doveva essere nato intorno al 1459, poiché nel 1483 aveva tra i venti e i venticinque anni, visse fino alla primavera del 1539. Il suo catalogo è quello di un maestro che ha riempito la sua terra di pale d'altare, ma dobbiamo anche ribadire che, dopo una formazione a contatto con il grande Melozzo da Forlì, pur avendo subito influssi belliniani, cimeschi, carpacceschi, perugineschi, sembra non aver voluto girare veramente la boa del nuovo secolo. La rivoluzione che rinnova il linguaggio figurativo nel campo della pittura a opera soprattutto di Leonardo, Raffaello, Michelangelo, Giorgione, Tiziano, Lorenzo Lotto, Correggio, Dürer come iniziatori e che coinvolge numerosi altri artisti sembra non toccarlo, se non in modo estremamente superficiale. Per fare solo un esempio, ma che definirei sintomatico, Marco riprese in un dipinto firmato e datato 1534, oggi nella Pinacoteca Civica di Forlì, il tema del *Battesimo di Cristo* che Giovanni Bellini aveva trattato nella pala di santa Corona a Vicenza intorno al 1502 e Cima da Conegliano, quasi dieci anni prima, nella pala dell'altar maggiore di San Giovanni in Bragora a Venezia (fig. 1), opere entrambe ancora *in loco*; nel dipinto del forlivese, a parte l'impaginazione con le figure più in primo piano, si avverte il ricordo dei lontani prototipi veneziani quasi soltanto nel burbero Battista, mentre nelle figure efebiche del Cristo e del giovane neofita torna un'eco peruginesca, ricorrente nella produzione del pittore romagnolo, che riesce appunto a proseguire la sua opera con gusto quattrocentesco fino all'anno della sua scomparsa, che è quello in cui muore il Pordenone, mentre il Correggio è mancato da cinque anni e pochi mesi dopo se ne andrà anche il Parmigianino. Siamo quindi alla fine di un'epoca in cui il Quattrocento sembra essere stato una categoria dello spirito ormai completamente obsoleta, ma evidentemente non per tutti. Marco Palmezzano è stato oggetto di una sola monografia, quella che ap-

pare datatissima, ma molto informata, pubblicata da Carlo Grigioni nel 1956[1]. In essa egli era giustamente presentato come un allievo e collaboratore di Melozzo da Forlì, esponente di grande rilievo della corrente albertiana della pittura del Quattrocento, come Piero della Francesca. Melozzo è oggi un po' passato di moda, non solo per l'esiguità del catalogo di sue opere certe giunte fino a noi, ma anche perché i cinquecento anni dalla sua nascita caddero proprio in quel 1938 che fu l'anno dell'annessione dell'Austria alla Germania di Hitler e della promulgazione delle Leggi razziali in Italia; dopo le celebrazioni, curate in modo esemplare dagli allora giovani Luisa Becherucci e Cesare Gnudi[2], e che però divennero anche, inevitabilmente, l'apoteosi del più grande pittore nato nella terra di Mussolini, per lungo tempo si è registrato un quasi totale silenzio nei suoi confronti, rotto solo recentemente dal catalogo della mostra tenutasi di

2.
Giovanni Bellini
Madonna del prato
tavola, 267 × 240 cm
Londra, National Gallery.

nuovo a Forlì nel 1994, contenente un saggio fondamentale di Stefano Tumidei[3].
Anche per questo motivo oggi noi ricostruiamo Marco Palmezzano facendone quasi un pittore veneto, pur se il suo rapporto con la città lagunare è stato solo indiretto, a livello di attività artistica, a parte una proposta attributiva da parte di Enrico Maria Dal Pozzolo[4]. Palmezzano è documentato a Venezia solo nel 1495, in un atto notarile relativo a una casa la cui proprietà viene divisa tra lui e uno dei suoi fratelli[5]. Scorrendo i regesti pubblicati nella monografia di Grigioni, si può ipotizzare un soggiorno del pittore a Venezia che potrebbe essere stato non fugace, ma rimane il fatto che non è rimasto in laguna alcun ricordo sicuro di una sua attività come pittore. In teoria Marco Palmezzano potrebbe essersi trattenuto a Venezia dall'ottobre del 1493 all'inizio del 1496; il 26 settembre 1493 era testimone a Forlì in un rogito presso suo fratello, il notaio Tommaso Palmezzano. Dopo di allora, non è documentato nella sua regione fino al 19 aprile 1496, quando è testimone a un rogito a Forlì; non abbiamo poi notizie dirette fino al 12 giugno 1497, quando, a Faenza, si impegna a dipingere per la Confraternita di San Michelino la grande tavola con la *Madonna, l'arcangelo Michele e san Giacomo minore* oggi conservata nella locale pinacoteca. Non esistono a Venezia opere di Palmezzano, tranne un *Cristo morto sostenuto da due angeli* nella Galleria Franchetti alla Ca' d'Oro, memore evidentemente di prototipi belliniani, non eseguito tuttavia nella città lagunare, ma acquistato tuttavia dallo stesso Franchetti sul mercato antiquario ottocentesco probabilmente a Venezia[6], e i due angeli che insieme a due sicuramente eseguiti da Nicolò Rondinelli sono conservati nella chiesa di San Pietro Martire a

Murano e che Enrico Maria Dal Pozzolo propone di attribuire al pittore forlivese nell'articolo succitato, scostandosi dall'opinione comune che li assegna al trevisano Pier Maria Pennacchi. Vero è che quest'ultimo è a sua volta un pittore il cui catalogo si è ricostruito faticosamente recuperando pezzi già assegnati a Lorenzo Lotto, a Giovanni Bellini e ad altri maestri. Qualcuno stenta ancora a riconoscergli l'*Annunciazione* delle portelle d'organo già in Santa Maria dei Miracoli a Venezia, oggi nelle locali Gallerie dell'Accademia, che lo conferma pittore di notevole livello e non parlerà mai il linguaggio di Giovanni Bellini a cui studiosi di tutto rispetto si ostinano ad attribuirla. I quattro angeli di Murano facevano parte in origine di un complesso, cui apparteneva anche la *Madonna* di Rondinelli oggi nella sacrestia della basilica di Santa Maria della Salute a Venezia, che si trovava come decorazione dell'organo nel coro della chiesa di Santa Maria degli Angeli di Murano, dove tuttora si ammira il soffitto di Rondinelli. L'attribuzione a Palmezzano di due dei quattro angeli si basa su confronti stilistici condivisibili, ma che forse non dimostrano una paternità sicura, benché i due angeli presentino indiscutibilmente qualche affinità a livello disegnativo con quelli dell'*Incoronazione di Maria* di Palmezzano oggi a Brera. Il *Cristo morto* della Ca' d'Oro è firmato e datato 1529, è costruito sullo stesso disegno di quello conservato al Louvre, firmato e datato 1510, e con quello, privo di angeli, nella collezione Liechtenstein a Vaduz. Il modello modificato comunque dal pittore forlivese potrebbe essere un prototipo di Giovanni Bellini come la tavola al centro dell'ordine superiore del *Polittico di san Vincenzo Ferrer* nella chiesa veneziana di San Zanipolo, databile intorno al 1464, o quella più o meno contemporanea, recante una falsa data 1499 e un falso monogramma di Albrecht Dürer oggi conservata nel Museo Correr di Venezia.
Nella letteratura sulla pittura veneziana Palmezzano è del tutto ignorato, tranne che da Fritz Heinemann, che nel suo repertorio sulla pittura belliniana elenca come opere sue sette dipinti, dei quali quattro sono suoi, uno oggi si dà a Marco Basaiti e due sono incerti; lo studioso non vedeva invece come suo un pannello sicuramente uscito dal suo pennello, che egli schedava come prodotto della bottega di Giovanni Bellini[7] e del quale, dopo che l'avevo pubblicato come di Palmezzano con un altro simile con il quale faceva serie, oggi conosciamo anche la provenienza[8].
Il mio libro sui belliniani di Romagna[9], progettato nel 1994 e uscito nel 1999, avrebbe dovuto essere scritto a quattro mani, e l'altro autore si era impegnato a trattare appunto Marco Palmezzano e i due Zaganelli; ma la sua parte, a causa di molteplici altri impegni, non ha mai potuto vedere la luce.
La pala oggi a Brera, raffigurante la *Madonna con quattro santi*, della quale, prima dell'intervento chiarifica-

3.
Giovanni Bellini
Imbalsamazione di Cristo,
cimasa dell'*Incoronazione
di Maria tra i santi Paolo,
Pietro, Girolamo e Francesco*
Città del Vaticano, Musei
Vaticani.

4. Giovanni Bellini
*Incoronazione di Maria
tra i santi Paolo, Pietro,
Girolamo e Francesco*
Pesaro, Pinacoteca
Civica.

tore di Matteo Ceriana nel 1997[10], si è sempre scritto che era stata eseguita per i Battuti Bianchi in Valverde a Forlì, reca la data 1493, anno in cui Marco, come già detto, è tuttora documentato nella sua città di origine. Nel 1495, secondo Grigioni, compie da solo, firmandoli e datandoli, gli affreschi per la cappella Feo in San Biagio a Forlì, distrutti da un bombardamento nel 1944. Ma gli affreschi, condotti dal pittore insieme con il suo maestro Melozzo, erano stati iniziati nel 1493 e completati da Marco, dopo la morte del maestro nel 1494. Ancora secondo Grigioni, l'*Annunciazione* proveniente dalla chiesa dell'Annunziata o di Santa Maria del Carmine, oggi nella Pinacoteca Civica di Forlì, sarebbe stata eseguita tra il 1493 e il 1496. Ma secondo Gnudi[11] e Viroli[12] l'opera, forse il capolavoro del pittore, risalirebbe in realtà agli ultimi anni del secolo, o addirittura all'inizio del Cinquecento; altro indizio della presenza in patria di Palmezzano tra il 1493 e il 1496 che salta e che accresce la possibilità almeno teorica di una sosta prolungata a Venezia. Grigioni considera probabile una datazione al 1496 per l'*Incoronazione di Maria* proveniente dalla chiesa dei Minori Osservanti a Cotignola (RA), oggi a Brera. Angelo Mazza sembra propenso a collocarla subito dopo i perduti affreschi della cappella Feo, cioè tra il 1494 e il 1495[13]. Lo stesso autore nel 1496 o nel 1497 ha dipinto il *Sant'Antonio abate con il Battista e san Sebastiano* oggi nella Pinacoteca di Forlì, che presenta caratteri venezianeggianti, soprattutto nella tipologia e nel disegno del Battista, che sembra riecheggiare l'antonellismo di Cima mediato da Giovanni Mansueti, allievo di Gentile Bellini. Un ricordo di visioni veneziane potrebbe essere anche la vacca accosciata che si vede nello sfondo della pala eseguita sulla base del contratto del 12 giugno 1497 e oggi conservata nella Pinacoteca di Faenza. Si tratta di un motivo presente in opere di Giovanni Bellini anche prima della *Morte di san Pietro martire* e della *Madonna del prato* (fig. 2), opere entrambe conservate nella National Gallery di Londra, che sono più tarde di circa cinque anni; in esse si vede una vacca accosciata che sarà riproposta identica in due dipinti raffiguranti la *Madonna con due santi*, conservati rispettivamente nel Museo Civico di Padova e nello Statens Museum for Kunst di Kopenhagen, databili nel secondo decennio del Cinquecento e che oggi si assegnano a Rocco Marconi. Ma il tema, sia pure trattato in modo un po' diverso, è già presente nel catalogo di Giovanni Bellini molti anni prima, per esempio nella *Trasfigurazione* oggi nella Galleria di Capodimonte a Napoli, eseguita per la cappella Fioccardo del Duomo di Vicenza probabilmente una quindicina di anni dopo il testamento del committente, che risale al 1467. Il motivo faceva parte evidentemente di quelle immagini di repertorio che il maestro teneva nella bottega a disposizione degli allievi.

Palmezzano è stato sicuramente influenzato da Giovanni Bellini anche a livello meno epidermico, come dimostrano, in primis, le numerose riprese da lui lasciateci della composizione del *Compianto* o *Imbalsamazione di Cristo* di Giovanni Bellini, che costituiva la cimasa della pala dell'*Incoronazione* di Pesaro eseguita subito dopo il 1471 (fig. 3). Oggi la pala si trova nel Museo Civico della città adriatica, mentre la cimasa è conservata nella Pinacoteca Vaticana (fig. 4), come molte altre opere provenienti dai territori dello Stato della Chiesa recuperate a Parigi da Antonio Canova dopo la fine dell'epopea napoleonica; è stata esposta a Pesaro solo in occasione di una mostra e di un convegno nel 1988-1989[14].

5.
Bottega di
Giovanni Bellini
*Madonna in trono con il
Bambino benedicente*,
tavola, 132 x 122 cm
Parigi, Musée
Jacquemart-André.

Dal prototipo belliniano Marco deriva almeno sei opere, dall'*Imbalsamazione di Cristo* del Museo Civico di Vicenza, all'*Imbalsamazione di Cristo* del Courtauld Institute di Londra, a quella del Musée des Beaux-Arts a Digione, alla *Pietà* della National Gallery di Londra, alla *Pietà* che costituisce la lunetta della pala di Matelica, che nel dipinto principale propone la *Madonna in trono tra san Francesco e santa Caterina d'Alessandria*; la pala di Matelica ha una cornice con pilastrini ornati di santi e una predella che la rendono strutturalmente simile alla pala dell'Incoronazione di Giovanni Bellini; a tutti questi si aggiunge il frammento di *Compianto* in cui si vedono Cristo, Maria e la Maddalena, proposto con il numero 271 nella vendita Sotheby's nel palazzo Capponi di Firenze il 27 novembre 1989; in questi ultimi tre dipinti Maria sostiene il corpo di Cristo che nelle altre riprese, come nel prototipo di Giovanni Bellini, è sorretto da Nicodemo[15].

Palmezzano, come è già stato scritto in tutti gli interventi su di lui, sembra essersi ispirato anche al san Sebastiano della pala di san Giobbe di Giovanni Bellini, oggi conservata nelle Gallerie dell'Accademia di Venezia, la cui datazione oscilla tra gli ultimi anni dell'ottavo decennio del Quattrocento e il 1490; Lorenzo Finocchi Ghersi, nel suo recente libro sul caposcuola veneziano[16], ha fissato al 1487-1488 la data di questa che è l'unica grande pala d'altare unitaria ancora su tavola di Giovanni Bellini tuttora visibile a Venezia.

Ancora prima di recarsi a Venezia, sembra proprio che Marco Palmezzano abbia avuto modo di apprezzare alcuni dipinti veneti o legati alla cultura figurativa lagunare, in particolare le due grandi pale d'altare eseguite da Marco Zoppo e da Giovanni Bellini rispettivamente nel 1471 e negli anni immediatamen-

te seguenti per le chiese di San Giovanni e di San Francesco a Pesaro, cioè in una città molto più vicina di Venezia alla Romagna, patria del pittore. Egli infatti non solo parafrasa e varia la cimasa della pala dell'Incoronazione, ma si ispira anche alla *Testa del Battista* di Marco Zoppo che probabilmente faceva parte della predella della pala oggi smembrata, della quale rimangono a Pesaro, nel Museo Civico, solo questa tavoletta e il *Cristo morto sorretto da due angeli* che ne costituiva la cimasa. La *Testa del Battista* di Marco Palmezzano è conservata nella Pinacoteca di Brera a Milano e sembra databile tra il 1489 e il 1495.

Anche il tema del Cristo portacroce, caro al pittore forlivese, è di ascendenza belliniana; del caposcuola veneziano si conoscono varie redazioni del tema, tutte con la sola figura del Cristo, le migliori delle quali sono conservate nella Pinacoteca dell'Accademia dei Concordi a Rovigo e nel Museum of Arts a Toledo (Ohio); a esse si aggiunge quella dello Stewart Gardner Museum di Boston, che spesso si assegna a Giorgione, come derivazione fedele dai prototipi di Giambellino, ma che dovrà esser restituita a quest'ultimo. Si tratta sempre di opere risalenti ai primi anni del nuovo secolo. Al giovane Tiziano, intorno al 1510, si riferisce ormai invece l'altro dipinto, un tempo considerato pure di Giorgione, nella Scuola di san Rocco a Venezia, che, per la presenza dei manigoldi, potrebbe essere il modello per le varie redazioni lasciateci da Palmezzano. Per poter ispirarsi direttamente a tutti questi prototipi il pittore forlivese sarebbe dovuto tornare a Venezia dai dieci ai quindici anni dopo la sua presenza documentata nella città dei dogi.

Non dobbiamo dimenticare il legame anche a livello politico tra Romagna e Venezia, per cui sembrava, negli ultimi decenni del '400, che la regione divenisse territorio della Serenissima[17]; inoltre, gli interscambi commerciali delle regioni adriatiche tra di loro hanno favorito nei secoli una diffusione della pittura veneziana su entrambe le sponde di quel mare e in particolare dell'iconografia del *Cristo morto* anche perché dai porti dell'Adriatico si partiva per la Terra Santa, dove si poteva venerare il Santo Sepolcro: pellegrinaggio che procurava l'indulgenza plenaria[18].

Altro indizio dell'interesse di Marco Palmezzano per la pittura veneziana, molto dopo il 1495, può essere il fatto che la *Madonna* della tavola firmata e datata 1510, eseguita per la cappella Bombardini della non più esistente chiesa di San Francesco a Forlì, oggi nella Pinacoteca Vaticana a Roma, presenta quel tipo di panneggio a cascata in verticale che negli stessi anni contraddistingue le *Madonne* di Giovanni Bellini, da quella della pala di san Zaccaria del 1505 a quella della *Sacra Conversazione Dolfin* di San Francesco della Vigna, del 1507, a quella di Brera, firmata e datata 1510, a quella non del tutto autografa oggi nel Musée Jacquemart-André a Parigi[19] (fig. 5). Palmezzano ripropone lo stesso motivo in un dipinto trasferito da tavola su tela, probabilmente un frammento eseguito sullo stesso cartone utilizzato per la pala della Vaticana, già nella collezione Lee of Fareham a Richmond (Surrey), venduto da Finarte a Milano il 12 dicembre 1988 e oggi nella collezione della Cassa di Risparmio di Cesena a Forlì.

Il problema del rapporto di Marco Palmezzano con Venezia si lega a quello dei suoi rapporti con Nicolò Rondinelli, uno degli allievi di Giovanni Bellini più fedeli al maestro. Dai tempi di Crowe e Cavalcaselle[20] si è dibattuto su questo tema; i due illustri antesignani della storia dell'arte italiana ritenevano Rondinelli il migliore artista romagnolo nei primi anni del XVI secolo, sicuramente più importante di Palmezzano che veniva nominato solo due volte, la prima a proposito del suo *San Sebastiano* del Museo di Karlsruhe che recava una falsa firma di Giovanni Bellini e la falsa data del 1471, la seconda per chiarire che il *San Sebastiano* della cattedrale di Forlì non è un'opera sua, bensì di Nicolò Rondinelli, al quale invece, a parte citazioni casuali, dedicano cinque pagine. I due insigni studiosi affermano pure che nei pittori romagnoli in quegli anni si mescolano gli influssi di Giovanni Bellini e di Marco Palmezzano, contrapponendo così i due stili e negando a Palmezzano un benché minimo carattere veneziano. Buscaroli[21] pensava che tra Palmezzano e Rondinelli ci fosse stato un giuoco di scambi e palleggi reciproci.

Personalmente, ritengo Rondinelli un pittore gradevole, capace di esprimersi a un buon livello, ma anche un po' troppo influenzabile: negli anni veneziani forse, si annulla in parte nell'opera del grande maestro, mentre dopo il rientro a Ravenna finisce per subire a tal punto l'espressionismo del pur più modesto Baldassarre Carrari da rischiare di esser confuso con lui. Palmezzano non potrebbe mai esser scambiato con Giovanni Bellini, con Cima, con Carpaccio o con Giorgione; questo è forse un suo limite, ma, a parte la ripetitività che alla lunga ne fa un sopravvissuto, egli conserva un suo inconfondibile carattere di pittore non eclettico, dotato di notevole professionalità ma assolutamente incapace di forti emozioni, che lo rende unico nella storia della pittura della sua regione.

[1] C. Grigioni, *Marco Palmezzano pittore forlivese nella vita nelle opere nell'arte*, Faenza 1956.

[2] C. Gnudi, L. Becherucci (a cura di), *Mostra di Melozzo e del Quattrocento romagnolo*, catalogo della mostra (Forlì 1938), Bologna 1938.

[3] S. Tumidei, *Melozzo da Forlì: fortuna, vicende, incontri di un artista prospettico*, in M. Foschi, L. Prati (a cura di), *Melozzo da Forlì la sua città e il suo tempo*, catalogo della mostra (Forlì 1994-1995), Corsico (Mi) 1994, pp. 19.81.

[4] E. Maria Dal Pozzolo, *Palmezzano a Venezia*, in "Paragone", XLVIII, 1998, n. 15-16, pp. 47-57.

[5] C. Grigioni, *Marco Palmezzano...*, cit., pp. 315, 316.

[6] C. Grigioni, *Marco Palmezzano...*, cit., pp. 530, 531.

[7] F. Heinemann, *Giovanni Bellini e i belliniani*, 2 voll., Arzignano (Vi) [1962], I, pp. 69, 264, 265;

[8] A. Tempestini, *Giovanni Bellini e Marco Palmezzano*, in "Antichità Viva", XXXI, 1992, n. 5/6, pp. 5-12; Matteo Ceriana (a cura di), *Marco Palmezzano, la pala del 1493*, Vigevano (Pv), in part. pp. 10, 11.

[9] A. Tempestini, *Bellini e Belliniani in Romagna*, Firenze 1998.

[10] M. Ceriana (a cura di), *Marco Palmezzano...*, cit., pp. 8-43.

[11] C. Gnudi, in *Mostra di Melozzo...*, cit., pp. 103-105.

[12] G. Viroli, *Pittura del Cinquecento a Forlì*, 2 voll., I, Bologna 1991, pp. 29, 69-73.

[13] A. Mazza, in *Pinacoteca di Brera, Scuola emiliana*, Milano 1991, pp. 289-291.

[14] M. R. Valazzi (a cura di), *La pala ricostituita. L'Incoronazione della Vergine e la cimasa vaticana di Giovanni Bellini. Indagini e restauri*, catalogo della mostra, Venezia 1988.

[15] A. Tempestini, *Giovanni Bellini e Marco...*, cit.

[16] L. Finocchi Ghersi, *Il Rinascimento veneziano di Giovanni Bellini*, Venezia 2003-2004, p. 67.

[17] A. Paolucci, *San Marco in Romagna*, in Anchise Tempestini, *Bellini e Belliniani...*, cit., pp. 9-25.

[18] A. Tempestini, *L'iconografia del Cristo morto nelle regioni adriatiche occidentali*, in R. Varese (a cura di), *Giovanni Santi*, atti del convegno internazionale di studi (Urbino 1995), Milano 1999, pp. 171-176.

[19] A. Tempestini, *La madonna belliniana del Museo Jacquemart-André*, in D. Dombrowski (a cura di), *Zwischen den Welten. Beiträge zur Kunstgeschichte für Jürg Meyer zur Capellen*, Weimar 2001, pp. 40-46.

[20] J. Archer Crowe, G. B. Cavalcaselle, *A History of Painting in North Italy*, London 1871, 2 voll., I, pp. 190, 593, 594; T. Borenius (a cura di), J. Archer Crowe, G. B. Cavalcaselle, *A History of Painting in North Italy*, London 1912, 3 voll., I, p. 188, II, p. 305.

[21] R. Buscaroli, *La pittura romagnola del Quattrocento*, Faenza 1931, p. 313.

Aspetti della fama e della fortuna di Marco Palmezzano: dall'elogio umanistico alla vulgata moderna[1]

Simonetta Nicolini

> *"Non vi sarà, vi avverto, né metodo né continuità in questi studi.*
> *Ci troverete lacune assai, preferenze ed omissioni …*
> *non saranno che note; queste note, elementi scuciti, sproporzionati…"*,
> Eugène Fromentin[2]

Prospettive e distici

Sem Benelli, in due pagine di appunti scritte per presentare la *Caterina Sforza*, in scena a Forlì il 29 gennaio 1934, sembrava evocare, con i protagonisti che da quattrocento anni vivevano nella leggenda, le prospettive della cappella Feo, assunta come sfondo ideale della vicenda ambientata nella città romagnola: "Scrivendo quest'opera ho dovuto procedere come i pittori nelle cupole, per iscorciare con una sintesi che solamente il teatro conosce, perché nel teatro non è possibile né raccontare né descrivere né commentare se non riunendo nel personaggio rappresentato […] tutto quello che lo storico e il romanziere hanno modo di esporre a loro agio"[3].

Sebbene Palmezzano non sia nominato nel brogliaccio di presentazione e nella trama del dramma, il pensiero corre al pittore forlivese e a Melozzo di fronte alle fotografie di scena dello spettacolo. Il teatro ha volentieri utilizzato il parallelismo con i dipinti per gioco d'effetto scenico ed emotivo; prospettive dipinte e quadri in scena rimontano alla nobile tradizione dei *tableaux vivants,* che la letteratura (non solo quella teatrale) ha volentieri percorso, da Goethe a Pasolini, secondo una consuetudine consolidata. L'allestimento dell'opera di Benelli trovava nella tradizione figurativa locale spunti per l'ambientazione e recuperava il Quattrocento in una sobria chiave illustrativa, per il

ritratto di Caterina (incarnata dall'attrice Guglielmina Dondi) ritagliato sulla tavola di Lorenzo di Credi della Pinacoteca di Forlì, e per i costumi, studiati sull'immagine della devota nella tavola Acconci (fig. 1) e su quelli del Feo e dei suoi compari nella cappella di San Biagio. Anche le vesti della bella signora di Forlì descritta da Benelli parlavano dei ritratti forlivesi di fine Quattrocento: "Bionda, snella: pronta negli atti e incisiva nelle parole. È vestita di stoffa celeste e oro". Quando si inginocchia dinanzi a Sisto IV, il pontefice "le prende la catena che ha al collo, ricca d'oro e di degnissime gioie, e la fissa negli occhi"[4]. Al Melozzo vaticano fa riferimento la scenografia del primo quadro del dramma: "Il Vaticano. Piccola stanza di udienza. Sisto IV è sulla sedia pontificale. Di lato, in ginocchio, Girolamo Riario. Il Papa è alto della persona, forte, espressivo: bocca larga, occhi penetranti, naso forte. Girolamo Riario somiglia il papa, come si vede nell'affresco di Melozzo"[5].

Pochi anni prima delle celebrazioni del 1938, costruite nella pubblicistica per la fruizione di massa e la celebrazione del regime fascista, la messa in scena di Benelli riportava, dunque, in campo una tradizione locale e popolare, a cui la memoria di Palmezzano era stata lungamente ancorata.

A prospettive e ritratti si deve, infatti, la prima fama (se non ancora fortuna) di Palmezzano, ricordato da Luca Pacioli (1494) tra i maestri di "libella et circino", "caro alievo" di Melozzo in Forlì[6]. La citazione, che avrà gran seguito nella letteratura successiva, stabilisce un vincolo di apprendistato quasi filiale col pittore di Sisto IV, che troverà spazio nelle sottoscrizioni ("Marchus de Melotius") e avrà fantasiose interpretazioni negli apocrifi e nelle falsificazioni prodotti per il mercato dell'arte tra Ottocento e Novecento.

Pacioli scriveva che i maestri della prospettiva, come Piero e Melozzo, le "lor opere proporzionando a pefection mirabile conducono. In modo che non humane ma divine negli ochi nostri sarapresentano. E a tutte lor figure solo el spirto par che manchi"[7]. Il to-

2.
Pittore romagnolo, *Ritratto di Filasio Roverella*, in Franciscus Uberti, *Epigrammaton libellus*, XVI secolo. Roma, Biblioteca Casanatense, ms. 504.

pos del ritratto parlante che aveva origine in Plinio (*Naturalis historia*, XXXV, 71) ebbe grande diffusione in epoca umanistica e, divenuto formula retorica, divulgò l'immagine dell'artista così abile nell'imitazione del reale da rendere l'arte palpitante e quasi viva vita[8]. Il fortunato tema fu accolto anche dall'umanista cesenate Francesco Uberti (1440-1516) nei distici elogiativi per Palmezzano, inseriti in seno alla raccolta di epigrammi per l'arcivescovo di Ravenna Filasio Roverella, che furono scritti e dedicati probabilmente attorno al 1505[9]:

"De Marco Palmizano Pictore Foroliviensi. Inc.
Spirantis, quaeso, vultus en cernite, Marcus
Quos dignus pinxit laudibus eximijs
Quis Marco Zeusim, Marco quis iactet Apellem?
Non homines pingit, sed facit ille magis.
Ergo opera illius longos serventur in annos,
Utque aequum est, illi fama perennis eat"[10].

I versi di Uberti registrano la solida posizione dell'artista entro la cerchia umanistica romagnola e, al di là dell'acquiescenza a stereotipi letterari, sottolineano l'ammirazione per le doti ritrattistiche del pittore. La testimonianza dell'umanista è interessante soprattutto per il fatto che l'elogio è nella raccolta destinata a Roverella, il cui ritratto, ora nella Pinacoteca di Cesena, prima di essere attribuito da Stefano Tumidei al Maestro dei Baldraccani[11], è stato anche riferito alla mano di Palmezzano[12]. Il codice della Biblioteca Casanatense è stato con molta probabilità confezionato a Cesena, dove penso sia stato realizzato anche il ritratto di Filasio Roverella che lo orna alla carta 2 recto (preceduto, a c. 1v, dallo stemma del prelato, fig. 2): la congruenza fisionomica di questa effigie su pergamena con l'immagine su tavola della pinacoteca cesenate è stata sottolineata da Piccioni[13].

Il profilo di Roverella, inserito entro un'edicola prospettica, delineata a inchiostro probabilmente da altra mano, è coerente con la tendenza figurativa melozzesca che investe la pittura romagnola alla fine del XV secolo; per la stesura del colore e la sommaria realizzazione, potrebbe essere l'opera di un artista non avvezzo alla pergamena[14].
Ma, tornando a Palmezzano, ancora all'inizio del XVI secolo egli compare assai elogiato nella cronaca forlivese di Novacula (al secolo Andrea Bernardi, 1450-1522), con il quale il pittore dovette essere in stretti rapporti, se il "barbiere" umanista è citato come testimone di un atto che lo riguarda rogato il 22 aprile 1499 dal notaio Paolo Bonucci di Forlì[15]. Stando a quanto scrive Novacula, le fortune di Palmezzano presso i contemporanei, coerentemente con quanto aveva detto Pacioli, hanno origine nella destrezza d'ingannare l'occhio dell'osservatore, superando i limiti della finzione con particolari illusionistici degni di memoria; a proposito della tavola con la *Comunione degli apostoli* collocata sull'altare della cattedrale di Forlì nell'ottobre del 1506, in occasione dell'arrivo in città di papa Giulio II, il compiaciuto cronista annota che nell'ancona "e i era certi dignissime cose e masime l'ostia santa che in mane Cristo avea e una policia che era dipinta, che notificava al nome dal Maestro, et era alquante straciata; parea veramente che fuse stacata: era cosa molte memorando"[16].

Polizzine: assicurazioni per un futuro di fama
Il passo di Novacula è, a quanto sappiamo, il primo episodio di letteratura in cui il cartellino con la firma di Palmezzano è osservato come dato visivo autonomo di pregnante significato: un minimo *trompe l'oeil* cui è affidata, con la memoria dell'artista, la sua abilità nell'ingannare l'osservatore grazie alle ingegnosità della pittura prospettica. Dall'osservatorio della storia successiva e della fortuna critica del pittore forlivese, oggi possiamo dire che, con sapienza e perseveranza, Palmezzano affidò proprio alla visione lenticolare e lucidissima della firma sul foglietto la sua fama e la sua fortuna presso i contemporanei e i posteri. Nella *Cronaca Albertina* di fine Cinquecento il dettaglio dell'ostia e del cartiglio nella pala di San Mercuriale è nuovamente citato, quasi fosse diventato un *topos* visivo, con le stesse parole e con la medesima ammirazione per l'effetto di illusione veritiera[17].
Nella storia delle firme degli artisti, in particolare di quella speciale forma costituita dal "cartellino", Palmezzano ha un ruolo non secondario, se non altro dal punto di vista quantitativo: di lui si conoscono circa ottanta cartellini, se si considerano nell'insieme quelli che ancora conservano l'originale sottoscrizione, quelli bianchi per la caduta della scrittura antica,

quelli rifatti, o in parte rimediati, su più antiche scritture, quelli di cui resta unica memoria nelle fonti perché l'opera è oggi perduta o perché se ne ignora l'attuale collocazione.

Gli studi hanno messo a fuoco la storia di questa particolare modalità di sottoscrizione: dal primo esempio in Toscana, dove compare negli anni trenta del XV secolo presso Filippo Lippi, alla diffusione nell'Italia nord orientale con l'adozione da parte dei pittori veneziani e dell'entroterra veneto nella seconda metà del secolo, i cui primi esempi risalgono al quinto decennio e sono riferibili alla bottega dei muranesi Vivarini[18]. Paragonato alle sottoscrizioni in capitale romana, collocate su pietre o marmi dipinti a imitazione di iscrizioni epigrafiche – particolarmente apprezzate nell'ambiente antiquario di area padovana dove si diffusero grazie a Mantegna e al suo *entourage* –, il cartellino ha un carattere non monumentale, apparentemente sommesso e discreto, ma di eguale forza attrattiva e con la medesima capacità nel sottolineare l'abilità mimetica del pennello[19].

Utilizzato dai pittori quasi come marchio di bottega, soprattutto in laguna, anche al fine della più sicura e rapida affermazione commerciale sul territorio veneto e in aree geografiche più distanti[20], il cartellino con la firma segnala il rinnovato orgoglio sociale dell'artista e funziona come tramite della sua memoria. Adottato presso la bottega dei Bellini, il candido foglietto scritto è per lo più collocato alla base della tavola, su finte cornici e parapetti dipinti che fungono da divisione illusiva tra l'immagine e lo spettatore, e mantiene per un certo periodo il carattere di *titulus pendens* esplicativo. A partire dagli anni novanta del Quattrocento comincia a partecipare più decisamente della vita dell'immagine[21], allorché Vittore Carpaccio trova soluzioni studiatamente più casuali, ma anche d'effetto, per evidenziarlo e porre così l'accento sul ruolo dell'artista come artefice dell'inganno, ma anche suo disvelatore[22].

La contiguità di Palmezzano con l'ambiente dei pittori di Venezia (da un documento del 1495 si apprende, infatti, che la famiglia possedeva una casa nella città lagunare[23]) e la vocazione commerciale del suo *modus operandi* – i cui vantaggi economici furono, si immagina, attentamente valutati durante il soggiorno in laguna – dovettero costituire la prima spinta all'uso della sottoscrizione su cartellino, che si confaceva allo spirito imprenditoriale del forlivese, sempre coinvolto, secondo quanto ci dicono i documenti, in compravendite di case e terreni e di merci diverse, oltre che abile amministratore dei propri beni e di quelli dei suoi famigliari. In questo senso, secondo una consuetudine invalsa a Venezia, va intesa anche la precoce standardizzazione della forma delle sottoscrizioni scelta dall'artista per li-

cenziare i dipinti dalla bottega. Salvo pochi esempi, nel corso di quarant'anni le sottoscrizioni di Palmezzano assunsero un carattere di serialità analogo a quello di una marca tipografica o di un marchio orafo, agevolando la riconoscibilità e garantendo la qualità dell'opera[24].

Le implicazioni commerciali che esprimeva questa particolare sottoscrizione sono contenute anche nel termine usato dalle fonti per designarla: "polizzina" (o "polizzino") – come si è visto in Novacula – prima ancora che "bollettino" – come sarà nel Cinquecento inoltrato. La parola è registrata nei dizionari col significato di breve lettera, bigliettino, appunto, ma anche con quello di polizza e documento doganale in uso per accompagnare una merce. È significativo che presso i lanaioli fiorentini fosse attestata la prassi di accompagnare le lane mandate a lavorare fuori di città "con un semplice polizzino per contrassegno, nel quale detti lanaioli scrivono il loro nome di lanaioli acciò sieno lasciate passare alle porte"[25].

La "polizzine" di Palmezzano sono piccoli foglietti rettangolari bianchi, collocati nella parte bassa della tavola per favorirne la lettura[26] (un modo diffuso tra i veneziani), per lo più al centro (sulla base del trono se si trattava di pale d'altare) e su oggetti di particolare significato entro la composizione (la croce della crocifissione e dell'andata al Calvario, la cesta che raccoglie la testa di Oloferne, la base del leggio della Vergine, lo strumento musicale suonato dall'angelo seduto alla base del trono, lo scalino o il parapetto che funge da proscenio per la sacra rappresentazione, un tronco d'albero).

La "polizzina" stracciata compare già, come documentano le foto Croci, nell'affresco della cappella di San Biagio: qui il foglietto, di dimensioni piuttosto grandi, è affisso in bella evidenza alla colonna di mezzo che divide la scena nel registro inferiore. In altri casi l'artista finge piegature, incurvature dei margini e ombreggiature che rimarcano il virtuosismo della finzione; l'effetto *trompe l'oeil* è ancora più deciso quando la pittura simula la ceralacca rossa con cui la polizzina è affissa al suo supporto, come nel *Cristo portacroce* (cat.52) della Pinacoteca di Forlì[27] (fig. 3). L'espediente visivo, praticato anche nella bottega di Bartolomeo Vivarini, per alcuni dovrebbe rispecchiare il modo in cui "l'artista poteva attaccare i disegni sulle pareti del suo studio"[28]. Non è tuttavia da escludere che la finzione pittorica rinvii all'impiego della ceralacca per sigillare documentazione e corrispondenza, e voglia suggerire l'autenticità del provvisorio biglietto, "sigillo" finale dell'artista prima di licenziare l'opera dalla bottega.

Di solito i cartellini di Palmezzano offrono il campo a una scrittura le cui forme oscillano tra una minuscola corsiva di tipo cancelleresco e una elegante corsiva di tipo umanistico, arricchita da segni di riempimento, di

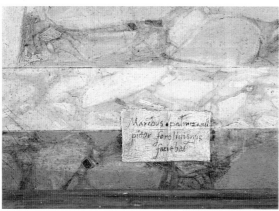

interpunzione e svolazzi, uno dei quali, ricorrente, è il disegno di una piccola foglia trilobata, simile a un *signum tabellionis*, interpretata dalla critica ottocentesca come monogramma dell'artista[29]. La scrittura e i suoi vezzi servono a conformarne lo stile al supporto pergamenaceo o cartaceo che la pittura va imitando e accentuano il carattere effimero del mezzo cui è affidato il nome; inoltre, rinviano alle consuetudini grafiche della documentazione commerciale e notarile, con ciò rimarcando il carattere documentale e personale della sottoscrizione. La scrittura di Palmezzano, lievemente inclinata verso destra, si caratterizza per il ruolo importante dell'iniziale del nome (la *M* sempre maiuscola, con le aste verticali lievemente oblique) e per le aste allungate con apici evidenziati nella *p* e nella *l*. Il testo di norma si dispone su tre righe (le prime due per nome e qualifiche, la terza per la data) sempre cercando di ottenere un certo equilibrio di pagina. Anche le formule usate dal pittore per firmarsi si presentano stabili nel tempo, mostrando poche varianti.

Quella in cui egli si segna con patronimico riferito al maestro Melozzo compare in due casi: nella *Glorificazione di sant'Antonio Abate in trono fra i santi Giovanni Battista e Sebastiano* della Pinacoteca Civica di Forlì (già in Santa Maria del Carmine) databile tra 1496 o 1497 ("Marchus de Melotius foroliviensis faciebat"); nella *Madonna col Bambino in trono fra i santi Francesco d'Assisi e Caterina d'Alessandria* della Chiesa di San Francesco di Matelica, del 1501 ("Marchus. de. Melotius. foroliviensis. / fatiebat. Al tempo. de. frate. zorzo. guardiano/ del Mcccci"), inscritta su un cartellino grande alla base del trono[30]. La sottoscrizione che qualifica l'artista come "figlio adottivo" di un qualche maestro era praticata anche in Veneto per dare valore all'opera con dichiarazione di appartenenza di bottega o scuola[31] e di solito si giustifica in lavori giovanili; ma Palmezzano la usa nella maturità, come a Matelica, dove forse il riferimento al maestro aveva ancora un senso "là dove ancora vivo era il ricordo del pittore"[32]. Mentre la critica in passato leggeva queste sottoscrizioni a favore della paternità melozziana delle opere, il mercato dell'arte le sfruttava per ambiziose attribuzioni e pretestuose falsificazioni, come nel caso della lunetta con la *Pietà* alla National Gallery di Londra[33].

Le testimonianze discordano sulla data che accompagnava la prima sottoscrizione di Palmezzano di cui si ha memoria in ordine di tempo, quella nell'affresco con il *Crocifisso, Madonna e quattro santi* della Pinacoteca Civica di Forlì, la cui interpretazione oscilla tra 1492 e 1495[34]; stando alle letture ottocentesche precedenti il restauro, sembra che il pittore si sia firmato, in grandi caratteri maiuscoli in basso[35], con una modalità diffusa nel XV secolo: "MARCUS PALMIZANUS FECIT". Nelle opere successive le firme del pittore, sempre collocate sul cartellino (un dato visivo che depone a favore della "venetizzazione" dell'artista in questo periodo e coincide con la documentazione veneziana), registrano l'introduzione di forme lessicali e sfumature concettuali di matrice umanistica interpretabili come segni della condizione privilegiata raggiunta dall'artista e della consapevolezza del suo *status*. Al volgere del Quattrocento, nelle sottoscrizioni di Palmezzano ricorrono tre elementi: la qualifica professionale, l'indicazione di cittadinanza e l'uso dell'imperfetto latino nella forma del verbo ("faciebat" o "fatiebat"): è il "marchio di bottega" con cui verranno d'ora in poi licenziate tutte le opere. Come "Marcus Palmezzanus pictor foroliviensis faciebat", su cartellino "nella colonna di mezzo di un finto loggiato in prospettiva", il pittore si firmava (secondo le testimonianze di Reggiani, Lindsay e Milanesi) nella cappella Feo[36]; la stessa sottoscrizione compare nella maggior parte dei dipinti a partire dal 1500[37] (fig. 4).

La qualifica professionale di "pictor" è usata stabilmente da Palmezzano. Sappiamo che il termine fa il suo ingresso più di frequente nelle sottoscrizioni (soprattutto a Venezia) dal XVI secolo, come risultato della trasposizione nelle opere della qualifica professionale che nei contratti notarili serve a indicare l'arte di appartenenza. La scelta della forma latina, in luogo della volgare, segnala invece la volontà di sottolineare un diverso *status* rispetto a quello meno nobile dell'artigiano[38]. Anche la designazione di appartenenza civica ("foroliviensis"), preferita alla formula della preposizione seguita dal nome della città (usata da altri pittori romagnoli, come dai veneziani), s'inscrive in regole e criteri commerciali, soprattutto per i lavori destinati a essere inviati fuori città[39]; ma, in Palmezzano, l'uso dell'indicazione di cittadinanza anche per opere destinate a Forlì pone l'accento sull'orgoglio civico e sull'appartenenza a una comunità piuttosto che sulle necessità dell'esportazione. Il tono sobrio e studiatamente umanistico delle sottoscrizioni di Palmezzano trova completa espressione nell'adozione fissa del "faciebat" già presente nella *Glorificazione di sant'Antonio Abate in trono fra i santi Giovanni Battista e Sebastiano* (Forlì, Pinacoteca Civica) e negli affreschi della cappella Feo. È noto che l'uso del verbo declinato all'imperfetto ha origine in un passo di Plinio, discusso e divulgato da Poliziano, che spiega come gli artisti dell'antichità indicassero così la perfettibilità delle opere[40]. Rispetto alla diffusione del "faciebat" che (a Venezia, come in altri luoghi) si rintraccia a partire dal 1500, forse per emulare la firma di Michelangelo nella *Pietà* di San Pietro[41], gli esempi di Palmezzano, databili già entro la fine degli anni novanta del Quattrocento, sembrano precoci e indipendenti dal modello di Buonarroti. L'accoglimento di modi elitari della letteratura umanistica nelle sottoscrizioni è probabilmente dovuto alla contiguità con Melozzo e con la sua cerchia[42] e si accorda con la posizione di rilievo assegnata a Palmezzano da Pacioli, che lo include nell'esiguo numero di artefici di "avanguardia" prospettica di fine Quattrocento.

La sofisticata ricerca stilistica nell'ambito della scrittura non si limita all'uso della minuscola corsiva, ma si estende ai caratteri ebraici e alla capitale epigrafica. Tre firme ebraiche sono riferibili all'artista: esse compaiono nella *Giuditta con la testa di Oloferne*, che negli anni trenta del Novecento era in una raccolta privata di Milano (collezione Volpi) su un cartellino appeso alla cesta[43], nel *Cristo portacroce* della Galleria Tosio Martinengo di Brescia[44] e nella *Sacra Famiglia con san Giovannino* dell'Art Museum di Phoenix[45], dove la firma è tracciata sul parapetto come inserto epigrafico. In tutti, Palmezzano trascrive in caratteri ebraici la formula con cui solitamente si sottoscrive: un modo di procedere che non richiedeva, di necessità, la conoscenza della lingua, potendo limitarsi a una semplice imitazione stilistica dell'alfa-

beto[46]. Poiché le firme in caratteri ebraici compaiono in opere di piccolo formato, presumibilmente a destinazione privata, non è da escludere che sulla scelta dell'alfabeto abbia influito la cultura del committente o del destinatario. Le firme in lettere ebraiche sono un fatto più raro di quanto non siano i brani di letteratura sacra trascritti nella lingua del popolo eletto; di questi ultimi abbiamo esempi soprattutto a partire dall'ultimo quarto del XV secolo nell'Italia settentrionale, tra il Veneto (Cima da Conegliano, Carpaccio, Giovanni Bellini) e Ferrara (Tura, Ludovico Mazzolino), con un incremento nel primo decennio del Cinquecento in seguito alla diffusione di modelli grafici offerti dai libri a stampa e al rinnovato fervore di studi della lingua[47]. Per le firme ebraiche di Palmezzano, isolato e importante antecedente è quello offerto da Lorenzo Costa nel *San Sebastiano* di Dresda, dove pure la forma linguistica della sottoscrizione è latina, anche se le lettere sono ebraiche.

Palmezzano dovette ancora una volta alla frequentazione di Melozzo anche l'uso della capitale all'antica, il cui carattere stabile e celebrativo era perfettamente compreso dall'umanesimo e consono alle sue esigenze di rappresentazione culturale[48]. L'artista impiega la capitale di matrice classica normalmente per trascrivere frasi dedicatorie dei committenti e citazioni dalle sacre scritture[49] e, soprattutto a partire dalla fine degli anni novanta del Quattrocento, sembra rispettare la gerarchia che la vuole distinta dalla minuscola delle sottoscrizioni[50]. Quando compare nelle firme, come nella *Sacra Famiglia* di Baltimora e in quella del Museo di Padova, la capitale sembra essere piuttosto risultato di rifacimenti e falsificazioni[51].

Al tempo in cui ormai a Venezia una nuova generazione di pittori disdegna la firma esposta (da Giorgione a Sebastiano del Piombo, da Palma il Vecchio a Tiziano), quasi per indurre a un rapporto più intimamente sentito con la maniera personale del dipingere senza ricorrere ad altre mediazioni[52], Palmezzano, ormai verso la fine della sua vita, mantiene inalterata l'antica abitudine del "cartellino" come frutto di una prassi fabrile e di bottega. Ma non è il solo a ritenerlo un valido modo di tramandare la memoria: ancora un decennio dopo la sua morte, il veneziano Paolo Pino espone le sue ragioni a favore della firma evidenziata da un "bollettino", simbolo del sapere e dell'arte virtuosa a memoria dell'artista[53].

Un secolo più tardi, quando sulla scena dell'arte si affacciano i primi "conoscitori", le "polizzine" di Palmezzano sono ancora ricordate dal forlivese Francesco Scannelli in un'invettiva (a dire il vero piuttosto involuta) contro la fiducia cieca nel nome famoso che distoglie dall'osservazione della vera maniera e della qualità. La firma dell'artista, scrive Scannelli, è la conferma di pregi altrimenti evidenti. Era accaduto infatti a Vasari che: "nel trattare del […] Rondinelli non avria asserito così risolutamente, ch'avesse dipinta la Tavola che sta nel Choro della Chiesa catedrale della Città di Forlì, che rapresenta Christo quando communica i Santi Apostoli, mentre si riconosce per una delle più degne, e sicure operationi di Marco Palmeggiano, […] come in oltre al più determinato carattere della maniera, ne fa continua, e indubitata testimonianza in essa Tavola il solito finto polizino coll'inscrttione del medesimo Palmeggiani da Forlì, e veramente sono non pochi quelli, che […] restando paghi del solo nome pare, che vogliano indovinare il vero, dove poscia in fatti la stessa verità palesa il contrario"[54].

Ritratti e sepolture

Non è a Vasari che si deve guardare per tracciare la fortuna di Palmezzano dopo la morte[55]: le citazioni dell'aretino, occasionali, distratte o, come si è visto, imprecise, sono motivo di oblio più che di fama.

Di Palmezzano, tra la seconda metà del Cinquecento e tutto il secolo successivo, si occuparono solo storici ed eruditi locali: alle loro penne si deve la creazione del tema delle nobili origini del pittore che aveva intrecciato la propria storia personale con quella della città e dei suoi signori. Tra la seconda metà del Cinquecento e l'inizio del Settecento, il processo di "celebrazione nobiliare" del pittore basa la sua credibilità, più che sulle opere, su quelle rare memorie che si prestavano a essere trasformate in monumenti: la tomba dell'artista, il suo ritratto e i ritratti dei signori di Forlì. Il tentativo non oltrepassò di molto i confini cittadini, ma alcuni pittoreschi strascichi si ritrovano ancora nella letteratura artistica di inoltrato Ottocento.

Non si conosce la forma che aveva il sepolcro della famiglia Palmezzani quando ancora si trovava nella chiesa di San Domenico, a Forlì, prima di essere smantellato nel 1781, con dispersione delle parti che lo componevano. Al riguardo Calzini riferisce: "La lapide chiudente l'arca la quale, molto verosimilmente, doveva offrire tanta luce sull'età e sulla data della morte sua [Palmezzano], venne tolta nel 1781 quando si rammodernò la chiesa. Per più di mezzo secolo, anzi sino al 1860 o 1862 circa, servì, rovesciata, di lastra alla fontana fuori porta Schiavonia; e quando la stessa fonte fu trasportata ov'è ora, più vicina alla strada, la vecchia pietra, già spezzata, andò miseramente perduta. Si fecero in seguito alcune ricerche, ma tutte infruttuose"[56]. Nella vecchia sepoltura, in occasione del trasporto delle ossa, fu trovata una "piccola croce di bronzo di Corinto" poi custodita dai discendenti come reliquia del pittore[57].
Scomparsa la prima tomba dalla chiesa dei domenicani, restava tuttavia a conforto della fama locale del pittore l'*Autoritratto* della pinacoteca, tradizionalmente considerato autografo. La testimonianza di Paolo Bonoli ci dice che in origine il dipinto era collocato sull'antica sepoltura (solo nel 1854 la famiglia lo vendette al municipio)[58]. Ricordando l'antica sede del ritratto di Palmezzano, Bonoli, seguendo una visione cara all'erudizione secentesca, coniugava memorie sepolcrali e memorie in effige, e il topico legame d'affetto con Melozzo trovava spazio nella celebrazione delle spoglie mortali dei due artisti, che li vedeva ancora una volta uniti: Melozzo, più famoso, "finì la vita in Forlì, ed ebbe sepoltura nella Santissima Trinità con la inscrizione che così comincia: 'Melotii Foroliviensis Pictoris eximii ossa'", mentre Palmezzano, "uno de' primarj gentiluomini […]" della città "chiuse anch'egli i suoi giorni in Forlì in età decrepita […] e fu sepolto in San Domenico, ove è visibile tuttavia il suo ritratto dipinto di propria mano"[59]. Congeniale all'erudizione seicentesca, l'immagine di un artista "ex nobili natus, & antiqua stirpe, amenum picturae studium, non spe lucri sed illecebra voluptatis" passa al secolo seguente e si incastona come cammeo pomposamente letterario nelle *Vitae* di Giorgio Viviano Marchesi[60].
Smantellata la tomba presso i domenicani, solo alla fine dell'Ottocento le spoglie di Palmezzano avrebbero ritrovato un luogo dove riposare. Ricordava amaramente Calzini: "Quattordici anni sono, nel giugno cioè del 1880, le ossa del Palmezzano, insieme a quelle di altri della sua famiglia, furono trasportate (tutto ciò è brutto a dirsi, ma è vero) in una umile carriola sino al pubblico cimitero"[61]. La nuova tomba di famiglia, nell'arcata numero 76 del cimitero Monumentale di Forlì, accolse una nuova lapide, che ancora si legge: "XXIII. GIUGNO. MDCCCLXXX / I FIGLI DI FILIPPO PALMEGGIANI / DALL'AVITO SEPOLCRO / NELLA CHIESA DEI DOMENICANI / TRAMUTARONO QUI LE CENERI / DEI LORO MAGGIORI / TRA CUI / NANNE TOMMASO MARCO / NELLE GUERRESCHE E PACIFICHE ARTI / E NELLA PITTURA FECERO OVUNQUE CELEBRATO / IL NOME DELLA PATRIA" (fig. 5).
Per Palmezzano, a Forlì, la sepoltura nel cimitero monumentale fu l'unica memoria pubblica: già Casali aveva scritto con rammarico che il pittore "niun monumento d'onore ebbe dalla patria"[62]. Diversi decenni più tardi, quando l'amor di patria e le glorie del passato venivano piegate alle esigenze della retorica nazionalista, qualcuno avrebbe osservato che quella sepoltura ottocentesca non poteva bastare per "rendere omaggio alla memoria dell'antenato che onorò l'Italia"; le cui ossa sarebbero state invece "degne di riposare, più che in una tomba gentilizia accanto a quelle dei concittadini Maroncelli, Saffi, Fratti e Fulceri"[63].
La fortuna dell'*Autoritratto*, giunto alle raccolte civiche accompagnato da una tarda iscrizione sulla cornice che lo autenticava[64], fu certamente maggiore di

quella delle spoglie. Il dipinto "lasciò per molti anni e lascia ancora, nei forlivesi, la persuasione di possedere l'autoritratto del Palmezzano, tanto più che nessuno nella pinacoteca si è curato di disingannare l'osservatore ignaro"[65]. Il sospetto è ragionevole: alla fama d'autografia[66] fanno ombra il cattivo stato della materia pittorica e l'iconografia, insolita per l'epoca; l'artista che mostra la tavolozza (qui con sforzo prospettico invero poco degno della citazione di Pacioli) è un modello che comincia a diffondersi solo attorno alla metà del Cinquecento[67]. Il taglio protoaccademico e celebrativo della tavoletta tuttavia sarebbe piaciuto ai lapicidi cimiteriali di secondo Ottocento, che ne fecero l'estratto della tavolozza da inserire sulla lapide; più tardi, grazie a una stampa Alinari, l'autoritratto di Palmezzano avrebbe fatto buona figura anche in formato cartolina[68].

L'altro presunto autoritratto, quello della cappella Feo, era destinato ad avere minore fortuna, nonostante gli sforzi di quell'abile promotore di glorie locali che fu il pittore Girolamo Reggiani, dedito a quest'impresa per "l'amore della Patria e il vero". Nella biografia di Melozzo, complici l'impianto scenografico e l'ambientazione storica, Reggiani poteva osare il recupero sceneggiato e inscenato dello stereotipo del "caro allievo": sulla parete, che "senza contrasto alcuno appartiene al giovanetto Palmezzani", si vede che "quel di mezzo in abito di cattedratico col compasso nelle mani, può indicare il famoso maestro in matematica di que' tempi Sigismondo

Ferrarese [...]; l'altro alla sua sinistra è un uomo di mezz'età con la barba; e indietro sorge alle spalle di quel primo un giovanetto, che non mostra che la testa di profilo, il collo e una mano [...]". Nella lunetta, stanno "pur due figure a ritratti di un uomo barbato di mezz'età, che in amorosa attitudine abbraccia un giovinetto quasi trattenendolo [...]"[69]. Il confronto con l'*Autoritratto* della pinacoteca faceva concludere a Reggiani: "Niuno vorrà dubitare di avere quivi il ritratto di Palmezzani giovane nel dipinto inferiore e superiore in questa cappella". E poiché "Melozzo per conferma degli storici amava moltissimo il Palmezzani, chiamandolo abitualmente il suo 'caro allievo', egli è dunque illusione assai naturale che [...] abbia unito al proprio il ritratto del suo Palmezzani, e che per reciproco affetto il Palmezzani medesimo, ritraendo se stesso in profilo nel dipinto inferiore si sia accoppiato al suo maestro Melozzo"[70]. Dei ritratti, "luccidati di novembre da Girolamo Reggiani nell'anno 1831"[71], quello supposto di Melozzo fu poi tradotto in incisione e pubblicato nel 1834 in apertura della biografia dedicata all'artista. L'immagine di Palmezzano restava invece affidata alla sola trascrizione grafica ed era destinata a farsi quasi illeggibile per i danni inflitti dal tempo e dai vandali; più tardi fu distrutta dalla guerra[72]. Quasi un secolo dopo (1911), uno sforzo di fantasiosa attribuzione fisionomica spingeva Corrado Ricci a identificare una terza immagine del pittore nella sua età di mezzo con il ritratto virile già appartenuto a Giovanni Morelli e poi passato all'Accademia Carrara di Bergamo, nel quale in precedenza si era voluta vedere l'effigie di Garofalo[73]. Erano i tempi in cui Ricci inseguiva il sogno di una Romagna culla delle arti[74] e si lasciava prendere la mano da biografie di eroi santi e artisti.

L'erudizione settecentesca, prima, e il secolo delle biografie esemplari, poi, unirono a quello di Palmezzano i nomi dei protagonisti che proiettavano ombre e luci sulla Romagna del primo Cinquecento, volendo assegnare all'artista ritratti (veri o presunti) di Caterina Sforza, Girolamo Riario, Giacomo Feo e del Valentino. Alla fama della signora di Forlì si deve la prima trascrizione grafica di una tavola di Palmezzano: il trittico di San Biagio con la *Madonna in Trono tra i santi. Caterina d'Alessandria, Domenico, Antonio da Padova, Sebastiano e i devoti committenti*, che Antonio Burriel pubblicava, nella traduzione del faentino Giuseppe Zauli (1795)[75] (fig. 6), interpretando quelli dei committenti come "Ritratti di Caterina Sforza, di Girolamo Riario Signori di Forlì, e Imola, e de' Figli/ Ottaviano, e Cesare". Dall'opera di Burriel, per più di un secolo, fino alla monografia di Pier Desiderio Pasolini[76] e anche oltre, un fitto gioco di indagini fisionomiche – che non mancò di portare in campo comparazioni con i discendenti dei signori di

6.
G. Zauli, Incisione dal
*Trittico della Madonna
con il Bambino in trono,
i santi Caterina
d'Alessandria, Domenico,
Antonio da Padova
e Sebastiano e i devoti
committenti*, di Marco
Palmezzano, in Antonio
Burriel, *Vita di Caterina
Sforza*, Bologna 1795.

7.
Marco Palmezzano, *San
Giovanni Gualberto
in adorazione del Crocifisso
e santa Maria Maddalena*,
particolare, Forlì, abbazia
di San Mercuriale.
Foto Croci n. 2569.

i quali spesero parole a favore dell'artista Adolfo Venturi e Giovanni Morelli[81].

Palmezzano ritrattista dei signori di Romagna troverà infine spazio nell'epoca della fotografia di riproduzione: agli inizi degli anni trenta del Novecento, nel catalogo della casa Croci (fig. 7), accanto a dettagli di teste di angeli e motivi ornamentali della cupola della cappella Feo a uso di moderni ornatisti e pittori di stanze, si propongono vere o presunte immagini di Caterina Sforza e Girolamo Riario adatte al gusto dei cultori di memorie storiche locali e al facile consumo dei curiosi di glorie rinascimentali[82].

All'epoca in cui l'autoritratto di Palmezzano passò in pinacoteca e venne rinnovata la tomba nel moderno cimitero, celebrazione famigliare, cittadina e patria coincidevano con un momento di interesse per l'artista e la sua opera: i restauri della cappella di San Biagio, "celebre per gli affreschi del Melozzo e del Palmeggiani"[83], come scriveva Filippo Guarini con orgoglio civico alla data del 10 maggio 1879, suggellarono una vivace fase della fortuna commerciale dell'artista, confortata anche dagli esiti della letteratura critica, che ebbe il punto di equilibrio e completezza nell'edizione della *Storia* di Cavalcaselle e Crowe, in cui a Palmezzano è dedicato lo spazio di un capitolo[84].

Collezionismo, mercato, conoscitori

La fortuna di Palmezzano pittore, al di fuori delle mura cittadine, era iniziata quando l'erudizione aveva cominciato a incontrarsi con gli interessi collezionistici e a uscire dal tracciato vasariano, trovando nuovi motivi di compiacimento in scoperte anche inclinate verso i "primitivi". Si può dire, infatti, che forse fu una buon'occasione per il pittore di trovarsi, con opere firmate, al momento giusto nella giusta collezione, dove probabilmente era entrato proprio in virtù delle "polizzine". Alla metà del Settecento il suo nome compare con altri in quell'incunabolo della "fortuna dei primitivi" in Italia che fu la collezione padovana dell'abate Jacopo Facciolati: "una serie di quadri" – scriveva P.-J. Grosley nel 1764 – "dove si trova […] svolta la storia della Pittura, dal momento della sua rinascita in Europa"[85]. All'incirca negli stessi anni, Palmezzano compare anche nella raccolta bolognese di Filippo Hercolani[86], dove lo nota l'abate Luigi Crespi che ne scrive in una lettera a Innocenzo Ansaldi (1770)[87]. Punti di partenza per la scoperta di Palmezzano pittore "primitivo", i due episodi collezionistici convogliano il nome dell'artista verso quella fitta rete di scambi di informazioni tra eruditi e viaggiatori che andrà a impinguare di note e osservazioni le guide per il "forestiere", *vademecum* per visite a collezioni pubbliche e private. Nella lettera di Crespi, allo stupore per l'oblio in cui sono relegati

Forlì[77]– coinvolse a più riprese il nome di Palmezzano. I ritratti di san Biagio furono nel tempo lasciapassare per improbabili attribuzioni: dal *Ritratto di gentildonna* di Forlì[78], a quello detto di Caterina Sforza della galleria di palazzo Pitti[79], al *Ferrante d'Avalos*, già creduto Cesare Borgia di Venezia (Museo Correr)[80] e al *Cesare Borgia* della Pinacoteca di Forlì, per

"molti valenti professori" della Romagna, come di altre province, segue l'ammirazione per la "conservatissima" tavola Hercolani con la *Vergine in trono tra i santi Pietro, Francesco, Antonio Abate e Paolo* (oggi a Monaco) che spicca "tra le tante e bellissime pitture" e non può "meglio essere disegnata [...] e dipinta", dove teste, panneggi, barbe sono accordati "con un gusto sì particolare, che è una meraviglia"[88]. Con parole coniate su quelle di Crespi descriveva l'opera anche Jacopo Alessandro Calvi nella sua galleria in versi a commento della raccolta bolognese: "Una mirabile castigatezza di disegno, e un colorito vago, lucido e vivo" con "teste ed estremità molto belle, e diligentissime, e scelte piegature di panni"[89]. Alla letteratura di viaggio[90] aveva fatto da premessa la ricognizione a tappeto di Marcello Oretti, avviata all'incirca negli stessi anni (1769) della segnalazione di Crespi seguendo il comodo tracciato delle sottoscrizioni: l'esito dell'impresa di Oretti è un primo catalogo manoscritto delle opere di Palmezzano nel territorio che va da Bologna alle Romagne, dove si trovano sporadiche note d'apprezzamento per le qualità delle geometrie e delle architetture[91].

Punto di partenza per Luigi Lanzi, le opere Hercolani e Facciolati, con altre viste in raccolte private, forniscono i materiali per costruire il primo catalogo a stampa del pittore, "buono e pressoché ignoto artefice", che "ben prese guardia che la posterità nol dimenticasse, apponendo per lo più sulle tavole d'altare e da stanza il nome e la patria"[92]. Con

Lanzi, Palmezzano assume dignità di scuola al seguito di Melozzo e merita una sistemazione entro la griglia della lettura stilistica: "Il primo [stile] fu conforme al comune de' quattrocentisti nella semplicissima posizione delle figure, nelle dorature, nello studio di ogni minuzia; anche nella notomia, che a' quei tempi consisteva pressoché tutta nel formar con intelligenza un San Sebastiano o un qualche Santo Anacoreta. Nel secondo fu più artificioso ne' gruppi, più largo ne' contorni, più grande anche nelle proporzioni; ma talora più libero e meno variato nelle teste"[93].

Negli anni in cui, sulla base della *Storia* di Lanzi, si stabilisce la mappa moderna per rileggere l'Italia pittorica, tra il 1809 e il 1811, le requisizioni napoleoniche nella Romagna, mediatore Andrea Appiani, convogliavano verso Milano opere sottratte a chiese e conventi per costruire a Brera, a gloria del Regno italico, una storia dell'arte suddivisa per campioni regionali[94]. Cooptato nella raccolta braidense all'interno della scuola romana, al seguito di Melozzo, quasi a far le veci del maestro assente in corpo, Palmezzano ha diritto a una traduzione in rame di grande formato per mano di Luigi Bridi, che lo rappresenta nel novero delle stelle della pittura italiana. Scelto tra le tavole dell'artista giunte nella galleria milanese, il *Presepe* è accompagnato dal commento del dotto Robustiano Gironi che avanza apprezzamenti sulle architetture trattate "con intelligenza" e su "la squisitezza e purità ornamentale", che bilanciano, in un quadro di gusto ancora tardo neoclassico, le osservazioni su "qualche durezza ne' contorni, la freddezza e la monotonia delle tinte"[95]. Anche Felice Giani, in giro per le Romagne per costruirsi un album di disegni da maestri che sembra ideato per illustrare le pagine di Lanzi – indugiando, com'era ovvio, su ornati e architetture, ma con una non convenzionale apertura verso i primitivi romagnoli –, aveva posato l'occhio sulle tavole di Palmezzano (fig. 8), e non solo[96], le lasciava un'eredità di gusto ai puristi della prima ora. Tra questi, Tommaso Minardi, secondo quanto scrive Casali, conservava nel suo studio faentino una tavola di Palmezzano[97]. Certo, l'artista, in perlustrazione nelle Marche tra il secondo e il terzo decennio dell'Ottocento, si sofferma ammirato di fronte alla pala di San Francesco a Matelica, che, naturalmente, interpreta come opera di Melozzo: "[...] nella prima cappella entrando a mano sinistra – annota su un taccuino - vi è una tavola con lunetta e predella rappresentante la Vergine, il Bambino, S. Caterina; nella lunetta una Pietà e diverse storie, nel grado vi è scritto 'Marcus Melotius Foroliviensis faciebat al tempo di Frate Zorzo Guardiano del 1501': opera ammirabile: peccato che manchi di ogni custodia"[98].

È un fatto che tra il terzo e il quarto decennio dell'Ottocento, in clima di nazareni e di riscoperta dei

9.
D. Gandini, *Crocifissione e santi* da Marco Palmezzano, in F. Ranalli, *Reale Galleria di Firenze*, 1841.

primitivi, giovò alla fortuna di Palmezzano la rivalutazione dell'arte cristiana quattrocentesca sulla scorta di Rumohr e di Rio. Sicché, dopo il primo exploit in traduzione per il catalogo di Brera, dove ancora non erano sciolte le riserve sullo stile, il forlivese viene incluso, con un entusiastico commento, nella serie di incisioni promossa da Bartolini, Bezzuoli e Jesi per gli Uffizi. Qui il pittore è rappresentato con l'unico dipinto della raccolta, la *Crocifissione*, nell'ottima traduzione in rame di Domenico Gandini[99] (fig. 9). La tavola, che il commentatore dice confrontabile col Perugino "o qualche altro di quella purissima scuola" e "ha tutta la semplicità de' quattrocentisti [...] proprietà di espressioni, nobiltà de' panneggiamenti [...] e vero della natura [...] nelle teste e nelle attitudini", entrava così con ottimi auspici nella circolazione delle stampe destinate a conoscitori e collezionisti[100]. Qualche anno più tardi, Palmezzano partecipa tra altri comprimari di Raffaello alla rassegna normalizzante tracciata da Giovanni Rosini nella sua *Storia*, strappando un particolare elogio per la *Comunione degli apostoli*, la cui traduzione in rame a puro contorno è pubblicata nell'edizione del 1851[101].

La storia della fortuna di Palmezzano nell'Ottocento segue la via tracciata dalle sottoscrizioni: l'ampia produzione quasi seriale dell'artista si rivela congeniale al mercato, ove vi è sempre spazio per opere "di scuola" e fisionomie riconoscibili e rassicuranti. Come altri, Palmezzano si presta alla formazione di stereotipi utili per fissare punti fermi nella galassia dei "minori" ai quali agganciare nuove "personalità". Figure come Palmezzano offrono a mercanti, restauratori e falsari qualche possibilità di "invenzione", o pescando tra la

miriade di opere senza paternità messe a disposizione dal mercato, o convertendo tavole stilisticamente flessibili in nomi di fama. È interessante osservare come, assai presto, a ridosso delle prime segnalazioni presso le grandi gallerie nazionali e sulla scorta del primo tracciato storiografico offerto da Lanzi, Palmezzano entri di diritto in quella particolare forma di letteratura artistica ottocentesca rappresentata dai dizionari biografici, che affiancano alla narrazione dei compendi storici una tassonomia dell'arte costruita per individualità in forma di voci esemplificative e classificatorie, congeniali alle esigenze del collezionismo e del nascente gusto borghese[102].

La distribuzione di Palmezzano sul mercato prende avvio con Brera: il 4 febbraio 1820, tra le tavole del pittore considerate di seconda importanza già da Appiani e scelte per eventuali scambi, due vengono vendute all'antiquario Annibale Costa[103]. Nello stesso anno, il 27 maggio, una *Natività*, forse perché costituiva un "doppio" rispetto alla versione di più grande formato posseduta dal museo, fu ceduta con altri dipinti al signor De Sivry (l'opera ora è a Grenoble[104]); mentre una piccola tavola "forse del Palmezzano" con la *Vergine col Bambino in trono e un santo* fu concessa ad Antonio Fidanza il 23 maggio 1822[105]. Non trascorre molto tempo e si segnalano le prime vendite all'estero: nel 1821 il Museo di Berlino acquistò la *Madonna col Bambino in trono fra i santi Girolamo e Barbara* con l'intera collezione di opere di maestri del Quattrocento esportata senza fatica dall'Italia dal mercante di legnami inglese Edward Solly attorno al 1815[106]. La *Madonna col Bambino in trono fra san Giovannino e san Giovanni Battista e santa Lucia con angelo musicante* dalla collezione Hercolani passò a quella del cardinale Fesch e, quindi, nel 1840, al reverendo Walter Davenport Bromley a Wootton Hall (Londra); infine, nel 1863 fu acquistata dalla National Gallery of Ireland, dopo aver meritato una buona segnalazione di G. F. Waagen[107]. Ancora la *Madonna in trono fra i santi* (tavola Calzolari) dalla raccolta Hercolani migra in Inghilterra e nel 1860 fu vista dal Cavalcaselle presso il marchese Northampton di Londra[108].

A ridosso del quinto decennio dell'Ottocento, con altri primitivi italiani, anche Palmezzano trova dunque accoglienza precoce ed empatica nel gusto anglosassone. Una significativa testimonianza è quella lasciata da Lord Alexander William Crawford Lindsay nel suo terzo viaggio in Italia, tra il 1841 e il 1842. Alla ricerca di monumenti dell'arte dei primi secoli, visti soprattutto attraverso l'iconografia, Lindsay percorre le vie che dall'Emilia conducono alla Romagna e alle Marche. A Forlì, il 22 maggio 1842, incontra Palmezzano: "I have made a *discovery*! [...] It consists of a series of 3 frescoes in the church of S. Jeronimo [...] in the Cappella Gentilizia or family Chapel of the Ordelaffi"[109]. L'entusiasta descrizione

dei dipinti che segue restituisce una sensibilità in anticipo sul gusto preraffaellita: "[…] The two lower compartments are much injured but the upper one, representing the miracle of the cock and hen, is in very good preservation, the composition is beautiful, the figures full of dignity and life, the costumes most picturesque and varied – no two figures are in the same dress – the faces expressive, the attitudes either appropriate in action or characteristic in their repose. And […] are sketched and touched off with a sort of graceful ease that bespeaks the painter a gentlemen"[110]. Molte sono le ragioni per cui, secondo Lindsay, l'artista meriterebbe una sua nicchia nel tempio dell'arte: composizione della cupola ("in some of his figures he reminds me of Benozzo – in the rich picturesque gentlemanly character he resembles Pinturicchio"), prospettive eccellenti e ornate, figure e cherubini che lo dichiarano allievo di Melozzo[111]. La scoperta degli affreschi – non nominati da Vasari e dai suoi commentatori (ai quali si affidava il Lord nel percorso romagnolo)[112] e attribuiti a Mantegna da Valery[113] – si deve alla polizzina ("At first sight you percieve that the painter has inscribed his name on a scroll attached to one of the pillars"[114]) ormai cancellata da mani vandaliche ("some wanton vagabond had carefully erased with a sharp instrument the whole inscription"), che tuttavia Lindsay riesce in parte a ricostruire sulla base di confronti con altri cartellini visti nelle chiese di Forlì (come quello della Pala Acconci in San Girolamo)[115]. Concluso che il nome dell'artista sia "unquestionably Palmerani", o "Palmigerani", Lord Lindsay scrive: "Well, I think our hero ows me thanks for all this trouble I have taken about him. He will certainly obtain a paragraph in my book"[116]. Ma la mole di materiali raccolti in Italia avrebbe imposto a Lindsay di scartare molto, tutto sommato mantenendo l'ago della bussola orientato verso la Toscana e il centro Italia, e l'ingresso di Palmezzano negli *Sketches, of the History of Christian Art* (pubblicati nel 1847) non avvenne. Tuttavia, le lettere del Lord – scritte prima della pubblicazione delle guide Murray, di Frances Palgrave e di Octavian Blewitt (che avverrà tra il 1842 e il 1843) – sono la carta al tornasole di un processo di mutamento nel gusto nel *Grand Tour* anglosassone, la cui metabolizzazione richiederà sul piano critico ancora qualche tempo[117].
Negli anni compresi tra il 1842 e il 1858 le note su Palmezzano di Franz Kugler[118] e Gustav Friedrich Waagen[119] segnalano il consolidarsi di un certo interesse per l'artista presso il collezionismo anglosassone, cui fa da apertura la *connoisseurship* tedesca che gioca un ruolo importante nel mutamento del gusto inglese e nell'apertura verso l'arte rinascimentale[120]. La consacrazione avverrà alla mostra di Manchester del 1857, dove Palmezzano rappresenta la scuola di

Romagna[121]. Ma sono soprattutto i taccuini di viaggio di Otto Mündler[122], redatti in vista delle acquisizioni della National Gallery di Londra tra il 1855 e il 1858, che restituiscono, nella chiave di lucida ispezione territoriale del conoscitore e viaggiatore esperto mandato da Charles Eastlake a fiutare capolavori in giro per l'Italia, il profilo dell'artista attentamente vagliato sulla qualità. Indipendentemente dalle sottoscrizioni, il 5 giugno 1858 Mündler assegna a Palmezzano la pala di Matelica (fino allora ritenuta di Melozzo), dodici anni prima di Cavalcaselle. Giudica l'opera uno dei migliori lavori del maestro: "The church of S. Francesco dei Zoccolanti or Minori osservanti might almost be called a museum. Three pictures are particulary important: The Virgin enthroned, holding the Infant Christ standing, on her r[ight] leg. S. Francis & S. Catherine standing around the throne richly adorned with arabesques, having a sort of daiz, 4 pilasters around etc. back-ground Landscape, with a cavern. S. Catherine is holding an entire wheel. A predella in 5 divisions with a St. Martyr on a white horse; a last stupper; S. Francis receiving the marks; a S. Jerome etc. – On the side pilasters are six whole-length figures. Above a Pietà with 5 figures. A large altar-piece of the very finest quality of Palmezzano, splendidly coloured. With the exception of a few white spots in excellent state; untouched. The central part measures 6 f[eet] 2 inches square. Property of the family de Luca. It may be added that the Virgin, the Child & St. Catherine have a certain unintellectual, narrow, low-bred look, which is pretty nearly the general character of M. Palmezzano's works who seldom, if ever, shows any real elevation"[123]. Mündler restituisce a Palmezzano anche la cimasa della *Comunione degli apostoli*, che era trattenuta a Roma presso Gismondi e proposta in vendita per un prezzo che egli giudicava esagerato, per quanto l'opera fosse, a suo parere, tra le migliori dell'artista. Quando la tavola fu acquistata dalla National Gallery Eastlake poteva scrivere a Layard che si trattava, nel caso di Palmezzano, di una dimostrazione dei pregi della moderna *connoisseurship* in grado di aggirare cambi di nome e mutamenti di contesto[124].
All'incirca negli stessi anni, tra il 1831 e il 1860, Gaetano Giordani annota le sue ricognizioni sul territorio emiliano in parte ricalcate sulle indicazioni di Oretti. Presso mercanti e antiquari vede opere scivolate sul mercato attraverso le maglie larghe delle requisizioni, e pronte per il collezionismo italiano e straniero. Presso l'ex chiesa del Carmine di Cesena, deposito dei rivenditori di opere d'arte Silvestro Ragazzini e Giovanni Guerra, ci sono tre tavole grandi che prenderanno la via di Roma[125]: *una Beata Vergine col Bambino e ai lati i Santi Apostoli Pietro e Paolo, Francesco e Bernardino da Valverde in Forlì*[126]; una pala con la *Vergine con Bambino e diversi*

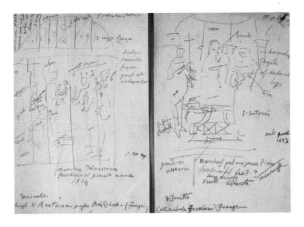

10.
Giovanni Battista Cavalcaselle, Disegno dell'*Adorazione dei Magi* e della lunetta con *Gesù tra i dottori nel tempio*, di Marco Palmezzano, Venezia, Biblioteca Nazionale marciana, Fondo Cavalcaselle.

11.
Girolamo Reggiani, Pietro Zampighi, Disegno del *Trittico della Madonna con il Bambino, i santi Caterina d'Alessandria, Domenico, Antonio da Padova e Sebastiano e i devoti committenti, Miracolo dell'impiccato* di Marco Palmezzano, particolare, Forlì, Biblioteca Comunale A. Saffi.

12.
Marco Palmezzano, *Battesimo di Cristo*, già Cassa Croppi.

Santi "del Palmeggiani di Forlì, segnata col nome del pittore e l'anno 1537" (dalla chiesa di San Domenico a Forlì dove l'aveva notata l'Oretti: "una bella antica tavola d'altare")[127]; e una *Beata Vergine e*

santi "dello stesso Palmeggiani, tavola che ha alquanto sofferto le ingiurie del tempo"[128].

Dal punto di vista della lettura stilistica Giordani orienta le osservazioni verso Venezia: le figure dell'Arcangelo Michele e della Vergine nell'*Annunciazione* a Forlimpopoli gli appaiono "graziose" e "grandiose per disegno, e nel colorito rammentano la maniera veneta"[129]. L'idea di un Palmezzano "imitatore di Gio. Bellini, e del Luino" e vicino a Cima, come appare a Giordani nel *Cristo portacroce* della Pinacoteca di Forlì, sarà in seguito accolta da Cavalcaselle[130] (fig. 10) e trova corrispondenza in alcuni casi di firme apocrife. È iscrizione antica, e perciò indicativa "dei legami che univano il Palmezzano al maestro veneziano"[131] e di una prassi della copia praticata dal pittore forlivese, la sottoscrizione nella *Giuditta con la testa di Oloferne* di Ginevra del 1526 (Musée d'Art et d'Histoire; "IOHANNES BELLINVS / MCCCCCXXV" che compare sul cartellino stracciato sulla cesta[132]); ma sono false, e perciò dirette al mercato moderno, le firme di Bellini nella *Sacra Famiglia* della collezione Nemes (in mostra a Budapest nel 1937[133]; "Joannes Bellinus P. 1518") e quella che si leggeva nel *Martirio di san Sebastiano* di Karlsruhe (Kunsthalle) di cui Cavalcaselle e Thode davano due versioni lievemente discordanti ("JOANNES BELLINUS PINGEBAT MCCCCLXXI" – il primo –, "Joannes Bellinus Inv. Pingebat" – il secondo)[134]. Anche la tavola col *Cristo portacroce* della Pinacoteca di Faenza, non firmata, "sotto quel nome [di Bellini]" era "riprodotta in una incisione", stando a quanto riferisce Calzini[135]. A queste si aggiunga poi la *Giuditta con la testa di Oloferne* di Berkeley Castle che porta la firma "Giacomo / Palma / fecit 1536"[136]. La leggenda di Palmezzano ottimo imitatore dello stile di altri era radicata anche nella letteratura locale; riferiva infatti Rosetti che "ebbe spesso a trarre in inganno non solo i curiosi, ma gli stessi maestri, che spacciarono le tavole del Gian Bellini in luogo delle proprie di lui, e così barattavano le sue con alcune altre di quell'artista"[137].

Il gioco delle firme *ad maiorem gloriam* sembra fosse iniziato a Forlì con Girolamo Reggiani (fig. 11) allo scopo di vendere bene, incrementando il catalogo di Melozzo. Dopo il fortunato ritrovamento della lunetta con la *Pietà* "che serviva di tavola da cucina" in vescovado, Reggiani intervenne con un "restauro", e aggiunge il nome di "Marcus Melotius"; quindi pubblicò la "scoperta" e vendette la tavola nel 1851 al mercante romano Enea Vito "nondimeno come opera del Melozzo che di lui aveva dipinto il nome"[138]. Sempre Reggiani, come mi comunica Tumidei, inserisce la firma "Marcus de Melotius pictor foroliviensis faciebat" nel *Battesimo di Gesù* (tavola dispersa) già della famiglia Croppi di Forlì[139] (fig. 12). L'operazione inversa consistette nella "creazione" del pittore Marco Valerio Morolini, epigono *alter ego* di Palmezzano, per la cui invenzione potevano offrire buon campo cartigli or-

mai illeggibili o facilmente integrabili[140]. Morolini trovò presto accoglienza nella letteratura locale: per primo Casali accredita le firme sulla tavola Denti della Santissima Trinità, sull'*Annunciazione* del Carmine e sul *Crocifisso, san Giovanni Gualberto e la Maddalena* di San Mercuriale[141]; quindi è la volta di Rosetti, per il quale "il Palmezzani fiorì di scolari, e d'imitatori" fra i quali "il principale si scorge essere stato Marco Valerio Morolini"[142]. La nuova creatura, per la quale è ancora in odor di sospetto Reggiani[143], superò i confini dell'agiografia locale, trovò credito presso Cavalcaselle[144], quindi, negli anni ottanta dell'Ottocento, nel *Cicerone* di Burckhardt[145], ed entrò nella manualistica con la *Storia dell'arte Italiana* di Basilio Magni nel 1905[146].
La questione dell'identità stilistica di Palmezzano avrebbe trovato la soluzione ideale nel metodo morelliano: l'agile parallelismo fra il segno del pennello e le firme dell'artista veniva in soccorso di dubbi attributivi. Orecchie e scrittura concorrono all'autenticazione del ritratto di Cesare Borgia del Museo Correr di Venezia; ne "L'Arte" del 1899 Adolfo Venturi rispondeva a una domanda sull'autenticità del dipinto con queste parole: "È evidente che il ritratto fu eseguito da Marco Palmezzano. L'orecchio tanto nella sua forma tonda, come nel suo colore svanito, è proprio di questo maestro. È uno dei casi in cui possiamo tenere molto conto di tale particolarità, perché il Palmezzano la rifece sempre ugualmente, così come usò ne' suoi cartellini sempre una scrittura uniforme"[147].
Le ricognizioni di Morelli e Cavalcaselle[148], a ridosso dell'unità d'Italia, inaugurano anche da noi una fortunata stagione critica per Palmezzano[149]. Ospite di rilievo nella *Storia* di Cavalcaselle e Crowe e nel *Melozzo* di August Schmarsow[150], Palmezzano vide la prima monografia artistica a lui interamente dedicata per opera di Calzini nel 1894; quindi ci fu l'ingresso nella *Storia* di Venturi[151], e infine la bella monografia di Rezio Buscaroli del 1931[152]. L'accurata rassegna bibliografica raccolta da Grigioni nel 1956, mostra che, tra fine Ottocento e inizio Novecento, gli studi sull'artista si erano moltiplicati e con essi le citazioni in cataloghi di gallerie pubbliche e private

che restituivano l'andamento vivace del mercato. Ma i tempi della critica sarebbero presto cambiati. Negletto o quasi da Roberto Longhi, se non per quelle poche cose che potevano sembrare esiti vaghissimi di un rinascimento di fronda nelle plaghe emiliane[153], il profilo dell'artista sbiadisce nell'inevitabile confronto con Melozzo proposto dalla mostra del 1938. Artista "non molto piacevole, come si sa" (Pittaluga)[154], "che appena lavorò da solo […] rivela la mediocrità del suo temperamento" (Pallucchini)[155], "traduttore quasi caricaturale del maestro" (Toesca)[156], dotato di "limitatissime virtù di artista provinciale, preso tra opposti influssi" (Gengaro)[157], al quale non possono spettare attribuzioni di qualità come l'"*Annunciazione* di Carpi, assegnata un tempo [a lui] ma ormai concordemente riconosciuta come una delle opere più alte di Vincenzo Catena" (Salvini)[158], a Palmezzano, dalla fine degli anni trenta, resta il ruolo di mediocre comprimario sulla scena dell'arte italiana.

Palmezzano romagnolo: un epilogo
C'era una parte però in cui Palmezzano avrebbe avuto il ruolo di primo attore, non dovendo restare secondo a nessuno: quella dell'artista "romagnolo". La vicenda di quest'immagine "tipo" matura tra la fine dell'Ottocento e l'inizio del Novecento e trova definizione negli anni del regime fascista, cioè nella fase conclusiva della creazione di quell'idea stereotipa della Romagna e dei romagnoli cui concorrono forme diverse della cultura locale e nazionale (politica e letteraria). Se l'"internazionale" Melozzo, infatti, poteva essere assunto come artista esemplare per la sovrapposizione ideale tra regione e nazione che si avviò in epoca giolittiana e trovò il punto di massima formulazione nella celebrazione della terra del Duce[159] in cui si inserì la mostra del 1938 (fig. 13), Palmezzano, per vicende biografiche e aspetti artistici, poteva invece trovare spazio nel recupero (o meglio reinvenzione) della cultura popolare locale, operato in seno al regionalismo a partire da *La Romagna* di Emilio Rosetti (1894) e portato al perfetto funzionamento di immagine di massa da Aldo Spallicci tra gli anni dieci e venti del XX secolo.
Già nella prima biografia "agiografica", quella di Casali, l'immagine dell'artista di nobili natali pone un ostacolo alla definizione della figura esemplare ritagliata sull'aneddotica vasariana, che predilige lo svolgimento di una carriera tutta in crescita, vuoi per genialità e attitudini innate, vuoi per impegno e faticoso progresso nelle arti: un modello biografico congeniale alla fase di affermazione della piccola e media borghesia, per la quale le doti di mano e di carattere potevano offrire un efficace luogo di riconoscimento. Non è ancora la formula dell'artigiano educato, cara alla letteratura del self-help quella che compare nella

biografia di Casali; ma non si possono escludere suggestioni della visione pedagogica e moralizzante dell'arte espressa da Cesare Cantù e Pietro Selvatico[160], là dove la questione dell'origine familiare è trasformata nell'immagine dei genitori che assecondano l'inclinazione del fanciullo e perciò trovano approvazione nel maestro: "Nella città di Forlì, feconda madre in ogni campo di chiarissimi ingegni, ebbe Marco i natali verso il 1456 da Antonio Palmezzani e Antonia di Gaspare Bonucci, ambedue discendenti di nobili e antiche famiglie; i quali conoscendo per molti segni l'indole del figliuolo, lo posero in fresca età all'arte del dipingere […] sotto le discipline di Marco Melozzo degli Ambrogi loro concittadino, e maestro eccellentissimo di quello esercizio. E veramente furono in ciò da lodarsi assai, perché la mala usanza tuttavia da alcuni seguita, di non secondare i figliuoli nell'eleggere la professione, fura pur troppo spesso alla patria il frutto di nobilissimi ingegni […]. Marco adunque per dimostrasi grato alla condiscendenza de' genitori, mise ogni studio a divenir valente nell'arte. E pare bene che anche Melozzo si compiacesse della felice attitudine e del buon volere del discepolo, trovando ch'ei lo mise a far copia di alcune sue opere"[161].

Il percorso operoso di Palmezzano riscatta le origini con parabola inversa: "Sebbene nobile e agiato e' fosse, aveva però nella mente impresso quanto cantò il divino Alighieri nel XXIV dell'Inferno: '[…] che seggendo in piuma / in fama non si vien, né sotto coltre'"[162], e può diventare un illustre esempio per i giovani che vorranno dedicarsi all'arte [163].

Qualche anno più tardi, in pieno conflitto risorgimentale, per il reazionario canonico Rosetti la nobile stirpe da cui discende Palmezzano diventa occasione per una strenua difesa dei valori della nobiltà che non si sottrae all'esercizio delle arti, ma anzi le eleva ai massimi valori morali. Palmezzano, infatti, "s'illustrò sommamente nella pittura, sebbene fosse nato di natali splendidi, e vantati. I quali egli rendeva più seguitati colle sue tinte ammirevoli"[164]. Non era stato il desiderio di guadagno, che sempre muove gli artisti di bassa estrazione[165], a spingere Palmezzano verso l'arte, ma l'indole: "Portò […] tanto amore all'arte, che mai non rifiniva di esercitarvisi. E quando non aveva come allogarla vi si adoperava in grazia di studio. Di che abbiamo assaissimo di lui"[166], che ne fa "esempio e stimolo per i giovani" e soprattutto per quei nobili che "non reputano a sé medesimi negata, né disonorevole alcuna delle occupazioni, a cui si arriva non già colla magia dei titoli, e dei cognomi; ma bensì con quella dell'intelletto e del cuore"[167].

Sedate le tensioni che, dopo l'unità d'Italia, avevano fatto per un certo tempo della Romagna il paese del conflitto politico, l'immagine di Palmezzano trascolora in toni intimi, per trasmettere l'idea di un uomo mite, pacificato con se stesso e con il mondo, secon-

do un modello che dagli anni ottanta dell'Ottocento si sviluppa sulla scia di Pascoli[168]. Ecco il profilo di Palmezzano nelle pagine di Calzini: "D'indole così mite e per natura così tranquillo, contrasta con il carattere de' suoi antenati fieri e arditi e sempre in mezzo a congiure e a lotte correnti, mentre l'artista gentile e modesto si mostra estremamente invaghito dell'arte prediletta, a cui consacra la maggior parte degli affetti e tutta l'operosità d'una vita lunghissima"[169]. Lo stereotipo s'arricchisce dei temi tranquillizzanti della famiglia, degli affetti e della casa, dove l'artista condusse tutta l'esistenza: "Tommaso, Marco il pittore, e gli altri fratelli abitavano nell'antica casa paterna, quella stessa che oggi porta il n. 89, nella via Garibaldi"[170]. Poco importava che la casa di via Garibaldi fosse davvero quella dove la famiglia Palmezzani aveva abitato; bastavano i caratteri d'antichità dell'edificio per mettere in scena la ricostruzione del passato[171] e procedere alla teatralizzazione del territorio ormai trasformato in luogo della memoria[172]. Marco, legato alla casa, alla famiglia, poteva così diventare il modello dell'artista al quale si deve la continuità della tradizione dell'arte in Romagna: "Del lavoro ebbe la febbre, ma non visse in fretta; l'abito della temperanza, le consuetudini sue pacifiche, l'indole sua gentile, serena. Guardiamolo nel suo ritratto: simpatico vecchio sorridente! […] Più laborioso che fecondo, fu soprattutto ed essenzialmente pittore religioso […] ci confermiamo sempre più nell'idea che M. Palmezzano, senza asserire che molto contribuisse all'incremento dell'arte, molto invece, ed efficacemente giovò, su tutti gli altri maestri contemporanei romagnoli, a tener vive le belle tradizioni dell'arte stessa in Romagna"[173].

Nel 1924, spurgato di qualsivoglia residuo accademico, Palmezzano si trasforma nel perfetto romagnolo di Aldo Spallacci, il creatore del folklore locale, grazie alla penna di Eugenio Mengozzi: "Discepolo di Marco Melozzo degli Ambrogi, anzi da lui creato quasi direi, e dal maestro ebbe tanto; ebbe il mestiere, cioè quella difficile eredità di abilità, di accorgimenti, di possibilità materiali di risoluzione, che i moderni hanno voluto ripudiare come inutile e servile, pur cercando di possedere nuovamente inventandola, ognuno a modo suo."[174]. In scena tutti gli stereotipi utili per la costruzione del personaggio: la casa, la famiglia, l'apprendistato presso Melozzo e l'uomo; i *topoi* della vita dell'artista sono illustrati, nella seconda edizione in opuscolo del 1928[175], da tre fotografie: l'*Autoritratto*, il "capolavoro" (cioè la *Comunione degli apostoli*) e la casa di via Garibaldi.

Nel 1925, Palmezzano può essere presentato da Carlo Grigioni come l'esponente esemplare dell'arte romagnola e forlivese nell'opuscolo pubblicato in occasione della Biennale delle arti decorative di Monza[176]. Non sarà stato un caso, allora, che in virtù della mediazione di Spallacci, nello stesso anno, Emilio Lega proponesse a Carlo Piancastelli l'acquisto di un'opera di Palmezzano che era conservata in una collezione milanese[177].

Al fascino del romagnolo *genuino* cede anche Rezio Buscaroli, inserendo una nota di particolare folklore quando osserva, nella sua monografia, che l'artista è in grado di "fare della Madonna la Madre popolare romagnola e soddisfare all'impulso religioso della gente sacra e laica, che vuol tradotto in linguaggio d'uso il senso mistico"[178].

Si è compiuta la trasformazione in pittore-artigiano, libero dal peso ingombrante delle nobili origini. "Garzone e allievo di Melozzo", "provinciale, chiuso nella sua bottega con le tavole e i cartoni del Maestro", per Vero Roberti Palmezzano "è rimasto l'artigiano del piccolo centro", "di sentimenti popolari, comprensibili dalla borghesia agricola e dall'artigianato manifatturiero di quel tempo". Le sue "figurazioni […] con una espressione devota di religiosità popolare […] di fronte alla grand'arte del Melozzo" lo rivelano "[…] artigiano del Quattrocento"; la sua grande produzione, infatti, ricorda "gli artieri laboriosi e forti della nostra terra, che solo nel lavoro e nella famiglia ebbero la ragione della loro esistenza". In questo quadretto popolare, l'opera "sana e onesta" del "sincero e grande lavoratore", comprende il femminino romagnolo della Maddalena-Rachele del *Crocifisso* di San Mercuriale: "Ottimo ritratto di una madre romagnola, buona e lavoratrice"[179].

L'artista dallo "sguardo sincero e fermo", dotato di "ingenuità e dolcezza d'animo, [...] intelligenza robusta, [...] volontà ferma e [...] forte potenza d'applicazione"[180] troverà consacrazione ultima nella monumentale monografia di Grigioni: "'Pittore dialettale' e tale più schiettamente nelle opere in cui meno si sorveglia", Palmezzano, "uomo non di eroismi […], ma dalla mente ordinata e metodica, dal carattere costante e prudente, dall'operosità tenace e instancabile", dotato di "amore per la terra romagnola"[181], "fu, come nessun altro, vero pittore di Forlì[182].

Usciva di lì a poco il *Viaggio in Italia* di Guido Piovene (1957), pensato per la nascente RAI Radiotelevisione Italiana. Attraversando le regioni del dopoguerra, lo scrittore restituisce in una più intima visione letteraria l'immagine da cartolina che aveva attraversato, non indenne, l'ultimo conflitto mondiale e si sofferma con disincanto sui costumi e la vita sociale che animano la provincia italiana piuttosto che in rare osservazioni da turista d'arte; eppure: "A Forlì ammiriamo San Mercuriale, e il suo bel campanile. Entriamo nella pinacoteca, dove non si impara a conoscere il massimo dei pittori di questa città, Melozzo, ma quel suo grande allievo che fu Marco Palmezzano"[183].

[1] Ringrazio Paola Cacciari, Marisa Caprara, Maria Monica Donato, Paola Errani, Anna Colombi Ferretti, Massimo Ferretti, Fabrizio Lollini, Manuela Mattioli, Adele Pompili, Serena Togni, Stefano Tumidei, Giuseppina Succi, Giovanni Villa per avermi offerto aiuto e consigli preziosi durante la preparazione di questo lavoro.

[2] *I maestri di un tempo*, con prefazione di Mary Pittaluga, traduzione di Anna Bovero, Francesco De Silva, Torino 1943, pp. 1-2.

[3] Sem Benelli, *Appunti manoscritti*, datati 4/5/34, cc. [7], qui c. 1r, Forlì, Biblioteca Comunale "Aurelio Saffi", ms. Sez. Forlì, Caterina Sforza, cart. 85.

[4] Sem Benelli, *Caterina Sforza*, A. Mondadori, Milano 1934, pp. 17-18.

[5] Benelli, *Caterina Sforza*, cit., p. 12.

[6] Luca Pacioli, *Summa de Aritmetica & Geometria Proporzioni & Proporzionalità*, Paganino de Paganini da Brescia, Venezia, 1494, c. 2r (cit. in Carlo Grigioni, *Marco Palmezzano pittore forlivese*, Fratelli Lega, Faenza 1956, p. 169).

[7] Pacioli, *Summa*, cit., c. 2r.

[8] Sul *topos* letterario della pittura "parlante" cfr. Roberto Guerrini, *L'arte figurativa*, in *Lo spazio letterario di Roma antica. IV. L'attualizzazione del testo*, Salerno ed., Roma 1991, pp. 263-306, qui pp. 284-286; Patrizia Castelli, *"Imagines spirantes"*, in *Immaginare l'autore. Il ritratto del letterato nella cultura umanistica*, Convegno di studi, Firenze 26-27 marzo 1998, Polistampa, Firenze 2000, pp. 35-62, in particolare pp. 50-57 (entrambi con bibliografia precedente).

[9] La datazione è stata proposta da Piccioni in considerazione della documentata presenza di Uberti a Ravenna in quell'anno. Sul manoscritto si vedano: Luigi Piccioni, *Di Francesco Uberti umanista cesenate de' tempi di Malatesta Novello e di Cesare Borgia*, Nicola Zanichelli, Bologna 1903, pp. 13-16, 126-127, 268; Anna Saitta Revignas, *Catalogo dei manoscritti della Biblioteca Casanatense*, volume VI, Istituto poligrafico dello Stato – Libreria dello Stato, Roma 1978, pp. 10-15; su Uberti cfr. anche Gherardo Ortalli, *Malatestiana e dintorni. La cultura cesenate tra Malatesta Novello e il Valentino*, in *Storia di Cesena, Il Medioevo, 2, (secoli XIV-XV)*, a cura di A. Vasina, Bruno Ghigi, Rimini 1985, pp. 129-165, in particolare pp. 148-153.

[10] Franciscus Ubertus, *Epigrammaton libellus*, Roma, Biblioteca Casanatense, ms. 504, cc. 16v-17r. (n. 65). Il primo a scrivere dei versi, dietro segnalazione di Adamo Pasini e a pubblicarli fu Grigioni, *Marco Palmezzano pittore di Forlì*, cit., p. XII. Lo stesso tema è in altri modi affrontato da Uberti in un breve componimento d'elogio per un'opera di Andrea Riccio. I versi sono forse una traccia che riconduce alla presenza a Cesena di Riccio (passaggio che fu forse preceduto da contatti veneziani tra l'umanista e lo scultore), nel 1498: il breve componimento porge in altra veste l'*ekfrasis* col tema dell'effige "parlante" che consolida la memoria del ritrattato presso famigliari e posteri: "In simulacrum Primi Carij Danduli marmoreum./Dandolus en Primi nonne hec est Carius? Ipse est./Ergo oculos in se vertet reticensque loquensque./Esse Domi poterit vivus, et esse Foris." Il componimento fa parte della raccolta di epigrammi dedicati al doge veneziano Leonardo Loredan (*Ad Serenissimum Principem ac Dei Gratia Ducem Venetiarum Dominum Leonardum Lauretanum, Francisci Uberti Poetae Caesenatis bona cum omnium venia libellus Epigrammaton*) compresi nella raccolta miscellanea del ms. D.I. 2, Franciscus Ubertus Caesenatensis, *Opera omnia in unum collecta, cum vita eiusdem Auctoris a Nicolao II Masinio conscripta*, alle cc. 154r-181r, qui c. 163r; il volume fu donato alla Biblioteca Malatestiana da Niccolò II Masini nella prima metà XVI secolo. Secondo Piccioni (*Di Francesco Uberti umanista cesenate…*, cit., p. 102), Uberti fu a Venezia attorno al 1482, dove intrecciò rapporti anche con i Dandolo e i Barbarigo (ivi p. 111).

[11] Stefano Tumidei, *Un'aggiunta al "Maestro dei Baldraccani" e qualche appunto sulla pittura romagnola del tardo Quattrocento*, in "Prospettiva", 49, 1987, pp. 80-91, qui pp. 81-82.

[12] L'attribuzione era di Bernard Berenson, cfr. Grigioni, *Marco Palmezzano*, cit., p. 705.

[13] Piccioni, *Di Francesco Uberti umanista cesenate …*, cit., p. 14 nota 1.

[14] Nel codice casanatense, l'unica iniziale decorata a c. 2v (G) – a nastri disposti in intreccio geometrico in foglia d'oro su campo azzurro – resta un esempio isolato per la singolare tipologia decorativa, mentre il fregio a piccoli fiori, arabeschi e borchie d'oro si allinea con analoghe forme della decorazione bolognese d'epoca bentivolesca; solo per il fregio è possibile un riscontro con i contemporanei corali del duomo di Cesena (sui quali cfr. Maria Francesca Ciucciomini, *La serie dei Corali del Duomo nella miniatura dell'ultimo trentennio del Quattrocento* e schede *Duomo D* e *Duomo F* in *Corali miniati del Quattrocento nella Biblioteca Malatestiana*, a cura di Piero Lucchi, Milano 1989, pp. 37-46, 115-141). La presenza di Palmezzano tra i protagonisti della storia forlivese tra fine Quattrocento

e inizi Cinquecento indusse Charles Yriarte (*Cesar Borgia*, Rotschild, Paris 1889, I, p. 267) ad attribuire alla sua mano le modeste miniature che ornano le carte 61v e 42r delle raccolte di epigrammi di Uberti per Alessandro VI e Cesare Borgia, nella miscellanea D.I. 2 della Malatestiana; esse, a suo parere, "hanno tutti i caratteri delle opere di Marco Palmezzano", opinione dalla quale dissentiva Piccioni (1903, p. 6 nota 2) che riteneva una testimonianza certa dell'estraneità di Palmezzano alla decorazione miniata l'epigramma nel manoscritto della Casanatense dove non si fa cenno a un'attività di miniatore.

[15] Cfr. Grigioni, *Marco Palmezzano pittore forlivese*, cit., p. 318; ma si veda anche in questa sede il regesto dei documenti *ad annum*.

[16] Andrea Bernardi (Novacula), *Cronache Forlivesi, dal 1476 al 1517*, a cura di G. Mazzatinti, Reale deputazione di storia patria per le province di Romagna, 1897, pp. 309-310.

[17] *Cronaca Albertina*, XVI secolo, Forlì, Biblioteca Comunale "A. Saffi", ms. 220, c. 617.

[18] Zygmunt Wazbinski, *Le "cartellino". Origine et avatars d'une ethiquete*, in "Pantheon", XXI (1963), pp. 278-283; Maria Monica Donato, *Kunstliteratur manumentale. Qualche riflessione e un progetto per la firma dell'artista, dal Medioevo al Rinascimento*, in "Letteratura e arte", I (2003), pp. 23-47, qui pp. 40-41.

[19] Wazbinski, *Le "cartellino"*, cit., p. 280.

[20] Louisa C. Matthew, *The Painter's Presence: Signatures in Venetian Renaissance Pictures*, in "The Art Bulletin", LXXX (1998), n. 4, pp. 616-648, qui p. 620.

[21] Wazbinski, *Le "cartellino"*, cit., p. 281; Matthew, *The Painter's Presence..*, cit., pp. 629-633.

[22] Cfr. Rona Goffen, *Signatures inscribing: Identity in Italian Renaissance Art*, in "Viator. Medieval and Renaissance Studies", 32 (2001), pp. 303-370, qui pp. 315-317.

[23] Sul soggiorno veneziano di Palmezzano cfr. Giordano Viroli, *Pittura del Cinquecento a Forlì*, tomo primo, con una presentazione di Andrea Emiliani, Nuova Alfa Editoriale, Bologna 1991, p. 51; si veda qui anche il regesto dei documenti *ad annum*. Sul rapporto tra Palmezzano e la pittura veneziana, in particolare Giovanni Bellini: Anchise Tempestini, *Giovanni Bellini e Marco Palmezzano*, in "Antichità viva", XXXI (1992), n. 5-6, pp. 5-12.

[24] Sull'uso standardizzato della firma veneziana e su una possibile analogia con le note tipografiche cfr. Matthew, *The Painter's Presence...*, cit., pp. 624-627; Goffen, *Signatures inscribing...*, cit., pp. 318-319.

[25] Salvatore Battaglia, *ad vocem*, in *Grande Dizionario della lingua italiana*, XIII, UTET, Torino 1986, pp. 777-778.

[26] Fa eccezione il *Cristo morto con Giuseppe d'Arimatea, Nicodemo e Maria Maddalena* del Museo Civico di Vicenza: qui il cartellino è affisso a una quinta di roccia in alto a sinistra.

[27] La ceralacca come modo per incollare il cartellino compare anche nel *Battesimo di Cristo* della Pinacoteca di Forlì (1534), che porta l'iscrizione: "Marchus palmezanus / pictor foroliviensis / faciebat 1534" (firma tutta autentica, e una delle poche con la data in cifre arabe come osserva Grigioni; se ne veda la riproduzione in Viroli, *Pittura del Cinquecento a Forlì*, cit., p. 138); nel *Cristo morto con la Maddalena, Nicodemo e Giuseppe d'Arimatea* di Vicenza, Museo Civico, con la firma: "Marchus. palmizanus / foroliviensis. fatiebat".

[28] Goffen (*Signatures inscribing...*, cit., p. 315) per Bartolomeo Vivarini porta l'esempio del *Polittico di san Giacomo*, Los Angeles, Paul Getty Museum.

[29] Egidio Calzini, *Marco Palmezzano e le sue opere*,

in "Archivio Storico dell'arte", VII (1894), p. 276; Giovan Battista Cavalcaselle, Joseph A. Crowe, *Storia della pittura in Italia*, VIII, Successori Le Monnier, Firenze 1898, pp. 325, 328, 335.

[30] Interpretata correttamente come opera di Palmezzano da Otto Mündler e poi da Cavalcaselle; cfr. anche Grigioni, *Marco Palmezzano pittore forlivese*, cit., n. 15, pp. 439-440, e qui nota 124.

[31] Wazbinski, *Le "cartellino"*, cit., p. 282 nota 17; la formula del "figlio adottivo" era usata dagli allievi di Squarcione.

[32] Stefano Tumidei, *Melozzo da Forlì: fortuna, vicende, incontri di un artista prospettico*, in *Melozzo da Forlì. La città e il suo tempo*, a cura di Marina Foschi, Luciana Prati, Leonardo Arte, Milano 1994, pp. 19-81, qui p. 69.

[33] Grigioni, *Marco Palmezzano pittore forlivese*, cit., pp. 495-496, n. 23.

[34] La lettura della data di Filippo Guarini e di Cavalcaselle, poi accolta, era MCCCCLXXXXII, anziché MCCCCLXXXXIV, cfr. Grigioni, *Marco Palmezzano pittore forlivese*, cit., n. 7, pp. 385 n. 3.

[35] Calzini, *Marco Palmezzano e le sue opere. IV*, in "Archivio Storico dell'arte", VII (1894), p. 278, riferisce una testimonianza di Reggiani che non parla di cartellino; collocazione e forma scrittoria fanno pensare che si trattasse piuttosto di un'iscrizione di carattere epigrafico; cfr. anche Cavalcaselle, Crowe, *Storia della pittura in Italia*, VIII, cit., p. 311.

[36] Grigioni, *Marco Palmezzano pittore forlivese*, cit., p. 391.

[37] *Cristo portacroce*, Berlino, Museo, 1503 ("Marchus palmezanus pictor foroliviensis faciebat MCCCCCIII", cfr. Grigioni, *Marco Palmezzano pittore forlivese*, cit., p. 444); *San Girolamo nel deserto*, Roma, Galleria Nazionale d'arte antica, databile allo stesso anno ("Marcus palmezanus / pictor foroliviensis / faciebat MCCCCCIII"), collocata su un libro aperto sul terreno, ivi, n. 18, pp. 445); *Immacolata col Padre eterno in gloria e i santi Anselmo, Agostino e Stefano* di San Mercuriale del 1510 ("Marchus. palmizanus. pictor / foroliviensis fatiebat"), ivi, n. 27, p. 463, una buona riproduzione del cartellino in Viroli, *Pittura del Cinquecento a Forlì*, cit., p. 105).

[38] Matthew, *The Painter's Presence*, cit., p. 640.

[39] Matthew, *The Painter's Presence*, cit., p. 624.

[40] Su questo passo di Plinio e sull'uso del "faciebat" da parte degli artisti del Rinascimento cfr. Matthew, *The Painter's Presence*, cit., pp. 538-639; Goffen, *Signatures inscribing*, cit., pp. 319-323; Donato, *Kunstliteratur manumentale*, cit. pp. 44-47.

[41] Sull'iscrizione della *Pietà* di Michelangelo cfr. Goffen, *Signatures inscribing*, cit., pp. 320-326.

[42] Sull'epigrafia in Melozzo cfr. Tumidei, *Melozzo da Forlì: fortuna, vicende, incontri di un artista prospettico*, cit., pp. 54-55; Matteo Ceriana, *Marco Palmezzano, La pala del 1493*, Diakronia, Milano 1997, p. 14.

[43] Il testo dell'iscrizione, posta entro cartellino attaccato al cesto, coincide con quello normalmente utilizzato dall'artista in latino: "mrqws plmz' nyws / pyqtwr pwrlywwunsy / s ps' yb' t" cioè "marcus palmezzanius / pictor foroliviensi/s faciebat", cfr. Grigioni Carlo, *La Giuditta di Marco Palmezzano*, in "Romagna Arte e Storia", *Inediti di Carlo Grigioni*, a cura di P. G. Pasini, 1988, n. 24, pp. 63-66, con foto riprodotta p. 65.

[44] Grigioni, *Marco Palmezzano pittore forlivese*, cit., pp. 644-645.

[45] Cfr. James Harithas, *Paintings, Drawings and Sculpture in the Phoenix Art Museum Collection*, Friends of Art of the Phoenix Art Museum, Phoenix 1965, p. 130, tav. a p. 131.

[46] Sulle iscrizioni in ebraico nell'arte italiana del Quattrocento: Giovan Avraham Ronen, *Iscrizioni ebraiche nell'arte italiana del Quattrocento*, in *Studi di storia dell'arte sul Medioevo e il Rinascimento nel centenario della nascita di Mario Salmi*, Atti del Convegno Internazionale, Arezzo-Firenze, 16-19 Novembre 1989, vol. II, Polistampa, Firenze 1992, pp. 600-624 (p. 602 per i diversi modi di utilizzare la scrittura).

[47] Ronen, *Iscrizioni ebraiche nell'arte italiana del Quattrocento*, cit., p. 609.

[48] Sui contatti tra Palmezzano, Melozzo e l'ambiente romano in relazione all'iscrizione nella pala di Brera cfr. Ceriana, *Marco Palmezzano, La pala del 1493*, cit., p. 14; sulla cultura umanistica attorno a Melozzo e sull'ambiente forlivese della corte degli Sforza all'epoca della *Pala* si veda Tumidei, *Melozzo da Forlì: fortuna, vicende, incontri di un artista prospettico*, cit., pp. 22-25, 54-55.

[49] Resta tuttora problematica l'incongruente iscrizione che compare sulla base del trono nella *Madonna col Bambino fra i santi Giovanni Battista, Domenico, Pietro, Maddalena* della Pinacoteca di Brera (già nella Chiesa dei Battuti Bianchi in Valverde a Forlì), datata 1493: "MARCHVS – PALMIZANVS – FOROLIVIENSE – FECERVNT / MCCCCLXXXXIII" in genere ritenuta autentica (cfr. Grigioni, *Marco Palmezzano pittore forlivese*, cit., n. 7, pp. 397-398; Ceriana, *Marco Palmezzano, La pala del 1493*, cit., p. 14); Cavalcaselle (cfr. Cavalcaselle, Crowe, *Storia della pittura in Italia*, VIII, cit., p. 355) considera invece che quest'iscrizione sia rifatta. A questa singolare sottoscrizione sembra si ispiri il restauratore del *Presepio* di Brera (già presso la Compagnia dei battuti bianchi di Valverde a Forlì), del 1537: del cartellino affisso a un alberello vicino al Bambino si hanno letture discordanti: "MARCHUS PALMEZANUS FOROLIVIENSIS....FECERUNT MCCCCLXXXXII" (lettura di Cavalcaselle, che dice essere alterata); "Marchus palmizanus /foroliviese (sic) /fecit" (v'era scritto in origine "FECERUNT", ma fu corretto) "MCCCCLXXXXII" (catalogo di Brera 1908); Marchvs Palmizanus / Forolivienses / fecit [UNT] MCCCCLXXXXII (lettura di Grigioni che ne confermava l'alterazione), cfr. Grigioni, *Marco Palmezzano pittore forlivese*, cit, n. 78, pp. 563-568. Va per inciso osservato che Girolamo Reggiani, che fu tra i più attivi falsificatori di firme di Palmezzano, sottoscriveva con la formula *G. Reggiani forliviense* il restauro della *Glorificazione di sant'Antonio Abate in trono tra i santi Giovanni Battista e Sebastiano* della Pinacoteca di Forlì, cfr. Cavalcaselle, Crowe, *Storia della pittura in Italia*, VIII, cit., p. 330 nota 1; Calzini, *Marco Palmezzano e le sue opere*, cit., p. 290.

[50] Nel *San Girolamo e San Francesco d'Assisi* commissionato dalla famiglia Corbici di Castrocaro (Vienna, Galleria Liechtenstein, già in San Francesco a Castrocaro), data 1500, iscrizione e firma convivono in una formula che segna distinzioni e gerarchie tra artista e committente: a sinistra: "HOC. OPVS. FECIT. FIERI. PETRUS. FRANCISCVS."; a destra: "CORBICII. DE. CASTRO. CARO. PRO, SVA. ET. SVOR. SALVTE." il solito cartellino è affisso a un gradino sotto San Francesco: "ANNO. D.M.D. | Marchus palmizanus foroliviensis / fatiebat | VI. DIE. OCTOBRIS." (cfr. Grigioni, *Marco Palmezzano pittore forlivese*, cit., n. 12, pp. 427). Analoga la situazione della *Madonna che allatta il Bambino fra S. Antonio da Padova e un vescovo* di San Francesco a Castrocaro (1500) in cui la polizzina in nero su bianco ("Marchus palmizanus pictor / foroliviensis faciebat") spezza in due parti l'iscrizione in capitale ("HOC. OPVS. FECIT. FIERI. ATQ. / VT. FIERET. MANDAVIT. MAGIS / TER. THOMAS. ET. DNA. IVLIANA. / EIVS. VXOR. PRO. SVA. ET. SVORVM / SALVTE. ANNO. D. MD.VI. DIE. NOVEM BRIS") ver-

gata in bianco su fondo rosso, cfr. Grigioni, *Marco Palmezzano pittore forlivese*, cit., n. 13, pp. 431-432. Quest'ultima pala fu alienata nel 1831, cfr. Calzini, *Marco Palmezzano e le sue opere*, cit., pp. 341-342 nota 2.

[51] Nel quadro di Baltimora anche la forma del cartiglio, allungato e con una serie di ondulazioni trasversali, è anomala rispetto alla consuetudine di Palmezzano; una firma rifatta a lettere capitali è segnalata da Grigioni anche nella tavola con la *Madonna in trono fra i santi Pietro e Giovanni* di Kiev (Museo di Belle arti dell'Accademia delle scienze dell'Ucraina), cfr. *Marco Palmezzano pittore forlivese*, cit., p. 664-666.

[52] Matthew, *The Painter's Presence*, cit., p. 641.

[53] "LA. Questo è ch'il nostro Pino scrive nell'opere sue 'faciebat'. - FA. È ben fatto. Il medesimo scriveva il dio della pittura Apelle […] - LA. È una fola. Tutte l'opere sue hanno la bolletta, cosa risibile. - FA. Avete torto a dannare le cose laudevoli. Egli si sodisfà, o bene o male che le sue opere siano, ne rimanghi memoria che lui fu pittore […]. Dimostra anche ch'egli aspirava alla sua immortalità: il ch'è il più alto umore, la più degna sete ch'ingombrar possi i petti di noi mortali […]" (Paolo Pino, *Dialogo di Pittura*, in *Trattati d'arte del Cinquecento fra Manierismo e Controriforma*, a cura di P. Barocchi, Laterza, Bari 1960, I, pp. 95-139, qui pp. 124-125); l'interpretazione del passo di Pino è in Donato, *Kunstliteratur monumentale*, cit., pp. 46-47.

[54] Francesco Scannelli, *Il microcosmo della pittura*, saggio bibliografico, appendice di lettere dello Scannelli e indice analitico a cura di G. Giubbini, Labor, Milano 1966 (riprod. in facsimile de: *Il microcosmo della Pittura*, per il Neri, Cesena 1657), p. 281.

[55] Vasari cita Palmezzano nell'edizione del 1568 marginalmente: nelle vite di Jacopo Palma e Lotto (è il passo "contestato" da Scannelli), cfr. Giorgio Vasari, *Le vite*, nelle redazioni del 1550 e 1568, volume IV, testo a cura di Rosanna Bettarini, commento a cura di Paola Barocchi, Sansoni, Firenze 1976, p. 554; nelle vite dei Genga e del San Marino: "Francesco Menzocchi da Furlì, il quale prima cominciò, essendo fanciulletto, a disegnare da sé, imitando e ritraendo in Furlì nel Duomo una tavola di mano di Marco Parmigiani da Forlì, che vi fe' dentro una Nostra Donna, San Ieronimo et altri Santi, tenuta allora delle pitture moderne la migliore", cfr. Giorgio Vasari, *Le vite*, cit., vol.V, p. 351.

[56] Egidio Calzini, *Marco Palmezzano e le sue opere*, cit., p. 472.

[57] Della reliquia Calzini (*Marco Palmezzano e le sue opere*, cit., p. 472) pubblica un rilievo grafico recto e verso.

[58] Sull'*Autoritratto* della pinacoteca si veda qui cat. 60; sulla tomba della famiglia Giordano Viroli, *Marco Palmezzano, Autoritratto*, in *Il San Domenico di Forlì. La chiesa il luogo, la città*, a cura di M. Foschi e G.Viroli, Nuova Alfa Editoriale, Bologna 1991, pp. 109-111.

[59] Paolo Bonoli, *Istorie della città di Forlì*, Cimatti e Saporetti, Forlì 1661 (ristampa anastatica 1981), pp. 195-196. Sul monumento funerario dell'artista, corredato di ritratto, con particolare riferimento alla tomba di Filippo Brunelleschi come prototipo per monumenti successivi cfr. Marco Collareta, *Du portrait à la biographie: Brunelleschi et quelques autres*, in *Les "Vies d'artistes"*, Paris, Ecole Nazionale Superieure des Beaux Arts 1996, pp. 43-55. Sulla figura dell' "artista cavaliere" tra manierismo e barocco cfr. Alessandro Conti, *L'evoluzione dell'artista*, in *Storia dell'arte italiana. Parte prima. Materiali e problemi. Volume secondo. L'artista e il pubblico*, Einaudi, Torino 1979, pp. 117-263, alle pp. 209-211.

[60] Giorgio Viviano Marchesi, *Vitae Virorum illustrium Foroliviensium*, ex Typographia Pauli Sylvae, Forolivij 1726, II p. 257.

[61] Egidio Calzini, *Marco Palmezzano e le sue opere*, cit., pp. 455- 483, qui p. 472.

[62] Casali Giovanni, *Intorno a Marco Palmezzani da Forlì e ad alcuni suoi dipinti*, Dalla Stamperia Casali, Forlì 1844, p. 19.

[63] Eugenio Servadei, *Marco Palmezzani*, in "Il Momento", a.VI, 26 luglio 1924, n. 23. Al tono di celebrazione privata dell'iscrizione sul monumento del 1880 corrisponde la semplice cornice incisa sulla lastra: una finestra coronata da timpano, acroteri a palmette (un possibile riferimento al nome della famiglia), due cornucopie, lo stemma dei Palmezzani, la tavolozza e i colori (di cui ancora restano tracce pigmentate in rilievo), i pennelli, il compasso, rami d'ulivo, spade e un libro rappresentavano in sineddoche i tre "maggiori" esponenti della famiglia.

[64] Su un cartellino incollato sulla cornice dorata: "MARCVS. PALMEGGIANVS. NOB. FOROL. SE-MET. PINXIT. OCTAVA. AETAT. SVAE. ANNO. 1536", cfr.Viroli, *Autoritratto*, cit., p. 109; Giordano Viroli, *La Pinacoteca Civica di Forlì*, Cassa dei risparmi di Forlì, Forlì 1980, p. 74.

[65] Laura Filippini Baldani, *Francesco Menzocchi pittore forlivese e la villa imperiale di Pesaro*, in "Melozzo da Forlì", 1939, fasc. 6, pp. 303-310, qui p. 309.

[66] Sul problema dell'autografia dell'*Autoritratto* di Forlì cfr. Grigioni, *Marco Palmezzano pittore forlivese*, cit., pp. 557-559; Viroli, *La Pinacoteca Civica di Forlì*, cit., pp. 74-75, e in questo catalogo cat. 60.

[67] L'autoritratto dell'artista con gli strumenti di lavoro ha tra i primi e massimi esempi in quello di Tiziano che disegna, di cui rimane testimonianza in una xilografia di Giovanni Britto, (1550, Amsterdam, Rijksmuseum); Alessandro Allori si ritrae nell'atto di dipingere con tavolozza e pennello (*Autoritratto* degli Uffizi, 1555 circa); Antonis Mor (*Autoritratto al cavalletto*, 1558, Firenze, Uffizi) si ritrae con tavolozza e pennelli, ma in abbigliamento signorile: un modo per sottolineare la propria condizione elevata, d'altra parte già presente in Tiziano. Sull'autoritratto d'artista con gli strumenti di lavoro cfr. Joanna Woods-Marsden, *Renaissance Self-portraiture*,Yale University Press, New Haven- London 1998, pp. 227-232; Katherine T. Brown, *The Painter's Reflection. Self-portraiture in Renaissance Venice 1458-1625*, Leo S. Olschki, Firenze 2000, in particolare per il problema dell'autoritratto con gli strumenti, simbolo di autocoscienza sociale alle pp. 103-111.

[68] La stampa Alinari compare nel catalogo della Casa fotografica fiorentina col numero P. 2. N. 16944; la cartolina con l'*Autoritratto* della pinacoteca è conservata presso il Fondo Piancastelli della biblioteca "A. Saffi" di Forlì, Album 5C, n. 1056.

[69] Girolamo Reggiani, *Biografia di Marco Melozzo*, in *Biografie e ritratti di XXIV uomini illustri romagnoli, I*, Antonio Hercolani, Forlì 1834, pp. 34-52, qui p. 47.

[70] Reggiani, *Biografia di Marco Melozzo*, cit., pp. 47-48.

[71] Girolamo Reggiani, Pietro Zampighi, *Disegni*, Anno 1831, Forlì, Biblioteca Comunale A. Saffi, Sezione stampe e disegni (già ms. I / 73), senza numerazione.

[72] Sull'opinione di Reggiani a proposito dei ritratti di Melozzo e Palmezzano nella cappella Feo, cfr. Grigioni, *Marco Palmezzano pittore forlivese*, cit., p. 35; l'identificazione di Palmezzano e Melozzo negli affreschi è respinta da Cavalcaselle (in Cavalcaselle, Crowe, *Storia della pittura in Italia*,VIII, cit., p. 324 nota 1).

[73] Corrado Ricci, *Per la storia della pittura forlivese, Appunti. I. Marco Palmezzano*, "L'Arte", XIV (1911), pp. 81-88, qui pp. 86-87; l'attribuzione fu accolta da Grigioni, *Marco Palmezzano*, cit., p. 519, n. 45; una sintesi delle posizioni critiche sulla tavola dell'Accademia Carrara in Federico Zeri, Francesco Rossi, *La raccolta Morelli nell'Accademia Carrara*, Silvana Editoriale, Milano 1986, p. 212.

[74] Cfr. Roberto Balzani, *La Romagna*, Il Mulino, Bologna 2001, pp. 111-112.

[75] Burriel Antonio, *Vita di Caterina Sforza Riario*, tomo I, Stamperia di S. Tommaso d'Aquino, Bologna 1795.

[76] Se ne veda la sintesi, con altre attribuzioni, in Pier Desiderio Pasolini, *Caterina Sforza*, Ermanno Loescher, Roma 1893.

[77] Per l'identificazione del ritratto maschile nel trittico di San Biagio, Burriel si serviva del confronto con il "Signor Duca Raffaele Riario", che era giunto in quei tempi a Forlì, per il quale "fu osservato da molti, ch'egli portava in faccia, per dir così, la sua genealogia, tant'era l'aria del suo sembiante somigliante e compagno a quella del suo sesto avolo, che si vedeva nel quadro", cfr. Burriel, *Vita di Caterina Sforza Riario*, cit., tomo III, pp. 855-857.

[78] Pasolini, *Caterina Sforza*, cit., vol. I, pubblica il dipinto con la seguente didascalia: "Caterina Sforza all'età di 18 anni? 1481, tavola attribuita a Marco Palmeggiani"; l'attribuzione a Palmezzano come ritratto di Caterina Sforza resisteva ancora nell'*Enciclopedia dei ragazzi*, A Mondatori, Milano 1955, vol. I, p. 583, cfr. Grigioni, *Marco Palmezzano pittore forlivese*, cit., p. 691.

[79] Grigioni, *Marco Palmezzano pittore forlivese*, cit., pp. 707-708.

[80] Grigioni, *Marco Palmezzano pittore forlivese*, cit., pp. 723-724.

[81] Per un sunto sulle posizioni critiche riguardo alla tavola forlivese, cfr.Viroli, *La Pinacoteca Civica di Forlì*, cit., p. 86; per l'attribuzione della tavola del Correr si veda Adolfo Venturi, *Storia dell'Arte Italiana VII. La pittura del Quattrocento*, Ulrico Hoepli, Milano 1913, p. 82 e fig. 70 (foto Anderson).

[82] *Catalogo di Fotografie di opere d'arte*, Croci Felice – Bologna,Via Santo Stefano n. 57, s.d. [ma 1930-31 circa], p. 55: "N. 2568, Testa di Riario Sforza, dettaglio, San Mercuriale, Forlì; n. 2569, Testa di Caterina Sforza, dettaglio, San Mercuriale, Forlì; n. 2597, Girolamo Riario, Caterina Sforza, dettaglio, San Biagio, Forlì". Sul fondo fotografico Croci cfr. Giorgio Porcheddu, *L'archivio fotografico Felice Croci. Nemo poeta in patria*, in "Quaderni di palazzo Pepoli Campogrande", 8, 2004, pp. 9-18, sul catalogo a stampa della casa fotografica in particolare p. 10. Sul gusto borghese per il ritratto, che coinvolge fotografia e ritratti storici, con conseguente produzione di falsi si veda Massimo Ferretti, *Falsi e tradizione artistica*, in Storia dell'arte italiana. Parte terza. Situazioni momenti indagini. 3. Conservazione, falso, restauro, Einaudi, Torino 1981, pp. 118-195, con un esempio specificamente romagnolo alle pp. 176-177 e fig. 248.

[83] Filippo Guarini, *Diario forlivese, volume Quinto, dal 24 giugno 1878 al 10 maggio 1883,*, Forlì, Biblioteca Comunale "A. Saffi", ms. 1/5, pp. 22-23.

[84] Giovan Battista Cavalcaselle, J. A. Crowe, *Storia della pittura italiana in Italia dal secolo II al secolo XVI*, successori le Monnier, Firenze 1875-1909, vol. III, 1870, pp. 339-353.

[85] P.-J. Grosley, *Observation sur l'Italie et sur les italiens*, London ed 1774, vol. II, p. 164, cit. in Giovanni Previtali, *La fortuna di Primitivi*, Einaudi, Torino 1984, p. 208.

[86] La tavola ora a Monaco era stata acquistata da Hercolani nel 1750; passò nel 1829 a Ludovico

di Baviera cfr. Grigioni, *Marco Palmezzano pittore forlivese*, cit., pp. 575-576.

[87] Sulla collezione Hercolani: Claudio Giardini, *La collezione Hercolani nella Pinacoteca Civica di Pesaro. Trentotto dipinti e un marmo provenienti dall'eredità Rossini*, Bologna 1992; *La quadreria di Gioacchino Rossini. Il ritorno della Collezione Hercolani a Bologna*, a cura di D. Benati e M. Medica, Silvana Editoriale, Milano 2002.

[88] *Lettera del Signor Luigi Crespi al Signor Innocenzo Ansaldi*, datata Bologna, 5 luglio 1770, in Giovanni Bottari, Stefano Ticozzi, *Raccolta di lettere sulla Pittura, Scultura ed Architettura scritte da' più celebri personaggi dei secoli XV, XVI e XVII*, Giovanni Silvestri, Milano 1822, vol. VII, pp. 94-105, qui p. 94.

[89] Jacopo Alessandro Calvi, *Versi e prose sopra una serie di eccellenti pitture possedute dal Signor Marchese Filippo Hercolani*, Stamperia di San Tommaso d'Aquino, Bologna 1780, p. 14.

[90] Pietro Bassani, *Guida agli amatori delle belle arti architettura, pittura, e scultura per la città di Bologna, suoi sobborghi e circondario*, tomo primo, parte prima, Tipografia Sassi, 1816, ripubblicato in Giardini, *La collezione Hercolani nella Pinacoteca Civica di Pesaro*, cit., pp. 123-125, la citazione delle tavole di Palmezzano è a p. 124.

[91] Marcello Oretti, *Raccolta di alcune marche e sottoscrizioni praticate da pittori e scultori*, nota biografica di Giovanna Perini, S.P.E.S., Firenze 1983, pp. 145-146, 173-175, 179-180. Le osservazioni di Oretti sulle "belle architetture" e sul "bellissimo piedestallo" sono riferite alle due tavole della raccolta Hercolani con la Vergine in trono, cfr. *Oretti e il patrimonio artistico privato bolognese. Bologna, Biblioteca Comunale Ms. B. 104*, indice a cura di E. Calbi e D. Scaglietti, Istituto per i Beni Culturali, Bologna 1984, p. 146 (sulla genesi e formazione del manoscritto, Emilia Calbi, *Struttura e significato di un'importante fonte documentaria*, ivi, pp. 7-14); Marcello Oretti, *Pitture nella città di Forlì descritte da M.O. bolognese nell'anno 1777, ms. B. 165 II, Bologna Biblioteca Comunale*, pubblicato in Orlando Piraccini, *Il patrimonio culturale della provincia di Forlì*, II, Nuova Alfa, Bologna 1974, pp..43-57; sulla particolare situazione di collezionismo e storiografia a Bologna cfr. Giovanna Perini, *La storiografia artistica a Bologna e il collezionismo privato*, in "Annali della Scuola Normale Superiore di Pisa", Classe di lettere e Filosofia, Serie III, vol. XI / 1, 1981, pp. 181-243.

[92] Luigi Lanzi, *Storia pittorica della Italia dal rinascimento delle belle arti fin presso al fine del XVIII secolo*, a cura di Martino Cappucci, Sansoni, Firenze 1968, p. 24.

[93] Lanzi, *Storia pittorica*, cit., p. 24.

[94] Luigi Centanni, *Le rapine di opere d'arte fatte alle Romagne sotto il primo Regno italico*, in "Melozzo da Forlì", ottobre 1938, fasc. 5, pp. 264-268; Id., *Le rapine di opere d'arte fatte alle Romagne sotto il primo regno italico*, in "Melozzo da Forlì", gennaio 1939, fasc. 6, pp. 317- 320; sulle opere di Palmezzano scelte da Appiani per Brera cfr. soprattutto Ceriana, *Marco Palmezzano, La pala del 1493*, cit., pp. 9-12; Grigioni, *Marco Palmezzano pittore forlivese*, cit., p. 276; sulle requisizioni napoleoniche in Romagna, con ampia documentazione, soprattutto Michelangelo L. Giumanini, *Opere d'arte, soppressioni napoleoniche e restituzioni. Il caso della Romagna (1797-1817)*, in *Pio VI Braschi e Pio VII Chiaramonti. Due pontefici cesenati nel bicentenario della Campagna d'Italia*, Atti del Convegno Internazionale, maggio 1997, Clueb, Bologna 1998, pp. 213-367, per Palmezzano alle pp. 303, 323, 325, 326, 328, 329, 332-333, 335, 351, 361.

[95] *Pinacoteca di palazzo Reale delle Scienze e delle Arti di Milano*, pubblicata da Michele Bisi incisore col testo di Robustiano Gironi, Stamperia Reale, Milano 1812-1833, vol. II, n. IX Scuola Romana, c. 90v (tavola) e 91 r e v (commento): la traduzione a incisione su disegno di Antonio De Antoni è di Luigi Bridi.

[96] I disegni di Giani tratti da primitivi romagnoli sono pubblicati in *Forlì, Biblioteca Civica, Fondo Piancastelli, "Galleria romagnola"*, in Anna Ottani Cavina, *Felice Giani e la cultura di fine secolo*, con la collaborazione di Attilia Scarlini, Electa, Milano 1999, pp. 716-734, qui pp. 718, 721, 723.

[97] Casali, *Intorno a Marco Palmezzani da Forlì e ad alcuni suoi dipinti*, cit., p. 47.

[98] Tommaso Minardi, *Taccuino*, Forlì, Biblioteca Comunale "A. Saffi", Fondo Piancastelli, n. 289/24, c. 6v; cfr. anche: *Tommaso Minardi: disegni, taccuini, lettere nelle collezioni pubbliche di Forlì e Faenza*, a cura di M. Manfrini Orlandi e A. Scarlini, introduzione di Anna Ottani Cavina, CLUEB, Bologna 1981, p. 65.

[99] *Galleria Imperiale di Firenze*, pubblicata con incisioni in rame da una società sotto la direzione di L. Bartolini, G. Bezzuoli, e S. Jesi, ed. illustrata da Ferdinando Ranalli, Società Editrice, Firenze 1837-42, II, tavole, n. CCCL.

[100] Sulla destinazione delle stampe tratte da grandi raccolte pubbliche in questa fase cfr. Ettore Spalletti, *La documentazione figurativa dell'opera d'arte, la critica e l'editoria nell'epoca moderna (1750-1930)*, in *Storia dell'arte Italiana. Parte prima. Volume secondo. L'artista e il pubblico*, Einaudi, Torino 1979 pp. 417-484, qui pp. 419-420.

[101] Giovanni Rosini, *Storia della pittura italiana. Epoca terza, da Giulio Romano al Barocinio*, Niccolò Capurro, Pisa 1845, vol. V, pp. 153-154, con rinvio alla tavola che manca; essa compare invece nell'edizione del 1851 (Giovanni Rosini *Storia della pittura italiana. Epoca terza, da Giulio Romano al Baroccio*, Niccolò Capurro, Pisa 1851), vol V, pp. 119-120, tavola a p. 119.

[102] La prima registrazione è in Pietro Zani, *Enciclopedia metodica critico-ragionata delle Belle Arti*, Tipografia Ducale, Parma 1823, p. 239; seguono Stefano Ticozzi, *Dizionario degli Architetti, Scultori, Pittori, Intagliatori in rame ed in pietra, coniatori di medaglie, musicisti, niellatori, intarsiatori d'ogni età e d'ogni nazione*, Gaetano Schiepatti, Milano 1830-32, vol. III, p. 90; Filippo de Boni, *Emporeo Biografico metodico*, Tipi del Gondoliere, Venezia 1840, p. 741; Mattew Pilkington, *A General Dictionary of Painters*, Thomas Tegg, London 1840, pp. 424-425; *Neues allgemeines Kunstler – Lexikon*, vol. X, Fleischmann, München 1841 p. 296; James R. Hobbes, *The Picture Collector's Manual*, being a Dictionary of Painters, London 1849: vol. I – p. 318: "Palmegiani (Mario da Forlì), Born at Forlì, is believed to have been a disciple of Francesco Melozzo. He painted history; his early pictures dry and formal, seldom venturing beyond a St. Sebastian or a St. Jerome, which he loaded with absurd gilded accompaniments usual at that time. His second style is more copious, and with a bolder outline. One of his marks, a dead Christ between Nicodemus and St. Joseph, is highly spoken of". Vol. II, p. 186: aggiunge a quanto già scritto: "he flourished from 1513 to 1537"; Vol. II, p. 565: "Palmegiani (Mario da Forlì) supposed to have been a disciple of Francesco Melozzo; painted history but of very unequal merit; his best work represents the dead Christ between Nicodemus and St. Jo.".

[103] Le due opere sono state riconosciute da Anchise Tempestini presso la Misericordia di Firenze e in una raccolta privata di Zurigo: *Marco Palmezzano e Giovanni Bellini*, cit., p. 10.

[104] Accolta nel catalogo del museo del 1860 con un commento complessivamente positivo: "Exécution …précieuse, claire et délicate" sebbene "un peu séche" di disegno "correct, naif et habile, sans style, mais non sans caractère ni sourtout sans originalité", cfr Clément De Ris, *Le Musée de Grenoble*, in "Gazette des Beaux-Arts", tome septiéme, 1860, pp. 65-73, cit. in Grigioni, *Marco Palmezzano pittore forlivese*, cit., p. 195, l'opera è illustrata con acquaforte fuori testo.

[105] Le notizie delle vendite di Brera in Ceriana, *Marco Palmezzano, La pala del 1493*, cit., pp. 11-12, 39 nota 21, 40 nota 27 e 28. Sulla tavola venduta al De Sivry (gentiluomo francese emigrato a Venezia nel 1790, che la lasciò assieme ad altri pezzi al barone Jacques Debon, e che nel 1845, fu venduta al Municipio di Grenoble), cfr. anche Grigioni, *Marco Palmezzano pittore forlivese*, cit., pp. 551-552; Viroli, *Pittura del Cinquecento a Forlì*, cit., p. 52.

[106] L'opera è commentata in Grigioni, *Marco Palmezzano pittore forlivese*, cit., pp. 669-670. Sulla vendita Solly cfr. Francis Haskell, *Rediscoveries in Art. Some Aspects of Taste, fashion and Collecting in England and France*, Phaidon, London 1976, pp. 41-42, 93-94; Francis Haskell, *La dispersione e la conservazione del patrimonio artistico*, in *Storia dell'arte italiana. Parte terza. Situazioni momenti indagini. 3. Conservazione, falso, restauro*, Einaudi, Torino 1981, pp. 118-195, in particolare, pp. 3-35, qui p. 26; Donata Levi, *Cavalcaselle. Il pioniere della conservazione dell'arte italiana*, Einaudi, Torino 1988, pp. XXX-XXXI; Maria Dietl, *The Picture Gallery of Berlin: the formation of the Solly Collection*, in *Giovanni Morelli e la cultura dei conoscitori*, atti del Convegno internazionale, bergamo, 4-7 giugno 1987, a cura di Gia. Agosti, M. E. Manca, M. Panzeri, coordinamento scientifico Marisa Dalai Emiliani, P. Lubrina, Bergamo 1993, pp. 49-59.

[107] G. Friedrich Waagen, *Treasures of Art in Great Britain*, John Murray, London 1854, p. 373: a Wooton Hall "An Altar piece: the Virgin enthroned, holding the Child, who stands on her lap in the act of blessing. On the right St. John the Baptist looking at the spectator and pointing the Child; on the left St. Lucy. Below the throne an angel singing to a lute, of beautiful composition. Upon the throne a triumphal procession in chiaroscuro, showing the influence of Mantegna; the architecture rich and gaily ornamented. With the exceptions of the angels, the heads are realistic and very circular forms; the good motives of the drapery are disfigured by over-sharp breaks. The colouring is of unusual power for this master. Inscribed 'Marchus Palmezzanus pictor foroliviensis MDVIII'; per le vicende del dipinto cfr. anche Viroli, *Pittura del Cinquecento a Forlì*, cit., p. 45.

[108] Sulla pala Calzolari e le sue vicende inglesi cfr. Tempestini, *Giovanni Bellini e Marco Palmezzano*, cit., pp. 9-10; Anna Tambini, *Postille al Palmezzano*, in "Romagna Arte e Storia", 2003, 67, pp. 25-42, qui p. 35.

[109] Alexander William Crawford Lindsay, lettera ad Anne Lindsay, Forlì, 22 may, 1842, pubblicata in Hugh Brigstocke, *Lord Lindsay: Travel in Italy and Northern Europe, 1841-42, for Sketches of the History of Christian Art*, in "Walpole Society", 65, 2003, pp. 211-216.

[110] Lindsay, lettera ad Anne Lindsay, cit., p. 211.

[111] Lindsay, lettera ad Anne Lindsay, cit., p. 211.

[112] Sulla risorta fortuna di Vasari nell'Ottocento si veda Paola Barocchi, *Storia moderna dell'arte in Italia. Manifesti polemiche documenti. Volume Primo. Dai neoclassici ai puristi 1780-1861*, Einaudi, Torino 1998, pp. 445-448. Le fonti di Lindsay per la scoperta dell'arte cristiana e i suoi *vademecum* negli itinerari italiani vanno dalle *Vite* di Vasari ai *Commentari* di Ghiberti, da Lanzi a De Dominici, da Guglielmo della Valle a G. Gaye,

alle incisioni di Seroux d'Agincourt, Carlo Lasinio, Giovanni Rosini e Leopoldo Cicognara (cfr. Brigstocke, *Lord Lindsay: Travel in Italy and Northern Europe, 1841-42, for Sketches of the History of Christian Art*, cit., p. 168).

[113] Antoine Claude Pasquin Valery, *Voyages historiques et litteraries en Italie, pendant les années, 1826, 1827 et 1828*, Louis Hauman et Compagnie, Bruxelles 1835, p. 325: "L'église S.- Jérôme [...] une chapelle peinte à fresque est attribuée á Mantegna".

[114] Lindsay, lettera ad Anne Lindsay, cit., p. 211.

[115] In San Mercuriale, il Lord scopre la *Concezione della Vergine* (che Valery attribuisce a Innocenzo da Imola) che gli appare bellissima, nonostante qualche durezza d'esecuzione: "It is perhaps a little stiff at first sight, but altogether takes a strong hold on your heart". In un altro altare della stessa chiesa vede poi una "sweet and gentle S. Catherine", Lindsay, lettera ad Anne Lindsay, cit., p. 212.

[116] Lindsay, lettera ad Anne Lindsay, cit., p. 212. Il brano su Palmezzano si conclude con una bordata contro l'indifferenza dei forlivesi per gli affreschi di San Girolamo, che neppure i loro custodi sono disposti a difendere: "But oh – and oh – the vandalism of the Forolurienses of the present day – the two lower frescoes are scratched all over by wanton hands, and on revisiting them since returning from Ancona I found a large vicious scratch newly made since I first saw them. On this I felt myself inspired and after speaking most movingly to the deaf old sacristaness and admonising her son to be very careful of these precious remains etc. etc., seeing the parocchiale sailing down the aisle in full pontifical array I dated out on him and entreated his interference, he was rather startled at first very corteous, but I *could* not get him to feel the iniquity of what had been done – nay the son who was standing by (and whom I strongly suspect of being the culprit [...] laid the scratch to the door of one of the frates of the church; if that be true, the case is hopeless). But this Forlì is a dull a ditch as I ever saw – it has a picture gallery which is only opened to the public once a year; the boy who acted as my cicerone, an intelligent sharp lad enough, had never even heard of it, and after applying in half a dozen quarters for the custode I found that he was gone to Ravenna, keys and all [...]. In years gone by they must have been more sensitive to the fine arts, judging from the several really good pictures that exist here" (ivi.).

[117] Hugh Brigstocke, *Lord Lindsay: Travel in Italy and Northern Europe, 1841-42, for Sketches of the History of Christian Art*, cit., p. 168.

[118] Franz Kugler, *Hand-Book of the History of Painting*, John Murray, London 1842, p. 104 ("Marco Palmezzano of Forlì is much severer in style [rispetto a Giovanni Santi]; there are several clever pictures by him in the Berlin Museum; there is also a specimen in the Brera at Milan").

[119] G. Friedrich Waagen, *Treasures of Art in Great Britain*, cit.; G. Friedrich Waagen, *Galleries and Cabinets of Art in Great Britain*, John Murray, London 1857, p. 95 (come Bolognese School nella Collezione Baring: "I am inclined to consider an undraped figure of John the Baptist drinking out of a bowl the work of this master. The motive is peculiar and pleasing, and the execution careful"; p. 223, come Italian School nella Collezione di dipinti di Kensington Palace: "Judith [...] This is decidedly the work of this secondary master of the school of Romagna, who, though somewhat dry, was careful in execution").

[120] Sul rapporto tra conoscitori e storici dell'arte tedeschi e collezionismo inglese cfr. Donata Levi, *Cavalcaselle*, cit., pp. XXIX-XXXIII.

[121] *Catalogue of the Art Treasures of the United Kingdom collected at Manchester in 1857*, by G. Sharf, London 1857, come Palmezzano da Forlì: p. 177, "The Baptism, inscribed, dated 1534 (property of R. P. Nichols)", era il *Battesimo di Cristo* che portava la firma e la data 1534 di cui riferisce Cavalcaselle come del "Signor Nichols, can. n. 315, firmato e datato"); p. 197, "The Judith, inscribed (property of HMH Prince Albert)". Secondo Grigioni il *Battesimo* poteva essere la tavola posseduta dal notaio Giannerini a Bologna nel 1837, poi passata al forlivese conte Savorelli che la mandò all'estero (anche Calzini si domanda se fosse da identificarsi con quella di Manchester), cfr. Grigioni, *Marco Palmezzano pittore forlivese*, cit., p. 550; Cavalcaselle attribuisce a Palmezzano un'altra opera esposta a Manchester: "Alla Mostra di Manchester col n. 145, e facente parte della raccolta Northwick, era esposto un quadro attribuito a Raffaello, rappresentante l'incredulità di san Tommaso. A destra si vede sant'Antonio da Padova che presenta una figura inginocchiata, nella quale dovrebbe essere ritratto l'ordinatore del dipinto, il quale faceva parte originalmente della raccolta Solly, dove era indicato come opere del Perugino; ma i caratteri, le forme, il disegno, il colorito e l'esecuzione tecnica lo fanno giudicare una delle più belle opere di Marco Palmezzano", cfr. Cavalcaselle, Crowe, *Storia della pittura in Italia*, VIII, cit., pp. 358-359; su quest'opera anche Grigioni, *Marco Palmezzano pittore forlivese*, cit., pp. 677-678. Sulla mostra di Manchester cfr. Levi, *Cavalcaselle. Il pioniere della conservazione dell'arte italiana*, cit., pp. 68-77; Francis Haskell, *Antichi maestri in tournée. Le esposizioni d'arte e il loro significato*, Scuola Normale Superiore, Pisa 2001, pp. 33-38.

[122] Per i viaggi di Mündler in Italia finalizzati all'acquisto di opere d'arte: Jaynie Anderson, *Otto Mündler and his travel diary*, in "Walpole Society", 51, 1985, pp. 7-63.

[123] Otto Mündler, *Travel Diary*, in "Walpole Society", 51, 1985, pp. 70-254, qui p. 249. Altre note su opere di Palmezzano ivi, p. 83, 9 novembre 1855: (collezione privata, Venezia); p. 122, Crocifissione Campana, ora Petit Palais di Avignone: "A large crucifixion by 'Palmezzano. 1505'. Lame, as this painter generally is"; p. 126, 9 settembre 1856, Gismondi Roma: "Went to Sr Gismondi, an artist [...] who boasts of having 'the chef – d'oeuvre of Melozzo da Forlì', It is a 'Pietà'. Christ represented sitting in the Tomb, sustained by the Virgin, while Magdalen holds his arm. Besides St. John, there are present S. Benedetto and S. Maurizio (?). The picture is signed: 'Marchus demelotius pictor foroliviensis facebat', and it struck me, at first sight, as being an undoubted, and at the same time one of the very finest Marco Palmezzano existing. A very exaggerated price (12000 scudi) is asked for this picture"; p. 139, 18 novembre 1856, collezione Bordati, Venezia: "The Baptism of Christ, called Cima, an interesting picture, is likely to be Vittor Belliniano (if not Palmezzano da Forlì)"; pp. 163-164; 4 settembre 1857, Roma, "Monsignor Rossi has a Marco Palmezzano, representing Christ, dead, with two other figures; a very far specimen of this artist, whose works are not uncommon in Rome. The Canonico Bertinelli has one, the Virgin adoring the infant Christ, half-length figures. Indifferent, but signed, as on the margin" [...] "Signor Gismondi, artist, whose Marco Palmezzano is still for sale (Vid. 9 september 1856)", p. 169, 20 settembre 1857:

"Forlì. Ch. del Carmine. St. Antonio Abate seated on a throne an open book in his hands with: Vbi Erat Bone Iesu vbi Eras. Lower down S. John the Baptist & S. Sebastian. Landscape seen through an arch with golden pillars. NB. Erroneously taken for and described as 'Melozzo da Forlì'. Signed"./ Pictures by Marco Palmezzano, the pupil of Melozzo are to be found in several churches, in S. Mercuriale, in S. Girolamo, in the later church some frescoes by this artist. Also an oilpainting by. [...] Faenza. In the Ch. Of the Orfanotrofio femminile an altar piece by Marco Palmezzano, Virgin & Child in trono; St. George and a Saint reading in a book. The Throne of somewhat baroque form. Rich landscape with figures. Lunette with God Father and angels, the principal picture 5 f. 8 in. w.; same hight."; p. 195, 26 gennaio 1858, Milano, collezione Fidanza: "A large altar-piece on wood, Virgin, Child & Saints, by Marco Palmezzano, is of fine colouring & would be an imposing work if it was not almost completely spoiled"; p. 214, 27 marzo 1858, Padova, Collezione Maldura: Several holy families by early Venetian masters, all in bad state. Virgin & Child; St. Joseph & S. Magdalen, all half-length except the infant Christ; little St. John the Baptist, a bust. Wood. Besides its true inscription, which was probably covered in one time, this picture bears an inscription, apparently old ANDREAS MANTEGNA (!)" (accanto alla nota trascrive la firma di Palmezzano in caratteri capitali); p. 216, 28-29 marzo 1858, Ferrara, Collezione Costabili: "A baptism of Christ; in a rocky landscape quite in the stile of Marco Basaiti. A duck swimming in the foreground. Attributed to 'Melozzo da Forlì', which means probably Marco Palmezzano. Exactly the same composition that was in Venice, some time ago, in the hands of Clemente Bordati, the dealer 2 f. 6 in. square W."; p. 220, Firenze, 8 aprile 1858: "At a dealers, near Pal.° Strozzi: An altar-piece, stile of Marco Palmezzano, ruined"; p. 232, Macerata, 5 maggio 1858: "In the church of S. Giovanni, on the I° altar, L., there is a panel fixed in the wall, with a wooden crucifix barbarously placed in its centre, & a group of the holy women with Mary on one side, which is so fine, particularly the hands, that it seems impossible for the same artist to have painted so dry & wooden a figure as St. John on the other side. The figures are about of the natural size, the handling resembles that of a fresco-painting; the stile approaches Marco Palmezzano in his best production"; p. 234, Roma, 15 maggio 1858: "Went to Sr. Gismondi, whose M. Palmezzano, Pietà, (cfr. 9 settembre 1856) is an excellent picture, but not worth nearly as much as he keeps on asking for it. [...] Went to the Lateran Collection. [...] This public collection contains a few remarkable pictures. Two large altarpieces by M° Palmezzano, important, but not in his best style, being of his latest works. One is Virgin and Child in trono; over the throne a lamp. Around the throne SS. Lorenzo, G. Battista, S. Francesco; S. Domenico, holding a church, S. Pietro reading in a book, & a 6th saints, a vigorous old man. On the step of the throne an angel playing on the violin. 6 f. 3 in. w. by 14 rom. Palme h. W. Signed. The companion, the Virgin on a throne, rather high; holding the Child. St. John the Baptist, S. Jerome chastising himself, a long cross in his left. An angel playing on the violin is seated on a stool. Behind the throne a red drapery, an arch over it. Landscape & sky. About the same size. Signature effaced. A good deal restored. Of the same epoch of the other"; p. 237, 19 maggio 1858, Roma: "[...] run about with Sr Gismondi to see some pictures. Sig.ra Pedrocchi has a […] Pietà with Christ, seated on a narrow marble-postament, sustained by two men. All half-length figures. Back-ground a stonewall. By Marco Palmezzano. Abt: 2f. in. W. By 2 f. h. W."; pp. 252-253, 7 giugno 1858, Ravenna, collezione Rasponi: "[…] The best italian picture is. Christ standing on a postamen. On both sides S. Roch & S. Sebastian. An angel seated in front. A fine specimen of Palmezzano, in good state. 4f. 10 in. W. By abt 8 f. h. W".

[124] "It is satisfactory to know that in spite of changes of names and circumstances, modern connoisseurship can sometimes find in internal evidence a safe light to assist in the discovery of truth", citato in David Robertson, *Sir Charles Eastlake and the Victorian Art World*, Princeton University Press, Princeton 1978, p. 181; ivi, pp. 180-181, sull'ingresso dell'opera di Palmezzano alla National Gallery.

[125] Gaetano Giordani, *Ricordi di Belle Arti*, Bologna, Biblioteca dell'Archiginnasio, ms. B 1819, metà XIX secolo; i passi di Giordani sono trascritti da Anna Tambini, *Documenti inediti per la storia della pittura in Romagna*, in "Studi Romagnoli", XLIV (1993), pp. 612-629, qui p. 626; Ead., *Testimonianze inedite di Gaetano Giordani sui dipinti di Rimini e Cesena*, in "Romagna Arte e Storia", 1996, 46, pp. 82-102, in particolare pp. 98-99.

[126] La Tambini identifica l'opera con quella descritta da Oretti nel 1777 in Santa Maria di Valverde come cosa di Palmezzano; la tavola è stata riconosciuta da Zeri come quella del Museo Bussi a Roma e quindi attribuita al Maestro dei Baldraccani (su un gradino aveva "figurata in piccolo a chiaroscuro la Strage degli innocenti" e portava "uno stemma figurante un cane in fondo rosso, ai lati sono le lettere A-B. paese in fondo […] tavola dipinta a tempera che si dice di Andrea del Castagno di imitazione del Masaccio […]" ed "era in Valverde a Forlì e vuolsi eseguita per il Segretario di Caterina Sforza Riario"), cfr. Giordani citato in Tambini, *Documenti inediti per la storia della pittura in Romagna*, cit., pp. 612-629, qui p. 626.

[127] Anche questa tavola è in Pinacoteca Vaticana: cfr. Tambini, *Documenti inediti per la storia della pittura in Romagna*, cit., p. 626.

[128] Forse identificabile con quella da San Francesco grande in Forlì, datata 1510, anch'essa ora in Pinacoteca Vaticana: cfr. Tambini, *Documenti inediti per la storia della pittura in Romagna*, cit., p. 626. Sulla tavola e sui passaggi successivi cfr. Viroli, *Pittura del Cinquecento a Forlì*, cit., 1991, p. 41. L'acquisizione delle opere di Palmezzano da parte della Galleria del Laterano veniva segnalata dal "Kunstblatt", n. 10 del 14 febbraio 1846, p. 44, come una delle più significative in territorio italiano. Ancora alla fine del XIX secolo tavole di Palmezzano erano in possesso di privati forlivesi: la *Madonna del grano* passò nel 1894 alla Pinacoteca di Bologna dal dottor Rossi di San Martino in Strada che l'aveva acquistata da persone del contado di Forlì, la notizia è di Calzini, ma cfr. anche Viroli, *Pittura del Cinquecento a Forlì*, cit., p. 40.

[129] Gaetano Giordani, *Zibaldone o miscellanea di memorie pittoriche, 1831-34-62-64*, Bologna, Biblioteca Comunale dell'Archiginnasio, ms. B 1821, p. 180.

[130] Gaetano Giordani, *Zibaldone o miscellanea di memorie pittoriche*, cit., p. 189; l'osservazione sarà ripresa da Cavalcaselle (in Cavalcaselle, Crowe, *Storia della pittura in Italia*, VIII, Successori Le Monnier, Firenze 1898, p. 316); nel 1861 Giordani aveva inviato a Cavalcaselle un memorandum su alcune città dell'Emilia e della Romagna (Imola, Faenza, Forlì, Ravenna, Rimini) e delle Marche (Pesaro, Fano, Senigallia) cfr. Levi, *Cavalcaselle. Il pioniere della conservazione dell'arte italiana*, cit., pp. 115-117 e p. 163 nota 78.

[131] Viroli, *Pittura del Cinquecento a Forlì*, cit., pp. 51-52; Grigioni, *Marco Palmezzano pittore forlivese*, cit., pp. 102, 348, 526-527. Sulla firma dell'opera di Ginevra cfr. Mauro Natale, *Peintures Italiennes du XIVe au XVIIIe Siècle*, Musée d'Art et d'Histoire, Genève 1974, p. 100. Sulle firme false di Bellini in rapporto con il metodo dell'attribuzione cfr. Bernard Berenson, *Metodo e attribuzioni*, Arnaud, Firenze 1947, p. 19.

[132] Sulle derivazioni da Giovanni Bellini, cfr. Tempestini, *Giovanni Bellini e Marco Palmezzano*, cit., pp. 9-11.

[133] Grigioni (*Marco Palmezzano pittore forlivese*, cit., pp. 271, 663 n. 53) osservava che si trattava in questo caso di un falsario immemore del fatto che Bellini era morto nel 1516.

[134] Grigioni, *Marco Palmezzano pittore forlivese*, cit., p. 518, n. 44.

[135] Calzini, *Marco Palmezzano e le sue opere*. cit. p. 459; Grigioni, *Marco Palmezzano pittore forlivese*, cit., p. 630. Sul mercato dei falsi con improbabili attribuzioni e firme è tuttora insostituibile Massimo Ferretti, *Falsi e tradizione artistica*, cit., pp. 118-195, in particolare pp. 163-171.

[136] Cfr. John Shearmann, *The early Italian Pictures in the Collection of Her Majesty the Queen*, Cambridge University Press, Cambridge 1983, p. 181.

[137] Gaetano Rosetti, *Marco Palmezzano*, in *Vite degli Uomini illustri Forlivesi*, Tipografia di Matteo Casali, Forlì, p. 219. Va poi segnalata anche la firma falsa di Mantegna aggiunta alla tavola con la *Sacra Famiglia, la Maddalena e San Giovannino* della Galleria Maldura di Padova, cfr. Cavalcaselle, Crowe, *Storia della pittura in Italia*, VIII, cit., p. 352.

[138] La tavola fu acquistata dal mercante romano Gismondi nel 1855-56 circa; lì la vide Otto Mündler (cfr. nota n.124 alle date 9.9.1856, 4.9.1857, 15.5.1858, 19.5.1858); passò alla National Gallery di Londra nel 1858 dove fu restaurata togliendo la falsa iscrizione. La notizia del falso di Reggiani è riferita da Calzini sulla scorta di una memoria di Filippo Guarini, cfr. Calzini, *Marco Palmezzano e le sue opere*, cit., p. 346 nota 3; sulle vicende della tavola cfr. Grigioni, *Marco Palmezzano pittore forlivese*, cit., p. 455 (che riferisce la memoria a partire da Casali) e Viroli, *Pittura del Cinquecento a Forlì*, cit., p. 37.

[139] Secondo Calzini il "noto rimaneggiatore" Reggiani falsificò anche la firma di Melozzo nel *Battesimo di Cristo* della famiglia Croppi ("*Marchus de Melotius pictor foroliviensis faciebat*"), che tuttavia altri ritengono autentica; cfr. Calzini, *Marco Palmezzano e le sue opere*, cit., p. 458; Grigioni, *Marco Palmezzano pittore forlivese*, cit., pp. 625-626; la notizia è riportata anche in *Quadri di pittori forlivesi*, 1877, Forlì, Biblioteca Comunale "A.Saffi", carte Romagna, ms. 177 c. 172: l'anonimo compilatore dell'elenco riferisce che l'opera, già di Scipione Casali, fu restaurata da Girolamo Reggiani "il quale vi dipinse un cartiglio col nome del Melozzo adesso posseduta dal farmacista Gio. Batt. Croppi". Sul dipinto cfr. Grigioni, *Marco Palmezzano pittore forlivese*, cit., n. 14, p. 626; sul Battesimo Croppi, oggi di ubicazione ignota, cfr Tambini, *Postille al Pamezzano*, cit., pp. 31-32.

[140] Un cartiglio con la firma di Morolini era nella *Madonna col Bambino fra i santi Bartolomeo e Antonio da Padova* della Pinacoteca di Forlì: "Marchus Valerius Morolenis foroliviensis faciebant [?] M…XIII", cfr. Viroli, *Pittura del Cinquecento a Forlì*, cit., p. 45.

[141] Casali Giovanni, *Guida per la città di Forlì*, Tipografia Casali all'insegna di Francesco Marcolini, Forlì 1838, p. 10, 80-81; Casali (*Intorno a Marco Palmezzani da Forlì ed alcuni suoi dipinti*, cit, p. 11) colloca tra i seguaci di Palmezzano Marco Valerio Morolini: "Due tavole del quale, una posta sopra la porta della prima sagrestia della chiesa arcipretale della SS. Trinità, e l'altra nella terza cappella a destra di quella di s. Mercuriale, furono ritenute sino a pochi anni addietro del nostro Artista [Palmezzano]". Si veda anche Viroli, *Pittura del Cinquecento a Forlì*, cit., pp. 29, 33, 45. Sulla falsificazione delle firme a Forlì cfr. Calzini, *Marco Palmezzano e le sue opere*, cit., pp. 335-336.

[142] Rosetti, *Vite degli Uomini illustri Forlivesi*, cit., p. 219.

[143] La firma di Marco Valerio Morolini che si legge nella *Madonna in trono con i santi Giacomo e Antonio* (tavola Denti) è commentata così da Calzini: "Quel che è certo si è che tali sconcezze appartengono tutte alla prima metà di questo secolo", cfr. Calzini, *Marco Palmezzano e le sue opere*, cit., pp. 281-285.

[144] Cavalcaselle, Crowe, *Storia della pittura in Italia*, VIII, cit., pp. 342 nota 1, 346 nota 2, 347.

[145] Jacob Burckhardt, *Der Cicerone*, 1884, cfr. Grigioni, *Marco Palmezzano pittore forlivese*, cit., p. 207. La figura fantasma di Morolini fu contestata da Gustavo Frizioni (*La quinta edizione del "Cicerone" di Burckhardt*, in "Archivio Storico dell'arte", I 1888, pp. 289-300, qui p. 293); nell'edizione del 1898 di Burckhardt (E. A. Seemann, Leipzig) p. 654 si legge: "Der Marco Valerio Morolini […] ist vielleicht mit M. Palmezzano eine Person".

[146] Basilio Magni, *Storia dell'arte italiana*, Officina poligrafica, Roma 1905, citato in Grigioni, *Marco Palmezzano pittore forlivese*, cit., p. 231.

[147] V. [Venturi], *Domande e risposte*, in "L'Arte", II (1899), p. 123; cfr. anche Grigioni, *Marco Palmezzano pittore forlivese*, cit., p. 221.

[148] Giovan Battista Cavalcaselle, Joseph A. Crowe, *A History of painting in North Italy: Venice, Padua, Vicenza, Verona, Ferrara, Milan, Brescia, from the fourteenth to the sixteenth century*, London 1871, V, pp. 46 sgg.

[149] Molte note su opere di Palmezzano, rilevate con attenzione particolare per le "polizzine", si ritrovano nei taccuini di Giovanni Morelli e di Cavalcaselle (per quest'ultimo si veda in questa sede il saggio in appendice di Marco Mozzo; su Cavalcaselle e Palmezzano anche Levi, *Cavalcaselle*, cit., pp. 73, 97 nota 205, 239 nota 188, 307 p. 244); per Morelli: Jaynie Anderson, *I taccuini manoscritti di Giovanni Morelli*, coordinamento scientifico Marina Massa, Federico Motta Editore 2000, pp. 14-15, 38-42, 77, 80-82. Morelli temeva soprattutto la vendita a C. Eastlake della pala dell'orfanotrofio delle Micheline di Faenza (ivi. pp.80-81).

[150] August Schmarsow, *Melozzo da Forlì*, W. Spemann, Berlin-Stuttgard 1886, pp. 133, 280-286, 289, 382.

[151] Adolfo Venturi, *Storia dell'Arte Italiana. VII. La pittura del Quattrocento. Parte II*, Ulrico Hoepli, Milano 1913, pp. 64-85.

[152] Rezio Buscaroli, *Marco Palmezzano*, in *La pittura romagnola del Quattrocento*, Fratelli Lega, Faenza 1931, pp. 177-235.

[153] " […] bisognerà una volta parlare della curiosa civiltà delle 'grottesche' vere e proprie, giunte da Roma nell'alta Italia per tante vie, anche per quelle dell'Umbria e di Romagna, dove compaiono sui primi del '500 nelle opere mature del Palmezzano e nelle prime dei due Zaganelli" (Roberto Longhi, *Officina ferrarese*, Roma 1934, p. 113; consultata nell'edizione Sansoni, Firenze 1975, p. 92).

[154] Mary Pittaluga, Recensione a: *Mostra di Melozzo e del Quattrocento Romagnolo*, Forlì, palaz-

zo dei Musei, giugno-ottobre 1938, in "L'Arte", XLI (1938), pp. 380-382, qui p. 381.

[155] Rodolfo Pallucchini, *Melozzo da Forlì*, in "Emporium", 1938, fasc. di marzo, pp. 115-130, qui p. 128.

[156] Pietro Toesca, *Il V Centenario di Melozzo da Forlì*, in "Nuova Antologia", 1 giugno 1938, pp. 314-322, qui p. 321.

[157] Maria Luisa Gengaro, *Storia dell'Arte classica e Italiana*, UTET, Torino, 1940, vol. III, p. 238.

[158] Roberto Salvini, Una *mostra di Musei di provincia alla Galleria Estense di Modena*, in "Emporium", CII (1945), p. 24.

[159] Cfr. Balzani, *La Romagna*, cit., pp. 111-114, 167-185. Sull'immagine della Romagna sotto Mussolini, a partire dall'idea di regione romagnola promossa da Vittorio Cian (*L'ora della Romagna*, Zanichelli, Bologna 1931), cfr. anche Piero Camporesi, *Lo stereotipo del romagnolo*, in "Studi Romagnoli", XXV (1974), pp. 396-401.

[160] Per la questione della figura esemplare dell'artista e dell'arte come forma di educazione nell'Ottocento mi sono state di grande aiuto le pagine dedicate a questo tema da Massimo Ferretti, *L'O di Giotto, il leone di burro di Tonin e tante altre storie istruttive: gli artisti nella letteratura Self-help*, in corso di pubblicazione.

[161] Casali, *Intorno a Marco Palmezzani da Forlì e ad alcuni suoi dipinti*, cit., pp. 7-8.

[162] Casali, *Intorno a Marco Palmezzani da Forlì e ad alcuni suoi dipinti*, cit., p. 18.

[163] "Auguro che la maestria e la probità di lui sieno d'incitamento a' nostri giovani artisti per progredire con costanza e onoratezza nella intrapresa carriera [...] pure la dovuta lode non manca mai a coloro che la seppero meritare con la bontà de' costumi e col sapere", Casali, *Intorno a Marco Palmezzani da Forlì e ad alcuni suoi dipinti*, cit., p. 19.

[164] Rosetti, *Marco Palmezzano*, cit., p. 214.

[165] "[...] il bisogno, turpe padre di figliuole così belle, e nonostante che si vegga che quell'irto e nefando stimolo si trova in coloro, che nacquero di bassa fortuna, e [...] perciò le arti meglio si convengono più che agli abbienti a chi deve sostentare faticando la vita", Rosetti, *Marco Palmezzano*, cit., p. 209.

[166] Rosetti, *Marco Palmezzano*, cit., p. 220; e ancora: "Secondochè l'indole lo spingeva dedicandosi alla pittura era facile pronosticare il profitto", Rosetti, *Marco Palmezzano*, cit., p. 215.

[167] Rosetti, *Marco Palmezzano*, cit., p. 221.

[168] Balzani, *La Romagna*, cit., pp. 109-111.

[169] Calzini, *Marco Palmezzano e le sue opere*, cit., pp. 188-189.

[170] Calzini, *Marco Palmezzano e le sue opere*, cit., p. 189 nota 2.

[171] La casa di Palmezzano, in via Garibaldi numero civico 39, "attira gli sguardi non solo degli intelligenti, ma degli stessi profani. La sua facciata si compone di tre grosse colonne con basi e capitelli ottagoni, su le quali poggiano due grandi archi di scarico che le sostengono [...]. Le sue antiche finestre a sesto acuto sono state murate, ma si possono facilmente aprire e restaurare riconducendole al loro classico stile" così Servadei, *Marco Palmezzani*, cit.

[172] Cfr. Balzani, *La Romagna*, cit., pp. 111-113.

[173] Calzini, *Marco Palmezzano e le sue opere*, cit., pp. 474-475.

[174] Servadei, *Marco Palmezzani*, cit.

[175] Eugenio Servadei Mengozzi, *Marco Palmezzano*, la Poligrafica Romagnola, Forlì 1928 (dedicato "al Conte Comm. Ercole Gaddi Pepoli Podestà di Forlì").

[176] Carlo Grigioni, *Forlì*, in *La Romagna alla II Biennale delle arti decorative a Monza, MCMXXV*, Coop Tip. Forlivese, Forlì, 1925, pp. 55-75, alle pp. 70-73.

[177] "Quantunque non abbia il bene di conoscerla personalmente, stamane parlando col Prof. Spallacci di una tavola del Palmeggiani di Forlì, mi ha dato il suo indirizzo [...]. Si tratta d'una tavola 85 per 65 circa, firmata, datata 1483, in ottimo stato e senza ritocchi rappresentante la Crocifissione ed è il bozzetto della tavola che trovasi agli Uffizi a Firenze. Il professor Spallacci in un libro del Prof. Calzini ha riprodotto il quadro di Firenze agli Uffizi, ma se ella gradisce la fotografia della tavola in parola, che si trova a Milano, in pochi giorni scrivendo si potrà averla", Lettera di Enrico Lega a Carlo Piancastelli,, 24.12.1925, Forlì, Biblioteca Comunale "A. Saffi", Carte Piancastelli, ms. 682.28, l'opera di cui scriveva Lega è forse identificabile con quella che compare alle vendite Sotheby's del 1958 e del dicembre 1974, come mi segnala cortesemente Stefano Tumidei.

[178] Buscaroli, *Marco Palmezzano*, cit., p. 189.

[179] Vero Roberti, *Marco Palmezzano pittore artigiano*, in "Il Rubicone", I (1933), n. 3. Per gli stereotipi della donna-madre e dell'uomo-contadino e operaio calati nella realtà artistica romagnola del ventennio fascista e per l'uso propagandistico dell'arte in Romagna in epoca fascista cfr. Antonella Bessenghi, *Aspetti della cultura figurativa nella "romagnolità" del ventennio fascista*, in "Memoria e ricerca", 8, 1996, pp. 241-256, in particolare p. 243.

[180] Servadei, *Marco Palmezzani*, cit.

[181] Grigioni, *Marco Palmezzano pittore forlivese*, cit., p. IX.

[182] Grigioni, *Marco Palmezzano pittore forlivese*, cit., p. VII.

[183] Guido Piovene, *Viaggio in Italia*, Arnoldo Mondadori, Milano 1968, p. 245.

Tecniche di Marco Palmezzano.
Costanti e trasformazioni nelle pratiche
di pittura su tavola tra il 1492 e il 1533*

Vincenzo Gheroldi

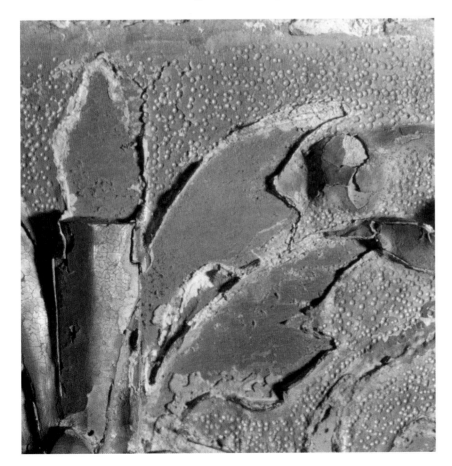

Madonna col Bambino e i santi Giovanni Evangelista e Caterina, cornice. Forlì, San Mercuriale. Macrofotografia a luce radente. Trattamento di granitura.

1. Nell'atto di commissione del 12 giugno 1497 per la pala con la *Madonna col Bambino fra San Michele arcangelo e San Giacomo minore*, i priori della Confraternita faentina di San Michelino avevano richiesto, oltre ai più scontati "coloribus finis et fino auro", un lavoro "cum oleo"[1].

Nella trascrizione notarile di questo brano del contratto sono forse intervenuti degli errori di copiatura, e probabilmente, per questa ragione, risulta di difficile decifrazione il passo che fa riferimento agli aspetti tecnici dell'opera "unam tabulam altaris dicte ecclesie et societatis ad pingendum coloribus finis et fino auro et cum oleo et graniendium (?) in campis omnibus suis magistri Marci impensis…"[2]. Tuttavia è possibile che il termine "graniendium" (?) sia riferito alla granitura della cornice[3], mentre la richiesta dell'esecuzione "cum oleo", che riguarda evidentemente la lavorazione del dipinto, è tutta da interpretare.

Una fonte di questo genere non costituisce infatti una testimonianza immediata sull'impiego di una determinata tecnica di pittura. Si tratta, piuttosto, di un documento che necessita di una lettura circostanziata, in quanto la richiesta di una lavorazione "cum oleo", più che indicare i materiali del dipinto che dovrà essere realizzato, mette in luce le aspettative e le preferenze dei clienti di Marco Palmezzano per un particolare risultato dell'opera. Ciò è confermato dalle analisi che sono state compiute su cinque campioni prelevati dalla tavola principale e dalla lunetta della *Pala di San Michelino*, che mostrano una situazione tecnica differenziata, non riconducibile, insomma, alla più comune pratica della pittura a olio. La fonte materiale, costituita in questo caso dai referti analitici, non annulla però il significato della fonte scritta. Invita, piuttosto, a ragionare sul significato del documento d'archivio e sulle possibilità della sua interpretazione, rimuovendo, anzitutto, gli intralci costituiti dalle letture più dirette e banali della richiesta per l'uso dell'olio avanzata dai committenti di Palmezzano. I dati tecnici che abbiamo raccolto mostrano che la lavorazione dell'opera era stata caratterizzata da un impiego differenziato dei leganti: una preparazione di gesso e colla, ripassata da sottile strato di colla di chiusura, l'uso di un'imprimitura di biacca a olio, e la presenza di leganti a olio e dell'emulsione di olio e uovo negli strati pittorici (tab. 1).

Questi primi elementi a nostra disposizione sollecitano una riflessione più ampia sul problema dei leganti usati nella pittura di Marco Palmezzano. La richiesta dei priori della Confraternita faentina di San Michelino per un dipinto "cum oleo" può essere infatti la dichiarazione di una determinata preferenza visiva che viene rappresentata con una particolare espressione verbale. La divergenza che abbiamo notato fra la domanda dei clienti di Marco

Palmezzano e la risposta dell'opera fornita dal pittore, indica chiaramente che la precisazione contrattuale non si riferisce, in senso stretto, a un controllo commerciale sullo specifico materiale del prodotto. La richiesta di un dipinto "cum oleo" sembra piuttosto provenire da committenti che intendono dimostrare il loro aggiornamento sulle tecniche di pittura e che vogliono garantirsi una pala di aspetto moderno.

Così, se da una parte, emerge il problema dell'impiego da parte dei pittori di tecniche in grado di soddisfare queste richieste, dall'altra si pone la questione delle capacità possedute dai destinatari dei dipinti di identificare nelle opere quelle caratteristiche materiali che ne sollecitano l'apprezzamento.

Pochi anni dopo la commissione della *Pala di San Michelino*, i modi del riconoscimento visivo delle tecniche legate all'uso dell'olio emergono da uno scambio epistolare del 1504 fra Isabella d'Este e il suo agente

Antonio Galeazzo Bentivoglio, avvenuto durante la trattativa per la commissione di un dipinto a Lorenzo Costa[4]. Il dibattito fra i due è originato dalla confusione percettiva causata da una tempera verniciata, che non è più opaca come una comune tempera, ma appare lucida come un dipinto a olio. Antonio Galeazzo Bentivoglio, sollecitato da Lorenzo Costa, chiede informazioni a Isabella su un dato di memoria visiva a proposito di un dipinto di Mantegna: "Lo quadro de Messer Andrea [Mantegna] mi parea havere il lustro, overo essere invernigato, dil che [Lorenzo Costa] si maravigliò, essendo in tela. Gli è necessario che Vostra Excellentia mi dia aviso se l'opera de Messer Andrea è lustro, et che lustro, o veramente se l'è invernigata o non". Isabella d'Este, risponde: "[Le opere] non sono già colorite a olio, ma così a guazo, et poi invernigate doppo che tutte sono finite"[5]. Evidentemente la valutazione del lustro della superficie era il metodo più semplice utilizzato per riconoscere

Tab.1. *Madonna col Bambino fra san Michele arcangelo e san Giacomo minore, Padre eterno.* Faenza, pinacoteca. Strutture stratigrafiche e leganti.

IV. FAENZA, 1497	Ca.	Stratigrafia		Leganti			
				Colla animale	Uovo	Olio	Resina
	1	A	Gesso	+			
		B	Biacca, nero vegetale			+	
		C	Lapislazzuli, biacca		+	+	
	2	A	Gesso	+			
		B	Lapislazzuli, biacca, nero vegetale			+	
	3	A	Gesso	+			
		B	Biacca			+	
		C	Resinato di rame (+++), ocra (+), carbonato di calcio (tr)			+	+ (a)
	4	A	Gesso	+			
		B	Biacca			+	
		C	Lacca (+++), biacca (+)		+	+	
	5	A	Gesso	+			
		B	Giallo di piombo e stagno, biacca			+	
		C	Biacca, (ossido di piombo) tr.			+	+ tr. (b)

Legenda: Ca.: campione; (a): resina di pino, nel composto del resinato di rame; (b) sostanza resinosa non identificata, probabile adesivo per la doratura applicata sulla superficie di 5 a contatto con lo strato C. Fonte: Politecnico di Milano. dipartimento di Fisica, Archivio A. Gallone.

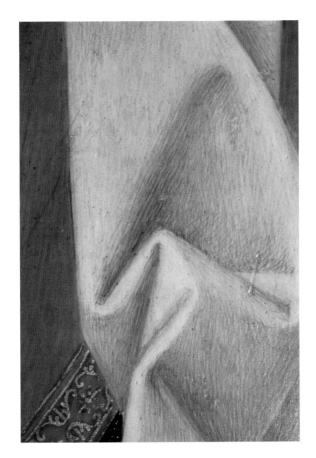

un dipinto a olio. Anche se l'esistenza di opere composte da tavole dipinte solo a uovo e da tavole eseguite in parte a olio e uovo e in parte a olio, accostate in un unico complesso[6], fa sospettare l'impiego di sistemi di uniformazione finale delle superfici otticamente diverse: come la verniciatura, che poteva avvicinare le stesure più opache al lucido dell'olio[7].

Da un dipinto "cum oleo", verso la metà degli anni novanta del Quattrocento, ci si aspettava, probabilmente, una superficie cromaticamente smagliante. Non si guardava ancora alla possibilità di ottenere col legante oleoso quella fusione e quella varietà delle tinte necessaria all'imitazione del naturale che sarà elogiata solo più tardi dai teorici moderni: quel "colorito più morbido, più dolce e delicato e di unione e sfumata maniera" apprezzato, ad esempio, da Vasari[8]. Probabilmente le preferenze dei priori della confraternita faentina di San Michelino potevano essere meglio appagate da una valutazione delle caratteristiche materiali del dipinto "cum oleo" connesse con la saturazione brillante della stesura pittorica. L'apprezzamento per il legante che "accende più i colori", e che quindi, al contrario della tempera, non necessita di vernice, è presente nell'elogio vasariano della pittura a olio[9], e costituisce, verosimilmente, un tratto della percezione moderna che non è mutato rispetto alla ricezione del passato. D'altronde, come emerge dal carteggio fra Isabella d'Este e il suo agente Antonio Galeazzo Bentivoglio, si sapeva bene che, usando il criterio della lucentezza e della saturazione del co-

lore, era possibile scambiare una tempera vernicia con un dipinto a olio senza vernice, e considerare a olio ciò che era solo saturo e lucido.

2. Proviamo, dunque, a lavorare su questo particolare significato di "oleo". La mappa tecnica che è stata tracciata dalle analisi eseguite sulla *Pala di San Michelino* possiede, come è ovvio, soprattutto un valore orientativo. Il numero di campioni esaminati è sicuramente limitato. Tuttavia è evidente la coerenza dei dati raccolti rispetto al tema della nostra ricerca, in quanto la questione relativa alla pittura condotta non semplicemente "a olio" o "a tempera", ma realizzata con diverse miscele di leganti compresi fra l'uovo e l'olio, si definisce senza ambiguità.

Il dato costante a tutti i campioni è la presenza di uno strato intermedio di biacca a olio (IV. FAENZA, 1, 2, 3, 4, 5). Si tratta, come mostrano le stratigrafie, di un'imprimitura, posta fra una preparazione di gesso e colla e le pellicole pittoriche. Se però estendiamo la ricerca di questo strato dal caso singolo a un gruppo di opere che documenta la produzione di Marco Palmezzano nell'arco cronologico compreso fra il 1492 e il 1533, siamo costretti a re-interpretare la funzione dell'imprimitura di biacca a olio (tab. 2).

L'imprimitura con la biacca a olio è quindi già presente nella *Pala di Dozza* del 1492, e costituisce una persistenza tecnica nella produzione di Marco Palmezzano: in quanto appare documentata da tutti i dipinti, fino all'opera più tarda analizzata, l'*Annunciazione* di Forlimpopoli del 1533.

Va però osservato che le stratigrafie descritte nel tabulato (tab. 2) costituiscono solo una parte dei campioni prelevati dalle stesse opere. Gli altri prelievi stratigrafici non mostrano la presenza dell'imprimitura di biacca a olio: per cui possiamo concludere che questo strato particolare non è una stesura generalizzata ma è interpretabile come un'imprimitura localizzata.

Le analisi mostrano che il resinato di rame è l'unico colore che è sempre applicato sull'imprimitura di biacca a olio, mentre gli altri colori che più frequentemente risultano sovrapposti a questo strato oleoso sono la lacca, l'azzurrite e il giallo di piombo e stagno, a volte in miscela con la biacca. Si tratta, quindi, in sostanza, di quei pigmenti che le indagini microchimiche hanno spesso individuato nei dipinti di Marco Palmezzano mescolati con la soluzione oleoresinosa o col legante oleoso. Le stesure realizzate con i pigmenti legati a uovo o con l'emulsione oleo-proteica di olio e uovo sono invece generalmente applicate sulla preparazione di gesso e colla animale coperta da una mano di colla animale di chiusura (III. FORLI/S.ANT, 1; VII. BRISIGHELLA, 4). Un elemento che sovverte sistematicamente la regola "imprimitura di biacca a olio → pellicola pittorica con legante oleoso o oleo-resinoso" è costituito dalla lac-

Tab. 2. 1492-1533: identificazioni dell'impiego dell'imprimitura di biacca a olio.

		I	Preparazione		Chiusura	Imprimitura locale	Stesura a contatto
			G	CA			
I. DOZZA	1492	+	+	+	CA	Biacca a olio	Lacca
							Biacca e azzurrite
II. FORLI/ANN		–	+	+	CA	Biacca e lacca (tr) a olio e uovo	Lacca
						Biacca a olio	Azzurrite e biacca
						Biacca a olio	Resinato di rame
III. FORLI/ANT		–	+	+	CA	Biacca e giallo di piombo e stagno (tr) a olio	Resinato di rame
IV. FAENZA	1497	–	+	+	CA	Biacca a olio	Resinato di rame
							Resinato di rame, biacca (tr)
							Lacca e biacca (tr)
V. FORLI/GUAL		–	+	+	CA	Biacca a olio	Lacca e biacca (tr)
							Azzurrite e biacca
							Resinato di rame
							Giallo di piombo e stagno e biacca
VI. FORLI/IMM	1510	–	+	+	CA	Biacca a olio	Biacca e azzurrite
							Giallo di piombo e stagno e biacca (tr)
						Biacca e lacca (tr) a olio e uovo	Lacca e biacca (tr)
VII. RONTANA	1514	+	+	+	CA	Biacca a olio	Lacca
VIII. BRISIGHELLA	1520	–	+	+	CA	Biacca a olio e ocra rossa (tr)★(a)	Azzurrite e biacca
							Resinato di rame e giallo di piombo e stagno
						Biacca a olio e uovo	Lacca e biacca (tr)
						Biacca e giallo di piombo e stagno (tr) (b)	Giallo di piombo e stagno e biacca (tr)
IX. FORLIMPOPOLI	1533	+	+	+	CA	Biacca a olio	Resinato di rame

Legenda: + presente; – assente; tr. tracce; ★ tracce interpretabli come inclusioni occasionali; I: incammottatura sulle giunzioni della tavola (+) osservata, (–) non osservata; G: gesso; CA: colla animale; (a): nel commento della stratigrafia le tracce rosse disperse sono identificate come "lacca", nel prelievo precedente della preparazione una specifica analisi ha invece identificato elementi caratteristici dell'ocra; (b) legante non individuato. **Fonte**: Politecnico di Milano. dipartimento di Fisica, Archivio A. Gallone.

ca: che pur essendo impiegata con un legante oleo-proteico, formato dall'emulsione di olio e uovo, è applicata sulla base lucida della biacca a olio per motivi estranei alle necessità tecniche ma dipendenti, come vedremo (/ 6), da uno speciale orientamento del gusto. Un caso particolare è invece rappresentato dalla stratigrafia di azzurrite e lapislazzuli a uovo sopra la biacca a olio documentata dall'*Annunciazione* del Carmine (II. FORLI/ANN, 2).

La tecnica della pittura a leganti differenziati è quindi già organizzata da Marco Palmezzano nella fase di preparazione e di imprimitura localizzata. Molto più tradizionali sono invece le fasi di lavorazione che precedono la stesura della biacca a olio. Solo in alcune tavole è stato possibile osservare l'uso di un'impannatura applicata a colla sul supporto. Che nelle prime opere, come la *Pala di Dozza* del 1492 e la *Pala di Brera* del 1493 è costituita da una tela di lino fine, forse applicata sull'intero supporto[10], mentre nelle opere della maturità, come la *Pala di Rontana* del 1514, è realizzata con strisce irregolari di tela di canapa a trama media-grossa armata 1:1, applicata soltanto sulle giunzioni verticali delle sette assi della tavola e della lunetta. Nell'*Annunciazione* di Forlimpopoli del 1533 le sei tavole di pioppo di taglio tangenziale che presentavano difetti già in origine avevano richiesto l'impannatura di due spaccature diagonali presenti nell'area medio-alta delle due tavole esterne, e l'infissione di un chiodo passante in diagonale nel lato destro per fissare una rottura[11]. Tutte le preparazioni analizzate sono risultate costituite da un impasto di gesso e colla animale caratterizzato da una superficie abbastanza porosa e dall'assenza di glutini non proteici, come gomme o amidi, e cariche minerali, come argille o terre, diverse dal gesso[12]. Sulla base levigata di gesso e colla è sempre stato individuato un sottile strato di colla animale steso in funzione di turapori con lo scopo di isolare la preparazione porosa ed evitare così l'assorbimento del colore[13]. Il disegno a pennello è stato riconosciuto dalle stratigrafie sopra la chiusura di colla e sopra l'imprimitura di biacca a olio[14]. Eventuali

imprimiture colorate locali, come quelle grigie-azzurre e verdi-azzurre usate come base per le teste dei cherubini nell'*Annunciazione* del Carmine, sono risultate eseguite a uovo e più raramente con l'emulsione di olio e uovo, direttamente sopra il film di colla posto a chiusura della preparazione di gesso e colla[15].

L'imprimitura localizzata di biacca a olio è dunque stesa direttamente sopra il film di colla di chiusura. Se ne ricava quindi lo schema che descrive le due tipo-

logie stratigrafiche principali (A, B): presenti nella produzione di Palmezzano contemporaneamente nella stessa opera (tab. 3):

Questa struttura è decisamente tradizionale. La base "film di colla / film di biacca", differenziata in relazione alle diverse stesure di colore, è già documentata da opere del primissimo Quattrocento: dove, però, la biacca risulta a uovo[16]. I sistemi di imprimitura differenziata che si affermano negli anni settanta del Quattrocento prevedono invece l'olio: come la distinzione fra film di colla, biacca, e olio pigmentato col nero vegetale[17], oppure il film di olio siccativo, sopra la chiusura di colla, che è attestato in relazione alla pittura con l'emulsione di olio e uovo e a olio su tavola[18]. L'imprimitura di Marco Palmezzano conserva quindi il metodo più arcaico, anche se è realizzata con materiali moderni.

L'esame delle stratigrafie a 200 X mostra la superficie liscia della biacca a olio, interfacciata con la stesura pittorica. Questo aspetto consente di ipotizzare una particolare attenzione nella stesura dell'imprimitura, se non l'impiego di una levigatura superficiale. Si può quindi prevedere come il film di biacca a olio fosse stato realizzato con l'intenzione di ottenere una superficie bianca e lucida. Anche se alcuni campioni analizzati permettono di osservare la presenza di pigmenti nell'imprimitura di biacca a olio, l'esiguità delle tracce e la loro frequente coincidenza con la composizione dello strato sovrapposto, fanno interpretare questi frammenti non come componenti di miscele colorate volute del pittore, ma come intrusioni casuali, spesso dovute al contatto con la pellicola cromatica stesa sulla superficie dell'imprimitura.

Le stratigrafie mostrano l'impiego di pellicole colorate piuttosto sottili e regolari sull'imprimitura bianca e lucida della biacca a olio. Questo particolare aspetto della stesura pittorica di Marco Palmezzano, che può essere erroneamente interpretato come un indizio dell'esecuzione a tempera, costituisce invece un tratto specifico della sua produzione e riguarda pellicole pittoriche eseguite con leganti diversi. Compare soprattutto nelle esecuzioni con leganti a olio e uovo, a olio e con miscele oleo-resinose sopra l'imprimitura di biacca a olio. Nell'intera serie cronologica analizzata, si osserva, come vedremo (/ 4), il passaggio a miscele più oleose e a strati relativamente più densi a partire dal gruppo dei dipinti datati dopo la metà degli anni novanta del Quattrocento. Ma questi cambiamenti

Tab. 3. Chiusura a colla e imprimitura di biacca a olio. Relazione con i leganti della stesura pittorica sovrapposta.

	I	Preparazione	Chiusura	Imprimitura	Stesura pittorica	Leganti			
		Gesso e colla animale	Colla animale	Biacca a olio		U	UO	O	R
A	(x)	+	+		+	+	+		
B	(x)	+	+	+	+		+	+	+

Legenda: I: impannatura; U: uovo; UO: uovo e olio; O: olio; R: resina di pino, nello strato di finitura del resinato di rame; (x) presenza saltuaria; +: presente.

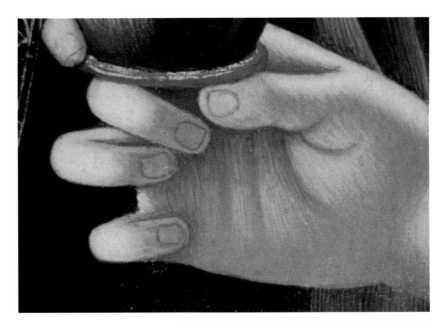

Madonna col Bambino fra i santi Giovanni Battista, Pietro, Domenico e Maddalena. Milano, Pinacoteca di Brera. Macrofotografia a luce diffusa della mano della Maddalena che mostra due caratteristiche della tavola datata 1493: il disegno soggiacente tracciato a pennello e ombreggiato con estrema precisione e l'esecuzione dell'incarnato a tratteggi sottili e paralleli oggi un poco consunti.

Madonna col Bambino in trono fra i santi Michele Arcangelo e Giacomo minore e lunetta col Padre Eterno fra i cherubini. Faenza, Pinacoteca Civica. Macrofotografia a luce diffusa della mano del Padre Eterno che mostra la diversa conduzione del disegno e della stesura pittorica nella tavola datata 1497. La lavorazione meno controllata, tradizionalmente riservata alle lunette, accentua, in questo secondo caso, i caratteri del disegno soggiacente piuttosto libero e l'esecuzione relativamente sciolta.

tecnici tendono comunque a conservare i caratteri del *modus operandi* caratteristico del pittore. Il caso di Nicolò Rondinelli, che impiega stesure dense e riprese corpose lavorate a impasto, come nella *Madonna in trono fra quattro santi e angeli musicanti* della Pinacoteca di Brera o nel *San Sebastiano* della cattedrale di Forlì, testimonia che la tecnica di pittura a strati uniformi e poco corposi del Palmezzano costituisce un orientamento individuale e non una caratteristica esclusiva della produzione locale. Si tratta, evidentemente, di una scelta programmata, che da una parte ha a che vedere con l'uso dei leganti oleo-proteici, oleosi e oleoresinosi, e dall'altra con la scelta di pigmenti di fine granulometria: insomma con la preferenza per una stesura che quando è realizzata sull'imprimitura di biacca a olio riesce a sfruttare il riflesso luminoso della base bianca per ottenere un effetto smagliante del colore. Il gusto per questo aspetto visivo della superficie dipinta è documentato dall'istruzione del *Trattato* compilato sugli appunti leonardeschi *Del far vivi e belli i colori nelle tue pitture*, che prescrive "sempre a quei colori che tu vuoi che abbiano bellezza preparerai prima il campo candidissimo; e questo dico dè colori che sono trasparenti (…) e l'esempio di questo c'insegnano i colori dè vetri, i quali, quando sono interposti infra l'occhio e l'aria luminosa, si mostrano di eccellente bellezza"[19]. Il riferimento, seppure implicito, è all'impiego di stesure colorate sottili con leganti oleosi e oleo-resinosi. Come infatti vedremo (// 6,7), l'imprimitura bianca e lucida della biacca a olio è connessa, nella pittura di Marco Palmezzano, all'impiego della lacca (/ 6) e del resinato di rame (/ 7), e già la tabella (tab. 2) mostra la frequenza di questa particolare relazione stratigrafica.

3. La *Pala di Dozza* del 1492 è l'opera più antica analizzata. I campioni provenienti da questo dipinto evidenziano, oltre all'uso dell'imprimitura localizzata di biacca a olio, una tecnica sostanzialmente basata sull'impiego dell'emulsione di olio e uovo, e la presenza di stesure a uovo applicate anche sopra una base a olio (tab. 4, a). Il primo dato (I. DOZZA, 1) è relativo all'incarnato del Battista, che risulta dipinto con l'emulsione di olio e uovo direttamente sopra la preparazione di gesso e col-

Tab. 4, a. 1492: pigmenti, leganti e strutture stratigrafiche.

		Camp.	Str.	Pigmenti		Leganti		
				Elementi	Identificazione	U	O	R
I. DOZZA	1492	1	A	Pb, Hg (tr)	Biacca, cinabro (tr)	X	X	
		2	A	Al, Pb (tr)	Lacca, biacca (tr)	X		
			B	Pb	Biacca		X	
		3	A	Pb, Cu	Biacca, azzurrite	X	X	
			B	Pb	Biacca		X	

Legenda: A, B: strati, descritti a partire dalla superficie; Camp.: campione; Str.: stratigrafia; pigmenti; tr.: tracce; leganti: U: uovo; O: olio; R: resina di pino; X presente. **Fonti**: Politecnico di Milano. dipartimento di Fisica, Archivio A. Gallone.

Madonna col Bambino in trono fra i santi Michele Arcangelo e Giacomo minore e lunetta col *Padre Eterno fra i cherubini.* Faenza, Pinacoteca Civica. Le due macrofotografie a luce diffusa consentono il confronto fra la tecnica di lavorazione dell'incarnato del san Michele della tavola principale e dell'incarnato di un cherubino della lunetta, della pala datata 1497. L'abbandono della stesura a tratteggio, caratteristica delle opere dei primi anni novanta del Quattrocento si osserva nelle due diverse soluzioni tecniche di lavorazione, determinate dalla tradizionale distinzione qualitativa fra la tavola principale e la lunetta.

Madonna col Bambino in trono fra i santi Michele Arcangelo e Giacomo minore. Faenza, Pinacoteca Civica. La macrofotografia a luce diffusa del risvolto verde del manto della Madonna mostra i resti della finitura di resinato di rame, addizionato, nella parte in ombra, a poco nero di origine vegetale. Nonostante la consunzione, si possono ancora osservare le impronte caratteristiche dell'applicazione del resinato a battuta con i polpastrelli delle dita.

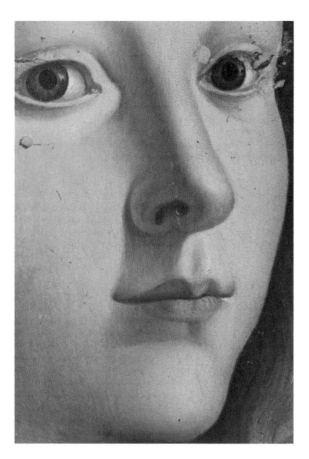

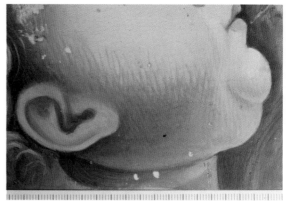

la completata con il film di colla di chiusura. L'analisi microchimica di questa stratigrafia ha individuato uno strato superficiale di cera, che nel corso del restauro è stato osservato a luce riflessa su tutti gli incarnati della tavola. Lo stato di conservazione della superficie dipinta e la sovrapposizione della cera ad alcune piccole lacune esclude che si tratti di una finitura originale. La lacca del manto della santa Margherita (I. DOZZA, 2) e la miscela di azzurrite e biacca del cielo (I. DOZZA, 3) risultano invece stese sopra l'imprimitura di biacca a olio. Anche in questo caso il legante dell'azzurrite addizionata alla biacca è l'emulsione di olio e uovo, mentre la lacca risulta stesa solo a uovo con una tecnica a tratteggio che distingue, come vedremo (/ 6), le opere dei primi anni novanta del Quattrocento di Marco Palmezzano. L'impiego di pellicole molto sottili, di stratigrafie poco complesse e della stesura tratteggiata caratterizza infatti la *Pala di Dozza* e la *Madonna in trono col Bambino e i santi Battista, Pietro, Domenico e Maddalena* di Brera. Anche la particolare tecnica di esecuzione delle ombre a tratti scuri paralleli, documentata dal particolare ben conservato dell'ombra portata dalla predella e dal piede del Battista nella Pala di Dozza del 1492, si osserva nella finitura della *Pala di Brera* del 1493, ed è inoltre presente nel dipinto murale strappato con la *Crocifissione, la Madonna, la Maddalena e i santi Giovanni evangelista, Francesco e Chiara* della Pinacoteca di Forlì, datato, quasi sicuramente, 1492. L'assenza di prelievi effettuati nelle aree verdi imbrunite della *Pala di Dozza* non consente di documentare l'impiego del resinato di ra-

me in soluzione oleo-resinosa che tuttavia appare molto probabile all'esame visivo.

Può essere utile, a questo punto, stabilire un confronto fra i referti analitici della *Pala di Dozza* del 1492 e le analisi dei campioni provenienti da un gruppo di opere di Marco Palmezzano databili fra la seconda metà del Quattrocento e la fine del primo decennio del Cinquecento (tab. 4, b).

L'uso della lacca a uovo della *Pala di Dozza* (I. DOZZA, 2) è sostituito dall'impiego dell'emulsione di olio e uovo in tutte le opere successive. Inoltre il confronto fra due campioni azzurri prelevati dalla stesura del cielo della *Pala di Dozza* del 1492 (I. DOZZA, 3) e dell'*Immacolata* del 1510 (VI. FORLI/IMM, 2, str. B) mostra che le due pellicole sottili eseguite sull'imprimitura di biacca a olio con l'azzurrite e la biacca sono legate con l'emulsione di uovo e olio nell'opera più antica e col solo olio nel dipinto più recente[20].

Le opere comprese fra la seconda metà degli anni novanta del Quattrocento e il primo decennio del Cinquecento mostrano spesso la formazione di crettature caratteristiche delle sovrapposizioni fra stesure ricche di legante oleoso con difetti di polimerizzazione[21]. Questa tipologia di crettatura è pressoché assente dalla *Pala di Dozza* del 1492 e dalla *Pala di Brera* del 1493. Le analisi hanno infatti riconosciuto in nella serie cronologica meno precoce un impiego più limitato della pittura a uovo a favore di un uso più spiccato dell'emulsione oleo-proteica di uovo e olio

Tab. 4, b. Pigmenti, leganti e strutture stratigrafiche: dalla seconda metà del Quattrocento e alla fine del primo decennio del Cinquecento.

	Camp.	Str.	Pigmenti Elementi	Identificazione	U	O	R
II. FORLI/ANN		1 A	Al, Pb (-)	Lacca, biacca	X	X	
		B	Pb, Al (-)	Biacca, lacca		X	
		2 A	Na, Al, Si, Pb, K, Ca	Lapislazzuli, biacca	X		
		B	Na, Al, Si, Pb(-)	Lapislazzuli, biacca	X		
		C	Al, Si, Pb, Cu	Azzurrite, biacca	X	(x)	
		D	Pb	Biacca		X	
		3 A	Pb (tr), Cu	Resinato di rame		X	X
		B	Pb	Biacca		X	
III. FORLI/S.ANT		1 A	Al, Si, S, K, C, Fe (-)	Nero vegetale, carbonato di calcio, ocra rossa	X		
		B	Al, Si, Pb, Fe, Cu	Nero vegetale, azzurrite, biacca, ocra rossa	X	(x)	
		C	Si (-), Pb	Minio	ND		
		D	Al, Si, Pb, Fe (-)	Nero vegetale, biacca, ocra rossa	X	(x)	
		2 A	Al, Si, Pb (+), Ca, Cu	Resinato di rame, biacca		X	X
		B	Al, Si, Mg, Pb, Ca, Cu, (Sn)	Resinato di rame, biacca	X	(x)	X
		C	Si, Pb (-), Ca, Cu (+)	Resinato di rame, biacca	X	(x)	X
		D	Pb, (Cu), (Sn)	Biacca		X	
IV. FAENZA	1497	1 A	Na, Al, Si, Pb(+), K, Ca	Lapislazzuli, biacca, carbonato di calcio (?)	X	X	
		B	Pb, Ca, Fe	Biacca, nero vegetale		X	
		2 A	Na, Al, Si, K, Ca	Lapislazzuli, carbonato di calcio		X	
		3 A	Cu, Al, Mg, Pb, Ca, K, Fe	Resinato di rame, ocre, carbonato di calcio		X	X
		B	Pb	Biacca		X	
		4 A	Al, Pb(tr)	Lacca, biacca (tr)	X	X	
		B	Pb	Biacca		X	
		5 A	Pb, (K)	Biacca		X	(x)
		B	Pb, Sb	Giallo di piombo e stagno e antimonio, biacca		X	
		6 A	Cu, Pb (tr)	Resinato di rame		X	X
		B	Pb	Biacca		X	
V. FORLI/GUAL		1 A	Al, Si, Pb, Cu, (Fe)	Biacca, Resinato di rame		X	X
		B	Al, Si, Pb, Sn, (Fe), Cu (-)	Biacca, giallo di piombo e stagno, resinato di rame (tr)		X	
		2 A	Si, Al, Fe	Ocra rossa, lacca (?)		Velatura ND	
		B	Al, Si, Cu, (Pb)	Resinato di rame, biacca (-)		X	X
		C	Pb, Cu	Biacca, azzurrite	X	(x)	
		D	Al, Pb	Biacca, lacca rossa	X	(x)	
		E	Pb	Biacca		X	
		3 A	Al, Pb (tr)	Lacca, biacca (tr)	X	X	
		B	Pb	Biacca, lacca (tr)		X	
		4 A	Si, Al, Fe	Ocra rossa, lacca (tr)	X	X	
		B	Cu, Pb	Azzurrite, biacca	X	X	
		C	Pb	Biacca		X	
VI. FORLI/IMM	1510	1 A	Al, Pb (tr)	Lacca, biacca (tr)	X	X	
		B	Pb, Al (tr)	Biacca, lacca (tr)		X	
		2 A	Si, Pb(+), Sn, Ca, Fe	Giallo di piombo e stagno, biacca		X	
		B	Pb, Cu	Biacca, azzurrite		X	
		C	Pb	Biacca		X	

Legenda: A, B, C, D, E: strati, descritti a partire dalla superficie; Camp.: campione; Str.: stratigrafia; pigmenti: (+) presenza elevata; (-) presenza scarsa; tr.: tracce; leganti: U: uovo; O: olio; R: resina di pino; X presente; (x) presente in piccole quantità; ND: dato non disponibile. **Fonti**: Politecnico di Milano. dipartimento di Fisica, Archivio A. Gallone.

Tab. 4, c. 1514-1533: pigmenti, leganti e strutture stratigrafiche.

	Camp.	Str.	Pigmenti		Leganti		
			Elementi	Identificazione	U	O	R
VII. RONTANA	1514	1 A	ND	Lacca	ND		
		1 B	ND	Cinabro, biacca (-)	ND		
		2 A	Al, Pb (tr)	Lacca, biacca (tr)	X	X	
		2 B	Pb	Biacca		X	
		3 A	ND	Biacca (+), ocre, nero vegetale, smaltino (tr)?	X	X	
		3 B	ND	Biacca (+), giallo di piombo e stagno, ocre, forse verderame (tr)	X	X	
		4 A	ND	Resinato di rame	ND		
		4 B	ND	Biacca	ND		
VIII. BRISIGHELLA	1520	1 A★	Ca	Nero vegetale	Colla animale		
		1 B	Pb, Cu, (Ca)	Azzurrite, nero vegetale, biacca(tr)	X	X	
		1 C	Pb, Cu	Azzurrite, biacca	X	X	
		1 D	Pb	Biacca		X	
		2 A	Cu, (Ca)	Resinato di rame, nero vegetale (tr)	X	(x)	X
		2 B	Al, Si, Pb, Cu, Ca	Azzurrite, biacca, nero vegetale		X	
		2 C	Pb, Al, Si, Fe	Biacca, ocra rossa (tr)		X	
		3 A	Al, Pb (tr)	Lacca, biacca (tr)	X	X	
		3 B	Pb	Biacca		X	
		4 A	Al(+), Si, Na, Mg, S, K, Ca	Lacca su allumina, calcio carbonato	X		
		4 B	Hg(+), S(+), Al, Ca	Cinabro	X		
		5 A	ND	Resinato di rame	ND		
		5 B	ND	Resinato di rame, giallo di piombo e stagno	ND		
		5 C	ND	Biacca, pigmento rosso (tr)	ND		
		6 A	ND	Biacca, giallo di piombo e stagno e antimonio (+), ocra rossa (tr)	ND		
		6 B	ND	Biacca (+), giallo di piombo e stagno e antimonio	ND		
IX. FORLIMPOPOLI	1533	1 A	Si, Ca, Pb, Cu, (Fe)	Resinato di rame, nero vegetale (tr)	X	X	X
		1 B	Si, Pb, Cu	Malachite, biacca (tr)	X		
		2 A	Cu, Ca	Azzurrite, nero vegetale		X	
		2 B	Cu	Azzurrite	X		
		3 A	Si, Al, K, Pb, Cu, Fe	Azzurrite, biacca, ocra gialla (tr)	X		
		4 A	Cu, Al, Mg, Pb, Ca, K, Fe	Resinato di rame, ocre, carbonato di calcio		X	X
		4 B	Pb	Biacca		X	
		5 A	Pb, Ca, Sb, K, (Fe)	Giallo di piombo e stagno e antimonio, biacca		X	

Legenda: A, B, C, D, E: strati, descritti a partire dalla superficie; Camp.: campione; Str.: stratigrafia; pigmenti: (+) presenza elevata; (-) presenza scarsa; (tr): tracce; leganti: U: uovo; O: olio; R: resina di pino; X presente; (x) presente in piccole quantità; ND: dato non disponibile. (★) VIII. BRISIGHELLA, 1A: dubbi sull'originalità dello strato; **Fonti**: Politecnico di Milano. Dipartimento di fisica, Archivio A. Gallone; con l'esclusione di: S.Volpin, *Relazione…* cit. (VII. RONTANA, 3, 4); D. CAUZZI, *Un giallo…* cit. (VIII. BRISIGHELLA, 6).

e del legante a olio. Le stratigrafie identificano anche un cambiamento nella tecnica di stesura del colore fra la *Pala di Dozza* del 1492 e il gruppo cronologicamente posteriore. La conduzione a pellicole sottili e regolari a strati poco complessi e l'esecuzione a tratteggio che caratterizza il dipinto di Dozza del 1492 e la *Pala di Brera* del 1493 lascia infatti posto, po-

co dopo la metà degli anni Novanta del Quattrocento, alla pittura basata su film pittorici più densi e di più complessa stratigrafia (II. FORLI/ANN, 2; IV. FAENZA, 1-5; V. FORLI/GUAL, 2). La lavorazione tratteggiata è sostituita anzitutto da stesure più compatte e quindi compare anche la tecnica di finitura a dita (// 6, 7).

Lunetta col *Padre Eterno fra i cherubini* della pala con la *Madonna col Bambino in trono fra i santi Michele Arcangelo e Giacomo minore* e Faenza, Pinacoteca Civica. Macrofotografia a luce diffusa dell'area di separazione fra la veste e il fondo. La consunzione del resinato di rame consente di osservare il limite dell'imprimitura di biacca a olio sottostante, confinante con la stesura del giallo di piombo, stagno e antimonio a olio. L'imprimitura di biacca serve da base alla lacca, mentre il resinato di rame deborda sul giallo. I raggi sono risultati eseguiti con oro su missione di biacca contenente olio e tracce di sostanze resinose.

Il tabulato (tab. 4, b) permette di osservare l'impiego differenziato dei leganti e delle stratigrafie nel contesto del medesimo dipinto. Si tratta, come abbiamo già osservato, di una situazione tecnica sostanzialmente caratterizzata dall'impiego contestuale dell'uovo, dell'emulsione di olio e uovo, dell'olio e della soluzione oleo-resinosa, nella quale la stratigrafia dei leganti non segue uno schema costante. A volte compare soltanto la sovrapposizione di pellicole a olio, altre volte gli strati a uovo, uovo e olio e olio si alternano con successioni diverse. Solo le stesure oleo-resinose sono sempre localizzate nello strato finale in quanto costituiscono la finitura di resinato di rame (/ 7). Una sola eccezione è rappresentata da un'ulteriore finitura contenente ocra rossa e forse lacca con legante non identificato sovrapposta al resinato di rame (V. FORLI/GUAL, 2) usata per l'esecuzione di un cangiante. La stessa miscela, con legante di uovo e olio, è stata identificata nello stesso dipinto nella finitura cangiante di un manto eseguito con azzurrite e biacca sempre con uovo e olio (V. FORLI/GUAL, 4). È presente inoltre l'uso di sostanze tissotropiche, come l'emulsione di olio e uovo, sopra basi oleose oppure oleo-resinose per ottenere effetti di imperlatura[22].

Questa variabilità stratigrafica si osserva soprattutto nel caso delle stesure azzurre. I campioni studiati mostrano l'impiego dell'azzurrite e del lapislazzuli in stratigrafie complesse e con sovrapposizioni di leganti variabili da caso a caso (II. FORLI/ANN, 2; IV. FAENZA, 1, 2; VI. FORLI/IMM, 2) che spesso si differenziano anche dalle stesure circostanti[23]. Nella *Pala di San Michelino*, ad esempio, l'architettura azzurra risulta eseguita con lapislazzuli a uovo e olio con la presenza della biacca per schiarire la miscela (IV. FAENZA, 1), mentre il lapislazzulo è impiegato solo a olio per il manto della Madonna (IV. FAENZA, 2) con l'aggiunta di nero vegetale nelle ombre. Le tracce di carbonato di calcio osservate in questi campioni sono

forse solo i residui delle intrusioni di calcite presenti in origine nella pietra del lapislazzulo. Il confronto fra le due stratigrafie mostra la macinazione sottile del pigmento nella prima stesura e l'impiego dello stesso triturato a grani medio-grossi nella seconda. Il manto della Madonna era quindi caratterizzato da un colore più saturo e intenso, dovuto al legante oleoso e alla notevole granulometria di macinazione, ed era perciò funzionale all'esibizione dell'area principale nella gerarchia figurativa della tavola. Le stesure di lapislazzuli e biacca e di azzurrite e biacca dell'*Annunciazione* del Carmine sono invece risultate legate a uovo sull'imprimitura di biacca a olio (II. FORLI/ANN, 2), con una presenza di tracce di olio nello strato più profondo di azzurrite (II. FORLI/ANN, 2, str. C) dovuta, forse, all'impiego di una tempera grassa, oppure alla migrazione dell'olio dall'imprimitura di biacca interfacciata con lo strato di azzurrite. La stratigrafia che mostra l'azzurrite miscelata con la biacca a uovo e con tracce di olio in uno stato intermedio della pala con di *San Gualberto* di San Mercuriale (V. FORLI/GUAL, 2, str. C) si riferisce invece alla realizzazione di un cangiante molto complesso: eseguito sull'imprimitura di biacca a olio, con una prima stesura rosa di lacca e biacca e una seconda azzurra di biacca e azzurrite, entrambe a uovo con poco olio, velate col resinato di rame in soluzione oleo-resinosa, velato a sua volta con una sottilissima finitura di ocra rossa contenente forse della lacca per l'ombra colorata il cui legante non è stato identificato.

Questi dati inseriscono il caso di Marco Palmezzano in una tradizione tecnica che è stata individuata da diverse analisi compiute su opere eseguite fra l'ultimo quarto del Quattrocento e i primi due decenni del Cinquecento. L'elemento più significativo è costituito dalla relazione fra l'uso variato dei leganti degli azzurri nello stesso dipinto e l'impiego di una tecnica basata sull'impiego simultaneo di leganti a uovo, uovo e olio e olio[24].

4. Le tre tabelle (tabb. 4, a; 4, b; 4, c), ottenute dalle analisi che hanno riguardato una serie di opere datate, posizionate con una certa regolarità nella sequenza temporale compresa fra la *Pala di Dozza* del 1492 e l'*Annunciazione* di Forlimpopoli del 1533, favoriscono un approccio storico ai dati analitici. Infatti, nonostante l'indagine realizzata a campione, la ricerca condotta, per quanto possibile, su elementi confrontabili, e la distribuzione dei referti stratigrafici e microchimici in un arco temporale di quattro decenni, possono consentire l'individuazione di costanti e di varianti in alcuni processi tecnici del pittore. Ovviamente i dati tabulati sono suscettibili di qualche margine di errore. Nelle ricerche sui leganti, specialmente se ottenuti con miscele di sostanze diverse, le complessità tecniche dell'indagine si sommano, in-

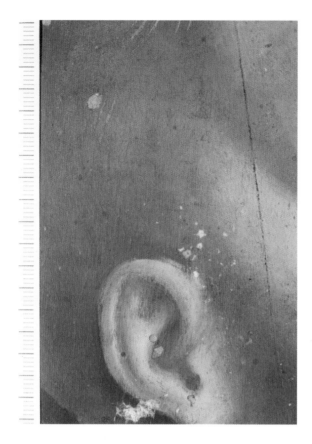

Annunciazione.
Forlì, Pinacoteca Civica.
Macrofotografia a luce
diffusa dell'incarnato di
un cherubino. Si osserva,
sotto la pellicola
pittorica, un'imprimitura
girigio-azzurra eseguita
a uovo sulla preparazione
di gesso e colla solo nelle
aree destinate agli
incarnati dei cherubini.
Sono presenti anche
residui di una finitura
molto sottile eseguita
a uovo di lacca
e ocra rossa.

fatti, alle difficoltà interpretative dei referti. Soprattutto nell'analisi delle stratificazioni pittoriche va sempre tenuta presente l'eventualità della migrazione delle sostanze leganti fra gli strati interfacciati. Tuttavia, nel nostro caso, la possibilità di incrociare su porzioni del medesimo campione metodi di indagine diversi in reciproco controllo, e l'attuazione di due diverse campagne di verifica, consentono di attribuire una buona affidabilità ai risultati ottenuti[25].

Le indagini condotte sulle opere di Marco Palmezzano non permettono di individuare, nel lungo periodo, un mutamento della tecnica del pittore basato sul modello di trasformazione "tempera → olio". Questo schema, che viene spesso usato per definire la dinamica tecnica degli anni a cavallo fra Quattrocento e Cinquecento, si fonda, in buona parte, su un preconcetto storiografico elaborato dai teorici della metà del Cinquecento per spiegare, anche sul piano dei materiali della pittura, lo scarto evolutivo fra i primitivi e i moderni[26]. Palmezzano mostra infatti una tendenza generale per l'adozione di leganti sempre più oleosi nell'arco di tempo compreso fra la prima opera analizzata e i dipinti del primo decennio del Cinquecento (tabb. 4, a; 4, b), ma le opere più tarde, datate fra il terzo e il quarto decennio del Cinquecento (tab. 4, c), evidenziano un impiego della pittura con emulsioni oleo-proteiche, che impedisce di interpretare le variazioni tecniche del pittore come un'evoluzione lineare dalla pittura a tempera alla pittura a olio.

Gli esami posizionano intorno alla metà degli anni novanta del Quattrocento la sostituzione delle stesure temperose con miscele maggiormente oleose. Il cambiamento è evidente se si confrontano i dati provenienti dalla *Pala di Dozza* del 1492 (tab. 4, a) e le osservazioni condotte sulla *Pala di Brera* del 1493, con le analisi relative alla *Pala di San Michelino* del 1497 (tab. 4, b: IV FAENZA, 1487; / 2). Va inoltre osservato come l'uso della lacca a uovo della *Pala di Dozza* (I. DOZZA, 2), connesso, come vedremo (/ 6), alla pittura a tratteggio, è sostituito dall'impiego dell'emulsione di olio e uovo in tutte le opere successive che implica una stesura più unita (// 6, 7). Inoltre il confronto fra due campioni azzurri prelevati dalla stesura del cielo della *Pala di Dozza* del 1492 (I. DOZZA, 3) e dell'*Immacolata* del 1510 (VI. FORLI/IMM, 2, str. B) mostra che le due pellicole sottili, eseguite sull'imprimitura di biacca a olio con l'azzurrite e la biacca, sono legate con l'emulsione di uovo e olio nell'opera più antica e col solo olio nel dipinto più recente. L'osservazione dei cretti larghi e profondi negli azzurri corposi, e le attestazioni analitiche relative all'impiego di leganti oleosi, caratterizzano, infatti, il gruppo di dipinti di Marco Palmezzano compresi fra la seconda metà dell'ultimo decennio del Quattrocento e il primo decennio del Cinquecento[27]. Tuttavia, l'indagine estesa alle opere più tarde, mostra che questo orientamento del pittore verso l'uso dell'olio non possiede uno sviluppo lineare: le pale di Brisighella del 1520 e di Forlimpopoli del 1533, infatti, non testimoniano il definitivo successo dell'olio, ma la conservazione o la ripresa della pittura a tempera grassa. Nell'*Annunciazione* di Forlimpopoli del 1533 vanno segnalati alcuni elementi tecnici particolari: come il riporto dei profili delle due figure a ricalco, una struttura piuttosto semplificata delle stratigrafie, una sola identificazione dell'imprimitura di biacca a olio (/ 2), e una tendenza all'impiego di pigmenti poco selezionati.

Il quadro tecnico delineato dai dati raccolti dalle opere di Marco Palmezzano non è quindi molto differente da quello che è stato illustrato dalle diverse analisi che negli ultimi anni si sono occupate delle tecniche di pittura a uovo, a emulsione di olio e uovo e a olio su tavola, presenti nel settore orientale dell'Italia centro-settentrionale fra gli ultimi decenni del Quattrocento e il primo Cinquecento[28]. Accanto all'impiego variato delle miscele oleo-proteiche[29], sono stati individuati casi di artisti che, a seconda delle occasioni, scelgono impostazioni tecniche nelle quali prevale la tempera o l'olio[30]. La stessa tendenza di fondo per la progressiva adozione di miscele più oleose non ha implicato l'abbandono dei leganti proteici e oleo-proteici, che risultano frequentemente impiegati insieme all'olio nel contesto del medesimo dipinto.

La documentazione tecnica che abbiamo raccolto, delinea un quadro di relativa stabilità. Nonostante l'ampio arco temporale indagato, i dati emersi tendo-

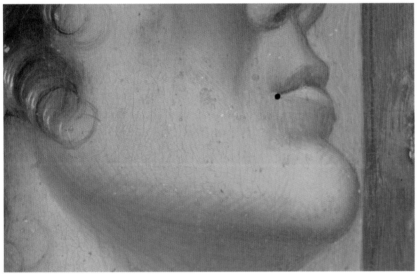

Incoronazione della Vergine con i santi Bernardino e Francesco. Milano, Pinacoteca di Brera. Dettaglio a luce diffusa della mano della Madonna.

Pala di san Giovanni Gualberto. Forlì, San Mercuriale. Macrofotografia a luce diffusa dell'incarnato del santo.

no a definire una scarsa variabilità delle strutture stratigrafiche e una ridotta trasformazione dei materiali che evidentemente dipendono dall'atteggiamento conservatore del pittore. Questa immagine è però dovuta anche al metodo di indagine che abbiamo utilizzato nella nostra ricerca. Le analisi di laboratorio tendono infatti a produrre dati direttamente confrontabili, ma tendenzialmente omologabili: e se le costanti relative alle composizioni dei materiali si individuano facilmente con le indagini sui pigmenti e sui leganti, i processi di trasformazione tecnica si possono osservare più compiutamente solo accoppiando le analisi di laboratorio alle osservazioni sui metodi di produzione e sulle pratiche d'uso di particolari materiali. Il semplice riconoscimento delle sostanze può produrre un quadro di dati utile per la storia dei materiali, ma sterile dal punto di vista della storia della cultura tecnica, in quanto un pittore può usare gli stessi materiali in modo differente, oppure modificare i materiali, ma mantenere costante il metodo del loro impiego. Per questi motivi è necessario allargare la nostra ricerca, collegando i precedenti dati raccolti con le indagini stratigrafiche e microchimiche, allo

studio dei sistemi di produzione. Con tre sondaggi particolari, dedicati alla lumeggiatura a giallo di piombo e stagno (/ 5), e alle diverse tecniche di applicazione della lacca (/ 6) e del resinato di rame (/ 7), proviamo a riflettere sulla relazione fra la periodizzazione delle opere di Marco Palmezzano e le varianti delle pratiche di esecuzione.

5. Nella pala dell'*Immacolata* di San Mercuriale a Forlì databile 1510, le lumeggiature distribuite con abbondanza sulle rocce e sugli alberi sono state identificate dalle analisi come composte con un giallo di piombo e stagno contenente silicio, legato a olio (VI. FORLI/IMM, 2)[31]. Si tratta di un particolare tipo di giallo che viene generalmente classificato come giallo di piombo e stagno del tipo II[32]. La fonte di luce è costituita invece dalla nuvola dorata, realizzata, in origine, con l'oro in foglia su bolo, probabilmente per essere brunita e apparire quindi specchiante.

Questa relazione "luce primaria / lustro", ottenuta con la discriminazione materiale "oro brunito / giallo di piombo e stagno a olio"[33], si fondava evidentemente sulla distinzione ottica fra la superficie metallica riflettente e la finzione del lustro col colore che era già stata ragionata in un famoso passo del *De pictura* di Leon Battista Alberti, dedicato al valore dell'abilità imitativa rispetto all'esibizione tautologica della materia, costruito proprio sull'esempio della contraffazione del lustro dell'oro con la pittura "che nei colori imitando i razzi dell'oro sta più ammirazione e lode all'artefice"[34]. La pittura prospettica aveva infatti messo al centro dell'attenzione i problemi posti dall'unità materiale del dipinto, dall'impiego dell'oro specchiate nella pittura, dalla necessità di governare il riflesso cangiante del metallo, che "in una piana tavola alcune superficie ove sia l'oro, quando deono essere obscure risplendere e quando deono essere chiare parere nere"[35], e la questione dell'abilità necessaria per imitare queste superfici riflettenti col colore.

Marco Palmezzano, citato nel 1494 da Luca Pacioli fra i giovani rappresentanti della pittura prospettica italiana[36], aveva sicuramente meditato su questi problemi. Tuttavia le sue opere del principio degli anni novanta del Quattrocento sono lumeggiate con la più tradizionale applicazione dell'oro a tratteggio, applicato a missione su adesivi oleosi contenenti biacca e soprattutto in polvere con leganti trasparenti. Quest'ultima tecnica, che si trova utilizzata principalmente nella prima produzione di Marco Palmezzano, compare saltuariamente nelle opere successive alla metà dell'ultimo decennio del Quattrocento, ma sempre con un ruolo decisamente marginale, vincolato alla decorazione più che alla lumeggiatura. Lo stato di conservazione della *Pala di Dozza* del 1492 consente solo di studiare delle tracce lasciate dal completamento a filetti dorati. Nella pala del 1493 di Brera è invece possibile osservare il ri-

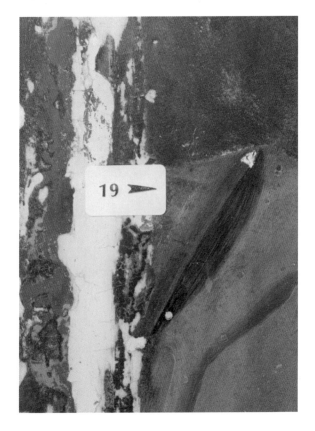

corso sistematico alla realizzazione del lustro con i filetti dorati sull'intera opera, dalla croce del Battista, alle chiavi di san Pietro e al vasetto degli unguenti della Maddalena, alle borchie e alle chiusure dei libri, fino ai tessuti che si annodano in vita alla Madonna e alla Maddalena. L'esecuzione col riflesso dell'oro del lustro brillante della zona illuminata è mostrata dalla bordatura del manto del Battista, che alterna i decori eseguiti col colore giallo, opaco, per le parti in ombra, e la decorazione con l'oro a missione, lucida, per la parte in luce. Questo impiego dell'oro in polvere era ammesso dal Filarete in un passo del suo *Trattato*, scritto poco prima della metà degli anni Sessanta del Quattrocento, dove è evidente il tentativo di mitigare la radicale presa di posizione albertiana: "L'oro fa' che non ne metta, se none a cornice e a capitegli e a colonne, pure che di rilievo sia, ma in piano non ne mettere, né oro né argento, se già per allustrare un poco con fila sottilissime, o vero che tu lo mettessi, macinato, col pennello; questo mi piacerebbe, in molti luoghi sta bene"[37].

Nella Madonna della *Pala di San Michelino* del 1497, invece, la doratura non è più pensata come lumeggiatura dorata che finge il lustro sugli oggetti rappresentati, ma trova impiego solo nella decorazione e nella più scontata realizzazione delle aureole e della raggiera intorno al Padre Eterno della lunetta. In questo caso l'impiego della biacca a olio in funzione di mordente per l'oro sottilissimo in foglia è stato riconosciuto con un'analisi microchimica di un campione prelevato da un raggio dorato: sopra la preparazione di gesso a colla animale, è stato identificato uno strato di giallo di piombo e stagno e antimonio con biacca a olio, sul quale è presente un sottile film di biacca a olio con tracce di potassio (verosimilmente dovute al processo di fabbricazione della biacca) impiegato come adesivo per l'oro (IV. FAENZA, 5) (tab. 5).

Fra la pala del 1493 e quella del 1497 è avvenuto quindi un cambiamento nell'uso del completamento a filetto dorato applicato a mordente o a pennello: da un impiego figurativo in funzione della mimesi del lustro, a un'applicazione decorativa e legata alle convenzioni iconografiche.

L'oro in foglia, applicato a bolo, è invece presente con continuità nella produzione di Marco Palmezzano: solitamente inserito nelle architetture dipinte, per realizzare il campo specchiante delle paraste decorate, oppure per creare dettagli dell'impianto architettonico. Quest'ultimo impiego presuppone interventi di raccordo della lamina specchiante al contesto illusivo dell'architettura. Nella pala di Sant'Antonio abate della Pinacoteca di Forlì, i lacunari della finta architettura sono realizzati su una foglia d'oro applicata a bolo che viene dipinta e velata con una vernice oleosa pigmentata con la lacca e con un pigmento più bruno. Identiche velature d'ombra bruna compaiono sulla doratura a foglia che realizza le decora-

Comunione degli apostoli.
Forlì, Pinacoteca Civica.
Ripresa a luce diffusa
del profeta inserito
nell'oculo di sinistra
che documenta la stesura
pittorica a tocchi veloci
e sommari caratteristica
delle aree marginali
del dipinto datato 1506.

dell'*Immacolata* di Palmezzano. Questa alterazione, che non trova esempi in letteratura[38], non è stata riscontrata in altri dipinti dove il pittore ha usato la stessa miscela di pigmenti con il medesimo legante.

Il giallo di piombo e stagno col legante oleoso produceva una stesura vivace e lucida: l'osservazione vasariana sulla peculiarità dell'olio che "accende più i colori"[39] può servire per ricostruire mentalmente un simile effetto. Le differenze di composizione chimica nei diversi campioni di giallo di piombo e stagno analizzati non sembrano invece determinanti per l'aspetto lustro del giallo. Le analisi compiute sulle stesure gialle di diverse opere di Marco Palmezzano hanno infatti mostrato l'uso prevalente del più comune giallo di piombo e stagno di tipo II, ma anche la presenza, in particolari dipinti, del giallo di piombo e stagno e antimonio[40]: questo pigmento è stato riconosciuto nella *Pala degli Osservanti* di Brisighella del 1520, nella *Madonna col Bambino e i santi Severo e Valeriano* della Pinacoteca di Forlì, nell'*Annunciazione* di Forlimpopoli del 1533 (IX. FORLIMPOPOLI, 5), mentre la prima identificazione in un'opera sicuramente datata riguarda la *Pala di San Michelino* (IV.FAENZA, 5) del 1497[41]. L'assenza di dati relativi alla composizione dei gialli della *Pala di Dozza* del 1492 e della *Pala di Brera* del 1493 non consente di stabilire se il giallo di piombo e stagno e antimonio fosse già impiegato da Marco Palmezzano anche nelle sue prime opere datate.

Le analisi dei leganti mostrano che il giallo di piombo e stagno del tipo II e il giallo di piombo e stagno e antimonio sono sempre impiegati col legante oleoso (tab. 6).

Soprattutto nel giallo di piombo e stagno del tipo II sono stati notati diversi difetti di essiccazione imputabili alla relazione fra il pigmento e il legante oleoso: come le crettature da ritiro delle parti più corpose del manto giallo nella tavola con *Tobiolo e l'arcan-*

zioni intorno ai due oculi con i profeti nella *Comunione degli apostoli* della Pinacoteca di Forlì.

Nella parasta decorata dell'*Annunciazione* di Forlimpopoli del 1533, il tradizionale campo d'oro a foglia su bolo è sostituito da una stesura più economica: composta da una campitura corposa di giallo di piombo e stagno e antimonio, addizionato a poca biacca, e legato a olio (IX. FORLIMPOPOLI, 5). Si tratta di una scelta che indica come il giallo di piombo e stagno a olio, miscelato con un poco di biacca, che schiarisce il composto e aiuta l'essiccazione del legante oleoso, poteva essere impiegato nelle parti che solitamente venivano dorate per surrogare la doratura. Questo esempio può essere utile anche per capire il particolare senso delle lumeggiature eseguite col giallo di piombo e stagno a olio nella pala dell'*Immacolata*. Ovviamente il giallo di piombo e stagno a olio non imitava l'oro, ma appariva come un giallo chiaro, piuttosto lucido grazie al legante oleoso, molto diverso dall'attuale stesura alterata in grigio che si osserva in tutte le lumeggiature eseguite a strato molto sottile o a velatura nella pala

Tab. 5. Mutamento nell'impiego dell'oro a missione o a pennello.

| | Lustro | | Decorazione |
	Oro (missione / pennello)	Giallo di piombo e stagno a olio	Oro (missione / pennello)
1493	+		+
1497		+	+
1510		+	+

Tab. 6. Tipi e leganti del giallo di piombo e stagno.

| | | Camp. | G II | G A | Leganti | |
					U	O
IV. FAENZA	1497	5		X		X
V. FORLI/GUAL		2	X			X
VI. FORLI/IMM	1510	2	X			X
IX. FORLIMPOPOLI	1533	5		X		X

Legenda: G II: giallo di piombo e stagno di tipo II; G A: giallo di piombo e stagno e antimonio; U: uovo; O: olio. **Fonte**: rielaborazione da Politecnico di Milano. dipartimento di Fisica, Archivio A. Gallone.

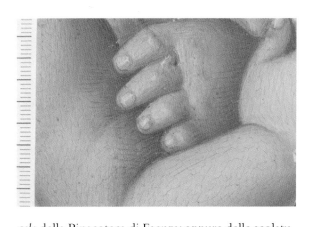

L'Immacolata col Padre Eterno e i santi Anselmo, Agostino e Stefano. Forlì, San Mercuriale. Macrofotografia a luce diffusa dell'incarnato dell'angelo inginocchiato al centro dell'opera datata 1510. Il dettaglio, in buono stato di conservazione, mostra il completamento a tratteggio rossiccio molto sottile e breve impiegato per accentuare l'ombreggiatura.

gelo della Pinacoteca di Faenza; oppure delle scolature che indicano un'asciugatura molto lenta come nella chiazzatura del marmo giallo della colonna dell'Annunciazione del Carmine. In assenza di analisi specifiche sulla natura del legante oleoso presente in questi dettagli è impossibile sapere se i comportamenti osservati possono essere stati causati da un legante poco ingiallente, ma a lenta polimerizzazione come l'olio di noce. Tuttavia, va segnalato che il giallo di piombo e stagno è stato osservato in opere del primo Cinquecento miscelato a polvere di vetro usata verosimilmente in funzione di siccativo per gli oli[42], oppure, nei dipinti di Marco Palmezzano, addizionato con pigmenti impiegati tradizionalmente come siccativi degli oli. I casi più comuni sono costituiti dalle imprimiture giallo-chiare di dove è stata riscontrata la biacca (III. FORLI/ANT, 2; VIII. BRISIGHELLA, 6)[43], e dalle mescolanze con il verderame (VIII. BRISIGHELLA, 5). Quest'ultima miscela serviva anche per ottenere un colore giallo-verde piuttosto brillante che, come vedremo (/ 7), era oggetto di apprezzamento da parte dei contemporanei di Palmezzano per la sua vivacità. Una simile composizione è stata osservata in una stesura piuttosto corposa della *Pala degli Osservanti* di Brisighella, utilizzata come base per un'ulteriore velatura di resinato di rame (VIII. BRISIGHELLA, 5).

6. Le tecniche di impiego della lacca costituiscono la testimonianza più evidente della relazione fra la cronologia delle opere e il mutamento del metodo di pittura di Marco Palmezzano.
I campioni di lacca provenienti dalle opere eseguite dal pittore si possono ricondurre a due tipologie

Tab. 7. Lacca: tipologie stratigrafiche.

	I	II
1. Preparazione: gesso e colla	X	X
2. Chiusura: colla	X	X
3. Imprimitura: biacca	X	
4. Disegno soggiacente	X	X
5. Cinabro		X
6. Lacca	X	X

stratigrafiche. La prima è costituita dalla preparazione di gesso e colla, la stesura della colla di chiusura, un sottile film di imprimitura di biacca levigata, tracce del disegno a pennello a volte intercettate dal prelievo, e la finitura di lacca. La seconda è formata dalla preparazione di gesso e colla, la colla di chiusura, una stesura di cinabro e il completamento di lacca. Il primo tipo è solitamente connesso ad aree gerarchicamente importanti nell'economia della figurazione, come i manti dei santi principali (I. DOZZA, 2; V. FORLI/GUAL, 3) o la veste della Madonna (II. FORLI/ANN, 1; IV. FAENZA, 4; VIII. BRISIGHELLA, 3). Il secondo tipo possiede invece destinazioni più varie, ed è bene rappresentato dal campione prelevato dal manto di Dio della lunetta della *Pala degli Osservanti* di Brisighella (VIII. BRISIGHELLA, 4), e quello proveniente dal manto rosso del re mago inginocchiato della *Pala di Rontana* (VII. RONTANA, 1) (tab. 7).

Per quanto riguarda il primo tipo, le analisi dei leganti hanno individuato nello strato di imprimitura di biacca la netta prevalenza del legante a olio, e più raramente dell'emulsione di olio e uovo; la lacca è invece risultata legata a uovo e olio, con l'eccezione della *Pala di Dozza* (I. DOZZA, 2), dove risulta probabile la presenza del solo uovo. Nel secondo tipo la stesura di cinabro e la successiva finitura di lacca risultano applicate a uovo[44] (tab. 8).

La tecnica del primo tipo, tende, insomma, a mostrare la lacca non come una velatura di una superficie colorata, ma come stesura esibita nella sua specifica evidenza materiale. L'imprimitura di biacca a olio sottostante, come abbiamo già visto (/ 2), mette in evidenza la bellezza intrinseca del colore semitrasparente. Per questa ragione il criterio che caratterizza l'impiego della lacca con la tecnica del primo tipo, in relazione alla gerarchia figurativa nelle opere di Marco Palmezzano si costituisce ancora in continuità con gli usi della tradizione locale quattrocentesca: nella quale la preferenza per l'esibizione della lacca rappresentava uno dei vettori del gusto[45]. Si tratta di un criterio di ricezione che era diventato uno bersagli preferiti della polemica degli scrittori moderni verso i valori percettivi del passato. Proprio citando l'esibizione della lacca, Pietro Aretino, nel 1537, ragionava sul mutamento storico del concetto di "vaghezza", parlando dell'antiquata sgargiante policromia di quei miniatori suoi contemporanei, che "il far loro non è altro che una vaghezza di oltramarini, di verdi azzurri, di lacche di grana e d'ori macinati"[46]; e ancora Paolo Pino, undici anni dopo, mirava a precisare, sempre ricordando la lacca, che "non però intendo vaghezza l'azzurro oltramarino da sessanta scudi l'onzia o la bella lacca, perch'i colori sono anco belli nelle scatole da sé stessi"[47]. Questo impiego della lacca va dunque osservato nel contesto della tendenza a differenziare i materiali e le

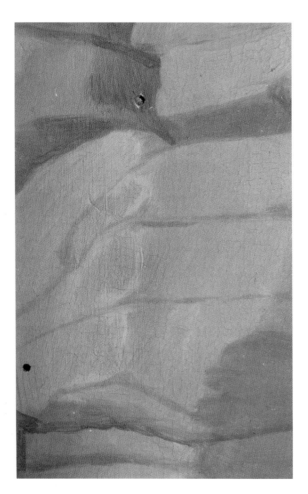 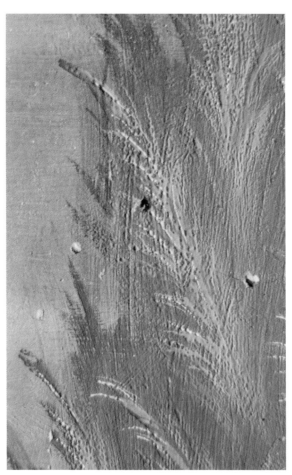

tecniche di esecuzione in relazione alla gerarchia strutturale e figurativa dell'insieme: secondo i principi della preferenza per particolari aspetti visivi, e per i valori della qualità materiale, della lavorazione accurata e della complessità esecutiva, che evidentemente riflettono i criteri usati dal pittore e dai destinatari delle sue opere, per valutare la qualità tecnica del dipinto. Accanto alle prove relative alla lavorazione unitaria delle diverse parti dei complessi altaristici di Marco Palmezzano, i dati ricavati dal confronto fra le tavole principali, le lunette e le predelle, mostrano, infatti, alcune differenze tecniche che si mantengono costanti nell'esecuzione dei singoli elementi[48]. Nella lunetta con la *Resurrezione* della *Pala dell'Immacolata* di San Mercuriale di Forlì, dove si osserva una lavorazione a pialletto poco accurata e il ricorso a una tassellatura posta sul recto[49], che contrasta con la tavola principale, realizzata con tre assi verticali in legno di cipresso regolari e ben levigate[50], si notano anche alcune correzioni della figurazione in

Tab. 8. Lacca: strutture stratigrafiche e leganti.

		Preparazione		Base			Lacca (L)		
		G	C	Pigmenti	Leganti U	O	Pigmenti	Leganti U	O
I. DOZZA	1492	+	+	Biacca		+	L, biacca (tr)	+	?
II. FORLI/ANN		+	+	Biacca, L (tr)	+	+	L	+	+
IV. FAENZA	1497	+	+	Biacca		+	L, biacca (tr)	+	+
V. FORLI/GUAL		+	+	Biacca		+	L, biacca	+	+
VI. FORLI/IMM	1510	+	+	Biacca, L (tr)		+	L, biacca (tr)	+	+
VII. RONTANA	1514	+	+	Biacca		+	L	+	+
				Cinabro, biacca (tr)	nd	nd	L	nd	nd
VIII. BRISIGHELLA	1520	+	+	Biacca	+	+	L, biacca (tr)	+	+
				Cinabro	+		L su allumina, carbonato di calcio	+	

Legenda: +: presente/sostanza nettamente prevalente; ?: presenza dubbia; nd: dato non disponibile; tr: tracce; (tr)★: tracce interpretabili come inclusioni accidentali; G: gesso; C: colla; U: uovo; O: olio; L: lacca. **Fonte**: rielaborazione da Politecnico di Milano. dipartimento di Fisica, Archivio A. Gallone.

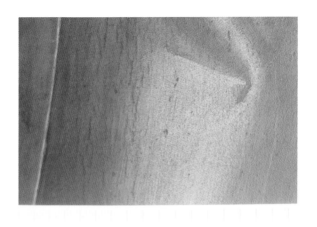

corso d'opera, eseguite con ripassi di colori coprenti, che nella pittura di Marco Palmezzano, risultano solitamente molto rari e limitati[51]. Nella *Pala di Rontana* le varianti di lavorazione fra la tavola e la lunetta non riguardano la carpenteria e la preparazione del supporto, ma sono essenzialmente legate alla diversa finitura pittorica della tavola con l'*Adorazione dei Magi*, rispetto all'esecuzione meno curata della lunetta col *Cristo fra i dottori*. Gli interventi di completamento a tratteggio nella lunetta sono meno controllati rispetto a quelli presenti nella tavola sottostante, e inoltre, nella lunetta, il tratteggio non si limita, come nella tavola, a sottolineare dettagli anatomici già definiti con la stesura dipinta, ma realizza su stesure più piatte veri e propri passaggi di modulazione volumetrica[52]. La comparazione fra le analisi stratigrafiche compiute sulla tavola e la lunetta della *Pala di San Michelino*, sulla tavola, la lunetta e la predella della *Pala dell'Immacolata*, e sulla tavola e la lunetta della *Pala degli Osservanti* di Brisighella, hanno sempre mostrato la maggiore complessità strutturale delle stesure pittoriche delle tavole principali rispetto a quelle presenti nell'esecuzione degli elementi accessori delle pale.

La relazione fra l'impiego della lacca stesa sulla base di biacca a olio e il pregio della figurazione si chiarisce meglio all'interno di queste tradizioni produttive: dove le gerarchie strutturali e figurative dell'opera sono correlate alle distinzioni qualitative delle tecniche. Nel lungo periodo, tuttavia, i dipinti di Marco Palmezzano permettono di osservare una variazione di procedimento nella tecnica di applicazione della lacca. Si tratta di un cambiamento che risulta strettamente correlato alla cronologia delle opere. Nei dipinti che il pittore realizza al principio degli anni Novanta del Quattrocento, infatti, la lacca è usata con una tecnica di applicazione a tratteggio parallelo a pennello. Il manto della santa Margherita della *Pala di Dozza* del 1492 mostra ad esempio la stesura a tratteggio della lacca, che in stratigrafia, a 200 x, appare come una stesura interrotta in modo intermittente data sopra una sottilissima preparazione di biacca levigata (I. DOZZA, 2). Una tecnica identica compare anche nella pala del 1493 della Pinacoteca di Brera, dove il drappo dietro la Madonna, l'abito della Madonna, il libro tenuto da san Pietro e il grande manto della Maddalena mostrano l'esecuzione sopra un sottile film bianco lisciato della lacca stesa a tratti liquidi con un pennello appuntito fine e morbido, con un tratteggio che segue l'andamento dei piani e delle pieghe. In entrambe le opere la lacca si è assottigliata, mentre nella *Pala di Dozza* ha subito anche un evidente processo di decolorazione che ha rimesso in luce il disegno sottostante a tratti neri di pennello. Nelle zone d'ombra, come mostra il manto della Maddalena della *Pala di Brera*, si individuano ancora le rare impronte di un'ulteriore velatura a lacca che ripassava la prima stesura a tratteggio, mentre le parti in luce delle pieghe mostrano le tracce di un intervento di alleggerimento del tratteggio eseguito probabilmente con una pezzuola che asportava la lacca per rimettere in luce il bianco dell'imprimitura sottostante.

Questa tecnica a tratteggio non compare più nelle opere successive di Marco Palmezzano. Già nella *Pala di San Michelino* di Faenza, commissionata nel 1497 (IV. FAENZA, 4), nell'*Annunciazione* del Carmine di Forlì (II. FORLI/ANN, 1) e nella *Pala con San Giovanni Gualberto* di San Mercuriale a Forlì (V. FORLI/GUAL, 3), l'applicazione della lacca a stesura velata compatta si accompagna a una tecnica d'impiego della lacca assente dal nucleo dei dipinti dei primi anni novanta. Si tratta dell'uso di applicare la lacca con la battuta delle dita, col palmo della mano o col tampone. Questa pratica di applicazione della lacca costituisce un tratto comune della produzione della maturità del pittore forlivese, ed è presente diffusamente nelle sue opere del secondo e del terzo decennio del Cinquecento, sia nella tecnica del primo tipo, dove la lacca è battuta sulla base di biacca, e sia nella tecnica del secondo tipo, con la battuta della lacca sul cinabro: come testimoniano l'*Adorazione dei magi* di Rontana del 1514 (VII. RONTANA, 1,2) e la *Pala degli Osservanti* di Brisighella del 1520 (VIII. BRISIGHELLA, 3,4). L'applicazione della lacca con le dita, il palmo o il tampone su basi di biacca e di cinabro produce, nel primo caso, un rosso luminoso violaceo, nel secondo un rosso vivace aranciato. Per entrambe le tecniche, il procedimento della lacca battuta si individua facilmente, osservando le superfici con una luce semiradente e una lente a pochi ingrandimenti: in quanto il film composto di lacca dispersa nell'emulsione di olio e uovo tende a trattenere le impronte dei polpastrelli, del palmo o del tampone. Le osservazioni a 100 e 200 X delle sezioni stratigrafiche mostrano l'andamento ondulato di queste finiture.

Le sei opere datate che sono state analizzate, permettono di osservare la seguente variazione cronologica nella tecnica di applicazione della lacca (tab. 9).

Adorazione dei Magi.
Rontana, chiesa di Santa
Maria. Dettaglio del
volto della Madonna.
La ripresa a luce
semiradente mostra
l'impiego della pittura
a olio e uovo a pellicola
sottile, ma a stesura fusa
e impastata, caratteristica
delle aree principali di
questa pala datata 1514.

Il tratteggio che distingue i prodotti dei primi anni novanta del Quattrocento non è limitato alla lacca e non costituisce una tecnica specifica di Marco Palmezzano. La *Pala di Dozza* del 1492, e soprattutto, grazie alla migliore conservazione, quella di Brera del 1493, mostrano l'impiego della lavorazione e del completamento a tratteggio, eseguiti con diversi colori sull'intera superficie dell'opera. Il tratteggio non è presente come un procedimento esecutivo neutrale, ma viene esibito nelle parti salienti del dipinto come un tratto caratterizzante della qualità della lavorazione, che deve essere ostentato per ottenere l'apprezzamento dei destinatari dell'opera. Si tratta della tecnica usata da maestri come Melozzo da Forlì o Antoniazzo Romano, più anziani di Marco Palmezzano, soprattutto negli anni ottanta del Quattrocento[53]: la relazione stilistica fra la prima attività di Palmezzano e questa tradizione culturale[54], può essere quindi confermata dall'evidenza tecnica.

Il distacco da questa consuetudine tecnica, a dai valori di gusto che implicava, avviene, dunque, per Marco Palmezzano, intorno alla metà dell'ultimo decennio del Quattrocento. L'abbandono dell'esecuzione a tratteggio comporterà, d'ora in poi, l'impiego della lacca battuta, non solo come applicazione autonoma, ma anche come finitura di altre stesure colorate: dove il sottile rivestimento rosso, ottenuto con la lacca battuta, potrà essere utilizzato come una velatura per realizzare effetti cangianti. I cangianti eseguiti con la lacca a tratteggio sulle stesure azzurre

e gialle nelle opere dei primi anni novanta del Quattrocento, lasciano il posto, nella seconda metà dello stesso decennio, alla tecnica della finitura del cangiante con la lacca a velatura o a battuta. Nella *Pala con San Giovanni Gualberto* di San Mercuriale a Forlì, ad esempio, i residui ancora conservati del manto di San Giovanni Gualberto che presenta il committente mostrano che il viola è ottenuto con una stesura azzurra sulla quale è posta una finitura di lacca battuta con le dita. Un cangiante di lacca e azzurro si ricostruisce osservando i residui di una finitura di lacca presenti nei corrugamenti delle pennellate del panneggio azzurro dell'apostolo più a sinistra nella *Comunione degli apostoli* del 1506 della Pinacoteca di Forlì: anche se, in questo caso, l'esiguità dei frammenti non consente di capire se si tratta di lacca applicata a velatura o a battuta. Nella *Pala degli Osservanti* di Brisighella del 1520 la lacca battuta a mano è sovrapposta alle stesure gialle, azzurre e verdi scure.

Il passaggio operativo "tratteggio → battuta" nell'impiego della lacca costituisce uno dei segnali della trasformazione di Marco Palmezzano. Non è evidentemente il dato più vistoso, ma, tuttavia, può essere interessante vederlo emergere proprio nel contesto di una pittura che diventa, contemporaneamente, di stesura più unita e di colore più accordato. Il viaggio documentato del pittore a Venezia nel 1495 coincide esattamente con questo cambiamento: al punto che si può congetturare sulla relazione fra la conoscenza della pittura senza tratteggio dei maestri veneziani e l'abbandono della tecnica e stesure tratteggiate[55]. D'altronde, per rimanere sul problema della tecnica della lacca, va osservato che l'esecuzione a battuta della lacca si era affermata proprio presso i giovani pittori che sceglievano una stesura più uniforme anche come reazione alla tecnica più antiquata del tratteggio. Non a caso una delle più efficaci testimonianze di queste scelte moderne è fornita dalla *Crocifissione Mond* della National Gallery di Londra, dipinta da Raffaello a Città di Castello fra il 1502 e il 1503, dove il manto viola sulla testa della Madonna è ottenuto con una velatura rossa stesa con i polpastrelli su una base viola-azzurra[56]. Tuttavia le analisi dei leganti

Tab. 9. Cronologia delle opere e metodi di applicazione della lacca.

		Lacca	
		Tratteggio a pennello	Dita/palmo o tampone
I. DOZZA	1492	+	–
Madonna col Bambino fra i santi Giovanni Battista, Pietro, Domenico e la Maddalena, Milano, Pinacoteca di Brera	1493	+	–
IV. FAENZA	1497		+
VI. FORLI/IMM	1510	–	+
VII. RONTANA	1514	–	+
VIII. BRISIGHELLA	1520	–	+

Legenda: + presente; – assente.

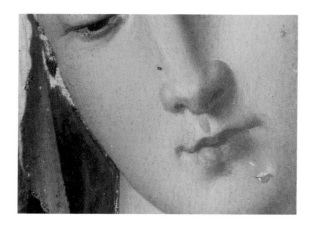

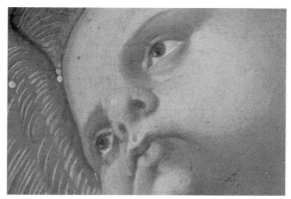

non hanno individuato nella lacca battuta del giovane Raffaello l'emulsione di olio e uovo caratteristica della lacca di Palmezzano, ma un'esecuzione a olio di lino, con l'impiego dell'olio di noce, meno ingiallente, nell'azzurro sottostante[57]. Inoltre il riconoscimento di una presenza non casuale di polvere di vetro in questa lacca battuta di Raffaello va probabilmente connessa proprio con l'impiego del legante oleoso: in quanto sostanze come il manganese e la soda presenti nel vetro possono rendere la polvere di vetro un discreto siccativo degli oli[58].

L'impiego della lacca battuta, rappresenta, insomma, uno dei più tipici comportamenti di acculturazione tecnica del pittore, dovuto alla necessità di ammodernamento del suo stile. Non basta, comunque, riconoscere i segni dell'applicazione della lacca con le dita, il palmo della mano, la battitura del tampone coperto di teletta o con la rollatura di una spugnetta, per essere certi di osservare una finitura originale. Nella copia della *Resurrezione di Lazzaro* di Garofalo realizzata nel 1864 per San Francesco a Ferrara da Girolamo Domenichini, la figura che si tura il naso dipinta a sinistra in piedi in secondo piano ha un panneggio rosso rifinito con la lacca battuta col palmo della mano, eseguito con la stessa tecnica che il copista aveva osservato in alcune opere di Garofalo e di Dosso in discreto stato di conservazione[59]. Il copista ottocentesco che ricorre a questa pratica non adotta quindi un espediente generico, ma si orienta verso l'imitazione di una tecnica che ha studiato sugli originali antichi. L'insidia è perciò legata alla migrazione di questa intenzione imitati-

va dal campo della copia a quello del restauro ricostruttivo: esiste insomma la possibilità che i restauratori attivi nell'area ferrarese e romagnola potessero usare queste tecniche per ricostruire in senso imitativo l'aspetto di un'antica superficie pittorica conservata.

Comunque, nel caso di Palmezzano, l'ampia attestazione, e la presenza in dipinti interessati da vicende diverse di restauro e collezionismo, possono costituire importanti dati a favore dell'originalità della tecnica della lacca battuta. D'altra parte, le osservazioni stratigrafiche e le analisi comparate dei pigmenti e dei leganti, condotte sui campioni di lacca, mostrano costanti tecniche e materiche che si spiegano solo in riferimento a un unico contesto produttivo. Ciò nonostante esistono dipinti come la *Pala degli Osservanti* di Brisighella dove la stesura della lacca battuta colma alcune abrasioni, mentre le analisi condotte in aree attigue integre identificano una situazione stratigrafica e una composizione chimica identica a quella mostrata dai campioni provenienti dalle altre opere del pittore, per cui è necessario tenere presente anche l'eventualità di un'applicazione originale integrata con un restauro imitativo. Nel caso della *Pala di Rontana* la lacca battuta è a contatto con la superficie del cinabro originale, sotto ai ritocchi e agli strati di vernici, su aree di panneggio eseguite con stesure non perfettamente rifinite e quindi destinate a un completamento (VII. RONTANA, 1). L'immagine all'infrarosso-falsi colori indica una corrispondenza fra la mancanza della finitura e le aree abrase o alleggerite probabilmente da scolature di solventi. Inoltre nell'area della mano che regge il vaso del re mago più a destra, la lacca è usata per coprire un pentimento dell'incarnato e si trova a sua volta coperta dalla pennellata della parte scura della fascia verde, che costituisce un ripasso originale eseguito per approfondire l'ombra quando la lacca battuta era già stata stesa[60].

7. Questi dati relativi alla relazione fra tecnica e cronologia sono evidenti anche nel caso dell'uso del completamento a resinato di rame. Negli stessi dipinti dove compare la lacca applicata con le dita, col palmo o a tampone, si osserva, infatti, anche l'impiego della medesima tecnica nella stesura delle finiture di resinato di rame o di resinato di rame addizionato al nero vegetale. In tutte le opere di Marco Palmezzano è presente l'impiego del verderame o del resinato di rame a pennello, ma l'apparire della tecnica di applicazione a battuta del resinato di rame è attestata solo contemporaneamente alla comparsa stessa tecnica per la lacca (tab. 10).

Questa coincidenza è molto significativa, poiché conferma la relazione fra lo sviluppo cronologico della produzione e l'acquisizione di una nuova tecnica.

Le indagini condotte sulle stesure verdi imbrunite dei dipinti su tavola di Marco Palmezzano hanno docu-

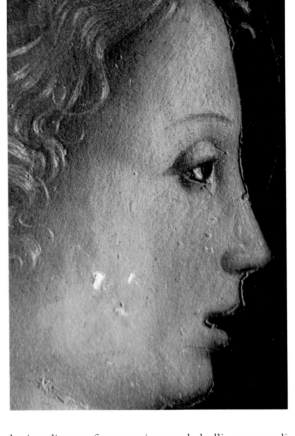

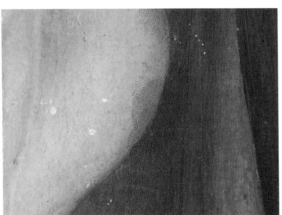

Adorazione dei Magi.
Rontana, chiesa di Santa
Maria. Macrofotografia
a luce diffusa della zona
terminale del manto
del re Mago. Il manto,
eseguito col cinabro,
è completato con una
stesura di lacca a olio e
uovo applicata a battuta
con le dita, che in
alcuni punti è un poco
debordata sulle aree
circostanti. La veste rossa
della Madonna presenta
una stessa tecnica
di finitura eseguita
su un'imprimitura
liscia di biacca a olio.

*Madonna in trono col
Bambino fra i santi Valeriano,
Antonio da Padova e
Antonio abate.*
Brisighella, chiesa
dei minori osservanti.
Macrofotografie delle
impronte delle dita e del
tampone impiegati nella
stesura delle finiture a
uovo e olio del dipinto
datato 1520.

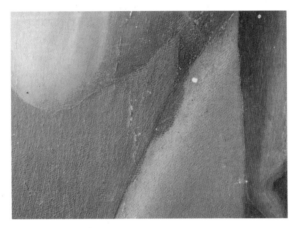

basico di rame fatto reagire con la bollitura con oli
o essenze oleose e sostanze proteiche per ottenere
un oleato di rame trasparente, e si usava in genere in
miscela con una vernice oleo-resinosa[62] o con l'essenza della trementina veneta distillata[63]. A causa
della sua composizione può essere confuso durante
le analisi con un verderame inquinato da successive
vernici oleo-resinose invecchiate[64]. Per questo motivo le indagini compiute sui dipinti di Marco Palmezzano hanno tenuto presente questo possibile
equivoco: sottoponendo ad analisi gli strati superficiali prossimi al presunto resinato per verificare l'e-
ventuale esistenza di vernici oleo-resinose inqui-
nanti, mentre la verifica microchimica si è concen-
trata soprattutto sulle stratigrafie che in letteratura
sono ritenute caratteristiche dell'impiego del resinato di rame. In particolare, oltre all'uso in più stra-

mentato un impiego piuttosto diffuso e abbastanza
variato del resinato di rame[61]. Questo colore, che possedeva in origine un aspetto verde saturo brillante e
una discreta trasparenza, era preparato con l'acetato

Tab. 10. Lacca, verderame e resinato di rame: cronologia delle opere e metodi di applicazione.

		Tratteggio Lacca	Pennello Ver / res	Dita/palmo o tampone Lacca	Res
I. DOZZA	1492	+	+	−	−
Madonna col Bambino fra i santi Giovanni battista, Pietro, Domenico e la Maddalena, Milano, Pinacoteca di Brera	1493	+	+	−	−
IV. FAENZA	1497	−	+	+	+
VI. FORLI/IMM	1510	−	+	+	(?)
VII. RONTANA	1514	−	+	+	+
VIII. BRISIGHELLA	1520	−	+	+	+

Legenda: + presente; − assente; (?): presenza dubbia; Ver / res: verderame /resinato di rame; Res: resinato di rame.

ti sottili, è stato osservato l'impiego del resinato di rame su basi di biacca a olio, l'applicazione del resinato di rame su basi gialle composte da una bassa percentuale di biacca unita al giallo di piombo e stagno legate a olio, e l'uso di velature finali nelle ombre ottenute addizionando al resinato di rame del nero vegetale (tab. 11).

Il resinato di rame compare nelle opere di Palmezzano principalmente in due strutture stratigrafiche: che si possono schematizzare con le sequenze "biacca a olio → resinato di rame" e "giallo di piombo e stagno e biacca a olio → resinato di rame". La prima stratigrafia è quella tipica delle chiazzature dei marmi. Nella chiazzatura del finto marmo verde della losanga pavimentale in primo piano della *Pala di Brera* del 1493 si riconoscono ancora le pennellate trasparenti e la tipica l'alterazione brunastra del resinato di rame. Si tratta di un dettaglio realizzato con la stessa manualità delle altre chiazzature dei marmi colorati, il cui stile esclude quindi il sospetto che si tratti di una di quelle patinature di restauro che erano praticate proprio col resinato di rame[65]. La stratigrafia di un campione analogo prelevato dalla chiazzatura imbrunita della colonna a destra della *Pala di San Michelino* del 1497 della Pinacoteca di Faenza (IV. FAENZA, 6) mostra la base di biacca a olio levigata sulla quale è steso il film verde brillante trasparente del resinato di rame, contenente piccole tracce di biacca, in soluzione oleo-resinosa.

Le vicende conservative delle opere e la normale alterazione del resinato impediscono di capire l'effetto originario della stratificazione "biacca a olio → resinato di rame" della chiazzatura del marmo. Non possiamo sapere se, nelle opere di Marco Palmezzano, questa semplice stratificazione realizzava un verde luminoso, oppure se la lucentezza ottenuta con la sottile stesura del resinato sulla biacca lucida a olio produceva l'imitazione materica del lustro marmoreo.

Esistono infatti alcune testimonianze relative all'impiego di leganti diversi nella distinzione materica dei marmi dipinti che fanno intuire l'esistenza di una tradizione tecnica imitativa del lustro marmoreo anche in opere la cui figurazione era impostata secondo i principi della finzione prospettica. L'impiego delle chiazzature del marmo a olio in un dipinto a tempera a uovo è stata ad esempio osservata nella *Madonna col Bambino e due angeli* di Filippo Lippi del Metropolitan di New-York, dove la comparazione fra due campioni di biacca ha mostrato l'uso di un legante proteico (probabilmente uovo) nell'area dei capelli dell'angelo di sinistra, e di un legante a olio per il trono in marmo[66]. Le analisi compiute sulla *Pala di San Bernardino* di Piero della Francesca di Brera hanno identificato il legante a uovo nelle architetture e l'emulsione di olio e uovo nei marmi delle specchiature[67]. Nella *Pala di Rontana* del 1514 è stata rinvenuta una traccia di vernice sull'area marmorizzata della colonna dipinta a sinistra della scena principale della pala stessa posta a diretto contatto con il colore[68]. Una simile posizione stratigrafica, unita a una forte resistenza ai solventi, caratteristica di un materiale oleo-resinoso molto invecchiato, fanno sospettare che si tratti di un lacerto originale, la cui localizzazione lascia inoltre aperta l'interpretazione circa la sua funzione: da una parte l'ipotesi di un residuo di una vernice già presente sull'intera superficie, dall'altra il sospetto che si tratti del lacerto di una verniciatura applicata solo sull'area della colonna per imitare l'effetto lustro del marmo. Nel *Polittico di San Luca* di Mantegna a Brera, alcuni residui di una vernice supposta originale sono stati osservati solo a diretto contatto col fusto della colonna che regge il leggio del santo[69]: dove, forse, realizzava il lustro del marmo.

L'impiego del resinato di rame, su una base di giallo di piombo e stagno e biacca a olio, è presente in molte opere di Marco Palmezzano. La base gialla, quando risulta messa allo scoperto dai danni subiti dal dipinto, può mostrare un aspetto verde-giallastro, che non è originale, ma è dovuto alla penetrazione del resinato di rame nella stesura gialla chiara brillante del giallo di piombo e stagno di preparazione. Nella *Pala di San Michelino* della Pinacoteca di Faenza del 1497 il risvolto giallo del manto di San Giacomo minore, eseguito con giallo di piombo e stagno e biacca a olio, prosegue come base per la pittura a resinato di rame della manica. Nella *Pala di Sant'Antonio* della Pinacoteca di Forlì, il manto verde del San Giovanni Battista mostra una base chiara giallognola-verdastra, la stessa che affiora dai verdi più spelati della *Comunione degli apostoli* della Pinacoteca di Forlì e dal risvolto del manto di Cristo nella *Pala dell'Incoronazione della Madonna fra i santi Benedetto e Francesco di Assisi* della Pinacoteca di Brera. Una di queste basi, messa completamente in vista, si osserva nel caso del panneggio che ricade a sinistra della Madonna sul basamento della *Pala Denti* della Pinacoteca di Forlì. In quest'ultimo caso si osserva la stratificazione della base giallo-verdastra chiara sulla preparazione, il tratteggio e il ripasso con una velatura bruna delle parti in ombra, le tracce più chiare delle lumeggiature, e, soprattutto, i pochi frammenti rappresi dell'originale completamento generale di resinato di rame. Questa tecnica è usata anche nell'esecuzione di alcune parti vegetali. Nell'*Annunciazione* della Pinacoteca di Forlì l'asportazione della stesura di resinato di rame dalla zona del prato parallela al profilo del collo dell'angelo, mette in luce la base compatta di giallo di piombo e stagno. Dove il resinato di rame è

Tab. 11. Resinato di rame: strutture stratigrafiche e leganti.

	Base			Leganti		Resinato di rame (RR)		Leganti		
		Pigmenti		U	O	Pigmenti		U	O	RP
II. FORLI/ANN		Biacca		-	+++	RR,		-	+	++
III. FORLI/S.ANT		Biacca e giallo di piombo e stagno (tr)		-	+++	1. RR, biacca (tr)		+	+	+
						2. RR, biacca		++	+	(+)
						3. RR (+), biacca (+++)		-	++	(+)
IV. FAENZA	1497	Biacca		-	+++	RR		-	+	++
		Biacca		-	+++	RR, biacca (tr)		-	+	++
		Giallo di piombo e stagno e biacca		-	+++	RR		-	+	++
V. FORLI/GUAL		Giallo di piombo e stagno e biacca		-	+++	RR, nero veg.		-	+	++
VIII. BRISIGHELLA	1520	Biacca e ocra rossa (tr)★		-	+++	1. azzurrite, biacca, nero veg. (tr)		-	+++	-
						2. RR, nero veg. (tr)		+	+	++
		Biacca e rosso (tr)★ (a)		ND		1. RR, giallo di piombo e stagno		ND		
						2. RR		ND		
IX. FORLIMPOPOLI	1533	Malachite e biacca		++	++	RR, nero veg. (tr)		+	+	++

Legenda: +++, ++, +: presenza e stima quantitativa; -: assente; ND: analisi non disponibile; (tr): tracce; (tr)★: tracce interpretabili come occasionali; RR: resinato di rame; U: uovo; O: olio; RP: resina di pino; (a): nel commento della stratigrafia le tracce rosse disperse sono identificate come "lacca", nel prelievo precedente della preparazione una specifica analisi ha invece identificato elementi caratteristici dell'ocra. **Fonte**: rielaborazione da Politecnico di Milano. dipartimento di Fisica, Archivio A. Gallone.

conservato; si osservano, sopra alla velatura imbrunita, i filetti giallini corposi delle erbe e una serie di trattini più intensi di resinato alterato. Si tratta di una soluzione che si ritrova anche sul prato dietro al basamento del trono nella *Pala con la Madonna col Bambino fra i Santi Biagio e Valeriano* della Pinacoteca di Forlì, dove una punteggiatura verde si sovrappone alla velatura di resinato di rame data su una campitura giallastra. Sopra le basi, che le analisi hanno riconosciuto realizzate con una miscela di giallo di piombo e stagno e biacca a olio, il completamento di resinato di rame era quindi pensato come una finitura verde brillante dall'aspetto lustro, che sfruttava il colore sottostante per acquistare una cromia smagliante.

La miscela di giallo di piombo e stagno e resinato di rame è stata individuata da un prelievo nella *Pala degli Osservanti* di Brisighella (VIII, BRISIGHELLA, 5). L'apprezzamento per il risultato visivo ottenuto con questa mescolanza è testimoniato dalle fonti tardo quattrocentesche e del primo Cinquecento che consigliano l'impiego del verderame mescolato con coloranti gialli. Una simile combinazione, che dava un colore brillante e luminoso, e spiega la ragione del frequente impiego da parte di Marco Palmezzano della velatura di resinato di rame sopra la base di giallo di piombo e stagno, era oggetto di una particolare preferenza presso i contemporanei: come dimostra una ricetta della raccolta tardo quattrocentesca ms. 2861 della Biblioteca Universitaria di Bologna intitolata *A fare uno bel-*

lo et naturali verde provato, che prescrive l'impiego di tre parti di verderame e una di giallo di spincervino per ottenere un "nobili verde durabili"[70], e il consiglio "aumentazione di bellezza nel verderame" del *Trattato* leonardesco, che indica la miscela fra il verderame e l'aloe camellino[71]. La biacca, invece, entra nella stesura di resinato di rame solo per rendere la pennellata coprente e più chiara, anche se possiede un discreto potere siccativo sui miscugli oleo-resinosi che formano il resinato di rame. I prelievi effettuati sulle opere di Marco Palmezzano hanno individuato una presenza di biacca nelle aree di resinato di rame impiegate nella realizzazione delle luci: come mostra la complessa stratigrafia proveniente dalla *Pala di Sant'Antonio abate* della Pinacoteca di Forlì (III. FORLI/S.ANT, 2) relativa all'elaborazione di un dettaglio in luce degli alberi del paesaggio. Si tratta di una mescolanza sconsigliata da qualche fonte[72], ma che è stata più volte identificata nei dipinti dei contemporanei di Marco Palmezzano.

Le analisi hanno spesso riconosciuto nello strato finale del resinato di rame l'inclusione di un pigmento nero di origine vegetale. Nell'interpretazione di questo risultato va tenuto presente che, i prelievi dei campioni di resinato, hanno interessato, di preferenza, le aree maggiormente integre delle ombre, potenzialmente in grado di fornire dati più ricchi e completi sulla stratigrafia originale delle opere. Nella *Pala di San Michelino* del 1497 della Pinacoteca di Faenza, questa ombreggiatura finale si osserva sul risvolto verde del manto della Madonna, dove il residuo di finitura conservato, mostra chiaramente che l'ombra era stata realizzata applicando con i polpastrelli delle dita la miscela verde scura, ottenuta col resinato di rame addizionato al nero vegetale. Nella lunetta dello stesso dipinto si osservano le medesime impronte presenti anche sulla zona inferiore del risvolto verde del manto di Dio[73]. Tracce di queste ombreggiature finali, eseguite con le dita, si individuano sui verdi della *Pala di Rontana* del 1514. Una macrofotografia della veste verde del re mago in piedi più a destra, scattata durante l'esecuzione di un tassello di rimozione della vernice preliminare al restauro, documenta un residuo di questa vernice, e sulla parte centrale, scoperta dall'asportazione della verniciatura, si osserva un frammento di colore bruno-verdastro, identificato come resinato di rame, che trattiene delle impronte digitali o palmari, dato sul verde compatto della veste e leggermente debordato sull'area adiacente, dove ha resistito perfettamente al solvente utilizzato per rimuovere la vernice oleo-resinosa che lo ricopriva[74]. Nella finitura scura della veste cangiante verde-azzurra dell'angelo a destra della *Pala degli Osservanti* di Brisighella del 1520 è stato riscontrato il resinato di rame addizionato a nero vegetale, steso sopra una stesura di azzurrite a biacca a olio (VIII. BRISIGHELLA, 2). Nello stesso dipinto un problema interpretativo è invece posto dalla finitura scura applicata a battuta che realizza l'ombra all'interno del tessuto del baldacchino che fa da sfondo alla Madonna: la base di azzurrite e nero vegetale legata con uovo e olio è risultata coperta da un sottile film di nero vegetale contenente un legante organico identificato come colla animale (VIII. BRISIGHELLA, 1). L'uso di ombre grigie realizzate con la stessa tecnica è presente nell'*Annunciazione* del Carmine: dove si osservano impronte che testimoniano la stesura con le dita anche della velatura scura sull'architettura.

La tecnica di stesura del resinato di rame e della lacca con le dita, il palmo o il tampone, che Palmezzano usa per colori legati con l'emulsione di olio e uovo o in soluzione oleo-resinosa, risulta tradizionalmente connessa all'impiego di finiture oleoresinose e principalmente delle vernici oleoresinose[75]. Giovanni Battista Armenini, nel cap. IX della seconda parte del *De' Veri precetti della pittura*, pubblicato per la prima volta a Ravenna nel 1586, descrive con molti particolari questa pratica di applicazione col palmo della mano della lacca e del resinato di verderame: "Si vien velando tutto egualmente con un pennello grosso di vaio e, compito, si batte con la pianta della mano o con un piumazzolo di bambase coperto di tela lina, finché il color dato si vegga essere per tutto eguale, senza che vi appaia segno alcun di pennellate; e se non venisse a suo modo coperto alla prima, dopo che sarà asciutto, se li ritorna a dare quello di novo e batterlo pure nel modo di sopra predetto"[76].

Il riferimento è alla lacca legata a vernice oleo-resinosa e al verderame in vernice usato come resinato probabilmente in soluzione nell'essenza di trementina. In entrambi i casi il colore non si applicava a pennello dal momento che possedeva la densità caratteristica delle vernici oleo-resinose. Non stupisce perciò, che nelle opere di Palmezzano si trovi questa tecnica in relazione alla finitura oleo-resinosa del resinato di rame, mentre per la lacca è sicuramente meno consueta la relazione fra l'applicazione con le dita e l'impiego del legante oleo-proteico che è stato riconosciuto dalle analisi nella finitura di quasi tutti i dipinti di Palmezzano. L'essiccazione abbastanza veloce e regolare dell'emulsione di olio e uovo consentiva però di modulare l'applicazione della lacca con la battuta delle dita e ottenere un sottile reticolo colorato; la lenta polimerizzazione della miscela oleo-resinosa del resinato di rame permetteva invece al pittore l'esecuzione di una velatura colorata compatta e di poco spessore.

Infatti, questa tecnica di applicazione deriva da quella impiegata tradizionalmente per le vernici oleo-resinose. Si trattava di composti che possedevano una consistenza simile a quella descritta nella ricetta *Ad faciendum quendam aquam que est bona ad ponendum super figuris et altris miniis* presente nella raccolta tardo quattrocentesca ms. 2861 della Biblioteca Universitaria di Bologna, che, come specifica l'istruzione, non si applicava a pennello ma a unzione: "Abeas oleum aloe, oleum seminis lini et vernice liquida, de uno quoque tantum, et hoc fatias simul bulire et repone in ampulla, et quando opus est unge figuras aut minios dicto ipsis desicatis et non ante, et erunt lustre et pulcherrime"[77]. Anche nella ricetta *A faire bonne vernix liquide pour paintres* del ms. Lat. 6741 della Nationale di Parigi, databile intorno al 1430, raccolta e molto probabilmente rielaborata dal notaio parigino Jean Lebegue, è descritta l'applicazione della vernice con la punta delle dita: "Et quant aucune euvre de peinture sera faite et seche et la voulez vernicier si prenez de ceste liqueur et la tandez dessus la painture a vos doiz". In quest'ultima ricetta, l'uso delle dita è giustificato proprio dalla necessità di stendere la vernice in uno strato sottilissimo più di quanto consenta il pennello: "Car se vous la faisez du pincel il seroit trop espez". Si tratta di una vernice confezionata indifferentemente con olio di lino, di noce, o di canapa e "glasse", la resina sandracca, per la quale l'applicazione con le dita è determinata anche da una particolare necessità tecnica: lo strato oleo-resinoso, se steso a pennello, "il seroit trop espez et ne pourroit secher"[78].

★ Questo studio, avviato nel 1999 con una ricerca dedicata alla tecnica della *Pala di Rontana*, si è successivamente allargato a un gruppo piuttosto cospicuo di dipinti su tavola di Marco Palmezzano. Oltre ad Anna Colombi Ferretti, Stefano Tumidei e Marisa Caprara, coi quali era iniziato il lavoro, desidero ringraziare Luciana Prati, Serena Togni, Matteo Ceriana, la Soprintendenza per i Beni storici e artistici territorialmente competente che ha autorizzato le indagini e i restauratori Pietro Antoni, Letizia Antoniacci, Isabella Cervetti, Emanuela Mattioli, Adele Pompili e Camillo Tarozzi, che hanno collaborato al lavoro facilitando amichevolmente le ricerche. Un contributo fondamentale è stato portato dalle indagini eseguite da Antonietta Gallone del Dipartimento di Fisica del Politecnico di Milano con le tecniche istochimiche e della microspettrofluorimetria applicata all'analisi dei leganti dei diversi strati dei prelievi. L'interesse per la caratterizzazione dei leganti nella sequenza stratigrafica dei campioni ha determinato la scelta per l'associazione di queste due diverse tecniche di indagine in controllo reciproco. Le due campagne di analisi hanno riguardato i seguenti campioni, prelevati dalla tavola principale (T), dalla lunetta (L) e dalla predella (P):

Opera		Codice	Campione	
Madonna col Bambino in trono fra i santi Giovanni Battista e Margherita, Dozza, chiesa parrocchiale	1492	I. DOZZA	1	Incarnato: piede di San Giovanni
			2	Rosso: manto di Santa Margherita
			3	Azzurro: cielo presso il Battista
Annunciazione. Forlì, Pinacoteca Civica		II. FORLI/ANN	1	Rosso: veste della Madonna
			2	Azzurro: veste dell'angelo
			3	Verde: prato accanto all'angelo
Sant'Antonio in trono fra i santi Giovanni Battista e Sebastiano. Forlì, Pinacoteca Civica.		III. FORLI/S.ANT	1	Nero: ombra basamento marmoreo
			2	Verde: collina a sinistra
T: *Madonna col Bambino in trono, fra i santi Michele arcangelo e Giacomo minore*; L: *Padre Eterno*. Faenza, Pinacoteca Civica	1497	IV. FAENZA	1	T. Grigio-azzurro: architettura
			2	T. Azzurro-nero: manto della Madonna
			3	T. Verde-nero: risvolto del manto della Madonna
			4	T. Rosso: veste della Madonna
			5	L. Giallo, adesivo, doratura dei raggi
			6	T. Verde: chiazzatura marmorea della colonna
Adorazione del Crocifisso con i santi Giovanni Gualberto e Maddalena. Forlì, San Mercuriale		V. FORLI/GUAL	1	Verde su giallo: corpetto della Maddalena
			2	Verde su azzurro: veste militare
			3	Rosso: manto della Maddalena
			4	Rosso su azzurro: manto del santo
T: *L'Immacolata col Padre Eterno e i santi Anselmo, Agostino e Stefano*; L: *Resurrezione di Cristo*; P (basamento pilastrino destro): *San Paolo e San Benedetto (?)*. Forlì, San Mercuriale	1510	VI. FORLI/IMM	1	P. Rosso: veste del san Paolo
			2	T. Giallo: lumeggiatura di una nuvola
T: *Adorazione dei magi*; L: *Cristo fra i dottori*. Rontana, chiesa di Santa Maria	1514	VII. RONTANA	1	T. Rosso: manto del re mago inginocchiato
			2	T. Rosso: veste della Madonna
			3	T. Bianco: velo della Madonna
			4	T. Verde: veste del re mago inginocchiato
T: *Madonna col Bambino in trono con gli angeli fra i santi Girolamo, Valeriano, Antonio da Padova e Antonio abate*; L: *Padre Eterno*. Brisighella, chiesa dei Minori Osservanti	1520	VIII. BRISIGHELLA	1	T. Azzurro: manto a destra della Madonna
			2	T. Verde-azzurro: veste di un angelo
			3	T. Rosso: veste della Madonna
			4	L. Rosso: manto del Padre Eterno
			5	T. Verde: frappa del baldacchino
			6	T. Giallo: veste dell'angelo a sinistra
Annunciazione. Forlimpopoli, Santa Maria dei Servi	1533	IX. FORLIMPOPOLI	1	Verde: paesaggio a sinistra
			2	Azzurro: manto della Madonna
			3	Azzurro-chiaro: cielo, area centrale
			4	Verde-bruno: paesaggio a sinistra
			5	Giallo: parasta decorata, destra

Nel seguito delle note le relazioni delle due campagne di indagine, datate 28 maggio 2004 (I) e 8 luglio 2005 (II), sono citate rispettivamente come "Gallone, *Studio analitico*, I" e "Gallone, *Studio analitico*, II". Il ciclo delle indagini è stato accompagnato dai suggerimenti e dalle discussioni di Antonietta Gallone sulle interpretazioni dei dati. Per la *Pala di Rontana* (VII. RONTANA), con esclusione del campione analizzato da Antonietta Gallone (2), le analisi chimico fisiche sono state condotte da Stefano Volpin: per quest'opera sono disponibili analisi dei leganti solo per alcuni campioni. Sono state inoltre utilizzate due stratigrafie provenienti dalla *pala degli Osservanti* di Brisighella (VIII. BRISIGHELLA, 5, 6) pubblicate in D. Cauzzi, *Un giallo... "risolto"*, in "Kermes", 49, XVI, 2003, gennaio-marzo, p. 60, fig. 2a-b, 3a-b, sulle quali non è stata condotta l'analisi del legante. Ho eseguito personalmente gli esami riflettografici, i prelievi, la campagna macro e micro-fotografica, le riprese con l'ultravioletto e l'infrarosso falso colore. Le indagini sono state interamente finanziate dalla Fondazione Cassa dei Risparmi di Forlì.

[1] Faenza, Archivio di Stato, Atti dei notai del Mandamento di Faenza, vol. 212, cc. 114 rv.

[2] C. Grigioni, *Marco Palmezzano. Pittore forlivese. Nella vita, nelle opere nell'arte*, Faenza, 1956, appendice II, doc. XXVI, p. 317, che pubblica con qualche differenza il passo, riporta "gramendam (sic)". Se ne veda ora la trascrizione in S. Dall'Ara e S. Togni, *Regesto dei documenti*, doc. 13, negli *Apparati* del presente volume.

[3] "Graniendium" (?), distinto da "cum oleo" con un "et" di separazione, dovrebbe riferirsi alla tecnica di trattamento dei fondi "campis" della cornice lignea dorata: il termine, infatti, può essere tradotto come "lavorare con la granitura". Come era già accaduto per la *Pala di Dozza* del 1492 la progettazione e la doratura della cornice potevano essere richieste esplicitamente al Palmezzano nel contratto per la pala (Archivio Notarile di Imola, Notai di Dozza, rog. Giovanni di Battista di Bonuccio Ferrieri, Vacch. 1492, c. 55, in Grigioni, *Marco Palmezzano...* cit., pp. 310-311). La granitura voluta dai committenti della *Pala di San Michelino* poteva essere simile alla lavorazione eseguita con un punzone a punta arrotondata nei campi dei rilievi della cornice della *Madonna col Bambino, san Giovanni evangelista e santa Caterina* di San Mercuriale a Forlì. "Granitura" deriva dal lessico della metallo-tecnica e in particolare dell'oreficeria, dove il "granitoio" è un ceselletto appuntito ("ferrolino ben appuntato": B. Cellini, *Due trattati, uno intorno alle otto principali arti dell'oreficeria; l'altro in materia dell'arte della scultura*, Firenze, 1568, ed. Firenze, 1857, p. 92) usato a percussione per punteggiare ("granire") il metallo, a volte per imitare l'effetto di panni grossi (*ibid.*, p. 113). Per questo significato cfr. la voce "granire" in F. Baldinucci, *Vocabolario toscano dell'arte del disegno*, Firenze, 1681, p. 69: "fare la grana", "dare la grana" creando piccolissimi granelletti col cesello. Per questa ragione alla fine del Trecento la "granitura" è anche l'incisione punteggiata della superficie metallizzata a foglia di una tavola dipinta: Cennino di Andrea Cennini, *Libro dell'arte*, cap. CXL. In senso traslato, negli ultimi decenni del Cinquecento, "granitura" è anche l'effetto prodotto dal tratteggio incrociato nel disegno e nella finitura del dipinto murale (G.B. Armenini, *De' Veri precetti della pittura*, Ravenna 1586, p. 117), oppure, nel tardo Seicento, può designare una "capricciosa" pittura a puntini sulle chiocciole: D. Bartoli, *Opere mora-*

li, Roma 1684, XXIX, i, p. 143. "Granita" può quindi essere una stesura punteggiata: G. Baruffaldi, *Le vite dei pittori ferraresi*, Ferrara 1847, scrive, a proposito delle ombre eseguite con puntini a pennello da Giuseppe Facchinetti, che questo quadraturista "usava granir le ombre". L'impiego del termine "granitura" per indicare l'irruvidimento dell'intonaco si afferma nel lessico tecnico tardo seicentesco dei pittori murali: A. Pozzo, *Prospettiva de' Pittori e Architetti*, Roma 1693, appendice: *Breve istruzione per dipingere a fresco*, I, IV: "Questo sollevare l'arena noi chiamiamo granire". Diverse opere di Marco Palmezzano che si sono conservate integre testimoniano la lavorazione unitaria degli elementi che realizzano il complesso formato da tavola, lunetta, predella e cornice. Nella *Pala degli Osservanti* di Brisighella i punti di contatto fra il piano della tavola e la cornice mostrano rotture che interessano una stesura di gesso e colla che in origine era continua, realizzata come un raccordo a scivolo per la tavola e la lunetta. Il prelievo eseguito sulla predella dell'*Immacolata* di San Mercuriale nel punto di raccordo fra la veste rossa del San Paolo e l'attacco della cornice mostra la morfologia dell'accumulo della preparazione di gesso e colla nel punto di attacco, lo strato di base di biacca, la stesura del cinabro con un film di annerimento superficiale, e quindi il completamento a lacca eseguito battendo il colore col dito. La stesura rossa, penetrata in un cretto, è stata stesa quando nella preparazione e nella base si era già formata una spaccatura, causata non solo dall'altezza eccessiva dello strato, ma anche dal movimento della giunzione fra tavola e cornice. La *Pala di Rontana* del 1514 mostra un'esecuzione unitaria dei supporti per la tavola e per la lunetta. Entrambe le parti si presentano omogenee già a partire dalla composizione mista delle essenze legnose di taglio tangenziale, scelte per formare i supporti e della loro lavorazione. Un'asse di gattice compare, infatti, inserita fra le sei assi di pioppo nero che realizzano la tavola e, il medesimo numero delle assi e la stessa composizione mista delle essenze si riscontra anche nella fabbricazione della lunetta. Le sgrossature sul verso delle due parti sono realizzate col medesimo attrezzo. Coincidono inoltre gli spessori delle assi a conferma dell'inserimento della tavola e della lunetta in una cornice, con l'identica profondità di battuta. La battuta a cresta della preparazione contro un listello contenitivo della cornice è stata osservata anche nella *Pala di Brera* del 1493: D. Fagnani e B. Sesti, *Note sul restauro*, in M. Ceriana, *Marco Palmezzano, la pala del 1493*, Vigevano, 1997, p. 48, fig. 6. L'esistenza di disegni di dettagli architettonici riferibili alle tipologie delle cornici sul retro di alcune tavole del Palmezzano è segnalata in Ceriana, *Marco Palmezzano...cit.*, in part. pp. 12-14, che presenta una serie di dati sul ruolo della cornice e sulla cultura degli elementi ornamentali delle carpenterie in ambito forlivese-romagnolo e specificatamente per il caso di Palmezzano.

[4] Per questo scambio epistolare: A. Luzio, *Isabella d'Este e Giulio II*, in "Rivista d'Italia", XII, 1909, pp. 864-865; ID., *La Galleria dei Gonzaga*, Milano, 1913, pp. 206-207; C.M. Brown, *News documents concerning Andrea Mantegna and note regarding "Jeronimus de Conradis pictor"*, in "The Burlington Magazine", September 1969, pp. 538-544.

[5] Il riferimento di Isabella d'Este è alle due tele di Mantegna già nello studiolo mantovano, il *Parnaso* del 1497 e il *Trionfo della virtù* del 1502, che le analisi hanno descritto come dipinte con tempera d'uovo probabilmente addizionata a

olio, con l'olio di noce presente negli azzurri analizzati del secondo dipinto: S. Delbourgo, J.P. Rioux e E. Martin, *L'analyse des peintures "Studiolo" d'Isabelle d'Este au Laboratoire de Recherches des Musées de France*, in "Laboratoires de Recherche des Musées de France. Annales", Paris, 1975, in part. pp. 22-28. Cfr. anche A. Rothe, *Mantegna's paintings in distemper*, in J. Martineau (a cura di), *Andrea Mantegna*, London and New York 1992, pp. 80-87.

[6] J. Dunkerton, *Modification to the traditional egg tempera techniques in fifteenth-century Italy*, in Early Italian Paintings Techniques and Analysis, Maastricht 1997, pp. 29-34, cita il caso della pala d'altare a doppia faccia di Santa Maria Maggiore a Roma dipinta da Masolino e Masaccio fra il 1427 e il 1428: le analisi della National Gallery di Londra hanno identificato nella tavola di Masolino con i *Santi Liberio e Matteo* leganti a olio e uovo e a olio, nella tavola attribuita a Masaccio con i *Santi Giovanni Battista e Girolamo* il legante riconosciuto è tempera all'uovo.

[7] Sulla tempera verniciata, cfr. J. Dunkerton, J. Kirby e R. White, *Varnish and Early Italian Tempera Painting*, in "Cleaning, Retouching and Coatings: Reprints of the Contribution of the Brussel Congress of the International Institute for Conservation", 3-7 septembrer 1990, London 1990, pp. 63-69.

[8] Questa diversa sensibilità per l'olio è presente nelle fonti scritte di metà Cinquecento. Pino giudica che "il colorire a guazzo è imperfetto e più fragile, e a me non diletta", mentre sostiene che "lo dipingere a oglio sia la più perfetta via e la più vera pratica" perché con i colori a olio "si può più particolarmente contrafar tutte le cose, perch'alcune specie di colori servono alle diversità di tinte più integramente, onde si vede le cose a oglio molto differenti dall'altre, e oltre a ciò si può replicar le cose più fiate, là onde se li può dar maggior perfezione, e meglio unir una tinta con l'altra": P. Pino, *Dialogo di pittura*, Venezia, 1548, ed. P. Barocchi, *Trattati d'arte del Cinquecento*, Bari 1960, I, p. 120. Vasari, che ritiene la tempera antiquata, scrive che la pittura a olio "accende più i colori; né altro bisogna che diligenza e amore, perché l'olio in sé reca il colorito più morbido, più dolce e dilicato, e di unione e sfumata maniera più facile che gli altri": G. Vasari, *Le Vite de' più eccellenti architetti, pittori, et scultori italiani, da Cimabue insino a' tempi nostri*, Firenze, 1550, Introduzione, III, *De la pittura*, XXI: *Del dipingere a olio in tavola, e su le tele*; ed. L. Bellosi (a cura di) e A. Rossi, Torino 1986, p. 68.

[9] G. Vasari, *Le Vite...cit., Introduzione*, III, cap. XXI, ed. cit. p. 68.

[10] Fagnani e Sesti, *Note...cit*, in Ceriana, *Marco Palmezzano...*, cit., p. 48, fig. 7.

[11] È stato possibile osservare la presenza dell'impannatura sulle giunzioni delle assi solo in poche tavole danneggiate. Nella *Pala di Dozza* le lacune della preparazione hanno messo in evidenza un tessuto sottostante a trama fine, probabilmente di lino. Nella *Pala di Rontana* le rotture della preparazione lungo il profilo inferiore della tavola e nella parte bassa della lunetta, hanno mostrato strisce di una stessa tela di canapa tessuta con fili piuttosto grossi armata 1:1 incollata probabilmente con colla animale in strisce verticali solo lungo le giunzioni delle assi. L'osservazione della superficie dipinta consente inoltre di rilevare in diversi punti corrispondenti alle giunzioni delle assi le impronte che la grossa tramatura della tela ha impresso, sia nella preparazione, sia nel colore sovrapposto. L'impannatura delle giunzioni è presente anche nell'*Annunciazione* di Forlimpopoli: sei tavole di pioppo di taglio tangenziale, che pre-

sentavano difetti già in origine. Due spaccature diagonali presenti nell'area medio-alta delle due tavole esterne erano state infatti impannate prima dell'ingessatura. Inoltre, era stato usato un chiodo passante infisso in diagonale nel lato destro per fissare una spaccatura. La tela di impannatura è presente anche nella pala del 1493 di Brera. La pratica di impannatura a strisce di tela di canapa sulle giunzioni delle assi è la più comune fra tardo Quattrocento e Cinquecento. Nella descrizione di R. Borghini, *Il riposo*, Firenze 1584, pp. 172-173, l'impannatura delle giunzioni con tela di canapa viene contrapposta all'uso più antico di impannare con tela di lino: "Fatto che harete fare al legnaiuolo il vostro quadro di legname ben secco, metterete sopra le commettiture della canapa con colla di spicchi, e mentre è fresca andrete con istecca di ferro, o coltello spianando bene detta canapa, in cambio della quale mettevano gli antichi pezza lina, e come è secca, habbiate colla liquida". La "colla di spicchi" o di carnicci era ottenuta dalla bollitura della parte più pelle a contatto con la carne generalmente di ovini.

[12] Sulle preparazioni bianche, v. E. Martin, N. Sonoda, A.R. Duval, *Contribution a l'etude des preparations blanches des tableaux italiens sur bois*, in "Studies in Conservation", 37, 1992, pp. 82-92.

[13] Per l'identificazione del film di colla di chiusura è necessaria una stratigrafia di buona qualità. Con l'esame visivo è possibile scambiare il caratteristico ingiallimento della preparazione a gesso e colla finita dalla colla animale di chiusura con un'imprimitura colorata: come nel *Cristo morto sorretto da due Angeli* del Correr, v. A. Dorigato (a cura di), *Carpaccio, Bellini, Tura, Antonello e altri restauri quattrocenteschi della Pinacoteca del Museo Correr*, Venezia, 1993, pp. 218-219, o nel *Cristo alla colonna* del Louvre, v. J. Dunkerton, *Nord e Sud: tecniche pittoriche nella Venezia rinascimentale*, in B. Aikema e B.L. Brown (a cura di), *Il Rinascimento a Venezia e la pittura del Nord ai tempi di Bellini, Dürer, Tiziano*, Milano 1999, pp. 93-103, in part. p. 98.

[14] Il disegno, molto dettagliato, è tracciato a pennello e lavorato con un tratteggio parallelo o incrociato secondo l'andamento volumetrico sopra la preparazione di gesso e colla e sulle parti imprimite con la biacca a olio. Le aree dove la pellicola pittorica si è assottigliata o è diventata trasparente, mostrano un disegno sottostante eseguito a punta di pennello con un tratteggio parallelo e incrociato che realizza le ombre e si dispone secondo le modulazioni dei volumi sotto gli incarnati e i panneggi, mentre nelle zone di paesaggio o di architettura è meno elaborato. Non sono state effettuate analisi specifiche sui materiali costitutivi dei disegni di Marco Palmezzano: un indizio come l'assenza di accumuli o goccioline alla fine dei tratti, suggerisce l'impiego di un inchiostro. Nella *Pala con San Giovanni Gualberto* di San Mercuriale, l'area della spalla della Maddalena mostra la caduta della stesura di lacca perfettamente coincidente con il tratteggio del disegno sottostante. Le osservazioni riflettografiche non hanno rilevato tracce di riporti preliminari al disegno, tuttavia è verosimile che in alcuni casi il disegno sia stato preceduto da un riporto di cartoni a spolvero o a ricalco: soprattutto per le parti figurative replicate, dove è verosimile l'impiego di cartoni anneriti sul retro e riportati a pressione. Gli esami riflettografici delle opere mostrano una trasformazione cronologica della tecnica del disegno: che passa da un'esecuzione grafica caratterizzata da una spiccata tendenza alla scontornatura lineare delle forme e dei dettagli e una tecnica di tratteggiatura a pennello piuttosto minuta delle opere degli an-

ni novanta, a un'impostazione grafica a tratti più sciolti nella definizione delle volumetrie con uno scarso ricorso alle scontornature accurate dei dettagli nei dipinti del secondo decennio del Cinquecento. Nelle prime opere di Palmezzano, come la *Pala di Dozza* del 1492 e la *Pala di Brera* del 1493, le riflettografie, ma anche l'osservazione ravvicinata, permettono di rilevare un'esecuzione grafica caratterizzata da una spiccata tendenza alla scontornatura lineare delle forme e dei dettagli e una tecnica di tratteggiatura a pennello piuttosto minuta: v. le riflettografie pubblicate in Ceriana, *Marco Palmezzano... cit.*, pp. 29-31. All'estremo cronologico opposto, le opere del secondo decennio del Cinquecento, mostrano un'impostazione grafica a tratti più sciolti nella definizione delle volumetrie e uno scarso ricorso alle scontornature accurate dei dettagli: come per la pala di Rontana del 1514 o per l'*Adorazione del Bambino* della Pinacoteca di Brera, databile fra il 1516 e il 1517. In quest'ultimo dipinto l'assottigliamento delle pellicole pittoriche consente di osservare un disegno sottostante identico a quello presente nella *Pala di Rontana*. Questa identità conferma la correzione di datazione a proposito della *Pala di Brera* che era stata erroneamente posta fra il 1536 e il 1537 prima della pubblicazione del contratto del 1516 (che impegnava il pittore alla consegna entro il settembre dell'anno successivo) stipulato dalla confraternita forlivese di San Domenico e Santa Marta in San Tommaso Cantauriense: cfr. C. Grigioni, *La data del trittico di Marco Palmezzano*, in "La Piè", XXX, 1957, pp. 155-156. Il trittico era formato dalle due tavole con i santi Tommaso e Battista e con Sebastiano e Domenico già Zurigo coll. privata (se ne v., da ultimo, la ricomposizione in CERIANA, *Marco Palmezzano..., cit.*, p. 11). Nelle opere con le superfici troppo assottigliate, dove le vernici di restauro hanno reso le pellicole ancor più trasparenti, è possibile individuare il ruolo decisivo che Palmezzano riserva all'impostazione grafica preliminare, che determina, quindi, una tecnica di pittura caratterizzata da pochissimi pentimenti, ottenuti con ripassi coprenti. Si osservano rare incisioni dirette, tracciate sulla preparazione o nelle prime stesure per guidare la pittura, riporti di piccoli spolveri usati per le decorazioni ripetitive delle paraste, mentre la coincidenza fra i dettagli figurativi di alcune opere della maturità fa sospettare l'impiego reiterato di modelli grafici o di lucidi presenti in bottega. Un dato del tutto anomalo è costituito dall'incisione molto precisa, tracciata a secco ma colmata dalle due tavole con i santi Tommaso e Battista e con Sebastiano e Domenico, che è stata osservata lungo i profili delle figure dell'*Annunciazione* di Forlimpopoli: l'incisione, piuttosto profonda, segue i profili, i dettagli anatomici e le mani dell'angelo e della Madonna. Si tratta, forse, del riporto di un modello a cartone presente in bottega. Le stratigrafie eseguite su questo dipinto, dato 1533, hanno individuato una struttura pittorica meno complessa di quella osservata nelle altre opere di Palmezzano esaminate, soprattutto nell'uso dell'azzurrite e della malachite. Un esempio delle rare incisioni praticate con una punta molto sottile nella pellicola pittorica fresca, per guidare le stesure pittoriche successive delle aree figurative, è presente nell'*Immacolata* di San Mercuriale: il contorno della mano dell'angelo più in basso fra le nuvole. Più frequenti, e ovvie, sono le incisioni a stecca o a compasso per la costruzione degli elementi architettonici.

[15] L'uso di imprimiture colorate è presente nelle opere tarde, rispetto alle quali, tuttavia, non è stato possibile condurre indagini sistematiche, e

non sono state compiute analisi dei leganti. L'imprimitura colorata è forse localizzata nell'area degli incarnati: come nella *Sacra famiglia* del Museo di Padova, dove un alleggerimento della pellicola pittorica sulla parte frontale fra il collo e il petto della Madonna mostra la presenza di una base grigia, o per l'imprimitura grigia-azzurrina nell'*Andata al Calvario* della Pinacoteca di Forlì.

[16] P. Zanolini, *Il restauro del polittico di Andrea di Bartolo. La tecnica pittorica*, in *Il polittico di Andrea di Bartolo a Brera restaurato*, Firenze 1986, p. 4, che osserva, sulla base delle stratigrafie, la presenza di "un ultimo strato (di preparazione) o di biacca o di colla. Questo terzo strato era scelto in funzione del colore sovrastante per renderlo maggiormente luminoso o semplicemente per farlo meglio aderire".

[17] È il caso di Mantegna. Si vv. le stratigrafie e le analisi di A. Gallone e il commento dei risultati di P. Zanolini, *Il restauro: modi dell'esecuzione pittorica*, in S. Bandera Bistoletti (a cura di), *Il restauro del polittico di San Luca di Andrea Mantegna nell'occasione del suo restauro*, Firenze 1989, p. 63: "Tutti i pannelli sono preparati con un solo strato di colla, gesso e anidrite sul quale è sovrapposto o uno strato di collatura (*priming*) o una imprimitura a biacca, o una pennellata di olio con particelle di carbone (...) l'imprimitura a biacca è posta sotto il manto blu di San Luca che di fatto viene a risultare più chiaro e brillante del manto della Madonna dipinto invece sullo strato di olio e carbone".

[18] L'impiego del film di solo olio, sopra la preparazione a gesso e colla chiusa dalla mano di colla, è individuato nella pala di Piero della Francesca di Brera: v. A. Gallone, *Lo studio analitico dei pigmenti*, in E. Daffra e F. Trevisani (a cura di), *La pala di san Bernardino di Piero della Francesca. Nuovi studi oltre il restauro*, Firenze 1997, pp. 257-261, in part. p. 260.

[19] *Trattato della pittura*, II, § 187; ed. E. Camesasca (a cura di) Milano, 1995, p. 111.

[20] Non sono stati eseguiti prelievi dagli incarnati nel gruppo di opere date fra la fine del Quattrocento e il primo decennio del Cinquecento. Comunque l'aspetto delle stesure e la morfologia delle minuscole crettature suggeriscono che Palmezzano ha continuato a dipingere gli incarnati con l'emulsione di olio e uovo già identificata nella *Pala di Dozza* del 1492 (I. DOZZA, 1).

[21] Si veda, ad es., la *Pala di San Michelino*: l'area del paesaggio fra il libro tenuto da San Giacomo e il trono, le parti in ombra dei capelli dei santi, e il manto azzurro della Madonna, che è risultato legato con abbondante olio (IV. FAENZA, 2).

[22] Alcuni comportamenti delle stesure, come il rapprendimento a imperlatura dei filetti delle luci stese a corpo sulle basi verdi, sono caratteristici di un fluido tissotropico steso su una base oleosa o oleo-resinosa. Un effetto simile si osserva nell'*Annunciazione* del Carmine: dove, nel prato posto dietro la testa dell'angelo, sul resinato di rame sono state eseguite le sottili lumeggiature delle erbe, che si presentano essicate in file di goccioline rapprese. La miscela oleo-resinosa nella quale il verderame era stato sciolto, diventando un oleato di rame, aveva costituito una base repellente per l'emulsione oleo-proteica sovrapposta. Comportamenti simili si osservano nelle lumeggiature delle rocce sul terreno della *Pala di Rontana*, dove un'analisi ha individuato la presenza dell'emulsione di olio e uovo. Ciò può spiegare anche alcuni rapprendimenti accidentali delle lumeggiature, come quelli delle linee bianche della decorazione verticale interna del colletto del re mago

inginocchiato: le analisi condotte su un campione di stesura bianca prelevato dal velo della Madonna hanno confermato una presenza notevole di sostanze saponificabili che rimandano a una miscela di oli e grassi ed escludono una conduzione avvenuta con solo olio siccativo.

[23] La diversità si osserva nel caso di stesure pittoriche accostate sottoposte allo stress chimico uniforme portato dall'impiego di un solo solvente di pulitura. Un caso tipico è costituito dai danni presenti nella *Pala dell'Immacolata* di San Mercuriale: dove il solvente utilizzato nella vecchia pulitura ha sciolto solo la parte azzurra dell'ala dell'angelo in primo piano.

[24] Nel manto della Madonna della *Pala di Brera* di Piero della Francesca è stato osservato l'impiego di una base spessa di azzurrite a olio, coperta da una stesura corposa di lapislazzuli in granulometria elevata a uovo: cfr. A. Gallone, *Lo studio…*, cit, in part. p. 258. Le ricerche sul *Polittico di San Luca* della Pinacoteca di Brera e sulla tela con *Minerva che caccia i vizi dal giardino delle virtù* del Louvre di Mantegna, hanno riconosciuto, nel primo caso, l'uso di un legante oleoso negli azzurri utilizzati in un contesto di pittura a tempera (A. Gallone, *Studio analitico dello strato pittorico nel Polittico di San Luca di Andrea Mantegna*, in S. Bandera Bistoletti, (a cura di), *Il Polittico di San Luca di Andrea Mantegna nell'occasione del suo restauro*, Firenze 1989, pp. 67-68; in part. p. 67) e nella seconda opera una generale stesura a uovo con i soli azzurri dati a olio di noce (Delbourgo, Rioux e Martin, *L'analyse des peintures…*, cit, in part. pp. 22-28; cfr. anche Rothe, *Mantegna's paintings…* cit., pp. 80-87). Quest'ultima discriminazione è stata osservata anche nella tela di Lorenzo Costa con il *Regno di Como* del Louvre (Delbourgo, Rioux e Martin, *L'analyse des peintures … cit.*, p. 27). La scelta dell'olio di noce come legante per l'azzurro potrebbe essere dovuta all'interferenza del giallo del tuorlo e al maggiore ingiallimento dell'olio di lino. Nella *Crocefissione Mond* della National Gallery di Londra, dipinta da Raffaello verso il 1502-1503, le analisi hanno riconosciuto l'olio di noce nella stesura azzurra del cielo e l'olio di lino nei bruni e nei verdi del resto della tavola: "The National Gallery. January 1965 - December 1966", London 1967, p. 65.

[25] Sull'importanza della comparazione estesa nell'interpretazione dei dati analitici, sono ancora utili le osservazioni di J.R.J. Van Asperen De Boer, *An Introduction to the Scientific Examination of Painting*, in "Nederlands Kunsthistorisch", 1975, pp. 1-40; per la verifica incrociata compiuta nel nostro lavoro, fra i dati ottenuti con le analisi microchimiche e l'indagine microspettrofluorimetrica, v. le osservazioni di metodo in G. Bottiroli e A. Gallone, *Application of Microspettrofluorimetric Technique to the study of binding media in Samples from Paintings: The case of Leonardo's Last Supper*, 5th International Conference of Non-destructive Testing, Budapest September 24-28 1996, pp. 159-171.

[26] Cfr. ad es. M.B. Hall, *Color and meaning. Practice and theory in Renaissance painting*, Cambridge, 1992, pp. 52-56. L'idea di progresso tecnico, legata al superamento dell'arcaismo della tempera con la tecnica moderna dell'olio, è prodotta dai teorici della metà del Cinquecento: si v. ad es. Pino, *Dialogo…*, cit., p. 121; G. Vasari, *Le Vite…*, cit., Introduzione III, cap. XX-XXI, e nella vita di Antonello da Messina, ed. cit., pp. 360-361.

[27] Gli azzurri, nelle parti in ombra, presentano un cretto molto largo, caratteristico di un difetto di essiccazione solitamente dovuto al legante oleoso, come nella *Comunione degli apostoli*, del 1506 della Pinacoteca di Forlì: da ricondurre alla tendenza del colore a ritirarsi spesso, a causa

dell'olio siccativo che ha eccessivamente impregnato la stesura, formando cretti piuttosto profondi generalmente disposti con andamento vagamente rettangolare. Una crettatura identica a questa ha interessato anche il nero che realizza l'ombra del tappeto sulla balaustra nell'*Incoronazione della Madonna con i santi Benedetto e Francesco d'Assisi* della Pinacoteca di Brera. Altro comportamento, presente nelle opere di Palmezzano posteriori alla metà dell'ultimo decennio del Quattrocento, è costituito dal rigonfiamento e dalla caduta a strappo delle parti più scure degli incarnati: come per la testa del San Sebastiano nella *Pala di Sant'Antonio abate* della Pinacoteca di Forlì, o nella *Comunione degli apostoli* della Pinacoteca di Forlì dove i dettagli più scuri caduti strappando, oppure si sono conservati, ma sono interessati da crettature e notevoli aumenti volumetrici.

[28] Per un panorama delle indagini e la bibliografia relativa, v. J. Dunkerton, *Nord e Sud…* cit., pp. 93-103. Sulla pittura a olio a Ferrara alla fine del sesto decennio del Quattrocento, v. M.A. Mottola Molfino e M. Natale (a cura di), *Le Muse e il Principe: Arte di corte nel Rinascimento padano*, Milano 1991, vol. I, pp. 235-286; II, pp. 326-331. Cfr. anche J. Dunkerton, *La Musa di Londra: analisi delle tecniche pittoriche delle due stesure*, in eadem, II, pp. 260-261. Fra la fine degli anni sessanta e il principio degli anni settanta del Quattrocento esistono attestazioni dell'uso dell'olio su muro, fra Mantova e Ferrara: Mantegna riceve nel 1468 olio di lino come tempera per colori e nel 1471 dell'olio di noce mentre lavora a Mantova nella "Camera picta" di palazzo Ducale: R. Signorini, *"Hoc opus tenue"*, *La camera dipinta di Andrea Mantegna*, Mantova 1985, p. 304. Tuttavia le analisi non chiariscono quale legante sia stato identificato nell'esecuzione definita "a secco" della parete del camino: M. Cordaro, *Aspetti dei modi di esecuzione della "Camera picta" di Andrea Mantegna*, in "Quaderni di palazzo Te", 6, 1987, pp. 17-18. Secondo Vasari, il ferrarese Galasso aveva dipinto a olio una cappella in San Domenico a Bologna, mentre è attribuita a Cosmè Tura la pittura a olio di una cappella nel castello di Belriguardo: E. Ruhmer, *Cosimo Tura. Paintings and Drawings*, London 1958, p. 81.

[29] Cfr. i riferimenti bibliografici in J. Dunkerton, *Nord e Sud…*, cit., pp. 93-103. Un uso di tempera ottenuta con la miscela di olio e colla è stato individuato nelle analisi della *Pala del Fiore* di Girolamo da Treviso il Vecchio, del 1487, per il duomo di Treviso: cfr. M. Simonetti, *Tecniche della pittura veneta*, in *La pittura nel Veneto. Il Quattrocento*, I, Milano 1989, p. 251. Sull'utilizzo tardo quattrocentesco di completamento con colori legati in vernici oleo-resinose su stesure realizzate a uovo o con emulsioni oleo-proteiche, fino all'impiego differenziato, in aree particolari, dell'olio di lino e dell'olio di noce, v. J.R. Mills e R. White, *The gas chromatography examination on paint media*, in *Conservation and restoration of pictorial art*, London 1976, pp. 72-77.

[30] Le analisi disponibili consentono di ricostruire questa situazione tecnica nel caso di Giovanni Bellini: che va preso in esame come uno dei riferimenti, anche tecnici, che spiegano il superamento da parte di Palmezzano della tradizione legata ai modelli di Melozzo e Antoniazzo. La produzione belliniana mostra come l'impiego di tempera, emulsioni oleo-proteiche e olio non segue l'ingenuo presupposto storiografico dell'evoluzionismo tecnico "tempera – olio". L'olio è stato individuato nella *Trasfigurazione*, nel *Cristo morto* e nella *Crocifissione* del Correr, che è risultata dipinta sull'imprimitura a biacca: A. Dorigato (a cura di), *Carpaccio,*

Bellini, Tura, Antonello e altri restauri quattrocenteschi della pinacoteca del Museo Correr, Venezia 1993, pp. 218-219. Bellini usa la tempera all'uovo nelle due tavole della National Gallery di Londra, nella *Preghiera nell'orto* e per il sangue del Redentore e nel *Polittico di San Vincenzo Ferrer* di San Giovanni e San Paolo a Venezia. Le analisi hanno mostrato l'uso della tempera all'uovo in campiture di base o per stesure particolari in un dipinto a olio, come nella Madonna del prato che ha l'imprimitura e parte della realizzazione di base a tempera all'uovo o a tempera grassa: J. Mills e R. White, *Analysis of Paint Media*, in "National Gallery Technical Bulletin", 1, 1977, p. 58. Una situazione simile è stata identificata anche nel dipinto tardo, ora a Baltimora: E. Packard, *A Bellini Painting for the Procuratia di Ultra, Venice: An Exploration of its History and Thecnique*, in "The Journal of the Walters Art Gallery", 33-34, 1970-1971, pp. 64-84, in part. p. 82. Parti a tempera all'uovo, con l'olio nella spessa stesura del velo bianco della Madonna, sono nella *Pala di San Giobbe*, dell'Accademia: S. Volpin e R. Lazzarini, *Il colore e la tecnica pittorica della Pala di San Giobbe di Giovanni Bellini*, in "Quaderni della Soprintendenza per i Beni Storici e Artistici di Venezia", 19, 1994, pp. 29-37; S. Volpin e R. Stevanato, *Studio dei leganti pittorici della Pala di San Giobbe di Giovanni Bellini*, in "Quaderni della Soprintendenza per i Beni Storici e Artistici di Venezia", 19, 1994, pp. 39-42. La Pala di Pesaro è descritta come dipinta a olio: R. Valazzi (a cura di), *La pala ricostituita: L'incoronazione della Vergine e la cimasa vaticana di Giovanni Bellini. Indagini e restauri*, Pesaro 1988, p. 143. Un legante descritto come olio magro è individuato nella *Pala Barbarigo* di San Pietro a Murano del 1488: R. Lazzarini, *Le analisi di laboratorio*, in *La Pala Barbarigo di Giovanni Bellini* in "Quaderni della Soprintendenza per i Beni storici e artistici di Venezia", 3, 1983, pp. 23-25.

[31] L'analisi ha riconosciuto nello strato superficiale anche una traccia di sostanza oleo-resinosa: probabilmente dovuta a una vernice penetrata. Il sondaggio specifico all'interno del giallorino ha individuato solo l'olio, riconoscibile come legante della stesura: Gallone, *Studio analitico* I, p. 40.

[32] Il giallo di piombo e stagno, costituito da stannato di piombo, la cui formula del tipo I è Pb_2SnO_4, mentre il tipo II, che contiene anche silicio – $Pb(Sn, Si)O_3$ oppure, come composto stabilizzato, $PbSnO_3$ – corrisponde a quello identificato nelle lumeggiature della *Pala dell'Immacolata* di Palmezzano. Questo pigmento è comunemente descritto nelle ricette d'arte vetraria, e nel ms. 2861 della Biblioteca Universitaria di Bologna la ricetta *A fare zallolino per dipengiare* è inserita nel capitolo dedicato alla vetrotecnica. Un tentativo di stabilire la cronologia d'uso delle due varietà del pigmento è in E. Martin e A. Duval, *Les deux variétés de jaune de plomb et d'étain: étude chronologique*, in "Studies in Conservation", 35, 1990, pp. 117-136, la cui conclusione, relativa all'abbandono in Italia del tipo II a favore del tipo I prima della metà del Quattrocento, è contraddetta anche dal dato emerso in relazione a Palmezzano. Sulla varietà di giallo di piombo e stagno presente in alcune opere di Palmezzano, caratterizzato all'analisi SEM-EDS dai picchi del piombo, stagno e antimonio, possediamo ora, oltre alle analisi in Gallone, *Studio analitico* II, p. 16 e p. 21, anche le osservazioni su due prelievi eseguiti sulla *Madonna col Bambino e i santi Severo e Valeriano* della Pinacoteca di Forlì e sulla *Pala degli Osservanti* di Brisighella in Cauzzi, *Un giallo…*, cit., pp. 59-63. Per i problemi relativi all'i-

dentificazione delle varietà di questo pigmento cfr. anche L. Rico, *Pigmenti del XVI secolo tra Venezia e Spagna*, in "Kermes", 37, XIII, gennaio-marzo, 2000, e U. Santamaria, P. Moioli, C. Seccaroni, *Some remarks on lead-tin yellow and Naples yellow*, in *Art & Chimie*, Paris, 2000, pp. 34-38; C. Sandalinas e S. Ruiz-Moreno, *Lead-Tin-Antimony Yellow. Historical manufacture, Molecular characterization and identification in Seventeenth-century Italian paintings*, in "Studies in Conservation", 14, 2004, pp. 41-52.

[33] Per queste distinzioni ottiche nel Quattrocento, v. E.H. Gombrich, *Light Form and Texture in XVth Century Painting*, in "Journal of the Royal Society of Arts", CXII, 1964, pp. 826-850, e M. Barasch, *Light and Color in the Italian Renaissance Theory of Art*, New York 1978, in part. cap. I, § 2.

[34] L.B. Alberti, *De pictura / Della pittura*, II, § 49; ed. C. Grayson (a cura di), *Leon Battista Alberti. Opere volgari*, III, Bari 1973, p. 102.

[35] L.B. Alberti, *De pictura / Della pittura*, II, § 49; ed. C. Grayson (a cura di), *Leon Battista Alberti. Opere volgari*, III, Bari 1973, p. 102.

[36] L. Pacioli, *Summa de arithmetica et geometria proportioni et proportionalità*, Venezia, 1494; cfr. R. Buscaroli, *Melozzo da Forlì nei documenti, nelle testimonianze dei contemporanei e nella bibliografia*, Roma 1938, p. 134; l'intero brano è riportato. in Grigioni, *Marco Palmezzano...*, cit., pp. 169-170.

[37] Filarete (Antonio Averlino), *Trattato di architettura*, Lib. XXIV; ed. M. Finoli e L. Grassi (a cura di), Milano 1972, p. 670.

[38] La letteratura tecnica descrive il giallo di piombo e stagno come pigmento stabile. Rispetto all'impiego murale sono da notare alcune contraddizioni nelle fonti, causate, forse, dall'instabilità lessicale nella classificazione delle varietà del pigmento, descritto utilizzabile a fresco e a calce (Cennini, *Libro...* cit., cap. XLVI) o inserito in elenchi di colori incompatibili con l'ambiente alcalino (POZZO, *Breve...* cit., sez. XIV, "Colori contrarj alla calce").

[39] G. Vasari, *Le Vite...* cit., *Introduzione*, III, cap. XXI, ed. cit., p. 68.

[40] Sandalinas e Ruiz-Moreno, *Lead-Tin-Antimony Yellow...*, cit., pp. 41-52.

[41] Gallone, *Studio analitico* II, p. 16 e p. 21; Cauzzi, *Un giallo...*, cit., pp. 59-63. L'identificazione in Gallone, *Studio analitico* II, p. 16, relativa alla pala di San Michelino del 1497, retrodata la serie dei riconoscimenti, che in letteratura è aperta da esempi della metà del secondo decennio del Cinquecento: Seccaroni, Moioli, Santamaria, *Some remarks...*, cit, pp. 34-38; Sandalinas e Ruiz-Moreno, *Lead-Tin-Antimony Yellow...*, cit., pp. 41-52.

[42] Roy, Spring e Plazotta, *Raphael's...*, cit., pp. 4-35.

[43] *Ibid.*, a proposito della *Crocifissione Mond* di Raffaello.

[44] Sulla lacca v. R.L. Feller, *Artist's Pigments. A Handbook of their History an Characteristic*, Cambridge- Washington, 1986. Sulla preparazione della lacca: J. Kirby, The preparation of early lake pigments: a survey, in Dyes on historical and acheological textiles, 6th Meeting, Leeds, September 1987, Edinburgh 1988, pp. 12-18.

[45] Cfr. il mio *Dalle ricette alle preferenze. Esibizioni della lacca in Emilia nella prima metà del Quattrocento*, in "Arte a Bologna", 4, 1997, pp. 9-25.

[46] E. Camesasca, *Lettere sull'arte di Pietro Aretino*, Milano 1957, I, XXV, pp. 45-46: lettera a Jacopo del Giallo, 23 marzo 1537.

[47] Pino, *Dialogo ...* ed. cit., p. 118.

[48] Le analisi comparative hanno interessato la tavola e la lunetta della *Pala di San Michelino*, la tavola, la lunetta e la predella della *Pala dell'Im-*

macolata, la tavola e la lunetta la *Pala di Rontana*, e la tavola e la lunetta della *Pala degli Osservanti* di Brisighella.

[49] Tassellature poste sul *recto* si osservano anche in altre opere di Palmezzano: ad es. nella tavola col *Santo vescovo* a figura intera della Pinacoteca di Faenza, dove è presente una tassellatura posta sul davanti prima dell'ingessatura, ma non visibile sul retro. L'impiego di queste tassellature ha una tradizione locale poiché è presente nella produzione forlivese del Cinquecento: un caso è la tavola con *San Paolo che detta i precetti a due vescovi* di Francesco Menzocchi della Pinacoteca di Forlì: v. il mio *Combattimenti fra le maniere tecniche. Temi teorici e modelli pratici al tempo di Francesco Menzocchi*, in A. Colombi Ferretti e L. Prati (a cura di), *Francesco Menzocchi. Forlì 1502-1574*, Ferrara 2003, p. 202, fig. 163.

[50] L'identificazione dell'essenza lignea è stata compiuta nel corso del restauro condotto da Marisa Caprara nel 2003; ma già nel precedente restauro del supporto, Enrico Podio aveva riconosciuto l'essenza in quanto era ricorso a tassellature in cipresso.

[51] I rari pentimenti di Marco Palmezzano si individuano a luce radente in quanto eseguiti con ripassi coprenti: un tipico esempio è la correzione del profilo del mento della Madonna della pala di San Mercuriale, rivelata dal diverso spessore del verde. Più anomalo, per gli usi di Palmezzano, risulta il cambiamento dell'intera parte alta del baldacchino della *Pala degli Osservanti* di Brisighella.

[52] L'uso di rifinire gli incarnati maschili, con brevi tratti bruno-rossicci dati sulle zone in ombra con un pennellino sottilissimo, è frequente nelle opere della maturità. Nella *Pala di Rontana* si riconosce ancora questa tecnica, ad esempio, sulla mano del re mago inginocchiato in primo piano, dove i piccoli tratti paralleli che rinforzano le ombreggiature delle dita si incrociano nella definizione dell'area più scura. Troviamo ancora il tratteggio di finitura sui volti dei personaggi appartenenti al corteo dei Magi, ma sono soprattutto gli incarnati della lunetta a essere caratterizzati da questa finitura a tratti brevi paralleli e incrociati: dove la testa del giovane Cristo è esclusa da un simile intervento che riguarda invece gli incarnati dei più anziani Dottori, fra i quali si può ad esempio osservare la finitura a tratti paralleli e incrociati sull'incarnato del personaggio più a destra. Gli interventi di finitura a tratteggio nella lunetta sono meno controllati rispetto a quelli presenti nella tavola sottostante. Inoltre, nella lunetta, il tratteggio non si limita, come nella tavola, a sottolineare dettagli anatomici già definiti con la stesura dipinta, ma realizza su stesure più piatte veri e propri passaggi di modulazione volumetrica. Sembra perciò che questo modo di rifinire, acquisti maggiore impiego proprio dove è minore il controllo esecutivo, in corrispondenza delle parti meno visibili da terra. Più che un virtuosismo da esibire, il tratteggio di finitura dell'incarnato assume quindi, nella gestione tecnica di Palmezzano, il ruolo di un intervento che si fa più evidente e meno sorvegliato, man mano che le aree del dipinto si allontanano dalla possibilità di un controllo diretto da parte dello spettatore. Nelle opere del principio degli anni Novanta il tratteggio di finitura dell'incarnato è soprattutto un intervento controllato, eseguito con sottili filamenti nerastri, come si osserva sul volto del San Domenico della pala del 1493 della Pinacoteca di Brera. Un accenno di finitura molto limitata a tratti sottili, brevi, bruni, è presente sui volti dei santi dell'*Incoronazione della Madonna con i santi Benedetto e Francesco d'Assisi* della Pinacoteca di

Brera, e ancora nella *Comunione degli apostoli* della Pinacoteca di Forlì la finitura a punta di pennello compare con interventi di tratti brevi e sottili bruno-rossicci nelle barbe e su rare modulazioni di incarnato. Si tratta, in questi ultimi due casi, di opere piuttosto danneggiate che è necessario usare con molta prudenza nello studio delle finiture. Nelle opere più tarde di Marco Palmezzano è evidente come il distacco dalla pratica di finitura tratteggiata sia parallelo all'emergere di un'attenzione per una materia più grassa e per una stesura condotta con piccoli tratti impastati, testimoniato ad esempio dalla *Sacra famiglia col san Giovannino* del Museo Civico di Padova datata 1536 o dall'*Andata al Calvario* della Pinacoteca di Forlì del 1535.

[53] L'osservazione è in Ceriana, *Marco Palmezzano...*, cit., pp. 32-33.

[54] La relazione di Palmezzano con la bottega di Antoniazzo è indicata in R. Longhi, *Officina ferrarese 1934 seguita da Ampliamenti 1940 e dai Nuovi ampliamenti 1940-1955*, Firenze 1980, p. 71. Cfr. anche: A. Cavallaro, *Antoniazzo e gli antonizzeschi. Una generazione di pittori nella Roma del Quattrocento*, Udine 1992; A. Paolucci, *Antoniazzo Romano. Catalogo completo dei dipinti*, Firenze 1992.

[55] Questo cambiamento nella pittura di Marco Palmezzano è osservato in Ceriana, *Marco Palmezzano...* cit., pp. 34, che, infatti, lo collega all'esperienza veneziana del 1495.

[56] A. Roy, M. Spring, C. Plazotta, *Raphael's Early Works in the National Gallery: painting before Rome*, in "National Gallery Technical Bulletin", National Gallery, London, 25, 2004, pp. 4-35, in part. ill. 1,3.

[57] *Ibid.*

[58] F. Bonanni, *Trattato sopra la vernice detta comunemente cinese*, Roma 1720, p. 62: "Sono anche diversi li seccanti (dell'olio di lino), poiché alcuni si fanno con vetro, overo cristallo macinato sottilmente...". Su questo siccativo dell'olio di lino, v. il mio *Le vernici al principio del Settecento. Studi sul Trattato di Filippo Bonanni*, Cremona 1995, pp. 110-111.

[59] A. Rothe e D.W. Carr, *La tecnica di Dosso Dossi. Poesia con pittura*, in A. Bayer (a cura di), *Dosso Dossi. Pittore di corte a Ferrara nel Rinascimento*, Ferrara 1998, p. 63.

[60] Si possono ricordare anche due esempi di stesura di lacca battuta sopra una base rossa: la battitura della lacca a palmo, che compare sul libro tenuto dal *Sant'Agostino* e quella realizzata allo stesso modo che è ancora riconoscibile sul bordo inferiore del manto del *San Girolamo* della Pinacoteca di Faenza. In quest'ultimo caso si tratta di una striscia continua di un paio di centimetri, parallela al lato inferiore della tavola che verosimilmente è stata protetta dalla battuta di una cornice: in questo caso si tratterebbe di un resto più antico della pulitura e dei vecchi ritocchi sovrapposti alla parte del manto senza velatura.

[61] Sul resinato di rame: H. Khun, *Verdigris and copper resinate*, in "Studies in Conservation", XV, 1970, pp. 12-36; per le sue caratteristiche alterazioni: C.M. Groen, *Toward identification of brown doscoloration of green paint*, ICOM 4th Triennal meeting, Venezia, 1975; L. Kockaert, *Note on the green and brown glazes in old paintings*, in "Studies in Conservation", XXIV, 1979, pp. 69-74; M. Gunn, G. e J.C. Chottard, E. Riviere e J.J. Girerd, *Chemical reactions between copper pigments and oleoresinous media*, in "Studies in Conservation", 47, 1, 2002, pp. 12-23.

[62] R. Woudhuysen-Keller, *Aspects of painting technique in the use of verdigris and copper resinate*, in A. Wallert, E. Hermens e M. Peek (a cura di), *Historical painting techniques, materials and studio*

136

practice: prepints of a symposium, University of Leyden, the Netherlands, 26-29 June 1995, Marina del Rey, 1995, pp. 65-69.

[63] Sulla conoscenza di questo materiale alla fine del Quattrocento, v. A.M. Brizio, *Ricette di pittura: Leonardo conosceva la trementina distillata*, in "Raccolta Vinciana", 18, 1960, pp. 159-160.

[64] Gunn, Chottard, Riviere e Girerd, *Chemical reactions...*, cit., pp. 12-23.

[65] A. Conti, *Quando l'imbrunimento è originale*, in "Gazzetta Antiquaria", 5, inverno 1988, pp. 45-47.

[66] D. Mahonh, *La Madonna con Gesù Bambino: storia del restauro e note tecniche*, in *Filippo Lippi. Un trittico ricongiunto*, Torino 2004, p. 32.

[67] A. Gallone, *Lo studio...*, cit., Daffra e Trevisani, (a cura di), *La pala di san Bernardino...*, cit., pp. 257-261, in part. p. 260.

[68] Questa vernice ha presentato un aspetto e un comportamento diverso rispetto a un altro frammento di una vernice non recente scoperto nell'area centrale del bordo inferiore della tavola maggiore della stessa pala, ma sopra una zona abrasa: quindi in una posizione stratigrafica tale da escludere la sua originalità.

[69] A. Gallone, *Studio analitico...*, cit, in Bandera Bistoletti, (a cura di), *Il Polittico di San Luca...* cit., in part. p. 68. Pur propendendo per l'originalità del frammento, mantiene una prudente cautela sulla valutazione del materiale. Per questa vernice, descritta come "velatura bruna trasparente con particelle arancio", l'imbrunimento potrebbe indicare l'ossidazione di una sostanza oleo-resinosa, mentre i grani arancio possono essere identificati con residui di minio addizionati al composto favorirne l'essiccazione.

[70] Bologna, Biblioteca Universitaria, ms. 2861;

ed. Merrifield, *Original treatises...*, cit., I, p. 429, ric. 106.

[71] *Trattato*, II, 208, ed. cit. 121: *Aumentazione di bellezza nel verderame*: "Se sarà misto col verderame l'aloe camellino, esso verderame acquisterà gran bellezza, e più ne acquisterebbe col zafferano, se non se ne andasse in fumo". Ancora negli anni ottanta del Cinquecento, Armenini, *De' Veri...* cit., II, IX, p. 127, consiglia la miscela con un colorante vegetale "con verderame un poco di vernice comune e di giallo santo", il giallo di spincervino.

[72] Ad es. Cennini, cap. LVI.

[73] La parte superiore di questo risvolto verde scuro appare sovrapposta alla stesura a cinabro del manto. Verosimilmente, il cinabro costituiva una base per la finitura a lacca, che non è stata individuata, forse a causa dello stato di conservazione della lunetta della pala di San Michelino.

[74] Non sappiamo, invece, se Palmezzano avesse previsto anche l'assestamento più scuro del resinato di rame dato dalla normale trasformazione di questo materiale nel tempo. Nel tardo Quattrocento queste modificazioni d'aspetto del resinato di rame potevano essere note in quanto si manifestavano in tempi non eccessivamente lunghi: cfr. Conti, *Quando l'imbrunimento...*, cit., pp. 45-47; e ancora: Id., *Manuale di restauro*, Torino 1994, pp. 191-197. La presenza in diverse opere di Palmezzano di residui di verderame nei solchi dei cretti fa pensare a velature rimosse e accidentalmente trasportate durante la pulitura a tampone di restauro nelle fessure della crettatura: cfr. le osservazioni in M. Simonetti, *Vernici e puliture: problemi di interpretazione degli strati pittorici superficiali per la loro conservazione*, in *Problemi del restauro in Italia*, at-

ti del convegno, Roma, 3-6 novembre 1986, Udine 1988, pp. 287-296, in part. p. 294.

[75] Sull'applicazione della vernice con la spugnetta, v. J.M. Reifsnyder, *A note on the traditional technique of varnish application for paintings on panels*, in "Studies in Conservation", 41, 1996, pp. 120-122. In Cennini, cap. CLV, è posta l'alternativa fra l'unzione a palmo ("con la mano vi distendi per tutto questa vernice") e la rollatura a spugnetta ("Anchora, se non vuoi fare con mano, togli un pezoletto di spugnia ben gientile, intinta nella detta vernice, e rullandola con la mano sopra l'ancona, vernicha per ordine, e leva e poni come fa bisognio"). Alla fine del terzo decennio del Quattrocento Jean Lebegue descriveva l'applicazione della vernice "dessus la painture a vos doiz" Paris, Bibliothéque Nationale, ms. Lat. 6741, ed. Merrifield, *Original treatises...* cit., I, n. 341, pp. 313-315. In Armenini, *De' Veri...*, cit., pp. 128-128, è presente un indizio della continuità di questi usi, quando si prescrive di stendere a pennello una vernice a spirito (composta di benzoino e acquavite), mentre non si indicano i modi per applicare tutte le altre vernici a olio delle quali sono fornite le ricette. Evidentemente Armenini valutava la pratica a pennello adatta solo alle più rare vernici a spirito, mentre considera scontato che le più comuni vernici a olio si devono applicare con l'uso della mano o del tampone

[76] Armenini, *De' Veri...*, cit., II, IX, p. 127.

[77] Bologna, Biblioteca Universitaria, ms. 2861, cap. 204. Ed. Merrifield, *Original treatises...*, cit., I, n. 341, p. 489.

[78] Ed. Merrifield, *Original treatises...*, cit., I, n. 341, pp. 313-315.

Prima della mostra, oltre la mostra: un piano organico di restauri

Anna Colombi Ferretti

In nessun altro posto si possono vedere tante opere di Palmezzano come a Forlì. Cosa naturale, certo, ma è anche l'opposto di quanto capita con Melozzo: il grande assente, il protagonista delle celebrazioni del 1994 alle quali, idealmente, la presente occasione si riallaccia. Non è necessario tornare sulle sfortunate vicende conservative del maggior artista forlivese o dire che non fu in patria che si radicò la sua attività. E ora non si vuol neppure tentare un bilancio sintetico delle ragioni da cui dipende l'originaria presenza a Forlì (o la permanenza nel tempo) di un così gran numero di opere di Palmezzano. Questa semplice constatazione di natura patrimoniale serve come punto di partenza di pagine che sono invece rivolte a fare un primo bilancio, semmai, dell'impegnativa campagna di restauro che ha preceduto la presente esposizione, facendone qualcosa i cui benefici effetti si continueranno a vedere in tanti luoghi della città anche a mostra chiusa. L'impegno finanziario di tale campagna è stato sostenuto per la più gran parte dalla Fondazione Cassa dei Risparmi, in base a un programma che nel corso di quattro anni si è articolato e precisato sempre meglio, secondo le scelte del comitato scientifico (mentre sono stati da me diretti i restauri delle opere che sono di competenza territoriale della Soprintendenza bolognese).

Non appena si è cominciata a profilare l'idea di realizzare una mostra costituita per intero da dipinti su tavola, fu inevitabile che sul versante istituzionale del servizio di tutela affiorassero preoccupazioni legate alla fragile natura materiale di tali testimonianze artistiche. Queste sacrosante preoccupazioni trovavano peraltro un terreno cedevolissimo, al punto che la Fondazione forlivese ha offerto la possibilità di restaurare non solo molte opere presenti in mostra (comprese alcune prestate da musei fuori regione), ma anche una serie di dipinti che non possono muoversi dalla loro collocazione (in genere altari), per lo più per ragioni di particolare delicatezza.

Già di per sé, nel contesto della politica culturale dei nostri anni, questo è un fatto significativo. E in controtendenza, viene subito da aggiungere, non fosse altro per la comodità di tempi e di mezzi con cui è stato possibile condurre l'insieme dei lavori. Agli occhi di chi ricorda come solo fino a pochi anni fa i capitoli di spesa dello Stato consentissero ancora di avvicinarsi a qualche cosa di simile a un programma di tale specie e che vede come non sempre i fondi dei privati corrispondano alle priorità dell'opera di tutela, questo appare davvero un caso fortunato.

La mostra dedicata a Marco Palmezzano rappresenta dunque il punto di arrivo di una quantità di indagini, in questo caso di natura materiale, svolte su di lui e intorno a lui. Il fatto stesso che se ne dia conto attraverso un'esposizione, piuttosto che per mezzo di un libro, consente di valutare direttamente la quantità e la qualità dei dati emersi dalla campagna di restauri. L'incontro immediato, fisico, con le opere del pittore, quale una mostra soltanto può consentire, porta a riconsiderare le superfici pittoriche di un artista che si presenta adesso con una pelle veramente rinnovata.

Per la loro natura di manufatti lignei, per quanto assai accurati nella scelta e nell'assemblaggio, queste opere sono state sottoposte in passato ai danni consueti provocati dalle variazioni di temperatura e umidità proprie degli ambienti in cui si trovavano: rigonfiamenti e contrazioni del legno, che producono sollevamenti della preparazione e del colore e, in successione, la loro caduta. Col tempo le carpenterie sono state soggette all'attacco dei tarli; e più aumentano gli spazi vuoti tra le fibre lignee, divorate dai parassiti, più le tavole diventano sensibili alle variazioni termoigrometriche, in quanto è aumentata la superficie di scambio con l'aria.

Se i nostri interventi di restauro avessero incontrato soltanto situazioni di questo genere, il lavoro per il ripristino di condizioni conservative ottimali si sarebbe ridotto enormemente. Purtroppo, come spesso ci si trova a constatare, i danni peggiori sono stati

1.
Marco Palmezzano,
*Glorificazione di
sant'Antonio Abate in trono
fra i santi Giovanni Battista
e Sebastiano*, particolare, in
fase di restauro,
Forlì, Pinacoteca Civica.

causati da chi è intervenuto in passato con l'intento di sanare i primi danni visibili, e poi i successivi, ripetutamente. In questo, soprattutto, Marco Palmezzano è stato sfortunato, perché lo stratificarsi di tentativi volti a risolvere gli effetti del degrado pittorico gli hanno, per così dire, cambiato sempre più i connotati. Un torto particolarmente grave che viene fatto a un pittore che, come lui, attrae piacevolmente quando ne può essere ben letta la fattura, rivelando le mille finezze che sfuggono a una memoria affidata alle sole fotografie.

Chi in passato si è cimentato nel restauro delle sue pitture, ha imboccato in genere la strada che portava a mascherare le lacune della superficie dipinta. In questa occasione si è potuto comprendere pienamente il perché: la difficoltà che presenta l'operazione del ritocco pittorico sulle opere del forlivese, in qualunque modo si scelga di eseguire le integrazioni, è notevolissima. È per questo che le sue superfici genuine sono state ritrovate sotto pesanti ridipinture e patinature, abbondantemente sovrapposte le une alle altre. Si può intuire che, secondo i criteri conservativi passati e in assenza di mezzi tecnici adeguati, la scelta di presentare i dipinti senza lacerazioni del tessuto pittorico si sia imposta come il male minore, anche a costo di vederli offuscati e appesantiti. Per lo meno fu una scelta che, a confronto di altre assai più discutibili, esprimeva più rispetto per la volontà espressiva del pittore. Lo dimostra per contrasto la vicenda del *Sant'Antonio Abate* della Pinacoteca Civica di Forlì, che fu pulito lasciando le lacune in troppa evidenza. In questo caso, appunto, non si trattò della scelta del male minore, perché ne risultò tradita l'adamantina geometria della tessitura pittorica.

Di fronte a superfici da tanto tempo mai pulite, con danni di cui non si era mai potuta valutare né l'origine né l'entità, e con documentazioni dei passati restauri carentissime o assenti del tutto, il recupero di ogni centimetro di pittura è andato di pari passo con una serie di domande rivolte direttamente alle opere, che, assieme alle particolarità di natura materiale, hanno spesso rivelato il senso delle traversie subite in passato. Se si deve allora istituire una gerarchia nell'importanza delle operazioni eseguite, la pulitura si può indicare come quella più delicata, più responsabile e più rivelatrice. Ma a parte le lacune, in quali condizioni è riemerso il colore così luminoso di Palmezzano? Semplificando, ci si può riferire a due tipi di situazioni: uno della prima fase della carriera, l'altro più inoltrato, ma senza che si possa indicare un punto di snodo riconoscibile.

Subito dopo il venir meno di quei tratti grafici lasciati in semi-trasparenza sotto il colore, che è un tratto caratterizzante le prime opere del pittore – in continuità col suo maestro Melozzo – la stesura si fa compatta, smaltata e assai difficile da rimuovere. Nonostante ciò, anche nell'*Annunciazione* del Carmine, dove questa tecnica è padroneggiata a meraviglia, i tentativi antichi di pulitura si sono tradotti in aggressioni, anche violente, e hanno provocato sgranature e rimozione di finiture. Questo ha portato a uno squilibrio dei campi cromatici (perché non ogni colore, ovviamente, reagisce ai solventi in modo analogo e ciascuno è ottenuto dalla sovrapposizione di vari strati), e non a una generale asportazione della prima pelle di finitura. Più avanti nella carriera, Palmezzano adoperò la sovrapposizione dei colori oleosi e delle lacche in vista di un risultato di grande fusione e morbidezza pittorica; ma l'asportazione della superficie di finitura non ha distrutto completamente le figure. Per questo aspetto – e per questo soltanto – si può giudicare la situazione di Palmezzano migliore rispetto ad altre. Come, ad esempio (per rimanere in zona forlivese), quella di Francesco Menzocchi e ancor più di suo figlio, Pier Paolo, dove la sostanza della pittura prende consistenza, volume e profondità dalla sovrapposizione di strati di colore, tutti sottili, oleosi e semitrasparenti, e dove una pulitura che ne asporti anche solo l'ultimo provoca una vera devastazione.

Come mai è stata intrapresa la strada di una così impegnativa campagna di restauri e come si sono prefigurati gli obbiettivi da conseguire? Tra il 1997 e il 2000, cioè poco prima che prendesse corpo il progetto della mostra monografica, erano già state restaurate due opere di Palmezzano: si può dire che per entrambe i restauri fossero rivelatori.

Una, il *Cristo Portacroce* appartenente al monastero del Corpus Domini di Forlì, si è inserita nei capitoli di spesa della Soprintendenza per cause indipendenti da ogni volontà programmatoria: in una stagione di clima secco il dipinto, per la contrazione delle fibre lignee, è uscito dalla cornice che lo conteneva ed è caduto a terra rompendosi in vari pezzi. Essendo di piccolo formato, la Soprintendenza ha potuto sostenere la spesa per un restauro completo, liberandolo da una generale ridipintura di cui nessuno sospettava l'esistenza. L'incidente, per una volta, ha portato a qualcosa di buono.

L'altro lavoro, di grandissimo impegno, ha costituito realmente l'occasione per comprendere cosa significhi restaurare un altare di Marco Palmezzano di grandi dimensioni, completo della lunetta, ma dissestato dai tarli e dall'umidità, completamente "infagottato" sul recto e sul verso da aggiunte pittoriche e strutturali. Si tratta dell'*Adorazione dei Magi* di Santa Maria di Rontana, nei dintorni di Brisighella (e ora trasferita nella collegiata di questa cittadina), che fa parte dell'itinerario che affianca la mostra. L'impegno, anche finanziario, è stato ingentissimo, insostenibile per la Soprintendenza. Anche in questo caso – come, del resto, in quello precedente – pare che il dipinto si sia come raccomandato da solo, perché il titolare della filiale forlivese dell'Assicurazione Cattolica, dott. Gianfilippo Dughera, ha canalizzato su questo lavoro una sponsorizzazione adeguata, dopo essere rimasto letteralmente innamorato della qualità pittorica del dipinto. Il termine "adeguato" richiede l'apertura una piccola parentesi, perché equivale a una delle chiavi che spiegano i risultati conseguiti con la campagna di restauro realizzata per la mostra. Sull'*Adorazione dei Magi* c'era stato tutto l'agio di formulare una diagnosi esatta dei suoi molti mali, perché dopo lo smontaggio assai difficoltoso dal presbiterio della chiesa di Rontana, non solo i fondi della Soprintendenza se n'erano andati tutti, ma la tavola appariva così rigonfia di umidità che era stata lasciata a lungo in deposito nel laboratorio di restauro, a clima controllato, piena di carte giapponesi e di pesi a cuscinetto, perché rientrasse senza altri traumi nei suoi parametri normali (e si è ristretta di oltre quattro centimetri!). Le varie prove e gli esami che nel frattempo sono stati eseguiti hanno provocato un certo sconforto, perché, man mano che diveniva sempre più chiara l'entità del lavoro occorrente, calavano le possibilità che la Soprintendenza potesse farsene carico. Il gesto di uno sponsor davvero generoso ha avuto pubblica presentazione in occasione della "Settimana per la Cultura" nella primavera del 2000, quando l'opera è stata esposta a Forlì, prima di tornare in Val di Lamone, feudo dei suoi committenti Naldi.

Entrambi i restauri menzionati sono stati eseguiti dal laboratorio di Marisa Caprara, dove la tecnologia del legno è sempre seguita e sviluppata ai più alti livelli, d'intesa con il fiorentino Opificio delle Pietre Dure. E la competenza della stessa titolare sulla policromia vera e propria ha portato a risultati stupefacenti. Non si è trattato, però, di opere in grado d'incidere a fondo su quell'immagine che lega in maniera così stringente Palmezzano e la sua città, perché le due opere che potevano mostrare al meglio l'esecuzione pittorica dell'artista stavano l'una nella clausura di un monastero, l'altra a Brisighella. Forse sarà anche per questa ragione di civico orgoglio che le priorità conservative messe avanti dalla Soprintendenza in vista della mostra hanno sfondato, per così dire, una porta aperta.

Mentre è facile dichiarare gli obiettivi che ci siamo prefissi con questi restauri, a partire da quello ovvio e primario di consentire ancora lunga vita alle opere, sarebbe troppo complesso seguire in dettaglio come mai interventi conservativi pur non lontanissimi nel tempo non hanno potuto avvicinarsi a tal punto alla sepolta e degradata superficie che meglio informa sulla natura pittorica di Marco Palmezzano. Credo, innanzitutto, perché mancavano i riferimenti di

quanto lunghe e difficili fossero le operazioni. Per lo più il lavoro veniva sottostimato, o si avviava con intenti di semplice manutenzione, improponibili in casi come questi; per cui, in mancanza di denaro, di tempo, di capacità, o anche della disposizione a sottoporsi a operazioni logoranti, i veri problemi non venivano affrontati. Una volta operata la pulitura, si è poi già fatto cenno alla difficoltà di trattare le lacune in maniera da non creare disturbo, perché le campiture cromatiche richiedono perentoriamente unitarietà per conservare tutta la loro tensione. Come si è già accennato, nel caso del *Sant'Antonio Abate* della pinacoteca, il passo è stato compiuto a metà, cioè fermandosi alla sola pulitura, con lacune semplicemente lasciate a neutro. Per quanto si trattasse di operazioni condotte col sostegno di un'autorevole teorizzazione (per certi aspetti "datata", come tutte le cose che germogliano da una radice di motivata cultura, ma poi rischiano di disseccarsi quando non ne sono più alimentate), nel caso specifico di Palmezzano tale criterio risulta particolarmente fastidioso e disarmonico. Nella pala di *Sant'Antonio*, Manuela Mattioli ha ripreso e sapientemente condotto a compimento il lavoro, non senza trovare inciampo nel fatto che il livello delle lacune si presentava disomogeneo, perché lievemente più basso rispetto alla pittura (fig. 1).

Sarà ovvio ricordare al più ampio pubblico dei visitatori che tutto il rispetto per ogni minima traccia che faccia parte dell'opera e tutta la tecnologia applicata per risolvere i problemi strutturali non possono tradursi in un impossibile azzeramento del tempo trascorso, che riporti le opere com'erano al momento in cui il pittore le licenziò. Un occhio esperto sarà invece in grado di riconoscere sia le lacerazioni della stesura, sia l'integrazione operata. E chi vorrà conoscere più da vicino quali operazioni siano state eseguite, sa anche che i restauri condotti con criteri moderni sono sempre accompagnati da una ricca documentazione fotografica e da una relazione. Non è poi possibile eliminare il disagio visivo derivato dal degrado del supporto ligneo. Per quanto le tecniche di risanamento delle strutture siano specializzate, per quanto impegno sia stato profuso per raddrizzare le imbarcature e le curvature prese dalle assi, una superficie lignea degradata non può tornare perfettamente liscia come quando la realizzò il carpentiere. Le giunture delle assi in molti casi portano tracce di antiche riparazioni, che, confrontate con le tecniche di oggi, dovrebbero dirsi manomissioni. Un esempio per tutti: l'*Annunciazione* della Pinacoteca Civica di Forlì, dove è stata messa in opera una tecnologia senza precedenti su una scala così gigantesca (nella sostanza, però, è la stessa dell'altare di Rontana, elaborata dall'Opificio delle Pietre Dure). Appena portata l'opera nel laboratorio di restauro di Marisa Caprara, è apparso un concentrato di problemi pressoché indecifrabili. Sulla parte frontale non appariva una sola pennellata che non portasse traccia di ingranatura o patinatura; sul retro una parchettatura fissa impediva di giudicare lo stato della tavola. Una brutta sorpresa, una volta smontata la cornice, è stata constatare che l'assottigliamento subito dalla tavola le dava uno spessore solo di 1,5 cm: troppo poco per reggere una superficie di oltre sei metri e mezzo. Ma la parchettatura rigida ha costretto i movimenti del legno in maniera da non arrestare le già copiose cadute di colore. Proprio perché questa campagna di restauro ha potuto prefiggersi di affrontare i veri problemi conservativi, è stata intrapresa la strada più difficile: la parchettatura è stata smontata (non senza il ritrovamento di un'ulteriore brutta sorpresa, di cui si dirà) e poi è stato applicato un rinforzo a traverse mobili, a maglie ortogonali piuttosto larghe, fissato sopra supporti preparati per consentire alla tavola un misurato scorrimento in orizzontale, mediante viti inserite in asole di ottone, e un movimento di rigonfiamento in verticale, ponendo sotto la testa di ogni vite una molla (un tempo si sarebbe detto che era un lavoro da "orologiaio svizzero"). Nel corso di queste operazioni è risultato che l'ultima asse di destra, guardando la faccia dipinta dell'opera, aveva subito un "risanamento", probabilmente per risolvere il problema di una porzione di legno tarlata: era stata ristretta di almeno 3 centimetri, segandola per

tutta l'altezza. Per non dire poi della qualità del riassemblaggio dell'asse mutila: senza alcun riguardo né alla solidità dell'insieme, né alla continuità della superficie pittorica. La quale, a sua volta, aveva ricevuto una serie di veri e propri "insulti", perché l'armonia delle ripetute arcate architettoniche che inquadrano le due figure era stata guastata: i profili delle arcate erano divenuti a scalini, con effetto disastroso, inaccettabile anche per chi aveva provocato il danno. Tant'è vero che il tutto è stato nascosto da una completa ridipintura, dall'una e dall'altra parte, per consentire almeno una percezione omogenea dell'insieme. Nella scheda sull'opera (cat. 20) si parla del mutamento delle sue misure su tutti e quattro i lati con asportazione della centina: operazioni che sembrano antecedenti, o almeno concomitanti, con la sua collocazione nella monumentale cornice sulla parete di fondo della chiesa del Carmine, da cui proviene, dopo la ricostruzione settecentesca di Giuseppe Merenda. Ma questi interventi sembrano ottocenteschi; dovrebbe trattarsi del lavoro eseguito dal forlivese Luigi Pompignoli, ricordato nella guida della chiesa (Sabatini 1968, pp. 160-163). Si sa poi che nel 1957, in occasione della prima mostra di Palmezzano, operò qualche intervento Dante De Carolis. Un ulteriore restauro, nel 1978, fu eseguito da Ottorino Nonfarmale, riscoprendo la mutila figura del Padre Eterno, ma limitandosi a intonare il dipinto con parziali puliture e nuove ingranature a pennello. Ora l'asse ristretta è stata portata alla sua misura originaria e la continuità della pittura è stata ampiamente "aiutata". Il lavoro sul colore ha richiesto un impegno straordinario, prima per la rimozione di tutte le ridipinture accumulatesi nei secoli, poi per ritessere una continuità visiva rispettosa della luminosa leggerezza dell'insieme.

Chiuso il resoconto sul lavoro, davvero fuori da ogni parametro, che è stato fatto sull'*Annunciazione*, si può tornare all'asserto da cui ha preso le mosse il discorso: oltre certi limiti, non ci è dato di ripristinare la perfetta uniformità di superficie delle tavole di supporto. Questo dipende dalla natura organica del materiale – che realmente invecchia e si muta – non da scarsa tecnologia. I luoghi di conservazione delle opere dovranno dotarsi di illuminazione idonea, che significa luce diffusa, né incidente, né laterale, perché i risultati di tanti sforzi conservativi rischiano di sembrare del tutto invisibili agli occhi dell'osservatore ignaro della natura materiale di un'opera d'arte, abituato a guardare soprattutto riproduzioni. Può accadere non appena lo sguardo inciampa in un affossamento delle fibre lignee, in una giuntura, in un nodo che magari vi è sempre stato, o in un difetto del tipo chiamato sverzatura, sopra al quale il pittore ha dipinto con tutta indifferenza (se ne vede una proprio sul viso della Vergine nella pala d'altare dell'*Immacolata* in San Mercuriale), in epoca in cui era impensabile che si potessero proiettare luci forti contro le pitture.

Si è affermato all'inizio che i danni peggiori su queste opere sono stati causati da mani umane, ma vi è un caso importante in cui le cose non stanno così. È la pala della Pinacoteca di Faenza, proveniente dalla chiesa di San Michele, la *Madonna con il Bambino in trono fra san Michele Arcangelo e san Giacomo Minore* (cat. 21). La sua superficie è martoriata da numerosissime abrasioni e il supporto ligneo è rimasto in due punti mutilato da un'incredibile disavventura occorsa al dipinto durante l'ultima guerra. In occasione di un bombardamento, la tavola, per via dello spostamento d'aria, fu sparata fuori dal deposito in cui erano state ricoverate le opere della Pinacoteca di Faenza. Cadde nel fiume con la faccia dipinta all'ingiù, e avrebbe potuto "perire" completamente se non fosse stato inverno: il fiume Lamone era ghiacciato e il dipinto subì uno strofinamento terribile. Il restauro del dopoguerra è stato senza dubbio molto ben fatto, ma non si è spinto fino al completo recupero della fattura originale, essendo già la superficie ampiamente patinata. La smagliante nitidezza che ora il dipinto ha riacquistato a opera di Isabella Cervetti riporta in evidenza quelle capacità esecutive che motivarono la chiamata del pittore a Faenza nel 1497, quando l'opera gli venne commissionata dai priori di San Michele, con l'espresso desiderio che risultasse la più bella e la più ricca che si fosse mai vista nella loro città.

Le ditte che sono state messe all'opera, selezionate d'intesa con la direzione dei lavori, meritano tutte grande onore. Il primo motivo che ha sorretto le scelte è stata la capacità di operare sulle strutture lignee, con interventi anche molto impegnativi. Oltre al ricordato laboratorio Caprara, ottimi risanamenti sono usciti dal laboratorio di Adele Pompili (non meno belli dei suoi recuperi sul lato dipinto delle opere). Si aggiunga che vi sono stati casi in cui le carpenterie erano ancora in buono stato e l'abilità richiesta al restauratore serviva a venire a capo di problemi prettamente pittorici: così è stato per le quattro tavole della Pinacoteca di Faenza provenienti da Sant'Agostino (affidate all'esperienza di Pietro Antoni) e per il *San Rocco* della cattedrale di Forlì. Insieme a quest'ultimo è andato in un affidabile laboratorio di restauro (quello di Letizia Antoniacci a Cesena) il quadro che gli sta di fronte nella stessa cappella, cioè il *San Sebastiano* di Rondinelli, assai più fresco e mosso nella fattura, e tutto sommato docile al restauro. Questo gruppetto di opere in definitiva presentava danni strutturali di limitata entità, mentre i maggiori problemi erano tutti di ordine visivo: ingialliti, lucidi, dal colore completamente sor-

do, non lasciavano capire nulla delle loro reali condizioni di nascita.

Ma occorre un cenno proprio sulle strutture lignee dei dipinti di Palmezzano, di solito accurate. Il documento del 1492, relativo alla commissione della carpenteria di una tavola da dipingere per la cattedrale di Forlì, contiene la menzione anche dell'artefice convocato: "Magister Antonius de Faventia", segno evidente dell'importanza di questi aspetti materiali, base della buona riuscita dell'opera dipinta. In occasione dei lavori effettuati per la mostra, in due casi in cui la struttura originale sul retro delle tavole era ben conservata, si è potuto constatare – non senza sorpresa – che l'accorgimento di rendere mobili le traverse di sostegno, secondo criteri conservativi che siamo abituati a considerare moderni, era già adottato dai *magistri lignarii* che lavoravano per Palmezzano. Uno è il dipinto sull'altare della navata destra in San Mercuriale, la *Madonna col Bambino tra i santi Giovanni Evangelista e Caterina*, che ha un rinforzo perimetrale di ottima tecnologia e anche ben conservato, con traverse scorrevoli (fig. 2). L'altra è l'*Annunciazione* della chiesa dei Servi a Forlimpopoli, realizzata, a quanto pare, con poca spesa perché le assi non sono ben tagliate. L'accorgimento di applicarvi due traverse orizzontali scorrevoli ha lasciato una traccia ben percepibile, sebbene successivamente siano stati inseriti quattro lunghi chiodi negli incastri. Non vi è stata negli anni passati un'attenzione sempre vigile alla fattura delle carpenterie lignee e non sono stati messi da parte dati di confronto. Eppure, alcune sporadiche tracce di tecnologie in cui si adottavano traverse tali da lasciar liberi i movimenti del-

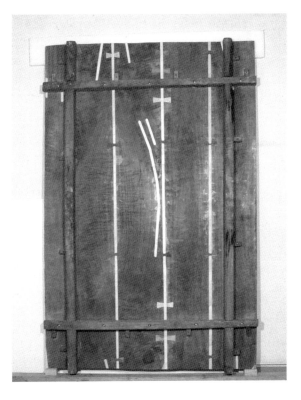

3
Marco Palmezzano,
*Immacolata con il Padre
Eterno in gloria e i santi
Anselmo, Agostino e
Stefano,* particolare, dopo
il restauro, Forlì, abbazia
di San Mercuriale.

4.
Giuliano da Rimini,
*Crocifisso tra Maria
e Giovanni,* dopo il
restauro,
Forlì, chiesa di Santa
Maria dei Servi
(San Pellegrino).

le tavole si possono indicare anche in epoche più antiche (Ciatti - Castelli -Santacesaria - 1999, pp. 59-98). Un aspetto sconosciuto di Marco Palmezzano appare in due circostanze e rivela una certa attenzione per le antiche immagini di devozione (atteggiamento forse non inaspettato nell'allievo di Melozzo). La grande tavola su cui è dipinta l'*Immacolata* sull'altare della cappella Ferri in San Mercuriale è in legno di cipresso, compatto e aromatico, di grande pregio, dotato, probabilmente a ragione della sua creduta incorruttibilità, di una valenza simbolica (fig. 3). Marco Ciatti, dell'Opificio delle Pietre Dure, segnala che è la stessa essenza lignea su cui è dipinta la famosa icona della *Madonna della Clemenza* nella cappella Altemps di Santa Maria in Trastevere, una delle più venerate di Roma. La seconda traccia è nella sala capitolare della chiesa dei Servi di Forlì, in cui si conserva l'immagine del *Cristo Crocefisso* (fig. 4), alla quale si attribuisce la miracolosa guarigione di san Pellegrino Laziosi. L'affresco ci è pervenuto in condizioni gravemente frammentarie; un tempo doveva essere a figura intera, mentre ora si vede solo fino alle ginocchia. Inoltre, è stato staccato dalla

sua parete nel 1888 da Filippo Fiscali, restauratore famoso ma che qui non dette buona prova di sé. Il restauro del 2004 (finanziato dalla Soprintendenza ed eseguito da Luigi e Lorena Moretto) ha consentito di prendere in esame ogni particolarità dell'affresco, attribuito su base stilistica a Giuliano da Rimini da Carlo Volpe (1965, p. 12). Si è constatato che solo pochi brani, tra cui soprattutto vari passaggi del perizoma, sono indenni da una ridipintura antica, straordinariamente rispettosa e ben fatta: tant'è vero che la morfologia dell'immagine, che è la base della moderna attribuzione, non ne è stata per nulla alterata. Chi ha eseguito questo lavoro probabilmente era mosso dall'intento di ridare unità a una superficie non più omogenea, ma ha dato un saggio di tecnica veramente ammirevole. Eliminando le stelle d'oro su fondo blu, ha introdotto sullo sfondo un elemento di attualizzazione, o meglio di radicamento alla religiosità civica: una veduta di Forlì con i suoi campanili a punta, immaginata in mezzo a profili di montagne alte. Uno di questi profili è lo stesso della pala dell'*Immacolata* in San Mercuriale, una traccia che sembra ricondurre il restauro allo

stesso Marco Palmezzano. Tutta la sala, che ha una bellissima volta a ombrello con peducci in cotto a forma di piccolo mascherone, appare frutto di ricostruzione cinquecentesca, databile agli inizi del secolo. L'intento sembra quello di mettere in evidenza l'immagine del *Crocefisso* (nata su quella stessa parete su cui è stata ricollocata), organizzando lo spazio quadrato come se si trattasse di una cappella, con l'altare di fronte all'ingresso, e al centro della volta uno scudo in pietra con gli stemmi Albicini e Porzi, famiglie, per diverse ragioni, in rapporto con Marco Palmezzano.

Marco Palmezzano come maestro d'arte sacra

Timothy Verdon

Parlare di Marco Palmezzano come maestro d'arte sacra può sembrare scontato. Questo pittore[1], che lavorò soprattutto per committenti ecclesiastici e produsse pale d'altare con un'efficienza quasi industriale, era per forza esperto nell'interpretazione dei soggetti cristiani, come del resto la maggior parte degli artisti in quell'epoca ancora permeata dalla religiosità contemplativa del cattolicesimo premoderno. Nato in una Forlì che, per volere degli ultimi Ordelaffi, si era aperta alla riforma osservante degli ordini religiosi; formatosi nel clima del nuovo rapporto forlivese col papato, sotto la signoria di Girolamo Riario, nipote di Sisto IV e, più tardi, partecipe (almeno come spettatore) dell'entusiasmo generato dal Giubileo del 1500, Palmezzano deve aver assimilato lo spirito devoto e pio di quel tempo: lo stesso che troviamo in numerosi maestri suoi contemporanei in Italia e Oltralpe[2].

Ma la vita di Marco Palmezzano corrisponde anche al periodo più movimentato, dal punto di vista religioso, di tutta la storia europea. Possiamo esemplificare le drammatiche mutazioni nella Chiesa in questi quasi ottanta anni ricordando due documenti: la bolla di Pio II a condanna del conciliarismo, *Execrabilis*, del 1460, e il rapporto della commissione incaricata da Paolo III di preparare il lavoro del Concilio di Trento, *Consilium de emendenda Ecclesia*, del 1537[3]. Frammezzo c'erano stati Girolamo Savonarola, Martin Lutero e Ignazio di Loyola (dal 1537 a Roma dove – nel 1540 – avrebbe ottenuto l'approvazione pontificia per il suo ordine, la Compagnia di Gesù). Nella Forlì ufficialmente parte dello Stato della Chiesa a partire dal 1503, e nel contesto clericale, conventuale e confraternale per cui Marco Palmezzano lavorò, gli sviluppi di questi decenni non potevano essere completamente ignorati, grazie anche alla diffusione in Romagna, come altrove, del nuovo potente strumento comunicativo: la stampa.

Pure nel mondo dell'arte sacra questo fu un periodo di sviluppo cruciale, che Palmezzano non poteva ignorare. Egli nacque poco dopo l'esecuzione degli affreschi di Piero della Francesca ad Arezzo, e morì poco prima che Vasari dipingesse la Sala dei cento giorni. È chiaro che, dopo un determinato punto nella sua carriera, gli epocali cambiamenti stilistici del tempo sembrano non averlo interessato particolarmente, almeno sul piano professionale – infatti, non sviluppò mai uno stile "cinquecentesco" –, ma tale disinteresse o immobilismo o incapacità, che al critico sembra un elemento dequalificante, riveste notevole interesse per lo storico delle pratiche religiose, costituendo un diverso genere di qualifica, rivelatore di una scelta tradizionalista consciamente operata sia dall'artista che dai suoi committenti. In un tempo di transizione, insomma, Palmezzano rimaneva un artista "sicuro", anche se – come il presente saggio intende suggerire – il suo linguaggio tradizionale non escludeva né l'attualità né l'originalità del pensiero cristiano d'allora.

Alcune considerazioni preliminari

Possiamo cogliere qualcosa del clima artistico e religioso che c'interessa in un piccolo dipinto del 1515 circa: un'opera non di Marco Palmezzano, ma di Carpaccio, *L'apparizione dei martiri del Monte Ararat nella chiesa di Sant'Antonio di Castello a Venezia* (fig. 1)[4]. Questa tavola "fotografa" il contesto specifico in cui Palmezzano e altri maestri dei primi decenni del XVI secolo normalmente lavoravano: edifici gotici in cui dominavano ancora l'architettura, l'arte e la pietà dei secoli precedenti, con appena qualche riferimento ai nuovi indirizzi spirituali e stilistici. La riforma liturgica tridentina e il collegato rinnovamento artistico dei secoli XVII-XIX avrebbero cancellato il ricordo di simili interni, come le ben più radicali modifiche promosse dal Concilio vaticano secondo ne avrebbero resa oscura la logica; ma simili strutture erano i luoghi deputati a ricevere la nuova arte del primo Cinquecento: chiese sezionate da tramezzi, affollate da ex voto e lam-

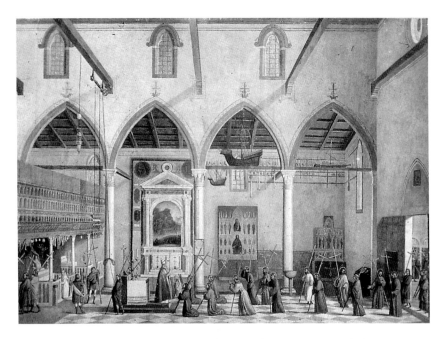

1.
Vittore Carpaccio,
*L'apparizione dei martiri
del Monte Ararat nella
chiesa di Sant'Antonio
di Castello a Venezia.*
Venezia, Galleria
dell'Accademia.

pade, con altari e relative immagini di dimensioni e stili disuguali.

Queste osservazioni toccano da vicino Marco Palmezzano, il quale oscillerà tra pale d'altare "moderne" a campo unito (come quella a sinistra nel dipinto di Carpaccio) e pale composite, con predelle a più scene e grandi lunette d'incoronamento (l'ultima forma dei polittici medievali sugli altri due altari nella tela carpaccesca, nonché della decorazione del tramezzo). La distinzione non riguarda solo il formato dell'immagine, ma soprattutto l'esperienza di fede in cui essa doveva introdurre le persone presenti alla messa; anche questa non è più immediatamente intelligibile, sia perché le predelle e le lunette, nella maggior parte dei casi, sono andate disperse, sia perché le pale stesse – anche quando sono rimaste al loro posto nelle chiese per cui erano state commissionate – spesso non fanno più da sfondo per la celebrazione eucaristica: presso gli altari laterali dove si trovano nessuno dice più messa, privando queste opere di una componente ermeneutica e visiva che artista e committente davano per scontata. Infatti, è precisamente il contesto interpretativo che oggi tende a sfuggirci: non solo il "programma iconografico", ma l'universo religioso dentro il quale l'eventuale programma doveva trasmettere i suoi messaggi.

Il dipinto di Carpaccio ce lo indica, questo universo. Fa vedere l'interno di una grande chiesa monastica demolita nel 1807, Sant'Antonio abate nel sestiere di Castello a Venezia, affidata sin dagli anni settanta del XV secolo ai canonici regolari. Il priore della comunità, Antonio Ottoboni, mentre pregava per i confratelli afflitti da peste, ebbe una visione con sé stesso nella sua chiesa con i diecimila legionari cristiani crocifissi sul monte Ararat dai loro comandanti romani nel III secolo; questi, vestiti da

pellegrini e condotti da san Pietro, entravano in processione, penetrando fino all'altare maggiore, oltre il muro divisorio tra l'area pubblica della chiesa e il coro dei religiosi.

Carpaccio illustra ogni particolare, dal priore – nell'abito bianco, inginocchiato a un altare sotto il tramezzo, a sinistra –, a san Pietro, in piedi davanti a un altro altare posto in mezzo alla navata, alla fila di martiri recanti le loro croci. Il grande altare moderno visibile nella seconda campata della navata laterale (leggendo da sinistra a destra) allude quasi certamente a quello eretto dalla famiglia Ottoboni nel 1512, per cui Carpaccio eseguì il *Martirio dei diecimila legionari di Ararat* oggi all'Accademia veneziana, una pala con la stessa forma di quella illustrata nel piccolo dipinto[5]. Qui l'artista ha mutato il soggetto della pala in una *Orazione di Gesù nell'orto*, forse per l'impossibilità di riprodurre in scala così ridotta la complessa composizione dell'originale, o forse per suggerire un parallelismo tra l'angosciata preghiera del Salvatore la notte prima di morire e quella del priore Antonio Ottoboni.

Anche questi fatti gettano luce sul mondo per cui i maestri d'arte sacra lavoravano: un mondo monastico e visionario segnato dall'esperienza della preghiera. L'indole contemplativa, una grande familiarità con le Scritture e con i commenti dei Padri della Chiesa, e la capacità d'immedesimarsi nella vita dei santi: ecco le caratteristiche della spiritualità di monasteri e conventi tra secondo Quattrocento e primo Cinquecento. Era uno stile spirituale largamente diffuso anche tra i laici, grazie alla crescente importanza sociale di confraternite, compagnie e "scuole", che s'ispiravano alla nordica *devotio moderna* conosciuta attraverso testi devozionali manoscritti e stampati: uno stile che amava le immagini e gli arredi ecclesiastici, come si vede nel dipinto raffigurante l'interno di Sant'Antonio di Castello con le sue pale d'altare, ex voto e lampade.

L'Annunciazione per il Carmine

Proprio questo stile spirituale segna il primo capolavoro indiscusso di Marco Palmezzano, l'*Annunciazione* commissionata per l'altare maggiore del Carmine di Forlì, oggi alla Pinacoteca Civica[6]. Composizione unitaria – con il Dio Padre integrato tra le volte della splendida loggia, non segregato in una lunetta staccabile –, è l'opera più monumentale della prima maturità dell'artista, con un linguaggio figurale ancora legato a Melozzo, con una grandiosa costruzione architettonica, e con un paesaggio mozzafiato che occupa tutta la parte centrale dell'immagine (cat. 20). Databile tra gli ultimi anni del XV e i primi del XVI secolo, l'*Annunciazione* è unica in tutta la produzione di Palmezzano per il solenne equilibrio e per il respiro che l'artista dà all'immagine.

2.
Marco Palmezzano,
Annunciazione,
particolare.
Forlì, Pinacoteca Civica.

3.
Marco Palmezzano,
Annunciazione,
particolare.
Forlì, Pinacoteca Civica.

Oltre agli elementi iconografici convenzionali – il Dio Padre, lo Spirito in forma di colomba, l'angelo annunziante –, Palmezzano include un leggio recante il libro delle Scritture aperto, a significare che, con l'assenso di Maria, il "Verbo si fa carne". Anche questo, in verità, è un elemento convenzionale, ma il modo in cui l'artista agita le pagine vicino alla mano aperta di Maria, come se si muovessero sotto l'impeto di una brezza, è estremamente suggestivo (fig. 2): ci sembra di vedere lo Spirito Santo passare per le pagine del libro "animando" le parole scritte perché diventino carne nel grembo

della giovane donna. A sottolineatura di questa sequenza incarnazionale, poi, è la chiesa dal campanile quadrato sulla collina che Palmezzano fa scorgere sopra le pagine del libro e accanto alla mano aperta di Maria — allusione a un'altra figura neotestamentaria per il corpo di Cristo, quella del "tempio ricostruito" (cfr. Giovanni 2,13-22). È allusivo anche l'albero posto davanti alla chiesa (e quindi sempre tra il libro aperto e la mano di Maria), ricordando la figura messianica del *virgultus* usata da Geremia e Zaccaria: "Ecco verranno giorni – dice il Signore – nei quali susciterò a Davide un germoglio giusto..." (Geremia 23,5); e: "Io manderò il mio servo Germoglio" (Zaccaria 3,8). Il "germoglio di Davide" e "servo" fedele di Dio sarà Gesù Cristo, concepito in quest'istante.

Altri particolari confermano il metodo adottato da Marco, suggerendo anche il rapporto di questo modo di costruire una serie di significati interconnessi con la spiritualità dei committenti della pala, i carmelitani. I due eremiti sul promontorio visto sopra l'angelo – uno penitente, l'altro meditabondo (fig. 3) – e i santi Paolo l'eremita e Antonio abate che s'incontrano al centro dell'immagine, sotto l'anta aperta del leggio, collegano questa *Annunciazione* alla tradizione eremitica in cui i carmelitani riconoscevano le proprie origini[7], come fanno anche le altre comparse di questa *Tebaide* improvvisata. I due modelli di vita dell'Ordine di Carmelo sono, infatti, il profeta solitario Elia, protoeremita veterotestamentario, e Maria, nella cui solitudine verginale il Verbo si fece carne. E, infatti, l'espressione del protagonista del dipinto, Maria – il suo sguardo velato e assorto come se meditasse –, chiaramente vuol insistere sull'aspetto contemplativo dell'avvenimento: qui la Vergine concepisce il Figlio di Dio riflettendo su quanto ha letto nel libro e ascoltato dalla bocca dell'angelo, per un processo misterioso che richiede l'abbandono della propria volontà – il *fiat* senza riserve di cui parla il testo evangelico.

Simili finezze del sentimento religioso sono tipiche dell'arte realizzata per monasteri e conventi a cavallo tra il XV e il XVI secolo. Pochi anni dopo l'*Annunciazione* di Palmezzano, un artista fiorentino, Piero di Cosimo, consacrerà un'intera pala d'altare alla profonda comunione tra lo spirito di Maria e lo Spirito Santo, riducendo l'evento storico dell'Annunciazione a un bassorilievo sul piedistallo su cui Maria è in piedi al centro della scena (fig. 4)[8]. Eseguita per una cappella della chiesa dei serviti a Firenze, anche quest'immagine obbliga l'occhio dello spettatore a muoversi con disinvoltura dalle grandi figure in primo piano ad altre, piccole, sui lontani monti, che "completano" la meditazione visiva così costituita. E se qualcuno dubitasse della precisa intenzionalità di si-

mili dettagli, basterebbe rileggersi lo straordinario contratto firmato il 25 aprile 1453 tra il pittore Enguerrand Quarton e un certo Jean de Montagnac, monaco certosino, per una *Incoronazione della Vergine* da collocare nella certosa di Villeneuves-les-Avignon, dove i minuti particolari desiderati dal committente vengono specificati in ben ventisei postille[9].

In effetti, tutti gli elementi su cui abbiamo richiamato l'attenzione, nell'*Annunciazione* di Marco Palmezzano, avrebbero avuto interesse per i committenti della pala. Già il soggetto mariano riportava all'antica identificazione dell'ordine carmelitano con una cappella presso la "fonte di Elia" sul monte Carmelo, dedicata alla Vergine che i frati chiamarono la "Domina loci" o "Signora del luogo"; la chiesina intravista sopra le pagine delle Scritture, accanto alla mano di Maria, allude forse a quest'edificio. Nell'influente *Liber de institutione primorum monachorum* divulgato tra i conventi dell'ordine nel 1370, oltre la diretta discendenza dagli antichi contemplativi e solitari del Mediorirente cristiano e precristiano, era stata affermata la vocazione dei carmelitani a riprodurre nella propria vita le virtù di Maria, e massimamente la sua verginità. E un secolo dopo, nel secondo Quattrocento, il carmelitano Arnoldo Bostio diede forma agli sparsi elementi della spiritualità mariana dell'ordine, proponendo ai confratelli la conformazione al modello mariano nel permanente contatto mentale con la Madre dolcissima[10].

Quest'ideale venne diffuso in Italia negli ultimi decenni del XV secolo grazie all'influsso di scrittori spirituali appartenenti alla Congregazione mantovana, tra cui Beato Battista Spagnoli e Niccolò Calciuri, la cui *Vita de' sancti et romiti del Monte Carme-*

lo canonizzava l'aspetto mistico e ascetico delle supposte origini dell'ordine. Simili opere s'inserivano, poi, nel vasto moto di riforma osservante iniziato e diretto dal Priore generale Beato Giovanni Soreth negli anni sessanta del XV secolo, con la sua enfasi quasi ossessiva sulla "meditatio" concepita come "frequens cogitatio, modum, causam et rationem investigans". Il metodo meditavo proposto da Soreth – basato sulle Scritture e riccamente variegato, composto di "admiratio", "quaestio", "investigatio" e pneumatica "inventio" – è poi perfettamente realizzato nei particolari dello sfondo del dipinto di Marco Palmezzano, come se qualche frate della comunità forlivese non solo avesse dettato i dettagli da includere, ma anche iniziato il pittore alla pratica di quest'esigente e creativa forma di preghiera mentale[11].

Nello spirito di "ammirazione", "domanda", "inchiesta" e "invenzione" suggerito dai particolari, torniamo ora a guardare l'immagine intera, notando l'importanza che Palmezzano ha dato al paesaggio, posto letteralmente al centro del dipinto. Era ormai consuetudine normale includere qualche rimando all'*hortus conclusus* del Cantico dei cantici (4,12) come figura della verginità, ma poche coeve raffigurazioni dell'annunciazione situano l'evento davanti a un panorama così vasto – una vera *visio universi*, alta e profonda, che giustappone la montagna al piano e la rupe dei romiti alla popolosa città intravista oltre il leggio. È vero che sin dagli anni ottanta del XV secolo Giovanni Bellini sviluppò analoghe visioni cosmiche sullo sfondo di alcune sue opere, ma mai nelle pale d'altare monumentali, riservando simili "meditazioni ecologiche" per opere di dimensioni contenute – *Andachtsbilder* quali il *San Francesco nell'estasi* della collezione Frick a New York o la *Allegoria sacra* degli Uffizi, dove, del resto, troviamo particolari dal sapore eremitico come più tardi in Marco Palmezzano[12]. A parte la ridotta "finestra sul cosmo" offerta dal trono forato nella *Incoronazione della Vergine* del Museo Civico di Pesaro, e i brandelli di paesaggio che Bellini lascia intravedere oltre il drappo d'onore in alcune Madonne, il grande vecchio della pittura veneziana (già sessantenne all'epoca del primo soggiorno documentato di Palmezzano nella città lagunare nel 1495) non aveva mai tentato un paesaggio al centro di un'opera religiosa di grandi dimensioni. L'idea incominciava ad affascinare i veneziani: di lì a pochi anni Giorgione avrebbe dato notevole importanza al paesaggio visto oltre il muro e il drappo d'onore della *Madonna di Castelfranco*, e verso il 1509 l'anziano Bellini avrebbe riempito di montagne lo sfondo della sua *Pala di San Giovanni Crisostomo*. Ma queste opere non possono aver influito sull'*Annunciazione* di Marco Palmezzano, che sembra invece anticipare la successiva sintesi veneziana.

5.
Marco Palmezzano,
Annunciazione,
particolare.
Forlì, Pinacoteca Civica.

La fonte di quest'innovazione iconografica va probabilmente cercata, ancora una volta, nella spiritualità dei carmelitani. Elemento fondamentale del movimento osservante degli ordini religiosi nel XV secolo era la riscoperta – in uno spirito di umanesimo cristiano – degli scritti dei Padri della Chiesa, e l'adozione del loro approccio simbolico al soggetto sacro, al posto del razionalismo della tarda Scolastica[13]. Ora, tra i simboli – o, meglio, *temi simbolici* – amati dai Padri, ha particolare importanza quello a cui il dipinto di Marco Palmezzano sembra alludere: il rapporto mistico tra "Maria" e la "terra". Cercando di penetrare il senso dell'Incarnazione, il mistero di fede implicito nell'evento dell'Annunciazione, sant'Agostino, ad esempio, legge il cruciale passo del Nuovo Testamento in cui viene affermato che "il Verbo si fece carne" (Giovanni 1,14) alla luce di un versetto tratto dall'Antico: "La verità germoglierà dalla terra, e la giustizia si affaccerà dal cielo" (Salmo 85 [84],12). Dice: "La verità è germogliata dalla terra, perché il Verbo si fece carne […]. La verità è germogliata dalla terra: la carne di Maria"[14].

Sulla scia del pensiero agostiniano e nel medesimo spirito, nell'XI secolo sant'Anselmo interpretò la bellezza del cosmo naturale come derivante da questo intimo rapporto con Maria, dicendo:

"Cielo, stelle, terra, fiumi, giorno, notte e tutte le creature che sono sottoposte al potere dell'uomo o disposte per la sua utilità, si rallegrano o Signora, di essere stati per mezzo tuo in certo modo risuscitati allo splendore che avevano perduto, e di avere ri-

cevuto una grazia nuova inesprimibile […]. Hanno esultato come di una nuova e inesprimibile grazia, sentendo che Dio stesso, lo stesso loro Creatore, non solo invisibilmente le regge dall'alto, ma anche, presente visibilmente tra loro, le santifica servendosi di esse. Questi beni così grandi sono venuti dal frutto benedetto del grembo benedetto di Maria benedetta"[15].

Poi, esplicitando la mistica interpenetrazione di significati intorno alla quale Marco Palmezzano sembra aver pensato l'*Annunciazione*, Anselmo aggiunse: "Dio creò ogni creatura, e Maria generò Dio. Dio che ha creato ogni cosa, si fece lui stesso creatura di Maria, e ha ricreato così tutto quello che aveva creato. E mentre aveva potuto creare tutte le cose dal nulla, dopo la loro rovina non volle restaurarle senza Maria. Dio dunque è il padre delle cose create, Maria la madre delle cose ricreate. Dio è padre della fondazione del mondo, Maria la madre della sua riparazione, poiché Dio ha generato colui per mezzo del quale tutto è stato fatto, e Maria ha partorito colui per opera del quale tutte le cose sono state salvate. Dio ha generato colui senza del quale niente assolutamente è, e Maria ha partorito colui senza del quale niente è bene"[16].

Se, infine, ricordiamo la collocazione del dipinto di Marco Palmezzano su un *altare*, e quindi la vicinanza di questa mistica visione del mondo naturale all'*eucaristia* fatta di elementi tratti dal mondo – pane e vino –, emerge la piena ricchezza dell'immagine che abbiamo analizzato. Consiste nel mistero che sant'Agostino, in un altro suo testo, il *Commento al Salmo 98*, sviluppa dicendo che Cristo "assunse terra dalla terra, e prese la carne dalla carne di Maria. E dal momento che in quella carne camminava in questo mondo, e diede quella carne a mangiare a noi per la nostra salvezza, e poiché nessuno possa mangiare la sua carne se prima non l'abbia adorata", il cristiano deve "adorare" anche la terra, che Cristo ha associata alla sua divinità prendendo il suo corpo da un corpo umano nutrito dalla terra (cioè dal corpo di Maria alimentato con cose venute dalla terra). In quel corpo poi – in quella "terra" –, Cristo morì e risuscitò, per rendersi corporalmente presente in elementi tratti dalla terra: pane e vino[17].

Un ultimo particolare dell'*Annunciazione* va sottolineato: l'anta aperta del leggio di Maria, davanti alla mano benedicente dell'angelo (fig. 5). Dipinta come se di legno grezzo con lievi venature, l'anta assume un'importanza formale che implica un ruolo iconografico altrettanto significativo: ha quasi del surreale, questo rettangolo chiaro al centro della pala, anche perché – tra forme plasticamente modellate e contro l'articolato sfondo paesaggistico – è assolutamente piatto, come se l'artista abbia messo a nudo un tratto della tavola lignea su cui poggia l'immagi-

6.
Marco Palmezzano,
*San Giovanni Gualberto
che mostra il crocefisso
all'uccisore del fratello.*
Forlì, Abbazia di San
Mercuriale.

ma per volere di colui che la ha sottomessa – e nutre la speranza di essere lei pure liberata dalla schiavitù della corruzione per entrare nella libertà della gloria dei figli di Dio. Sappiamo, infatti, che tutta la creazione geme e soffre fino a oggi nelle doglie del parto [...]" (Romani 8,19-22).

Il crocefisso del perdono

Di analoga forza mistica è una pala eseguita per l'abbazia di San Mercuriale a Forlì non molto dopo l'*Annunciazione*: *San Giovanni Gualberto che mostra il crocefisso all'uccisore del fratello* (fig. 6)[20]. Al centro visivo e narrativo dell'immagine troviamo ancora il legno della croce: ora un vero e proprio crocifisso, posto sopra un piedistallo poligonale con decorazioni grottesche e davanti a una nicchia addobbata con un drappo d'onore. Palmezzano sembra ancora insistere sull'impatto emotivo del *legno*, giustapponendo le forme planari e la venatura naturale della croce alle elaborate modanature classicheggianti, ai marmi mischi policromi e alle dorature dello sfondo architettonico. In maniera analoga, Palmezzano giustappone la luminosa nudità della figura di Cristo all'armatura d'acciaio scuro indossata dai due cavalieri: san Giovanni Gualberto, in piedi, e l'uomo inginocchiato cui mostra il crocifisso. Il gesto di mostrargli il crocifisso è poi profondamente significativo, perché questo personaggio è l'uccisore del fratello di Giovanni, il quale stava per ucciderlo a sua volta, per vendicare l'onore della nobile casata, quando – riconoscendo nel manico della sua spada la forma della croce – si convertì e lo perdonò. Poi, pregando davanti a una croce dipinta nel monastero di San Miniato al Monte sopra Firenze, il santo vide annuire Cristo in segno di approvazione, si fece monaco e – anni dopo – fondò l'ordine vallombrosano[21].

A questo gruppo "narrativo", costituito dal santo col nemico perdonato davanti al crocifisso, Palmezzano aggiunge un'altra figura: santa Maria Maddalena col vaso d'unguento nella mano destra e un libro nella sinistra. Totalmente estranea all'episodio del perdono dell'uccisore del fratello, la Maddalena dà un carattere iconico all'immagine, che grazie a lei si dilata per diventare, oltre a *istoria*, anche *sacra conversazione*, con santi di epoche diverse uniti intorno al centro atemporale, Cristo. La Maddalena ha anche l'importante funzione, suggerita dallo sguardo aperto e sereno che rivolge allo spettatore, di enunciare il tema di fondo di questa pala: il perdono che Cristo con la sua morte in croce ha ottenuto per i peccatori e che i cristiani a loro volta sono tenuti a offrire a chiunque li offende.

La Maddalena, infatti, è una figura del perdono collegata alla passione di Cristo[22]. La Scrittura la identi-

ne – la "realtà" sotto l'universo fittizio proiettato dalla sua arte. L'insistenza materica (le venature e la tinta chiara, come di legno appena tagliato), nonché la presenza accanto all'anta (sebbene nella media distanza) di una croce viaria venerata da un pellegrino suggeriscono il significato di quest'elemento curioso. L'anta lignea allude alla croce su cui il Cristo che s'incarna all'annunciazione un giorno offrirà la sua carne: è questo, infatti, il senso dell'affermazione di san Leone Magno, secondo cui "l'unico scopo della nascita del Figlio di Dio era quello di rendere possibile la crocifissione. Nel grembo della Vergine assunse una carne mortale, e fu in quella stessa carne mortale che egli poi realizzò la sua passione"[18]. L'anta lignea allusiva alla croce, in quest'immagine che racconta l'incarnazione, si trova poi appena sopra il punto in cui chi celebrava la messa elevava l'ostia e il calice, al momento della consacrazione. Diventava lo sfondo neutro su cui si stagliavano il pane-corpo e il vino-sangue, mistico centro dell'universo delle cose, esplicitazione di ciò che san Leone chiama "un piano troppo profondo per essere espresso a parole, in cui l'umanità di Cristo diventò per noi [...] primizia di risurrezione alla vita eterna"[19]. E non solo "per noi": visti contro lo sfondo cosmico del paesaggio, e in rapporto al legno che allude alla croce, gli elementi eucaristici (che comunicano la realtà di un corpo risorto) proclamavano la redenzione dello stesso creato, secondo il principio enunciato da san Paolo: "La creazione stessa attende con impazienza la rivelazione dei figli di Dio; essa infatti è stata sottomessa alla caducità – non per suo volere

fica con la donna, da Cristo liberata da sette demoni, venuta a piangere all'ingresso della tomba la mattina di Pasqua (Giovanni 20,1; 20,11-18), nonché con quella che prima della passione aveva versato un vaso d'olio prezioso sul capo del Signore, anticipando la sua sepoltura (Matteo 26,6-13; Marco 14,3-9; Giovanni 12,1-8). La tradizione la ha poi identificata anche nella peccatrice menzionata nel Vangelo, che bagnò i piedi del Signore con le sue lacrime, asciugandoli con i cappelli sciolti in segno di penitenza, della quale Cristo disse: "Le sono perdonati i suoi molti peccati, poiché ha molto amato" (Luca 7,36-50). Maria di Magdala è inoltre nominata tra le pie donne presenti al piede della croce sul Calvario (Matteo 27,55-56; Marco 15,40; Giovanni 19,25), e di nuovo la mattina di Pasqua (Matteo 28,1; Marco 16,1; Giovanni 20,1).

La leggenda agiografica aggiunge infine un fatto curioso: Maria Maddalena, approdata a Marsiglia dopo l'ascensione di Cristo, fu anche predicatrice del Vangelo prima di diventare romita penitente; le fonti del primo Medioevo, oltre alla *Vita eremitica* della santa, includono anche una *Vita apostolica*[23]. È forse questa la spiegazione del libro che la figura dipinta da Palmezzano tiene nella mano sinistra: Maria Maddalena che predicava il vangelo del perdono. In una celebre immagine del XIII secolo – la tavola alla Galleria dell'Accademia a Firenze attribuita al Maestro della Maddalena – la santa viene infatti rappresentata con la mano destra alzata come chi predica, e recante un rotolo su cui leggiamo le parole: "Ne desperetis, vos qui peccare soletis, exemploque meo vos reparate Deo" (Non perdete la speranza, voi che siete soliti peccare; seguite il mio esempio e fate riparazione a Dio).

La presenza di questa santa accanto alla croce è forse legata anche a una sovrapposizione, assai frequente nell'agiografia e nell'iconografia della Maddalena, della "Maria" sorella di Lazzaro, tradizionalmente identificata anche con la peccatrice del Vangelo, con la donna nota come "santa Maria egiziaca". A quest'ultima, una prostituta del V-VI secolo che voleva a tutti i costi venerare la reliquia della croce di Cristo conservata a Gerusalemme, fu misteriosamente impedito di entrare nella chiesa in cui la reliquia era conservata fino a quando invocò la Madonna in spirito di penitenza[24].

Posta di fronte al santo che perdona l'uccisore del proprio fratello, nel dipinto di Palmezzano, la Maddalena in ogni caso esplicita un rapporto teologico di fondamentale importanza: quello tra la passione di Cristo, il perdono che Dio offre al peccatore e il perdono che a sua volta il singolo credente è tenuto a offrire a chiunque abbia peccato contro di lui. Trattandosi poi di una *pala d'altare*, e quindi di messaggi visivi intesi per la comunicazione *durante la Messa*,

dobbiamo "completare" la composizione di Marco Palmezzano, immaginando l'elevazione prima dell'ostia e poi del calice davanti al crocifisso sul piedistallo al centro del dipinto, e l'impressione così creata di una *communio* basata sul perdono. Con davanti agli occhi l'inusuale crocifisso, così realistico da sembrare vivo e sistemato sul piedistallo come un monumento, dobbiamo riascoltare le parole del canone della messa allora usato, che subito dopo la consacrazione insiste che:

"In questo sacrificio, o Padre,
noi tuoi ministri e il tuo popolo santo
celebriamo il memoriale della beata passione,
della risurrezione dai morti
e della gloriosa ascensione al cielo
del Cristo tuo Figlio e nostro Signore;
e offriamo alla tua maestà divina, tra i doni che ci hai dato,
la vittima pura, santa ed immacolata,
pane santo della vita eterna
e calice dell'eterna salvezza [...]".

Il testo riconosce inoltre sia il peccato di chi invoca, sia il perdono divino:

"Anche a noi tuoi ministri, peccatori,
ma fiduciosi nella tua infinita misericordia,
concedi, o Signore, d'aver parte
nella comunità dei tuoi santi apostoli e martiri [...],
ammettici a godere della loro sorte beata
non per i nostri meriti
ma per la ricchezza del tuo perdono".

Poi questo antico canone riporta tali speranze fermamente a Colui in cui il cristiano riceve la sua sicurezza di perdono, introducendo la dossologia finale con le parole:

"Per Cristo nostro Signore,
tu, o Dio, crei e santifichi sempre,
fai vivere, benedici e doni al mondo ogni bene"[25].

Trattandosi infine di un'opera per religiosi d'origine fiorentina, i serviti, non è fuori luogo notare che le uniche immagini coeve in cui un crocifisso così realistico viene rappresentato come oggetto di adorazione individuale sono alcune xilografie in opuscoli savonaroliani stampati nella città sull'Arno qualche anno prima dell'esecuzione della pala di San Mercuriale: il *Tractato divoto* del 1495 (fig. 7) e l'*Epistola a tutti gli eletti di Dio* del 1497 (fig. 8)[26]. Del 1497 è anche l'austero libretto intitolato *Declaratione del misterio della croce*, con la sua drammatica xilografia, insegnando a leggere ogni componente di questo segno in chiave personale e penitenziale (fig. 9)[27].

7.
Anonimo, xilografia dal
*Tractato divoto e
tutto spirituale di frate
Hieronymo da Ferrara
dell'ordine dei frati
predicatori in dimensione et
comendatione dell'oratione
mentale composto ad
instructione, confirmatione
et consolatione
delle anime devote*,
stampato da Lorenzo
Morgiani e Giovanni
Petri, Firenze, circa
1495. Firenze, Biblioteca
nazionale centrale,
Cust C 23.

8.
Anonimo, xilografia
dall'*Epistola a tutti gli eletti
di Dio* di Girolamo
Savonarola, stampata
da Bartolomeo de' Libri,
Firenze 1497. Firenze,
Biblioteca nazionale
centrale, Cust D 1.

9.
Anonimo, xilografia dalla
*Declaratione del misterio
della croce*, stampata da
Bartolomeo de' Libri,
Firenze 1497. Firenze,
Biblioteca nazionale
centrale, Cust D 17.

Tractato diuoto & tutto spirituale di frate Hierony
mo da Ferrara dellordine de frati Predicatori in defen
fione & comendatione delloratione mentale
compofto ad inftructione, confirmatione,
& confolatione delle anime deuote

OPVLVS Hic Labiis
me honorat: cor aute
eorum longe eft a me.
Sine caufa aute colunt
me docetes doctrinas & mandata
hominum. Matthei. xv. Aucgha
che fia noto & manifefto a ciafche
duno igegno, etiam mediocreme
te iftructo nella religione chriftia
a i

Frate Hieronymo da Ferrara feruo iutile di
Iefu Xpo a tutti li electi di Dio & figluoli del
padre eterno defidera gratia pace & confola,
tione del fpirito fancto.

Olendo noi dilectiffimi imitare elnoftro
aluator: Elquale molte uolte credette al
la grande ira & acceſo furore delli fcribi & pha
rifei habbiamo laffato ilpredicare iſino a tanto
che allui piacera : Ma fapendo che il demonio
non fi cura de corpi: ma defidera leanime & chi

Ecce crucem
domini: fugi
te partes ad
uerfe.

Sit deo patri
laus in crucie
filii

IMPROPERIA FRAGELLA

MORS IESVS DEVS ET HOMO PAVPERTAS SPES

Sit coequalis laus
fancto ipiritui
ciuibus fummis
gaudiū fit ange
lis: honor fit mū
do, cruce exal,
tatio, Amen.

Vicit leo de
tribu Iuda
Radix dauid
aperire librū
& foluere fep
tem fignacula
cius.

La Comunione degli apostoli *per il duomo*
Un'altra opera in cui si coglie l'originalità iconografica e la profondità spirituale di cui Marco Palmezzano era capace è la *Comunione degli apostoli*, oggi conservata alla Pinacoteca Civica ma in origine sull'altare maggiore del duomo di Forlì[28] (cat. 38). Il soggetto è veramente più ampio di quello suggerito dal titolo, come la pala stessa, composta di più elementi, era originalmente più complessa; una lunetta, oggi alla National Gallery a Londra, incoronava l'immagine con una *Pietà*, e Giorgio Vasari, che vide e apprezzò il dipinto (riconoscendolo finalmente a Palmezzano dopo l'iniziale attribuzione a Niccolò Rondinelli), menziona una predella, oggi perduta, con storie di sant'Elena, la madre dell'imperatore Costantino che scoprì la vera Croce a Gerusalemme[29]. Così l'evento messo al centro, la distribuzione agli apostoli del pane e vino consacrati da Gesù all'ultima cena, era fermamente inserito nel ritmo drammatico della Passione, con – sopra – l'immagine dello stesso Gesù il giorno dopo, morto, e – sotto – immagini evocanti l'antichità del culto della croce presso i cristiani.
Già questa sequenza iconografica basterebbe per spiegare il clima intenso, quasi cupo, che Palmezzano diede all'insieme (nonostante la ricchezza decorativa dell'architettura del cenacolo), nonché l'aria angosciata di Cristo, le cui mani tese insieme alle vene distese dei piedi esprimono la profonda agitazione morale che egli provò durante questo pasto celebra-

10.
Marco Palmezzano,
Comunione degli apostoli,
particolare.
Forlì, Pinacoteca Civica.

to la notte prima di morire, all'inizio del quale aveva annunciato che uno dei presenti l'avrebbe tradito. Già la *Pietà* sopra e le storie della Croce sotto sarebbero bastate per esplicitare il contenuto psicologico di questa cena nell'imminenza della morte volontaria dell'ospite. Ma Marco Palmezzano aggiunge un particolare che intensifica al massimo il senso non solo psicologico, ma anche teologico dell'evento: a sinistra, in un luogo roccioso e deserto intravisto in lontananza, vediamo Cristo a colloquio col diavolo (fig. 10) – allusione alla tentazione nel deserto che seguì il battesimo del Signore all'inizio della sua vita pubblica. In quell'occasione Cristo resistette all'avversario – anche nel dipinto di Palmezzano, vediamo dal suo gesto che Gesù si oppone ai suggerimenti di Satana – ma, come dice il Nuovo Testamento, la cosa non finì lì perché "il diavolo si allontanò da lui *per ritornare al tempo fissato*" (Luca 4,13). Il "tempo fissato" era la passione, che infatti inizia con la cena. Così Marco Palmezzano, inserendo nell'immagine principale la scena della tentazione, ricollega all'iniziale lotta morale di Gesù questa prova definitiva, questa sofferta decisione di fare la volontà del Padre fino in fondo, accettando di offrire il proprio corpo e sangue sulla croce per i peccati umani.

È all'interno di questa densa trama che l'evento specificamente descritto, la comunione degli apostoli, doveva essere letto. Gesù ha già annunciato che uno di loro l'avrebbe tradito e, infatti, vediamo Giuda alle spalle del Salvatore, rimasto solo al tavolo da cui gli altri apostoli si sono alzati. Dieci di loro si sono schierati davanti al Maestro, in ginocchio o in piedi,

e uno – Giovanni, il discepolo prediletto – gli sta accanto reggendo il calice. Con questo particolare, Marco Palmezzano, come altri artisti dell'epoca, proietta indietro nel tempo gli usi liturgici a lui familiari, dando a san Giovanni un bellissimo calice a nodo nello stile del tardo Quattrocento italiano, e a Cristo non un pezzo di pane qualsiasi, ma l'ostia eucaristica nella forma usata dal Medioevo fino ad allora, tenuta sopra una patena d'oro; anche gli apostoli, invece di rimanere a tavola (come dice il Vangelo), si sono inginocchiati con profonda devozione per "ricevere la comunione".

L'intenzione è chiaramente quella di suggerire un'ideale equivalenza tra l'evento storico, raffigurato in maniera rituale, e il rito della messa svolto all'altare maggiore del duomo – intenzione teologicamente impeccabile, dal momento che la tradizione cattolica vede nella Messa una ripresentazione degli stessi contenuti spirituali, morali e sostanziali della *Passio Christi*. Ma se i fedeli forlivesi presenti alla messa si sentivano pienamente partecipi dell'originale *coena Domini*, per l'analogia degli aspetti rituali, dovevano anche vivere la loro partecipazione in una maniera psicologicamente intensa, entrando nel dramma umano della lotta di Cristo contro Satana, del suo coraggio, della sua croce, della sua morte.

Tale invito a vedere, nella comunione data agli apostoli, una partecipazione al dramma del Cristo osteggiato che si estende fino al presente è rafforzato dalla collocazione della figura di san Pietro in primo piano al centro dell'immagine. È a lui che il Signore mostra l'ostia, è sopra di lui che san Giovanni eleva il calice, e lui, Pietro, più degli altri sembra condividere l'agitazione profonda del suo Maestro. Tutto ciò rientra nel ruolo particolare assegnato dai Vangeli a questo "principe degli apostoli" e nella commossa partecipazione con cui Pietro risponde all'annuncio di Gesù, che sta per andare dove gli apostoli non potranno subito seguirlo: "Signore, perché non posso seguirti ora? Darò la mia vita per te!" (Giovanni 13,37). Gesù gli risponde profetizzando l'imminente rinnegamento di cui Pietro si renderà colpevole: "Non canterà il gallo, prima che tu non m'abbia rinnegato tre volte" (Giovanni 3,38), ma aggiunge, nella versione raccontata dall'evangelista Luca: "Simone, Simone, ecco Satana vi ha cercato per vagliarvi come il grano; ma io ho pregato per te, che non venga meno la tua fede; e tu, una volta ravveduto, conferma i tuoi fratelli" (Luca 22,31-32). Marco Palmezzano, infatti, focalizza il perno narrativo e teologico del racconto: Pietro "cercato" da Satana, come lo fu Cristo stesso, e vagliato "come il grano" nel cui segno Cristo sta per dare la propria vita; Pietro, che dapprima fallirà, rinnegando Cristo per ignavia, ma che poi, ravvedutosi, confermerà i fratelli accettando anche lui la lotta e le prove.

È un'invenzione iconografica di assoluta originalità.

Trattando lo stesso tema trenta anni prima, Justus di Gand si era limitato a raffigurare la *Comunione degli apostoli* come una sorta di "prima Messa" (fig. 11)[30], e così anche Luca Signorelli, più tardi, nella grande pala del Museo Diocesano di Cortona, datata 1512 (fig. 12)[31]. Marco Palmezzano, invece, per il duomo di una

Forlì al centro della *reconquista* della Romagna che papa Giulio II portava avanti tra il 1504-1506, dipinge una *Comunione degli apostoli* in cui Pietro condivide le prove del Signore che aveva pregato affinché il suo discepolo superasse la paura e diventasse sostegno dei fratelli. Possiamo solo immaginare il piacere con cui lo stesso Giulio II, presente a Forlì nel 1506, vide la pala collocata sull'altare del duomo il primo ottobre, in occasione della sua visita. Avrà certamente capito che questa città, che lui stesso aveva ripreso da Cesare Borgia per integrarla nei possedimenti della Chiesa, pregava per lui come Cristo aveva pregato per Pietro. Forlì, che dopo la morte di Pino III Ordelaffi nel 1480 era passata a Girolamo Riario, parente di Sisto IV, e poi alla sua vedova, Caterina Sforza, per cadere infine nelle mani del figlio di Alessandro VI, ai primi del Cinquecento sognava la stabilità promessa da Giulio II: la liberazione da eserciti stranieri e soprattutto la liberazione dal nepotismo papale che le aveva reso intollerabile la vita. Anche se nel 1506 è presto per parlare di "riforma della Chiesa", la pala di Marco Palmezzano esprime senza mezzi termini la capacità di Pietro di resistere a Satana per rimanere fedele a Cristo, e di Forlì di rimanere fedele a Pietro, in "comunione" con la Chiesa.

Altri dipinti

In altre sue opere, Palmezzano, pur gestendo bene – con sicurezza ed eleganza – il dato religioso, si dimostra meno innovativo, più convenzionale. Fatta eccezione per l'*Immacolata col Padre eterno in gloria con i santi Anselmo, Agostino e Stefano* eseguita tra il 1509-1510 per San Mercuriale, dove gli elementi didascalici – il grande libro aperto al centro della composizione (fig. 13), la scritta sbandierata dall'angioletto – confermano l'apporto di un committente erudito, né le altre pale d'altare né i dipinti finalizzati alla devozione privata s'allontanano molto dagli schemi iconografici del tempo. Possiamo dire che, al servizio di committenti teologicamente preparati e sensibili all'abbinamento di tematiche sacre, Marco Palmezzano ha prodotto opere d'altissima qualità ma tipiche, perfino convenzionali, quali l'ancona di Matelica e la *Sacra famiglia con san Giovannino e san Sebastiano* conservata in una collezione privata forlivese. Nel primo caso (fig. 14), l'allineamento del corpo del Cristo morto, nella lunetta, e del corpicino di Gesù Bambino, nella pala, con la scena centrale della predella, un'*Ultima cena*, esplicita l'enfasi eucaristica dell'immagine, focalizzata sul mistero del *corpus Christi*; nel secondo caso (cat. 47), la collocazione del martire Sebastiano nella media distanza, oltre le figure dei due bambini, san Giovanni Battista e Gesù, esplicita il senso salvifico di ciò che potrebbe sembrare solo una scena di vita fami-

14.
Marco Palmezzano,
*Madonna in trono con
santi; Pietà* (nella lunetta).
Matelica (MC), San
Francesco.

15.
Marco Palmezzano,
*L'Immacolata col Padre
eterno in gloria e i santi
Anselmo, Agostino e Stefano.*
Forlì, abbazia di
San Mercuriale.

16.
Marco Palmezzano,
*Adorazione dei Magi.
Gesù fra i dottori* (lunetta).
Rontana (frazione di
Brisighella, Ravenna),
Santa Maria della
Misericordia.

gliare: san Giovannino, infatti, è profeta della futura morte di Gesù, che egli chiamerà "agnello" – animale sacrificale – "di Dio". Ma queste sono letture assolutamente ordinarie dei relativi temi.

Meno convenzionali sono alcune delle sovrapposizioni tematiche che troviamo in altre opere di Pal-

mezzano, anche se in questi casi la scelta doveva essere del committente, non del pittore. Cristo che risorge dal sepolcro nella lunetta dell'*Immacolata*, ad esempio, invita a collegare l'asserzione del dogma secondo cui Maria era preservata da ogni macchia di peccato alla condizione gloriosa del corpo risorto di Gesù (fig. 15) – collegamento suggestivo in quanto l'immacolatezza di Maria veniva spiegata dai suoi sostenitori, con la necessità teologica di un "santuario" in cui far nascere il Cristo; risorto da morte, il corpo di Cristo diventerà esso stesso "santuario": il nuovo tempio di cui parla Giovanni (2,22). Altro abbinamento di questo tipo è il *Gesù dodicenne tra i dottori* posto nella lunetta dell'*Adorazione dei Magi* per l'altare di Naldo Naldi nella pieve di Rontana, dove l'adolescente Salvatore circondato dai sapienti, in alto, riprende il tema dei sapienti venuti da lontano – i Magi – per adorare il neonato Gesù (fig. 16). Situando Maria sotto la "cattedra" (o, meglio, nicchia) dove – nella lunetta – Gesù insegna, la madre di Dio viene identificata come *Sedes Sapientiae*, trono della divina sapienza.

O ancora: la curiosa piattaforma d'ispirazione ferrarese su cui Palmezzano sopreleva Maria col Bambino in diverse pale - quella della Pinacoteca Civica Comunale di Faenza (cat. 21); quella di San Francesco a Matelica; quella della Cassa di risparmio di Cesena (fig. 17) –, che sembra l'elemento centrale di qualche complesso congegno zigrinato o meccanismo d'ingranaggio, allude forse alla prima strofa di uno dei più

amati inni alla Madonna, in uso da un millennio all'epoca di Marco Palmezzano, dove l'universo composto di "terra, mare e cielo" viene descritto come una "tripartita macchina" governata dal Dio che Maria ha portato in grembo:

"Quem terra, pontus, siderea
Colunt, adorant, praedicant,
Trinam regentem machinam,
Claustrum Mariae bajulat"[32].

Ma simili accentuazioni, se ci sono, rappresentano solo frammentari resti della poetica religiosa del Medioevo crepuscolare. Il vero contributo di Marco Palmezzano nel campo dell'arte sacra si sviluppa, invece, nell'ambito di una ricerca comune a molti artisti all'inizio del XVI secolo, tra cui Leonardo da Vinci, Piero di Cosimo, Filippino

Lippi e il giovane Michelangelo: quella di un diverso modo di interpretare il dato religioso tradizionale – un modo rispettoso della sostanza della tradizione, ma aperto a una nuova percezione della natura e della natura umana.

Il lirismo mistico di Palmezzano nell'*Annunciazione* per il Carmine, la sua umanità nel *San Giovanni Gualberto* e l'intensità psicologica della *Comunione degli apostoli* fanno capire che, all'interno di scelte professionali dettate dalle circostanze oltre che dall'indole, il maestro forlivese ha saputo rispondere con originalità agli stimoli che gli venivano forniti, raggiungendo – almeno in alcune opere – un'impressionante sintesi tra la sicurezza del passato e il drammatico futuro che allora s'apriva. Se un tradizionalista può essere contemporaneamente "moderno" e perfino "d'avanguardia", certamente lo era Marco Palmezzano.

[1] C. Grigioni, *Marco Palmezzano*, Faenza 1956; cfr. anche G.Viroli, *Pittura del Cinquecento a Forlì*, tomo 1, Venezia 1991 (ristampa 1996), con ampia bibliografia.

[2] A. Calandrini, G. M. Fusconi, *Forlì e i suoi vescovi*, vol. 2, Forlì 1993.

[3] A. G. Dickens, *The Counter Reformation*, New York 1968, pp. 91-107.

[4] G. Perocco, *L'opera completa di Carpaccio*, Milano 1967, p. 64.

[5] Ibid.

[6] Grigioni, *Marco Palmezzano*, cit., pp. 58-62; 314; pp. 400-410. Viroli, *Pittura*, cit., 29.

[7] Cfr. C. Gilbert, *Some Special Images for Carmelites circa 1330-1430*, in AA.VV., *Christianity and the Renaissance. Image and Religious Imagination in the Quattrocento*, a cura di T.Verdon e J. Henderson, Syracuse, New York 1990, pp. 161-207.

[8] A. Chastel, *La pala d'altare nel Rinascimento*, Milano 1993, p. 220.

[9] È il dipinto oggi alla Hospice de Villeneuve-les-Avignon. Cfr. C. Sterling, *Le Couronnement de la Vierge par Enguerrand Quarton*, nella collana *Chefs d'œuvres des primitifs français*, Parigi 1939 ; E. Holt, *A Documentary History of Art*, 2 voll. New York 1947, vol. 1, pp. 298-302.

[10] V. Hoppenbrouwers, "Vita mariana", alla voce "Carmelitani" in *Dizionario degli Istituti di perfezione*, diretto da G. Pelliccia e G. Rocca, vol. II, Roma 1975.

[11] M.Ventimiglia, *Historia cronologica priorum generalium latinorum Ordinis B. V. Mariae de Monte Carmelo*, Napoli 1773 (riedizione anastatica: Roma 1929; idem. *Il Sacro Carmelo italiano*, Napoli 1779;

L. Saggi, *La Congregazione Mantovana dei Carmelitani sino alla morte del Beato Battista Spagnoli (1516)*, Roma 1964; C. Cicconetti, *La regola del Carmelo: origine, natura, significato*, Roma 1973.

[12] A. Tempestini, *Giovanni Bellini. Catalogo completo*, Firenze 1992, passim.

[13] Cfr. M.P. Gilmore, *The Program of Christian Humanism*, in *The World of Humanism, 1453-1517*, New York 1952; T. Verdon, *Monasticim and Christian Culture*, in AA.VV., *Monasticism and the Arts*, a cura di T.Verdon e J. Dally, Syracuse, New York 1984, pp. 1-27; C. Trinkaus, *In Our Image and Likeness. Humanity and divinity in Italian Humanist Thought*, 2 voll., Chicago 1970; AA.VV., *The Pursuit of Holiness in Late Medieval and Renaissance Religion*, a cura di C. Trinkaus e H. Oberman, Leiden 1974.

[14] Discorso 185. J. P. Migne, *Patrologia cursus completus, series latina (=PL)*, Parigi 1854-1865, vol. 38, colonne 997-999.

[15] Discorso 52. *PL* 158, 955-956.

[16] Ibid.

[17] *Ennaratio in Psalmo 98*: *PL* 37, 1264. Cfr. T. Verdon, *Vedere il mistero. Il genio artistico della liturgia cattolica*, Milano 2003, p. 26.

[18] Tractatus 48,1. *Corpus Christianorum series Latina*, Turnhout 1954, vol. 138A, pp. 279-280.

[19] Ibid.

[20] Grigioni, *Marco Palmezzano*, cit., pp. 119-20; pp. 603-609. Viroli, *Pittura*, cit. 33.

[21] G.M. Brocchi, *Vite dei santi e beati fiorentini*, Firenze 1742 (ristampa anastatica Firenze 2000), pp. 123-132.

[22] V. Saxer, *Santa Maria Maddalena dalla storia evangelica alla leggenda e all'arte*, in AA.VV., *La Maddalena tra sacro e profano*, a cura di M. Mosco, Milano 1986, pp. 24-30.

[23] Victor Saxer, *Santa Maria Maddalena dalla storia evangelica alla leggenda e all'arte*, in AA.VV., *La Maddalena tra sacro e profano*, a cura di M. Mosco, Milano/Firenze 1986, pp. 24-28.

[24] Così racconta Jacopo da Varagine nella *Legenda Aurea*. Cfr. J.-B. M. Roze, *La légende dorée*, 2 voll., Parigi 1967, vol. 1, pp. 284-286.

[25] *Missale romanum*, Libreria vaticana 2002, pp. 576-579.

[26] *Immagini e azione riformatrice. Le xilografie degli incunaboli savonarliani nella Biblioteca Nazionale di Firenze*, a cura di E. Turrelli, 110, 138.

[27] Ibid. pp. 113-115.

[28] Grigioni, *Marco Palmezzano*, cit., pp. 76-79; p. 327; pp. 450-454. Viroli, *Pittura*, cit., pp. 36-37.

[29] Vasari ne fa menzione nella *Vita di Jacopo Palma e di Lorenzo Lotto*, attribuendo l'opera a Niccolò Rondinelli; nella *Vita del Genga* corregge l'errore, riconoscendolo opera di Palmezzano. Cfr. G. Vasari, *Le Vite dei più eccellenti pittori, scultori ed architettori*, Firenze 1568, in *Le opere di Giorgio Vasari*, con annotazioni e commenti di G. Milanesi, Firenze 1906 (ristampa 1981), tomo V, 252 e tomo VI, 337.

[30] AA.VV., *Piero e Urbino, Piero e le corti rinascimentali*, a cura di P. Dal Poggetto, Venezia 1992, pp. 343-345.

[31] A. Paolucci, *Luca Signorelli*, Firenze 1990, pp. 72-76.

[32] M. Britt, *The Hymns of the Breviary and Missal*, New York 1924, pp. 319-329.

Committenza e spiritualità forlivese

Franco Zaghini

1.
Pittore fiorentino, prima
metà del sec. XVI
Ritratto di Caterina Sforza,
Firenze, Galleria Palatina.

Il 1459 e il 1539 sono i due anni che racchiudono la lunga e operosa vita di Marco Palmezzano; chiunque può notare come fra di essi sia racchiuso un lasso di tempo – alcuni decenni – veramente "epocale", tanto per la storia "universale" quanto per quella delle più piccole patrie, o signorie, nelle quali un cittadino italiano era destinato a vivere. Era appena trascorso il 1453, con la definitiva caduta dell'Impero romano d'Oriente nella conquista turca di Costantinopoli; il fatidico 1492 era scoccato e fra poco ci si sarebbe resi conto dell'importanza del Nuovo mondo; il 1517, con il clamoroso gesto di Martin Lutero, aveva segnato l'inizio di una profonda rivoluzione spirituale e politica in una società che viveva una consapevole crisi; gli splendori e le ombre del Rinascimento avevano occupato il cielo d'Europa.

Travagli romagnoli

Anche nella piccola patria forlivese si era passati dalla signoria ordelaffesca, che si era lentamente fatta strada durante il periodo terminale della fase comunale, ai faticosi, e spesso vani, tentativi di riconquista diretta da parte del potere pontificio; esso si era provvisoriamente espresso nella supremazia dei Riario (e Caterina Sforza, fig. 1) *longa manus* di Sisto IV (fig. 2), dei Borgia (Cesare, il duca Valentino, figlio di papa Alessandro VI) fino al ristabilimento dello stato papale a opera di Giulio II (1504, fig. 3)[1].

Pur essendo "meditullium Romandiolae", Forlì, non era né la maggiore né la più illustre delle città che popolavano la bassa valle padana racchiusa "tra 'l Po e 'l monte e la marina e 'l Reno"[2]; la signoria degli Ordelaffi non aveva particolarmente a cuore l'abbellimento della città e non ha prodotto quello splendore "cortese" che si avrà, invece, in altre città vicine[3]; la turbolenta gestione di Caterina Sforza (1480-1500) ha sì lasciato qualche traccia di vivacità artistica, ma è stata troppo breve e assorbita da altre priorità[4]; la presenza del Valentino è stata rapida come un fulmine (ed egli aveva posto la sua "capitale" a Cesena) e

quando Forlì è diventata una città media del nuovo stato Pontificio, è stata la "Dominante" ad attrarre geni e risorse[5].

Parlare perciò di committenze in una città della periferia politica, economica e culturale vuol dire fare i conti, soprattutto, con la piccola nobiltà provinciale, con la ricca borghesia cittadina e con le istituzioni ecclesiastiche, tutti sempre su livelli di modeste possibilità economiche complessive[6].

Non possediamo studi soddisfacenti per conoscere la vita economica della città a cavallo tra XV e XVI secolo[7]: da una parte ci sembra di poter individuare qualche possibilità economica in mano ai signori (quale dispendio di risorse per le continue guerre nelle quali ci si affaccenda!), alle grandi famiglie nobili e borghesi che condividono la partecipazione al sistema oligarchico di potere allora vigente e

2.
Melozzo da Forlì,
Sisto IV e il Platina,
particolare con il
ritratto di Sisto IV,
Città del Vaticano,
Pinacoteca Vaticana.

3.
Raffaello, *Miracolo di
Bolsena,* Città del
Vaticano, Palazzi Vaticani,
Stanza di Eliodoro.

4.
Raffaello, *Miracolo di
Bolsena,* particolare con
del ritratto di Giulio II,
Città del Vaticano, Palazzi
Vaticani, Stanza di
Eliodoro.

alla gestione delle risorse cittadine (origine di profondi contrasti[8]), al mondo ecclesiastico, nelle sue articolate espressioni; dall'altra parte occorre anche pensare allo stato di povertà di larghe fasce di popolazione. È un brano di retorica, neppure troppo coperta, quello che Cobelli imbastice all'inizio della sua cronaca quando descrive i "bei tempi antichi" della sua città e gli pare: "Io ismemorauo di ueder tanto trionfo: certo mi pareua essere in paradiso"[9], e quando osserva i mali presenti: "Alla morte: non ce n'è più, ui son rimasti pochi. Il ben comune perduto, e perduta ogni bona usanza: il ben proprio è signore: gli cattiui regnano: il uitio porta la corona dell'imperio alli suddeti simili alli padroni"[10]. Vi è la possibilità di conoscere, seppure indirettamente, qualcosa sulla ricchezza delle famiglie, considerando quanto ci è pervenuto sulla loro attività edilizia, sui palazzi e le abitazioni dei quali si conserva memoria letteraria o che, in qualche modo, sono giunti fino a noi[11].

Rinnovamento culturale e artistico

Ripercorrendo idealmente le vie della città di Forlì all'inizio del Cinquecento, potremmo vedere i grandi rifacimenti del palazzo pubblico (decorato di pitture da Domenico de la Masiera, e da Giovanni Battista Ranfana), la casa dei Palmezzani, palazzo Corbici, palazzo Morattini, Numai, Acconci, Denti: un impegno edilizio, e quindi economico, del quale è rimasta traccia molto esile ma che, indubbiamente, dovette essere reale e segnare profondamente la *forma urbis* rinascimentale[12].

Similmente notevole l'impegno edilizio delle istituzioni ecclesiastiche della città che, in virtù della persistenza dei soggetti committenti (non una persona ma un gruppo sociale, spesso perpetuatosi lungo i secoli, sia esso monastero, convento, confraternita) hanno avuto la possibilità di far giungere fin quasi ai nostri giorni, almeno nella memoria e con una maggiore consistenza, il frutto del loro impegno[13]. Non si può non iniziare dallo splendido gioiello rinascimentale dell'oratorio di San Sebastiano (fig. 4), su disegno di Pace di Maso del Bambase[14]. Si ha notizia, anche se non è restato quasi nulla, dei continui e imponenti lavori di restauro e di riadattamento della cattedrale, dalle strutture sempre instabili; San Mercuriale subì profonde modifiche (si veda la ricostruzione delle aree presbiterali e absidali della fine del XVI secolo) prima dello stravolgimento barocco del XVII secolo; qualcosa conserva il convento dei Servi (oggi San Pellegrino) nella sua sala capitolare; estremamente significativo, anche se oggi sconosciuto al gran pubblico, il convento di Santa Maria della Ripa costruito ex novo negli anni a cavallo fra XV e XVI secolo (quasi convento "signorile" degli Orde-

laffi e dei Riario-Sforza). Sono state appena restituite al pubblico le parti cinquecentesche dell'immen-
so complesso di San Domenico; nulla è rimasto del-
l'imponente convento di San Girolamo dei minori
osservanti (oggi San Biagio) che custodiva, fino al
bombardamento dell'ultima guerra, la cappella Feo

con la decorazione pittorica di Melozzo e dell'allievo Palmezzano. Inutile parlare del convento di San
Francesco "grande", con la cappella Lombardini
(figg. 5-6), distrutto completamente alla fine del
XVIII secolo, e della chiesa "palatina" degli Ordelaffi (qui aveva lavorato Palmezzano come architetto,
per allestire tre cappelle gentilizie); anche il convento femminile di Santa Chiara (di cui nulla rimane)
risale a quest'epoca; infine il Monte di pietà[15]. È stato un viaggio, forse arido, fra le reliquie di un'età che
ha visto, a differenza di quanto ci ha tramandato,
un'attività edilizia e artistica di una certa intensità, la
quale ha modificato il volto della città medievale[16].
Meno visibili all'esterno sono le decorazioni, per la
maggior parte dipinte, dell'interno. La seconda metà
del XV secolo, il periodo della formazione e delle
prime prove pittoriche di Palmezzano è, effettivamente, da segnalare nella storia artistica della città. Al
di là del grande Melozzo, del quale non è restato che
un controverso *Pestapepe*, non si conoscono precise
attribuzioni per le pur molte opere pittoriche esistenti in città e nei dintorni e che possono essere attribuite a questo periodo. Eppure, gli archivi ci hanno lasciato tracce di una forte presenza di pittori abitanti e operanti a Forlì. È vero anche che non è agevole collegare nomi e opere, ma la città, pur nella sua
modestia, abbonda di pittori che per noi sono solo
nomi senza volto e senza frutti, ma che possono essere restituiti alla conoscenza generale. Accenniamo a
due grandi dinastie: quella di mastro Pedrino, coi figli Giovanni (fu anche cronista) e Cristoforo; quella
dei Mercuriali, figlio di Giovanni e fratello di Baldassare, con i figli Sante, Bartolomeo, Paolo; Bartolomeo
pittore figlio di Antonio *quondam* Guido pittore e padre di Tommaso anch'egli pittore. Vi furono poi pittori non collegati a dinastie, come Leone Cobelli, il
noto cronista; Ludovico figlio di Cecco di maestro
Antonio; mastro Giovanni di maestro Pietro; Guglielmo Guardi, Ludovico figlio di Bene di maestro
Antonio, Pasio di Pasio dei Savorelli, Biagio di Marco, Bartolomeo di Antonio *quondam* Buchoni; e poi
il famoso Baldassare dei Carri (poi detto Carrari) che
si trasferì a Ravenna. Oltre ai forlivesi di nascita e di
residenza, sono presenti, e operano, forestieri come
Baldassare *quondam* Francesco di Reggio; Francesco
quondam maestro Benedetto di Pietro da San Benedetto in Alpe; Cristoforo *quondam* Franceschini di
Faenza; poi vi sono coloro che unirono le loro forze
a formare una bottega societaria: Giacomo di Donato de Runchis che s'unì a Guglielmo *quondam* Guido di Faenza; la stessa cosa vale per Giuliano di Orlando *quondam* Michele che fece società con Giovanni *quondam* Marchinis di Piacenza; insomma, un tessuto sostanzialmente sconosciuto ma del quale occorre tener conto[17]. Riteniamo però, in questa enu-
merazione, di non soffermarci sul periodo, la prima

metà del XVI secolo, che pure occupa la maggiore attività di Palmezzano, poiché il discorso si allargherebbe oltre lo spazio prestabilito[18].

La cultura letteraria non fu meno presente, seppure anch'essa in forma diversificata. Il risveglio umanistico, che si gloriava del genio precursore di Biondo Flavio[19], aveva prodotto cospicui frutti anche nell'ambiente forlivese, seppure non tutto fosse autoctono e molti migrassero, spontaneamente o meno (è il caso di Fausto Andrelini, poeta cesareo alla corte di Francia[20]). A leggere il retorico proemio di Cobelli potrebbe sembrare che Forlì sia stata, nei decenni precedenti, una "rediviva Atene"; con le dovute cautele è possibile tracciare una fisionomia della cultura letteraria in questa città percorsa, come si è detto, più da fermenti di violenza che da costruttiva aspirazione culturale. Diversi erano i livelli nei quali si collocavano le presenze culturali, ma è possibile, dalle fonti, cogliere un vivace interscambio che avveniva con le realtà similari della regione e anche fra diversi strati sociali della stessa città.

Vi è la corte signorile (Ordelaffi, Riario Sforza e Borgia, fig. 7) che accoglieva personaggi, anche forestieri, per l'educazione dei giovani rampolli destinati al governo (Guido Peppi detto Stella, Naldo Naldi fiorentino, Antonio Garsio di Parma, Pier Francesco Giustolo da Spoleto, Antonio Urceo da Rubiera, Gian Francesco Berti da Forlì, detto Codro e discepolo di Pomponio Leto) o, come nel caso di Cesare Borgia, puri letterati destinati alla "propaganda". Esiste poi il livello "amministrativo", cioè la scuola comunale, alle dipendenze della comunità, che assicura alle classi medie un certo livello di istruzione, e anche in questo caso possono esserci

personaggi forestieri, spesso anche di ottimo livello (il padovano Pontico Virunio, il grammatico ravennate Nicolò Ferretti[21]; Michele Marullo discepolo di Pontano). Vi sono poi le persone di cultura non propriamente letteraria, come notai e medici, che possedevano però una seria preparazione umanistica ed erano in contatto con gli specialisti del settore (il politico Luffo Numai e il riminese Roberto Orsi, potestà di Forlì)[22].

La Chiesa forlivese

La situazione religiosa della Chiesa tra la fine del XV secolo e l'inizio del XVI è ben conosciuta come realtà di crisi dagli esiti futuri ben diversi: da una parte la riforma protestante, dall'altra, secondo la più recente storiografia, la riforma cattolica[23]. Forlì non si distingueva per particolarità specifiche: condivideva in pieno tale situazione e, per quello che ci riguarda, i suoi vertici si allineavano perfettamente con il trend generale. I suoi vescovi erano nominati con criteri che esulavano completamente dall'imperativo che sarà proclamato nel Concilio di Trento: "Cura animarum suprema lex esto"; per questo motivo la loro prima preoccupazione fu di recuperare tutti i vantaggi economici che derivavano da tale incarico senza espletare quasi in nulla gli obblighi connessi. La più evidente manifestazione di tale comportamento era la totale lontananza dei pastori dalla sede diocesana e il completo disinteresse delle problematiche religiose e pastorali della città. Ciò era ovviato, appena in parte, quando era nominato vescovo un membro del clero locale (nella seconda metà del XV secolo avvenne tre volte e una nel XVI). Per questi motivi non troveremo il vescovo di Forlì fra i committenti di Palmezzano, mentre notevole sarà il ruolo del Capitolo della cattedrale e di alcuni canonici. D'altronde, essi costituivano di fatto il corpo ecclesiastico di maggiori potere, prestigio e ricchezza; il Capitolo portava nel suo grembo i membri della nobiltà e dell'alta borghesia cittadina e vi era fra di loro una stretta interconnessione[24].

A quel collegio competeva la cura della chiesa cattedrale – condivisa teoricamente con un vescovo che però era completamente latitante – e nel corso del XV e del XVI secolo sappiamo che l'antica e fatiscente fabbrica fu soggetta a restauri e abbellimenti continui, alcuni anche di grande importanza statica e artistica[25]. Nulla è rimasto della decorazione che il Capitolo commissionò a Marco Palmezzano in quella cappella di Santa Maria della Canonica talmente vicina alla cattedrale da venirvi poi inglobata. Anche in questo caso era stata la stessa Caterina Sforza a ordinarne la costruzione e ad affidare il progetto architettonico a Pace del Bambase (1501)[26]. È ancora visibile una delle opere più grandi e belle di Palmezzano: la tavola raffigurante la *Comunione degli apostoli*, destinata all'altare maggiore della stessa cattedrale[27]; vi resterà fin sulla metà del XIX secolo, quando lo stesso Capitolo la venderà al Comune per far fronte ai costi della ricostruzione della cattedrale[28].

Linee di spiritualità cittadina

Non è ignoto a nessuno come ancora alla fine del Medioevo, o in quel XV secolo che è fine e inizio di tante cose, la società civile fosse strettamente connessa con quella religiosa, espressione questa, strutturalmente, del Cristianesimo e della Chiesa cattolica con la ricca articolazione delle sue strutture culturali e organizzative. Pur nella varietà di rapporti che spesso erano vivacemente dialettici a causa delle reciproche interferenze, la religione cristiana, i suoi modi, i suoi tempi, le sue leggi, le sue usanze, i suoi riti e le sue devozioni erano l'orizzonte dentro il quale si muoveva tutta la società, in una convinzione di fede ancora profonda presso la totalità della popolazione. La simbiosi, costruita nell'arco di oltre un millennio, coinvolgeva ogni espressione di vita, e la fede (o idea) cristiana guidava le popolazioni al di là della coerenza o meno con le norme pratiche e morali; vi può essere stata infedeltà alle norme morali pur all'interno di una fede condivisa. Esisteva una vita religiosa ispiratrice di comportamenti sociali e che, spesso, determinava gesti e azioni con ricadute anche sull'insieme della società; si potrebbe considerare, ad esempio, l'importanza delle proprietà e dell'uso dei beni da parte delle comunità religiose, di quale massa di denaro e di ricchezza esse abbiano maneggiato per la loro esistenza e di quanto in questi affari siano stati coinvolti i laici e le stesse autorità cittadine. Basti accennare come tutta l'attività assistenziale della città sia stata ispirata e guidata da persone che facevano capo a organizzazioni religiose[29]; come, ad esempio, sia andato istituendosi, pur in mezzo a fiere polemiche, il Monte di pietà[30].

A proposito della spiritualità cittadina del XVI secolo, sarebbe del tutto improprio utilizzare categorie rigidamente classiste; tuttavia occorre, ad ogni modo, individuare i diversi gruppi sociali che sono stati in grado di esprimere un'individualità più spiccata. Vi è stato nel ceto più popolare, e nel basso clero che lo curava, una vischiosità tendente a perpetuare stili di comportamento più tradizionali, ove la spiritualità si esprimeva soprattutto in un formalismo sacramentale e devozionale semplice, di impronta molto materiale, non alieno da consuetudini che potevano richiamare forme arcaiche di credulità e di superstizione più che di alternativa radicale alla struttura ecclesiastica o eresia vera e propria[31], e questo pur con una forte dose di "anticlericalismo", soprattutto nei ceti medioalti[32]. Fioriva a Forlì, come altrove, l'astrologia, che aveva nel cronista Andrea Bernardi – detto il Novacula – un cultore attento, narratore di tutti gli eventi cittadini nell'ottica di quella "disciplina"[33].

Esisteva nel popolo cristiano una pietà che aveva una sua corposa consistenza "materiale" rivelatasi, almeno nella sua esteriorità, tramite la grande generosità di ricchi e di poveri verso l'istituzione ecclesiastica. Quest'ultima poteva così mettere mano al restauro e alla costruzione di edifici antichi e nuovi; risaltava in tale atteggiamento il ruolo equivoco di favori spirituali richiesti come corrispettivo del dono offerto (si tratta in modo particolare delle indulgenze).

Elemento di contatto fra tutti i ceti era la devozione alla Madonna, che a Forlì, dal 1428, si sviluppò attorno all'immagine prodigiosa della Beata Vergine del fuoco[34]. La devozione eucaristica (che farà produrre a Palmezzano la grande pala della *Comunione degli apostoli*) venne incrementata, soprattutto nelle pubbliche processioni, dalle prediche del francescano san Bernardino da Siena – così ben descritte dal cronista Novacula.

Pienamente inseriti nel contesto generale erano coloro che per motivi di censo o di professione possedevano una maggiore cultura e vivevano più intensamente i contatti con l'esterno: fra questi, il personale ecclesiastico che aveva diretta responsabilità sulla vita ecclesiale; coloro che amministravano la parte materiale della realtà diocesana erano dotati di studi superiori, ad esempio, il vicario generale del vescovo era sempre un laureato in diritto.

Fulcro della vita intellettuale e spirituale erano i religiosi (monaci e frati) che acquisivano maggiori competenze culturali e teologiche in virtù dei frequenti spostamenti tra le diverse case dell'ordine, degli "studi" che dovevano gestire per la formazione delle nuove leve (i seminari per il clero secolare saranno istituiti dal Concilio di Trento e a Forlì il seminario sarà reso effettivo intorno alla metà del XVI secolo[35]). I francescani minori in San Francesco, quelli osservanti in San Girolamo e i domenicani nel convento di San Giacomo possedevano istituti di studio teologico di buon livello.

Alcune comunità religiose forlivesi, pur non avendocene lasciata cospicua testimonianza documentale, vivevano, nella seconda metà del Quattrocento e all'inizio del Cinquecento, in stretta simbiosi con la parte "riformatrice" dei rispettivi ordini; se non ne sono state protagoniste a livello nazionale, hanno comunque vissuto le "riforme" certamente con una specificità degna di attenzione, molto chiara nei frati minori osservanti (per la cui chiesa Palmezzano ha collaborato con Melozzo nella cappella Feo e ha lasciato una tavola con *Madonna in trono, santi e committenti*), presso i quali il ricordo del fondatore e "riformatore" beato Giacomo Primaticci doveva essere ancora vivo[36].

9.
Antonio Rossellino,
Urna del beato Marcolino Amanni, Forlì, Pinacoteca Civica.

Non minore attenzione alla severità riformistica si può percepire nella chiesa di San Giacomo dei domenicani. I fermenti della fine del secolo passano tutti nell'apparente quiete del chiostro, ma i frati forlivesi non sono stati spettatori indifferenti di quanto avveniva al loro confratello ferrarese, Girolamo Savonarola (come loro propugnatore e aderente alla "riforma" conventuale), che stava operando nella capitale dello stato i cui confini erano a poche miglia dalla città romagnola, Firenze. Sulla riforma dell'ordine il cronista Giovanni di Mastro Pedrino scrisse: "Venne i fradi de san Domengo ad abitar a Forlì [...] mediante la soliçitudine del magnifico signor miser Cecho [...] rescaldato da caldo d'amor spirituale, çioè da la magnifica madonna sua madre e da conplaçençia de ogne persone de la nostra citade, salvo che d'alchuno che non gustava la cosa; e per molto spaçio de più tenpo fonno exoxi a multi çitadini, che puoe, vedudo el suo vivere e la onesta sua vita, ànno abudo a loro grande caritate e amor"[37]. La loro chiesa, della quale quasi nulla resta per il periodo antecedente alle ricostruzioni tardosecentesche e settecentesche, ospitava due preziosi sarcofagi (oggi conservati nella Pinacoteca Comunale): quello del beato Giacomo Salomoni di Venezia e, quello che a noi maggiormente interessa, del beato Marcolino da Forlì (fig. 8). Era costui un religioso "figlio" di san Domenico morto il 24 gennaio 1397 in odore di santità, attorno alle cui spoglie si era accesa una disputa fra il popolo, che voleva tributargli una cospicua venerazione, e i frati, che lo ritenevano di nessuno spessore culturale e spirituale. L'ebbe però vinta il popolo: attorno alla tomba del frate si sviluppò un importante culto fino a che il vescovo di Recanati, il forlivese Nicolò Dall'Aste, commissionò a Rossellino uno splendido sarcofago. Ma ciò che ha più importanza è che il frate forlivese sia stato assunto dal beato Giovanni Domi-

nici (morto nel 1419 e patrocinatore di una più rigorosa osservanza domenicana, secondo le ispirazione di santa Caterina da Siena, già tra la fine del XIV secolo e l'inizio del XV[38]) come modello di religiosità e di umiltà per tutti i frati, e che tale modello sia stato estendibile anche ai laici più impegnati. Nel secondo momento di tale impresa riformatrice il convento forlivese fu associato alla congregazione riformata di Lombardia da fra' Tommaso da Lecco nel 1460. La figura di Marcolino oltrepassò, perciò, i ristretti confini della città di Forlì, assumendo un volto e un ruolo che facevano della chiesa conventuale forlivese un "santuario" per la "riforma cattolica"[39]. Simile, seppure con maggiore esiguità documentaria, è quanto avvenne per il frate Servo di Maria, Pellegrino (detto Laziosi). Anche per lui una ripresa del culto avvenne all'inizio del XVI secolo (1515), quando nel convento di Santa Maria dei Servi in Forlì era entrato (anche su sollecitazione del signore della città, Cecco III Ordelaffi, nel 1459) quel movimento di osservanza che dalla Lombardia si era diffuso nel resto d'Italia e che aveva in Pellegrino da Forlì, silenzioso e penitente religioso, il modello da imitare[40]. D'altronde, il beato Bonaventura da Forlì – morto nel 1491 – fu uno dei principali personaggi della riforma servitana del XV secolo[41], che sarà seguita anche dagli agostiniani forlivesi. I grandi predicatori francescani a Forlì si fecero eco delle vicende italiane ed europee: parlavano, con la partecipazione di molta folla, san Bernardino da Siena e il santo della resistenza contro i turchi, Giovanni di Capestrano. Portavano nella vita cittadina, seppure in mezzo a tante difficoltà, le ultime novità in campo sociale: i Monti di pietà e i Monti frumentari. Non è possibile indicare nomi di forlivesi che si distinguevano, in questo periodo, per lo studio e la santità. Fusconi "addottò" il francescano fra' Ludovico da Pirano, istriano ma cresciuto ed educato a Forlì, teologo e docente universitario, che divenne vescovo della nostra città (1437-1446) senza mai dimorarvi, perché assorbito, fra l'altro, dagli affari del Concilio di Ferrara di cui fu uno dei maggiori artefici (non senza enfasi fu detto dai contemporanei: "Eloquii princeps, egregie doctus"). Segno di una spiritualità semplice e "arcaica" nel fervore della città rinascimentale era la singolare esperienza di Pietro Bianco da Durazzo: un tempo forse pirata, venne a vivere da eremita alla periferia della città e, anziché destare sospetto, fu accolto con grande favore dai signori e da tutti i cittadini (salvo le invidie del francescano Roberto da Lecce che predicò contro di lui attirandosi le ire dei forlivesi)[42]. Nel tratteggiare questo quadro necessariamente sintetico non si deve ignorare la profonda crisi morale che investì tanti membri del clero, degli stessi ordini "riformati" e "osservanti", sia maschili sia femminili, e come in questo XV secolo nella città di Forlì siano scomparse tantissime istituzioni fiorenti in un passato neppure tanto lontano. Erano mutazioni che segnavano, anche visibilmente, il passaggio dal Medioevo all'Età moderna.

Committenze locali

Erano queste committenze[43], laiche e profane, che permettevano a un artista di produrre, con adeguato compenso, i frutti del proprio ingegno; quindi, anche per Marco Palmezzano dobbiamo ripercorrerne le tracce per conoscere i legami che gli consentirono, anche se, in virtù della propria posizione sociale ed economica, non ne aveva strettamente bisogno, di allogare le proprie pitture e di riceverne una ricompensa che avrà modo, come attestato dalla documentazione, di essere messa a frutto e assicurargli un benessere supplementare[44]. Avremo occasione di verificare che l'ambito di azione di Palmezzano sarà ben più ampio dei confini cittadini (si pensi alla tappe umbre, alle soste romane e alle puntate veneziane) e che, già in anni abbastanza precoci, saranno frequenti le sue "uscite", anche se per noi, oggi, non è più agevole individuarne la precisa trama di rapporti.

La famiglia

Marco Palmezzano non fu un artista povero che doveva fare i conti con i bisogni primari dell'esistenza per esprimere le proprie capacità artistiche. Apparteneva, infatti, a una delle famiglie più importanti della città: Palmezzani o Palmeggiani. Famiglia di possidenti, di notai (il fratello Tommaso), medici (Giacomo), ben inseriti nelle lotte cittadine (di parte ghibellina e ordelaffesca[45]). Giovanni volle ospitare nella propria casa il viceré di Napoli, da lui conosciuto, ma mal gliene incolse, poiché i nemici Orsi, proprietari dell'osteria della Luna, defraudati degli introiti dell'ospitalità non prestata e non remunerata, fecero in modo, con l'aiuto del governatore della città, Ugo Rangoni, che i Palmezzani "mai non se uide più"[46]. Nel 1515 Giovanni Francesco, della fazione ghibellina, fu mandato prigioniero alla rocca di Cesena, poiché qualche tempo prima al grido di "Carne, carne, amazza, amazza" aveva ucciso don Bernardo Morattini e un altro della fazione avversa (i guelfi erano partigiani dei Morattini e i ghibellini dei Numai, fig. 9), e "poi che fo fuori della rocha amazzò la moglie"[47]. Il predetto Giovanni Francesco, assieme a Carmignolo, si trovò a sedere nel consiglio cittadino del 1508. Ciò non vuol dire che Palmezzano non sia stato ugualmente coinvolto nelle lotte tra le fazioni cittadine nelle quali si distinguevano alcuni membri della sua vasta famiglia (o meglio parentado e consorteria); certamente, però, doveva essere ben attento a far sì che la fama di uomo di parte non sovrastasse quella di pacifico pittore; dalle memorie dei pur minuziosi cronisti dell'epoca Marco Palmezzano non appariva tra i capi delle fa-

zioni cittadine, ma dagli archivi emergono almeno tre documenti (degli anni 1512, 1522, 1524) nei quali egli si impegnava, con i propri discendenti e parenti ("filios, nepotes complices et seguaces usque in quartum grandum computandos gradus secundum jus canonicum") a non utilizzare le armi contro i membri di altre famiglie. Tuttavia, egli sembrava anche, e soprattutto, uomo attento ai propri interessi economici non solo in occasione dei contratti per l'esecuzione di opere, ma anche nelle vicende familiari, in quelle ereditarie e nelle compravendite. Una delle prime notizie che si hanno su di lui è, appunto, una lite per avere la totalità del compenso pattuito con la Casa di Dio (l'ospitale cittadino) per alcune pitture eseguite (1484).

Palmezzano e Forlì

Individuati, grosso modo, gli ambiti della committenza, in un mondo attento alle esigenze culturali, artistiche e spirituali del proprio tempo, occorre calarsi anche in quello specifico che fornì l'occasione immediata a Palmezzano per realizzare le sue opere. È necessario, a questo punto, "trasferirci nella cultura dell'epoca" e, seppure in maniera sommaria, ricordare come, nonostante i tentativi di "laicizzazione" – spesso mutuati dalla cultura classica e mitologica e tollerati e promossi dagli stessi pontefici romani – l'atmosfera culturale fosse ancora permeata dal pensiero e dalla spiritualità cristiana. Certamente nel palazzo comunale era stata affrescata la Sala delle ninfe[48], ma il tema ancora prioritario era quello religioso; anche i laici che ne avevano possibilità erano orientati alla decorazione di chiese e altari o, al più, sceglievano la confezione di tavolette devozionali da conservare in casa per le proprie esigenze spirituali. Anche a Marco Palmezzano le stesse committenze laiche proponevano soprattutto soggetti religiosi (e questi, in prevalenza, sono rimasti)[49].

Si è già detto come Palmezzano fosse di buona famiglia e inevitabilmente partecipasse alle lotte intestine che lo vedevano coinvolto assieme ai suoi familiari, ma ciò non impedì ai signori della città, che rivestivano funzioni di rilievo nella città – seppur caduche e transitorie – o agli enti ecclesiastici e religiosi, più stabili nel tempo e nei ruoli sociali, di commissionargli opere pittoriche; in mezzo alla virulenza delle guerre civili e al repentino cambiamento delle parti a lui fu riconosciuto un ruolo super partes, almeno in virtù della propria arte.

Palmezzano e Caterina Sforza

Motivi anagrafici ci mostrano il pittore al di fuori della cerchia degli Ordelaffi, giunti ai loro ultimi giorni, e a diretto contatto con Caterina Sforza, la moglie, presto vedova, di Girolamo Riario. Questi era nipote di papa Sisto IV, e ambiva a ritagliarsi in Romagna una signoria familiare fondata sul polo Forlì-Imola (assunto il potere a Forlì nel 1480 fu ucciso nel 1488). In Caterina si intravede qualcosa del grande mecenatismo delle due famiglie di appartenenza: gli Sforza milanesi[50] e i Riario[51]. Il marito Girolamo lasciò alla non fragile e giovane donna il compito di governare le due città. Caterina, alla testa di due cittadine della Romagna, pur fra le necessità del governo, dedicò spazio all'attività religiosa e benefica che aveva come proprio risvolto la costruzione di edifici, l'abbellimento di altri e, in ogni caso, il contatto con artisti.

Non possiamo qui soffermarci su tutta l'attività di Caterina in questi campi; ricordiamo solo i suoi rapporti con Marco Palmezzano. Anche se non ne siamo sicuri, la committenza della grande Crocifissione del 1492 nel refettorio del convento di Santa Maria della Ripa potrebbe risalire a lei. Tale convento, infatti, iniziato dagli Ordelaffi, ebbe in Caterina una nuova munifica donatrice[52]. Più complessa, e dibattuta, è la questione della cappella Feo nella chiesa di San Girolamo degli osservanti[53]. Oggi si è inclini a vedere la prevalenza di Melozzo, ma non si può dubitare di una presenza del "discepolo" Palmezzano. Ormai abbandonata la committenza cateriniana per il polittico di San Biagio (già San Girolamo), bastano le due grandi opere citate per porre Palmezzano, ancora giovanissimo, al centro della vita artistica cittadina.

Aggregazioni religiose

Più articolata e complessa la species delle istituzioni ecclesiastiche regolari (da regula) e del laicato organizzato nelle strutture di confraternite e compagnie. Era in questi ambiti che si avevano alcune delle più vivaci manifestazioni spirituali, caritative e artistiche della vita cittadina.

Gli ordini religiosi, i più antichi di regola benedettina, e i più recenti, i mendicanti, per assecondare le esigenze del culto e della spiritualità necessitavano di un continuo aggiornamento degli edifici, delle decorazioni e delle suppellettili; perciò, anche in questi secoli di apparente crisi, gli sforzi in questi ambiti furono molto intensi e si tradussero in un mecenatismo che modificò il volto della città.

Nell'antica abbazia di San Mercuriale, dalle complesse vicende edilizie che proprio nel XVI secolo ne avrebbero mutato radicalmente l'aspetto interno, la presenza di Palmezzano è più che evidente, ancora oggi con ben tre sue tavole presenti; fra queste la singolare raffigurazione della Disputa sull'Immacolata Concezione che prefigura, con una originale rappresentazione iconografica, un dogma in quell'epoca appena accennato nella coscienza e nella teologia della Chiesa e, in seguito, codificato, iconograficamente, in maniera molto diversa. Tuttavia, in questo l'artista nostro concittadino fu un assoluto precursore.

Tutti gli enti ecclesiastici forlivesi erano interessati ad avere sue opere, ma da questo dato è difficile dedurre un orientamento spirituale di Palmezzano. È stato detto che la folta presenza di committenze di ambito francescano ha fatto di lui quasi un "terziario", ma a noi tale opinione sembra un po' troppo ardita; forse la spiegazione è un'altra e sta, questa sì, nell'ampia presenza delle varie componenti del francescanesimo stabilitesi in città (ma tale fenomeno è riscontrabile in ogni città della Romagna e dell'Italia). La città ospitava da tempo i Minori conventuali (San Francesco "grande"); si erano poi aggiunti gli Osservanti in San Girolamo, i membri del Terzo ordine a Santa Maria di Valverde. Se vi fosse stata da parte di Palmezzano una scelta spirituale precisa, avremmo avuto minori committenze da parte di ordini che non vivevano proprio in piena armonia con gli altri e che, invece, vediamo ugualmente presenti: gli Agostiniani, i Domenicani, i Servi di Maria (di Forlimpopoli), i Carmelitani (con la sua più grande e bella Annunciazione). Una maggiore contiguità con i Francescani, che scaturì dalle sue dinamiche personali, può essere anche accettabile, ma non è possibile andare oltre, poiché le opere del forlivese rivelano una committenza estesa a tutte le componenti ecclesiali della città.

Lo stesso discorso può valere per le committenze extracittadine, da una delle prime, quella della confrater-

11.
Agostino di Duccio
(attr.)
*La Trinità adorata
dall'eremita
Pietro da Durazzo.*
Forlì, santuario di Santa
Maria delle Grazie di
Fornò.

mo incerti sulle sue scelte interiori. È pur vero che tutta l'alta borghesia cittadina, almeno i maschi, partecipavano alla vita di queste confraternite e ne erano membri attivi (la dinastia dei Menzocchi sarà anima degli umiliati di San Bernardo), ma fra le molte informazioni che possediamo a proposito di Palmezzano non risulta a quale confraternita egli appartenesse. Quella dei Battuti bianchi accoglieva i membri delle fasce più alte della borghesia della città; sappiamo della sua committenza diretta o di quella, probabilmente indiretta, della confraternita di San Domenico in San Tommaso cantuariense e di quella del Rosario in San Giacomo (dei domenicani) con la quale ci potrebbero essere stati rapporti privilegiati (in questo contesto occupava un suo spazio uno strano personaggio, un pirata albanese che conduceva vita eremitica nella periferia della città e che costruì il grandioso e singolare santuario di Fornò[54], fig. 10).

Committenza privata e devozionale
Divenuto il pittore "ufficiale" della città (anche se possiamo arguire che di lui si servisse soprattutto chi aveva maggiori disponibilità finanziarie), oltre che delle grandi istituzioni civili ed ecclesiastiche, Palmezzano fu anche pittore del "privato". I documenti d'archivio ci testimoniano di persone che si rivolsero a lui per committenze destinate alle chiese ma anche, e qui la documentazione è minore, a devozione privata, a uso domestico. Si tratta di oggetti di culto e di devozione che hanno una storia antica; in Forlì, la tradizione considera come possesso del beato Marcolino l'immaginetta di *Madonna con Bambino*, chiamata *Madonna della pace* attribuita a Vitale da Bologna e che il beato portava con sé nella visita ai malati.
Si tratta di quadri di non grandi dimensioni, con una tipologia iconografica molto ristretta; sono soprattutto "Madonne con Bambino" e "Cristo che va al calvario" (Cristo portacroce). Costituiscono due aspetti devozionali tipici del popolo cristiano, che portano in sé anche valori di carattere profondamente umano. La "Madonna con Bambino" è la raffigurazione della maternità e dell'infanzia, con tutto ciò che questo comporta in sentimenti e progetti di vita. "Cristo che va al calvario", che evita la più crudele scena della crocifissione, è la considerazione del ruolo salvifico di Gesù tramite la sua morte, in un'epoca in cui la morte, quella violenta, quella per malattie e quella per pandemie, era esperienza quotidiana. Nei "quadretti" di Palmezzano tale tragico evento viene riletto e interpretato togliendo la più bruta crudeltà; più che la tragedia, vi aleggia la mestizia (qualche volta è presente lo scherno degli aguzzini, ma ben lontano dalle caricature di Bosch); una quieta partecipazione a un evento tragico del quale si è consapevoli e che sarà superato dalla ri-

nita di San Michelino di Faenza, a quelle per i francescani di Castrocaro – allora in territorio toscano –, a quelli della più lontana Matelica (e qui ci si deve riferire alla fama degli artisti che i membri dell'ordine, nei loro mutamenti di sede, inevitabilmente diffondevano). Una pista potenzialmente più feconda per l'individuazione dei tratti personali della spiritualità di Palmezzano o della contiguità a specifiche forme di vita religiosa si potrebbe avere nell'analisi delle committenze effettuate dalle confraternite laicali. Queste aggregazioni – nella maggior parte la componente era laicale – che avevano di mira la crescita spirituale e religiosa, erano in grado di promuovere e costruire momenti di alto spessore umano che si traducevano nella costruzione e decorazione di chiese, oratori e ospedali. Oltre alle soggettività più ricche della città, ecclesiastiche e laiche, erano queste confraternite ad animare in maniera più diffusa e pervasiva il tessuto medio alto della popolazione. Anche in questo caso l'opera di Palmezzano fu ampia, ma ancora rimania-

surrezione[55]. Purtroppo non sono rimaste notizie d'archivio che ci informano sull'identità di questi committenti: mentre qualcosa è rimasto delle grandi pale, per questi quadretti tutto si è perso nell'oblio.

Occorre anche ricordare uno stile di committenza che in maniera complementare coinvolge persone ed enti diversi. Si tratta di un istituto giuridico particolare, in auge nella Chiesa fino a pochi decenni fa: il giuspatronato. Con esso un privato, normalmente laico, riceveva l'autorizzazione a costruire, per la propria devozione privata (o per ratificare lo stato sociale raggiunto, perché fosse sepolcro di famiglia) una cappella o un altare in una chiesa, e se ne sobbarcava la custodia, la conservazione e promozione del decoro e la manutenzione. In molti casi erano questi giuspatroni a ordinare e pagare le opere che avrebbero dovuto essere ospitate nella cappella "di famiglia": arredi, tavole, tele, marmi. È soprattutto loro merito se Marco Palmezzano ha potuto operare e tramandarci una testimonianza ricca di arte, umanità e spiritualità.

[1] Non vogliamo tediare il lettore presentando una bibliografia troppo dettagliata; basti la menzione di alcune opere che possono servire come base per un'ulteriore ricerca sul periodo che ci sta interessando: Augusto Vasina (a cura di) *Storia di Forlì, II, Il Medioevo*, Cassa dei Risparmi di Forlì, Forlì 1990; Cesarina Casanova, Giovanni Tocci (a cura di), *Storia di Forlì, III, l'età moderna*, Cassa dei Risparmi di Forlì, Forlì 1991; Antonio Calandrini, Gian Michele Fusconi, *Forlì e i suoi vescovi, appunti e documentazione per una storia della Chiesa di Forlì, II, il secolo XV*, Centro studi e ricerche sulla antica provincia ecclesiastica ravennate, Forlì 1993, (Studia ravennatensia 5); Gian Michele Fusconi, *Forlì e i suoi vescovi, appunti e documentazione per una storia della Chiesa di Forlì, III, il secolo XVI*, Vita e Pensiero Università, Milano 2003; alcuni contributi in Marina Foschi, Luciana Prati (a cura di), *Melozzo da Forlì, la sua città e il suo tempo*, Leonardo arte, Corsico 1994.

[2] Dante Alighieri, *La Divina Commedia, Purgatorio*, XIV, 92.

[3] Questa signoria cessa nel 1480 nonostante l'inefficace tentativo operato nel 1503-1504: Augusto Vasina, *Il dominio degli Ordelaffi*, in *Storia di Forlì, II, cit.*, pp. 155-183.

[4] Natale Graziani, Gabriella Vivarelli, *Caterina Sforza*, Dall'Oglio, Milano 1987; Natale Graziani, *Fra medioevo ed età moderna: la signoria dei Riario e di Caterina Sforza*, in *Storia di Forlì, II, cit.*, pp. 239-261; Marco Pellegrini, *Congiure di Romagna, Lorenzo de' Medici e il duplice tirannicidio a Forlì e a Faenza nel 1498*, Olschki, Firenze 1999; analizzando i risvolti politici delle vicende romagnole e situandole nel grande contesto della politica italiana ci si cala nella ricostruzione del tessuto sociale ed economico delle città romagnole, in particolare, Forlì e Faenza.

[5] Cesarina Casanova, *Politica e società*, in *Storia di Forlì, III, cit.*, pp. 13-40.

[6] "Entro il grande spazio della Rinascenza italiana, nei rapporti con i luoghi principali della sperimentazione umanistica, e nella stessa sottile trama dei centri della Romagna, la città [di Forlì, n.d.a.] occupava un luogo non periferico, certo, ma insieme emarginato, o quasi, dalla fragilità d'una condizione politica e culturale minore", così Andrea Emiliani, *La città di Melozzo*, in *Melozzo da Forlì, la sua città e il suo tempo, cit.*, p. 13.

[7] È solo per la seconda parte del XVI secolo che si fanno strada conoscenze più approfondite sulla realtà economica della città; per il periodo precedente, anche a motivo della scarsità delle fonti si hanno poche e generiche indicazioni: qualche nota in Paola Mettica, *Cultura, potere e società nei cronisti medievali*, in *Storia di Forlì, II, cit.*, pp. 200-206; Dante Bolognesi, *Le risorse e gli uomini*, in *Storia di Forlì, III, cit.*, pp. 65-104.

[8] Qualcosa di questi faticosi patteggiamenti e difficili equilibri è descritto in Marco Pellegrini, *Congiure di Romagna*, cit.

[9] Leone Cobelli, *Cronache forlivesi dalla fondazione della città sino all'anno 1498*, a cura di Giosuè Carducci ed Enrico Frati, note di Filippo Guarini, Regia Tipografia, Bologna 1874, p. XVI.

[10] Idem, *Ibidem*, p. XIX.

[11] Paola Mettica, *Cultura potere e società nei cronisti tardomedievali*, in *Storia di Forlì, II, cit.*, pp. 185-207; Giordano Viroli, *L'espressione artistica, ibidem*, pp. 209-238.

[12] *Persistenze della città fra Quattro e Cinquecento, edifici civili*, in *Melozzo da Forlì, la sua città e il suo tempo, cit.*, pp. 332-387; di alcuni di questi palazzi vi sono schede in Giordano Viroli, *Palazzi di Forlì*, Cassa dei Risparmi di Forlì, Forlì 1995; per la bibliografia più specifica si rimanda a questi due volumi.

[13] Per molte di queste chiese vi sono schede in Giordano Viroli, *Chiese di Forlì*, Cassa dei Risparmi di Forlì, Forlì 1994.

[14] Renato Varese, *Bombace Pace di Maso*, in "Dizionario Biografico degli Italiani", vol. XI, Roma 1969, p. 373.

[15] *Persistenze della città fra Quattro e Cinquecento, edifici religiosi*, in *Melozzo da Forlì, la sua città e il suo tempo, cit.*, pp. 280-331.

[16] In molti dei suoi contributi, il volume *Storia di Forlì, III, l'età moderna*, cit., presta attenzione alla dimensione culturale e artistica della città, orientandosi prevalentemente sulla fine del XVI secolo e oltre.

[17] Sono alcuni risultati dello spoglio delle schede di Giacomo Zaccaria, depositate in Archivio di stato di Forlì. Naturalmente non ci è stato possibile verificare se al termine "pictor" corrisponda esattamente ciò che con tale parola comprendiamo oggi.

[18] Per questo periodo: Giordano Viroli, *Pittura del Cinquecento a Forlì*, tomi 2, Cassa dei Risparmi di Forlì, Forlì 1991 e 1993; Anna Colombi Ferretti, Luciana Prati (a cura di), *Francesco Menzocchi, Forlì 1502-1574*, EDSAI, Forlì 1990.

[19] Renato Fubini, *Biondo Flavio*, voce in "Dizionario Biografico degli Italiani", vol. X, Roma 1968, pp. 536-559.

[20] Adamo Pasini, *Fausto Anderlini, memorie e saggi poetici*, Forlì, Valbonesi 1918; Idem, *Fausto Anderlini e la sua famiglia*, Forlì Valbonesi 1951; R. Weiss, *Andrelini, Publio Fausto*, voce in "Dizionario Biografico degli Italiani", vol. III, Roma 1961, pp. 138-141.

[21] Il suo *De elegantia linguae latinae*, fu una delle opere stampate a Forlì, 1495, dal tipografo e umanista forlivese Paolo Guarini; Paolo Temeroli, *I primordi della stampa a Forlì (1495-1507)*, in Lorenzo Baldacchini, Anna Manfron (a cura di), *Il libro in Romagna*, Olschki, Firenze 1998, pp. 61-101.

[22] Anche in questo caso non esistono recenti studi sintetici, per cui occorre riferirsi ad Adamo Pasini, *Cronache scolastiche forlivesi*, Valbonesi, Forlì 1925, e a una lunga serie di articoli dello stesso autore disseminati nella rivista "La

pié", negli anni 1952-1957, di modesto valore scientifico ma di alto pregio documentario.

[23] Sulla situazione generale della Chiesa si veda: Marc Venard (a cura di) *Storia del Cristianesimo, vol. VII, Dalla riforma della Chiesa alla riforma protestante (1450-1530)*, Borla-Città nuova, Roma 2000, pp. 145-292.

[24] Solo un membro della nobiltà e della borghesia forlivese poteva occupare uno scanno nel coro della cattedrale e tale privilegio sarà ratificato da un documento di Leone X e sarà in vigore fino all'inizio del XX secolo.

[25] Si vedano notizie in Giordano Viroli, *La scultura del Rinascimento in Romagna*, in *Il monumento a Barbara Manfredi e la scultura del Rinascimento in Romagna*, Anna Colombi Ferretti e Luciana Prati (a cura di), Nuova Alfa editoriale, Bologna 1989.

[26] Secondo Andrea Bernardi (detto il Novacula), Giuseppe Mazzatinti (a cura di), *Cronache forlivesi dal 1476 al 1517*, voll. 2 in 3 tomi, Regia Deputazione di Storia Patria per le province di Romagna, Bologna 1895-1897; "Dita sova capella granda fu fornita de dipinzere cercha la prima setemana d'agosto, anno Domini 1501; e fu per mane de uno M° Marco zià d'Antonio Palmeziano": vol. I, p. I, pp. 309-310.

[27] "Item dite signore canonice avando fato una bela ancona per la representacione dal Corpe de Criste per l'altare grande, la mesene suso cercha la prima setemana dal mese d'octobre, anno Domini 1506, per la venuta della S.tà de papa Iulio secondo. Et fece fare quele hochie sopra al dito altare. La quale ancona avea fate dito M. Marco Palmezano. E i era certi dignissime cose e massime l'ostia santa che in mane Cristo avea e una pòlicia che era dipinta, che notificava al nome del Maestro, et era alquante straciata; parea veramente che fuse stacata: era cosa molte memorando", Andrea Bernardi, *Cronache forlivesi, cit.*, p. 310.

[28] Domenico Brunelli, *Cenni storici sulla cattedrale di Forlì*, Croppi, Forlì 1882.

[29] Franco Zaghini, *Carità creativa nel Medioevo*, in "Scritti forlivesi", Forlì, Centro studi storia religiosa forlivese, quaderno 5, Forlì 2005, pp. 67-103.

[30] Per un periodo appena precedente: Franco Zaghini, *Religiosità e vita sociale in Forlì all'epoca di san Pellegrino*, in S. Spada e F. Zaghini (a cura di) *La piazza e il chiostro, San Pellegrino Laziosi, Forlì e la Romagna nel tardo Medioevo*, Comune di Forlì, Forlì 2000, pp, 129-147.

[31] Achille Olivieri, "...*Visibilia e... arcana". Ecclesiastici, eretici e vaticini nella Romagna del '500*, "Quaderni degli Studi Romagnoli", n. 15, Bologna 1993.

[32] L'odio per i preti che s'impicciavano di politica o di esagerato affarismo cittadino è evidente, con tratti insieme umoristici e crudeli, nella biografia di Francesco Ordelaffi o nelle

vicende sull'omicidio di Girolamo Riario; per la situazione più generale in questi stessi anni si veda: Ottavia Niccoli, *Anticlericalismo rinascimentale*, Laterza, Bari 2005.

[33] Elide Casali, *Astrologia e cultura*, in *Storia di Forlì*, III, cit., pp. 129-150.

[34] Adamo Pasini, *Storia della Madonna del Fuoco di Forlì*, Tipolitografia Valbonesi, 2ᵃ ed. Forlì 1982.

[35] Antonio Calandrini, Gian Michele Fusconi, *La storia, dalle origini al 1939*, in "Il Seminario di Forlì", Forlì 1992, pp. 15-46.

[36] Romeo Bagattoni, *Il beato Giacomo Primadicci*, in "La Madonna del Fuoco", III (1917), pp. 10-11; Adamo Pasini, Giovanni Giovanardi, *I minori osservanti a Forlì*, Valbonesi, Forlì 1922.

[37] Giovanni di M. Pedrino, *Cronica del suo tempo*, edita da Gino Borghezio e Marco Vatasso, con note di Adamo Pasini, voll. II, Biblioteca Apostolica Vaticana, Roma 1929, Città del Vaticano 1934 (Studi e testi, 50. 62) cit., II, n. 1833, p. 348.

[38] Sadoc Maria Bertucci, *Dominici, Giovanni, cardinale, beato*, in "Bibliotheca Sanctorum", IV, cc. 748-756.

[39] *Il monumento a Barbara Manfredi e la scultura del Rinascimento in Romagna*, cit.; *Il San Domenico di Forlì, la chiesa, il luogo, la città*, a cura di Marina Foschi e Giordano Viroli, Nuova Alfa Editoriale, Bologna 1991; Elio Montanari, *Il dossier agiografico sul beato Marcolino da Forlì*, in "Archivum fratrum praedicatorum", LXV (1995), pp. 315-509; Daniel Bornstein, *Marcolino da Forlì: taumaturgo locale e modello universale*, in Sergio Gensini (a cura di) *Vita religiosa e identità politiche: universalità e particolarismi nell'Europa del tardo medioevo*, Pacini, Pisa 1998, pp. 263-286; Giordano Viroli, *Scultura dal Duecento al Novecento a Forlì*, Cassa dei Risparmi, Forlì 2003.

[40] Aristide Serra, *S. Pellegrino Laziosi dei Servi di Maria, storia, culto, attualità*, Santuario S. Pellegrino, Forlì 1995; Franco Dal Pino, *Pellegrino Laziosi da Forlì e l'ordine dei Servi dal 1277 al 1346*, in Elio Peretto (a cura di) *Un amico del Crocifisso e dei sofferenti, san Pellegrino Laziosi da Forlì (1265-1345 circa)*, Marianum, Roma 1998; Franco Zaghini, *Religiosità e vita sociale in Forlì all'epoca di san Pellegrino*, in Sergio Spada, Franco Zaghini (a cura di) *La piazza e il chiostro, san Pellegrino Laziosi, Forlì e la Romagna nel tardo Medioevo*, Comune di Forlì, Forlì 2000, pp. 129-148;

[41] Aristide Serra, *Bonaventura da Forlì, beato*, in "Bibliotheca Sanctorum", III, cc. 287-290.

[42] Franco Zaghini, *Pietro Bianco da Durazzo, eremita a Forlì nel secolo XV*, in "Ravennatensia XXI", 2005, pp. 223-240;

[43] Il tema della "committenza", centrale nella vita di un artista, non è fra quelli più indagati, se non settorialmente. Nel passato si parlava soprattutto di "mecenatismo", per il quale esiste una voce, certamente ormai datata (1958), di F. Haskell, *Mecenatismo, Patronato*, in *Enciclopedia universale dell'arte*, VIII, cc. 940-956; oggi il tema è affrontato per i singoli artisti, nel loro contesto operativo, ma non risultano studi di ampio respiro; anche il recente dizionario: Roberto Cassanelli ed Elio Guerriero (a cura di), *Iconografia e arte cristiana*, diretta da Liana Castelfranchi e Maria Antonietta Crippa, riporta appena la voce: *Committenza d'Architettura*, di L. Marcucci e G. Montanari, a pp. 452-467.

[44] Carlo Grigioni, *Marco Palmezzano, pittore forlivese nella vita, nelle opere, nell'arte*, Lega, Faenza 1956, p. 309; questa monumentale opera sul pittore, che costituisce il fondamento per la conoscenza di Palmezzano e la base di partenza per ogni ulteriore indagine, è stata miniera ricchissima anche per queste pagine e per questo si esime dalla puntale citazione di ogni cosa in cui si è a lei debitori.

[45] Giacomo è uno degli ispiratori della rivolta contro il governatore pontificio fra' Tommaso Paruta, vescovo di Traù, 1433, in Giovanni di M. Pedrino, cit.

[46] Era l'anno 1449, Leone Cobelli, *Cronaca, cit.*, p. 227-228.

[47] Già in precedenza era stato ferito assieme a suo fratello Antonio in quelle lotte faziose cittadine che continuarono, nella città di Forlì, per decenni, anche dopo l'instaurazione della potestà pontificia: *Cronaca di Sebastiano Menzocchi*, in Adamo Pasini, *Fonti della storia forlivese*, Bordandini, Forlì 1929, pp. 29-35.

[48] Andrea Savorelli, *Il restauro della sala delle Ninfe, il ritrovamento dello stemma nobiliare di san Carlo Borromeo e delle virtù*, Comune di Forlì, Forlì [s.d. ma 2001]. Gli affreschi sopravvissuti sono attribuiti a Francesco Menzocchi ma la sala era stata già affrescata subito dopo la sua costruzione; *Francesco Menzocchi, Forlì 1502-1574, cit.*, scheda di Stefano Tumidei, pp. 275-277.

[49] Oltre all'opera del Grigioni, si deve continuamente fare riferimento a: Giordano Viroli, *Pittura del Cinquecento a Forlì*, I, Cassa dei Risparmi di Forlì, Forlì 1991.

[50] Ella era figlia naturale di Galeazzo Maria Sforza (figlio del duca di Milano Francesco Sforza) e di Lucrezia moglie di Gian Piero Landriani; Natale Graziani, Gabriella Venturelli, *Caterina Sforza*, cit.

[51] Girolamo Riario era nipote, per parte di madre, di papa Sisto IV (il committente della cappella Sistina) e il protettore di Melozzo da Forlì.

[52] Tale munificenza era rivolta, dai signori delle città rinascimentali, ad alcuni conventi, soprattutto femminili, che avevano lo scopo non solo di costruire un riparo sicuro e di prestigio per le giovani della nobiltà e della buona borghesia, destinate a rimanere nubili, ma anche un luogo, uno spazio in cui poter incontrare, tramite qualche suora di vita religiosa particolarmente intensa, una "santa viva", una sorta di consigliere spirituale, una protezione per la casata: Gabriella Zarri, *Pietà e profezia alle corti padane: le pie consigliere dei principi*, in *Le sante vive*, Rosenberg & Sellier, Torino 1990. Il convento della Ripa è oggi uno squallido e vuoto ambiente, reso tale dalle successive spoliazioni effettuate nel corso degli ultimi due secoli. È stato fino a pochi anni fa una caserma ed è in attesa di restauri e di nuova destinazione. Resta, ben visibile, il grande chiostro. Poiché è del tutto spoglio di opere d'arte non è stato oggetto di particolari studi, per cui si vedano le poche note in: Egisto Calzini, *Documenti*, "Rassegna bibliografica dell'arte italiana", V (1902), pp. 72-73; Ettore Casadei, *La città di Forlì e i suoi dintorni*, Soc. Tip. Forlivese, Forlì 1928; Rubus, *Il monastero di S. Maria della Ripa*, "La Madonna del Fuoco", IV (1918), pp. 105-107; Adamo Pasini, Alessandro. *Il convento della Ripa (Monumenti storici forlivesi)*, "La pié", XXI (1952), pp. 174-177.

[53] Mentre gli Ordelaffi avevano costituito la loro "cappella palatina" nella chiesa di San Francesco, detto "grande" e primo imponente edificio dei francescani conventuali, ubicata nelle vicinanze delle loro case, Caterina scelse, come "mausoleo" in memoria del proprio "amico" Giacomo Feo, assassinato come il marito, la chiesa di San Girolamo dei francescani osservanti, chiesa di recente costruzione; la prima pietra era stata posta nel 1427; Adamo Pasini, *Il S. Francesco "grande" di Forlì dei Frati minori conventuali*, "Miscellanea francescana", LII (1952), pp. 581-591; Benedetto Pergoli, *La chiesa di S. Biagio in S. Girolamo a Forlì*, "Forum Livii", I (1926), n. 4, pp. 6-22.

[54] Franco Zaghini, *Pietro Bianco da Durazzo, eremita a Forlì nel secolo XV, cit.*, esisteva nel santuario sopra l'arca marmorea del fondatore un affresco (ora conservato altrove) raffigurante una Natività, con una visione della città di Forlì, attribuito a Palmezzano.

[55] Sulle tematiche iconografiche si veda in questo volume il saggio di Timothy Verdon, *Marco Palmezzano come maestro d'arte sacra*.

1. L'allievo di Melozzo.
Palmezzano e la visione prospettica

Melozzo da Forlì
(Forlì, 1438-1494)

1. *Angelo che suona la viola*, 1474 circa
affresco staccato, 114 × 91 cm

Testa di apostolo, 1474 circa
affresco staccato, 62,5 × 62,55 cm

Città del Vaticano, Musei Vaticani, inv. 40269.14.5, 40269.14.3

La pittura di Melozzo non poteva essere evocata in mostra altro che da alcuni dei suoi celebri frammenti vaticani provenienti dalla tribuna romana della basilica dei Santi Apostoli e restituiti, in ottimali condizioni di lettura, dal restauro del 1982 (Mancinelli-Colalucci 1983, pp. 110-122). Com'è noto, di quell'affresco monumentale, giudicato splendidamente dipinto già dall'Albertini nella sua guida di Roma del 1510, restano solo quindici frammenti trasportati a massello, al tempo del totale rifacimento della basilica avviato dal 1701, sotto la direzione dell'architetto Francesco Fontana (Finocchi Ghersi 1991a, pp. 332-42). L'operazione di stacco, con la consulenza del pittore Giuseppe Chiari (Coliva 1988, p. 30), si fissa più precisamente fra il 1708, quando, nel suo *Diario*, Francesco Valesio registra l'ordine impartito a tal fine dallo stesso Clemente XI, in visita al cantiere (ed. 1978, p. 93), e il 1711, anno che figura sulla lapide apposta nello scalone del palazzo del Quirinale, sotto il frammento più cospicuo fra quelli recuperati, il *Cristo benedicente*, in origine al sommo della volta.

La più completa descrizione dell'abside ancora integra ci proviene da Vasari, che solo nell'edizione giuntina delle *Vite* (1568) fece ammenda dell'errore in cui era incorso nel 1550, quando aveva riferito a Benozzo Gozzoli quell'"Ascensione di Gesù Cristo in un coro d'Angeli che lo conducono in cielo, dove la figura di Cristo scorta tanto bene che pare che buchi la volta et il simile fanno gl'Angeli che con diversi movimenti girano per lo campo di quell'aria; parimenti gli Apostoli che sono in terra" (Vasari 1550, 1568, ed. 1971, p. 379). L'esemplarità di quella scienza degli scorci per le generazioni a venire, cui Vasari allude subito dopo nel testo, avrebbe prodotto, fra Sei e Settecento, l'immagine di Melozzo precursore dell'illusionismo cinquecentesco e barocco riecheggiata nella guida del Titi e nella stessa lapide posta al Quirinale ("qui

summos fornices pingendi artem mirae optices legibus vel primus invenit vel illustravit", già trascritta da Marchesi 1726, p. 250). Si spiega così l'interesse per l'affresco, di cui dà prova, negli anni critici della sua distruzione, l'oratoriano Sebastiano Resta, collezionista e dilettante d'arte con il quale Agostino Taja, descrivendo i frammenti melozzeschi minori (gli angeli e gli apostoli), già ricoverati al Belvedere Vaticano, vorrà condividere il merito del loro salvataggio (1750). Padre Resta partiva in realtà dai suoi interessi per Correggio e dall'intenzione di smentire Vasari circa il mancato viaggio a Roma del pittore, viaggio che, a suo modo di vedere, si imponeva proprio nel confronto con l'abside melozzesca. Come informa il carteggio inedito con l'antiquario bolognese Giuseppe Magnavacca (Correggio, biblioteca Comunale, cart. 116, II), fra il 1701 e il 1702, aveva addirittura affidato a un disegnatore di fiducia la campagna di rilevamento sistematico dell'affresco, in vista della composizione di un album destinato al vescovo di Arezzo, monsignor Marchetti, suo committente abituale (Resta ed. 1958). L'album, dove le copie da Melozzo e quelle da Correggio risultavano affiancate, secondo un metodo di dimostrazione *ab oculis* solo di recente rivalutato dalla critica (Warwick 2000), resta ancora da ritrovare. Vi finì escluso però un piccolo disegno della serie, confluito poi nella *Galleria portatile* dell'Ambrosiana (1706 circa), con la copia di una parte marginale dell'affresco (Incisa della Rocchetta 1977, pp. 88-89), che si è rivelata fondamentale, in tempi recenti, per riaprire la questione della cronologia, ormai assestata dai tempi di Schmarsow (Tumidei 1994, pp. 30-34).

Vari decenni dopo Padre Resta, erano ancora interessi prevalentemente correggeschi quelli che spingevano Mengs e il cavalier D'Azara alla ricerca dei frammenti al Belvedere (Mengs ed. D'Azara 1787, I p. 338), poco prima che l'apertura del

museo etrusco li facesse migrare al Casino di Pio IV, e di qui, all'arrivo dei francesi, in uno dei saloni ottagoni della cupola di San Pietro. Quando ve li ritrovò nel 1820, il nuovo ispettore delle pitture Vincenzo Camuccini, poteva dirsi ormai acquisita invece l'interpretazione più storicizzata degli scorci di Melozzo in rapporto a Mantegna, che ne aveva dato poco prima Luigi Lanzi (indipendentemente dall'equivoco attributivo in cui si incorse all'inizio, riferendo i frammenti alla cappella di Innocenzo VIII, distrutta proprio di Pio VI: Pistolesi 1829). Ma nel contrasto fra il Fabbriciere di San Pietro, monsignor Castracani e lo stesso segretario di Stato Consalvi che non poté rivendicarli per la nuova pinacoteca, diversamente dall'affresco della Biblioteca Vaticana, si profila già il ruolo centrale e per così dire attualizzante che gli angeli e gli apostoli melozzeschi, avrebbero avuto negli anni della Restaurazione, che sono anche quelli dell'uscita ormai tardiva dell'*Histoire de l'Art* di Séroux D'Agincourt con le prime riproduzioni a stampa dei frammenti (cfr. Calbi 1987, p. 43) e della conferenza di Melchiorri (1835), subito recensita da A. Reumont sul "Kunstblatt" (1835, 57, pp. 238-239). Ormai stabilmente segnalati dalle guide (Nibby 1839-1841, I, p. 643) nella Sala capitolare di San Pietro, addolciti dal restauro di Camuccini, fino a far dimenticare il loro stato di frammenti, gli angeli e gli apostoli di Melozzo incarneranno d'ora in poi un'idea di Rinascimento armonioso e vitalistico per la quale il *Cicerone* di Jakob Burckhardt funge da viatico durevole (1855, ed. 1992, I, p. 817). Accanto al pittore dell'estasi che, a fine secolo, sarà anche quello di Steinmann e di Adolfo Venturi (1895, 1913; cfr. Valeri 1997, pp. 55-64), cresceva nel frattempo l'interpretazione pierfranceschiana e urbinate di Melozzo, auspice Cavalcaselle e soprattutto la monumenta-

le monografia di Schmarsow (1886, pp. 163-176), in cui poteva riversarsi per la prima volta anche la messe documentaria sugli anni di Sisto IV (1471-1484) sulla quale, dopo l'apertura degli archivi vaticani, si era cimentato Eugène Müntz (1882, pp. 154-155). L'opera di Schmarsow si rivelerà fondamentale anche nell'interpretazione dei frammenti vaticani, ormai ai vertici della considerazione critica, quale momento più maturo delle sperimentazioni prospettiche di Melozzo. La datazione, riferita da Vasari, agli anni di Pietro Riario, titolare della basilica dei Santi Apostoli solo fino al gennaio del 1474, pareva ormai stretta, tanto più che era nel frattempo emerso un pagamento a Giovannino de' Dolci (lo stesso cui si doveva l'erezione della cappella Sistina) relativo alla "fabrica Sanctorum Apostolorum et eius tribuna", datato al marzo 1475 (Müntz 1882, pp. 154-155). Le fonti celebravano quale ricostruttore della basilica piuttosto l'altro nipote di Sisto IV, il cardinale Giuliano della Rovere, il futuro Giulio II, subentrato nel titolo dei Santi Apostoli dopo la morte del Riario (un consuntivo in Frank 1993, pp. 129-132; 1996). La strada pareva insomma aperta per conciliare le circostanze documentarie a un'idea del pittore in via di superamento della propria formazione pierfranceschiana e urbinate, ancora evidente nella sontuosa scatola prospettica dell'affresco della biblioteca (1477 circa), e pronto ormai ad aprire i cieli della nuova pittura, con la conseguente e progressiva svalutazione della decorazione, ancora in "campo chiuso", di Loreto.

L'alone di ufficialità retorica e di incondizionato entusiasmo che traghettò il "pittore degli angeli" nel nuovo secolo (Ricci 1911b) e ancor più nel Ventennio, comporta la definitiva museificazione dei frammenti nella nuova pinacoteca di Pio XI, inaugurata nel 1932 (in un'ambientazione neorinascimentale che, nelle intenzioni di Beltrami, doveva evo-

care le atmosfere della biblioteca di Sisto IV: Tulli 1932, pp. 1059-1062, Biagetti 1932; cfr. anche Innocenti 2000, pp. 95-183). Mentre le malcelate riserve longhiane nei confronti del pittore (espresse a partire dall'intervento pierfrancechiano del 1914) e i mancati prestiti vaticani alla mostra "di Melozzo ma senza Melozzo" organizzata a Forlì nel 1938, finirono per tenere ai margini della discussione proprio i celebrati frammenti dei Santi Apostoli. Per i quali in ogni caso, faceva ormai testo la datazione schmarsowiana al 1480, che ha retto fino a tempi recenti (Clark 1989, p. 65; Frank 1993, pp. 156-170); salvo la proposta ancor più radicale, espressa da Toesca in occasione delle celebrazioni del centenario, di posticiparla al secondo documentato soggiorno di Melozzo nell'Urbe, dunque al 1489 circa.

A una riconsiderazione generale dell'abside e della sua cronologia, hanno fatto da battistrada le ricerche sull'architettura sistina (Frommel 1977, p. 48) e soprattutto il riesame della documentazione prodotta al tempo del rinnovamento settecentesco (Finocchi Gherzi 1991a, pp. 332-42; 1992b, pp. 355-66). Si è potuto accertare in particolare, che la data fornita a suo tempo da Vasari, si basava sull'effettiva presenza nell'abside dello stemma di Pietro Riario. Stemma che una relazione di Francesco Fontana (1708: Finocchi Ghersi 1991a, p. 359) ricorda ai lati dell'affresco, e che il disegno della Galleria Portatile di Padre Resta, ci documenta retto da putti, oltre che effettivamente parte del ciclo melozzesco (Tumidei 1994, pp. 35-36). Tali evidenze sono state minimizzate da Isabel Frank (1993, pp. 333 e sgg; 1996), propensa piuttosto a riferire gli stemmi al tardo Cinquecento, quando, con il cardinale Alessandro, i Riario tornarono patroni, ai Santi Apostoli, della cappella maggiore. Ma è difficile credere che l'eventuale aggiornamento araldico dell'affresco, da riferire comunque a date precedenti la testimonianza di Vasari, potesse comportare la cancellazione delle insegne alternative di Giulio II (che in effetti, ci si guardò bene dal rimuovere dall'arco trionfa-

le, dove già le segnalava l'Albertini nel 1510). Così come è ormai ammesso dalla critica che Pietro Riario, promotore della più splendida ed effimera corte cardinalizia mai vista fino ad allora a Roma (Farenga 1986, pp. 179-216), non poté limitarsi, nel breve tempo in cui risiedette ai Santi Apostoli (1472-1474), al solo progetto del palazzo, teatro nel 1473, dei festeggiamenti per il passaggio di Eleonora d'Aragona. Ma dovette fare in tempo ad avviare, proprio dall'abside e auspice Sisto IV, i restauri alla basilica, che avrebbe poi portato a termine, dopo la sua morte, Giuliano della Rovere.

La testimonianza di Vasari, e di quanti furono testimoni poi della distruzione, ci confermano in ogni caso che la decorazione della tribuna, di oltre diciassette metri di diametro, fu un'impresa d'eccezione; la prima abside moderna eretta a Roma entro una basilica di titolo costantiniano. Ne recava traccia sicuramente l'impianto iconografico, con il Cristo assunto al cielo nella mandorla dei cherubini (monumentale come un Pantocratore antico: Frank 1996), e il "fregio tirato in prospettiva", di cui informa Vasari, ornato da "alcune figure, che colgono uve, e una botte che hanno molto del buono"; un motivo antiquario e paleocristiano che è forse all'origine del gusto per i basamenti monocromi, a sculture dipinte, rivelato da Pinturicchio in Santa Maria del Popolo. Diversamente dalla ricostruzione della tribuna, tentata sulla base dei pochi frammenti, da Biagetti nel 1938 (Biagetti 1939, pp. 255-57), ora sappiamo che gli apostoli sporgevano in scorcio, con le ridondanze dei loro mantelli, da un cornicione illusivo, certo raccordato a quello reale, d'imposta alla volta, descritto nei rilievi dell'antica basilica (Finocchi Ghersi 1991a, p. 339). E nell'insieme, a rivelarsi, doveva essere soprattutto la matrice padana dell'illusionismo melozzesco, destinata solo in seguito a raffinarsi nella misura geometrica e "albertiana" dell'affresco della Biblioteca Vaticana (1477) o nelle soluzioni amplificatrici di spazi, ma non più autonome rispetto all'architettu-

ra reale, di Loreto e di Forlì. Ai Santi Apostoli, lo sfondamento illusionistico del muro, la misura stereometrica delle figure in scorcio proiettate sul cielo di lapislazzulo non si spiegano altro che all'inizio del soggiorno nell'Urbe di Melozzo. Ma a rendere ragione di una datazione entro il 1474 circa dell'abside (di recente accolta da Ceriana 1997, pp. 40-41 nota 39; Guarino 2004, p. 82, e con qualche riserva da Roettgen 2000, p. 66), sono anche i riflessi che di quella pittura luminosa e moderna, si colgono a Roma e nell'Italia centrale. La conoscenza dei Santi Apostoli da parte di Bartolomeo della Gatta, nel passaggio dall'Assunzione di Cortona, con il suo impianto gremito e l'esibizione di tante teste scorciate, al monumentale Santo Stefano può avere avuto luogo solo alla metà degli anni settanta; che sono anche gli anni in cui la pittura romana, e in primis Antoniazzo, sembra abbandonare definitivamente la tradizione benozzesca per un nuovo ideale di pienezza formale e di luminosità cromatica dietro cui la critica ha sempre riconosciuto il precedente di Melozzo.

Anche in mostra, solo che si riesca a prescindere, davanti all'Angelo musicante, da quella sua sedimentata suggestione di vera e propria icona rinascimentale, si potrà apprezzare la nitidezza dell'intarsio prospettico del volto, la padronanza nuovissima della tecnica dell'affresco con cui Melozzo dovette presentarsi sulla piazza romana, anche prima dell'arrivo di Perugino. Preparato con lo spolvero nei volti e nelle mani, e attraverso dirette incisioni sull'intonaco per la costruzione dei panneggi, l'affresco melozzesco si dichiara quasi sprezzante nella pennellata e ardito negli accostamenti di tono. Ha già alle spalle la misura di Piero, così come l'approccio paziente e lenticolare che, in questa tecnica, contraddistingue Mantegna. Anche nell'esibizione dell'oro con cui erano rese le aureole, applicate a cera, oggi in gran parte perdute, sembra precorrere gli ideali di sontuosità materica e di "bellezza fiammante" che saranno propri dell'età sistina.

Alla costruzione in forte scorcio della testa dell'Apostolo, si è invece a lungo associato un bellissimo disegno del British Museum che si presenta oltretutto traforato per la sua messa in opera, ma che, come già rilevato da Clark, difficilmente potrà ricondursi all'abside dei Santi Apostoli, essendo di misure assai inferiori a ciascuna delle teste pervenuteci.

Bibliografia: Albertini 1510, ed. 1972; Vasari 1550, 1568 ed. 1971, pp. 379-380; Mancini ed. 1956-1957, pp. 73, 105, 187; Celio 1638 ed. 1967, p. 21; Malvasia 1655, p. 33; Titi 1674 ed. 1987, p. 168; Taja 1750, p. 344; Chattard, 1762-1767, III, p. 168; Lanzi 1809 ed. 1974, II, p. 189, III, p. 23; Séroux D'Agincourt 1826-1629, IV, pp. 421-422; Pistolesi 1829-1838, II, 1829, pp. 177-178; Melchiorri 1835, pp. 11-15; Crowe-Cavalcaselle 1864-66, II, pp. 556-557; Schmarsow 1886, pp. 163-176; Cavalcaselle-Crowe 1886-1908, VIII, pp. 308-315; Steinmann 1899, pp. 49-52; Id. 1901, pp. 74, 84-89; Okkonen 1910, pp. 64 e sgg.; Ricci 1911b, pp. 8 e sgg.; Venturi 1913, pp. 25-37; Buscaroli 1931, pp. 122-134; Nicodemi 1935, pp. 7-8; Arslan 1937, pp. 19-20; C. Gnudi in Forlì 1938, p. 10; Toesca 1938, pp. 315-316; Buscaroli 1938c, pp. 63-74; Salmi 1938, pp. 234-236; Pallucchini 1938, pp. 125-126; Biagetti 1939, pp. 255-257; Zocca 1960, p. 724; Sandström 1963a, pp. 94-95; Paolucci 1966a; Golzio-Zander 1968, pp. 270-271; Schiavo 1977, pp. 94-97; F. Mancinelli in New York- Chicago-San Francisco 1982; Mancinelli-Colalucci 1983, pp. 110-122; Cavallaro 1984, p. 342; Pinelli 1987, p. 428; Clark 1989, p. 65; Finocchi Ghersi 1991b, pp. 355-66; Frank 1993, pp. 156-170; Tumidei 1994, pp. 34-40; Frank 1996, pp. 97-122; G. Cornini in Pietrangeli 1996; Pfeiffer 1997, pp. 82-83; Ghersi 1997, pp. 68-69; Cavallaro 1999; Roettgen 2000, p. 66; Guarino 2004, p. 82.

Stefano Tumidei

Restaurati dalla Fondazione Cassa dei Risparmi di Forlì in occasione della mostra. Laboratorio di restauro dei Musei Vaticani.

Jacopo de' Barbari
(Venezia, 1475 circa-1515/16 circa)

2. *Ritratto di fra' Luca Pacioli*, 1495
tavola, 98 × 108 cm

Napoli, Museo di Capodimonte, inv. Q 58

iscrizione: Jaco. Bar.Vigen/nis. P. 1495

Le vicende collezionistiche, descritte nel dettaglio da Fiorillo (1983, pp. 75-77) e De Castris (1999, pp. 62-64), hanno origine nel Cinquecento dal palazzo Ducale di Urbino, ove l'opera rimane fino al 1648-50; passato in seguito alle collezioni mediceo-roveresche di Firenze e alla famiglia Medici di Ottaviano (Napoli), giunge al conte Eustachio Rogaredo di Torrequadra (fine '800), viene acquistato da Charles Fairfax-Murray (fino al 1904) e giunge infine al Museo Nazionale di Napoli (sino al 1957).

Il dipinto è da tempo oggetto di un acceso dibattito storiografico, che ha coinvolto molteplici aspetti: dall'attribuzione alla cronologia, dalla lettura stilistica all'identificazione dei personaggi e di alcuni oggetti.

Il punto di snodo è rappresentato dall'iscrizione leggibile sul cartellino in primo piano, che individua l'autore, la sua età e l'anno di esecuzione dell'opera. Questa lettura non ha però trovato unanime consenso: alcuni studiosi, sulla base dell'esame radiografico (secondo il quale i caratteri non risultano visibili), hanno contestato l'originalità del cartellino, ritenendolo un'aggiunta successiva e, soprattutto, non del tutto veritiero (Fiorillo, 1983). Tale assunto viene invece confutato da Bertelli (1984) e Kemp (1991), che ricordano come il bianco di piombo della biacca non venga rilevato dai raggi X (opinione gentilmente confermata anche da Giorgio Bonsanti e Maria Clelia Galassi): tale precisazione inficia quindi l'ipotesi appena menzionata.

Al di là dell'autenticità, anche la dicitura del cartellino è stata dibattuta: a molti studiosi è parso infatti strano che un artista ventenne nel '95 (*vigennis*) potesse essere descritto "vecchio" nel 1512. In realtà, il documento cui si fa riferimento, è la pensione assegnatagli da Margherita d'Austria per i servigi ricevuti, motivata però sulla base della *débilitation et vieillesse* dell'artista. Al di là delle diverse aspettative di vita all'epoca (Gilbert 1967), è possibile che le cagionevoli condizioni di salute, confermate dalla sua morte nel giro di pochi anni, abbiano spinto a utilizzare una formula rituale (da non prendere alla lettera), atta a giustificare il denaro assegnatogli (Ferrari, 2002, pp. 67-72).

Personalmente ritengo l'iscrizione (mai collegata plausibilmente ad altri pittori) attendibile e l'autografia compatibile con il percorso del veneziano. Mi pare anche difficile immaginare, come avviene in altri casi (ad esempio con opere minori siglate da nomi celebri quali Mantegna o Bellini), un caso di voluta contraffazione e un tentativo di assegnare un dipinto a un maestro di grido (e Jacopo de' Barbari, fra l'altro, a questa data, non era certo all'apice della carriera). L'attribuzione è confermata dal confronto fra il volto del Pacioli e il *Ritratto d'uomo* firmato e datato 1500, già in collezione privata ungherese, reso noto da De Hevesy (1924). L'impianto stereometrico dei volti, lo squadro deciso, la definizione delle ombre e la resa dei dettagli (dal sottomento alle "fossette" nelle guance) apparentano strettamente le due opere. Le medesime caratteristiche compaiono poco dopo, all'inizio del nuovo secolo, anche nel *Ritratto virile* alla Gemäldegalerie di Berlino, assai discusso ma presumibilmente autografo. Le tre opere sono inoltre legate dalla resa delle mani, poco aggraziate.

Dal punto di vista stilistico, sono stati proposti i confronti più disparati: dalla cultura urbinate a Piero della Francesca, da Bramante a Berruguete, da Melozzo a Palmezzano, fino ai colleghi veneziani, da Giovanni Bellini ad Alvise Vivarini (per un riepilogo, De Castris 1999). I nessi più stringenti mi paiono confortare il riferimento a Jacopo e sono coerenti con i caratteri formali delle sue opere giovanili. La nitida definizione volumetrica del Pacioli, le fitte pieghe che solcano l'abito, gli scorci accentuati e il tratto inciso che segmenta il braccio dell'altro personaggio rimandano alla tradizione alvisiana e per suo tramite, in taluni aspetti, alla civiltà prospettica di Antonello da Messina. L'orizzonte culturale di Jacopo, così come gli effetti cromatici del dipinto, risultano alternativi rispetto alla poetica belliniana, mentre mostrano maggiori tangenze con alcune opere dell'"eccentrico" Lorenzo Lotto (egualmente attratto da novità lombarde e nordiche). Il giovane di destra, secondo Briganti (1938) un'aggiunta successiva, si rivolge allo spettatore con una torsione e un piglio di grande modernità. La figura mostra un chiaro aggiornamento sulle novità lombarde dell'ultimo decennio del Quattrocento, specialmente sulle invenzioni ritrattistiche leonardesche: penso in particolare al *Musico* dell'Ambrosiana e al *Ritratto di giovane* di Brera (la cui attribuzione oscilla fra Boltraffio e De Predis). Tali interessi non rappresentano un *unicum*, ma ricompaiono poco dopo nella *Sacra Conversazione* di Berlino, che presenta un precoce riferimento al *Cenacolo* e chiare tangenze con Giovanni Agostino da Lodi (Ferrari, 2002).

Il protagonista del quadro è il frate Luca Pacioli, accompagnato da svariati strumenti del mestiere, dagli *Elementi* di Euclide e, sulla destra, da un volume identificabile grazie alle iniziali come la *Summa de Aritmetica, Geometria, Proporzione* (*Liber reverendi Luca Burgensis*), pubblicata dal frate durante il soggiorno veneziano del 1494. Più problematica l'identificazione del secondo personaggio anche se diversi elementi, fra cui la dedica della *Summa* e un'antica iscrizione un tempo leggibile sulla cornice (ora perduta) hanno fatto pensare a Guidobaldo da Montefeltro (De Castris, 1999); più sfuggente (per la mancanza di riscontri) è invece l'interpretazione della figura come autoritratto dell'artista, che ha comunque avuto poco seguito.

Uno degli aspetti più intriganti riguarda il rapporto fra Jacopo de' Barbari e Luca Pacioli che, pur non supportato da riscontri documentari o da fonti antiche, può essere chiarito per via induttiva. L'interesse per la matematica manifestato nel dipinto (quasi la dimostrazione di un teorema) trova conferma alcuni anni dopo, allorché nella lettera *de la ecelentia de pitura* indirizzata a Federico il Saggio (circa 1501), Jacopo riprende motivi di chiara ascendenza leonardesca (come la liberalità della pittura e la necessità di un rigoroso fondamento della disciplina basata su conoscenze matematiche e geometriche). Un altro punto di contatto fra i due può essere cercato nell'ambito della produzione libraria: Jacopo de' Barbari, infatti, oltre a essere un affermato incisore su legno al volgere del Quattrocento, viene assunto nel 1500 dall'imperatore Massimiliano come "illustratore di libri" ed è forse legato, anche da vincoli familiari, alla fiorente industria della produzione libraria (Ferrari, in corso di stampa).

Bibliografia: Ricci 1903, pp. 27-28; Venturi 1903, pp. 95-96; Briganti 1938, p. 107; Gilbert 1967, p. 29; Levenson 1978, pp. 296-306; Guarino, 1981, pp. 190-98; Fiorillo in Vezzosi 1983, pp. 75-77; Bertelli in Milano 1984, pp. 50-52; Kemp in Washington 1991, pp. 244-46; De Castris 1999, pp. 62-64; Ferrari 2002, pp. 67-72; Ferrari in corso di stampa (con ampia bibliografia).

Simone Ferrari

Seguace di Antonio Aquili detto Antoniazzo Romano

3. *Natività con i santi Andrea e Lorenzo*, 1490 circa
tavola, 142 × 176 cm

Roma, Galleria Nazionale d'Arte Antica in palazzo Barberini, inv. 4219

iscrizione: GLORIA IN EXCELSIS DEO ET IN TERRA PAX HOMMINBUS

Se l'attribuzione dell'opera è complessa, non si può certo dire che le sue vicende storiche siano da meno. Abbiamo notizia per la prima volta del dipinto quando si trovava nella collezione Contini Bonacossi di Firenze.

Il dipinto venne deportato in Germania durante la seconda guerra mondiale; lì fu destinato al costituendo Museo di Linz, nascosto quindi a Bad Aussee, trasferito dagli Americani presso il "Collecting point" di Monaco. L'opera fu restituita all'Italia nel 1954, a termine di un lungo lavoro condotto da Rodolfo Siviero, ed esposta a Firenze tra il 1984 e il 1989, in palazzo Vecchio (Agostini 1984; Paolucci 1992, p. 70 n. 17); fu infine resa alla Galleria Nazionale d'Arte Antica in palazzo Barberini.

Tradizionalmente attribuito al Ghirlandaio, il dipinto venne assegnato da Mason Perkins (1905, p. 67) ad Antoniazzo Romano, e confermato come tale da Longhi (1927b, pp. 246 e 251: lo studioso vi lesse un "lieve sentore umbro avanti lettera"); riferito poi a Sebastiano Mainardi – seguace del Ghirlandaio – da van Marle (1931, pp. 198-199); restituito ad Antoniazzo da Gnudi (in Forlì 1938, p. 44); spostato al giovane Palmezzano nella fase antoniazzesca da Noehles (1973, pp. 216-217); venne quindi legato da Cannatà (1983) a un artista autonomo battezzato per l'occasione come Maestro della Natività ex-Barberini, un artista "più vicino alla corrente melozzesca che a quella antoniazzesca": Cannatà accostò la nostra tavola alle lunette della cappella Costa in Santa Maria del Popolo a Roma e a buona parte degli affreschi del catino absidale di Santa Croce in Gerusalemme (su cui, ora: Tiberia 2001); ritenne in definitiva il pittore una personalità distinguibile ma parallela rispetto tanto ad Antoniazzo quanto al

cosiddetto Maestro di Tivoli (delineato dallo stesso Cannatà e dubitativamente identificato col pittore Battista dall'Aquila: Cannatà 1981, p. 54 nota 19; su queste "amputazioni sommarie" del *corpus* antoniazzesco: Pinelli 1987, p. 428).

Anche nelle tre monografie edite nel 1992 su Antoniazzo Romano non c'è concordia: Tiberia sembra pronunciarsi a favore dell'autografia dell'opera (p. 83), che Paolucci (1992, p. 70 n. 17) assegna ad Antoniazzo intorno al 1480, nella fase di maggior tangenza col Ghirlandaio; Cavallaro la ritiene di scuola (1992, pp. 267-268, cat. 145). Tumidei (1994, p. 75 nota 118) propende per l'autografia antoniazzesca, anche se a una data più avanzata, intorno al 1490. Rossi (1997, pp. 30-31) ritiene che la pala sia "opera certo di raffinata stesura ma troppo intrisa di cultura toscana, e nello specifico ghirlandaiesca, per essere considerata di Antoniazzo". Mochi Onori, nel catalogo della Galleria Nazionale di palazzo Barberini in cui l'opera è conservata (1998), si pronuncia per l'autografia antoniazzesca. In studi recentissimi l'opera è considerata paradigmatica di Antoniazzo e viene considerata fonte d'ispirazione dell'*Adorazione dei pastori* di Bartolomeo Caporali della Galleria Nazionale di Perugia (Teza 2004, p. 70 nota 37); come tale sarebbe da datare anteriormente a quest'opera, del 1477-1479 (Scarpellini, in *Galleria* 1994, pp. 235-238; Mercurelli Salari 2004). Ma i rapporti tra le due pale, a mio parere piuttosto generici, vanno semmai cronologicamente invertiti: avremmo altrimenti un poco credibile termine *ante quem* del 1477 per la *Natività* Barberini.

L'*Adorazione dei pastori* che Domenico Ghirlandaio dipinse nel 1483-1485 per la cappella Sassetti della chiesa di Santa Trinita a Firenze costituisce un altro inevitabile riferi-

mento per la nostra composizione e giustifica probabilmente i numerosi tentativi da parte della critica di legare variamente la tavola Barberini all'arte del Ghirlandaio lavorarono a Roma tra il 1475 e il 1482. Alcuni particolari legano effettivamente le due *Natività*, Sassetti e Barberini: le "nature morte" dei sassi con fiorellini in primo piano, indizi che ci allontanano da Antoniazzo Romano. Tuttavia la *Pala Sassetti* potrà servire come termine cronologico *post quem*, per ancorare la *Natività* Barberini al 1490 circa.

Il riferimento di questo dipinto ad Antoniazzo Romano troverebbe conforto nella *Natività* dipinta per la chiesa di San Francesco di Rieti e che si trova attualmente nel Museo Civico della città; l'opera era infatti attribuita al figlio del pittore, Marcantonio Aquili, dal Venturi (1913); venne però schedata nel 1960 come di "scuola di Antoniazzo Romano" (Mortari 1960, scheda 9, pp. 20-21) ed è ora riferita più genericamente a un ignoto umbro-romano (Cavallaro 1992, pp. 277-278, cat. 157).

L'opera inoltre palesa, ben più che alla *Natività* Barberini, riferimenti alla *Natività* di Civita Castellana, dipinto ritenuto, seppur non in maniera unanime, di Antoniazzo Romano (Cavallaro 1992, pp. 188-189; Paolucci 1992, p. 76).

Sono gli elementi di carattere puramente stilistico quelli che inducono a screditare un riferimento ad Antoniazzo per la *Natività* Barberini: un gusto vagamente caricaturale nelle figure di pastori in secondo piano, le lumeggiature dorate sulla veste dell'angelo che annuncia la Nascita in alto a sinistra (che sembra ripreso da miniature di Girolamo da Cremona), il paesaggio sulla destra ammorbidito da un tratteggio scuro orizzontale, le aureole rese attraverso la stesura di brevi tratti di oro a con-

chiglia. Queste ultime compaiono negli anni Settanta: nella *Madonna col Bambino e angeli* del Verrocchio alla National Gallery di Londra, nell'*Adorazione dei Magi* del Vannucci nella Galleria Nazionale di Perugia (1475 circa) e nei frammenti superstiti delle pitture absidali già ai Santissimi Apostoli a Roma, di Melozzo da Forlì (1472-1474: Tumidei 1994, p. 75). Nessuna di queste sigle ricorre nella pittura di Antoniazzo e l'insieme indizia un suo seguace di area umbra, o umbro-toscana.

Se l'opera non spetta ad Antoniazzo Romano, non pare la si possa riferire nemmeno ai suoi *alter ego* la cui ricostruzione critica è più o meno condivisibile: il Maestro di Tivoli o il Maestro Delicato. Anche la definizione, da parte di Cannatà, di un *corpus* autonomo e incentrato su quest'opera, per la quale giustamente rivendicava un'autonomia rispetto all'Aquili, lascia adito a dubbi: non sembrano evidenti legami stilistici né con le lunette della cappella Costa in Santa Maria del Popolo a Roma, né con le pitture del catino absidale della basilica di Santa Croce in Gerusalemme, in cui si legge solitamente una forte presenza forlivese.

Bibliografia: Mason Perkins 1905, p. 67; Longhi 1927, pp. 246 e 251; van Marle 1931, pp. 198-199; Gnudi, in Forlì 1938, p. 44; Mortari 1960, scheda 9, pp. 20-21; Noehles 1973, pp. 216-217; Cannatà 1981, p. 54 nota 19; Agostini 1984; Pinelli 1987, p. 428; Cavallaro 1992, pp. 188-189 e pp. 277-278, cat. 157; Paolucci 1992, p. 70 n. 17 e p. 76; Tiberia 1992, p. 83; Scarpellini, in *Galleria* 1994, pp. 235-238; Tumidei 1994, p. 75 nota 118; Rossi 1997, pp. 30-31; Teza 2004, p. 70 nota 37; Mercurelli Salari 2004.

Stefano L'Occaso

Pietro Vannucci detto Perugino
(Città della Pieve, Perugia, 1445/1450-Fontignano, Perugia, 1523)

4. *Battesimo di Cristo*, 1495 circa
tavola, 30 × 23 cm

Vienna, Kunsthistorisches Museum, Gemäldegalerie, inv. GG 139

La tavoletta faceva parte delle collezioni imperiali almeno dal 1663, anno in cui fu registrata al numero 227 dell'elenco dei dipinti conservati nel castello di Ambras, presso Innsbruck (Swoboda 2005). Essa comparve nei due inventari stesi rispettivamente nel 1730 (n. 127) e nel 1773 (n.127): in entrambi venne descritta come opera autografa di Perugino. Trasferita a Vienna nel 1773, essa comparve nel catalogo di Christian von Mechel del 1783 (p. 39 n. 35) (Ferino-Pagden 1991, p. 95).
Dopo l'ultimo restauro del 1954, il dipinto si trova in ottimo stato di conservazione, eccettuato un assottigliamento appena percettibile delle velature nella parte inferiore dello sfondo paesaggistico e sulle sponde del fiume. Un pentimento è riscontrabile nel piede sinistro del Battista, originariamente dipinto leggermente più a destra rispetto all'attuale collocazione.
La tavoletta rappresenta Giovanni nell'atto di battezzare Gesù, per infusione, nelle acque del fiume Giordano. Le due figure si presentano in piena evidenza in primo

piano: Cristo, a mani giunte con un panno azzurro drappeggiato morbidamente attorno ai fianchi, china il capo per ricevere il battesimo; il Battista regge nella mano sinistra la croce e solleva la destra, che regge una ciotola sul capo di Gesù. In primo piano predominano le tinte calde e morbide: il marrone della veste e il rosso del mantello del Battista, dagli orli profilati d'oro, il morbido incarnato dei corpi di Cristo e di Giovanni, i bruni e i verdi delle sponde del corso d'acqua arricchite da fiori e fili d'erba. Sulla sinistra tre personaggi con le mani giunte assistono alla scena, inginocchiati in preghiera: essi sono resi con una pennellata minuta e precisa che mette in rilievo, con preziosi tocchi d'oro, le lumeggiature dei capelli, sfilati a uno a uno, e i profili delle vesti blu e rosse. La composizione è delimitata sulla destra da una figura in piedi, abbigliata in blu e giallo, l'unica a portare un'aureola. L'azzurro delle acque del Giordano media il passaggio verso i piani successivi della composizione: l'occhio procede, dunque, dai toni morbidi e caldi verso

le delicate intonazioni verdi-azzurre del dolce paesaggio sullo sfondo. Quest'ultimo si snoda in prospettiva aerea lungo il corso del fiume, per allargarsi al centro in una piana alberata circondata da colline, alla cui destra si scorge una pieve. Le teste di Cristo e di Giovanni si stagliano contro il cielo luminoso percorso da nuvole leggere; lo Spirito Santo in forma di colomba presenzia alla scena e conclude al vertice la composizione.
Questo soggetto, per cui è stato indicato il prototipo nel *Battesimo di Cristo* nella cappella Sistina (1481-1483), fu spesso ripetuto da Perugino nel corso degli anni con poche varianti (Bellandi 2004, p. 248). Nel dipinto viennese, il Battista rivolge lo sguardo verso il Cristo – come nell'affresco romano – e non verso la colomba, come avviene, ad esempio, nelle versioni della pala del duomo di Città della Pieve e dello scomparto della Pala di sant'Agostino di Perugia. Quest'elemento contribuisce ad accentuare l'atmosfera raccolta e di intensa spiritualità percepibile nel dipinto, che sembra concepito come composizione

autonoma e adatto a un uso intimo e domestico. Tali caratteristiche spingono a tralasciare l'ipotesi che la tavola sia uno scomparto di predella o di altare, e a collocare invece l'opera nella sfera della devozione privata, un contesto per il quale anche il formato e le dimensioni sembrano particolarmente adatti.
Si tratta, infatti, di un dipinto di alta e indiscussa qualità, che spicca per la sua finitezza, per la stesura compatta e allo stesso tempo morbida della materia pittorica, per la pennellata precisa e minuta, per la pastosità e l'intensità del colore.
Tali elementi fanno propendere Sylvia Ferino-Pagden per una collocazione cronologica della tavoletta – peraltro già piuttosto dibattuta – leggermente anticipata rispetto a quella di recente indicata dalla critica (1496-1500) (Bellandi 2004, p. 248), e cioè intorno al 1495.

Bibliografia: Scarpellini 1984; Ferino-Pagden 1991; Bellandi 2004, n. I.52 p. 284; Swoboda 2005.

Francesca del Torre Scheuch

Pittore melozzesco (Maestro del Sant'Eustachio Figdor)

5. *Martirio di san Sebastiano*, 1490 circa
tavola, 89 × 65 cm

Londra, Collezione privata

È abbastanza recente la conoscenza a stampa di questo dipinto d'eccezione (Tumidei 1994, pp. 66-68), in grado di far luce sugli orientamenti in atto nella bottega melozzesca proprio nel decennio critico e meno documentato del maestro, quello che si apre con l'abbandono, verso il 1484, dei lavori nella sacrestia di San Marco a Loreto, e si chiude, poco prima della morte (1494), a Forlì, sui palchi della cappella Feo in San Girolamo. Ne circolò tuttavia, verso gli anni sessanta del secolo scorso, un'accurata campagna fotografica, ed è assai probabile che chi si trovò a conservarla nella propria fototeca privata, avesse anche avuto una conoscenza diretta dell'originale, intendo Roberto Longhi, Carlo Volpe e soprattutto Federico Zeri, il solo che, in occasione della piccola mostra forlivese del 1994, ebbe a pronunciarsi pubblicamente a favore di un'attribuzione allo stesso Melozzo. Del medesimo parere era però anche Volpe cui si deve, a mia conoscenza, l'accostamento del *San Sebastiano* all'altro dipinto della stessa mano, il *Sant'Eustachio* già Figdor, pervenuto ai musei di Berlino (Berlino 1996, p. 122), e che, a sua volta, poteva già contare su un più antico riferimento melozzesco, espresso da Longhi fin dal 1947 (ed. 1978, p. 81).

Non conosco, per il tardo Quattrocento (tanto meno centro-italiano), un altro dipinto più sconcertante di questo per i suoi squilibri compositivi così ben dosati, per quel suo modo di conciliare respiro monumentale e dimensione narrativa, giocando su continui scarti di ritmo, su un impianto programmaticamente scaleno: il santo, bellissimo, issato contro un frammento di architettura antico-moderno, scorciato per angoli vivi, su cui la luce batte ormai sbieca, regalandoci anche l'effetto in ombra dell'arco sul cielo ancora chiaro e su uno scorcio di città già arrossata dal tramonto. L'impianto spaziale vertiginosamente centripeto, che fa apparire vicini i due cavalieri in realtà ben distanti, che procede per spiazzamenti proporzionali, per oggetti ritratti con una nitidezza da pietra dura, ma anche con una pittura vellicante a tratteggio minutissimo. Si tratta della stessa tecnica, di chiara matrice umbro romana, che anche Palmezzano adotterà negli anni giovanili, e di cui proprio Melozzo aveva offerto, nella dimensione monumentale dell'affresco, a Loreto, un'interpretazione del tutto nuova: meno soggiogata cioè all'impianto ornato dei pittori della Sistina, cui per altro andava, alle date, il suo pensiero, quanto piuttosto intesa a rincalzo di idee prospettiche sempre puntuali, si trattasse anche solo di un panneggio, di un volto, di una capigliatura.

Sono ancora convinto, tuttavia, che a tanta eccentricità il pittore non intendesse giungere, neanche in una produzione da cavalletto che resta quasi del tutto ignota, ma alla quale non dovette sottrarsi. A parte la testimonianza di fra Sabba da Castiglione sulle opere di Melozzo e di Piero che "adornano la casa" degli "intendenti" di "prospettive et secreti dell'arte" (Barocchi 1977, p. 2924), è l'inventario dei suoi beni, steso in tutta fretta ad Ancona nel maggio del 1493, a elencare anche "uno ttolaro da depienire" per un committente locale che già se ne dichiarava soddisfatto, e altri quattro dipinti in corso d'opera (Buscaroli 1938c, pp. 101-102). Davanti al melozzismo ispirato del nostro San Sebastiano, che certo riecheggia da vicino idee recenti del maestro, varrà la pena di ricordare anche il cartone "con uno San Bastiano" segnalato fra le sue cose, poco prima del ritorno a Forlì. A Melozzo va poi ricondotto il motivo, che farà proprio Palmezzano, del paesaggio pietrificato, dove le città s'immorsano come cristalli, un'idea sviluppata anche nel *Sant'Eustachio* Figdor, con trapassi pittorici dai grigi della roccia al rosa del mattone, che sono fra i momenti più affascinanti del dipinto. A monte, del resto, c'erano pur sempre gli speroni rocciosi dell'*Entrata a Gerusalemme* di Loreto.

Nel 1994 parlavo di questi dipinti come di due misteriosi apografi melozzeschi, in cui riconoscere la fisionomia di un artista vicinissimo al maestro e forse suo collaboratore a Loreto (lo scorcio del San Sebastiano, la sua capigliatura sfrangiata rimandano direttamente a certi angeli e cherubini della volta). Una sorta di testimone d'eccezione degli sviluppi figurativi, dopo quella data, del forlivese, sempre più teorematico nel modo di affrontare la decorazione delle sue cupole prospettiche, stando almeno ai riflessi che se ne colgono in Gian Maria Falconetto, suo allievo documentato a Roma (affreschi ai Santi Nazaro e Celso di Verona: Schweikhart 1988, pp. 80-81; Tumidei 1994, p. 62); ma al tempo stesso ben inserito e protagonista delle congiunture umbro-romane dei tardi anni ottanta. Nonostante la dichiarata provvisorietà del giudizio, non mi pare che nel frattempo siano emersi dati utili a rivederlo. Salvo la recente proposta (Tambini, Sgarbi) di riconoscere nel Maestro del Sant'Eustachio Figdor nient'altro che il primo tempo di Marco Palmezzano, a monte della *Pala di Dozza*, negli anni del suo più diretto discepolato melozzesco. Si tratta dell'ipotesi, per così dire, più "economica", ed è indubbio che a considerare la sequenza delle invenzioni messe in campo nei due dipinti (che abbiamo invano cercato di vedere affrontati alla mostra), si finisca per ricostruire buona parte del bagaglio giovanile di Palmezzano. Su un piano, tuttavia, che non mi pare consenta un tale ricongiungimento attributivo. Modesta, a confronto di Palmezzano e degli altri suoi comprimari forlivesi (Maestro dei Baldraccani, Baldassare Carrari), è, nell'anonimo, l'attenzione per la pittura antoniazzesca di momento più maturo. Anche l'adozione, nel *San Sebastiano* della spazialità narrativa e di piano slittante, imposta ormai a Roma da Pinturicchio, nulla concede al suo "gremito pittorico", a quella pittura di tocco, specie nel paesaggio, evidentissima già nella *Pala di Dozza*. Si può anche prescindere dalla presunta provenienza da Assisi, del tutto eccentrica rispetto agli spostamenti di Palmezzano, del *Sant'Eustachio*, provenienza riferita dal solo Venturi (1913, p. 464). Per un pittore dal bagaglio figurativo così ponderato, per nulla incline ad avventure estemporanee, come fu appunto Palmezzano, mi pare sia soprattutto la cronologia a essere d'intralcio. Comunque lo si giudichi, il *San Sebastiano* è un'opera ormai prossima al 1490. Alle sue anatomie sgusciate e scattanti sembra riferirsi anche uno dei pittori cui toccò in subappalto l'affresco dell'abside di Santa Croce di Gerusalemme (ante 1495: Cappelletti 1989; non convincono le considerazioni cronologiche di Gill 1995, p. 34). Mentre è difficile non pensare a un riflesso (l'unico registrabile nella pittura romana del tempo) della presenza dello stesso Mantegna alla corte di Innocenzo VIII (1488-1490), nell'invenzione degli arcieri "in abisso", con le loro fisionomie caricate e orientaleggianti. Mancano insomma i tempi, per immaginare che un tale ardore sperimentale potesse ricomporsi, nel giro di un paio d'anni, nella misura tanto più collaudata, per quanto affascinante, delle prime pale forlivesi di Palmezzano.

Bibliografia: Tumidei 1994, pp. 66-68; A. Tambini in *Pinacoteca* 2001, p. 52; Tambini 2003, p. 32 n. 10: Sgarbi 2003, p. 210.

Stefano Tumidei

Restaurato in occasione della mostra.

Marco Palmezzano
(Forlì, 1459-1539)

6. *Madonna con il Bambino in trono tra i santi Giovanni Battista e Margherita*, 1492
tavola, 131 × 133 cm

Dozza, chiesa parrocchiale di Santa Maria Assunta

iscrizioni: AVE REGINA GELORUM
M. IOVANES. DE. BONAR / DIS. DE. DUTIA. F. FIERI

La tavola è stata restaurata una prima volta da Pompeo Felisati, come si evince dalla notizia del suo rinvenimento pubblicata nel 1931 su "Bollettino d'Arte". Sul retro si conserva ancora la sigla di questo restauratore. Un altro intervento, limitato alla superficie cromatica, è stato eseguito da Marilena Gamberoni presso il laboratorio interno dei musei Comunali di Imola nel 1993. In occasione della mostra attuale, infine, è stato condotto a termine un nuovo intervento conservativo, che ha interessato sia il supporto sia la pellicola pittorica, da parte di Adele Pompili sotto la direzione di Anna Colombi Ferretti. La situazione conservativa è in generale accettabile anche se molto discontinua, con parti ben conservate e altre interessate da lacune (specialmente gravi nel manto blu della Madonna) e, a tratti, abrasioni del colore dovute alla vecchia pulitura. Romeo Galli (1939) supponeva che il dipinto fosse stato diminuito in altezza sacrificando l'aggancio della corda reggente il drappo che funge da dossale alla Vergine e la punta della croce del Battista; in verità, la metrica compositiva del cielo con i cirri distribuiti nella parte mediana farebbe supporre, invece, anche per confronto con la pala di Brera del 1493, che il formato attuale sia pressoché quello originale.

Le iscrizioni sul suppedaneo del trono e sul cartiglio si leggono, secondo la corretta interpretazione del Grigioni (1956, pp.381-382): "Ave regina [an]gelorum" e "M(agister?).Iovan(n)es.de. Bonar/dis.de.Dutia. f(ecit).fieri". Assai notevole il fatto che le iscrizioni sacrifichino la leggibilità del testo alla verità ottica del dato naturale, e che la piccola pergamena, incollata al marmo, copra l'inizio della terza parola della laude mariana, rendendone ambiguo il significato. Il carattere lapidario della scritta relativa alla Vergine non possie-

de ancora il rigore severo e antiquario della firma nella pala del 1493, composta con lettere che paiono tracciate seguendo gli esempi proporzionali di Luca Pacioli.

Al momento della sua scoperta, solo Buscaroli (1931) esprimeva dubbi sulla completa autografia palmezzanesca, mettendo in campo il nome di Roseti e leggendo un carattere rondinelliano nel gruppo della Madonna. In modo assai più pertinente Gnudi (in Forlì 1938, pp. 102-103) individuava nel gruppo centrale un carattere romano – lo stile di Antoniazzo – e notava un salto stilistico tra questa prima prova, che noi ora dobbiamo leggere come di esordio ma che non lo fu affatto per il pittore forlivese con alle spalle già un decennio di carriera, e la pala del 1493 o la decorazione della cappella Feo.

Il contratto è naturalmente il dato documentario centrale dal quale cominciare a ragionare: a Dozza, il 16 giugno 1492 Palmezzano promette a Giovanni di Pietro Bonardis (nel documento è detto de Brondeis) di fare, entro il settembre dello stesso anno, un'ancona alta fino alla cornice della cappella e di larghezza proporzionata (doc. n. 6). Le figure principali sono menzionate quali ancora si vedono, ma in più il pittore deve curare la fattura di una cornice dorata e policroma secondo un disegno già approntato e autografo. Per tentare di visualizzare la qualità di tale progetto, non si può dimenticare il capitello corinzio disegnato sul retro della pala del 1493 (Ceriana, 1997). In alto, l'altare sarebbe stato completato da una lunetta con il padre eterno e i serafini, dipinta molto probabilmente ad affresco, anche perché nel contratto è citata separatamente dall'ancona, dopo la specifica menzione di cosa fosse compreso nel pagamento di quest'ultima e cosa ne restasse fuori (il trasporto). Il 14 settembre dello stes-

so anno il pittore riceve il saldo del pagamento (doc. n.7), l'ancona è dichiarata "bene et diligenter condita, picta, constructa et aurata ac ornata" e si dice anche che la pala dovrà essere collocata nella cappella di Santa Margherita, cioè quella ancora oggi esistente a destra dell'altare maggiore e datata da un'iscrizione incisa sulla trabeazione "Die XI aprilis-MCCCCLXXXV". Nel 1574 la visita pastorale di Ascanio Marchesini ricorda, infatti, che tale cappella era adorna di ornamenti di pietra e con una ancona devota sebbene antica (Mazzotti, p. 62). La decorazione di tale sacello ne fa un oggetto architettonico di spicco non solo all'interno della chiesa, che è una notevolissima quanto trascurata architettura rinascimentale voluta dal prevosto – il frate umiliato Antonio da Cardano –, ma nell'intera stagione del fervore edilizio inaugurato a Imola dalla signoria di Girolamo Riario. Come ha sottolineato Richard Schofield (2004, pp.595-642, pp.636-639) – l'unico studioso moderno ad avere dedicato una seria, seppur breve, disanima critica alla cappella – il linguaggio ornamentale dell'opera è un intarsio di motivi toscani tratti da opere dei Rosellino, di Desiderio da Settignano, Francesco di Simone Ferrucci. Ciò che colpisce è la ricchezza del rivestimento lapideo, niente affatto usuale, tramato di figurazioni: le stelle e le croci che dovettero essere forse araldiche e che anche nel suo stato incompleto, e nonostante il suo problematico collegamento con lo spazio presbiteriale, ne fanno un caso notevolissimo della diffusione del linguaggio toscano fuori dei suoi confini geografici naturali. In questo contesto, Palmezzano doveva intervenire non solo con la pala d'altare inserita in una incorniciatura che, verosimilmente, riprendeva alcuni degli elementi dell'ornato lapideo (come le colonne scanalate o i capi-

telli pseudocompositi simili a quelli usati nella cattedrale di Faenza), ma inserire anche la figurazione del dio Padre entro la lunetta. Del committente si sa poco o nulla a parte il fatto che fu certamente famigliare all'ambiente dei Riario – avendo avuto come mallevadore nel contratto Giovanni Lanci da Forlì vicario di Caterina Sforza a Imola (Grigioni, 1956, p. 310) – probabilmente, canonico della cattedrale (Mazzotti 1957, p. 123) ma non identificabile con l'omonimo umanista veronese (Ceriana 1997, p. 43), scelse, per concludere i lavori della propria cappella, l'unico artista aggiornato sui fatti nuovi della pittura centroitaliana disponibile a Forlì (escluso il caposcuola, il vecchio Melozzo).

Infatti, i modi pur ancora acerbi di Palmezzano dimostrano ambizioni superiori a quanto a prima vista potrebbe sembrare. La composizione elementare è, tuttavia, resa monumentale dal deciso primo piano e dal fatto che le figure occupano completamente il campo della tavola. Il leggero tralice dei personaggi che si squadernano completamente davanti agli occhi dello spettatore denunzia una volontà prospettica pienamente cosciente, sottolineata da un uso sottile delle ombre, quella del Battista che si protende verso lo spigolo del trono, o quelle della mano sinistra, in scorcio, della Madonna, dove la luce s'insinua tra le dita con un effetto tanto complesso quanto sottile. Ancora da una controllata regia spaziale dipende la gamma cromatica brillante, ma accordata a ottenere una generale luminosità, mentre la stesura, anche delle parti apparentemente secondarie come i marmi mischi del pavimento, è sempre resa con grande precisione ottica. Il paesaggio, benché relegato in una sacrificata porzione di superficie, appare singolarmente naturalistico, quasi perseguendo una riconoscibilità topogra-

fica nei colli dolci e cinerini dello sfondo – anche troppo facili da identificare con quelli imolesi –, mentre tutto melozzesco è il cielo solcato di nuvole arricciate e compatte come venature di alabastro. Se la perspicuità ottica e l'impegno prospettico sono il segno del periodo di formazione speso presso il caposcuola forlivese, altri caratteri devono presupporre un diretto soggiorno romano; l'invenzione compositiva del gruppo centrale, con il bambino in piedi sulle ginocchia della Vergine e cui la madre antepone un leggerissimo velo sollevandolo con due sole dita, sembra un ricalco da un'idea romana che circolava nella bottega di Antoniazzo, poiché è presente già in uno dei capolavori del pittore, nel trittico di San Pietro a

Fondi da datarsi, forse, ancora entro l'ottavo decennio (Rocca 1982, pp.74-76). Il gioiello che ferma il manto blu sul petto della Madonna sembrerebbe aver preso piede a Roma attraverso gli umbri – Pinturicchio in testa – come dimostra l'adeguamento dell'Aquili stesso nella pala della Galleria Barberini a Roma (da San Paolo a Poggio Nativo), che una volta recava la data 1488. Soltanto nell'anno seguente alla tavola di Dozza nella tavola ora a Brera, Palmezzano cancellerà tale elemento decorativo dopo averne già preparato il disegno (Ceriana, p. 30). Altrettanto umbra appare la sequenza dei nodi e degli intrecci dorati sui bordi fondo scuro, dei quali aveva cosparso le stanze ridecorate per papa Borgia (1492-1495), ma che cer-

tamente erano usuali del repertorio della bottega. Anche la stesura pittorica della paletta imolese è perfettamente omogenea a quella di Antoniazzo: un tratteggio fitto e preciso che realizza una superficie cromatica trasparente e luminosa, antitetica alla smaltata compattezza che sarà tipica di Palmezzano dalle opere dalla metà dell'ultimo decennio in poi. Anche la conoscenza dei caposaldi di pittura veneta a Pesaro, in particolare l'*Incoronazione della Vergine* di Giovanni Bellini e la *Sacra conversazione* di Marco Zoppo, evidente nella pala del 1493 (Ceriana 1997, p.34, pp.42-43, n. 75), sembra lasciare già qualche avvisaglia a Dozza nella figura del Battista, dove il rovello dei panneggi del manto non tralascia di segnare la forma delle gambe e i pie-

di, nodosi, trascorsi di tendini e vene, prelevati ormai da Zoppo e tradotti in una versione appena più rustica nella pala di Dozza.

Bibliografia: Baldisseri 1900, pp. 32-33; Buscaroli 1931, p. 231; Grigioni 1933; Forlì 1938, p. 102; Galli 1939, pp. 335-337; Mazzotti 1957, pp. 122-123; Grigioni 1956, pp.309-312, pp.380-384; Ceriana 1997, p. 34, pp. 42-43, n. 75.

Matteo Ceriana

Restaurato dalla Fondazione Cassa dei Risparmi di Forlì in occasione della mostra. Laboratorio di restauro Adele Pompili, Bologna.

Marco Palmezzano
(Forlì, 1459-1539)

7. *Il Crocifisso, la Madonna, e i santi Francesco, Chiara, Giovanni Evangelista e Maddalena*, 1492
affresco, trasporto su tela, 513 × 298 cm

Forlì, Pinacoteca Civica, inv. 46

Il *Crocifisso*, che Marco Palmezzano eseguì sulla parete dell'abside della chiesa annessa al convento femminile di Santa Maria della Torre - o della Ripa - di Forlì è di particolare rilevanza, sia perché documenta i modi e le influenze della sua prima attività artistica, sia perché rimane l'unica testimonianza del pittore nel campo dell'affresco (essendo ormai perdute le prove che ne aveva dato in San Biagio, nella cappella Feo al fianco di Melozzo e nella cappella Acconci, e nelle quasi illeggibili pitture murali che gli spettano in San Mercuriale).

Il monastero, che ospitava le clarisse, fu soppresso nel 1797 e, dopo la fine del periodo napoleonico, adibito a caserma, mentre l'abside della chiesa, che in origine ospitava il coro e successivamente il refettorio, dal 1838 fu utilizzata come stalla per la cavalleria. Proprio in quell'anno l'ingegnere Giacomo Santarelli e il pittore Girolamo Reggiani, su richiesta del Gonfaloniere di Forlì, visionavano l'affresco, da tempo coperto da una tavola, segnalandolo in gravi condizioni. Dovevano trascorrere quasi trent'anni, tuttavia, perché Giovanni Rizzoli avesse l'incarico di trasportarlo su tela e perché venisse trasferito nel palazzo degli Studi, originaria sede della Pinacoteca di Forlì, come annota Filippo Guarini nel *Diario forlivese* il 30 marzo 1865.

Prima dello strappo, a causa della distanza e del pessimo stato di conservazione, l'affresco non doveva essere facilmente giudicabile, se Casali, seguito da Reggiani e da Milanesi, interpretò la santa posta a sinistra della Croce, a fianco di san Giovanni, come un sant'Antonio da Padova. Ma anche dopo il trasporto, che risultò molto complesso a causa delle grandi dimensioni del dipinto murale, l'identificazione di questa figura non riuscì immediata: Guarini la ritenne santa Teresa; Calzini, Santarelli e Casadei, santa Rosa. Fu Grigioni il primo a riconoscervi, più semplicemente, santa Chiara cui convengono, anche in assenza del più tradizionale ostensorio, gli attributi del libro della regola e del giglio. La sua presenza, più che quella di san Francesco, insolita a fianco dei tradizionali dolenti è giustificata dal fatto che le monache del Terz'ordine di san Francesco avevano da poco accettato la regola di santa Chiara, divenendo Clarisse dell'Osservanza.

Ugualmente controversa si è rivelata la questione della cronologia dell'affresco: Reggiani e Casali che ebbero modo di studiarlo ancora sulla parete del refettorio, lessero nel cartiglio posto in basso, oltre alla firma del pittore in caratteri capitali ("MARCHUS PALMIZANUS FECIT"), la data 1495. Dopo lo stacco, per Filippo Guarini, l'indicazione dell'anno doveva interpretarsi come 1492. Già nel 1894, in ogni caso, la data appariva illeggibile e la cronologia dell'affresco si è affidata sempre più a valutazioni stilistiche o storiche. Accolgono la lezione 1495 Calzini e Santarelli, quella al 1492 Cavalcaselle-Crowe, Casadei, Berenson, Coletti e Grigioni. Altri ancora (Buscaroli, Gnudi), hanno proposto una data anticipata alla fine degli anni ottanta, o posta viceversa in prossimità del 1497, anno in cui, secondo i cronisti locali, il vescovo Tommaso Dall'Aste consacrò la chiesa.

La datazione al 1492 è quella accolta anche negli studi più recenti (Tumidei 1987, Viroli 1991b, Ceriana 1997), e pare confermata dall'impostazione umbro-romana dell'affresco, che lo associa alla *Pala di Dozza* (1492), al *San Sebastiano* di Amburgo, un tempo datato 1493 (Tumidei 1987), e alle altre opere precedenti risalenti sia alla collaborazione con Melozzo nella cappella Feo, sia al soggiorno veneziano.

È di Melozzo in particolare l'affresco con l'*Entrata di Cristo in Gerusalemme* della sagrestia laurentana che sembra essere riecheggiato nella *Crocifissione*, sia nell'impostazione spaziale, realizzata con un punto di fuga molto alto (Ceriana 1997), sia nell'apertura dell'arco a tutto sesto delimitato dalle due lesene laterali ornate con candelabre e motivi a treccia, presenti anche nella base del trono nella pala eseguita da Palmezzano nel 1493.

Nell'affresco, tuttavia, i richiami melozzeschi, sono ancora deboli e si fondono con l'evidente ispirazione umbra, in particolare peruginesca, che convinse Okkonen e Venturi a rifiutare l'autenticità della firma e ad assegnarlo a un ignoto pittore di quella scuola. Quando il forlivese lo realizzò doveva avere ancora ben impressi nella memoria i modi di Perugino, appresi durante il viaggio a Roma al seguito di Melozzo, tra il penultimo e l'ultimo decennio del XV secolo, chiaramente riconoscibili nella croce altissima, nelle espressioni addolcite e negli atteggiamenti fortemente caratterizzati, come quello dell'Evangelista, che richiama il gesto del medesimo santo nella *Crocifissione* peruginesca, del registro superiore del politico Albani-Torlonia (1491), ripetuto dal Palmezzano nella *Crocifissione* degli Uffizi, in quella Paterson e nel *Cristo portacroce* della Galleria Spada.

Alle influenze melozzesche e peruginesche si uniscono i richiami ad Antoniazzo Romano, attivo a Roma negli stessi anni, e alla cultura del grande affresco absidale di Santa Croce di Gerusalemme a Roma, nel quale la critica ha talvolta riconosciuto anche la mano di Palmezzano. D'altra parte, solo datando l'opera al 1492, si giustifica la completa assenza di motivi belliniani e cimeschi, evidentissimi nelle opere successive al soggiorno veneziano, e il modo di apporre la propria firma, in maiuscolo e senza ricorrere all'illusione del cartiglio, quasi immancabile nei dipinti palmezzaneschi dopo il viaggio a Venezia (cfr. il saggio di S. Nicolini in questo catalogo).

Una datazione al 1492 è plausibile anche dal punto di vista storico. La prima pietra del monastero fu posta nel 1471 grazie alle elargizioni degli Ordelaffi e, in seguito, di Girolamo Riario e Caterina Sforza; nel 1484 esso risulta già terminato. L'edificazione della chiesa, invece, ebbe inizio nel 1492, quando Caterina ottenne da Alessandro VI un'indulgenza straordinaria che consentì l'arrivo di generose offerte. Proprio a questa prima fase costruttiva è lecito far risalire la commissione a Palmezzano, forse su richiesta della stessa Signora di Forlì, oppure per intercessione di suor Timotea, figlia di Gabriele Palmezzano e cugina di Marco, citata tra le monache che compongono il capitolo del monastero, in un atto del 3 luglio 1492 (ASFo, Atti dei notai di Forlì, Giacomo Morattini, vol. 205 (IV), c. 99r)

Bibliografia: Guarini ms. I/149, c. 129v; Casali 1844, p. 6; Secco Suardo 1866, pp. 260-262; *Monografia statistica* 1867, p. 248; Guarini 1874, pp. 71-72; Milanesi in Vasari 1568 ed. 1906, VI, pp. 335-336; Calzini-Mazzatinti 1893, pp. 82-83; Calzini 1895e, pp. 30-31; Santarelli 1897, p. 7; Cavalcaselle-Crowe 1886-1908, VIII, 1898, p. 341; Okkonen 1910, p. 140; Venturi 1913, pp. 84, 752; Casadei 1928, pp. 119, 273; Buscaroli 1931, pp. 184-185; Berenson 1932, p. 414; Gronau 1932, p. 181; Arfelli 1935, p. 13; Coletti 1935, p. 141; Berenson ed. 1936, p. 356; C. Gnudi in Forlì 1938, pp. 101-102; Buscaroli 1938d, p. 84; Grigioni 1947c; Sorrentino 1950, p. 278; Pasini 1952a, p. 176; Benezit 1953; Buscaroli 1955, p. 124; Grigioni 1956, pp. 19-20, 384-387; Forlì 1957, pp. 11, 17; Viroli 1980, p. 50; Tumidei 1987, pp. 83-85; Lucco 1987a; Viroli 1991b, pp. 25-26; Panzetta 1993; Calandrini-Fusconi 1993, p. 200; Gori 1994b, p. 302; Ceriana 1997, p. 23.

Serena Tògni

Marco Palmezzano
(Forlì, 1459-1539)

8. *Madonna con il Bambino in trono e i santi Giovanni Battista, Pietro, Domenico e Maria Maddalena*, 1493
tavola, 170 × 158 cm

Milano, Pinacoteca di Brera, inv. 202

iscrizione: MARCHUS PALMIZANUS FOROLIVIENSE FECERUNT / MCCCCLXXXXIII

L'opera è firmata e datata lungo il margine inferiore: "MARCHUS PALMIZANUS FOROLIVIENSE FECERUNT / MCCCCLXXXXIII". La forma apparentemente sgrammaticata del verbo ha destato perplessità nella critica: Cavalcaselle (1886-1908, VIII, 1898, pp. 355-356) pensava che la scritta fosse apocrifa; Grigioni (1956, p. 398) ipotizzava che la terza persona plurale alludesse alla collaborazione di Melozzo. In realtà l'iscrizione è da considerarsi autentica, come sembra provare il confronto con la grafia del cartiglio tenuto dal Battista (Calzini 1895e, p. 28) e con la firma analoga che compare nella pala di Sarasota con la Madonna in trono tra i santi Giovanni Battista e Giovanni Evangelista (Suida 1949, pp. 47-48). Anche il restauro (1995-1996) ne ha confermato l'originalità (Ceriana 1997, p. 14). La forma del verbo, allora, sarà da intendersi come un pluralis maiestatis, non essendo verosimile l'ipotesi di un errore tanto grossolano da parte dell'artista, che oltretutto aveva un fratello notaio, ser Tomaso.

Non conosciamo l'aspetto originario dell'ancona: non sappiamo se fosse completata da una lunetta e la cornice originale è perduta. È molto probabile che fosse stata disegnata da Palmezzano stesso, il quale ci ha lasciato uno schizzo di capitello corinzio sul retro della tavola (Ceriana 1997, p. 12) e che l'anno precedente aveva fornito al marangone Antonio da Faenza il progetto di un'ancona insieme a Pace Bombace, famigliare di Melozzo già dagli anni ottanta (cfr. Regesto documentario).

L'opera, secondo l'inventario napoleonico, è entrata a far parte della Pinacoteca di Brera il 16 marzo 1809. Proviene certamente dalla direzione del Demanio in Forlì; tuttavia, non è possibile precisarne la collocazione originaria. La tradizione degli studi riporta che il dipinto sia pervenuto a Milano dalla confraternita dei battuti bianchi in Valverde, ma l'informazione è inattendibile, poiché la chiesa di Santa Maria in Valverde, appartenente a un convento di terziari francescani, non ha mai ospitato tale confraternita. L'incongruenza è spiegabile con l'imprecisione dei documenti napoleonici, le cui indicazioni di "bianchi" e di "soppressi di Valverde" sembrano riferirsi solamente al luogo in cui il dipinto fu depositato prima del trasferimento a Milano: Santa Maria in Valverde o l'adiacente monastero camaldolese di San Salvatore in Vico, i cui membri erano detti "bianchi" per il colore dell'abito (Ceriana 1997, p. 9).

Il dipinto raffigura la Madonna in trono con il Bambino benedicente e quattro santi (Giovanni Battista, Pietro, Domenico, Maria Maddalena), facilmente identificabili dai loro attributi. La sacra conversazione è ambientata all'aperto, su di un terrazzo pavimentato con lastre marmoree, oltre il quale si apre un ampio paesaggio.

La data, 1493, colloca con sicurezza l'opera tra le prime conosciute dell'artista, nell'ambito delle quali occupa un posto di grande rilievo. Si è forse un po' enfatizzato lo scarto che la distanzierebbe dalla pala di Dozza dell'anno precedente, tuttavia è innegabile un certo innalzamento di tono, riscontrabile nella maggiore complessità della scena, nella cura dei dettagli, nella preziosità dei colori. È chiaro che il giovane Palmezzano si è incamminato a grandi passi su quel percorso evolutivo che lo porterà, di lì a pochi anni, alla solidità prospettico-spaziale e al pieno dominio dei mezzi espressivi di un'opera come l'Annunciazione del Carmine, che si suppone realizzata dopo frequentazioni veneziane avvenute molto probabilmente nel 1495, sebbene sia un po' arbitrario interpretare il documento del 30 maggio di quell'anno come un sicuro ante quem (cfr. Regesto documentario). Al tempo della pala braidense, però, Palmezzano si muove ancora all'interno di una cultura figurativa melozzesca e centroitaliana (umbro-romana di fine anni ottanta-primi novanta, soprattutto), che qui costituisce la base su cui si innestano gli spunti derivati dalla visione, nella città di Pesaro, di due capolavori dei primi anni settanta provenienti da Venezia, l'Incoronazione di Maria di Giovanni Bellini (Pesaro, musei Civici) e la Sacra Conversazione di Marco Zoppo (Berlino, Staatliche Museen). Il dipinto di Zoppo, in particolare, potrebbe aver fornito l'invenzione del trono impostato ad angolo e il saldo disporsi dei santi a corona. Anche l'ancona belliniana offre punti di contatto, come "il controluce della testa di S. Pietro [...] e soprattutto il concentrato raccoglimento con il quale il San Domenico legge il suo volume" (Ceriana 1997, p. 25). Lo studio di quest'opera da parte di Palmezzano è rivelato dalle molte derivazioni ricavate, nella bottega del forlivese, dalla cimasa con la Pietà o Unzione di Cristo (Tempestini 1992b, pp. 5-12), mentre di recente è stato pubblicato un documento pesarese del 14 maggio 1490 – un pagamento "a maestro Marco … pittore per doi armi" – che sembra avvalorare l'ipotesi di una fruttuosa sosta nella città marchigiana, dove Palmezzano avrebbe lasciato, forse incompiuta, l'Annunciazione oggi presso la Pinacoteca Vaticana (Berardi 2000, p. 72). Di qui potrebbe aver anche proseguito alla volta di Roma, per partecipare al cantiere dell'abside di Santa Croce in Gerusalemme, secondo una proposta di Longhi (1927b, pp. 245-246) recentemente riconsiderata da Lucco (1987a, p. 723) e da Tumidei (1994, p. 66). Sono molteplici gli elementi che, nella pala di Brera, rimandano a quanto di meglio offrivano quei primi anni novanta tra l'Umbria e Roma. Se la tecnica della pennellata a fitto tratteggio con cui Palmezzano giovane ottiene il partito delle luci e delle ombre è di chiara ascendenza melozzesca, è soprattutto ad Antoniazzo Romano che conduce il grafismo dei complicati drappeggi, nonché una certa residua iconicità delle figure sacre. A questa congiuntura stilistico-culturale, cui partecipano con un ruolo di primo piano anche Pier Matteo d'Amelia e lo stesso Perugino, rimanda pure il vocabolario iconografico sfoggiato da Palmezzano, dal motivo a girali nel basamento del trono, alle geometrie del pavimento marmoreo, al gioiello sullo scollo della Madonna, il cui disegno si rivela in trasparenza sotto la stesura pittorica finale. Persino gli aguzzi puntali di roccia nel paesaggio, che possono rammentare una geologia padovana, avevano precedenti, oltre che a Loreto, negli affreschi di Santa Croce in Gerusalemme e nel primo Pinturicchio. Da ultimo, anche la figura del Bambino, che è pure schizzata sul retro della tavola, sembrerebbe accostabile al medesimo ambito figurativo.

Il dipinto, in precario stato di conservazione già alla fine dell'Ottocento (Cavalcaselle, Crowe 1886-1908, VIII, 1898, p. 356), è stato restaurato nel 1995-1996 dallo studio Sesti (Fagnani, Sesti 1997, pp. 45-54).

Bibliografia: Calzini 1895c, pp. 28-30; Cavalcaselle, Crowe 1886-1908, VIII, 1898, VIII, pp. 355-356; Longhi 1927b, pp. 245-246; Suida 1949, pp. 47-48; Grigioni 1956, p. 398; Lucco 1987a, p. 723; Tempestini 1992b, pp. 5-12; Tumidei 1994, p. 66; Ceriana 1997, pp. 9-43; Fagnani, Sesti 1997, pp. 45-54.

Filippo Panzavolta

Marco Palmezzano
(Forlì, 1459-1539)

9. *Sacra Famiglia con san Giovannino e santa Maria Maddalena*, 1493-1494
tavola, 91,5 × 72,3 cm

Baltimora, The Walters Art Museum, inv. 37.437

iscrizione: MARCHUS. PALMIZA. / FOROLIVIENSIS

Lo studio più approfondito finora compiuto su questa *Sacra Famiglia*, firmata da Palmezzano nel cartiglio posto sull'illusivo parapetto ("Marcus. Palmiza / Foroliviensis"), risale al 1976, anno di pubblicazione del catalogo di Federico Zeri sui dipinti italiani della Walters Art Gallery. Le ricerche di Zeri furono anche l'occasione per dar conto delle vicende collezionistiche della tavola, comuni a quelle della *Sacra Famiglia con l'angelo* di Baldassarre Carrari (cat. 14) e alla gran parte delle opere pervenute al Museo di Baltimora nel 1902 dopo l'acquisto in blocco, da parte di Henry Walters, della raccolta di don Marcello Massarenti, prelato della corte papale di Leone XIII e Pio X (cfr. Zeri 1966 p. 443, Kent Hill 1974 p. 355, Zeri 1976, p. XI-XII). Walters, collezionista di antichità, di sculture, avori medievali e rinascimentali nonché di dipinti, era entrato in possesso nel 1899 dell'intera quadreria di Filippo Marignoli di Spoleto. Non è stato possibile ricostruire, all'origine di questa provenienza, le più antiche vicende della tavola di Palmezzano (analoghe al restante nucleo di dipinti romagnoli oggi alla Walters Art Gallery), ma va segnalato che nella collezione Marignoli era a sua volta confluita nel 1852 anche un'altra importante quadreria spoletina, quella della famiglia Rosari-Spada, le cui vicende si diramano fra Roma, Pesaro e Torino (Spreti 1931, VI, pp. 390-396).
In considerazione della firma, la *Sacra Famiglia con san Giovannino e la Maddalena* si trova censita come opera di Marco Palmezzano fin dai primi cataloghi della Walters Art Gallery (1909, 1922, 1929; cfr. Zeri 1976, p. 226), ma entra nell'orizzonte di studi sul pittore solo con l'edizione aggiornata del 1932 dei *Central Italian Painters of the Renaissance* di Bernard Berenson, di cui non poté tener conto Gronau per la voce sul *Künstler Lexicon* edita in quello stesso anno e che ignorava ancora il dipinto. Agli indici berensoniani fa riferimento lo stesso Grigioni (1956) che registra la *Sacra Famiglia* senza attribuirle particolare rilievo (certo per l'indiretta conoscenza che ne ebbe), mentre un suo più preciso inquadramento stilistico si deve appunto a Zeri, che la giudicava prodotto della maturità dell'artista, di quel suo *middle period* (circa 1500) già segnato profondamente da influenze venete. Ne indicava in particolare i riflessi nel gruppo centrale derivato da idee belliniane e cimesche databili all'ultimo decennio del Quattrocento, e per il Bambino benedicente, rappresentato in piedi sul parapetto marmoreo, tornava utile un richiamo alla pala di Cima del 1489, oggi al Museo Civico di Vicenza, ove ricorre lo stesso motivo. Anche il tema della Vergine che sostiene il passo del Figlio veniva ricondotto a quella particolare e felicissima rielaborazione dell'antica iconografia dell'*Odigitria* (colei che indica la via da seguire, e cioè i passi di Gesù) documentata in Bellini e in invenzioni più volte replicate dalla bottega. Riflessi ferraresi e costeschi erano invece riscontrati nel volto affilato della Maddalena.
La lettura di Zeri è stata più di recente sottoscritta da Viroli, mentre si deve a Matteo Ceriana (1997) un più deciso collegamento della *Sacra Famiglia* alle prime opere note di Palmezzano, vale a dire la pala di Dozza (1492; cat. 6) e soprattutto la *Madonna e santi* del 1493 oggi a Brera (cat. 8), da cui la nostra riprende, oltre al motivo del drappo alle spalle della Vergine, molto somigliante nell'increspatura tagliente delle pieghe, lo stesso sbalzo prospettico delle figure, la forma dei cirri di cui è cosparso il cielo, e la forma delle aureole rese a piccole pagliuzze dorate. Nella tavola, infatti, colpiscono, più che i rimandi alle *Sacre conversazioni* d'area lagunare, di cui in quegli anni Palmezzano sembra avere ancora una conoscenza indiretta, le qualità sostenutamente melozzesche del Bambino, della Vergine pensosa, in cui pare cogliersi un ultimo ricordo degli angeli di Loreto, nonché i legami evidenti con la pittura centroitaliana, dichiarati nel paesaggio macchiato e nell'idea del gioiello appuntato per fermare il manto, un gioiello che compariva nella stessa pala del 1493 (stando all'esame delle riflettografie cfr. Ceriana 1997) e che solo in un secondo momento Palmezzano deciderà di ricoprire.
La formula compositiva conoscerà ulteriori aggiornamenti nel corso della sua carriera (*Sacra Famiglia con san Giovannino* dell'Art Museum di Phoenix, Arizona; Grigioni 1956, p. 673), ma è solo di questo momento giovanile, prima del viaggio a Venezia, la tecnica a finissimo tratteggio che contraddistingue la pittura di Baltimora, e paiono tutt'altro che di repertorio idee assai belle, come quella dell'accentuato scorcio del braccio della Vergine, o della mano di Maria Maddalena con il vasetto di unguenti, sfavillante di lustri dorati.
Anche la formula adottata nella firma su di un cartellino ondeggiante e ancora incerto nell'effetto illusionistico non è quella che Palmezzano adotterà di preferenza alla fine del secolo e nei suoi caratteri capitali: nelle sue irte abbreviazioni si confronta soprattutto con la sottoscrizione di Giovanni De Bonardi apposta sul trono della pala di Dozza. L'esemplare di Baltimora non si allontanerà troppo dalle date di queste sue opere compagne, anche perché si impone, sull'altro fronte, il vistoso ricalco della fisionomia della Maddalena, con il suo ovale allungato, l'espressione sospesa, rilevabile nella *Madonna con il Bambino e san Giovannino* del Museo di Padova, l'ultimo dei dipinti palmezzaneschi contrassegnati da una firma "irregolare", ma anche il primo, probabilmente, che dichiara una diretta conoscenza di modelli lagunari, sia pure in una direzione alvisiana e antonellesca che non sarà quella perseguita più decisamente dal pittore negli anni successivi al 1495 (R. Battaglia in Ballarin-Banzato 1991, pp. 111-112)
Il dipinto di Baltimora si presenta rifilato su tutti i lati e assottigliato nel supporto. La recente pulitura ha confermato lo stato di conservazione soddisfacente della pittura, nonostante le diffuse lacune, che già Zeri segnalava, particolarmente invasive in corrispondenza dello scollo della Vergine e della testa della Maddalena.

Bibliografia: *The Walters* 1922, p. 95; Berenson 1932, p. 413; Grigioni 1956, p. 673; Zeri 1976, p. 226; Tumidei 1987, p. 91; Viroli 1991b, p. 33; Ceriana 1997, p. 43.

Alessandra Olivetti

MARCHVS·PALMIZA
FOROLIVIENSIS

Maestro dei Baldraccani
(attivo in Romagna nell'ultimo decennio del XV secolo)

10. *Madonna adorante il Bambino*
tavola, 68,3 × 45,9 cm

Cesena, Galleria dei dipinti antichi della Cassa di Risparmio di Cesena, inv. fond. 40

Il dipinto, a lungo conservato presso la collezione di Maria Sarre ad Ascona, è stato acquistato dalla Fondazione Cassa di Risparmio di Cesena nel dicembre 2004 a un'asta Sotheby's, dove era proposto con un'attribuzione a Pietro da Vicenza (London, Sotheby's, 9 dicembre 2004, lotto n. 168). Sui passaggi precedenti alla collezione svizzera non si hanno notizie, se non l'indicazione fornita da Zeri (1986, p. 23), relativa a una sua collocazione in raccolta privata berlinese in anni imprecisati.

Davanti a un drappo di velluto marezzato, e sullo sfondo di un paesaggio solare e minuzioso, è raffigurata la Vergine in adorazione del Bambino, il quale si protende vivacemente verso la madre. La scena è impreziosita da dettagli accuratissimi, come il gioiello che orna il manto della Madonna o le decorazioni del cuscino, ai quali si aggiunge la precisione prospettica del libro appoggiato alla balaustra in primo piano. Probabilmente fu la struttura compositiva del quadro, oltre a certe sfumature esecutive, a indurre Lionello Puppi (1967, p. 209) a segnalarlo per la prima volta con un'attribuzione a Pietro da Vicenza, in seguito non confermata dagli studi. Tangenze con l'ambito veneto, e vicentino in particolare, furono sottolineate anche da Mauro Natale (1978a, p. 95, cat. 55), che riportava però un importante suggerimento fornitogli da Zeri, relativo all'autore della pala Muti-Bussi, oggi dispersa. Esclusa quindi l'autografia di Pietro da Vicenza, Volpe (1979, pp. 74-75) e Trevisani (1980, pp. 52-62) proponevano il nome di Cristoforo Scacco, individuando nel dipinto, ancora una volta, una matrice culturale veneta unita a un'iconografia di stampo bizantino, aggiornata però sui testi centroitaliani, toscani e romani. Trevisani, in particolare, parlò pertinentemente di un "filone culturale ro-

magnolo" ravvisabile in Scacco, filone già segnalato da Zeri, e proponeva il nome del veneto dopo aver significativamente pensato, e scartato, quello di Baldassarre Carrari (Trevisani 1980, p. 56). Nel frattempo, però, andava delineandosi con sempre maggiore precisione la figura di questo anonimo maestro, al quale Zeri riconduceva anche il frammento d'affresco raffigurante una *Madonna con Bambino*, conservato presso la Pinacoteca Civica di Forlì (Viroli 1980, p. 39), in pessimo stato conservativo e di provenienza ignota. Nel 1986, rendendo note le sue conclusioni, Zeri coniava dunque il nome convenzionale di "Maestro dei Baldraccani" dallo stemma della famiglia forlivese identificato sulla pala già Muti-Bussi, per un gruppo di opere destinato negli anni ad ampliarsi grazie a nuove attribuzioni, tra le quali il *Ritratto di Filasio Roverella* (Tumidei 1987, pp. 80-81) e il *San Sebastiano* oggi presso la Fondazione Cassa dei Risparmi di Forlì (Viroli 1998, pp. 50-51, cat. 52, su indicazione di Daniele Benati). Zeri riconduceva alla mano del pittore anche il *Ritratto di gentildonna* conservato presso l'Ashmolean Museum di Oxford (inv. A711, già attribuito a Giovanni Santi e a Baldassarre Carrari) e il *San Sebastiano* della collezione Johnson di Phildelphia (inv. 148, precedentemente dibattuto tra Francesco Zaganelli e Girolamo Marchesi), sul cui giudizio è tuttavia difficile sbilanciarsi anche a causa delle estese ridipinture che ricoprono entrambe le opere, benché vi sia ravvisabile una notevole affinità con gli altri dipinti assegnati al maestro. Il *name-piece* del corpus è tuttavia la perduta pala già Muti-Bussi, che ritraeva la Vergine col Bambino tra i santi Pietro, Paolo, Francesco d'Assisi e Antonio da Padova (cfr. anche Tambini 1996, p. 97) e dove, sul gradino del trono, Zeri (1986) riconobbe lo

stemma della famiglia Baldraccani, casata forlivese molto potente in città dal 1480 fino alla fine del secolo.

Il recente restauro della tavola cesenate ha restituito una pittura elegantissima e in ottimo stato di conservazione, fino a oggi ricoperta da una vernice scura e pesante, la cui stesura non trova altre spiegazioni se non di carattere estetico. La pulitura ha consentito di verificare l'analogia della tecnica pittorica ed esecutiva con il già citato *Ritratto di Filasio Roverella*, in cui ricorrono la stessa resa del paesaggio e le stesure a tratteggio sottilissimo, particolarmente evidenti nei capelli del Bambino e nelle parti in ombra delle figure. Un particolare da segnalare è il legno di noce che costituisce il supporto; un marchio apposto sul retro in data imprecisata, ma in tempi relativamente recenti, riporta le sigle CTA.

Le antiche attribuzioni a pittori di ambito veneto coglievano un importante elemento compositivo dell'opera, ovvero il forte richiamo alle Madonne di Antonello da Messina, richiamo particolarmente evidente nell'attenzione conferita alle mani della Vergine e alla loro precisa struttura prospettica e luministica. Nonostante ciò, la cultura figurativa del maestro è certamente di ambito umbro-romagnolo, come già affermava a suo tempo Zeri: i richiami all'arte di Giovanni Santi ravvisabili nella pala Muti-Bussi e l'interesse archeologizzante e ghirlandaiesco presenti nella stessa opera si uniscono qui alla conoscenza delle Madonne di Antoniazzo Romano, conoscenza palese sia nella pala perduta che nella *Madonna con Bambino* di Cesena, e rimandano a un aggiornamento romano vissuto dall'artista entro il nono decennio del Quattrocento, in quella cultura figurativa che ha negli affreschi di Santa Cro-

ce in Gerusalemme il proprio punto di riferimento. Da tale esperienza scaturì parte della temperie artistica forlivese, e romagnola, degli anni novanta, alla quale vanno imputati anche gli equivoci attributivi fra il Maestro dei Baldraccani e il giovane Baldassarre Carrari, registrati con particolare evidenza in relazione alla pala dell'Arcivescovado di Ravenna e alla lunetta pertinente, oggi presso la cattedrale della stessa città, ormai unanimemente riconosciute alla mano del Carrari (vedi cat. 14). Certamente le analogie tra la pala dell'Arcivescovado e la pala già Muti-Bussi appaiono sorprendenti, ma impossibili da giudicare in via definitiva data l'assenza della prima e lo stato conservativo, quasi disperato, in cui versa la seconda.

Sull'identificazione dell'anonimo pittore non è purtroppo possibile fornire nuove indicazioni, confermando tuttavia l'esclusione degli artisti forlivesi minori e poco conosciuti, come Giovanni del Sega o Giovanni Battista Rositi, ed escludendo infine anche la pur affascinante proposta avanzata a suo tempo da Tumidei (1987, in seguito rigettata dallo stesso studioso), relativa al colto ed eclettico umanista forlivese Leone Cobelli, che nonostante gli accenni a un'attività pittorica contenuti nelle sue cronache, apparteneva certamente a una diversa e più antica generazione.

Bibliografia: Puppi 1967, p. 209; Natale 1978a, p. 95, cat. 55; Volpe 1979, pp. 74-75; Trevisani 1980, pp. 52-62; Viroli 1980, p.39; Zeri 1986, p. 23; Lucco 1987b, pp. 250-251, 255 n.; Tumidei 1987, pp. 80-81, 83, 89 n.; Mazza 1993, p. 110; Tumidei 1994, p. 66; Viroli 1995b, p. 204; Viroli 1998, pp. 49-50; Pierpaoli in Cellini 1999, p. 30

Francesca Nanni

Maestro dei Baldraccani
(attivo in Romagna nell'ultimo decennio del XV secolo)

11. *Ritratto di Filasio Roverella*
tavola, 52 × 39 cm

Cesena, Pinacoteca Comunale, inv. 387

Il dipinto fu depositato nel 1883 dalla Congregazione di Carità di Cesena presso la Biblioteca Malatestiana, dove si stava organizzando la futura Pinacoteca cittadina. A questi anni risalgono anche i primi interventi di restauro, tra i quali una pulitura eseguita nel 1892 da Filippo Fiscali (Piraccini 1978, p. 64).

Il dipinto ritrae Filasio Roverella, vescovo di Ravenna dal 1476 al 1516, membro dell'antica e illustre famiglia ferrarese, mentre prega a mani giunte con lo sguardo rivolto verso l'alto. Il prelato indossa la tradizionale mozzetta ed è posto di fronte a un paesaggio animato da piccole figure. L'identificazione dell'effigiato si basa su una scritta apposta nel Settecento sulla cornice del dipinto, probabilmente in sostituzione di una più antica; recenti indagini d'archivio (Scardino 2000, p. 92) hanno non solo confermato per via documentaria tale identificazione, sulla quale peraltro non erano mai stati avanzati dubbi, ma hanno fornito ulteriori indicazioni sulla provenienza della tavola. Il ritratto apparteneva, infatti, alla quadreria dei conti Roverella e va probabilmente riconosciuto nell'inventario settecentesco della famiglia (Scardino 2000, p. 92, con attribuzione a Baldassarre Carrari); confluì poi nei beni di Pietro Roverella, il quale lasciò il proprio patrimonio in gestione alla locale Congregazione di Carità.

La prima segnalazione critica del ritratto si deve ad Antonio Muñoz (1908, pp. 177-180), che propose un'attribuzione a Melozzo da Forlì rigettata poi dagli studi successivi, fino al caso estremo di Okkonen (1910, p. 145), che a causa del pessimo stato conservativo del quadro lo ritenne una scadente copia settecentesca. Mentre Venturi (1913) e Buscaroli (1931) escludevano l'autografia melozziana, Berenson (1932) avanzava un'attribuzione a Marco Palmezzano, fino a quando Gnudi (in Forlì 1938), pur lasciando nell'anonimato l'autore del ritratto, vi riconobbe gli elementi tipici del giovane Baldassarre Carrari. La segnalazione di Gnudi fu sostenuta dalla critica successiva e anche da Filippo Trevisani (1980), che per primo accostò il Filasio alla *Madonna adorante il Bambino*, allora presso la collezione Sarre di Ascona e oggi di proprietà della Fondazione Cassa di Risparmio di Cesena (vedi cat. 10). Nel 1978, quest'ultima fu ricollegata alla pala già Muti-Bussi a opera di Federico Zeri, per essere poi inserita con fermezza nel corpus delle opere dell'anonimo maestro, ricostruito dallo stesso studioso nel 1986.

L'attribuzione del *Ritratto del vescovo Filasio Roverella* al Maestro dei Baldraccani si deve quindi a Stefano Tumidei (1987), e in seguito è stata pienamente accolta. Un confronto diretto con la *Madonna adorante il Bambino*, possibile in mostra per la prima volta, consente di individuarne le stringenti assonanze stilistiche e di confermare la proposta dello studioso, cogliendo l'analoga strutturazione delle forme e del paesaggio, oltre alla stesura preziosa e accurata, costituita da fini tratteggi che delineano masse e volumi rigorosamente scanditi, apprezzabili nonostante i danni subiti dal *Ritratto* (di cui si segnala un ulteriore restauro nel 1975). Ricorre inoltre il medesimo trattamento delle luci, evidente anche nell'attenzione conferita all'ombreggiatura delle mani, dove una pennellata veloce e sottile illumina lo spazio tra le dita della mano destra sia del vescovo, sia della Vergine.

Poche sono le notizie biografiche relative a Filasio, e praticamente assenti sono gli studi relativi alla sua figura. Al di là dei brevi accenni forniti dall'Ughelli (1717, II, ed. 1972, p. 391), dal Fabri (1664, pp. 537-538), e da Girolamo Rossi (1589, ed. 1996, pp. 649, 651, 697, 702), la personalità di Filasio resta sfuggente, nonostante la lunga durata del suo mandato. Colto, esperto in diritto civile e canonico, dal 1475 legato pontificio a Perugia prima della nomina ravennate, Filasio ebbe al proprio fianco quale segretario personale Felice Feliciano, che con lui fu a Roma certamente nel 1474 (cfr. Chiarlo 1984, p. 284 n.; Fiocco 1926, pp. 196-197). Alla morte dello zio Bartolomeo, nel 1476, Filasio lo sostituì nella carica di vescovo ravennate, mantenendola fino al 1516, anno in cui si ritirò a vita privata. A lui si devono la nascita del Monte di Pietà ravennate e la riorganizzazione della Biblioteca Ursiana, ma poche sono le commissioni importanti segnalate dalle fonti, tra le quali certamente l'erezione dell'altare del Crocifisso e di quello del Santissimo Sacramento nella chiesa metropolitana. Le parentele estremamente importanti di Filasio (era, infatti, nipote anche di Lorenzo Roverella, vescovo di Ferrara dal 1460 al 1474, e di Niccolò, priore di San Giorgio a Ferrara negli anni sessanta e priore generale dell'ordine olivetano dal 1472 al 1476) lo portarono forse a partecipare, assieme allo zio Niccolò, alla commissione del *Polittico Roverella* di Cosmè Tura, partecipazione che tuttavia implicherebbe uno slittamento della datazione del polittico stesso almeno al 1476, probabilmente eccessivo (cfr. Molteni 1999, p. 111; Campbell 1997, pp. 105, 113).

Basandosi sull'età dell'effigiato, Tumidei ha convincentemente proposto di datare il dipinto alla metà degli anni novanta, offrendo di conseguenza un appiglio cronologico anche per le altre opere del Maestro. Ma il Filasio consente anche la ricostruzione di un ambiente culturale e figurativo romagnolo, e ravennate in particolare, estremamente vivace in questi anni. Le non casuali tangenze del Maestro dei Baldraccani con il giovane Baldassarre Carrari, con il quale è stato spesso confuso, l'interesse archeologizzante presente nei troni della pala già Muti-Bussi del primo e della pala dell'Arcivescovado di Ravenna del secondo, la cui esecuzione cade proprio negli anni in cui Filasio si trovava in città, ci riportano a un clima figurativo cittadino assolutamente peculiare, fortemente condizionato dagli sviluppi romani di Antoniazzo e Pinturicchio.

Infine, da segnalare una nota compositiva e iconografica relativa alla tipologia del ritratto, che quasi si accosta a un'effigie votiva, dove il vescovo in preghiera rivolge lo sguardo verso il sole, simbolo certamente divino. Un simile indizio interno non consente tuttavia di ipotizzarne un'esecuzione *post mortem* in memoria di Filasio, poiché il vescovo morì negli anni venti del Cinquecento: nel 1521 per Fabri (1664, pp. 537-538), nel 1525 per Rossi (1589, ed. 1996, p. 702), nel 1526 per Ughelli (1717, II, ed. 1972, p. 392), datazione assolutamente incongruente e tarda rispetto ai dati di stile.

Bibliografia: Muñoz 1908, pp. 177-180; Schmarsow 1909a, pp. 501-502; Okkonen 1910, p. 145; Ricci 1911b, p. 13; Venturi 1913, p. 62, n. 1; Buscaroli 1931, p. 159; Berenson 1932, p. 444; Gnudi in Forlì 1938, pp. 144-145, cat. 135; Buscaroli 1955, p. 25; Grigioni 1956, pp. 703-706; Piraccini 1978, p. 64; Piraccini 1980b, pp. 222-223, cat. 198; Piraccini 1980a, pp. 21-22, cat. 5; Piraccini 1984, pp. 48, 52; Tumidei 1987, *passim*; Mazza 1993, p. 110; Viroli 1995b, p. 204; Viroli 1998, pp. 51-52, cat. 53; Pierpaoli in Cellini 1999, pp. 30-31, scheda n.5; Scardino 2000, p. 92.

Francesca Nanni

Maestro dei Baldraccani
(attivo in Romagna nell'ultimo decennio del XV secolo)

12. *San Sebastiano*
tavola, 43,8 × 30,7 cm

Forlì, Collezione Fondazione Cassa dei Risparmi di Forlì

La tavola è stata acquistata dalla Fondazione forlivese nel 2000, presso una collezione privata di Bologna. Zeri ne conosceva un precedente passaggio nella collezione Lazzaroni di Parigi, e assegnava l'opera a scuola romagnola con una datazione intorno al 1510, indicazione con cui probabilmente il dipinto è passato sul mercato antiquario. L'attribuzione al Maestro dei Baldraccani si deve a Daniele Benati, ed è stata per la prima volta resa nota da Giordano Viroli nel 1998 (Viroli 1998, pp. 50-51, cat. 52).

San Sebastiano è ritratto a mezza figura, in primo piano, legato alla colonna e trafitto dalle frecce mentre rivolge lo sguardo verso l'alto. Alle spalle del cruento martirio è raffigurato un paesaggio vivace, animato da piccole figure abbozzate con rapidità, descritte vicino a un ponte, probabile accesso alla fortezza che s'intravede in alto a sinistra. Davanti alle fronde e agli alberi illuminati da brevi tocchi di pennello, il santo, dal corpo contratto e con un'espressione quasi bloccata, risponde alla formula di vaga estrazione peruginesca così diffusa nella pittura centroitaliana e anche romagnola a cavallo dei due secoli.

La mostra consentirà un confronto diretto tra il *San Sebastiano* qui in esame e altri due dipinti dell'anonimo maestro, ai quali si accosta indubbiamente per cultura figurativa, ma non per conduzione pittorica. Se la plasticità conferita alle forme e il rapporto della figura con lo spazio circostante ricorrono anche nel *Ritratto di Filasio Roverella* e nella *Madonna adorante il Bambino* della Cassa di Risparmio di Cesena, mancano nel *San Sebastiano* quell'esecuzione a finissimo tratteggio tipica dell'anonimo e quei suoi effetti di luce radente sulle superfici. Anche la foggia del nimbo appare assai semplificata rispetto alle aureole tratteggiate che compaiono nella pala già Muti-Bussi così come nelle opere giovanili di Marco Palmezzano, dalla *Madonna e santi* del 1493 (vedi cat. 8) alla *Testa di san Giovanni Battista* della Pinacoteca di Brera (vedi cat. 23), oltre che nel giovane Baldassarre Carrari (cfr. la *Sacra Famiglia con un angelo* di Baltimora, cat. 13). Tali elementi, insieme con una differente esecuzione del partito paesaggistico alle spalle del santo, inducono a una datazione più tarda della tavoletta (diversamente da quanto suggerito da Viroli) rispetto al *Filasio Roverella* e alle altre opere del maestro, la cui stretta omogeneità stilistica sembrerebbe documentarci solo una fase assai circoscritta della sua attività, fresca di ricordi romani ed esaurita entro l'ultimo decennio del Quattrocento. Nel contrasto tra lo sfondo sfavillante e la violenza, ravvicinata, della scena del martirio, o nell'acribia quasi pietistica con cui vengono descritte le frecce, viste sotto ogni angolazione prospettica e variamente conficcate nella carne, si individua quella che Viroli ha definito come una "precisa scelta espressiva" (Viroli 1998, p. 51).

Il dipinto segue l'iconografia tradizionale del santo, ma la sua resa ravvicinata, senza mediazioni tra l'osservatore e la scena rappresentata, è tipica piuttosto di altre immagini di devozione, quali il Cristo alla colonna, di cui esistono molte varianti anche di scuola romagnola, come dimostrato da De Marchi in relazione agli Zaganelli (De Marchi 1994), o come testimonia il *Cristo alla colonna* della Cassa di Risparmio di Cesena (Mazza 2001, pp. 18-21, datato all'inizio del Cinquecento; Vicini 1993, p. 73), unica opera firmata del misterioso Pietro Paolo Brocchi da Imola che ancor più direttamente si attiene alla tipologia veneta e antonellesca, pur dichiarando per stile debiti nei confronti degli Zaganelli e di Palmezzano. L'immagine del san Sebastiano martirizzato prevede più frequentemente, anche in Romagna, la sua rappresentazione a figura intera, come documenta la tavola della collezione Johnson di Phildelphia, che Zeri (1986) accostava con cautela al Maestro dei Baldraccani, benché diversissima per stile e per impianto compositivo dal nostro esemplare, e la serie più nota delle redazioni riferibili a Palmezzano, dal piccolo dipinto giovanile della Kunsthalle di Amburgo, già in collezione Sedelmeyer (Grigioni 1956, p. 387; Tumidei 1987, p. 90 n., fig. 11) al *Martirio* di Karlsruhe, serie di cui ha fornito un repertorio Angelo Mazza (1995-96, p. 42 e n.). Più simile nel taglio compositivo e nello scorcio conferito alla testa del santo è una tavola nota solo attraverso la fotografia conservata presso la Fondazione Berenson di Firenze, che fu probabilmente il prototipo per la copia, tarda, conservata presso la Gemäldegalerie di Berlino (inv. 227, cat. 1562; cfr. Berlino 1996, p. 94, come scuola di Palmezzano). Vanno poi aggiunti il piccolo *San Sebastiano* conservato presso il Museo di Brno con un riferimento a Liberale da Verona, ma già ricondotto da Tumidei all'area romagnola (Pujmanova 1987, pp. 103-104, fig. 44; Tumidei 1999, p. 86 n.) e, soprattutto, la bella tavola firmata da Baldassarre Carrari oggi al Musée Grobet-Labadie di Marsiglia, segnalataci da Andrea De Marchi (cfr. in questo volume il saggio di S. Tumidei).

Bibliografia: Viroli 1998, pp. 50-51, cat. 52.

Francesca Nanni

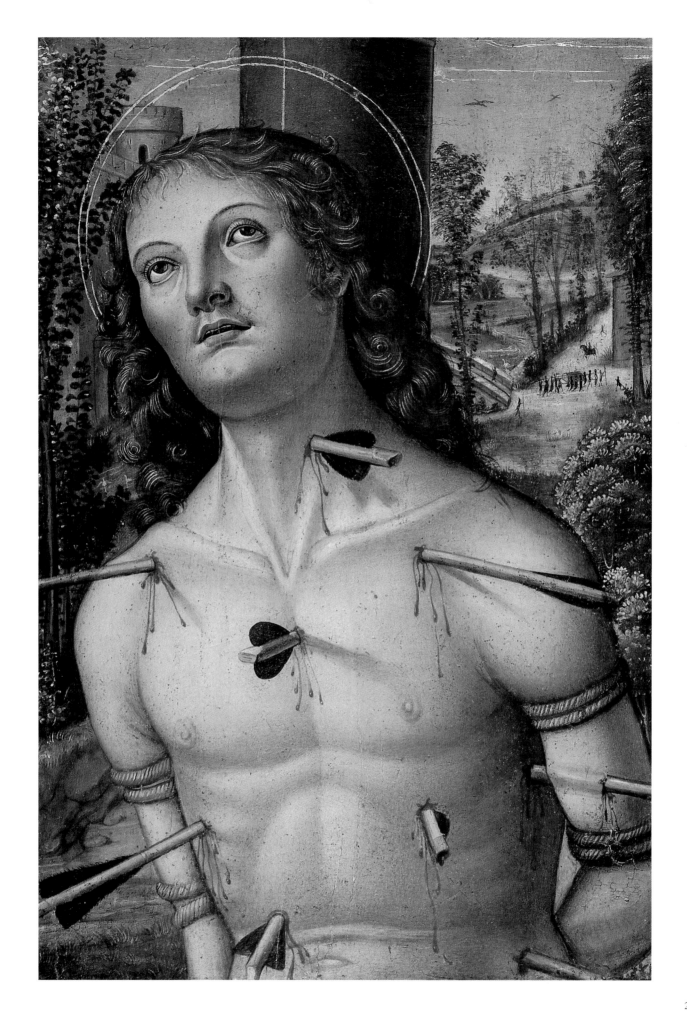

Baldassarre Carrari
(Forlì, attivo dal 1489 al 1516)

13. *Sacra Famiglia con un angelo*, metà anni Novanta XV secolo
tavola, 91,5 × 72,3 cm

Baltimora, The Walters Art Museum, inv. 37.546

La particolare eccentricità di questa *Sacra Famiglia*, gremita nell'impianto compositivo, come nelle allusioni allegoriche, raccontata con uno stile colorito non immune da inflessioni dialettali, si riflette nella sua non lineare vicenda critica. Ascritta nei cataloghi della Walters Art Collection (1922, 1929, 1932) al piemontese Macrino d'Alba, con l'avallo nel 1932 di Berenson, considerata lombarda da Offner, o senese, per confronto con le stipate *Natività* di Pietro di Domenico, da chi ne ha studiato le particolari valenze iconografiche (Klesper 1957; Levi D'Ancona 1977), la tavola ha trovato una più puntuale collocazione solo con gli studi di Federico Zeri, che l'ha riconosciuta a Baldassarre Carrari, precisando un precedente suggerimento in direzione romagnola espresso da Pouncey nel 1966. Né stupisce che si siano interpretate a lungo in chiave lombarda le fisionomie caricate dei personaggi, la rarità del soggetto, le capziosità narrative che, in effetti, costituiscono il portato "ferrarese" della cultura di Baldassarre Carrari.
Nel riferire la paternità della *Sacra Famiglia*, Zeri faceva riferimento soprattutto alla *Visitazione* di San Mercuriale a Forlì, costruita con un intarsio di piani assai simile, ed è indubbio che, nonostante i pochi riferimenti cronologici disponibili, il dipinto di Baltimora aggiunga un tassello importante nella ricostruzione del momento giovanile del pittore, che corrisponde soprattutto ai tempi della pala già nel duomo di Ravenna. Le maggiori affinità stilistiche si colgono, infatti, con la *Pietà* esposta in mostra (cat. 14), che ne fu l'originario coronamento, e di cui la *Sacra Famiglia* condivide l'asprezza stilistica, la declinazione dei volti fortemente caratterizzati ed espressivi, che tenderà nel tempo ad allentarsi, come già rivela la *Deposizione* firmata di collezione Luzzetti (Benati 1991), datata dalla critica fra il 1495 e il 1500.

Per quello che ne sappiamo, tuttavia, pare al momento troppo precoce la datazione, accolta di da Viroli (1991b), al 1485 che Zeri proponeva per la *Sacra Famiglia* di Baltimora. Il pittore è documentato dal 1489, ma la pala di Ravenna si legge in sintonia con le prime opere note di Palmezzano e con l'attività in Romagna del Maestro dei Baldraccani. Anche il dipinto in oggetto sembra riecheggiare gli orientamenti della cultura figurativa forlivese entro la metà degli anni novanta, ma in un'accezione del tutto particolare, che presuppone precedenti suggestioni ferraresi e una conoscenza indiretta degli stessi modelli romani, accolti solo per il tramite dei colleghi forlivesi. Così, anche certi aspetti tipici della pittura di questi anni, quali le stesure a tratteggio, le aureole suggerite per vibranti tocchi di pennello, i paesaggi macchiati "pinturicchieschi", acquistano in Carrari il sapore di una parafrasi eccessiva e piena di umore (come sono anche eccessivi, nella tavola di Baltimora, gli accostamenti cromatici, la squillante tonalità dei gialli e dei rossi).
L'elemento che ha però attratto maggiormente l'attenzione degli studiosi e che sembra quasi un *unicum*, non solo nella produzione di Carrari, artista mai particolarmente innovativo e comunque ben radicato nelle tradizioni della sua terra, ma quasi nella pittura italiana di quegli anni, è costituito dall'iconografia della *Sacra Famiglia*: la Madonna, seduta su un trono marmoreo e inquadrata da un arco in rovina che le fa da cornice, tiene in braccio il Bambino che, sporgendosi vivacemente dalla sua presa, afferra una mela dal vassoio presentato dall'angelo, da cui San Giuseppe, a sua volta, sembra scegliere alcune ciliegie. L'allusione alla passione e al sacrificio salvifico di Cristo dichiarata in quell'offerta di frutti, tutti rigorosamente rossi, sembra del resto confermata da altre occorrenze iconografiche che rivela-

no, dietro a quest'apparente evocazione di quiete domestica, le tracce di una mnemotecnica devota ben consapevole e di sapore quasi medievale, riguardo ai misteri dell'incarnazione, della morte e della resurrezione. Vi allude, in particolare, la parata di fiori, una sorta di vero e proprio erbario mistico, che Carrari pone alla base del trono, sul primissimo piano. Secondo l'interpretazione di Klesper, ripresa dalla Levi D'Ancona, il *Galium Verum* (primo da sinistra), il leggendario fiore trovato nella mangiatoia in cui fu sistemato Gesù appena nato, alluderebbe al mistero dell'incarnazione, cui si associa in sequenza il ricordo della passione evocato dal papavero rosso ("figura" del sangue versato nelle ore precedenti la crocifissione). Dopo il trifoglio, chiaro rimando alla trinità, il tema della passione e della resurrezione è evocato anche dalla viola ciocca (*Matthiola incana*, detta volgarmente non a caso *viola di Pasqua*) e dal tarassaco (*Dandelion*), un'erba amara particolarmente cara alla simbologia ebraica; di seguito, la pianta di bianchi astri conduce nuovamente alla riflessione sulla nascita di Gesù (cfr. Klesper 1957). Passione e incarnazione, i due poli sacri dell'esperienza cristiana, si alternano e si rafforzano a vicenda nelle simbologia floreale elaborata da Baldassarre Carrari e trovano compimento nel fulcro del dipinto, nell'immagine del piccolo Bambino che, appena nato, si offre spontaneamente al suo futuro destino afferrando una mela dal vassoio dell'angelo; egli è il nuovo Adamo e la mela, simbolo del peccato originale, trova un immediato corrispettivo nelle ciliegie che, oltre al riferimento al sangue, assumono qui un altro significato: con la loro dolcezza sono il frutto della rinascita, della beatitudine promessa, chiudendo dunque il cerchio, sul tema della redenzione, di questa meditazione visiva *ad usum fidelium*. Se pare forse

eccessiva l'interpretazione proposta della farfalla, come allusione all'anima del fedele e delle lucertole, annidate fra le rocce, quali "figure" del peccato, non può per contro confutarsi, nel dipinto, il valore simbolico che assume anche il taglio dell'ombra, ben segnato sull'architettura. Quasi una contrapposizione fra luce e tenebre di sapore evangelico (Zeri 1976), rimarcata dalla presenza della civetta che fa capolino da un'apertura del casamento.
Davanti a una simile commistione di motivi che rendono di difficile definizione anche il soggetto, in bilico fra una "Sacra Famiglia", una "Natività", un "Riposo dalla fuga in Egitto" (cui si associa più di frequente la presenza dell'angelo e il ricorso al simbolo delle ciliegie), senza considerare le allusioni all'"Adorazione dei Pastori" (di cui rimane il gregge di pecore sulla sinistra), e all'"Epifania" (per la presenza dei re Magi nello sfondo), spiace non potere far luce sulle vicende del dipinto, precedenti la sua comparsa, alla fine dell'Ottocento, nella raccolta di Filippo Marignoli di Spoleto. Tuttavia, è evidente che la commissione a Carrari di questo piccolo dipinto da devozione privata dovette venire da un religioso ben avvertito, che nell'occasione poté prestare la propria consulenza, maturata su una letteratura devota di buona diffusione così come su una conoscenza botanica, e una pratica di erbari che lascia forse immaginarne un'estrazione monastica.

Bibliografia: *Walters Art Collection* 1922, p. 112; Berenson 1932; Brizio 1942, p. 241; Klesper 1957; Levi d'Ancona 1977, pp. 101, 127; Zeri 1976, pp. 228-229; Golfieri 1977, p. 711; Tumidei 1987, p. 91; Viroli 1991b, p. 152; Benati 1991, p. 86; *Pinacoteca* 1991, p. 274; Faietti 1994b, p. 258; Tempestini 1998, p. 125

Alessandra Olivetti

Baldassarre Carrari
(Forlì, attivo dal 1489 al 1516)

14. *Pietà*, metà anni Novanta XV secolo
tavola, 86 × 162 cm

Ravenna, cattedrale

In un articolo comparso su "Rassegna d'Arte" del 1901, Garnier, ampliando le precedenti ricerche su Marco Palmezzano già affrontate da Egidio Calzini (1895e), rivendicò al catalogo del pittore forlivese anche questa lunetta con la Pietà, collocata nella sacrestia dei Mansionarii del duomo di Ravenna (Ribuffi 1835, p. 21) e già separata da quella che era la tavola principale: la Madonna con Bambino e i santi Caterina, Barbara Giovanni e Apollinare depositata in arcivescovado. Nella ricostruzione di quest'ipotetico altare palmezzanesco rientravano anche, su segnalazione di Corrado Ricci (1878, p. 194), i due frammenti di predella rappresentanti la *Natività* e la *Presentazione di Gesù al tempio*, custoditi presso l'Accademia di Belle Arti della stessa città. La proposta venne accolta da Venturi (1913, VII parte, II, p. 84), da Ricci (1914, pp. 34-42) e ancora da Buscaroli (1931, pp. 223-224 e 235-236) che riconobbe, specie nella Pietà, affinità belliniane riferite alla tavola della Pinacoteca di Rimini, nonostante pose notevolmente più stentate e dure delle figure un'inconsueta carica espressionista di marca ferrarese: la stessa riconosciuta al romagnolo Baldassarre Carrari "punto di contatto fra l'arte di Palmezzano e di Rondinelli". Una prima sostanziale rettifica all'attribuzione di Garnier si registrò con la nuova edizione degli indici di Berenson (1932, pp. 135-136 e 413-416), dove la sola lunetta fu riferita a Nicolò Rondinelli. La poca omogeneità stilistica di questa con la pala dell'arcivescovado (in precarie condizioni conservative) trovò conferma nella mostra melozzesca del 1938: in cui si scelse di esporre sola la *Pietà* con un nuovo e calzante riferimento proprio a Baldassarre Carrari proposto da Roberto Longhi; l'intervento in catalogo di Luisa Becherucci (1938, p. 123) mise in dubbio la stessa unità materiale del complesso già nel duomo di Ravenna. La monografia su Palmezzano di Grigioni (1956, pp. 701-702) non registra sostanziali novità sulla questione attributiva, mentre sono rimasti a lungo inediti (cfr. Tumidei 1987; Viroli 1991a, p. 68) i riscontri documentari condotti per la sua tesi di laurea da Poggiali (1957-1958) che, dallo spoglio delle visite pastorali, poté verificare la presenza della tavola e della lunetta ancora unite all'altare di San Matteo in duomo, nel 1605 fugando ogni dubbio anche riguardo alla predella: descritta come un "trium puerorum pulsantium", non poteva coincidere con le piccole tavole dell'Accademia, il cui riferimento a Palmezzano non è mai stato messo in dubbio. Quella del 1605 è comunque l'ultima attestazione dell'altare di San Matteo, il quale forse venne rimosso al tempo dei lavori patrocinati in cattedrale dall'arcivescovo Pietro Aldobrandini (non risulta citato nella successiva sacra visita del 1609). Né la *Ravenna perlustrata* di Girolamo Fabri (1678) né la guida di Beltrami (1783, 1791) menzionano la pala e la lunetta che riemerse tardivamente al tempo dell'allestimento ottocentesco della sacrestia dei Masionarii, dove venne reimpiegata insieme ad altre tre lunette seicentesche donate dall'arcivescovo Codronchi (Emiliani 1962, pp. 17, 54; Viroli 1991a, pp.70-74).

La rivalutazione critica della fase giovanile di Baldassarre Carrari è abbastanza recente e si lega in particolare all'individuazione da parte di Zeri (1986, pp. 22-26) di un altro anonimo pittore romagnolo contemporaneo al nostro e a lui assai affine, che deriva il nome convenzionale dalla tavola con Madonna e Santi già in collezione Muti-Bussi, in cui campeggia lo stemma della famiglia forlivese dei Baldraccani. Proprio in relazione alle opere dell'anonimo si è chiarito l'ambito culturale della pala dell'arcivescovado di Ravenna e della lunetta qui esposta, confermate a Carrari da tutta la critica recente (Tumidei 1987, pp. 80-91; Viroli 1991a, p. 68; 1991b, p. 35; Ceriana 1997) con una datazione alla metà degli anni novanta. La congiuntura figurativa cui anche "Baldassare da Forlì" sembra partecipare, accanto al Maestro dei Baldraccani e al giovane Palmezzano, coincide con il definitivo ritorno nel 1493 di Melozzo in patria, e sembra presupporre anche diretti aggiornamenti romani di fine secolo. La pala dell'arcivescovado si legge quasi come risposta locale a quella già Muti Bussi e forse anticipa di poco la Sacra Famiglia della Walters Art Gallery di Baltimora che Federico Zeri, nel 1976, riferì al giovane Carrari, (cfr. cat. 13). I toni più caricati e grotteschi di quest'ultima sono però già presenti nella Pietà che, forse a causa della sua precoce separazione dalla pala maggiore, ci è giunta in condizioni abbastanza soddisfacenti (la pellicola pittorica ha sofferto soprattutto in coincidenza di un'ampia fenditura orizzontale che interessa il busto di Cristo e le figure dei due dolenti). In essa sono più chiari i contatti con l'ambiente ferrarese, evidenti anche nella successiva *Visitazione* di San Mercuriale a Forlì come un tratto distintivo del pittore rispetto ai suoi comprimari locali.

Il contatto con il Maestro dei Baldraccani, cui rimanda anche il gusto archeologizzante del trono nella pala di Ravenna dai modi eccentrici e dalle indubbie inflessioni gergali, si stringe attorno alla figura di uno stesso, probabile committente, il vescovo Filasio Roverella, personaggio poco indagato ma di grande interesse. Il Maestro dei Baldraccani lo ritrae nella tavoletta oggi a Cesena (cat. 11), ed è probabile che l'altare di San Matteo, assieme alla cappella della Vergine del Sudore e all'altare del Crocifisso, rientrasse nella campagna di rinnovamento dell'antica basilica ursiana promossa dal prelato nel corso del suo lungo mandato quale arcivescovo ravennate (1476-1516), (Protocollo 59 a.c. 124v, 27 aprile 1500; Rossi 1589, ed. 1996, p. 702). Di Filasio Roverella sono note soprattutto le frequentazioni umanistiche e le consuetudini con l'ambiente artistico ferrarese (era il nipote del più famoso cardinale Bartolomeo e del vescovo Lorenzo Roverella, committenti della pala di Cosmè Tura per la chiesa di San Giorgio: Cieri Via 1982 p. 580, Campbell 1997, pp. 105, 113, 123, Molteni 1999 p. 111, Manca 2000 p. 115): negli anni settanta gli era al fianco, come probabile segretario, l'antiquario veronese Felice Feliciano, ben noto amico di artisti (Mantegna, Giovanni Bellini e Marco Zoppo: Fattori 1995) che, nel 1474, proprio a nome di Filasio, allora legato a Perugia, scrisse la celebre lettera d'encomio a Francesco del Cossa, alludendo anche alla "perfecta amicizia" che legava il prelato al pittore (cfr. Fiocco 1926, pp. 11-14, Chiarlo 1984, p. 284). Ancora all'inizio del Cinquecento, il cesenate Francesco Uberti in una silloge poetica dedicata allo stesso Filasio, include distici di elogio pittorico, che con quelle datazioni e in Romagna non potevano che essere dedicati a Marco Palmezzano (Roma, Biblioteca Casanatense, ms. 504: Piccioni 1903, pp. 126-127; Id. 1912, p. 360).

Bibliografia: *Acta* 1606, c. 14v; Ribuffi 1835, p. 21; Ricci 1878, p. 194; Garnier 1901, pp. 104-105; Venturi, 1913, VII parte II, p. 84; Ricci 1914, pp. 34-42; Buscaroli 1931, pp. 223-224, 235-236; Berenson 1932, pp. 135-136, 413-416; Becherucci in Forlì 1938, p. 123; Grigioni 1956, pp .701-702; Berenson 1957, p. 151; Poggiali 1957-1958; Zeri 1986, pp. 22-26; Tumidei 1987, pp. 80-91; Tumidei 1991, p.241; Viroli 1991a, p. 68; Viroli 1991b, p. 35; Avellini-Michelacci 1994, p. 183, Faietti 1994b, p. 248; Tempestini 1998, p. 125.

Alessandra Olivetti

Giovan Battista Rositi
(Forlì, attivo dal 1495 al 1545)

15. *Trasporto della Santa Casa di Loreto*, 1500
tela riportata su tavola, 220 × 140 cm

Velletri, Museo Diocesano

iscrizione: Io baptista de rositis de forlivis pinxit 1500 de mense martii

Il Museo Diocesano di Velletri conserva un'interessante opera del raro pittore forlivese Giovan Battista Rositi: una tela dipinta e riportata su tavola che rappresenta la *Madonna di Loreto* ed è firmata e datata: "io baptista de rositis de forlivis pinxit 1500 de mense martii" (Di Gregorio 2000). Il dipinto proviene dalla chiesa veliterna di Santa Maria dell'Orto, officiata a partire dal 1445 dagli Agostiniani di Lombardia e crollata poco dopo il 1822 (Santolini 2000, pp. 27-28); nel 1846 la pala probabilmente è già documentata nella chiesa di Santa Maria del Trivio e di lì passò al Museo Capitolare.
La qualità dell'opera è altalenante: a preziosismi di marca melozzesca e ascendenza urbinate (Giovanni Santi) si contrappongono forti incertezze prospettiche e compositive, evidenti nel rapporto spaziale tra la Vergine, le colonne e gli angeli. Se in certe parti il modo di panneggiare di Giovan Battista Rositi (o Rositi) è metallico e duro, come sui gialli, altrove una luce molto particolare sembra gonfiare gli incarnati, rendendoli turgidi e scabri. Sembra riaffiorare qua e là, attraverso Melozzo da Forlì, il magistero dello spagnolo Pedro Berruguete, cui sono stati recentemente attribuiti, in maniera non del tutto convincente, due opere romane: il *San Marco papa* della chiesa di San Marco (già riferito a Melozzo), con una datazione al 1475-1476, e la piattaia affrescata in palazzo Altemps, con una datazione al 1481 (Benzi 1998, pp. 130-131).
Qualcosa di abbastanza simile allo stile del nostro è dato vedere in una serie di dipinti, di più alta qualità, raccolti da Federico Zeri sotto il nome di Maestro dei Baldraccani (su cui: Zeri 1986; Tumidei 1987;

Tumidei 1994, p. 65ss), pittore che egli considerò forlivese (o meglio romagnolo) di nascita ma influenzato, oltre che dai geni locali, anche dalla pittura romana della fine del secolo. E d'altronde la non più rintracciata pala già in collezione Muti-Bussi a Roma, pubblicata da Zeri e presa a *name-piece* del gruppo per lo stemma Baldraccani ivi figurato, ma Tumidei 1987, (p. 89 nota 7), denuncia una formazione assai composita, che riunisce Forlì e Roma ("un sapore alla Antoniazzo Romano, palese, in modo particolare, nelle figure dei due Santi francescani" che gli fecero supporre una provenienza da una chiesa dei Minori di Forlì, come San Biagio in San Girolamo), con rimandi alla cultura del Perugino, forse filtrata da Giovanni Santi. Gli stessi riferimenti culturali valgono per il Rositi, che mostra però, in una fase successiva della sua carriera, un superficiale adeguamento all'arte di Marco Palmezzano.
Il catalogo di Giovan Battista Rositi è costituito principalmente da due pezzi firmati: la nostra pala veliterna e la *Madonna col Bambino* su tavola di Esztergom, in Ungheria, del 1507. Gli è stata attribuita anche una *Madonna col Bambino* della Pinacoteca Civica di Forlì; altre attribuzioni (Grigioni 1928; Buscaroli 1931 pp. 248-253) non verranno qui prese in esame.
La tavola ungherese è firmata in lettere greche "Joannes Baptista de Rositis Foroloviensis pinxit. Theo toco 1507"; proviene dalla collezione del primate ungherese Sibor cui giunse da Roma; le notizie più antiche la vedono nella collezione forlivese del conte Savorelli (*Az Esztergomi* 1964, pp. 100-102). Il dipinto evidenzia una conoscenza dell'opera del Pal-

mezzano e suggerisce, al 1507, un termine *anta quem* per la fine del soggiorno romano.
La tavola forlivese, tradizionalmente assegnata al Rositi, è stata anche attribuita al faentino Giovan Battista Bertucci (Viroli 1980, p. 80), per essere poi ricondotta al forlivese da Colombi Ferretti (1987, p. 286 nota 5). Per Zeri questo dipinto – non attribuibile al Rositi – non è altro che una modesta derivazione da un'opera del Bertucci conservata nella Walters Art Gallery di Baltimora (Zeri 1976, pp. 224-225); effettivamente il confronto con la pala veliterna sembra indiziare due diverse mani.
Non sappiamo tuttavia con certezza quali esiti abbia raggiunto l'arte del Rositi dopo il 1507; l'artista è inoltre documentato per molti anni: fece testamento il 9 agosto 1545 (Grigioni 1899, p. 115). Dal 1510, quando il pittore è nuovamente documentato in patria, al 1545, ultima attestazione dell'attività, tutta in sottotono poiché legata a lavori poco più che artigianali, le fonti parlano con continuità dell'artista.
L'*Istoria della Chiesa e Città di Velletri* pubblicata da Alessandro Borgia nel 1723 ricorda tra il 1483 e il 1503 come vescovo cardinale di Ostia e Velletri "Giuliano della Rovere, detto Cardinal San Pietro a Vincoli" (Borgia 1723, c. 9v dell'introduzione); egli racconta inoltre che nell'ultimo lustro del quindicesimo secolo "i Frati Eremiti di S. Agostino della Congregazione di Lombardia attendevano a quei tempi a rifabricar la lor Chiesa di S. Maria dell'Orto, e Alessandro VI per supplire alla spesa, unì alla lor Sacrestia la Cappellania di S. Gregorio, ch'era nella stessa Chiesa, già solita a te-

nersi divisa in due porzioni da un Cappellano, e un Chierico, e il Cardinal della Rovere nostro Vescovo ai 25 di Settembre dell'anno 1495 diede esecuzione alle Bolle Apostoliche di tal'unione" (Borgia 1723, p. 390, sec. XV, cap. 91).
Non sarà da sottovalutare la presenza, in questo contesto, di Giuliano della Rovere, poi papa col nome di Giulio II, della famiglia che aveva patrocinato (forse entro il 1474) nella basilica dei Santissimi Apostoli l'intervento di un altro, ben più celebre, forlivese: il "pictor papalis" Melozzo.
È probabile che gli interventi di ristrutturazione di Santa Maria dell'Orto siano andati di pari passo con le nuove decorazioni, il che concorda con la datazione (1500) della nostra tavola e dovrebbe essere argomento sufficiente per spostare all'ultimo decennio del XV secolo anche una *Crocifissione* da lì proveniente e ora nel Museo Diocesano: un affresco strappato attribuito alla scuola di Antoniazzo Romano (Santolini 2000, pp. 27-28). Quest'opera è a buon titolo *trait d'union* col Palmezzano: sarà vantaggioso il confronto con la *Crocifissione* da questi affrescata in Santa Maria della Ripa o della Torre (Forlì), nel 1492 o 1495, ora conservata nella Pinacoteca Civica di Forlì (Viroli 1980, p. 50).

Bibliografia: Grigioni 1899, p. 115; Grigioni 1928; Buscaroli 1931 pp. 248-253; *Az Esztergomi* 1964, pp. 100-102; Zeri 1976, pp. 224-225; Viroli 1980, p. 80; Viroli 1980, p. 50; Zeri 1986; Tumidei 1987 p. 89 nota 7; Colombi Ferretti 1988a, p. 286 nota 5; Tumidei 1994, p. 65ss; Benzi 1998, pp. 130-131; Santolini in Sansone 2000, pp. 27-28.

Stefano L'Occaso

2. Palmezzano e la pittura veneta. L'elaborazione dei modelli

Giovanni Bellini
(Venezia, 1432 circa-1516)

16. *Cristo morto sorretto da quattro angeli*, 1475 circa
tavola, 80,5 × 120 cm

Rimini, Musei comunali, inv. 18 PQ

Questo prezioso dipinto, in precario stato di conservazione per una fenditura che attraversa la tavola in tutta la sua larghezza, proviene dal Tempio Malatestiano di Rimini. Vasari (1550 e 1568) lo descrive con solo due putti e lo dice eseguito per Sigismondo Malatesta (+ 1468). L'opera non può risalire al settimo decennio, bensì deve collocarsi non prima della pala dell'Incoronazione di Pesaro come ritengono ormai tutti gli studiosi, a eccezione di Huse (1972, pp. 17, 18), che la data alla seconda metà degli anni sessanta. Una datazione al 1475 circa è confermata anche dal confronto con il *Ritratto di giovinetto* recante la scritta *NON ALITER*, conservato nel Barber Institute of Fine Arts a Birmingham. Questo fanciullo è fratello di due degli angioletti di Rimini e raffigura, secondo le notizie comunicate da Benedicenti (1992, pp. 3-9), un figlio morto prematuramente di Angelo Probi (+1474), originario di Atri, emissario del re di Napoli presso la Serenissima che, alla sua morte, decretò che fosse eseguito un suo busto marmoreo da conservare in una custodia lignea sulla cui fronte Giovanni Bellini doveva eseguire appunto il ritratto del figlio recante la scritta tuttora leggibile. Secondo Parronchi (1965, pp. 148-150), seguito dubitativamente da Pignatti (1969, pp. 92, 94, 96) e con maggior convinzione da Goffen (1989, pp. 83-85, 287, 289), Dülberg (1990, pp. 157, 248) e Tempestini (2000, pp. 72-74, 177, 188), una tavoletta conservata presso un privato a Firenze, raffigurante un *Teschio/Memento mori*, pure dipinta da Giovanni Bellini sullo stesso tipo di legno e identica come misure, sarebbe la coperta originaria del ritrattino di Birmingham.

Il committente del *Cristo morto* di Rimini, secondo una proposta di Paoletti (1929), è oggi ritenuto Carlo Malatesta, figlio del capitano generale Roberto, a sua volta figlio naturale di Sigismondo; Carlo, egli pure capitano generale dei veneziani, era iscritto, come Gentile e Giovanni Bellini, dal 1480 alla Scuola Grande di San Marco di Venezia e morì nel 1482. Nella storia dell'arte solo Crowe e Cavalcaselle (1871, p. 190 e 1912, p. 188) e Hetzer (1985, pp. 261, 263) hanno rifiutato di riconoscere il *Cristo morto* di Rimini come un capolavoro della prima maturità del maestro veneziano; i due pionieri della storia dell'arte lo ritenevano di Zaganelli. Non è accettabile l'opinione di Heinemann (1962b, pp. 49, 76), secondo il quale il dipinto si dovrebbe datare tra il 1470 e il 1475, in una fase in cui Giovanni si baserebbe su prototipi del cognato Andrea Mantenga e non avrebbe ancora subito l'influsso di Antonello da Messina; al contrario, il maestro mostra chiaramente di essersi del tutto affrancato da una dipendenza mai determinante per lui dall'illustre congiunto e di essersi già avviato, anche per una profonda assimilazione della lezione del maestro siciliano, sulla via che lo condurrà negli anni seguenti a produrre una serie di opere pervase, come ha scritto giustamente Lucco (1983, pp. 445-477) da "un respiro solenne di grecità, quasi di ellenismo". Giambellino qui ha già realizzato quella perfetta fusione di forma e contenuto che costituirà l'essenza del suo inconfondibile linguaggio maturo, in cui egli, per primo nella storia dell'arte europea, realizza la poetica del silenzio. Come già nella giovanile *Pietà* di Brera e in modo ben diverso da quanto si vedeva nella *Pietà* del palazzo Ducale di Venezia, risalente al 1472, dove prevale una drammaticità quasi crivellesca, indotta sicuramente dal fratello Gentile e cui forse non è estraneo l'allievo Jacopo da Montagnana, a Rimini Giovanni esprime un dolore molto contenuto, nonostante ci siano tutti i simboli traumatici della Passione, le ferite e la corona di spine; anche gli angioletti non sono veramente dolenti, ma assorti in meditazione, e uno solo di essi, del quale non si vede la testa, sorregge davvero il corpo del defunto. Come giustamente rilevato da Goffen, il fatto che le gambe di Cristo spariscano in primo piano, al di qua del bordo marmoreo su cui stanno in piedi i putti, colloca la tomba del Dio incarnato nel nostro spazio. Conosco un dipinto trasferito da tavola su tela, in collezione privata, che replica il capolavoro di Rimini ed è stato sicuramente eseguito, pochi anni dopo questo prototipo, dal Maestro dei Baldraccani.

Bibliografia: Crowe – Cavalcaselle 1871, p. 190; Crowe e Cavalcaselle 1912, p. 188; Paoletti 1929; Heinemann 1962b, pp. 49, 76; Parronchi 1965, pp. 148-150; Pignatti 1969, pp. 92, 94, 96; Huse 1972, pp. 17, 18; Lucco 1983, pp. 445-477; Hetzer 1985, pp. 261, 263; Goffen 1989, pp. 83-85, 287, 289; Dülberg 1990, pp. 157, 248; Benedicenti 1992, pp. 3-9; e Tempestini 2000, pp. 72-74, 177, 188.

Anchise Tempestini

Giovanni Bellini
(Venezia, 1432 circa-1516)

17. *San Girolamo nel deserto*, primi anni successivi al 1480
tavola, 151,7 × 113,7 cm

Firenze, Galleria degli Uffizi, inv. CB 25

Giovanni Bellini ha trattato varie volte questo tema, dall'incunabolo firmato, una delle sue primissime opere, oggi nel Barber Institute of Fine Arts di Birmingham, alla predella della pala dell'Incoronazione di Pesaro e, dopo il dipinto oggetto di questa scheda, nell'esemplare n. 281 della National Gallery di Londra, in quello datato 1505, n. 328 Kress nella National Gallery of Art di Washington e nella pala di San Giovanni Crisostomo, tuttora nell'omonima chiesa veneziana, presso Rialto, firmata e datata 1513, dove il santo appare in campo lungo, con in primo piano san Cristoforo e san Luigi di Tolosa.

La tavola ora agli Uffizi ha fatto parte in passato della collezione dei conti Papafava a Padova, poi della raccolta Contini Bonacossi a Firenze ed è stata acquisita pochi decenni fa dallo Stato italiano con altre opere della medesima collezione. Attribuita un tempo a Marco Basaiti, insieme con la versione londinese, più tarda, fu restituita a Giovanni Bellini da Gronau (1930, p. 206) e da allora accettata da tutta la critica, a eccezione di Arslan (1962, pp. 40-58), che tornava a Basaiti, di Robertson (1968, p.

77), secondo il quale la tavola degli Uffizi sarebbe una replica di bottega di un originale perduto, di Huse (1972, p. 38), che la considera forse una copia, e di Goffen (1989) che la passa sotto silenzio.

Il dipinto è in realtà un capolavoro del maestro, da collocare nei primissimi anni dopo il 1480 per la stupenda fusione di figura e paesaggio, ricco di elementi simbolici che giungono fino in primo piano, come nel poco precedente *San Francesco che riceve le stigmate* della collezione Frick di New York. Il *San Girolamo* degli Uffizi è uno dei dipinti sui quali si possono verificare presenze del pittore in città diverse da Venezia sulla base di edifici raffigurati nello sfondo. Giovanni Bellini disegnava solo dal vivo oggetti e architetture, come confermano vari documenti storici giunti a noi, dal rifiuto di eseguire, prima del 1497, una veduta di Parigi sullo sfondo di un dipinto per Francesco Gonzaga, giustificato dal fatto di non esser mai stato nella capitale francese, al prestito documentato di una corona d'argento per una *Madonna* che aveva quasi condotto a termine il 15 gennaio 1516 per la sorella del re di Francia

Francesco I. Dopo che Gronau (1930, p. 206) aveva riconosciuto sullo sfondo della tavola degli Uffizi un campanile di tipo ravennate, Pignatti (1969, p. 97) ha individuato San Vitale e il mausoleo di Teodorico di Ravenna, oltre al ponte di Tiberio di Rimini. Tempestini (1992a, pp. 94, 95, 178) ha aggiunto il campanile di Sant'Anastasia di Verona. Sansovino (1581) e Boschini (1664) citavano un *San Girolamo* di Giovanni Bellini nella chiesa veneziana di Santa Maria dei Miracoli. Nessuno degli studiosi moderni ha identificato con sicurezza quest'opera con il dipinto degli Uffizi. Gamba (1937, pp. 106, 107) pensava che la tavola degli Uffizi potesse essere una replica della pala veneziana; Dussler (1949, p. 100) non si sbilanciava, ma per le dimensioni riteneva possibile che il *San Girolamo* già Contini Bonacossi fosse stato eseguito per una chiesa. Pignatti (1969, p. 97) escludeva che potesse provenire da Santa Maria dei Miracoli, perché la chiesa fu costruita nel 1489. In realtà, la costruzione dello stupendo edificio lombardesco durò dal 1481 al 1489 e la tavola degli Uffizi avrebbe potuto esser stata prevista come parte dell'arredo fin dall'inizio.

Rispetto alla posizione da me espressa nel 1992 e ribadita nel 2000, ritengo che il dipinto in oggetto possa essere quello che in origine si trovava nella chiesa di Cannaregio, poiché le sue misure, pur se non corrispondono a quelle di una grande pala, sono pure maggiori di quelle della *Sacra Conversazione Dolfin*, dello stesso Giovanni Bellini, risalente al 1507 e tuttora conservata nella chiesa di San Francesco della Vigna nel sestiere di Castello a Venezia.

Bibliografia: Sansovino 1581; Boschini 1664; Gronau 1930, p. 206; Gamba 1937, pp. 106, 107; Dussler 1949, p. 100; Arslan 1962, pp. 40-58; Robertson 1968, p. 77; Huse 1972, p. 38; Goffen 1989; Pignatti 1969, p. 97; Tempestini 1992, pp. 94, 95, 178.

Anchise Tempestini

Restaurato dalla Fondazione Cassa dei Risparmi di Forlì in occasione della mostra. Laboratorio di restauro Nicola Ann Mac Gregor, Firenze.

Cima da Conegliano
(Conegliano, 1459/60-1517/18)

18. *Madonna con il Bambino e i santi Michele Arcangelo e Andrea*, 1496-1498 circa
tavola, 194 × 134 cm

Parma, Galleria Nazionale, inv. 361

Nonostante l'indubbia notorietà del dipinto, restaurato alla fine degli anni settanta da Ottorino Nonfarmale e sottoposto a ulteriore intervento conservativo in occasione di quest'esposizione a cura di Avio Melloni, e considerato uno dei massimi capolavori del pittore veneto, la critica non è ancora riuscita a circoscriverne al meglio la data di esecuzione, né tanto meno a individuarne un preciso ambito di committenza. Secondo quanto ricostruito dall'Humfrey in vari suoi interventi, è presumibile, ma non accertato, che la tavola sia stata dipinta per l'antica chiesa parmense dell'Annunziata fuori le mura demolita nel 1546, in quanto la prima testimonianza che ne attesta la presenza, la documenta nel 1580 nella nuova chiesa francescana dell'Annunziata a Capodiponte, pur assegnandola erroneamente al Francia: "All'altar privilegiato è anco un'altra tavola di mano del Francia molto commendato da pittura, ove è la figura della Beata Vergine col fanciullo in braccio con S. Michele con Sant'Andrea uno dal lato destro et l'altro dal sinistro" (Malazappi 1580, c. 170v). Successivamente, l'opera venne acquistata nel novembre del 1706 dal conte Carlo Sanvitale, nell'inventario della cui collezione redatto nell'aprile del 1710 viene descritta in maniera alquanto approssimativa come "Madonna S. Giuseppe in bellissima Architettura e paese opera singolare di Leonardo da Vinci" (Orlandi 1710, n. 34), a motivo di un'iscrizione apocrifa sul cartiglio in basso a destra "Lionardo Vinci fece 1492", oggi illeggibile, che sostituì con ogni probabilità la firma originaria.

Pervenuta quindi alla Galleria Nazionale di Parma nel 1834, la tavola venne correttamente ricondotta al Cima nei cataloghi di Martini e di Pigorini, attribuzione poi avvallata da tutta la critica da Berenson in avanti.

Fra le rovine di un tempio antico, i cui frammenti sono sparsi sul terreno arso dal sole, e il cui peristilio dalle bellissime colonne marmoree, che Cima replicherà in altri suoi dipinti, è visto secondo una diagonale che attraversa la composizione spezzando l'abituale frontalità delle "sacre conversazioni" veneziane, sta seduta la Vergine col Bambino in atteggiamento benedicente. A sinistra è raffigurato l'arcangelo Michele con la bilancia in mano, a destra è posto sant'Andrea appoggiato al muro dell'edificio con la sua croce. Sullo sfondo, si apre uno straordinario scorcio paesistico, nel quale svetta un imponente castello, che Botteon e Aliprandi alla fine dell'Ottocento pensarono di individuare in quello di Conegliano "preso dalla parte della valle di Monticella" (1893, p. 64) e che ritorna fra l'altro anche nella pala di *San Giovanni Battista* per la chiesa veneziana della Madonna dell'Orto, che Cima eseguì fra il 1494 e il 1495.

Per quanto concerne la committenza del dipinto, nel sottolinearne l'indubbia valenza "umanistica", considerato il suo miniaturismo archeologico, Humfrey ha cercato di ipotizzare per quale tramite Cima sia stato contattato, insistendo in particolare sulle personalità di Alberto Pio, signore di Carpi, che possedeva un'opera del maestro veneziano degli ultimi anni del Quattrocento ed era un fervente sostenitore degli osservanti francescani, e del vescovo di Treviso Bernardo de' Rossi e del suo sostituto Bernardo Malchiostro, entrambi nativi di Parma, i quali difficilmente non conobbero Cima durante il loro episcopato in terra veneta.

In merito alla datazione, attestata per anni intorno alla metà del primo decennio del Cinquecento, è merito di Humfrey averla anticipata al 1496-98 circa, ponendo così l'opera come la prima delle tre pale che il Cima inviò a Parma, in anticipo rispetto alla tavola per il Protonotario Apostolico Bartolomeo Montini, un tempo nella cappella absidale del transetto a destra della cattedrale, e oggi nella Galleria Nazionale di Parma, eseguita verso il 1506-7 e a quella, un tempo nel convento delle domenicane di San Domenico, e oggi al Louvre, databile verso il 1511-13.

In effetti, il nostro dipinto si apparenta maggiormente ad alcune opere che l'artista eseguì alla fine del quindicesimo secolo, quali la già citata pala di *San Giovanni Battista* della chiesa veneziana della Madonna dell'Orto e la cosiddetta *Madonna dell'Arancio* oggi all'Accademia di Venezia, databile anch'essa fra il 1496 e il 1498, che condividono sia uno spiccato sperimentalismo nel cromatismo brillante e variegato e nella ricerca di movimenti dinamici "fuori asse", sia un minuzioso e certosino descrittivismo dei dettagli arborei e rocciosi, caratteristiche che non si ritrovano nelle opere che Cima licenziò all'inizio del Cinquecento, più "accademiche" e meno innovatrici. Sta di fatto, peraltro, che la posizione ruotante delle figure e la sostanziale asimmetria della composizione rimane come un precedente finanche per alcune opere di Sebastiano del Piombo e di Tiziano. Nella nostra opera, inoltre, è innegabile riscontrare anche un influsso del passaggio di Perugino a Venezia avvenuto verso il 1494, durante il quale il maestro umbro, contattato per il telero con la *Battaglia di Spoleto* in palazzo Ducale poi non eseguito, lasciò un dipinto per la Scuola di San Giovanni Evangelista; la figura di san Michele, in particolare, sembra dipendere da prototipi perugineschi, anche se non è errato apparentarla, come recentemente sostenuto dal Martini (1990, pp. 76-77), ad alcune figure classicheggianti di guerrieri, come per esempio quelle del *Monumento Vendramin* di Tullio Lombardo, eseguito per la chiesa veneziana dei santi Giovanni e Paolo.

La figura di sant'Andrea, invece, deriva in controparte da quella compresa nell'incisione di Andrea Mantegna con il *Risorto fra i santi Andrea e Longino* e venne riutilizzata successivamente dallo stesso Cima, che la replicò sostanzialmente in controparte sia nell'incompiuta paletta con la *Madonna col Bambino e i santi Andrea e Pietro* (oggi alla National Gallery di Edimburgo), come recentemente sostenuto ancora da Humfrey (in Edimburgo, 2004, p. 72), sia nel *San Marco in trono coi santi Andrea e Luigi e due virtù* oggi alla Ca' d'Oro a Venezia, già nella Camera dell'Armamento a palazzo Ducale, probabile opera di bottega, e in seguito anche da Andrea Busati nel suo *San Marco in trono e i santi Andrea e Francesco d'Assisi* della Galleria dell'Accademia di Venezia.

Il gruppo della Vergine col Bambino benedicente verrà invece replicato in un dipinto eseguito da Filippo da Verona con la *Madonna col Bambino e un santo vescovo* oggi all'Accademia Carrara di Bergamo (cfr. Humfrey 1983, tav. 192a) e in un altro dipinto attribuito ad Andrea Busati o a Pasqualino Veneto con la *Madonna col Bambino e san Simeone*, di ubicazione sconosciuta (cfr. Humfrey 1983, tav. 191c).

Quanto, infine, a un'interpretazione iconografica dell'opera, pare un po' forzata la recente lettura della Béguin che la vede come fonte d'ispirazione per la celebre e misteriosa *Madonna dal collo lungo* di Parmigianino (1990, pp. 104-108), in quanto le analogie fra i due dipinti (rapporto fra la Vergine e la colonna retrostante) non sembrano tali da postulare un precedente iconografico nel nostro dipinto per l'opera del Parmigianino. Ricordiamo, per inciso, che l'allora direttore della Galleria Nazionale Corrado Ricci, alla fine dell'Ottocento, tentò invano uno scambio cogli Uffizi proprio fra questi due dipinti.

Bibliografia: Malazappi, 1580, c. 170v; Orlandi 1710, n. 34; Affò 1796[a], p. 102; Affò 1796[b], p. 43; Gabbi ms. 18 inizio sec. XIX, p. 119v; Amoretti 1804, p. 41; Donati 1824, p. 113; Martini 1875, p. 32;

Pigorini 1887b, p. 38; Morelli 1892, p. 277; Botteon-Aliprandi 1893, p. 64; Berenson 1894, p. 98; Frizzoni 1896, p. 438; Ricci 1896, pp. 46-47; Berenson 1897b, p. 105; Morelli 1897, p. 282; Scarabelli Zunti sec. XIX, p. 65r; Burckhardt 1901, p. 717; Vital 1902, p. 26; Burckhardt 1905, pp. 55-57; Borenius 1909, p. 47; Peraté 1909, vol. IV, pp. I, 429; Borenius 1912, p. 47; Cavalcaselle-Crowe 1912, vol. I, p. 243; Hadeln 1912, p. 595; Venturi 1915, pp. 530-533; Berenson 1916, pp. 187, 201; Berenson 1919, pp. 179, 190; Copertini 1922, p. 289; Testi 1924, p. 12; Ricci 1926a, tav. 31; Fogolari 1931, p. 245; Sorrentino 1931, p. 5; Spahn 1932, p. 57; van Marle 1935, p. 428; Berenson 1936, p. 127; Quintavalle 1939, pp. 148-149; Gengaro 1940, p. 375; Quintavalle 1948, p. 34; Quintavalle 1951-52, p. 6;

Brizio 1955, p. 558; Ghidiglia Quintavalle 1956, p. 16; Berenson 1957, p. 67; Lasareff 1957, p. 46; Berenson 1958, vol. I, p. 69; De Logu 1958, pp. 55, 238; Coletti 1959, pp. 16, 89; Copertini 1960, pp. 7-8; Ghidiglia Quintavalle 1960, p. 17; Quintavalle 1960, pp. 27-30; Robertson 1961, p. 284; Ballarin 1962, p. 485; Battisti 1962, p. 29; Del Massa 1962, pp. 4 sgg.; Heinemann 1962a, p. 318; Magagnato 1962, pp. 86-88; Menegazzi 1962, p. 48; Pallucchini 1962, p. 226; Roli 1962, p. IX; Valsecchi 1962, p. 17; Vertova 1962, p. 718; Marini 1963, pp. 154, 158; Zava Boccazzi 1965, pp. 6-7; Keller 1969, pp. 248-249; Ghidiglia Quintavalle 1971, p. 15; Zeri 1976, vol. I, pp. 277-278; Fornari Schianchi 1979, p. 5; Nonfarmale 1979, pp. 8-11; Menegazzi 1981ᵃ, pp. 45-46, 120; Menegazzi 1981ᵇ, p. 525; Hum-

frey 1982, pp. 35-38; Fornari Schianchi 1983, p. 56; Humfrey 1983, pp. 36, 138-139; Lucco 1983, p. 459; Lucco 1984, p. 228; Benati 1987, p. 270; Humfrey 1987ᵃ, pp. 204, 209, n. 25; Humfrey 1987ᵇ, p. 600; Watson 1987, p. 140; Riccomini 1988, p. 230; Béguin 1990, pp. 104-108; Humfrey 1990, p. 742; Lucco 1990, pp. 466, 469; Martini 1990, pp. 76-77; Schmidt 1990, p. 720; Tempestini 1992a, p. 11; Humfrey 1993a, pp. 216, 350; Laclotte, in Paris, 1993, p. 273; Martin 1993, pp. 40, 57; Gilbert 1994, p. 120; Humfrey 1994, pp. 7, 13; Puppi 1994, p. 6; Tempestini 1994, pp. 38-39; Bacchi-De Marchi 1995, p. 258; Fornari Schianchi 1995, p. 13; Humfrey 1995, p. 96; Humfrey 1996, p. 321; Mendogni 1996, p. 218; Schmidt Arcangeli 1996, pp. 100, 103; Ekserdjian 1997, pp. 6-7; Fornari

Schianchi 1997, p. XLIX; Viola, in *Galleria*, 1997, p. 140; Riccomini 1997, p. XVI; Fornari Schianchi 1998, p. XVI; Fortini Brown 1998, p. 110; Humfrey 1998, p. 219; Humfrey 1999, p. 1282; Tempestini 2000b, p. 18; Fornari Schianchi, in *Rinascimento*, 2001, p. 152; Schneider 2002, pp. 143-145; Finocchi Ghersi 2003, p. 36; Humfrey, in Edimburg, 2004, p. 72.

Angelo Loda

Restaurato dalla Fondazione Cassa dei Risparmi di Forlì in occasione della mostra. Laboratorio di restauro Avio Melloni, Albinea (Reggio Emilia).

Bartolomeo Montagna
(Vicenza?, 1449 circa-1523)

19. *Madonna con il Bambino sotto un pergolato tra i santi Giovanni Battista ed Onofrio,* 1486-1487 circa
tavola, trasporto su tela, 195,7 × 160 cm

Vicenza, Musei civici, Pinacoteca palazzo Chiericati, inv. A-2

iscrizione: OPUS BARTHOLOMEI M.

Una lastra fotografica conservata nell'Archivio dei Musei Civici di Vicenza permette di leggere l'opera ancora sul supporto originale, prima del trasporto su tela effettuato tra il 1908 e il 1910: pur annerita dal sudiciume degli anni, l'ancona appariva materica e splendidamente leggibile in dettagli fortemente incisi, dallo scabro paesaggio al selvatico Onofrio fino all'elaborata caduta di pieghe del manto della Vergine. L'invasiva pulitura effettuata nel 1964 da Giuseppe Pedrocco ha sfrondato le verzure, dissipato qualche nube all'orizzonte, ammorbidito i duri profili e le asprezze paesistiche e rasato il manto della Vergine, cancellandone i mossi panneggi ed eliminando i colpi di luce sulla veste damascata così come la marezzatura sul tendaggio di fondo. L'opera era in origine collocata sul terzo altare di sinistra, patronato da Costozza (Mantese 1964) della demolita (1812) chiesa vicentina di San Michele ove si trovavano altri due dipinti di Montagna: un perduto *Sant'Onofrio* ricordato a sinistra del nostro dipinto da Marco Boschini (1676) – interessante per la ridondanza del santo, la cui singolare immagine potrebbe essere stata qui commissionata dall'importante Fraglia vicentina dei Tintori, di cui Onofrio era protettore – e, nel medesimo lato ma sul primo altare dall'ingresso, la cosiddetta Pala Squarzi, oggi a Brera, datata 1499. Ed è a quest'ultimo dipinto che Borenius (1909, 1912) accosta la tela della Pinacoteca vicentina, considerandola "quasi studio preparatorio" per l'ancona milanese: opera certo diversa, nel diffuso insistere di minuziose cifre e nella sua teoria prospettica di tagli e marmi, dalla magistrale semplicità del testo vicentino. La pala è esito di un prodigioso accordo tra la plastica ossuta degli assorti attori, esaltata dalla severa cromia nei rossi e bruni delle carni. Il trono sembra

scavato nella materia fossile; il baldacchino, retto da scheletrici alberelli, induce nello spettatore la calma severa della sacralità. Onofrio, quasi un *homo selvaticus*, è magistralmente calibrato in scabra purezza di luce a contrasto con la trasparenza intensissima dei colori nelle vesti della Madonna, il manto ottenuto con un sapientissimo utilizzo del mezzo tecnico: uno spesso strato di azzurrite è solo in alcune zone velato da lapislazzuli, così da ottenere effetti cangianti di luce come quelli realizzati nel risvolto interno rosa del manto e nell'arancio della veste.
Come notato da Lucco (1987), la temperatura poetica di Montagna sale improvvisa in quest'opera e in quella che immediatamente la precede, la *Madonna tra le sante Monica e Maria Maddalena*, sempre nella Pinacoteca Civica vicentina, "universalmente riconosciute come le sue più alte": e a suscitare tanta liricità sarà stata forse la presenza nella cappella Fioccardo del Duomo di Vicenza, fin dal 1480, della *Trasfigurazione* di Giovanni Bellini ora a Capodimonte, testo calibrato sull'accordo totale tra uomo e ambiente e l'umanizzazione del divino, in un comune sentire con l'ambientazione paesistica delle pale vicentine esemplato dalle fossili concrezioni, originale interpretazione di quelle rocce friabili, insidiate da radici, che Bartolomeo aveva visto nel Bellini della *Resurrezione* di San Michele a Murano (oggi alla Gemäldegalerie di Berlino), dipinta entro il 1479.
L'attenta compiutezza formale del nostro dipinto lo qualifica come una rimeditazione immediata dei temi espressi da Montagna nella *Madonna tra le sante Monica e Maria Maddalena*, di poco seguente la pala per l'altare maggiore della chiesa di San Bartolomeo a Vicenza – la *Madonna in trono con il Bambino tra i santi Giovanni Battista, Bartolomeo, Agostino e Sebastiano (ai piedi del trono tre angeli mu-*

sici), anch'essa ora nella pinacoteca vicentina – e collocabile tra la fine del 1485 e il principio del 1486, posticipando dunque per la nostra pala quel 1483-1484 proposto da Puppi (1962) e il 1485 di Barbieri (1962) e Galassi (1999), senza però arrivare agli estremi di un Berenson (1919) che la portava al biennio 1488-1490, anni d'abbrivio di un decennio di grande sperimentalismo prospettico, inaugurato dalla pala per la Certosa di Pavia eseguita nel 1490 per l'altare di San Giovanni Battista. E di questa nuova stagione del linguaggio montagnesco la *Madonna con il Bambino sotto un pergolato tra i santi Giovanni Battista e Onofrio* è quasi palinsesto: Galassi (1999) osservava come il disegno sottostante fosse impostato secondo le medesime qualità funzionali della pala per l'altare maggiore di San Bartolomeo. Ecco allora un sistema grafico che, a partire da una meticolosa definizione delle ombreggiature, in accordo con la lezione belliniana, tende già a evidenziare quelle costruzioni struttive che caratterizzeranno la piena maturità montagnesca proprio negli anni di tangenza con la pratica del tarsiatore Pietro Antonio degli Abati. Il disegno sottostante, inizialmente orientato a segnare morbidamente le linee di contorno delle figure, si dispone poi entro le forme secondo un tratteggio, fitto e irregolare, che definisce con grande meticolosità tutte le zone d'ombra, sottolineando le ricerche plastiche del Maestro vicentino in questi anni, in un interesse precipuo per i volumi dei personaggi orientati a una strutturazione grafica che approderà, nel corso degli anni novanta del Quattrocento, a una pittura di accentuata solidità formale, quasi pietrificata, in una solida spartizione del sistema volumetrico per piani chiaroscurali contrapposti. È certo, comunque, che l'altezza emotiva di quest'opera, nel muto

dialogo del sacro sinedrio a suo agio nello scabro paesaggio di trachite stratiforme che tutto connota, facendo petrosi pure gli umani e le verzure, rivela immediata l'efficacia del linguaggio che il giovane Bartolomeo imposta, principiando un geniale affrancamento dalla lezione appresa a Venezia accanto ad Antonello da Messina e Giovanni Bellini che lo porterà a essere, per almeno un decennio, terza voce dell'arte pittorica veneziana ai più alti registri.

Bibliografia: Ridolfi 1648, I, p. 92 (ed. 1914, I, p. 110); Boschini 1676, p. 45; Bertotti-Scamozzi 1761, p. 24; Buffetti 1779, I, p. 88; Bertotti-Scamozzi 1780, p. 22; Bertotti-Scamozzi 1804, p. 20; Magrini 1855, p. 53, n. 14; Magrini 1863, p. 23 e 36; Ciscato 1870, p. 85; *Elenco* 1881, p. 6; Berenson 1894, p. 108; L. Venturi 1907, p. 256; Foratti 1908, pp. 18-19; Borenius 1909, p. 23 e n. 3; 40 e n. 1, 41-42, 69 e n. 1; Berenson 1911, p. 118; Borenius 1912, p. 24 n. 2, p. 40 n. 1, pp. 41-42, 69 n. 1; Crowe-Cavalcaselle 1912, II, p. 127; Ongaro 1912, pp. 17-18; Phillips 1912, p. 227; Venturi 1915, pp. 463-465; Berenson 1916, p. 121; Bortolan-Rumor 1919, p. 150; De Suarez 1927, pp. 5-6; Foratti 1931, p. 75; Berenson 1932, p. 369; Calì 1932, p. 23; Arslan 1934, p. 7, 14; Berenson 1936, p. 317; Fasolo 1940, p. 55; Pallucchini in Venezia 1946, pp. 82-83, cat. 146; Dalla Pozza 1949, p. 4; Magagnato 1953, p. 174; Barbieri 1954a, pp. 194-195; Barbieri 1954b, p. 174; Arslan 1956, p. 182, cat. 1279; Barbieri-Magagnato, 1956, p. 174; Berenson 1957, I, p. 117; Berenson, 1958, I, p. 121; Barbieri 1962, I, pp. 161-164; Puppi 1962, pp. 41-42, 137; Barbieri, 1981, pp. 26-27; Ballarin 1982, p. 81; Lucco 1987, pp. 154-155; Tanzi 1990, II, p. 610; Barbieri 1995, p. 55; Dal Pozzolo 1998, p. 29; Galassi 1999, pp. 105-106; Villa 2002, pp. 42-43; Poldi-Villa in *Catalogo* 2003, pp. 532-536; Villa in *Catalogo* 2003, pp. 166-168.

Giovanni C. F. Villa

Marco Palmezzano
(Forlì, 1459-1539)

20. *Annunciazione*, 1495-1497 circa
tavola, 305,2 × 215 cm

Forlì, Pinacoteca Civica, inv. 40

Dal 1866, in seguito alla soppressione della chiesa del Carmine, la grande tavola si trova nella Pinacoteca Civica di Forlì (Grigioni 1956, p. 401). Riaperta al culto la chiesa, essa fu sostituita sull'altare maggiore, dove si trovava, da una copia in tela dipinta da Claudio Zampanelli eseguita nel 1899 (Sabatini 1968, p. 159). La storia del dipinto ha diversi punti oscuri.

La copia che tuttora si vede in chiesa è rettangolare ed è alloggiata in una monumentale cornice nata evidentemente per tale forma. Fino al restauro del 1978 non apparivano motivi per ipotizzare che il dipinto di Palmezzano avesse mai avuto una sagoma diversa. La composizione era coerente: al di sopra del semicerchio di cherubini nella parte alta si vedeva un fascio di raggi dorati. L'intervento realizzato in quell'anno da Ottorino Nonfarmale, rimuovendo la doratura posticcia, ha riportato in luce i resti di un'immagine del Padre Eterno, e precisamente la sola veste e la mano sinistra (Viroli 1980, p. 56). La figura è, infatti, mancante della testa, della mano destra, verosimilmente alzata, e impoverita da abrasioni della pelle pittorica, all'epoca lasciate in tutta evidenza. È chiaro che in origine la tavola doveva essere centinata, e che aveva già la forma attuale al momento in cui fu realizzata la monumentale cornice nel presbiterio della chiesa, nata con la ricostruzione dell'edificio, su progetto di Giuseppe Merenda, tra il 1735 e il 1746 (Sabatini 1968, p. 154).

Il restauro realizzato in occasione di questa mostra da Marisa Caprara ha provveduto a sanare i notevoli punti di debolezza che compromettevano la conservazione dell'opera, nonché a migliorarne la lettura (per il restauro si veda il saggio *Prima della mostra, oltre la mostra: un piano organico di restauri*). L'elaborata fattura dell'*Annunciazione*, minuziosamente indagata in ogni suo aspetto man mano che procedeva l'opera manuale che la riportava in luce, fornisce ora molti dati sulle modifiche subite dal dipinto e qualche elemento in più su cui si può ragionare per ricostruire le circostanze in cui, per la chiesa del Carmine, fu commissionata questa pala d'altare, cosa per Forlì di impegno del tutto eccezionale: per la dimensione, anzitutto (maggiore di come la vediamo oggi, si è detto), per la finezza dei colori, per la solennità del suo respiro spaziale, per l'applicazione estrema di chi ha realizzato la sua luminosa pelle pittorica. Troppo bella per essere opera di Marco Palmezzano? Effettivamente la letteratura che riguarda l'opera – di cui Grigioni fornisce un'accurata rassegna, dopo la quale, tuttavia, il lettore non ha l'impressione di incontrare una sua vera presa di posizione – gira intorno al suo nome, chiamando in causa ora Leone Cobelli (pittore assolutamente privo di opere), ora Marco Valerio Morolini (figura, a quanto sembra, del tutto inventata), e perfino il mediocre Rosetti, oppure lo stesso Melozzo, o come autore senz'altro, o almeno come responsabile del cartone. Il solo Cesare Gnudi pone in rilievo l'argomento che l'opera è completamente ridipinta, e quindi poco leggibile (Grigioni 1956, pp. 403-405).

In mezzo a difficoltà che l'esame stilistico del dipinto conferma come reali, la fattura pittorica è quella che più parla di Marco Palmezzano. Qui la tecnica a olio appare perfettamente padroneggiata e dà luogo a stesure compatte, sotto le quali non si percepisce nessun tratteggio lasciato in semitrasparenza, come invece si vede in tutte le opere riconducibili all'inizio dell'ultimo decennio del Quattrocento. Questo mutamento si percepisce appunto alla svolta del nuovo secolo e viene messo in relazione con la frequentazione di Venezia testimoniata dal documento del 1495, relativo alla casa posseduta dal pittore in quella città.

Il restauro ha quindi consentito di poter finalmente fondare l'esame su un assetto generale rispettoso delle intenzioni del pittore. Sulla commissione dell'opera stranamente non vi è il minimo indizio. Il racconto della *Cronaca Albertina* (cc. 239-240) sulla fondazione della cappella dell'Annunziata pare interpretabile come ingrandimento e quasi riedificazione della vecchia chiesa, con il nuovo titolo della Santissima Annunziata, tra il 1480 e il 1491. Bartolino Numai, colui che aveva lasciato per testamento la somma per edificare "la cappella dell'Annunciata", apparteneva a una famiglia illustre, di parte guelfa. In quegli anni il vescovo di Forlì era Alessandro Numai, che ricoprì importanti incarichi presso la curia pontificia (Calandrini – Fusconi 1993, pp. 661-734). L'immagine che fu posta sopra l'altare della nuova cappella era pre-esistente e si trovava su un muro vicino. La fama delle grazie dispensate aveva fatto nascere l'esigenza di tributarle culto in un luogo più degno, come si legge in una quantità di racconti sulle immagini miracolose. Al punto che si può parlare di situazione topica. Ma qui l'esecuzione di un trasporto a massello pare presentasse particolari difficoltà, perché si trattava di un muro "di terra", sopra al quale anche la scena dell'Annunciazione era dipinta "a terra". Tutto era molto fragile, ma l'architetto che era stato chiamato – a meno che non si tratti di un caso di omonimia – portava un nome famoso: Lorenzo da Bologna, che legò la sua attività, per quanto ne sappiamo, soprattutto a Vicenza, e nel 1480 già si trovava in città. Il suo nome cade nella *Cronaca Albertina* senza commenti. Nella letteratura forlivese non è stata sottolineata l'importanza del collegamento che potrebbe aver condotto in città un personaggio tanto notevole; e neppure gli studi su Lorenzo registrano questo dato (Danieli 1996-1997). Chiamato "per fare … detta capella", condusse in porto anche lo spostamento della pittura. Se poi abbia continuato i lavori di ampliamento della chiesa, con la costruzione della cappella maggiore (seguita subito dopo, ottenendo a fatica il permesso di ingrandire l'edificio a scapito di "una strada che va verso Cesena"), la *Cronaca* non lo dice. Si apprende solo che nel 1491 la chiesa iniziò a essere officiata, ma sulle immagini dei nuovi altari non si ricava nessuna notizia. Si legge che furono istituite allora le due cappelle di Sant'Antonio abate e di Sant'Alberto carmelitano, ma anche qui nessuna informazione riguarda i dipinti. Sarebbe legittimo pensare che non vi fossero ancora, alla luce del fatto che la commissione per l'altare di Sant'Antonio, patrocinato dalla famiglia Ostoli, fu ricevuta da Marco Palmezzano nel 1497. Quanto al *Sant'Alberto*, risulta che sull'altare si trovasse una delle poche opere rimaste in patria di Livio Agresti, andata però perduta, sulla data della quale non abbiamo indizi (Sabatini 1968, p. 202). Per quanto riguarda la cappella maggiore, siamo al buio completo. Se nella cappella dell'Annunziata di Bartolino Numai vi era l'affresco trasportato a massello, veramente l'altar maggiore doveva ospitare una pala di dimensioni inusitate con una seconda scena dell'*Annunciazione della Vergine*?

O per caso la vecchia immagine si stava deteriorando e si manifestava la necessità di rendere ragione dell'intitolazione della chiesa con una pala d'altare tale da polarizzare su di sé l'attenzione dei fedeli? Si può notare di sfuggita che, nel momento del rinnovamento settecentesco dell'edificio, l'inevitabile esigenza di mantenere un collegamento con il tradizionale racconto della fabbrica quattrocentesca, in conseguenza della quale l'edificio aveva assunto la dignità di chiesa vera e propria, deve aver incontrato una pietra d'inciampo: l'antico affresco verosimilmente non c'era più. Quello che oggi viene indicato come tale, in realtà non lo è affatto, perché vi si vede soltanto la mano ben caratterizzata del pittore settecentesco forlivese Giuseppe Marchetti. E in più non raffigura l'*Annunciazione*, ma la *Madonna del Carmelo*. La sequenza dei fatti che si

legge nella guida del padre carmelitano Sabatini (1968) non si distacca di una virgola dalla situazione ben visibile a tutti, e ignora totalmente i non piccoli punti di discrepanza con la *Cronaca Albertina*.

Tornando all'*Annunciazione* di Palmezzano, la fattura pittorica è dunque del tipo che incomincia ad apparire nella sua opera a partire circa dalla seconda metà dell'ultimo decennio del XV secolo: più o meno sorvegliata, più o meno suntuaria, a seconda dei colori usati, ma sostanzialmente costante. La figura della Madonna somiglia ad altre fanciulle bionde che ricorrono in vesti di sante nei dipinti fin verso il limite del primo decennio del Cinquecento, ma l'angelo ha una fisionomia davvero originale; ed è rara anche l'architettura, con i sei medaglioni a bassorilievo visibili nei pennacchi e i capitelli coi delfini. È già stato notato (Dal Pozzolo 1997, p. 50) che l'invenzione della grande navata a volte su colonne, quasi una traduzione decorata e suntuaria della severa misura codussiana in Santa Maria Formosa, deriva da un'idea di Cima da Conegliano, la veneziana pala Saraceno dal Zio alla Madonna dell'Orto da datarsi entro la metà degli anni novanta (Humphrey 1983, pp. 160-161). A questa il pittore forlivese s'ispira direttamente, tanto da riprendere anche i tondi dorati dei peducci che, tuttavia, nella pala del Carmine ospitano le storie della creazione come antefatto lapideo e musivo alla nuova Eva, la Vergine annunziata.

La decifrazione di queste invenzioni e dei loro possibili modelli potrebbe, anzi, fornire qualche ulteriore informazione sui repertori di Palmezzano. In particolare, Adamo pensoso seduto con la testa appoggiata alla mano contro un albero (ultimo peduccio in fondo a destra) sembra derivato con una certa precisione dalla medaglia di Sperandio per Tito Vespasiano Strozzi, probabilmente approntata dopo la morte della moglie Domitilla Rangoni nel 1487 (Hill 1984, I, p. 101). In tutte quante le grandi placche circolari hanno tuttavia, la nettezza plastica e incisa di medaglie ingrandite. I capitelli delle colonne di breccia antiche con coppie di delfini al posto delle volute sono un omaggio scoperto a quelli disegnati da Giovanni Bellini fin dal tempo del suo esordio con la pala domenicana di San Zanipolo (distrutta) e poi quella di san Giobbe (Ceriana 2003, pp. 124-125). Il modello che ebbe in mente Palmezzano fu molto probabilmente proprio la pala domenicana, me-

no impervia del capolavoro maturo di Giovanni nella chiesa osservante, perché anche nell'aereo padiglione veneziano sopra i capitelli si trovano frammenti di trabeazione a mediare l'innesto degli archi. Se nel pittore veneziano un tale particolare è quasi un ipercorrettismo – poiché i sostegni sono pilastri quadrati – in Palmezzano la colonna richiede, in un lessico architettonico usato alla fine quattrocento, il frammento di trabeazione di una qualche ambizione nella pala Dragan di Cima da Conegliano già nella Scuola Grande di San Marco (ante 1499; Humfrey 1983, pp. 147-150), che, per essere un solenne protiro aperto su un montante e articolato paesaggio, poté essere il riferimento del forlivese al momento di affrontare un progetto assai impegnativo. Una lezione diversa del frammento di trabeazione, privo tuttavia di architrave a differenza di quelli lagunari, si ritrova nell'architettura reale in cantieri condotti da progettisti e lapicidi toscani e che Palmezzano doveva conoscere bene, come la cattedrale di Faenza progettata da Giuliano da Maiano (iniziata dal 1474) e ancor di più i cantieri di Gerolamo Riario a Imola, in specie il palazzo "superbissimo" voluto dal signore come inizio della piazza porticata (Zaggia 1999, pp. 110-119). Che la prima formazione artistica, di certo architettonica, del forlivese, abbia tratto giovamento dalla conoscenza dei cantieri imolesi nel breve ma vivacissimo esordio della signoria del Riario, sembra essere confermato dalla chiamata del pittore a Dozza, fuori dalla piazza forlivese e in un contesto architettonico toscaneggiante del tutto in linea con quanto avveniva in città.

Tornando alla pala del Carmine, è forse opportuna una piccola apertura esplorativa sulla situazione politico-culturale. Tra l'inizio della costruzione della cappella voluta da Bartolino Numai e la commissione del dipinto da collocare sull'altar maggiore della chiesa ingrandita passano gli anni della signoria di Girolamo Riario, trasferitosi a Forlì da Roma dopo la morte dello zio Sisto IV (1484). Ricchissimo, anche perché erede del fratello Pietro (il conte era "considerato in isplendidezza, anzi profusione la meraviglia di quel secolo", secondo Bonoli 1661, ed. 1826, p. 213), "spendeva eziandio in edifizi immoderatamente". Parecchie sono le fabbriche ricordate dallo storico forlivese all'interno della sua città (*Idem* pp. 224-225); una, forse quella di maggior significato simbolico, solo di

sfuggita: "La cappella de' Riari, ora degli Acconci, dedicata a s. Caterina" nella chiesa di San Girolamo (*Idem* p. 237). Accanto a queste notizie, acquista significato non piccolo la nomina a camerlengo del cardinale Raffaele Riario, conferitagli da Sisto IV nel 1483, tramite la quale egli era divenuto responsabile di tutta l'edilizia, delle fortificazioni e dell'urbanistica nello Stato della Chiesa. Educato sotto la protezione di Pietro Riario, fratello del conte Girolamo e accorto programmatore della carriera politica di quest'ultimo (matrimonio con Caterina Sforza, signoria di Imola e poi di Forlì; Frommel 1989, pp. 73-74 e 1995, p. 199), Raffaele Riario lascia tracce ripetute della sua presenza a Forlì (Bonoli 1661, ed. 1826 p. 224, relativa all'anno 1485, e pp. 257 e 259, dopo l'assassinio dello zio nel 1488). Da questi dati si possono valutare prima l'indiscutibile autorità di Girolamo, divenuto capo della famiglia, e poi le premure di Raffaele perché il feudo rimanesse nelle mani degli eredi; alla luce della carica ricoperta dal cardinale, diventa legittimo immaginare che il passaggio per Forlì di architetti e costruttori sia stato assai più vario e frequente di quanto siamo abituati a pensare, solo perché non se ne sono trovate tracce documentarie. La notizia di Bonoli che la cappella detta oggi correntemente degli Acconci in San Girolamo fosse in origine quella dei Riario attende ancora una valutazione il più possibile critica, nei limiti consentiti da tutto ciò che ne rimane: una mediocre fotografia. È già stato notato che i cherubini intorno al tondo centrale della cupoletta ricorrono morfologicamente identici nell'*Annunciazione* (Grigioni 1956, p. 403). Ma se la cappella era dei Riario, le date non converrebbero al pittore forlivese, al quale pure si tende ad attribuirla (anche se, veramente, il giro più esterno dei putti a figura intera e i due personaggi identificabili come *Augusto* e la *Sibilla* non trovano riscontro stilistico nell'opera di Palmezzano; Shearman 1992, trad. it. 1995, pp. 176-177). Gli stessi cartoni per le teste dei cherubini sembrano adoperati anche nella cappella Feo (Viroli 1991b, p. 29), dove certo si trovano in un contesto, sia cronologico sia stilistico, più vicino al dipinto in esame, e ancora nella lunetta della pala di San Michele a Faenza (commissionata nel 1497), attorno a un Padre Eterno dalla fisionomia particolare, non più usata per altre figure simili dal pittore (cat. 21).

Il quadro dei riferimenti mostra, quindi, aperture in varie direzioni, e la situazione documentaria lacunosa non permette di capire che cosa mai condusse Palmezzano a dipingere, in questa occasione, sulla scorta di indicazioni tipologiche e in parte stilistiche non più riprese in seguito. Anche in questo caso le uniche indicazioni si possono desumere dal dipinto stesso: il respiro monumentale dell'insieme, che fa tutt'uno con l'accordo cromatico vivido e luminoso, non si potrebbe immaginare senza l'esperienza dei grandi maestri veneti. I nomi di Giovanni Bellini, Cima da Conegliano e Bartolomeo Montagna sono già stati spesso chiamati in causa, assai opportunamente, ciascuno per diversi particolari punti di vicinanza a Palmezzano. È utile però non dimenticare quelle incertezze attributive dei primi decenni del Novecento, di cui rende conto Grigioni, in cui ricorre, a vario titolo, il nome di Melozzo. Ora la figura di questo grande maestro ha acquistato un'immagine assai meglio disegnata, per cui da un lato verrebbe da respingere quelle posizioni critiche come ormai invecchiate, mentre dall'altro continua a percepirsi il fatto che l'*Annunciazione* non contenga soltanto dati stilistici appartenenti alla cultura veneta. Il nome di Melozzo può apparire allora come una sorta di spiegazione – la più immediata in rapporto a Palmezzano – della presenza di fattori culturali di estrazione diversa, in primo luogo romana; però, solo se fossimo in grado di saperne di più sui quattro anni in cui Girolamo Riario, risiedendo a Forlì, diede un impulso straordinario all'attività edilizia, e di conseguenza anche decorativa, avremmo qualche chiave per venire a capo del problema.

Bibliografia: Viroli 1991b, p. 29 con bibliografia; Marchetti, C.R. 177.177, c. 43; Tumidei 1991, p. 24; Calandrini, Fusconi 1993, p. 312; Tumidei 1994, p. 69; Valeri 1997, p. 57; Dal Pozzolo 1998, p. 78; Tumidei 1999, p. 78; D'Altri 2003, pp. 11-26.

Anna Colombi Ferretti
Matteo Ceriana

Restaurato dalla Fondazione Cassa dei Risparmi di Forlì in occasione della mostra. Laboratorio di restauro Marisa Caprara, Bologna.

Marco Palmezzano
(Forlì, 1459-1539)

21. *Madonna con il Bambino in trono fra san Michele Arcangelo e san Giacomo Minore*, 1497-1500
Padre Eterno e cherubini (lunetta)
tavola, 179 × 175 cm; 92 × 182,7 cm (lunetta)

Faenza, Pinacoteca Comunale, inv. 112, 113

La pala delle Micheline riveste una notevole importanza nella vasta produzione di Marco Palmezzano, per una serie di motivi evidenziati da una lunga e densa tradizione critica. In più, recentemente, sono emersi documenti che c'illuminano sui tentativi compiuti dalla National Gallery di Londra per acquistare ed esportare l'opera in Inghilterra.
Innanzitutto la cronologia, ampiamente documentata: la pala è stata eseguita fra il 12 giugno 1497, giorno in cui venne rogato il contratto fra i priori della confraternita di San Michelino di Faenza per l'altare maggiore della loro chiesa e il pittore, e il 16 marzo 1500 quando si certificò l'avvenuto saldo dei pagamenti da parte dei committenti.
Inoltre, è certo che il favore incontrato da quest'opera ha favorito l'allogazione al Palmezzano di altri dipinti per almeno due chiese di Faenza: dai documenti risulta che, nel 1505, l'artista eseguì una pala d'altare e affreschi per una cappella nella chiesa dell'Osservanza, oggi non conosciuta, e la pala attualmente a Monaco di Baviera, datata 1513 (cfr. Tambini 2003, pp. 33-37), per la chiesa di San Francesco.
Quanto ai giudizi critici, fin dalla metà dell'Ottocento sono stati pressoché concordi nel valutare l'opera come uno dei risultati più riusciti della maturità dell'artista, ormai in grado di esprimersi in maniera autonoma e personale fondendo la lezione melozziana con evidenti apporti veneti, che mostrano la conoscenza di Giovanni Bellini e Cima da Conegliano (cfr. Ceriana 1997).
Se il valore del dipinto e il suo rilievo nel percorso di Palmezzano sono ormai concordemente acquisiti, solo di recente è stata fatta luce, grazie a documenti inediti conservati nell'Archivio di Stato di Faenza (ASF, n. 1), sui ripetuti tentativi di sir Charles Lock Eastlake, dal 1855 direttore della National Gallery di Londra, di acquistare il quadro dall'ente proprietario, l'Orfanotrofio delle Femmine.

La prima offerta di acquisto venne avanzata nel 1859. Lo rivela esplicitamente Achille Farina in una lettera del 5 agosto 1861 indirizzata al sindaco: "Nella Chiesa, detta così delle Micheline, trovasi una tavola dipinta da Marco Palmezzano suo capolavoro, che pochi anni or sono l'Ispettore della Real Galleria di Londra l'avrebbe acquistata per il Museo Reale e incaricava me stesso ad offrire più migliaia di scudi a detto Orfanotrofio; che Monsignor Vescovo, senza altro dire, si rifiutò, ma senza giovare né al quadro; né a quelle povere giovani" (ASF, 1861, busta n. 490).
Achille Farina (1804-1879), personaggio di spicco della vita artistica faentina (cfr. Golfieri 1975, pp. 78-79), era all'epoca direttore della Scuola di Disegno comunale e, di conseguenza, custode della raccolta di opere d'arte che il Municipio aveva raccolto a partire dal 1796, primo e consistente nucleo della Pinacoteca Comunale aperta poi nel 1879. Lui stesso, nell'ottobre 1858, aveva venduto a Eastlake un dipinto di Giovanni Bellini, la *Madonna del prato*, per la National Gallery di Londra (cfr. Davies. ed 1961, p. 45).
Nel 1864, il presidente dell'Orfanotrofio delle Femmine, Carlo Strocchi, propose al sindaco l'acquisto del quadro scrivendogli, il 17 novembre, una lettera assai dettagliata: "Nel 1859: certo Inglese Istlech [*sic*] propose di farne l'acquisto, e la Deputazione, che allora amministrava l'Orfanotrofio era disposta a venderglielo, ma Mons. Vescovo in quel tempo Presidente di tutti i luoghi pii non volle acconsentire. In oggi lo stesso Sig. Istlech ha rinnovato la sua proposta offrendo il prezzo di £. 12.500, senza la lunetta (...). Prima però di trattare col Sig. Istlech, il quale trasporterebbe il Quadro in Inghilterra, la Commissione (...) ne fa l'esibita al patrio Municipio" (ASF, 1864, busta n. 532).
Il rumore provocato in città dalla nuova offerta spinse Antonio Liverani (1797-1878), altro protagonista dell'ambiente artistico faentino, a scrivere al sindaco un'allarmata lettera (7 dicembre), decisamente contraria alla vendita, in cui rivelava che il tramite di Eastlake era, anche questa volta, Achille Farina (ASF, *ibid.*).
Pochi mesi dopo, il 30 aprile 1865, anche alcuni membri della "Società Scientifica e Letteraria in Faenza", forse sollecitati dall'Orfanotrofio, scrissero al sindaco una lunga petizione (che meriterà a breve una trascrizione integrale assieme agli altri documenti qui parzialmente citati) per perorare l'acquisto del quadro da parte del Comune al "prezzo di £. 12.550, (...) mentre il Commissario per la Pinacoteca di S.M. Britannica ne ha offerto ben più che 15.000 (...). La gloria di una Nazione non è tutta riposta nelle armi, come avvisa forse stoltamente qualcuno, ma sì bene e più, ancora nelle Scienze e nelle arti" (ASF, 1865, busta n. 546).
Il presidente dell'Orfanotrofio, Carlo Strocchi, proseguì la trattativa col Comune, con una lettera del 22 gennaio 1866, ribadendo che l'offerta dell'Orfanotrofio (12.500 lire per tavola e lunetta, per giunta pagabili a rate con l'interesse del 5 per cento) era comunque un prezzo di favore rispetto all'offerta "fattale dal Rappresentante della Pinacoteca di Londra", che peraltro non avrebbe acquistato la "lunetta del Quadro valutata dal Professor Farina £. 2.500" (ASF, 1866, busta n. 563). Charles Eastlake era morto l'anno prima e non è azzardato ipotizzare che questo evento imprevisto avesse troncato le trattative o che queste fossero continuate informalmente, senza esito.
La vicenda ebbe il suo fortunato epilogo ben tredici anni dopo. Il 24 maggio 1878, fu presentato al sindaco un elenco dei "migliori quadri ed oggetti di Belle Arti che trovansi negli Istituti pii di questa città": all'Orfanotrofio delle Femmine si trovava la "Tavola con lunetta del Palmeggiano", che "per il posto in cui trovasi e per non essere ben custodita è in forte deperimento"

(ASF, 1878, busta n. 737). I quadri e gli altri oggetti descritti nell'elenco furono poi richiesti dal Municipio agli enti proprietari e fanno tuttora parte delle collezioni della Pinacoteca. L'elenco reca la firma di Domenico Zauli Naldi e Federico Argnani, ma fu scritto da quest'ultimo, incaricato di sistemare e allestire la Pinacoteca in vista della sua regolare apertura al pubblico che inizierà "a cominciare da Domenica 2 Febbraio p.v. tutte le Domeniche dell'anno, tranne i mesi di Settembre e Ottobre (...) dalle ore 11 antimeridiane ad un'ora pomeridiana a chiunque voglia recarsi ad ammirare le poche ma insigni Opere d'Arte che vi si trovano raccolte": così recitava il manifesto affisso dal sindaco il 31 gennaio 1879 (ASF, 1879, busta n. 757). Fra le "insigni Opere" figurerà, pochi mesi dopo, anche la pala delle Micheline, consegnata alle collezioni comunali con la formula del deposito: il 6 maggio 1879 l'atto formale fu sottoscritto dal sindaco che, dopo avervi inserito una postilla in cui erano specificate le non buone condizioni di conservazione e i danni dovuti agli approssimativi interventi di "inesperta mano" (ASF, *ibid.*), lo inviava al presidente dell'istituto Carlo Strocchi, l'unico rimasto su una scena che aveva visto cambiare tutti gli altri attori. Pochi giorni prima, il 29 aprile, Argnani segnalava che le due parti dell'opera erano prive di cornice e il 6 giugno successivo la Giunta approvò la proposta di fornire nuove cornici e di effettuare urgenti lavori di restauro. Si chiuse così definitivamente la vicenda che aveva visto ripetutamente in azione uno dei più agguerriti e sistematici acquisitori di opere d'arte italiane per le collezioni della National Gallery, nell'ambito di quella "quotidiana, scandalosa e visibile asportazione, violenta o remunerata, che diminuiva o dilapidava il patrimonio ubiquo e onnipresente della nascente nazione italiana" (Emiliani 1998, p. 339).

L'interesse di Charles Eastlake per questa opera di Palmezzano, oltre ai documenti qui sinteticamente illustrati, è confermato da uno dei taccuini del viaggio che Giovanni Morelli compì nel 1861, per incarico del governo italiano, nelle Marche e in Umbria in compagnia di Giovanni Battista Cavalcaselle, recentemente pubblicati (cfr. Anderson 2000). Il 26 aprile i due, partiti la sera prima da Torino, erano a Faenza, e Morelli ebbe modo di appuntare: "Nell'Orfanotrofio delle femmine – nella chiesuola – v'ha una pregevolissima tavola, rappresentante Madonna in trono col nudo Bambino sulle ginocchia messa in mezzo dai SS. Giorgio (bellissimo) e ?, figure intere (i due santi un po' ritoccati) magnifico fondo con castello e S. Michele in alto col bue sotto – e a destra figure di santi piccoli assai rilevati. In una lunetta con Dio Padre circondato da cherubini – è la più bella tavola di Marco Palmezzano, ch'io m'abbia veduta. (Qui m'apparisce anche scolaro del L. Costa. Eastlake ha offerto al direttore dell'Orfanotrofio, sig. Farini, 3.000 scudi. (Ordine dal Ministero, che non possa essere alienato senza il permesso del Governo di Torino.)" (ibid., pp. 38). Da notare, per inciso, che anche il compagno di viaggio di Morelli, accanto a una lunga descrizione dell'opera, ne tesserà un elogio pressoché identico: "Una delle migliori pitture attribuite parimenti a Melozzo è la tavola che abbiamo veduta nell'Orfanotrofio delle Micheline a Faenza" (Cavalcaselle-Crowe 1886-1908, VIII, p. 330), e "I quadri fin qui ricordati furono attribuiti a Melozzo da Forlì a cagione della loro superiorità artistica in confronto con i soliti lavori del Palmezzano. Ma questa ragione non può più sostenersi essendo provato ora che il migliore di questi esemplari non è di Melozzo, ma bensì del suo discepolo" (ibid., p. 334).

Nota: i documenti qui citati sono in: Archivio di Stato di Faenza (ASF), Comune di Faenza, Carteggio, ad annum, buste varie.

Bibliografia: Vasari [1568], VI, ed. 1906, p. 336; Valgimigli 1857, pp. 4-8; Argnani 1881, p. 18; Schmarsow 1886, p. 286; Calzini 1894b, pp. 124-125; Calzini 1895e, pp. 38-39 Cavalcaselle e Crowe 1886-1908, t. VIII, pp. 330-334, 347; Calzini 1904c, p. 114; Messeri-Calzi 1909, pp. 531-532; Okkonen 1910, pp. 139-145; Venturi 1913, t. VII, parte II, pp. 68-70; Benezit 1924, p. 417; Buscaroli 1931, pp. 188, 206-208; Berenson 1932, p. 414; Gronau 1932, p. 181; Coletti 1935, t. XXVI, p. 142; Berenson 1936, p. 355; Grigioni 1936, pp. 434-443, 446-448; Buscaroli 1938e, pp. 197-198; Forlì 1938, pp. 105-106; Notizie 1938, p. 99; Wittgens 1944, p. 382; Grigioni 1956, pp. 64-66, 317-318, 415-421; Archi 1957, pp. 20, 45; Forlì 1957, tav. V; Golfieri 1957b, p. 247; Archi 1958, pp. 72-75; Davies ed 1961, p. 45; Golfieri 1964, n. 10, Golfieri 1975; Varese in Ancona 1981, p. 91, 93; Casadei 1991, pp. 5-6; Viroli 1991, pp. 28-29; Viroli 1994, p. 219; Mazza 1996, p. 40 n. 3; Ceriana 1997, pp. 12, 23; Dal Pozzolo 1997, p. 53; Emiliani 1998, p. 339; Tumidei 1999, pp. 79-80; Anderson 2000, pp. 14-15, 38, 80-81, 85 n. 6; Tambini 2003ᵃ, pp. 33-34; Tambini 2003ᵇ, pp. 21-22.

Sauro Casadei

Restaurati dalla Fondazione Cassa dei Risparmi di Forlì in occasione della mostra. Laboratorio di restauro Isabella Cervetti, Bastia (Ravenna).

Marco Palmezzano
(Forlì, 1459-1539)

22. *L'incoronazione della Vergine con i santi Francesco e Benedetto*, 1498-1499 circa
tavola, 160 × 125 cm

Milano, Pinacoteca di Brera, inv. 260

iscrizione: [...] Palmezano / da Forlì [...]

Il cartellino presente in basso, quasi sul bordo inferiore della tavola, riporta la firma del pittore ("...Palmezano / da Forlì...", cfr. Mazza 1991, pp. 289-291, cat. 154), un tempo seguita dalla data (oggi illeggibile). L'indicazione autografa fu evidentemente ignorata dagli ispettori napoleonici che requisirono il quadro dalla chiesa degli Osservanti di Cotignola classificandolo come opera degli Zaganelli. Solo dopo l'ingresso in Pinacoteca, avvenuto il 9 febbraio 1811, la tavola fu restituita al pittore forlivese. Il riferimento attributivo dei primi inventari si basava in realtà su una tradizione più antica: è molto probabile, infatti, che tra le "almeno quattro tavole di Bernardino et Francesco da Cotignola Pittori Ecc.ti nel colorire" citate presso gli Osservanti di Cotignola dal Malazappi alla fine del Cinquecento (Malazappi [1580], c. 398r, già segnalato da Zama 1994, p. 111) fosse inclusa anche l'*Incoronazione*. Quasi due secoli più tardi, Flaminio da Parma si basava sulla fonte cinquecentesca nella sua descrizione della chiesa di San Francesco (Flaminio da Parma 1760, p. 301), seguito da Marcello Oretti (B 291, c. 215r). Descrivendo la chiesa di Cotignola nell'Ottocento, Gaetano Giordani ricordava ancora "quattro tavole da altare dipinte da Francesco e Bernardino da Cotignola, una di queste tavole figurava la Coronazione della Madonna, e fu portata a Milano, come pure le altre due rapp. Testa di S. Gio. la B.V. Bambino S. Gio. S. Floriano e altri Santi" (Giordani, B 1810, c. 85). Dalla stessa chiesa di San Francesco a Cotignola, officiata dai Minori Osservanti, erano infatti giunte a Brera anche la *Testa di san Giovanni Battista* (cat. n. 23), poi restituita a Palmezzano ma all'epoca considerata opera degli Zaganelli, e la pala, datata 1499, firmata effettivamente dai due fratelli, rappresentante la *Madonna con il Bambino in trono e i santi Floriano e Giovanni Battista*.

La critica ha sempre concordato nel riferire l'*Incoronazione* al periodo giovanile dell'artista, successivo alla collaborazione con Melozzo, per l'impianto spaziale nitido e rigoroso della composizione, informata sulle novità prospettiche centroitaliane. Resta un apice nella produzione del pittore l'accordo cromatico giocato sui bianchi e sui grigi che scandiscono piani e volumi, in un equilibrio di particolare raffinatezza, mentre la componente veneta veniva già identificata da Roberto Longhi (1914, p. 95), riconoscendo il debito dell'invenzione dalla pala di Pesaro di Giovanni Bellini, d'analogo soggetto. La conoscenza del dipinto da parte di Palmezzano, collegabile o meno alla sua presenza a Pesaro all'inizio degli anni novanta per la commissione, subito abbandonata, della nuova pala dell'Annunziata (Ambrosini 2001, pp. 9, 14 n.; Berardi 2000, p. 72; Tumidei in questo volume), costituisce un arricchimento fondamentale per l'artista, che farà tesoro delle invenzioni belliniane e, in particolare, della cimasa con *L'imbalsamazione di Cristo*, più volte replicata autonomamente (cfr. Tempestini 1992b, p. 9). Se si considerano, poi, i ricordi dell'altro altare pesarese di Marco Zoppo, dichiarati già nella pala del 1493 (cfr. Ceriana 1997, pp. 19-20; cat. 8), non può escludersi che proprio il soggiorno marchigiano avesse costituito il primo tempo di un avvicinamento alla pittura veneta che si confermerà con la documentata presenza del pittore a Venezia nel 1495.

La datazione dell'*Incoronazione della Vergine* braidense è generalmente fissata, al di là di lievi oscillazioni, alla metà degli anni novanta, dopo il termine dei lavori nella cappella Feo (Mazza 1991, p. 291). Tale datazione, proposta per via stilistica, coincide con un momen-to particolarmente felice per Cotignola, che nel 1495 ricevette da Alessandro Sforza il titolo di città (cfr. *Chiesa di San Francesco* 1996). Nello stesso anno furono consacrate la nuova chiesa di San Francesco e l'attigua cappella di Santa Maria degli Angeli, nota anche come sacello sforzesco, che progressivamente vennero abbellite da dipinti e affreschi degli Zaganelli, i quali dimostrano la chiara conoscenza dei testi di Melozzo da Forlì, visti direttamente o, forse, come ha suggerito Zama, noti attraverso la mediazione di Palmezzano stesso (Zama 1994, p. 2; Faietti 1994b, pp. 256, 261 n.). L'attività del forlivese per gli Osservanti cadrebbe quindi nell'ultimo lustro del secolo.

Va inoltre segnalata l'originaria presenza nella chiesa anche della *Testa di san Giovanni Battista*, databile agli stessi anni (cfr. cat. 23) e di un altro dipinto di Palmezzano, ricordato dal solo Giordani: un "Cristo morto, mezza figura, sostenuto da Gioseffo d'Arimatea, che nella sinistra mano tiene il vasello del balsamo: con la Maddalena parimenti mezza figura, che prende il sinistro braccio dell'estinto Redentore e la guarda con senso di cordoglio e i capelli di lei cadono sciolti: dietro essa altra mezza figura di Nicodemo a mani giunte. Fondo di pietra e alberi sfrondati. Le figure un terzo di grandezza del vero, colorite alla maniera mantegnesca" (Giordani B 1813, c. 470). Il dipinto, passato poi sul mercato antiquario bolognese, venne rivisto da Giordani presso il "pittore e restauratore Grenzi faentino", forse quel Giuseppe Grenzi, commerciante di antichità oltre che pittore-restauratore, in contatto con collezionisti americani (ai quali vendeva dipinti di Salvator Rosa e di Elisabetta Sirani) e la cui attività è accertata, tra Bologna e Faenza, almeno fino al 1856 (cfr. AABABo, 1856, Tit. III, n. 28). Per quanto la descrizione fornita da Giordani lo riecheggi con particolare esattezza, il dipinto già a Cotignola non può identificarsi con quello oggi presso la pinacoteca vicentina (che, stando agli appunti di Luigi Lanzi, risulta già attestato a Vicenza alla fine del Settecento: cfr. Lucco in *Pinacoteca* 2003, p. 215), e andrà ritenuto un'altra redazione del tema ricalcata sul prototipo belliniano, di cui esistono molte versioni di Palmezzano e della bottega (per una loro analisi si rimanda alla scheda dell'*Unzione*, cat. 25). Ma la presenza a Cotignola di una testa del Battista, di un'*Incoronazione* e di una tavola con l'*Imbalsamazione di Cristo* rimanda fin troppo esplicitamente ai testi pesaresi citati, considerato che proprio nella pala di Marco Zoppo la testa recisa del santo fungeva da elemento centrale della predella (cfr. Humfrey 1993b, p. 75). Tale dato può confermare non solo la conoscenza recente di quei modelli, ma consente di ipotizzare l'appartenenza dei tre dipinti a un'unica pala, destinata proprio alla chiesa francescana. L'ipotesi, avanzata già da Tumidei (1999), troverebbe ulteriori conferme ricordando il favore dimostrato dall'ordine dei Francescani Osservanti per le rappresentazioni cruente poste nella predella (gli Zoccolanti di Pesaro, per i quali Marco Zoppo, su probabile commissione di Alessandro Sforza, eseguì la testa del Battista, erano infatti Osservanti), oltre a particolari iconografici della testa recisa alla cui scheda qui si rimanda (cat. 23).

Abbreviazioni: AABABo, Archivio dell'Accademia di Belle Arti di Bologna.

Bibliografia: Giordani, B 1810 c. 85; *Guida* 1838, p. 46; Milanesi in Vasari ed. 1878-1885, VI, 1881, pp. 336, 340; *Catalogo* 1892, p. 63, cat. 178; Calzini 1895e, pp. 278, 286 n.; Cavalcaselle-Crowe 1886-1908, VIII, pp. 356-357; Venturi 1913, pp. 65-66; Longhi 1914, p. 95; Buscaroli 1931, pp. 205-206; Be-

renson 1932, p. 316; Centanni 1939, p. 318; Grigioni 1956, pp. 62-63, 411-414; Heinemann 1962b, p. 264; Matalon 1977, pp. 94-95; Mazza in Ravenna 1982, p. 125; Tumidei 1987, p. 90 n.; Winckelmann 1989, p. 23; Zama 1989, pp. 7, 13; Mazza in *Pinacoteca* 1991, pp. 289-291, cat. 154 (con bibliografia); Viroli 1991b, p. 45; Tempestini 1992b, p. 9; Faietti 1994b, pp. 256, 261 n.; Tumidei 1994, p. 69; Zama 1994, p. 24; Dal Pozzolo 1997, pp. 52-53, 57 n.; Tumidei 1999, pp. 80, 86 n.; Tambini in *Pinacoteca* 2001, p. 49.

Francesca Nanni

Marco Palmezzano
(Forlì, 1459-1539)

23. *Testa di san Giovanni Battista*, 1498-1499 circa
tavola, 29 × 26 cm

Milano, Pinacoteca di Brera, inv. 601

La piccola tavola raffigura la testa recisa di san Giovanni Battista, presentato con la bocca semiaperta e gli occhi socchiusi in uno scorcio che offre all'osservatore il cruento dettaglio del collo mozzato. La testa è posta su un ripiano non meglio identificabile, davanti a uno sfondo blu lapislazzolo. Un restauro degli anni sessanta del secolo scorso ha restituito al dipinto l'originaria forma quasi quadrata, precedentemente trasformata in ellittica (cfr. Viroli 1991b, p. 27). L'opera è pervenuta alla pinacoteca braidense il 5 giugno 1811, dalla chiesa degli Osservanti di Cotignola (Mazza in *Pinacoteca* 1991, pp. 291-293, cat. 154), da cui giunse anche l'*Incoronazione della Vergine con i santi Francesco e Benedetto* (cat. 22). A differenza di quest'ultima, ricordata solo in modo generico dalle fonti, la testa del Battista è precisamente descritta, già nel 1726, da Marchesi, all'interno del suo breve profilo biografico dedicato a Palmezzano, e qualche decennio più tardi da Flaminio da Parma, che però la riferisce agli Zaganelli (1760, I, p. 301), seguito poi da Marcello Oretti (B 291, c. 215r). Dopo le requisizioni napoleoniche, la tavoletta venne a lungo trascurata dalla critica, e probabilmente non esposta al pubblico. Unico a ricordarla, entro la metà dell'Ottocento, ma sulla traccia degli scrittori più antichi, fu Gaetano Giordani nei suoi appunti sul patrimonio artistico della chiesa degli Osservanti; egli la incluse fra le "quattro tavole da altare dipinte da Francesco e Bernardino da Cotignola", (Giordani, B 1810, c. 85) che, nel numero, comprendevano, oltre a questa, anche l'*Incoronazione* di Palmezzano e, forse, un'ulteriore pala degli Zaganelli, non approdata a Brera e ricomparsa di recente sul mercato antiquario (cfr. Zama 1994, pp. 139-142, n. 32). In altra occasione, lo stesso Giordani avrebbe aggiunto come proveniente da Cotignola anche una versione dell'*Unzione di Cristo* riferita a Palmezzano. Considerata perduta da Calzini (1885e, p. 30), la *Testa di san Giovanni Battista* ricomparve poco anni dopo nei cataloghi della Pinacoteca dal 1903, sempre con attribuzione agli Zaganelli. La restituzione a Palmezzano si deve a Jacobsen nel 1910, e ha trovato concorde tutta la critica successiva. La strutturazione del volto, l'incidenza della luce, il modo di ombreggiare e definire i contorni, oltre alla peculiare tipologia del nimbo a tratteggio, di ascendenza centroitaliana, che il giovane Palmezzano condivide con l'anonimo Maestro dei Baldraccani e con le prime opere di Baldassarre Carrari, confermano non solo la paternità del forlivese, ma anche l'alta qualità del dipinto e la sua precoce cronologia, sulla metà degli anni novanta del Quattrocento.

Sulle ipotesi relative alla sua originaria funzione quale elemento di predella, si rimanda alla scheda relativa all'*Incoronazione della Vergine con i santi Francesco e Benedetto* (cat. 22). Ma è possibile che la *Testa del Battista* avesse perduto presto quella sua destinazione se Flaminio da Parma poteva già descriverla "posta nel piedistallo d'una colonna, che serve d'ornamento al primo Altare a mano sinistra entrando nella chiesa" (Flaminio da Parma, I, 1760, p. 301, segnalato da Tumidei 1987, p. 90 n.). Anche le manomissioni subite nel formato lasciano intendere mutamenti nell'uso, confermati del resto da un inventario di primo Ottocento, rimasto presso la chiesa dopo le Soppressioni, dove l'opera viene descritta come "un piccolo quadro in tavola racchiuso in un coffano di legno dorato, rappresentante una testa recisa di S. Gio. Battista sopra un bacile" (cfr. Archivio della Provincia Minoritica Bolognese, *Carte dei Conventi non soppressi*, Convento di San Francesco di Cotignola, 1, sez. V, 1.7, *Quadri del Convento: autentiche e note dei quadri esistenti, 1821-1857*).

Sulla diffusione della cruda iconografia della testa del Battista quale immagine indipendente, di piccole dimensioni e destinata a un culto privato, molte sono le testimonianze note, soprattutto in area settentrionale, lombarda e padana. Basti ricordare la *Testa del Battista* di Giovan Francesco Maineri (Milano, Pinacoteca di Brera, cfr. Marani in *Pinacoteca* 1988b, pp. 354-355, cat. 148), forse da identificare con quella eseguita dal pittore nel 1502 su commissione di Ercole I d'Este per Lucia da Narni (cfr. Zamboni 1975, pp. 51-52) o quella dell'Ortolano, già Milano, collezione Bergellesi (cfr. Fioravanti Baraldi 1995, pp. 106-111). In questi casi, tuttavia, la testa del santo è rappresentata sopra un piatto d'argento, su fondo scuro o di fronte a un paesaggio, tanto che la composizione è stata ricondotta a un preciso motivo iconografico, noto come *Johannesschüssel* (cfr. Combs Stuebe 1968-69). Il motivo trae origine dalla reliquia della testa del Battista conservata ad Amiens, dove fu portata dai Crociati nel 1206: oggetto di culto e meta di pellegrinaggio, essa generò numerose repliche in tutta Europa, soprattutto in area settentrionale. In Italia, il motivo iconografico penetrò principalmente in Lombardia a partire dall'inizio del Cinquecento, e il particolare realismo a cui si giunse nella rappresentazione della testa è spiegabile, come suggeriva Suida (1929, pp. 156, 200), con l'esistenza di un prototipo perduto d'area leonardesca, cui si riferirono forse Maineri nell'esemplare già citato, Solario (1507, Parigi, Louvre) e molti pittori di area lombarda. Motivo certamente in auge presso gli ordini e le confraternite per la sua forte caratterizzazione pietistica (tavolette singole erano usate dalla Compagnia della Morte per l'assistenza ai condannati, cfr. Mazza in *Pinacoteca* 1991, p. 291), il *Caput Sancti Johannis in disco* era utilizzato come reliquiario, pace, o raffigurazione destinata semplicemente alla meditazione.

La totale assenza del piatto nel dipinto qui in esame non sembra un dato marginale. Il piatto aveva una funzione iconografica e simbolica ben precisa, ma Palmezzano evitò il vassoio, adagiando la testa recisa su un semplice e indefinito ripiano proprio come aveva fatto Marco Zoppo nel dipinto che, ormai unanimemente, si accetta come parte della predella per la pala oggi conservata a Berlino (cfr. Humfrey 1993b). La circostanza depone a favore dell'ipotesi di un'analoga, originaria destinazione della *Testa del Battista* di Palmezzano, mentre alla sua successiva trasformazione in vero e proprio *Johannesschüssel* allude l'inventario ottocentesco, facendo riferimento alla sua presentazione in un "bacile". S'intendeva probabilmente solo il formato ovale in cui era stata trasformata la tavola proprio per rendere l'idea del "disco" mancante nell'immagine pittorica.

Bibliografia: Oretti, B 291, c. 215r; Marchesi 1726, II, p. 257; Flaminio da Parma I, 1760, p. 301; Giordani, B 1810, c. 85; Calzini 1895e, p. 30; Malaguzzi Valeri 1903, p. 34; Malaguzzi Valeri 1908, p. 262; Jacobsen 1910; Buscaroli 1931, p. 223; Centanni 1939, p. 318; Grigioni 1956, pp. 126-127, 641-642; Rutteri 1962, p. 344; Tumidei 1987, p. 90 n.; Marani in *Pinacoteca* 1988b, p. 335; Zama 1989, p. 7; Mazza in *Pinacoteca* 1991, pp. 291-293 (con bibliografia); Viroli 1991b, pp. 27-28, cat. 6; Zama 1994, p. 24.

Francesca Nanni

Marco Zoppo
(Cento, Ferrara, 1433-Venezia, 1478)

24. *Testa di san Giovanni Battista*, 1471
tavola, tondo, diam. 28 cm

Pesaro, Pinacoteca Civica, inv. 4545

Questo dipinto proviene, come il *Cristo morto sorretto da due angeli* della stessa pinacoteca, dalla chiesa di San Giovanni Battista a Pesaro, per la quale Marco Zoppo, pittore bolognese, allievo di Francesco Squarcione, influenzato da Donatello, Mantegna e Piero della Francesca, da Venezia, dove morì quarantacinquenne nel 1478, aveva inviato nel 1471 una pala la cui parte principale, raffigurante la *Madonna in trono in un paesaggio con i SS. Giovanni Battista, Francesco, Paolo e Girolamo*, è oggi conservata nella Gemäldegalerie dei musei di Stato a Berlino. Gli storici dell'arte hanno discusso a lungo sul rapporto cronologico tra questa pala e quella eseguita da Giovanni Bellini per la chiesa di San Francesco nella stessa città. Oggi prevale l'idea che Giovanni abbia dipinto la sua pala dopo quella di Marco Zoppo perché si è superato il pregiudizio secondo cui, un caposcuola come Giovanni Bellini non avrebbe potuto realizzare un capolavoro come la sua *Pala dell'Incoronazione* dopo, e in qualche modo ispirandosi all'opera di un pittore come Marco Zoppo, non considerato di solito un maestro di pari livello. La pala di Giovanni non può essere stata eseguita che dopo il 1470, perché prima di quella data il pittore non mostra la maturità che invece esprime in essa. Il fatto che si tratti di un insieme strutturalmente simile alla pala di Marco Zoppo non significa necessariamente che Giovanni abbia deciso di sua iniziativa di adeguarsi ad un modello proposto da un collega. Lasciando da parte una graduatoria tra artisti, che oggi appare superata a livello metodologico, e tenendo conto della possibilità che un committente pesarese abbia deciso di donare alla chiesa di San Francesco un complesso simile a quello che un suo concittadino aveva appena fatto

collocare nell'edificio sacro dedicato al Battista nella medesima città, non dobbiamo dimenticare che i due pittori vivevano allora entrambi a Venezia e che, negli anni precedenti, dovevano avere avuto qualche contatto. Infatti, il *Polittico di San Vincenzo Ferrer*, conservato nella chiesa domenicana di Venezia dedicata ai SS. Giovanni e Paolo, opera che ormai si collega con l'attività di Giovanni Bellini nella seconda metà del settimo decennio del Quattrocento, presenta in alcune parti, soprattutto nei capelli a truciolo metallico dell'angelo annunziante e nella testa del San Cristoforo, notevoli affinità stilistiche e morfologiche con le figure della pala pesarese di Marco Zoppo. Proprio per queste convergenze Roberto Longhi (1927a, pp. 133-138; 1934, pp. 27, 96, 97), Vittorio Moschini (1943, p. 14), Rodolfo Pallucchini (1949, pp. 62, 63), Terisio Pignatti (1969 p. 91) e il compianto Alessandro Conti (1987) hanno sostenuto in passato l'attribuzione a Giovanni Bellini per questa *Testa del Battista* che il resto degli studiosi assegna concordemente a Marco Zoppo. Non tutti gli storici dell'arte sono concordi nel considerare questa tavoletta rotonda come una parte della pala di Marco Zoppo che si trovava nella chiesa pesarese. Marcello Oretti, nel suo manoscritto del 1777, la ricorda come opera separata nella sacrestia di S. Giovanni Battista a Pesaro. Nel 1990 Mauro Lucco (pp. 395-480, in part. 427-439) ha confermato l'attribuzione a Marco Zoppo e l'appartenenza in origine del tondo alla predella della pala poi smontata, risolvendo l'affinità stilistica con il *Polittico di San Vincenzo Ferrer* con la precedenza cronologica di quest'ultimo sulla pala pesarese e la presenza di Marco a Venezia dal 1465/66, cioè anche al tempo probabile di esecuzione del

polittico belliniano, da collocare subito dopo. Catarina Schmidt, nello stesso volume (1990, pp. 703-726, in part. 707-709, 723), pubblica una ricostruzione della pala di Marco Zoppo con il tondo al centro della predella e conferma la datazione successiva della *Pala dell'Incoronazione* di Giovanni Bellini. Alessandro Conti e Mauro Lucco citano entrambi questo tondo nei loro interventi al convegno su Marco Zoppo tenutosi a Cento nel 1993, il primo ribadendone l'attribuzione longhiana a Giovanni Bellini, il secondo confermandolo a Marco Zoppo. Il tema della testa mozza del precursore di Cristo sarà ripreso da Marco Palmezzano nella tavoletta da lui eseguita tra il 1489 e il 1495 per la chiesa dei Minori Osservanti presso Cotignola (cat. 23) e oggi conservata nella Pinacoteca di Brera a Milano e tornerà soprattutto nella pittura lombarda, in particolare nella produzione di Andrea Solario. Questo soggetto è di solito inserito nella raffigurazione della decapitazione del Battista, rappresentato come un'impressionante reliquia collocata su di un piatto che Salomé reca alla madre Erodiade e nell'iconografia si alterna con il tema della testa di Oloferne, recisa da Giuditta e gettata dalla sua fantesca in un sacco. Ma non mancano esempi di testa mozza vista in posizione eretta come questa di Marco Zoppo nella pittura emiliana. Ricordo in particolare l'inquietante *Testa di Santa Caterina d'Alessandria* della collezione Berenson a villa I Tatti presso Firenze; entrata nella raccolta con l'attribuzione ad Ercole de' Roberti, fu assegnata da Federico Zeri ad Antonio da Crevalcore; questa opinione fu accettata da Berenson, Russoli, Volpe e Todini. Lucco, che in un primo momento (1981) si era schierato con gli studiosi precedenti, ha poi proposto (1985), su suggerimento di

Daniele Benati, di identificarne l'autore con quello del *San Francesco orante* del Princeton University Art Museum a Princeton (New Jersey) e della *Madonna* del Museum of Fine Arts di Springfield (Mass.), quest'ultima follemente identificata qualche decennio fa come la prima opera di Giovanni Antonio da Pordenone. L'autore di questi dipinti, secondo Lucco, sarebbe Giovanni Antonio Aspertini, padre di Amico. Di fronte al tondo di Pesaro, anche per i capelli realizzati come trucioli metallici che possono apparire in qualche modo anguimorfi, viene in mente la testa di Medusa come l'ha raffigurata Caravaggio oltre un secolo dopo nello scudo degli Uffizi. Ma qui siamo di fronte alla testa di un giovane uomo che appare mentre esala l'ultimo respiro e la sua bocca è proprio quella su cui Salomé potrebbe abbandonarsi in un estremo, vano tentativo di appagare la sua sete di amore verso il profeta così severo con sua madre e con lei. Marco Zoppo non è stato mai considerato un pittore su cui costruire un mito, come oggi si usa fare, ma non mi meraviglierei se alla fine di questa esposizione questa immagine divenisse un riferimento *cult*, come si dice oggi, a causa di una sua eccezionalità a livello espressivo che le diatribe attribuzionistiche della vecchia storia dell'arte hanno impedito finora di cogliere.

Bibliografia: Oretti 1777; Longhi 1927a, pp. 133-138; Longhi 1934, pp. 27, 96, 97; Moschini 1943, p. 14; Pallucchini 1949, pp. 62, 63; Ruhmer 1966; Pignatti 1969, p. 91; Conti 1987; Lucco 1990 pp. 395-480, in part. 427-439; Schmidt 1990, pp. 703-726, in part. 707-709, 723; Ambrosini Massari 1993, pp. 53 e 54; Conti 1993, p. 99; Lucco 1993, pp. 114-116.

Anchise Tempestini

Marco Palmezzano
(Forlì, 1459-1539)

25. *Imbalsamazione di Cristo morto*, 1500 circa
tavola, 90,6 × 69 cm

Vicenza, Musei civici, Pinacoteca palazzo Chiericati, inv. A 179

Il dipinto è entrato in Pinacoteca nel 1834 come legato della collezione Vicentini dal Giglio, dove già Luigi Lanzi lo registrava nel 1782, all'interno del *Taccuino* relativo al viaggio "per Bologna, Venezia e la Romagna" (Lanzi ms. 36/1, c. 95v). L'erudito segnalava la tavola anche nella sua *Storia Pittorica*, per ignorarla poi, stranamente, negli appunti del successivo viaggio in Veneto del 1793 (cfr. Lanzi ed. 1988). "Un Cristo morto fra Nicodemo e Giuseppe vidi a Vicenza in palazzo Vicentini, quadro bellissimo ove il morto veramente par morto, e vivi i due vivi": sono sufficienti le parole della *Storia pittorica*, al di là della svista relativa al numero dei "vivi", per descrivere efficacemente il dipinto e la sua indubbia forza di suggestione (che "non lo si vorria baratar con un bellini" avrebbe aggiunto lo stesso Lanzi negli appunti del 1782).

Il soggetto, indicato in genere come "pietà" o "compianto", allude più precisamente, come ha chiarito Huse (1972; cfr. anche Belting 1985), al momento della "imbalsamazione" o "unzione del corpo di Cristo", tipo iconografico d'invenzione belliniana attestato già nella pala di Pesaro, che conobbe ampia diffusione e un'accoglienza particolare in ambito romagnolo (cfr. Tempestini 1992b).

A Palmezzano e bottega si possono assegnare, infatti, numerose varianti del tema, e quella vicentina rappresenta una delle poche versioni firmate ("Marchus palmizanus / Foroliviensis fatiebat", su un cartellino in alto a sinistra). Le censiva già Tempestini, a partire dalla lunetta che correda la pala di Matelica del 1501 e da quella un tempo sulla *Comunione degli Apostoli* di Forlì (1506), oggi alla National Gallery di Londra, identiche nel ricondurre il prototipo belliniano a una più canonica *Pietà*, con la Vergine, la Maddalena e san Gio-

vanni Evangelista e con l'aggiunta di altri santi laterali (Ludovico da Tolosa a Matelica, Mercuriale e Valeriano, protettori di Forlì, nell'esemplare oggi a Londra). La stessa invenzione ricorre anche in un'ulteriore versione frammentaria passata di recente da Sotheby's (Firenze, 27 novembre 1989, lotto n. 271, cfr. Tempestini 1992b, p. 8), con il solo gruppo centrale, da integrarsi probabilmente con la figura del san Giovanni Evangelista che era in vendita a New York nel 1922 (*Old Master* 1922, come Domenico Alfani; poi collezione J.C. Evans. Per il riferimento a Palmezzano, cfr. Zeri 1965 nei file della Frick Library di New York).

Esiste poi un altro gruppo di dipinti eseguito da Palmezzano e dalla bottega, che ripercorre l'iconografia belliniana dell'"imbalsamazione" in maniera più fedele: il Redentore, esanime, è sorretto da Nicodemo mentre Giuseppe d'Arimatea osserva, orante, la scena e la Maddalena, inginocchiata, è colta nell'atto di spalmare gli unguenti. È la tipologia cui appartiene il dipinto vicentino, riproposta anche in due redazioni, probabilmente di bottega, l'una al Courtauld Institute di Londra (coll. Lee n. 66, proveniente dalla collezione ravennate di Ferdinando Rasponi, cfr. Grigioni 1956, p. 647), l'altra al Musée des Beaux-Arts di Digione (entrata in museo nel 1928 con legato Joliet, cfr. Guillaume 1980, p. 55-56, ove si fa riferimento anche a un'ulteriore versione già di collezione Wittert oggi presso l'Università di Liegi, inv. 18; cfr. anche *Choix d'œuvres* 1960, p. 10). Da queste mediazioni palmezzanesche, forse più che da uno studio diretto sul prototipo belliniano, derivano infine le altre rielaborazioni note per l'area romagnola, quali il problematico dipinto già di collezione Costabili (Finarte, Milano, 17 maggio 1997, asta n. 257, lotto n. 56) attribuito alternati-

vamente a Palmezzano e a Baldassarre Carrari (cfr. Negro, Roio 1998, p. 35, fig. 55; Tempestini 1998, p. 128; Tambini in *Pinacoteca* 2001, p. 52), e la tavola di Girolamo Marchesi del Szépmüvészeti Mùzeum di Budapest (cfr. Tumidei 1999, p. 81; Guillaume 1980, p. 56).

La datazione della tavola vicentina è stata alquanto controversa. A lungo considerata opera tarda, tipico esempio dell'ultima e irrigidita maniera del forlivese (Calzini 1895e, Venturi 1913 e ancora, seppur con cautela, Grigioni 1956, p. 648), è merito di Buscaroli averne proposto una retrodatazione, notando "che il Corpo di Cristo ripete l'atteggiamento e l'espressione che esso ha nella lunetta della pala di Matelica" (Buscaroli 1931, p. 225). Con l'eccezione di Fasolo (1940), che proponeva addirittura una cronologia intorno alla metà degli anni novanta, la datazione è più spesso riferita al terzo decennio, tra il 1515 e il 1520, ipotesi cui hanno in seguito aderito Barbieri (1962, 1995) e Viroli (1991b) anche in causa delle affinità riscontrate con il *Cristo morto sorretto da due angeli* del Louvre (1510), e con il *Cristo Risorto* (1525) già al Friedrich Museum di Berlino. Ribadendo l'importanza della lunetta di Matelica, in cui effettivamente fa la sua prima comparsa, all'interno del catalogo del pittore, il motivo iconografico del Cristo morto derivato da Bellini, Mauro Lucco (in *Pinacoteca* 2003) ha individuato punti di contatto con altri dipinti eseguiti da Palmezzano a cavallo dei due secoli, dalla pala di San Michelino a Faenza (1497) all'*Annunciazione del Carmine* (che considera verso il 1500), proponendo quindi una datazione "straordinariamente vicina" al 1501, anno accertato per l'ancona marchigiana. La collocazione del dipinto entro la stagione più felice della carriera del pittore appare tuttora

la soluzione più convincente data l'alta qualità della nitida stesura pittorica, ottimamente leggibile nonostante la grande lacuna che interessa il petto del Cristo.

Qualche indizio sulla funzione della tavola vicentina può essere fornito da Gaetano Giordani, che ricordava un dipinto d'analogo soggetto di mano del Palmezzano all'interno della chiesa di Cotignola, con tutta probabilità la cimasa dell'*Incoronazione della Vergine* oggi a Brera, licenziata entro l'ultimo lustro del Quattrocento (cfr. cat. 22). Le vicende del tema belliniano e delle sue derivazioni si ricollegano alla problematica collaborazione della bottega, collaborazione consolidata nei decenni a seguire ma con tutta probabilità iniziata proprio a cavallo del Cinquecento. Ricordiamo, infatti, che serie iconografiche quali il "compianto" o l'"unzione di Cristo" qui in esame, oltre alle varie redazioni della "Crocifissione" e del "Cristo portacroce", hanno avuto inizio proprio in questo lasso di tempo (cfr. anche Mazza 1993, pp. 109-110).

Bibliografia: Berti 1822, p. 103; Lanzi 1831, IX, p. 118; Calzini 1894, p. 466; Crowe-Cavalcaselle 1898, VIII, p. 353; Borenius 1909, p. 97; Borenius 1912, p. 96; Ongaro 1912, p. 74; Venturi 1913, pp. 77-80; Buscaroli 1931, pp. 224-225; Berenson 1932, p. 317; Gronau 1932, p. 182; Arslan 1934, p. 11; Fasolo 1940, p. 137; Barbieri 1952, p. 8; Grigioni 1956, pp. 128-129, 645-650; Barbieri 1962, I, pp. 194-196; Heinemann 1962b, I, p. 50, cat. 163c; Guillaume 1980, pp. 55-56; Ballarin 1982, p. 72; Viroli 1991b, pp. 42-43; Tempestini 1992, p. 9; Barbieri 1995, p. 52; Tempestini 1998, p. 33; Tumidei 1999, p. 81; Villa 2002, p. 68; Lucco in *Pinacoteca* 2003, pp. 214-216, cat. 69 (con bibliografia).

Francesca Nanni

Marco Palmezzano
(Forlì, 1459-1539)

26. *Cristo sul sarcofago*, 1500 circa
tavola, 91 × 63 cm

Vienna, Liechtenstein Museum, inv. GE 878

iscrizione: MARCHUS FOROLIVIENSIS

Il dipinto presenta una firma autografa, posta su un cartellino in basso a sinistra ("MARCHVS FOROLIVIENSIS"); fu acquistato nel 1909 a Venezia, presso Barozzi dal principe Johannes II von Liechtenstein. Precedentemente, era conservato presso una collezione privata locale, ma sui passaggi anteriori della tavola non vi sono notizie. La predilezione per la pittura d'area veneta nutrita dal principe, mecenate solitario, ricco ed erudito, che si avvalse a più riprese dalla preziosa consulenza di Wilhelm von Bode (Bode ed. 1997, I, pp. 210-213; II, pp. 25-26; Höss 1908), è testimoniata dalle numerose campagne d'acquisto effettuate in Italia a partire dal 1882, quando comprò anche il *Ritratto di giovane*, oggi all'Accademia di Belle Arti sempre a Vienna, un tempo assegnato a Giovanni Bellini e oggi attribuito a Marco Palmezzano, qui in mostra (cat. 27).

Il "Cristo morto", soggetto ampiamente diffuso in area adriatica (Tempestini 1999), riprende temi, motivi e suggestioni venete e più specificatamente belliniane dal punto di vista sia iconografico sia stilistico. Il Cristo è ritratto seduto sul sarcofago, a braccia aperte per consentire al fedele la vista delle ferite, visione non violenta ma sublimata in una perfezione estetica di grande suggestione: presenta un corpo e un busto classicheggianti, una bellezza fisica di cui possiamo leggere tuttavia l'umanità negli occhi semiaperti e nelle vene accentuate delle braccia. La figura è appoggiata a elementi rocciosi, sulla sinistra è rappresentata, canonicamente, la natura sterile e secca, contrastata sulla destra dal germogliare degli arbusti e della vita, sullo sfondo di un cielo rasserenato.

Non si tratta semplicemente di una "Pietà", bensì di una tipologia peculiare in cui il Cristo è fatto singolo oggetto di meditazione, estrapolato dalla storia evangelica e destinato a un rapporto ravvicinato con il fedele (cfr. Belting 1986, pp. 44-46), come può sottolineare anche l'assenza degli angeli, che più spesso sono raffigurati quasi a suggerire la disposizione psicologica dell'osservatore. Il motivo si riallaccia a precisi modelli veneti, tra i quali il *Cristo in pietà* di Giovanni Bellini conservato al Nationalmuseum di Stoccolma (inv. n. 1726, cfr. Tempestini 1997, p. 228, cat. 111; Goffen 1989, pp. 83-84, 301 n.), databile al 1500 circa, con cui il dipinto qui in esame condivide anche atmosfere e caratteristiche di stile, come l'insistenza sul panneggio del perizoma, vero pezzo di bravura nella produzione del forlivese. Non si ipotizzerà certo che Palmezzano abbia preso diretta visione del quadro belliniano, bensì che sia entrato in contatto con tale invenzione iconografica grazie alla mediazione di copie e derivazioni. Tuttavia, il legame tra i due quadri e più in generale con l'area veneta porta a ricordare l'ormai annoso problema dei rapporti tra Palmezzano e Venezia, analizzato a più riprese dalla critica (Tempestini 1992b; Dal Pozzolo 1997; Tumidei 1999). Se l'influenza di Bellini sul nostro passava in età giovanile attraverso la pala dell'Incoronazione di Pesaro, vista forse dall'allievo di Melozzo al ritorno da Roma, le testimonianze documentarie che attestano la presenza di Palmezzano in laguna (1495) andranno considerate come qualcosa di ben più che episodico. Dall'*Incoronazione* di Brera al *Ritratto di giovane* delle gallerie dell'Accademia di Vienna, al *Cristo* qui in esame, per citare solo alcuni dei casi più evidenti, Palmezzano mostra un richiamo verso l'ambiente lagunare quanto mai crescente, fatto di repertori iconografici ma anche di tecniche e di stile. Le ricorrenze iconografiche, tra le quali anche l'invenzione dell'imbalsamazione del Cristo desunta da Bellini nella cimasa della pala di Pesaro (Tempestini 1992b, ma ancor prima Longhi), e il tema del "Cristo portacroce", di cui Palmezzano e bottega furono i veri diffusori in area romagnola (cfr. Mazza 1991, pp. 33-36), si possono certo spiegare con una ovvia continuità geografica con il Veneto, ma i modi esecutivi del forlivese e l'evoluzione dalla sua tecnica pittorica che cambia col sopraggiungere del nuovo secolo, come dimostrato da Vincenzo Gheroldi in questo volume, inducono a sospettare una frequentazione non superficiale, ma diretta e sul campo, della pittura di laguna, proseguita negli anni.

Le altre due versioni dello stesso soggetto eseguite da Palmezzano, ma che presentano la variante degli angeli mentre reggono, dolenti, il corpo di Cristo, risultano di qualità inferiore rispetto all'esempio viennese. Ci si riferisce al *Cristo in pietà* del Louvre, firmato e datato 1510 (tra l'altro acquistato a Venezia nel 1863), e a quello della Ca' d'Oro del 1529. Il dato iconografico degli angeli, probabilmente derivato da Bellini (si veda la *Pietà* del Museo Correr, o la *Pietà* del Museo Civico di Rimini, dove però gli angeli sono ben quattro), era una variante ricorrente, come può testimoniare il *Cristo morto sorretto da due angeli*, oggi presso la Cassa di Risparmio di Forlì, attribuito a Baldassarre Carrari e datato al 1510 (Viroli 1991b, pp. 153-154, cat. 7). La conduzione stilistica appare nei sopraccitati esemplari di Palmezzano alquanto decaduta rispetto al dipinto di Vienna, che per raffinatezza e qualità (si vedano il panneggio, il paesaggio) si avvicina ai momenti più felici del percorso del pittore.

Dopo alcune fuggevoli indicazioni fornite dai cataloghi della galleria in seguito all'entrata nelle collezioni Liechtenstein (Kronfeld 1927, 1931), il quadro veniva ricordato dalla critica italiana grazie a Buscaroli (1931), per essere poi ignorato nei cataloghi successivi del museo (Strohmer 1943). Veniva quindi segnalato da Grigioni (1940), che nella monografia del 1956 metteva in luce la più alta qualità del dipinto viennese al confronto con le altre versioni note. Negli ultimi anni il dipinto è stato per lo più ignorato in occasione delle esposizioni dedicate alle collezioni dei principi del Liechtenstein (New York 1985-1986; Luxembourg 1995).

Le datazioni oscillanti tra una fase tarda (tra il 1525 e il 1529 proposto da Viroli 1991, p. 28; verso il 1530 in Luzern 1948, p. 6), improbabili, e i primi anni novanta (Ceriana 1997, p. 43 n.), non sono state risolte in occasione dell'ultimo e recente catalogo della galleria (Stockhammer 2004, pp. 107, 111, 132). Un'esecuzione a cavallo dei due secoli spiegherebbe la maturità acquisita, le raffinatezze del paesaggio e la fluidità della figura, oltre ai legami specifici con le opere belliniane, ben lontano tuttavia dall'irrigidimento che il pittore incontrerà nella fase tarda del suo percorso.

Bibliografia: Kronfeld 1927, p. 177 cat. 878; Kronfeld 1931, p. 175, cat. 878; Buscaroli 1931, p. 221; Berenson 1932, p. 317; Grigioni 1940, p. 254; Strohmer 1943; 1948, p. 6 cat. 25; Grigioni 1956, pp. 133-134, 667; Rutteri 1962, p. 344; Heinemann 1991, p. 25, cat. n. 175f; Mazza 1991, pp. 33-36; Viroli 1991b, pp. 28, 153-154, cat. 7; Ceriana 1997, p. 43 n.; Tumidei 1999, p. 81; Stockhammer 2004, pp. 107, 111, 132.

Francesca Nanni

Marco Palmezzano
(Forlì, 1459-1539)

27. *Ritratto d'uomo*, 1495-1498 circa
tavola, trasporto su tela, 46 × 44 cm

Vienna, Gemäldegalerie der Akademie der bildenden Künste, inv. 1098

Il dipinto è pervenuto alla Galleria dell'Accademia di Vienna nel 1882 come dono del principe Johann II von Liechtenstein, noto collezionista di pittura italiana, in contatto con conoscitori del calibro di Gustav Friedrich von Waagen e Wilhelm Bode (Höss 1908, pp. 34 e sgg.; R. Baumstark in New York 1985-1986, pp. 184-185). È possibile vantasse già allora un'ascrizione all'area belliniana (Poch-Kalous 1968, p. 30) che i primi cataloghi della galleria preciseranno, con qualche cautela, nella direzione di Gentile Bellini (Lützow 1899, pp. 18-19; 1900, p. 19), sotto il cui nome il dipinto è ancora censito in Van Marle (1932). Allo stesso Giovanni Bellini lo riferiva invece nel 1922 Detlev von Hadeln, in un contributo di dichiarata fede morelliana, e tuttavia acuto nel rilevare la novità, per la pittura veneziana fra Quattro e Cinquecento, della finestra aperta e del paesaggio sullo sfondo, animato dalla figura di un San Girolamo penitente. L'ipotesi che l'inserzione narrativa debba interpretarsi come allusione onomastica al misterioso ritrattato, riemerge anche in seguito nella vicenda critica del dipinto, mentre l'attribuzione al maggiore dei Bellini, già rifiutata da Dussler nel 1935, troverà spazio solo in alcuni cataloghi della galleria (Eigenberger 1927; Münz 1957). Alle date, in effetti, la *querelle* attributiva intorno al *Ritratto d'uomo* risultava già polarizzata fra le proposte di Frimmel (1901) in favore del veneto, ma non belliniano in senso stretto, Marco Basaiti e di Bernard Berenson che, negli aggiornamenti del 1908 ai suoi *Central Italian Painters*, aveva schedato il dipinto come opera di Marco Palmezzano, trovando concordi anche Gustavo Frizzoni e un esperto di pittura veneta come Gustav Ludwig (cfr. Eigenberger 1927, p. 26). Fa specie che il nome di Marco Basaiti emergesse così presto nella discussione, quando della fase quattrocentesca dell'artista era noto solo il *Ritratto di giovane* della National Gallery di Londra e non quello,

firmato e datato 1496 già di collezione von Pannwitz (a Bennebroek, Haarlem, poi Veranneman a Kruishouten) pubblicato solo nel 1926 da Friedländer (cfr. Bonario 1974; Momesso 1997, p. 14). Ma è indubbio che la proposta intendesse soprattutto giustificare in chiave alvisiana l'ambientazione prospettica del ritratto, rara a Venezia, così come il nitore volumetrico con cui è reso il tre quarti del volto, per quanto in Basaiti simili effetti dichiarino sempre una più marcata consonanza lombarda. La proposta alternativa in favore di Palmezzano nasceva per contro in un momento di considerazione critica ancora alta per il pittore, "pupil and assistant of Melozzo da Forlì, influenced slightly by Bellini" (secondo la definizione adottata dallo stesso Berenson). A sostegno di un simile riferimento, subito sottoscritto da Venturi e in seguito da Gronau (1932), concorrono ancor oggi la gamma cromatica fredda del dipinto, l'ispirazione centro-italiana del paesaggio, e le precise rispondenze morfologiche con la fase più belliniana di Palmezzano. Ma è ben vero che l'esemplare di Vienna presuppone anche un momento di particolare felicità creativa del forlivese, entro un genere, quello del ritratto, per nulla frequentato e per il quale non possono fare testo i quattro donatori (ingessati e troppo contegnosi) posti ai piedi della Vergine nel *Trittico di San Biagio* (Grigioni 1965, pp. 589-599; Viroli 1991b, pp. 31-32). Anche il regesto del pittore lascia pochi margini di manovra rispetto al documento del 1495 che, comunque lo si intenda, fissa le prime, determinanti frequentazioni venete di Palmezzano. Si tratta infatti di una data ancora alta per registrare a Venezia, dove senza dubbio venne prodotto il dipinto, la diffusione di un simile impianto compositivo con l'apertura paesaggistica alle spalle del personaggio, un'idea appunto che si è soliti ricondurre, non prima del nuovo secolo, a influenze ponentine, leonardesche (Andrea Solario) o düre-

riane (e che nel nostro caso sembra presupporre piuttosto precedenti centro-italiani). Nel giudizio sull'opera, che parve a Grigioni di individuazione psicologica e di invenzione troppo superiori alle possibilità del forlivese, andrà comunque considerato anche lo stato di conservazione tutt'altro che buono. Il trasporto su tela sembra risalire alla fine dell'Ottocento, quando il dipinto era già entrato nelle collezioni dell'Accademia. Il conseguente impoverimento della superficie pittorica veniva segnalato nel 1927 da Eigenberger insieme alla presenza di più cospicue lacune nel cielo, nel volto, nei capelli e nel muro alle spalle del personaggio. All'interferenza di altri antichi restauri, ancora denunciata da Ludwig Münz nel 1957, ha posto rimedio una pulitura altrettanto radicale negli anni settanta (cfr. Poch-Kalous 1972). Così la pellicola pittorica si presenta oggi rasata in ogni sua finitura superficiale mentre pare ricostruibile solo per minime sopravvivenze l'originaria lavorazione in punta di pennello della vaporosa zazzera "belliniana". Per questa, più che le consuete capigliature di Palmezzano, sempre risolte in riccioli e ciocche inanellate, può servire di confronto la tessitura più continua e minuta adottata nella testa di San Giovanni Battista che compare ai margini della *Madonna con il Bambino* n. 419 dei musei Civici di Padova, un dipinto ugualmente isolato nel catalogo del forlivese, di precoce cronologia (non foss'altro che per la forma adottata nella firma: "Marcus forolivi") e di probabile estrazione veneta (Viroli 1991b, pp. 26-27). Anche in questo caso il ricalco bellinano (e persino antonellesco nel risentito scorcio della mano della Vergine: R. Battaglia in Ballarin-Banzato 1991, pp. 111-112; Dal Pozzolo 1997, p. 47) si coniuga con un impianto compositivo d'estrazione centro-italiana, meno attestata a Venezia, nella solu-

zione "in abisso" del santo bambino (cfr. Momesso 1997, p. 19). Vi compare inoltre un motivo di paesaggio con montagne azzurrine sullo sfondo, non lontano da quello di Vienna, il cui aspetto più evanescente, negli alberi e nella costa rocciosa, pare anch'esso una conseguenza della pulitura. In mostra lo si potrà confrontare con quello invece conservatissimo presente alle spalle del *Cristo morto* a figura unica (cat. 26), che risulta anch'esso acquistato da Johann II von Liechtenstein, a Venezia.

Si tratta in ogni caso di invenzioni paesaggistiche estranee al veneto Basaiti, per quanto la sua paternità per il ritratto di Vienna, rigettata implicitamente da B. Bonario nella sua tesi monografica del 1974, abbia goduto in tempi recenti di qualche credito, all'interno di una più generale riconsiderazione degli esordi del pittore (Momesso 1997, pp. 24, 36). I cataloghi del museo ne danno conto fino al 1989, prima di accogliere, nelle edizioni più recenti, il riferimento al romagnolo, già avallato del resto da Heinemann nel 1962 (più difficile rendere conto della rettifica del 1991 in favore del mediocre Giovan Battista Rosetti) e, nel 1965, da Zeri (file della Frick Library di New York).

Bibliografia: Lützow 1889, pp. 18-19; Id. 1900, p. 19; Frimmel 1901, pp. 78, 205-206; Berenson 1908, p. 217; Höss 1908, p. 91; Venturi 1913, p. 84; Hadeln 1922, pp. 114-115; Eigenberger 1927, pp. 25-26; Berenson 1932, p. 416; Gronau 1932, p. 181; Van Marle 1935, XVII, p. 170; Grigioni 1956, pp. 748-749; Münz 1957, p. 20, n. 15; Poch-Kalous 1961, p. 23 n. 12; Heinemann 1962a, I, p. 264; Berenson 1968, I, p. 317; Poch-Kalous 1972, p. 24 n. 22; Trnek 1989, p. 28; Heinemann 1991; Momesso 1997, pp. 24, 36; Trnek 1997, p. 96; Tumidei 1999, pp. 79-80.

Stefano Tumidei
Francesca Nanni

3. Palmezzano e le Romagne. Protagonisti e tendenze

Marco Palmezzano
(Forlì, 1459-1539)

28. *Glorificazione di sant'Antonio Abate in trono fra i santi Giovanni Battista e Sebastiano*, 1496-1497
tavola, 174,2 × 154 cm

Forlì, Pinacoteca Civica, inv. 39

iscrizione sul libro: UBI. ERA/S. BO/NE. IE/SU.UB/I. ERAS

L'opera fu realizzata come pala d'altare per la cappella di iuspatronato della famiglia Ostoli nella chiesa forlivese di Santa Maria del Carmine. Di questa famiglia faceva parte un Antonio che, come si apprende dalla *Cronaca Albertina* (è rifacimento di varie cronache forlivesi e copre un arco di tempo fino all'anno 1574; ms. conservato nella Biblioteca Comunale di Forlì, sotto il n. 220. Al fol. 617), beneficò largamente la chiesa e fu, con buona probabilità, il committente del presente quadro, con il quale potrebbe aver inteso onorare il santo suo omonimo.

La composizione è rigorosamente simmetrica. Lo spazio che ospita i tre santi non è chiuso sul fondo, ma la cortina architettonica che fa da fondale si apre al centro in una robusta arcata sorretta, senza interposta trabeazione, da pilastri toscani, dai quali partono due arcate dirette verso l'osservatore. I pilastri sono ornati con eleganti candelabre policrome su specchiature dorate, che rappresentano uno dei primi esempi di tali motivi ornamentali adottati da Palmezzano nelle proprie opere. La visione da sotto in su e la fuga prospettica dell'imbotte dell'arco parlano il linguaggio dell'Umanesimo, ma il rigore geometrico dell'insieme è intiepidito dalla luce, che gli toglie ogni freddezza. Sant'Antonio, seduto al centro della composizione, in posizione sopraelevata e rigidamente frontale, venerabile e consunto nella sua vecchiaia, con la sinistra tiene spalancato un libro sulle cui pagine compare la scritta, a grandi caratteri: "VBI. ERAS. BONE. IESV.VBI. ERAS", che seguita in caratteri piccoli. Sono queste le parole di lamento che la *Legenda Aurea* pone in bocca al santo eremita quando è tentato dal demonio.

Con la grave figura di sant'Antonio non contrasta, ma anzi felicemente si accorda, la gracile nudità del san Sebastiano, "il più bel nudo maschile che abbia mai disegnato il Nostro" (Grigioni). E invero questo santo è di una bellezza mai altrove raggiunta dal Palmezzano: tale da indurre il Venturi a ipotizzare che il pittore possa essersi servito, per questa figura, di un cartone di Melozzo, con tale soggetto, ricordato nell'inventario degli oggetti appartenenti all'Ambrogi nel suo studio di Ancona (Grigioni 1956, p. 423).

Quanto al san Giovanni Battista, rappresentato in piedi, in posizione frontale, vi si possono riconoscere tracce di precedenti soluzioni, come quella un po' rigida figura del Battista già espressa nella tavola di Dozza e la stessa, più elegante, nella *Sacra Conversazione* della Pinacoteca di Brera.

Attraverso l'arcata che incornicia, sormontandola, la figura di sant'Antonio Abate, appaiono il cielo, di azzurro chiaro sfumato, colline boschive sulla sinistra, un paese con campanile cuspidato e montagne nude, più ripide e spoglie di vegetazione, sulla destra.

Alla base del trono, lo stemma della famiglia Ostoli è sormontato da un cartellino illusivamente dipinto che reca, oggi malamente leggibile, la firma dell'artista: "Marchus de Melotius pictor foroliviensis faciebat". Per lungo tempo tale iscrizione fu creduta essere la segnatura di Melozzo, dando origine alla falsa onomastica di Marco Melozzo. In proposito scrive Grigioni: "Ma poiché le notizie della *Cronaca Albertina* fanno ritenere che quest'opera sia del periodo 1496-97, cioè di almeno due anni posteriore alla morte di Melozzo, è evidente che a quella segnatura si deve dare un'altra interpretazione che è suggerita anche da quel 'de', che altrimenti sarebbe pleonastico, cioè *Marco di Melozzo* (si capisce che bisogna passar sopra alla sgrammaticatura), vale a dire *Marco scolaro di Melozzo*".

A Grigioni appare convincente la datazione dell'opera al biennio indicato, oltre che per gli accenti melozzeschi presenti nella figura di sant'Antonio, esemplata sul *San Marco Papa* della chiesa di San Marco a Roma, anche per la vicinanza formale del san Giovanni Battista all'immagine dello stesso santo nella *Sacra Conversazione* di Brera che è del 1493, nonché per il particolare decorativo delle zampe leonine desinenti in foglie d'acanto nel sostegno del seggio del sant'Antonio Abate, simili a quelle che reggono il trono della Madonna nella tavola braidense. Anche Stefano Tumidei ritiene la tavola di sant'Antonio abate "ancora quattrocentesca" e vi segnala la presenza di "quegli ingredienti figurativi che per trent'anni assicureranno inossidabile continuità" alla prolifica produzione dell'artista.

Il dipinto fu trasferito dalla chiesa del Carmine alla Pinacoteca il giorno 7 aprile 1868, come riportato dal *Diario Forlivese* di Filippo Guarini. Fu restaurato da Filippo Fiscali negli anni 1887-88 (Torresi 1998, p. 64).

Dei numerosi studiosi che si sono occupati dell'opera, primo fu il Cavalcaselle ad assegnarla a Marco Palmezzano. Lo Heinemann definisce "belliniano" il san Giovanni Battista: certo echi della scuola veneta, specialmente di Bellini e Cima, sono ben presenti nelle opere del pittore forlivese, insieme con elementi stilistici romagnoli e ferraresi. Inoltre, è documentato un soggiorno veneziano del pittore, "non breve e quasi certamente ripetuto" (Grigioni).

L'opera ha subito nel tempo diversi interventi di restauro: si ricordano quello, condotto nel 1970 da O. Nonfarmale e il recente restauro di M. Mattioli (Bologna 2003).

Bibliografia: Vasari 1568 ed. 1906, tomo VI, p. 337; Oliva 1802; Maggiori 1832, p. 88; Reggiani 1834b, p. 49; Casali 1838, p. 80; Cignani 1838, p. 29; Rosini 1850, p. 129; *Pittori forlivesi* 1853, pp. 33-35; Casali 1863, pp. 78-79; Calzini 1895e, pp. 40-41; Berenson 1897a, p. 160; Cavalcaselle-Crowe 1886-1908 VIII, pp. 329-330; Ricci 1911b, p. 15; Venturi 1913, VII, parte II, pp. 64, 70-73 e 82; Calzini 1915, p. 106; Bénézit 1924, p. 417; Buscaroli 1931, pp. 192-194; Gronau 1932, p. 181; Arfelli 1935, pp. 12, 34; Berenson 1936, p. 356; Zocca 1937, p. 180; Buscaroli 1938d, pp. 93-94, 96; Coletti 1949, vol. XXVI, p. 142; Galetti, Camesasca 1951, p. 1830; Buscaroli 1955, p. 125; Grigioni 1956, pp. 66-67, 316, 421-425; Forlì 1957, tav. VI; Golfieri 1957b, p. 247; Servolini 1957, p. 32; Heinemann 1962b, p. 264; Novelli 1963, pp. 57-58; Sabatini 1968, pp. 191-192; Berenson 1968, p. 314; Piraccini 1979, pp. 38-39, tav. 56; Viroli 1980, pp. 54-55; Lucco 1987a, II p. 723; Viroli 1991b, p. 27; Mazza 1991, pp. 21 e 28; Tumidei 1991, p. 244; Torresi 1998, p. 64.

Giordano Viroli

Restaurato dalla Fondazione Cassa dei Risparmi di Forlì in occasione della mostra. Laboratorio di restauro Manuela Mattioli, Bologna.

Marco Palmezzano
(Forlì, 1459-1539)

29. *San Giovanni Gualberto in adorazione del Crocifisso e la Maddalena*, 1502 circa
tavola, 190 × 148 cm

Forlì, abbazia di San Mercuriale

La scelta di raffigurare San Giovanni Gualberto nelle sembianze non del fondatore dell'Ordine vallombrosiano ma dell'ancor giovane aristocratico che, di profilo si rivolge all'immagine del Crocifisso, esclude l'eventualità che il cavaliere inginocchiato sotto la sua protezione, possa essere il committente della pala, come ancora si credeva alla fine dell'Ottocento, cedendo all'immancabile tentazione di riconoscervi Girolamo Riario (Calzini 1895e, p. 31; a un donatore pensava però ancora Gnudi nel 1938). Si tratta in realtà, come chiarì Grigioni, del secondo protagonista nell'episodio della vocazione, vale a dire dell'assassino del fratello Ugo con il quale Giovanni Gualberto seppe riconciliarsi, rendendone grazie all'altare del Crocifisso di San Miniato al Monte e iniziando lì il proprio cammino di perfezione. Per quanto il racconto agiografico riferisca inizialmente al solo Giovanni, la preghiera davanti al crocifisso che, miracolosamente, gli avrebbe rivolto lo sguardo in segno di approvazione, sin dal tardo Trecento le traduzioni figurative dell'episodio prevedono la presenza all'altare dello stesso assassino pentito. A questa iconografia si attengono anche le prime immagini a stampa che corredarono le varie edizioni della *Rappresentazione di San Giovanni Gualberto* edita a Firenze sin dall'ultimo decennio del Quattrocento (Savioli-Spotorno 1973). Ma va detto che, a partire dal retablo di Giovanni del Biondo (1365-1370), oggi nella cappella Bardi di Vernio in Santa Croce a Firenze, l'episodio, per il suo evidente potenziale narrativo, trovò spazio di norma nelle predelle o laddove venisse sviluppato il racconto della vita del santo (in Giovanni del Biondo e ancora in Bicci di Lorenzo si tratta delle ante laterali di un trittico: Padoa Rizzo 2002, pp. 44, 54-55). Rarissima invece è la sua trasposizione monumentale e, a mia conoscenza, la pala di Palmezzano ha un

solo precedente tardo-trecentesco nella tavola di Lorenzo di Nicolò Gerini oggi al Metropolitan Museum (Zeri-Gardner 1971, pp. 71-72). Ancor più depurata di ogni contenuto aneddotico e riproposta entro il solenne invaso prospettico che Palmezzano immaginò ombroso quanto iridescente di marmi mischi, l'iconografia del san Giovanni Gualberto davanti al crocifisso acquista, forse per l'unica volta nella sua storia, la valenza iconica (presente *in nuce* nella stessa leggenda devota) di un vero e proprio *pactum apud altarem*. Tanto più suggestivo, allora, ritrovarlo proprio nella chiesa vallombrosiana di San Mercuriale, che, ancora agli inizi del Cinquecento, si conferma appunto, luogo deputato per le paci e i giuramenti delle sempre turbolente fazioni cittadine. Non è sfuggito all'attenzione degli storici, anche per il suo evidente arcaismo rituale, il patto di sangue ricordato da Paolo Bonoli all'anno 1505, di cui si fece protagonista, all'altare maggiore, la consorteria guelfa dei Numai (Bonoli 1661 ed. 1826, II, 338-339; Casanova 1999, p. 31); ma si può aggiungere che anche Palmezzano, anni dopo, nel 1524, si sarebbe ritrovato in San Mercuriale con alcuni congiunti a sancire solennemente, *osculo pacis*, all'altare del santo, la riconciliazione con Girolamo Ravagli, per le "iniuriis, asaltis, percussionibus, offensionibus et vulneribus", intercorse in precedenza fra le due famiglie (Grigioni 1956, p. 346 e, in questo volume, doc. 100 del Regesto).
La pala è citata da tutte le fonti al terzo altare della navata destra, dedicato a San Giovanni Gualberto almeno fino al 1590 (*Ricordanze* B, cc.174-175; Guiducci ms. II. 40, c. 67); descritto come "satis decenter ornatum" nella visita pastorale di Giovan Francesco Mazza Canobi del 1582 e riferito "de iure patronatus laicorum de Lambardellis" (*Sacre visite*, I, c. 136v). La referenza risolutiva ci viene però dai sempre preziosi regesti della *Cronaca Albertina*, do-

ve si apprende che, il 21 ottobre 1496, l'abate di San Mercuriale donava al "Domino Guilielmo de Lambertellis legum doctoris, duodecim pedes terreni pro construenda una Capella sub. tit. S. Gio. Gualberti, cum altare et eius sepulcro" (*Cronaca Albertina*, c. 221). Ora, il giureconsulto Guglielmo Lambertelli, patrono della cappella e all'evidenza committente di Palmezzano, è un personaggio tutt'altro che ignoto alle cronache cittadine. Come "doctore civile celeberrimo" lo ricorda Andrea Bernardi (ed. 1895-1897, I.2, p. 59), ai suoi molteplici incarichi di "ambasciatore di vari principi, governatore di molte città e adoperato in affari importantissimi in patria e fuori" farà invece riferimento Bonoli (1661 ed. 1824, II, p. 302). La stessa statura del legista e giudice di fama (impiegato dal Valentino nel tribunale della Rota, istituito a Cesena nel 1502: Fantaguzzi, ed. 1915, p. 161) potrebbe anche trovare un riflesso nella particolare iconografia del san Giovanni Gualberto che Guglielmo Lambertelli volle sul proprio altare. Di certo, le circostanze della morte, che destò vivo scalpore se, accanto al Bernardi, ne riferì, da Cesena, anche Fantaguzzi (Bernardi ed. 1895-1897, I.2, p. 59; Fantaguzzi ed. 1915, p. 192), circoscrivono i tempi di realizzazione della cappella. Guglielmo Lambertelli cadde in una mortale imboscata il 26 ottobre 1503, ma ebbe provvisoria sepoltura nella chiesa di Sant'Agostino; venne traslato "a la ghiesa del Santo Mercurialo [...] int una suoa capella", solo all'inizio dell'anno seguente, a evidente conclusione dei lavori. Sospetto che il ritardo fosse dovuto soprattutto alla realizzazione del sepolcro che forse Lambertelli non aveva pensato di dovere approntare così in fretta. Per la messa in opera della pala di Palmezzano si può forse risalire di qualche anno. Sembra logico presumere infatti che, allorché il capitolo monastico di San Mercuriale, nel marzo 1502, riusciva a imporre la

celebrazione solenne della festa di san Giovanni Gualberto anche ai canonici della cattedrale, "perché in questa terra di Forlì non si faceva menzione di tale Santo" (Calandrini-Fusconi 1993, p. 791), vantasse già, nella propria chiesa, un altare e un'immagine conforme al culto.
Una datazione ai primi anni del secolo era già stata proposta da Cesare Gnudi cui si deve anche la piena riabilitazione del dipinto che, proprio alla mostra melozzesca del 1938, dovette presentarsi, dopo il restauro Podio, in condizioni di leggibilità certo migliori di quelle che probabilmente giustificarono i giudizi riduttivi espressi a suo tempo da Casali e da Cavalcaselle, propensi a vedervi all'opera un collaboratore o il sostanziale disinteresse di Venturi (che, nella *Storia dell'arte*, ricorda la pala solo in appendice, facendo poca attenzione anche al soggetto). A un precedente tentativo di pulitura, promosso da Gaetano Giordani, allude già Casali, che, dalle rade lettere della firma riemerse allora sul cartellino (oggi non più leggibili), credette di trovare conferma al "suo" Marco Valerio Morolini, il sedicente pittore palmezzanesco identificato nella *Tavola Denti* della pinacoteca. Il nuovo restauro, condotto in questa occasione, ha reso ancor più evidente la tenuta smagliante del *San Giovanni Gualberto*, verificando solo la leggera svelatura della testa della Maddalena, del profilo perduto del guerriero, dell'apparato di stoffa pesante appeso nell'emiciclo dell'absidiola, dietro l'altare, pensato da Palmezzano quale vero contrappunto cromatico al primo piano. In particolare, risulta ora pienamente recuperata la gamma dei rossi e soprattutto dei viola, che hanno un ruolo così importante nell'effetto saturo e prezioso dell'insieme, e di cui si è potuta anche ricostruire la complessa tecnica di realizzazione, giocata su velature successive di lacche e azzurrite (cfr. il saggio di Vincenzo Gheroldi in questo volume).

La cronologia accertata ai primissimi anni del Cinquecento (rispetto a quella di fine decennio preferita da Grigioni e da Viroli), dà conto soprattutto dei legami dichiarati dall'invenzione con altri capisaldi palmezzaneschi, licenziati a cavallo dei due secoli: l'effetto di luce radente che coglie alle spalle il San Giovanni Gualberto, facendo sfavillare i capelli di lustri melozzeschi, è ancora quello che definisce le ombre portate sul profilo dell'angelo dell'*Annunciazione* del Carmine (cat. 00). Mentre il tema dell'aula absidata pare risolto in termini più autonomi rispetto all'evidente omaggio belliniano (dal *Trittico dei Frari*) dichiarato nel *Trittico Ostoli* in San Biagio e più tardi, nel 1509 nella pala di Sarasota proveniente da Cesena (Grigioni 1956, pp. 84-85, 458-459). Al prototipo veneziano (come poi alle stesse militanze melozzesche) rimanda però la particolare soluzione dell'altare, costruito geometricamente secondo la formula del poligono regolare, raccordato alla resa concentrica e scorciata dei gradini. Sono del resto questi gli anni delle maggiori esibizioni prospettiche di Palmezzano, come rivela anche la *Pala di Matelica* (1501), qui rievocata nella figura della Maddalena.

Sull'altro fronte la *Pala di San Giovanni Gualberto* consente altri accertamenti riguardo alla cronologia palmezzanesca, solo a considerare la sovrapponibilità della figura del Cristo con quella che campeggia nella *Crocifissione* degli Uffizi (cat. 30), un'opera che, anche in causa della sua particolare finezza esecutiva, si conferma assai precoce, oltre

che, forse, il più riuscito tentativo di immersione paesaggistica, alla veneta, delle figure, mai tentato da Palmezzano. E soprattutto, come già detto nel saggio, si impone il confronto con l'altra pala conservata in San Mercuriale, la *Madonna in trono e i santi Giovanni Evangelista e Caterina*, che anche ragioni esterne inducono a pensare realizzata in stretta sequenza con il *San Giovanni Gualberto*. Dalla descrizione data da Marcello Oretti che nel 1777 poteva ancora vederle integre e vicine l'una all'altra nella navata destra, non sfugge il principio di omogeneità materiale, oltre che d'impatto figurativo, cui dovettero sottostare, in anticipo dunque sugli scrupoli rivelati subito dopo (1505) dall'abate Filippo da Verona quando allogava all'architetto Cristoforo Bezzi due cappelle esattamente gemelle sul lato opposto dell'abbazia (Grigioni 1895b; Viroli in Forlì 1994-1995, p. 292). L'informazione orettiana, che descrive entrambe le pale provviste di una predella con "tre storiette e due santi" (1777c in Piraccini 1974a, p. 43), aiuta in ogni caso a ricostruire idealmente il fastigio originario del *San Giovanni Gualberto*, sulla base appunto della carpenteria ancora conservata intorno alla *Madonna e santi*: dunque una cornice "all'antica", forse disegnata dallo stesso Palmezzano, con trabeazione e paraste intagliate, e zoccolo occupato da diverse "storiette". Queste ultime risultano ormai mancanti nel gradino originale della *Madonna e santi*, ma entro un medesimo partito dovettero trovare posto, sotto il *San Gualberto*, i tre pannelli (ciascuno 23 x 47 cm)

con le storie del santo già di collezione Campana e oggi al Musée du Petit Palais di Avignone. Vi sono raffigurati tre episodi canonici della vicenda terrena del santo: *La vestizione monastica, nonostante l'opposizione del padre*; *L'ordalia di fra Pietro Igneo* (cioè la prova del fuoco superata presso la Badia di Settimo dal frate vallombrosiano, alla presenza di Giovanni Gualberto, e su istanza del vescovo di Arezzo); la scena della morte. Per quanto il riferimento a Palmezzano, per queste tavolette, si sia affermato con qualche difficoltà (Tambini 1993, pp. 29-30), la loro evidente pertinenza romagnola così come la perspicuità dei soggetti, avevano già suggerito il collegamento con la pala eponima (Kaftal-Bisogni 1978, p. 548; Laclotte-Mognetti 1987, pp. 238-239). Restituite alla loro originaria destinazione quale suppedaneo del *San Giovanni Gualberto*, se ne potrà anche meglio giustificare la conduzione stilizzata ma non ancora corsiva, analoga a quella che ricorre nella predella di Matelica. Circa invece la collocazione dei piccoli santi, ugualmente citati da Oretti, fanno testo quelli ancora conservati, in coincidenza delle paraste, nell'ancona della *Madonna e santi* (qui identificabili come Pietro, Paolo, Stefano e Mercuriale: Viroli 1991b, pp. 41-42). L'idea di collocarli davanti a un muro di conci regolari, ha, come mi fa notare Matteo Ceriana, precedenti illustri (Mantegna nel *Polittico di San Luca*) e verrà altre volte replicata da Palmezzano, a partire dalla predella dell'altare del *Corpus Domini* nella stessa San Mercuriale (nell'elenco delle oc-

correnze va aggiunto anche un *Sant'Agostino*, non ancora riconosciuto al pittore, della Pinacoteca Comunale di Ravenna: Viroli in Pinacoteca 2001, pp. 138-139). Ma l'invenzione doveva rivelarsi particolarmente pertinente all'ancona del San Giovanni Gualberto, visto che anche nella tavola maggiore, l'opulenza marmorea della cappella in cui sono riuniti i personaggi, viene sottolineata dal semplice partito murario descritto ai lati, quasi a suggerire la sobrietà della navata di quell'immaginaria San Miniato al Monte rievocata da Palmezzano.

Bibliografia: Oretti 1777c in Piraccini 1974a ed. 1974, p. 43; Marchetti ms. III/73; *Quadri* 1802; Giordani. ms. B 1813, c. 325; Cignani 1838, p. 25; Casali 1844, p. 11; Casali 177 CR 203; *Monografia statistica* 1867, p. 243; Schmarsow 1886, p. 286; Calzini-Mazzatinti 1893, pp. 11-12; Calzini 1895e, pp. 31-32, 36; 1895c, p. 60; Cavalcaselle-Crowe 1886-1908, VIII (1898), p. 346; Venturi 1913, p. 94; Casadei 1928, p. 35; Buscaroli 1931, p. 214; C. Gnudi in Forlì 1938, p. 107; Grigioni 1956, pp. 603-609; Forlì 1957; Kaftal-Bisogni 1978, p. 548; O. Piraccini in Ferrara 1982, pp. 80-81; Laclotte-Mognetti 1987, pp. 238-239; M. Lucco in *La pittura in Italia* 1987, II, p. 723; Viroli 1991b, p. 33; Viroli 1994b, p. 35; Tambini 2003, pp. 29-30.

Stefano Tumidei

Restaurato dalla Fondazione Cassa dei Risparmi di Forlì in occasione della mostra. Laboratorio di restauro Manuela Mattioli, Bologna.

Marco Palmezzano,
La morte di san Giovanni Gualberto,
Avignone Musée du Petit Palais

Marco Palmezzano
(Forlì, 1459-1539)

30. *Crocifissione e santi*, inizi XVI secolo
tavola, 114,5 × 92 cm

Firenze, Galleria degli Uffizi, inv. 1418

iscrizione: Marchus Palmizanus foroliviensis fatiebat

La tavola, firmata "*Marchus Palmiza-nus foroliviensis fatiebat*", proviene dalla chiesa di San Bartolomeo, parte del complesso monastico di Monte Oliveto posto fuori Porta San Frediano a Firenze, dove è documentata a partire dal XVII secolo (Milanesi 1881; Viroli 1991). In seguito alle soppressioni napoleoniche, il dipinto entrò nelle Gallerie dell'Accademia fiorentine all'inizio dell'Ottocento per essere poi trasferito, nel 1843, nella Galleria degli Uffizi (Firenze, Archivio Storico della Soprintendenza, 1843, filza LXVII, p. I, fasc. XX). Non si hanno notizie sulla sua collocazione precedente, né sulle circostanze della sua commissione.

Il restauro eseguito in occasione della presente mostra ha liberato la pittura del forlivese dalle pesanti vernici che ne ottundevano la qualità cromatica e la complessità tecnica, e ha consentito di ritrovare toni più chiari e leggeri, costituiti da tempere e olii alternati e dosati con sapiente tecnica. La pittura è impreziosita dall'utilizzo dell'oro in prossimità dei bordi delle vesti e delle aureole, e in corrispondenza delle lumeggiature delle nubi che attorniano l'eclissi solare. L'asportazione delle ridipinture e delle stuccature ha fatto altresì emergere la presenza di farfalle montate sul lato anteriore della tavola, denotando una scarsa attenzione da parte del pittore nella preparazione dei supporti, tratto comune a molta della pittura romagnola dell'epoca.

Il dipinto raffigura la crocifissione di Cristo, alla presenza delle Marie dolenti e di san Giovanni Evangelista, posti canonicamente ai lati della croce stessa, ai cui piedi è inginocchiata la Maddalena, piangente. La scena si svolge di fronte a un paesaggio profondo e animato da personaggi minori, come spesso accade nei dipinti di Palmezzano: cavalieri e uomini vestiti all'orientale indicano l'eclissi di sole, in alto a sinistra;

tra i pellegrini, uno è abbigliato come san Giacomo, tanto da far· sospettare che si tratti della raffigurazione del santo stesso, rappresentato prima seduto, poi viandante. Sullo sfondo di una città in lontananza, agglomerato di elementi urbanistici di repertorio e non riconducibile a una presenza fisica reale, si distende una natura variegata; sul lato destro della tavola, sono raffigurati i personaggi della storia evangelica nella scena dell'orto dei Getsemani.

Sull'originaria collocazione dell'opera non vi sono dati documentari. La chiesa di San Bartolomeo a Firenze, di antica fondazione, conobbe una fase di ristrutturazione particolarmente felice proprio in epoca tardo-quattrocentesca (Meloni Trkulja 2000). Luogo di culto e di pellegrinaggio, conservava opere di grandissimo valore: basti pensare all'*Annunciazione* di Leonardo, che passò agli Uffizi nel 1867. La presenza, nel dipinto del forlivese, di pellegrini in viaggio e della scena dell'orazione nell'orto dei Getsemani, o orto degli ulivi, potrebbe far supporre una committenza olivetana, ipotesi purtroppo priva di conferme documentarie. Benché l'utilizzo di tali elementi, vignette e personaggi sullo sfondo fosse spesso di repertorio nei quadri del forlivese, in alcuni casi il loro uso non fu casuale, ricollegandosi strettamente alla committenza dei dipinti. Basterà in questo senso citare un'altra *Crocifissione* dell'artista, firmata e datata al 1505, conservata al Musée du Petit Palais di Avignone ma originariamente presso la chiesa di Sant'Agostino di Forlì, in cui la presenza, seppur in secondo piano, di sant'Agostino e di altri santi e personaggi ricollegabili al culto agostiniano ha un significato di evidente tributo all'ordine di pertinenza della chiesa. Non sussistendo alcun dubbio in merito all'autografia del dipinto, che presenta una firma originale apposta su un piccolo cartiglio ap-

peso alla croce, la critica ha invece dibattuto sulla sua datazione, oscillante comunque all'interno del primo decennio del Cinquecento. A seconda delle influenze percepite come preponderanti all'interno nel dipinto (umbre per Calzini e Grigioni, del Francia per Venturi, influenze ferraresi e venete per Buscaroli e Gnudi, belliniane per Heinemann) ne è stata dedotta la conseguente datazione, mentre sembra qui ben più significativo che il dipinto presenti una sintesi ottimamente riuscita di tali componenti, denotando un livello qualitativo, di aggiornamento e sperimentazione ancora molto alto per Palmezzano e lontano dall'irrigidimento che il pittore incontrerà a partire dagli anni della piena maturità. L'espressività dei personaggi, in parte chiusa in se stessa e bloccata (Viroli 1991b, p. 38), appare in seguito alla pulitura come atemporale e assoluta, all'interno di un equilibrio cromatico ben riuscito, differente dagli esiti dell'altra *Crocifissione* già citata.

Il tema della Crocifissione fu più volte reiterato da Palmezzano e dalla bottega negli anni a seguire, come dimostra la tavola oggi a Lugano, presso il Museo di Belle Arti**,** rappresentante la *Crocifissione con la Vergine e san Giovanni Evangelista* (inv. 1532, cfr. G. Borghero in Chiappini 1998, p. 46; Natale 1978a, p. 236, cat. R51). La tavola, firmata, presenta una data (1531) ritenuta tuttavia inattendibile per quanto riguarda l'ultima cifra, probabile esito di un restauro effettuato negli anni ottanta del secolo scorso (precedentemente documentata come 1530, cfr. Natale 1978a, p. 236). Al dipinto svizzero segue l'ultima *Crocifissione* nota, firmata e datata al 1531, oggi conservata presso l'Ermitage di Leningrado (già in collezione Paterson, cfr. Kustodieva 1994, pp. 325-326, cat. 175), dove figurano aggiunti i santi Giovanni Battista e Francesco, inginocchiati ai lati della Croce. Se la vi-

cinanza temporale tra la *Crocifissione* fiorentina e quella russa risulta difficilmente sostenibile, come invece proponeva la Kustodieva, il termine di paragone più calzante per la tavola degli Uffizi appare, come già ha segnalato la critica precedente a partire da Grigioni (1956, pp. 126, 638), la pala in San Mercuriale a Forlì, raffigurante l'*Immacolata e santi* e datata con certezza al 1510. Le affinità più forti tra i due dipinti sono riscontrabili nel paesaggio e negli elementi che lo animano, affinità che Viroli riconosceva come "un sistema sintomatico di grafismi e di codici formali ben evidenti" (Viroli 1991b, p. 39). La datazione entro il primo decennio del Cinquecento, periodo al quale si riferisce solitamente anche il *Crocifisso tra san Giovanni Gualberto e la Maddalena* (Forlì, abbazia di San Mercuriale) in cui ritroviamo la bella anatomia del corpo del Cristo (Buscaroli 1931, p. 222), può essere ristretta anche al primo lustro del secolo, anteriormente cioè alla *Crocifissione* di Avignone.

Bibliografia: Milanesi in Vasari ed. 1878-1885, VI, 1881, pp. 336-337; Calzini 1895e, pp. 288, 456; Cavalcaselle- Crowe 1886-1908, VIII, p. 350; Burckhardt 1900, p. 671; Venturi 1913, p. 76; Buscaroli 1931, pp. 222-223; Berenson 1932, p. 314; Gnudi in Forlì 1938, p. 109, cat. 83; Grigioni 1956, pp. 125-126, 637-640; Marchini in *Uffizi…*1979, p. 399; Viroli 1991b, pp. 33, 38-39; Kustodieva 1994, p. 326; Borghero in Chiappini 1998, p. 46; Meloni Trkulja 2000, pp. 114-115.

Francesca Nanni

Restaurato dalla Fondazione Cassa dei Risparmi di Forlì in occasione della mostra. Laboratorio di restauro Mariarita Signorini, Firenze.

Marco Palmezzano
(Forlì, 1459-1539)

31. *San Rocco*, 1516 circa
tavola, 155 × 101 cm

Forlì, cattedrale

Questo dipinto non ha mai mancato di essere ricordato sia nelle guide cittadine, sia negli studi su Palmezzano, ma sempre di sfuggita e senza notizie utili. Le pur notevoli qualità dell'opera non suggeriscono con immediatezza confronti con altri momenti del maestro forlivese che possano fornire una scorta veramente precisa per un tentativo di datazione.

Nella ricostruzione della sua storia non si va più indietro del XVIII secolo, quando si trovava nella sagrestia della Cattedrale (Marchetti, c. 26). La collocazione nella cappella attuale, di fronte al *San Sebastiano* di Rondinelli, è del dopoguerra. Rimane la testimonianza orale di una vicenda passata che provocò un danno consistente (l'angolo inferiore destro ha una vasta lacuna pittorica), perché l'opera fu tenuta appoggiata a terra, in un orto. Ma la carpenteria della tavola era nata assai bella: il legno è compatto, ben tagliato e ben stagionato. Non ha alcuna giuntura: è un mezzone della larghezza di un metro. La traccia di un rinforzo perimetrale asportato è visibile su tre lati, tranne che nel margine inferiore, accorciato di qualche centimetro. Priva di questa struttura, la tavola ha preso un'incurvatura molto lieve, ma il suo assetto è sempre solido. Un impegno veramente ingente è stato assorbito, nel corso del restauro, dal recupero della superficie originale, prima offuscata e sorda, che è stata ritrovata in condizioni a tratti non molto fresche per la mancanza di finiture oleose.

Gli studi sul pittore indicano possibili riscontri per questa figura in direzioni molteplici e discordanti. Carlo Grigioni, che evidentemente si appoggia a quanto scrive Egidio Calzini (1895e, pp. 336-337), delle varie proposte di lettura da lui avanzate, valorizza un solo confronto, quello con l'*Arcangelo Raffaele con Tobiolo* della Pinacoteca di Faen-

za. Tuttavia, non pare il più pertinente, perché vi manca il lustro della materia pittorica di questo *San Rocco*, mentre l'impostazione prospettica della scena convive con una particolare morbidezza delle superfici, in modo che i contrasti dei vari piani spaziali ricevano definizione soprattutto dall'elaborato contrappunto cromatico. Nel dipinto qui esposto il restauro ha messo in evidenza un risalto molto vivo della figura contro il fondale di paesaggio, che rimane come avvolto da un'intonazione cromatica abbassata, tutta accordata sui bruni. Non si saprebbe indicare in Palmezzano un altro dipinto in cui sono assenti, come qui, note cromatiche veramente squillanti.

La pagina di Calzini contiene anche altre due indicazioni, una poco significativa, in direzione di Giovanni Santi; l'altra, più concreta, ma solo a patto di limitare il confronto a una sola figura, in un'altra opera dello stesso Palmezzano: la *Madonna coi santi Biagio e Valeriano* della Pinacoteca di Forlì. Non se ne ricava molto riguardo ai problemi di datazione, perché anche questa tavola è oggetto di proposte molto oscillanti, ma è vero che il *San Valeriano* ha una tipologia confrontabile col *San Rocco*: si tratta di passaggi pittorici che hanno in comune una riconoscibile somiglianza con la pittura del Francia. Nell'ampia trattazione di Egidio Calzini, il nome del pittore bolognese non viene speso per queste due figure in particolare, tuttavia ricorre più volte, insieme con l'affermazione non verificata e improbabile che Palmezzano debba averlo conosciuto. Ma forse questo tratto di somiglianza si potrebbe spiegare per via indiretta, cioè pensando che nella bottega del forlivese abbiano prestato la loro opera come collaboratori altri artisti che effettivamente avessero appreso la pittura nella fre-

quentissima scuola franciana. Il nome, tipicamente di "pittore senza opere", di Bartolomeo da Forlì, citato da Malvasia tra i tanti ricordati nelle vacchette del Francia (Calzini 1895e, p. 197), si può tener presente come indicativo di una situazione che probabilmente poté essere più articolata.

Anche Timoteo Viti aveva studiato presso il Francia, e il suo biografo Pungileoni (1835, p. 43; Colombi Ferretti 2003, p. 65) narra che nel periodo in cui da Urbino, sua patria, vennero scacciati i duchi Della Rovere dalla politica nepotista di papa Leone X, il pittore preferì lasciare gli incarichi civici che ricopriva per recarsi a Forlì con Girolamo Genga, col quale aveva già collaborato in altri precedenti lavori. Nella città romagnola sarebbe rimasto nell'anno 1518. Non si dice di poterne riconoscere qui la mano, ma la sua bella tavola in Sant'Angelo a Cagli, il *Noli me tangere tra i santi Michele Arcangelo e Antonio Abate*, databile 1518 (Zampetti 1989, pp. 153-154), pur non mostrando dati franciani in evidenza, ha una fusione di luminosità abbassate, ma lucenti ed esatte, che in pelle è simile al *San Rocco*.

Se, sulla base di queste stesse caratteristiche di fattura, si può cercare un altro confronto nell'opera di Palmezzano, anche la *Sant'Elena* della Pinacoteca di Forlì (cat. 43) ha lo stesso registro di luce non meridiana e analoghe sottigliezze nei profili e nelle cangianze. Non ha lo stesso impasto di ombre morbide e dense a definire l'espressione del volto, ma la data che vi si legge, 1516, potrebbe fornire un riferimento non lontano. Marco Palmezzano aveva eseguito un altro *San Rocco* simile a questo, la cui provenienza dalla chiesa di San Tommaso Cantuariense (non più esistente) è stata ricostruita da Matteo Ceriana (1997, pp. 10 e 39), insieme col passaggio dalla Pinacote-

ca di Brera, prima di finire in collezione Visconti Venosta a Roma, che è l'ubicazione con cui la ricorda Grigioni (1957, p. 658). Una foto è presso il Dipartimento delle arti visive di Bologna, segnalata da Stefano Tumidei. Sul mercato antiquario a Bologna è passato qualche anno fa un *San Sebastiano* nel quale Daniele Benati (2000, p. 15) ha proposto di individuare il pendant del *San Rocco* Visconti Venosta. Entrambe le figure sono ricordate insieme al trittico del Palmezzano anch'esso già in San Tommaso, oggi smembrato (la *Natività* appartiene alla Pinacoteca di Brera, i due laterali sono l'uno alla Misericordia di Firenze, l'altro in collezione privata a Zurigo; il riassemblaggio solo in immagine è in Ceriana 1997, p. 11). I due santi protettori contro la peste erano collocati entro nicchie ai lati dell'altare, secondo l'assetto testimoniato dalla visita pastorale del 1636. Ma il contratto per l'altare, dell'anno 1516, non prevedeva che vi dovessero essere. Rimangono, quindi, senza risposta sia il quesito della loro originaria destinazione, sia quello della datazione. Il *San Rocco* della cattedrale, tuttavia, non può definirsi propriamente come una seconda redazione di quello Visconti Venosta, perché il tratto che più accomuna i due dipinti è solo l'atteggiarsi della figura, senza seguire nei dettagli il medesimo modello.

Bibliografia: oltre la bibliografia raccolta da G. Viroli 1991b, p. 40; Marchetti, III/73, c. 26.

Anna Colombi Ferretti

Restaurato dalla Fondazione Cassa dei Risparmi di Forlì in occasione della mostra. Laboratorio di restauro Maria Letizia Antoniacci, Cesena.

Nicolò Rondinelli
(Ravenna, 1450 circa-1510 circa)

32. *San Sebastiano*, 1497
tavola, 165 × 105 cm

Forlì, cattedrale

Citato da Vasari (1568 ed. 1878-1885, V, p. 253) nella seconda edizione, in cui definisce Nicolò "pittore eccellente" e il dipinto "molto bella figura", è stato apprezzato da tutti gli studiosi compresi Crowe e Cavalcaselle (1871, pp. 593, 594), ma non da Buscaroli (1931, p. 313) che lo considerava una stanca imitazione di prototipi di Marco Palmezzano, dal quale in realtà non dipende affatto, come può dimostrare il confronto con il *pendant* del pittore forlivese, il *San Rocco* tuttora conservato nella cattedrale della sua città e che ha quasi le medesime misure, ma appare molto lontano come stile e come concezione, e non solo perché più tardi di circa quindici anni; quello di Rondinelli è un'eco diretta di idee belliniane, quali lo stesso santo raffigurato nella *Pala di San Giobbe*, oggi conservata nelle Gallerie dell'Accademia di Venezia, ma terminata da Giovanni Bellini per la chiesa di Cannaregio probabilmente proprio al tempo in cui Rondinelli operava nella sua bottega; la figura di giova-

ne martire sembra sorridere, come quello di Giambellino, ma con la sua frontalità non può non richiamare alla mente pure il dipinto di Antonello da Messina oggi nella Gemäldegalerie di Dresda, che il maestro siciliano aveva eseguito tra il 1475 e il 1476 e che Rondinelli poteva vedere nella chiesa veneziana di San Giuliano, nelle Mercerie a due passi da San Marco. A esso rimandano anche le figure del fondo come spirito generale della composizione, anche se poi il santo di Rondinelli non è visto dal basso in alto, è legato a una colonna e non al tronco di un albero e l'ambientazione, a ben guardare, rimanda piuttosto a prototipi carpacceschi; l'arco raffigurato in scorcio sulla destra può richiamare l'arco Foscari del palazzo Ducale di Venezia, anche per le statue nelle nicchie dell'ordine superiore o quell'arco Tron che si vede in una tavoletta dell'Accademia di Venezia che un tempo era attribuita a un giovanissimo Giovanni Bellini. Si tratta di un dipinto molto piacevole, in cui la me-

moria della città lagunare non si materializza nella ripresa diretta di un prototipo del maestro, che Rondinelli operava invece spesso quando eseguiva *Madonne* per la devozione privata o le inseriva in pale più articolate come quella di Brera; qui San Giovanni Evangelista appare a Galla Placidia in un ambiente caratterizzato da un altare su cui compare una Madonna ripresa direttamente da un'importante idea belliniana. In questo *San Sebastiano* abbiamo un *amarcord* meno dichiarato, ma forse più intenso e struggente, nel quale entra sicuramente il ricordo di altre immagini viste nella città lagunare, soprattutto il Cristo del *Battesimo* che Giambattista Cima da Conegliano aveva eseguito tra il 1492-93 per la chiesa di San Giovanni in Bragora, sul cui altare maggiore si trova tuttora; Nicolò non aveva invece potuto vedere alcune delle raffigurazioni del giovane martire protettore contro la peste, che negli anni successivi al suo rientro in patria, il pittore di Conegliano avrebbe lasciato nella

città lagunare e che sarebbero state almeno quattro. La quinta architettonica ornata di decorazioni a grottesca in mosaico dorato sembra invece ricordare un'altra opera di Cima, tuttora sul primo altare a destra nella chiesa di Cannaregio dedicata alla Madonna dell'Orto: la *Pala dei SS. Giovanni Battista, Pietro, Marco Girolamo e Paolo*, che Nicolò aveva sicuramente vista scoprire proprio verso la fine del suo soggiorno veneziano, tra il 1493 e il 1495.

Bibliografia: Vasari 1568 ed. 1878-1885, V, p. 253; Crowe e Cavalcaselle 1871, pp. 593, 594; Buscaroli 1931, p. 313; Tempestini 1999, pp. 168, 174, 184, 188 con bibliografia precedente.

Anchise Tempestini

Restaurato dalla Fondazione Cassa dei Risparmi di Forlì in occasione della mostra. Laboratorio di restauro Maria Letizia Antoniacci, Cesena.

Nicolò Rondinelli
(Ravenna, 1450 circa-1510 circa)

33. *I santi Apollinare vescovo, Canzio, Canziano, Canzianilla e Maddalena*, fine XV, inizi XVI secolo
tavola, trasporto su tela, 166 × 151 cm

Milano, Pinacoteca di Brera (in deposito presso il Senato della Repubblica), inv. 6025

Questo dipinto è giunto a Brera nel 1809. Proviene dalla chiesa di San Giovanni Evangelista di Ravenna, come la pala dello stesso pittore che raffigura *San Giovanni Evangelista che appare a Galla Placidia* pure passata alla Pinacoteca di Brera. Trasferito da tavola su tela per il precario stato di conservazione tra il 1899 e il 1908, dopo che dal 1847 era stato spostato nella chiesa parrocchiale di Quarto Cagnino, ex borgo storico oggi inglobato nella metropoli milanese e privato di tutte le memorie storiche. Dal 1959 è in deposito presso il Senato della Repubblica in palazzo Madama a Roma. Giustamente collocato da Marco Bona Castellotti (1984, p. 194) e Angelo Mazza (1991, pp. 299) a cavallo dei due secoli, dopo l'esperienza veneziana nella bottega di Giovanni Bellini e prima della svolta che porterà il pittore a una sorta di espressionismo, non in senso zaganelliano, ma forse per l'influsso dell'allievo e collaboratore Baldassarre Carrari che a sua volta si addolcisce a contatto con il maestro reduce da Venezia tra il 1495 e il 1496. Qui si ammira ancora un nitore classicistico ed è molto evidente il ricordo dei modelli belliniani, fin nei particolari delle mani: si veda quella destra di San Canzio. La pala è impostata secondo uno schema di assoluta simmetria, dalle quinte architettoniche appena visibili ai lati alla colonna addossata al pilastro centrale con cui sembra fondersi San Canziano, fiancheggiato dalle altre quattro figure. Il pavimento è a piastrelle disposte a losanga e fughe di listelli rettilinei; questi ultimi, come la decorazione a grottesca del pilastro, si vedono simili nella grande *Pala di San Bartolommeo* pure a Brera, che in passato si attribuiva erroneamente a Carrari. La pala dei martiri ravennati è permeata da quello spirito protoclassico che caratterizza la cultura costesca nell'Emilia del tempo e che ben si accorda, come rilevano Lucco e Mazza, con il gusto del pubblico affascinato da immagini semplici, arcaiche, non problematiche, pur se talora non scevre da un mielato provincialismo.

Questa composizione appare in complesso piuttosto manierata; le sue figure risultano in parte elaborazioni di idee tratte dall'antico come, in modo più incisivo, lo è la cosiddetta *Sibilla* oggi conservata nella Galleria degli Uffizi a Firenze che ho attribuito al pittore ravennate (Tempestini 1999, pp. 176).

Bibliografia: Bona Castellotti 1984, p. 194; Mazza 1991, pp. 299; Tempestini 1999, pp. 176.

Anchise Tempestini

Baldassarre Carrari
(Forlì, attivo dal 1489 al 1516)

34. *Sant'Apollinare fra i santi Rocco e Sebastiano*, 1515-1516
tavola, 207 × 160 cm

Longana (Ravenna), parrocchia di Sant'Apollinare

Le opere di Baldassarre Carrari in mostra esemplificano egregiamente i momenti più significativi del suo percorso artistico mostrandone gli esordi "ferraresi", il passaggio dalla misura prospettica di matrice melozzesca alla fase "veneziana" in cui, come sottolineava già Berenson (1932, p. 135), diventa preminente l'influsso rondinelliano.

La pala della piccola pieve di Sant'Apollinare in Longama, presso Ravenna risale a questo momento: dipinta da Carrari poco prima della morte, avvenuta con certezza fra il 31 dicembre 1515, quando l'artista è ancora impegnato nella realizzazione di uno stendardo per il Comune di Ravenna (Bernicoli 1912, p. 218) e il 14 febbraio 1516 – a quella data in una testimonianza prestata a Ravenna il figlio Matteo è già detto "quondam magistri baldassaris pictoris" (Grigioni 1913a, p. 360; Viroli 1991b, p. 149). L'unico documento rintracciato per la pala di Longana, segnalato da Grigioni (1896, p. 92) e pubblicato integralmente da Montanari (1956, pp. 175-182). Consiste nella rivendicazione del credito di cinque ducati d'oro sul pagamento della pala, avanzata dai figli del pittore, Stefano e Marco, davanti a un notaio forlivese il 23 gennaio 1520, quando risultava già morto anche il rettore di Longana che forse aveva, a suo tempo, tenuto i contatti con Baldassarre (e concordato il compenso). Sui veri committenti fanno però luce alcune circostanze storiche relative alla stessa antichissima pieve, il cui stretto legame con la mensa arcivescovile ravennate (nonostante appartenesse alla diocesi di Forlì) si tradusse nella concessione del suo giuspatronato a Bartolomeo Guaccimanni, rappresentante di una delle più facoltose famiglie della città, promotore dei lavori di consolidamento "cum esset a longissimo tempore diruta" (cfr. Fantuzzi 1802, p. 409; Calandrini, Fusconi 1993, pp. 792-793). A una vera e propria ri-edificazione della chiesa allude nel 1503 l'atto di conferma del vescovo Tommaso dall'Aste all'arciprete presentato dai patroni Gerolamo, Giovanni e Francesco Guaccimanni, vale a dire don Ottaviano Montagnana, con il quale deve identificarsi il rettore che il documento del 1520 dichiara già morto. "Octaviano quondam Bartholomei de Montagnana de Guidotti" era, infatti, ancora in carica nel 1517, quando compare citato in due ulteriori documenti relativi alla pieve e alla famiglia giuspatrona (Fusconi 2002, p. 88; Archivio di Stato di Ravenna, *Osservanti di Sant'Apollinare*, Caps XXII S, 13 agosto 1517). Se, come pare, la chiesa aveva subito ulteriori devastazioni al tempo della battaglia di Ravenna nel 1512 (Calandrini 1972, p. 19; Bentini 1987, p. 97), si restringerebbero con buona approssimazione le date della commissione a Carrari; mentre l'indubbio prestigio dei Guaccimanni (Bartolomeo risulta aggregato al consiglio dei Savi, il figlio Girotto fu canonico della cattedrale di Ravenna: cfr. Spreti 1931 p. 596), spiega forse l'impegno compositivo della pala di Longana. L'ancona si pone al seguito dell'*Incoronazione della Vergine* per San Mercuriale a Forlì, commissionata nel 1509 e consegnata nel 1512, della *Madonna con il Bambino e i santi Giacomo e Lorenzo* della Pinacoteca di Brera, e certo riscatta la più ordinaria fattura di altre meno convincenti prove tarde del forlivese (cfr. G.Viroli in *Pinacoteca* 2001, pp. 55-58). All'ultima fase di Carrari, fra il 1512 e il 1515, appartengono anche la *Madonna con Bambino* della collezione Massari di Ferrara, il pannello di polittico recentemente entrato nelle collezioni della Cassa di risparmio di Cesena (Mazza 2001, pp. 24-25) e la lunetta con il *Dio Padre e angeli* della Banca d'Italia di Perugia, riferita al pittore da Tempestini (1998, pp. 128-129), vicinissima alla pala di Longana e che solo le misure (98 × 177 cm) impediscono di immaginare quale originario coronamento dell'altare.

In quelle date Carrari, ormai stabilmente radicato a Ravenna da oltre un decennio, si presentava come l'unico erede della pittura tonale, d'effetto atmosferico riportata da Venezia da Nicolò Rondinelli, "discipulus Bellini", morto probabilmente poco dopo il 1510. Lo rivela, nella stessa pala di Longana, il San Sebastiano, stretto parente di quelli di Rondinelli dell'Accademia di Ravenna e del duomo di Forlì (cat. 32). Il dipinto, tuttavia, trova spazio in mostra soprattutto per la rielaborazione di un modello di pala prospettica di chiara matrice palmezzanesca e lo rivela il confronto con il *Sant'Antonio Abate in trono e Santi*, licenziato dal collega forlivese quasi un decennio prima per la chiesa del Carmine a Forlì (cat. 28). Carrari sembra ricordarsene esplicitamente nella particolare monumentalità conferita alla figura centrale, nella foggia del basamento del trono, nell'ornamentazione a grottesche (realizzate però, come in Rondinelli, senza l'ausilio delle applicazioni d'oro, immancabili nelle architetture di Palmezzano). Anche l'edicola architettonica con l'absidiola a mosaico (per quanto d'estrazione belliniana) ha alle spalle altre formulazioni palmezzanesche nel trittico di San Biagio e nella pala oggi a Sarasota e un tempo a Cesena. Ma la presenza del motivo delle colonne libere addossate ai pilastri non esclude che Carrari potesse già fare riferimento a una specifica variante elaborata in ambiente ravennate, dallo stesso Rondinelli o da Francesco Zaganelli, che la utilizza nel 1505 nella *Madonna e santi* per Civitanova Marche oggi a Brera (Zama 1994, p. 130). Il sospetto pare confermato anche dalla particolare foggia delle edicole prospettiche, molto simili a questa di Longana, che anche Luca Longhi accampa nelle sue pale giovanili, dalle due dipinte per Forlimpopoli a quella del 1538 già sull'altare Lunardi in San Domenico a Ravenna e oggi a Brera (Mazza 1991, pp. 277-278).

Ricordata negli *Inventarii* del 1614 (369r), redatti al tempo del cardinale Aldobrandini come "un'ancona a sguazzo nova co' l'imagine di Sancto Apollinare", la tavola di Longana si trova ancora oggi sull'unico altare della piccola chiesa, inserita in una cornice di stucco dorato e policromo realizzata durante i lavori di riordino della chiesa risalenti al 1889-1892.

A dispetto della qualità e di una precoce segnalazione di Grigioni (1896), non ha mai goduto di grande considerazione: trascurata da Buscaroli (1931, p. 241), che ne fraintendeva anche il soggetto, citata solo di sfuggita nel catalogo della mostra melozzesca del 1938, si è imposta all'attenzione solo con gli articoli di Montanari che, tra l'altro, diede conto di un suo primo restauro (sollecitato fin dal 1942 per le pessime condizioni in cui versava il dipinto) compiuto nel 1962. Nel 1995 la pala è stata oggetto di una nuova pulitura condotta da Isabella Cervetti che, riportando in luce le gamme cromatiche originali, ha scelto di lasciare a vista l'ampliamento ottocentesco della tavola, dichiarato dalla fascia orizzontale che ne amplia in alto il formato.

Bibliografia: *Inventarii* 1614, 369r; Grigioni 1896, p. 92; Grigioni 1913a, p. 360; Berenson 1932 p. 135; Buscaroli 1931 p. 241; L. Becherucci in Forlì 1938, p. 120; Montanari 1956, pp. 175-182; Poggiali, Calandrini 1957-1958, p. 64; Calandrini 1972, pp. 15-21; Golfieri 1977, p. 711; Bentini 1984, p. 95-100; Mazza 1991, p. 277-278; Viroli 1991b, p. 149; Faietti 1994, p. 251; Tempestini 1998, pp. 128-129; Mazza 2001, pp. 24-25.

Alessandra Olivetti

Bernardino Zaganelli

(Cotignola, documentato dal 1495-Imola, 1519)

35. *Madonna in trono con il Bambino e due angeli*, 1508-1509
tavola, 91 × 47 cm

New York, Collezione privata

Questa tavola costituisce uno degli *addenda* più significativi al catalogo di Bernardino Zaganelli degli ultimi tempi. A Everett Fahy si deve il riconoscimento di tale paternità e il collegamento perfetto con due pannelli che evidentemente provengono dal medesimo politttico di cui questa *Madonna col Bambino e due angeli* era l'elemento centrale: dalla parte sinistra la *Sant'Elena* dell'Art Collection dell'Arizona State University a Tempe (già attribuita a Girolamo Marchesi, segnalata da Federico Zeri a Raffaella Zama, 1994, pp. 143-144, cat. 36, come opera di uno dei due fratelli Zaganelli), dalla parte destra un *Santo vescovo* che appartiene alla collezione Faringdon a Buscot Park, Londra (pubblicato come opera di Bernardino da Renato Roli nel 1965, p. 231, quando apparteneva alla Galleria Agnew di Londra; non è chiaro perché venga definito *San Simeone* in assenza d'iscrizioni). La *Sant'Elena* e il *Santo vescovo* misurano rispettivamente 94 × 40,6 e 92,7 × 40,6 cm. In proporzione la *Madonna col Bambino e due angeli* è leggermente più larga e, come conviene a un centrale di politttico, è probabile sormontasse di poco anche in altezza i laterali. Affinché il basamento marmoreo, stagliato direttamente contro il paesaggio, fosse in continuità, è necessario ipotizzare che la tavola con la *Madonna col Bambino e due angeli* sia stata rifilata in basso di diversi centimetri. Il paesaggio non appare, infatti, in continuità, come si vede nel trittico di Bernardino del 1506, diviso tra la National Gallery di Londra (*San Sebastiano*) e il collegio della Guastalla a Monza (*San Nicola* e *Santa Caterina martire*), che presentano dimensioni identiche (119,4 × 44,2 cm il *San Sebastiano*, leggermente rifilato; 122,5 × 47,5 e 121 × 48 cm i due santi monzesi), perché a Pavia usavano trittici con modulo costante tra centrale e laterale, in conformità con quanto abituale anche in Liguria. È dunque probabile che i due

laterali superstiti chiudessero il politttico – un pentitttico – alle due estremità e che all'appello manchino altri due pannelli più interni. Per il resto le affinità stilistiche tra questi dipinti sono tali e tante da non lasciare adito a dubbi. Il taglio netto del piano di appoggio contro un paese terso e lontananze, staccato in primo piano da calanchi rovinosi, è comune nei tre pannelli. Essi documentano un momento chiaramente successivo a quello del trittico per la cappella degli studenti oltremontani al Carmine di Pavia, dipinto e firmato dal solo Bernardino nel 1507, ai ritmi inarcati e fluenti di opere come quella o come la *Madonna col Bambino e angeli* della Galleria Franchetti alla Ca' d'Oro, ancora suggestionate da eleganze quasi peruginesche, cui subentra una monumentalità più studiosa, arrovellata nei panni in pieghe ridondanti, e però al contempo una mollezza più accentuata nelle carni rosee e pastose. Tale è l'evoluzione dopo il 1510 di Bernardino, che ora sappiamo vivo fino al 1519, quando morì a Imola. Le spezzature dei panni sono una chiara imitazione della maniera dureriana del fratello Francesco, ma a distinguerlo è sempre il maggiore nitore atmosferico, la cromia più fredda e limpida, la trasparenza delle ombre. Là dove Francesco abbonda in decori ricamati a missione sulle vesti, Bernardino con vena più propriamente giorgionesca gioca a illudere col colore i lustri cangianti di una passamaneria dorata lungo tutto il bordo del manto azzurro di Maria. Là dove Francesco caricava le architetture di marmi policromi e di candelabra a grottesche incrostate sull'oro, di gusto palmezzanesco, Bernardino si attiene a volumi più essenziali e con classicismo misurato, sulla lunghezza d'onda di Francesco Marmitta o del primo Francesco Francia, illudendo sull'alzata del trono, tra luce e ombra, girali in delicato rilievo, come nella giovanile *Madonna col Bambino tra*

santa Maria Maddalena e santa Caterina d'Alessandria di collezione privata torinese (Zama 1994, pp. 105-106, cat.9; A.De Marchi, in *Viadana* 2000, pp. 146-153). L'abbondanza dei panni è il modo con cui Bernardino tenta di perseguire nel secondo decennio del Cinquecento una più convinta grandiosità, ma le contraddizioni non mancano, come del resto nelle opere tarde del fratello Francesco, perché con singolare arcaismo ricorre alla lamina d'oro nella corona imposta dai due angeli sul capo della Vergine e nella pigna al vertice del padiglione. Né Bernardino rinuncia alle sottigliezze orafe a lui tanto care, nelle collanine di perle che cingono il capo degli angeli o nei fermagli gemmati ripetuti sei volte, a riprova di un'educazione tardoquattrocentesca che di nuovo richiama l'affinità mentale con pittori-orafi, come il parmense Marmitta o il bolognese Francia. Tali finezze sono profuse pure nella *Madonna col Bambino con san Rocco e san Sebastiano* di collezione privata (Zama 1994, pp. 141-142, cat.33) che fa da trait-d'union tra le opere tipiche di Bernardino prima del 1506 e la fase finale, caratterizzata da un'umanità più torpida e rilasciata, cui appartengono diversi dipinti (da me raggruppati come senz'altro suoi in un articolo del 1994; per ulteriori precisazioni si veda pure De Marchi in *Viadana* 2000, pp. 146-153, e De Marchi in *Altomani* 2004, pp.44-50). Tra questi va ricordata una *Sacra Famiglia con san Giovannino* di collezione privata padovana (De Marchi in Torino 1990, p. 112; Zama 1994, p. 136, cat. 29; era passata a un'asta di Christiès a York, 15 giugno 1977, lotto 98, come Francesco Zaganelli), che era stata riferita a Francesco e che accostata a questa *Madonna col Bambino* si dimostra perfettamente consanguinea. Ma confronti non meno calzanti sono possibili con lo *Sposalizio di santa Caterina martire* di Strasburgo, con la *Sacra Famiglia* di Sarasota, con la *Sacra conversazione*

della Walters Art Gallery o con la *Lucrezia* della Cassa di risparmio di Forlì. La posa del bambino marciante sulle ginocchia della madre, liberamente ispirata a prototipi veneziani di Giovanni Bellini come il trittico del 1488 ai Frari, è comune nello *Sposalizio di santa Caterina martire* di Strasburgo, ma pure in una *Madonna col Bambino* giovanile di Francesco, di ubicazione sconosciuta, pubblicata da Roli nel 1965, prossima alla pala di San Francesco a Cotignola del 1499 (ora a Brera). Il Bambino stringe nella sinistra un uccellino e con la destra sembra voler accogliere la rosa che la Madre gli offre. Il gesto di quest'ultima, che stringe lo stelo spinoso tra il pollice e l'indice, richiama singolarmente prototipi molto più antichi, addirittura tardogotici, come la *Madonna della rosa* dipinta da Michele Giambono al centro del politttico di Fano, di committenza malatestiana (Franco 1993, pp.29-33). La predilezione malatestiana per la rosa potrebbe suggerire che anche questo politttico di Bernardino provenga da una città degli antichi domini malatestiani, come Cesena o appunto Fano, dove, ad esempio, sant'Elena era venerata nella chiesa della Santa Croce, nella pala dell'altare maggiore di Giovanni Santi (ora nella Pinacoteca Civica: cfr. Tumidei in *Pinacoteca* 1993, pp.34-36). Del tutto inedito nel catalogo delle opere zaganelliane sinora note è il motivo del padiglione che i due angeli tendono come per richiuderlo sulla Vergine, elegantemente foderato di verde intenso, e candido all'esterno. È un motivo iconografico che sostituisce il più comune drappo d'onore di fonte veneziana e che allude a Maria come *tabernaculum Christi*, che nel primo Cinquecento conobbe elaborazioni famose come la *Madonna del Baldacchino* di Raffello, ma che già alla metà del Quattrocento Rogier van der Weyden aveva formulato in maniera esplicita nella *Madonna Medici* dello Staedel di Fran-

coforte, di probabile destinazione toscana. Il valore simbolico di tali padiglioni (cfr. Eberlein 1982) è esplicito nella famosa *Madonna del parto* di Piero della Francesca a Monterchi, dove è aperto da due angeli in piedi. Il motivo era peraltro diffuso anche in Lombardia, ad esempio nel pannello centrale (ora a Berlino, Staatliche Museen) di un politico che Filippo Mazzola aveva dipinto nel 1502 per San Domenico a Cremona, dove già si vedeva nella Madonna al centro del trittico bembesco del Museo Civico. In questo caso la cortina non è tirata da angeli, ma che si tratti di un padiglione e non di una semplice

cortina sul davanti è chiaro, peraltro, perché la stessa stoffa continua dietro il trono della Vergine. Anche l'illusione di cortine, che erano appese di norma con appositi tiranti per mascherare le ancone nei giorni feriali e che avevano pure una funzione di protezione fisica, ha comunque pure una valenza più latamente simbolica, di definizione della sacralità dell'immagine attraverso il suo occultamento. Vale la pena di ricordare che a Cremona si conservava un'opera degli Zaganelli, una *Natività* nella chiesa di Sant'Angelo, citata da Marcantonio Michiel come "de mano de… de Cotignola" (cfr. [Michiel 1521-

1543], ed. 1884, p.91; ed. 1888, p.44). Il particolare del "puttino che illumina le figure circumstante" mi aveva indotto a sospettarvi piuttosto un'opera di Francesco, per la possibile analogia con il riverbero di una face retta da un angelo nella *Pietà* di Francesco della Pinacoteca Nazionale di Bologna (De Marchi 1994, p. 133 nota 12), ma è vero che non possiamo esserne certi. D'altra parte, un possibile riflesso dell'idea del baldacchino aperto da due angeli in volo è in ambito fanese in una pala realizzata nel terzo decennio da Giuliano Presciutti per la parrocchiale di Bargni (ora nell'Episcopio di Fano:

cfr. Cleri 1994, pp. 144-145). Marco Palmezzano dipinse un baldacchino rosso scoperto da due angeli in piedi, ai lati della Vergine, nella pala del 1520 per i francescani di Brisighella, dietro Faenza (cfr. Viroli 1991b, pp. 50-51, cat. 55), ma la formulazione assai diversa richiama piuttosto la tradizione pierfrancescana della *Madonna del parto*, riecheggiata in zona aretina alla fine del Quattrocento.

Bibliografia: De Marchi 2005, pp. 142-149.

Andrea De Marchi

Francesco Zaganelli
(Cotignola, documentato dal 1484-Ravenna, 1532)

36. *Cristo in Pietà* (lunetta), 1499
tavola, 80 × 160 cm

Cotignola (Ravenna), chiesa di San Francesco

La pala raffigurante la *Madonna col Bambino, tre angeli, san Giovanni battista e san Floriano*, sottoscritta "YHS FRANCISCVS ET BERNARDINVS FRATRES COTIGNOLANI DE ZAGANELIS FACIEBANT 1499", venne ritirata dalla chiesa di San Francesco dei minori osservanti di Cotignola e il 5 giugno 1811 entrò nella Pinacoteca di Brera, priva della sua cornice originale (inv. 487, 197 × 160 cm). Nella chiesa venne lasciata, come accessoria, la lunetta sovrastante con un *Compianto di Cristo*, della stessa larghezza (80 × 160 cm). Quando nel 1495 la cittadina romagnola venne annessa al dominio di Ludovico il Moro, presso la chiesa francescana venne eretto l'oratorio di Santa Maria degli angeli, o sacello sforzesco, destinato a dare lustro alle spoglie della madre di Muzio Attendolo Sforza e nonna del quarto duca milanese, Elisa Petrocini. L'oratorio conserva una cupola affrescata con il Padre Eterno fra quattro angeli e gli evangelisti, d'impianto scopertamente melozzesco, assai malridotta ma attribuibile a Francesco Zaganelli (per tali affreschi cfr. Zama 1994, pp. 110-115, che li ritiene in prevalenza di Bernardino, e di Francesco limitatamente a un angelo e tre evangelisti, con una distinzione che non mi sembra perspicua). La pala del sacello sforzesco, descritta nel 1759 da fra Flaminio da Parma, è però un'altra ed è stata correttamente identificata da Raffaella Zama (1994, pp. 139-142) con una rovinatissima ta-

vola che apparteneva all'antiquario torinese Aldo Fina. Nella chiesa di San Francesco nel 1581 Malazappi ricorda "almeno quattro tavole di Bernardino e Francesco fratelli da Cotignola", e fra queste va annoverata la pala firmata da entrambi nel 1499, e forse pure l'*Incoronazione della Vergine con san Francesco e san Benedetto*, in realtà di Marco Palmezzano, anch'essa finita a Brera. Oggi il *Compianto di Cristo morto* è l'unico dipinto su tavola che rimane in patria dei due fratelli cotignolani. Se per la composizione maggiore la discussione è sempre stata aperta, più immediato è però il riferimento al solo Francesco per la lunetta. Il taglio scenografico, vistosamente di sotto in su, e ancor più l'idea di intarsiare le figure contro un paramento screziato di marmi sontuosi, in lugubre monocromo, denunziano un omaggio a Melozzo ricorrente nell'opera di Francesco, ma mai in quella di Bernardino. Anche le ombre contrastate, scultoree, specie sul corpo di Cristo e sul volto di Giuseppe d'Arimatea, si distinguono bene dalle più delicate trasparenze atmosferiche di Bernardino, che negli anni giovanili si muove tra Boccaccino e il primo Giorgione. I grandi modelli veneziani sono ben presenti a entrambi, e se le dita scorciate a ventaglio della mano angelica che trattiene la spalla destra di Cristo rimandano ad Antonello, lo stimolo a rimeditare sull'*Engel-Pietà* poté venire da Giovanni Bellini e forse dallo stesso di-

pinto che proprio nel 1499 Rainerio Migliorati legò al tempio Malatestiano di Rimini (ora nel Museo Civico), dove era, ad esempio, lo spunto per l'idea della mano di Cristo che ricade inerte. Nelle successive interpretazioni del tema da parte di Francesco, sono sempre e solo due angeli a sorreggere il corpo morto di Cristo, penzolante in pose vieppiù improbabili (ancora composta la posa nella lunetta della pala di San Francesco a Imola del 1509, ora a villa Albani Torlonia, quindi acrobatica sopra il *Battesimo* del 1514 alla National Gallery di Londra, già in San Domenico a Faenza, e nella grande tavola di San Domenico a Lugo, ora a Brera). Qui invece protagonista è pure la compassione di Giuseppe d'Arimatea, che si deterge le lacrime con un'estremità della sindone. Anche per questa scelta meno comune si può ipotizzare la suggestione diretta della cimasa, un tempo posta al vertice della pala di San Francesco a Pesaro di Giovanni Bellini e ora nella Pinacoteca Vaticana, dominata dalla nobile figura torreggiante di Giuseppe d'Arimatea, tanto più che il prototipo pesarese ebbe fortuna enorme presso i pittori romagnoli di primo Cinquecento, con copie letterali da Palmezzano a Marchesi. Nonostante lo scetticismo perdurante sulla possibilità e sulla stessa liceità di procedere a una chiara distinzione tra le opere di Bernardino e quelle di Francesco (cfr. Lucco in *Pinacoteca* 2003, pp. 256-259), resto

convinto che, a uno studio attento, i due pittori non siano mai confondibili. Se un giorno si arriverà a organizzare una mostra a loro dedicata sarà un'occasione insostituibile per mettere alla prova, in una sequenza visiva serrata, il discrimine fra i due e si offrirà una straordinaria opportunità alla verifica filologica. Maggiori problemi si pongono forse nella fase giovanile e pure nell'ancona cotignolana del 1499. Nello scomparto principale ardua è la distinzione di mani diverse, ma è probabile che l'esecuzione spetti a Francesco e il disegno a Bernardino, tante sono le corrispondenze compositive e morfologiche con opere senz'altro sue. Tale sospetto, che avevo già avanzato, è confermato dall'identificazione di una nuova opera giovanile di Bernardino in un *San Giacomo maggiore* di collezione privata che Berenson riferiva ad Antonello da Saliba (De Marchi in *Altomani* 2004, pp. 44-50, nota 20), il cui disegno è, a tratti, sovrapponibile (la posa dei due piedi) a quello del San Giovanni Battista nella pala di Cotignola.

Bibliografia: Crowe, Cavalcaselle ed. 1912; Gnudi in *Forlì* 1938, p. 130; Roli 1965, p. 226; Colombi Ferretti 1988b, p. 867; De Marchi 1990, p. 102; Mazza 1991, pp. 310-312; De Marchi 1994, p. 133; Zama 1994, pp. 110-115, 139-142; Lucco in *Pinacoteca* 2003, pp. 256-259; De Marchi in *Altomani* 2004, pp. 44-50, nota 20.

Andrea De Marchi

Francesco Zaganelli
(Cotignola, documentato dal 1484-Ravenna, 1532)

37. *Adorazione del Bambino con i santi Francesco, Antonio e Bernardino*, 1509
tavola, trasporto su tela, 183 × 152 cm

Dublino, National Gallery of Ireland, inv. NGI 106

iscrizione: B[…]nards mediana pius. q hic ossa reliqt / hec testameti jure dedit superist / […]nards c[…]ol. pingebat / Ano d. 1509 7 Aprilis

Questa paletta proviene dalla chiesa di San Francesco a Imola, dei minori osservanti, dove era integrata da una lunetta con *Cristo morto sorretto da due angeli*, che si trova ora nella collezione del principe Torlonia a villa Albani, a Roma (misura 85 × 162 cm). Le due parti furono riunite in occasione della mostra su Melozzo a Forlì, nel 1938. L'opera è citata verso il 1774 da Luigi Crespi (1708-1779), che la recuperò presso il convento imolese, essendo "levata da molto tempo da quella chiesa", e la smembrò in due, donando rispettivamente la pala al principe Filippo Hercolani (1736-1810) a Bologna e la lunetta al cardinale Alessandro Albani (1692-1779) a Roma. Il dipinto è registrato in un inventario *Quadri nella Galleria Hercolani*, recentemente acquisito dalla biblioteca dell'Archiginnasio di Bologna[1] (c.5r, nr.1953), come "Bambino seduto su un piedistallo attorniato dalla B.Vergine, e da tre Santi, figure intere in tavola del Cottignola", e a margine si riporta che venne "venduto il 26 aprile 1836". Secondo quanto riferisce Cavalcaselle (1912) l'opera venne trasportata su tela e il cielo ridipinto da Van Cuyck, che la possedeva a Parigi, e quindi sarebbe passata nelle mani di Mr. Wigram e di Mr. Nieuwenhuys, prima di approdare nel 1864 al Museo di Dublino. Il cartellino affisso sul podio marmoreo cilindrico è oggi di difficile lettura; Luigi Crespi ne diede due versioni probabilmente un po' libere: cadde in inganno e vi lesse dapprima (nella descrizione manoscritta della collezione Hercolani) il nome di un Ercole Cotignola, quindi (nelle note al Baruffaldi) di un inesistente Francesco Bernardo da Cotignola. Queste le sue trascrizioni: "Bernardus Mediana Pius qui hic ossa reliquit /hoc ["haec" nella versione dell'Archivio Hercolani] testamenti iure dedit superis. / Ercules

Cottignole pingebat anno domini 1509 7 aprilis" (Crespi 1774); "Bernardus mediana pius. qui hic ossa reliquit /hec testamenti iura dedit superist / Franciscus Bernardus Cotignolens. pingebat ano. d. 1509. 7 aprilis" (Crespi ante 1779). Cavalcaselle a sua volta riportò una trascrizione più attenta, ma parziale e non priva di incertezze: "B..nard(in)us mediana pms.q(..).his ossa reliq(ui)t h.c testame(n)ti jure dedit superist...........nard(inu)s c.... ol(..). pin.ebat ano d(omini) 1509, 7 Aprilis". Le prime due righe, relative al committente, costituiscono un distico elegiaco[2] e il pentametro potrebbe chiudere con "superis", in formula umanistica di dedicazione dell'altare agli "dèi" ("dedit superis": cfr. Statius, *Silvae*, III, 4). La lettura congetturale potrebbe allora essere: "Bernardus Mediana pius qui hic ossa reliquit / hoc testamenti iure dedit superis / Franciscus et Bernardinus Cotignolenses pingebant / anno Domini 1509 7 aprilis". Alessandro Angelini, che gentilmente ha potuto controllare per me l'iscrizione *de visu*, mi conferma in sostanza tale lettura, incluso il verbo declinato al plurale "pingebant", ma eccetto il nome iniziale che sarebbe "Bernardinus" e quello di "Franciscus", ormai del tutto svanito. La paletta venne dunque commissionata per la cappella funeraria di un certo Bernardo o Bernardino, di cognome Mediana o Mezzana. È l'ultima opera firmata insieme dai due fratelli cotignolesi, a lato della *Sacra Famiglia* dell'Accademia Carrara a Bergamo, pure segnata 1509. Nonostante che un coinvolgimento di Bernardino sia stato ipotizzato a vario titolo per entrambi i dipinti, credo che anche in questo caso la doppia firma abbia il valore di una firma societaria (ancora in quell'anno, l'8 agosto, i due fratelli rogano un atto in comune presso la Camera ducale di Ferrara) e che l'esecu-

zione spetti in tutto al solo Francesco (Cesare Gnudi nel 1938, pp. 132-133, in particolare, cercava di distinguervi la mano di Bernardino, mentre già Renato Roli nel 1965, pp. 229 e 237, ne escludeva la partecipazione). Di tre anni prima è il polittico per il Carmine di Pavia, firmato dal solo Bernardino, i cui caratteri delicatamente inarcati e nutriti di ombre avvolgenti sono incompatibili con le pieghe cartacee e la monumentalità squadrata della pala imolese. Del tutto particolare è il tema trattato. Gesù Bambino, ignudo, è adorato su un doppio podio rivestito di marmi, isolandosi al centro della composizione. Alla sua destra la Vergine si genuflette e allarga le braccia verso terra, dietro San Bernardino, forse santo omonimo del committente e comunque *de rigueur* in una chiesa degli osservanti, giunge le mani in preghiera (la sua effigie è blandamente caratterizzata, tanto che Cavalcaselle lo scambiava per san Giuseppe e ancora Roli parlava genericamente di santo monaco); sull'altro lato sant'Antonio da Padova esibisce il giglio in direzione del Bambino, mentre San Francesco in ginocchio riceve un frutto direttamente dalla mano sinistra del Bambino, che con l'altra regge una rosa. Il contatto fisico diretto esalta l'immedesimazione di Francesco come *alter Christus* e non è sorprendente in Francesco Zaganelli che nello stesso tempo elaborò una singolare composizione, di destinazione privata, che presuppone da vicino la pala di Imola: si tratta di un dipinto di collezione privata bresciana (cfr. De Marchi 1994, p. 135 nota 43, e fig.17), che raffigura Gesù Bambino marciante sopra un podio analogo, venerato dalla Vergine e stretto alla vita da una figura coronata, forse identificabile con re David (o in alternativa con san Luigi di Francia), che lo sporge verso santa Chiara e san Ludovico di Tolosa, cui Cristo

offre il simbolo della sua passione, una rosa. Nella pala imolese il podio, sagomato in alto a ottagono, allude perciò all'ottavo giorno, alla pienezza dei tempi in cui si compirà il disegno della salvezza, ma è pure un altare, e dunque l'adorazione del Bambino, al di sotto di una figurazione esplicita nella lunetta del Cristo morto, è al contempo un'adorazione del sacramento. L'iscrizione della data 7 aprile, giorno in cui ricorreva nel 1509 la festività del sabato santo, ha evidentemente la funzione di solennizzare il riferimento al sacrificio di Cristo. Nello stesso aprile 1509 era segnata la paletta con l'*Annunciazione tra san Giovanni Battista e sant'Antonio da Padova* già nel Kaiser Friedrich Museum di Berlino, che presentava dimensioni assai simili (192 × 152 cm). Purtroppo ignoriamo da dove arrivò alla collezione Solly e dunque anche chi sia il donatore laico che vi è vistosamente introdotto, ma è suggestivo pensare che nasca in parallelo con la pala degli osservanti di Imola. Sono persuaso che entrambe spettino al solo Francesco, anche se i modelli di riferimento e i registri espressivi sono assai differenziati. L'*Annunciazione*, ingegnosamente inscenata con l'angelo che plana dall'alto e la Vergine ieratica storce per guardarlo, fra marmi sontuosi e quasi soffocanti, è un appassionato omaggio melozzesco, mentre l'atmosfera tersa e mattinale della pala ora a Dublino dichiara una più scoperta e momentanea sintonia con gli ideali protoclassici. A suggerirla fu forse pure il ricalco dell'architettura di fondo, un arioso loggiato sorretto da quattro pilastri per parte, dalle pale che Perugino aveva lasciato più di una decina d'anni prima nelle chiese di San Lazzaro a Fano e di Santa Maria delle grazie a Senigallia (cfr. Tumidei in *Pinacoteca* 1993, pp. 245-248; la fortuna in ambito romagnolo di tale prototipo è attestata anche dalla rielaborazione in una pala raffigurante la *Madonna col Bambino tra santa Maria Maddalena e sant'Agostino*, che avevo restituito agli inizi di Girolamo Marchesi – De Marchi 1994, p. 135 nota 32 – incisa da Reinach come di Francesco Zaganelli e ricomparsa negli ultimi anni sul mercato antiquario). L'appartenenza di entrambe le chiese marchigiane ai minori osservanti, un ordine per il quale Francesco Zaganelli lavorò a più riprese (nel 1499 a Cotignola, nel 1504 a Ravenna, nel 1505 a Civitanova Marche, nel 1509 a Imola, nel 1518 a Parma), potrebbe far pensare che gli stessi frati imolesi abbiano additato quelle opere come modello al pittore. Questi, però, rispetto al prototipo peruginesco abolì l'accenno a gallerie laterali, arricchì i pilastri di ornati a grottesca sull'oro, chiaramente ispirati ai dipinti di Palmezzano, e le volte di tessere musive dorate, mostrando di conoscere esempi analoghi di Cima da Conegliano e di Giovanni Bellini, forse anche per il tramite del ravennate Niccolò Rondinelli. Peraltro, come il fratello Bernardino tra 1504 e 1506 si era spostato a lavorare a Pavia (cfr. Albertario 2003, pp. 76-77), non è improbabile che nello stesso tempo Francesco abbia avuto un'esperienza veneta e segnatamente vicentina, come potrebbero provare la *Madonna delle rose* della pinacoteca di palazzo Chiericati a Vicenza (in contrario: Lucco in *Pinacoteca* 2003, pp. 256-259, che pur ne rintraccia una possibile attestazione fin dal 1676 presso i minori osservanti di San Biagio a Vicenza) e gli echi di moduli montagneschi nella pala dipinta nel 1504 per gli osservanti di Ravenna (Milano, Brera) e in quella del 1505 per gli osservanti di Civitanova Marche (sempre a Brera). Quest'ultima, o una sua versione più conforme della tavoletta del Musée Condé a Chantilly (in cui già Cavalcaselle ed. 1912, p. 310, leggeva elementi montagneschi), era nota anche nel ravennate, perché il *setting* architettonico venne riutilizzato da Baldassarre Carrari, contaminandolo con motivi più strettamente palmezzaneschi nel trono, in una pala per Sant'Apollinare a Longana, compiuta poco prima della morte nel 1520 (Viroli 1991b, pp. 156-157). Problematico rimane il collegamento alla pala di Dublino di due *Storie di sant'Antonio da Padova* (*Miracolo della mula* e *Miracolo della donna ingiustamente accusata di adulterio*) degli Staatliche Museen di Berli-

no e di una terza più corta dell'Accademia Carrara, con *Sant'Antonio che predica ai pesci* (cfr. Zama 1994, pp. 150-152, catt.40-41, che propone in alternativa un rapporto con la citata *Annunciazione* distrutta a Berlino). A integrazione del catalogo di Francesco possiamo ora segnalare nel castello di Montrettier, presso Lovagny (Haute-Savoie), una seconda versione della *Sacra Famiglia con un angelo* già a Berlino nella collezione Vleweg Braunsweig (Zama 1994, p. 190, cat. 73), con piccole varianti, come gli occhi

chiusi nel sonno del Bambino, sì da suggerire che a questa tavola si sia ispirato in età matura Girolamo Marchesi nel dipinto già a Milano nella collezione Bolognesi, talora riferito a Bagnacavallo senior (cfr. Zama 1994, pp. 190-191, cat. 74).

Bibliografia: Crespi ms. B 384 II (1774), c.13v; Crespi ante 1779, c.330r; Lanzi, 1809, III, pp. 20-21; Crowe, Cavalcaselle, 1912, II, pp. 309-312; Gnudi in Forlì 1938, pp. 132-133; Roli 1965, pp. 229 e 237; Paolucci 1966b, pp. 62-63; De Marchi 1994, p. 135; Zama 1994, pp. 146-150 190-191, cat. 39.

Andrea De Marchi

[1] Come segnalatomi gentilmente da Barbara Ghelfi, che ringrazio anche per il controllo di due inventari manoscritti della collezione presso l'archivio privato Hercolani (busta 16, una seconda stesura di quello del Crespi e un altro adespoto della fine del XVIII secolo, con indicate le misure e la provenienza dalla chiesa dei riformati a Imola).
[2] Come mi ha gentilmente fatto notare da Matteo Mazzalupi.

Marco Palmezzano
(Forlì, 1459-1539)

38. *La comunione degli apostoli*, 1506
tavola, trasporto su alluminio, 221,5 × 215 cm

Forlì, Pinacoteca Civica, inv. 42

La pala, di grandi dimensioni, fu dipinta da Palmezzano per l'altare maggiore della cattedrale di Forlì e venne inaugurata in occasione della venuta in questa città di papa Giulio II (9-17 ottobre 1506). La cimasa, raffigurante la *Pietà*, è finita, dopo varie peripezie, alla National Gallery di Londra dalla quale, purtroppo, non è stato possibile ottenere il prestito per questa mostra forlivese. Del complesso d'altare lasciano ricordo la *Cronaca Albertina* e la *Cronaca* di Andrea Bernardi (manoscritti nella Biblioteca Comunale di Forlì). L'originaria collocazione sul principale altare della cattedrale già fa intravedere l'importanza di quest'opera, confermata, del resto, dall'abbondante e qualificata bibliografia. Eppure, nella sua *Vita di Iacomo Palma e Lorenzo Lotto*, Giorgio Vasari la citò come opera di Nicolò Rondinelli; poi,

nella *Vita di Girolamo e Bartolomeo Genga*, emendò il proprio errore restituendo l'opera al Palmezzano.
Del complesso dipinto offrono una chiara descrizione, di cui si propone stralcio, G.B. Cavalcaselle e J.A. Crowe nella loro *Storia della pittura in Italia* (vol. VIII, Firenze 1898, pp. 337-339): "un dipinto raffigurante Cristo che comunica gli Apostoli, nel quale è rappresentata una loggia dai cui archi si scorge in lontananza Lucifero vestito da pellegrino che tenta il Salvatore. Sul davanti, a destra dello spettatore, vedesi di profilo Gesù Cristo in piedi con la patena nella mano sinistra e con l'ostia nell'altra, in atto di comunicare il primo degli Apostoli che gli sta dinanzi inginocchiato con le mani incrociate sul petto: altri nove Apostoli, parimente prostrati e in somiglianti movimenti, stanno all'intor-

no; e dietro ad essi un altro Apostolo, ritto in piedi e con le mani pure incrociate sul petto, si fa innanzi in atto reverente. Nel mezzo vedesi di fronte San Giovanni Evangelista alla destra del Salvatore, ritto in piedi, il quale tiene il calice nella mano destra alzata. L'ultimo Apostolo sta dall'altro lato inginocchiato presso alla tavola e con le mani giunte, volgendo la testa al Redentore (…). Sotto, nel mezzo, leggesi in un cartellino: '*Marchus Palmizanus faciebat*'. La predella di questa tavola con storie di Sant'Elena andò perduta".
Verso la fine del XVII secolo, essendo vescovo Giovanni Rasponi, la *Comunione degli Apostoli* fu rimossa dall'altare maggiore della cattedrale. Alla fine del XVIII secolo, il pittore Giuseppe Marchetti, redigendo un elenco dei quadri più importanti presenti nelle chiese di Forlì (ms.

177 CR 177), segnalava la presenza del dipinto "nella cattedrale, sopra la porta della sagrestia". Nel 1821, Monsignor Bratti, vescovo di Forlì, fece restaurare la tavola dal pittore Paolo Agelli, quindi la fece collocare nella cappella di San Valeriano nella cattedrale. Nel 1840 la cappella fu demolita (Casali 1844) e l'opera venne trasferita nel palazzo Vescovile. Nel 1851 fu depositata nella Pinacoteca Civica. Dal *Diario Forlivese* di Filippo Guarini (ms. I/V, pp. 34-35) si apprende che alla data del 29 novembre 1878 il Consiglio Comunale deliberava l'acquisto del dipinto, per il prezzo di 16.000 lire.
Nel 1938 la tavola fu esposta alla *Mostra di Melozzo e del Quattrocento romagnolo*. Gli studiosi che ne trattarono in quella occasione e in seguito sono in larga parte concordi nel

Marco Palmezzano,
*Pietà fra i santi Valeriano
e Mercuriale*, Londra,
National Gallery.

giudicare questa pala come una delle prove meno convincenti della maturità dell'artista. L'insieme, pur grandioso, risulterebbe compromesso da una certa monotonia, là dove l'artista costruisce una faticosa spazialità incastrando figure simili ginocchioni e togliendo molto all'effetto generale col mettere i personaggi nel primo piano sul lato inferiore della tavola, davanti all'edificio, che avrebbe dovuto contenerli. Nella "Galleria romagnola" del Fondo Piancastelli presso la Biblioteca Comunale di Forlì si conserva un disegno a penna e acquerello bruno del pittore Felice Giani che rappresenta uno studio fedele della *Comunione degli Apostoli*. Se ne ricava che tale dipinto, in epoca successiva all'esecuzione del disegno di Giani, quindi nel XIX secolo, è stato decurtato in alto di un'ampia porzione (Ottani Cavina 1999, II, p. 721, riprod. a p. 724). Anche la cimasa raffigurante la *Pietà* fu tagliata ai lati dal pittore Girolamo Reggiani che, nel 1851, la vendette al mercante romano Enea Vito. Da lunetta a perfetto semicerchio quale era in origine, si presenta ora di forma rettangolare.

La *Comunione degli Apostoli* ha subito vari restauri. Dopo quello condotto da E. Podio nel 1938, un altro intervento fu condotto nel 1973 da O. Nonfarmale. Successivamente (2003-04) l'opera è stata sottoposta a pulitura e ritocco delle lacune da parte di Isabella Cervetti (Bastia, Ravenna).

Bibliografia: Bernardi 1895, I, pp. 309-310; *Cronaca Albertina*, c. 617; Vasari 1568, ed. 1906, tomo V, p. 252, tomo VI, p. 337; Scannelli 1657, p. 281; Bonoli 1661, p. 242; Cignani 1691, ms. 177 CR 179, cc.n.n.; Marchesi 1726, p. 257; Orlandi 1788, p. 900; Lanzi 1789, ed. 1831, vol. IX, p. 118; Marchetti ms. 177 CR 177, cc.n.n.; Marchetti ms. III/73, p. 25; Casali 1838, p. 10; Cignani 1838, p. 22; Rosini 1850, pp. 119-120; *Pittori forlivesi* 1853, pp. 30-33; Mariette 1857-1858, tomo IV, p. 75; Rosetti 1858, p. 220; Casali 1863, p. 52; *Monografia statistica* 1867, p. 242; Guarini 1874, pp. 94-98; Brunelli 1882, pp. 163-165; Calzini, Mazzatinti 1893, p. 83; Calzini 1894[b], p. 125; Calzini 1895e, p. 52; Santarelli 1897, p. 6; Berenson 1897, p. 160; Cavalcaselle, Crowe 1886-1908, vol. VIII, pp. 337-339; Venturi 1913, VII, parte II, p. 75, fig. 63 a p. 76; Errera 1920; Grigioni 1925, pp. 70-73; Servadei-Mingozzi 1926, pp. 22-25; Casadei 1928, pp. 276-277; Fiocco 1929, pp. 166, 171, fig. 6; Buscaroli 1931, pp. 213, 215, 216; Gronau 1932, p. 182; Arfelli 1935, pp. 13, 14 e 34; Berenson 1936, p. 356; Buscaroli 1938d, p. 97; Gnudi in Forlì 1938, pp. 108-109; *Notizie* 1938, p. 99; Grigioni 1939, p. 1544; Coletti 1949, p. 142; Buscaroli 1955, p. 125; Grigioni 1956, pp. 76-79, 327 e 450-454; Forlì 1957, tav. VIII; Berenson 1968, p. 314; Piraccini 1979, pp. 38-39, tav. 55; Viroli 1980, pp. 60-61; Di Paola 1982, p. 13 e 25 nota 31; Shearman 1983, p. 180; Calandrini, Fusconi 1985, p. 188, nota 354; Barbieri 1988, p. 121; Winkelmann 1989, p. 23; Mazza 1991, pp. 21, 28; Tumidei 1991, p. 244; Viroli 1991b, pp. 36-37, figg. 24-25 pp. 93-96; Boskovits 1998, p. 170; Ottani Cavina 1999, tomo II, pp. 721, 724; Tumidei 1999, p. 81; D'Altri 2000, p. 10.

Giordano Viroli

Restaurato dalla Fondazione Cassa dei Risparmi di Forlì in occasione della mostra. Laboratorio di restauro Isabella Cervetti, Bastia (Ravenna).

Marco Palmezzano
(Forlì, 1459-1539)

39. *Cristo portacroce*, 1500-1510
tavola, 186 × 188 cm

Padre eterno benedicente (lunetta)
Tavola, 91 × 183 cm

Roma, Galleria Spada, inv. 160, 159

L'opera è stata riconosciuta a Palmezzano fin dal 1862, dopo iniziali diversioni verso Perugino e Mantegna (Archivio Spada, Atti del 1759, 1820, 1862, in Cannatà, Vicini 1992, pp. 169, 187, 190). È menzionata per la prima volta nel 1641 già nella collezione del cardinale Bernardino Spada, il quale fece eseguire al falegname Andrea Battaglini una ricca cornice, oggi scomparsa, con obelischi laterali e due cherubini intagliati (*ibid.*, pp. 49, 68).

Il dipinto riveste un particolare interesse per esserci giunto integro (anche se è perduta la firma apposta nel cartiglio) e per la scelta iconografica dell'*Andata al Calvario* che risulta un *unicum* nel catalogo di Palmezzano, mentre si conoscono almeno una ventina di repliche dell'altra iconografia che si concentra sul *Cristo portacroce* a mezza figura, isolato o circondato da uno o più sgherri, largamente in voga nella pittura romagnola del primo Cinquecento. Più rara, a questa data, risulta la rappresentazione del Cristo a figura intera sulla via del Calvario seguito dalla Madre e dalle Pie Donne, un soggetto di sapore quasi neomedievale, richiamando i modelli trecenteschi di un Barna da Siena o dei pittori riminesi della scuola giottesca. A tale effetto concorre anche la declinazione molto semplificata e misurata della scena, priva di quegli indugi narrativi ed emozionali inerenti al soggetto (rimarcati, ad esempio, da Biagio d'Antonio nell'*Andata al Calvario* del Louvre del 1499-1501).

Manca il dialogo tra la Madre e il Figlio, un tema pure presente nella cerchia antoniazzesca (attestato, ad esempio, in un dipinto degli anni novanta nel Museo di Pesaro, su cui cfr. Roio 1993, p. 28), bensì Cristo è rivolto verso l'osservatore come per sottolineare, più che la sofferenza della Passione, la docilità con cui accetta di portare la croce. L'unica forzatura realistica è la figura del Cireneo, al limite della caricatura nella fisionomia plebea e nei forzuti polpacci esibiti nelle gambe nude, ma è funzionale a far risaltare la nobiltà del Cristo, proposto al fedele come un modello da imitare. L'evidenza del messaggio devoto, l'effetto quasi di *tableau vivant* e soprattutto la scelta del tema dell'*Andata al Calvario* per una pala d'altare di grandi dimensioni indicano l'importanza di tale soggetto per la committenza e suggeriscono che il quadro fosse composto per una confraternita della santa Croce.

Non si conosce la sede originaria dell'opera, ma stante l'estrazione romagnola del primitivo nucleo della raccolta Spada (Zeri 1954, p. 13), è molto verosimile che il dipinto provenga dal territorio faentino e in particolare da Brisighella, città d'origine degli Spada, dove Palmezzano risulta più volte attivo. È suggestivo ricordare a Brisighella quell'antico oratorio della Santa Croce, retto da un'omonima confraternita, da cui proviene un bel *Compianto sul Cristo morto* (Tambini 2003a, pp. 27-28), assegnato a Sebastiano Scaletti e Carlo Mengari, quest'ultimo attestato in rapporto col Palmezzano nel 1505 a Faenza.

L'altra ragione di interesse del dipinto è la peculiarità dello stile. La critica vi ha riconosciuto un felice accordo di componenti melozzesche (nella lunetta) e belliniane (nell'*Andata al Calvario*). Non solo i cherubini della lunetta sono prossimi a quelli già nella cappella Feo in San Biagio a Forlì, ma è melozzesco il senso incisivo e plastico dei panneggi, nonché l'insolita scelta del colore bianco nella tunica del Cristo, che ha un precedente nel *Cristo benedicente* dei Santi Apostoli a Roma e nei *Profeti e Angeli* nella sacrestia di San Marco a Loreto. Il dettaglio dei cirri antropomorfi, come nella pala di Brera del 1493, è una citazione di sapore umanistico rapportabile agli scritti dell'Alberti e del Pacioli (Ceriana 1997, pp. 28-29), ma riferibile anche alla cultura padovana mantegnesca a cui attingono sia Melozzo sia Ansuino. Dall'influsso di Bellini può derivare il senso atmosferico della luce con la puntuale resa delle ombre aggettanti e il naturalismo del paesaggio, che sembra ispirarsi ai calanchi dell'Appennino in certe rocce aride e scoscese.

La data è stata proposta tra la fine del Quattro e il primo decennio del Cinquecento (Zeri 1954) e anche oltre (Tumidei 2004). A favore del primo di questi estremi depongono una certa durezza di segno di ascendenza ferrarese mantegnesca, i rapporti con la pala di Brera del 1493 e, in particolare, l'identità della lunetta con quella della pala faentina delle Micheline del 1497-1500, a un livello di sovrapponibilità che non ha riscontro nelle successive versioni (Forlì, Pinacoteca, *Annunciazione* già al Carmine; Roma, Galleria Nazionale; Brisighella, pala dell'Osservanza del 1520; Firenze, vendita Sotheby's, 3 giugno 1977; lunetta già Roma, Collezione Stroganoff). Il dipinto sembra precedere di poco la *Crocifissione* degli Uffizi, datata al 1500-1510, che presenta alcuni motivi simili (l'inserto antropomorfo delle nuvole e la figura del san Giovanni).

Bibliografia: Conto di A. Battaglini falegname 1646, in Cannatà-Vicini [s.d.], p. 68; *Inventario* 1759, *Ibidem*, p. 169, n. 45; *Elenco fidecommissario* post 1816 [1992], *Ibidem*, p. 187; *Appendice al Fidecommesso* 1862, *Ibidem*, p. 190, nn. 134, 135; Barbier de Montault 1870, p. 445; Calzini 1895e, p. 460; Cantalamessa 1894, p. 85; Cavalcaselle-Crowe 1886-1908, VIII, p. 352; Burckhardt 1904, III-2, p. 681; Venturi 1913, VII-2, p. 86, nota 1; Moschetti 1920, p. 364; Buscaroli 1931, p. 225; Hermanin 1931, p. XLI; Porcella 1931, p. 229; Gronau 1932, p. 182; Santangelo 1946, p. 38; Zeri 1954, pp. 13, 102-103; Grigioni 1956, pp. 131, 654-656; Viroli 1991b, I, p. 31; Cannatà, Vicini 1992, pp. 49, 68, 169, 187, 190; Roio 1993, p. 28; Cannatà 1995, pp. 75-76; Ceriana 1997, pp. 28-29; Tambini 2003a, pp. 27-28; Tumidei 2004, p. 350.

Anna Tambini

4. Persistenza di un'identità

Marco Palmezzano
(Forlì, 1459-1539)

40. *Madonna in trono con il Bambino benedicente tra i santi Giovanni Battista e Filippo Benizi*, 1510 circa
tavola, 168,5 × 171,5 cm

Cesena, Galleria dei dipinti antichi della Cassa di Risparmio di Cesena, inv. 519

iscrizione: Marchus palm[...]pictor / foroliviensis

L'opera reca la firma su un cartiglio dipinto alla base del trono: "Marchus palm... pictor / foroliviensis...". La scritta è compromessa nella sua leggibilità da antiche cadute di colore e da manomissioni. La più antica trascrizione è offerta da Cavalcaselle (1898, p. 347) che riferiva "MARCHUS PALMEZANUS FOROLIVIENSIS FECIT". Lo stesso Cavalcaselle annotava la parola "Pictor" dopo il nome di Palmezzano in un disegno ora conservato presso la biblioteca Marciana di Venezia (riprodotto in Mazza 2001, p. 5), sicché deve considerarsi frutto di una svista l'incompletezza dell'iscrizione fornita poi a stampa. Buscaroli (1931, p. 228) leggeva però "MARCHUS *PALMERIUS* PICTOR FOROLIVIENSIS FECIT", iscrizione che Grigioni (1956, p. 632) proponeva di emendare nel cognome dell'artista ("Palmezanus" e non "Palmerius") come, a suo parere, aveva già fatto intenzionalmente Cavalcaselle. L'opera è entrata a far parte delle collezioni della Cassa di risparmio di Cesena nel 1990; proviene dalla raccolta Ferniani di Faenza, dove è segnalata la prima volta da Montanari (1882, p. 155) e dove la documenta anche un'immagine della fine dell'Ottocento appartenente all'archivio fotografico di Stefano Bardini (Fahy 2000, p. 367 tav. 16). Al momento dell'acquisto (1990) la tavola si trovava in precario stato di conservazione, già lamentato da Cavalcaselle (1898, p. 348) e, nel secolo scorso, da Grigioni (1956, pp. 631-632). L'intervento di restauro è stato eseguito da Pietro Tranchina nel 1990-1991. Sono stati rilevati alcuni pentimenti, come la linea del segmento di trabeazione di destra più alta di come è stata poi eseguita, la probabile aggiunta dell'ultima arcata per aumentare il senso di profondità e l'inclusione delle catene dell'arco, poi occultate dalla stesura del cielo (Mazza

2001, p. 4). Una di queste catene avrebbe probabilmente dovuto reggere il drappo del dossale del trono: rinunciando a questa soluzione per non spezzare lo sfondato paesaggistico che rende ariosa la composizione, Palmezzano si sarebbe inventato il sostegno di quella cordicella da cui pendono anche i due rametti di fronde. Nulla si sa della struttura originale della pala. L'incorniciatura è perduta e non è stata rintracciata la lunetta che, secondo le testimonianze, doveva sormontarla. Da Cavalcaselle (1898, p. 347) sappiamo che essa raffigurava "la mezza figura dell'Eterno con le braccia distese e le mani aperte, circondata da Serafini e Cherubini", ma delle redazioni note di un tale soggetto, nessuna, quanto a misure, sembrerebbe pertinente alla pala cesenate (salvo forse il *Dio Padre con angeli* che fu di collezione Stroganoff: Grigioni 1956, p. 659). L'opera è una sacra conversazione: rappresenta la Madonna in trono con il Bambino benedicente affiancata da due santi. Alla destra della Vergine è facilmente identificabile san Giovanni Battista, la cui figura ricorre nelle opere di Palmezzano secondo moduli iconografici ripetitivi: si pensi soltanto al *San Giovanni Battista che predica al deserto* (1508) già nella Galleria Manzi (Grigioni 1956, pp. 457-458), a quello posto a destra della Vergine nella pala del Ringling Museum di Sarasota (1508-09), o ancora nell'ancona Lombardini della Pinacoteca Vaticana. L'altro santo presenta problemi di identificazione che hanno diviso la critica. Alcuni (Calzini, Cavalcaselle, Buscaroli, Grigioni, Viroli) vi hanno riconosciuto infatti sant'Antonio da Padova; altri (Montanari, Messeri e Calzi) san Nicola da Tolentino per il colore nero del saio, la presenza del giglio e per la raggiera sul petto che si intravede dietro il libro tenuto con la mano destra. In realtà, l'iconografia

rimanda anche a san Filippo Benizi, come dimostrano la tela di Giovanni Cariani della Pinacoteca di Brera (Rossi 1990, pp. 406-411; Mazza, 2001, p. 5) e lo stesso santo dipinto da Palmezzano oggi alla National Gallery di Dublino. Quest'ultima identificazione, già avallata da Federico Zeri e Angelo Mazza (2001, p. 5), è quella che merita maggior credito. San Filippo, del resto, era una delle figure più rappresentate nelle chiese dei serviti ben prima della beatificazione ufficiale (1515) e, per di più, la sua vicenda terrena fu particolarmente legata alle città della Romagna (Montagna, Serra 1964, V, ad vocem). Considerando la probabile estrazione faentina della pala, Tambini (2003, pp. 36-37) ne ha proposto un'originaria provenienza dall'altare dedicato a Benizi, nella locale chiesa di Santa Maria dei Servi. La congettura è plausibile, ma non è suffragata al momento da riscontri documentari a monte della pala cignanesca oggi al Museo Diocesano di Faenza, che figurò sull'altare almeno dalla fine del Seicento (Mazzotti, Corbara 1975, pp. 43, 138-139, 158-159, tav. XXXIII, XLIII; Buscaroli 1991, p. 166).
Merita attenzione il basamento del trono con un mazzocchio a punte di diamante, esercizio di virtuosismo prospettico già sperimentato da Palmezzano nella tavola di San Michelino a Faenza e nella pala di Matelica (Mazza 2001, pp. 2-8). Il confronto più diretto è però da istituirsi con la pala di Sarasota (Suida 1949, pp. 47-48; Grigioni 1956, pp. 458-459). La netta definizione geometrico-prospettica del trono si salda ai principi di rigorosa simmetria che ordinano la composizione, molto vicina, quanto al rapporto tra figure e spazio, alla pala di San Francesco a Castrocaro (1500) e a quella oggi a Dublino del 1513.

Per quanto concerne la datazione è da respingere il parere di Montanari (1882, p. 155) che annoverava l'opera fra quelle "della prima maniera", mentre sono accettabili le proposte di Calzini (1895a, p. 62; 1895b, p. 61) e Grigioni (1956, p. 125), che collocano la tavola rispettivamente intorno al 1513 e al 1508. Viroli (1991, I, p. 38) e Mazza (2001, p. 8) concordano con quest'ultima ipotesi. Attraverso il confronto stilistico con le opere sicuramente riferibili al periodo, sarei propenso ad una datazione molto vicina al 1510, negli anni immediatamente successivi alla pala di Sarasota, databile su base documentaria al 1508-1509 (Grigioni 1956, pp. 84, 329-331). Lo confermerebbe anche la particolare forma che vi si ritrova, per l'ultima volta, del mazzocchio stellato, la cui costruzione sembra avere subito nel tempo un processo di progressiva semplificazione rispetto alla complessità virtuosistica che esibiva nella pala di San Michelino.

Bibliografia: Montanari 1882, p. 155; Calzini 1895e, p. 62; Calzini 1895b, p. 61; Cavalcaselle, Crowe 1886-1908, VIII, pp. 347-348; Messeri, Calzi 1909, p. 550; Venturi 1913, VII/2, p. 84; Buscaroli 1931, pp. 209, 228; Gronau 1932, p. 182; Suida 1949, pp. 47-48; Grigioni 1956, pp. 84-85, 124-125, 329-331, 457-459, 631-633, 659; Forlì 1957 p. 21, tav. XXXVIII Montagna, Serra 1964, V, colonne 736-756; Mazzotti, Corbara 1975, pp. 43, 138-139, 158-159, tav. XXXIII, XLIII; Rossi 1990, pp. 406-411; Buscaroli 1991b, p. 166; Viroli 1991, I, pp. 37-38; Mazza 1991, pp. 21-28; Mazza 1992, p. 10; Viroli 1995, pp. 203-204; Fahy 2000, pp. 36-37, 350, 367 tav. 16; Mazza 2001, pp. 2-8; Tambini 2003b, pp. 36-37.

Filippo Panzavolta

Marco Palmezzano
(Forlì, 1459-1539)

41. *Sant'Agostino*, 1505 circa
tavola, 149,5 × 62 cm

L'Arcangelo Raffaele e Tobiolo, 1505 circa
tavola, 149,5 × 62 cm

Faenza, Pinacoteca comunale, inv. 111, 108

Le due tavole, evidenti frammenti da una pala, sono presenti nella pinacoteca faentina già nel 1865, come risulta da un inventario, ai numeri 24, 25, conservato in copia nell'archivio della pinacoteca, che, tuttavia, non specifica la loro provenienza. La menzione più antica è di Marcello Oretti nel 1777 (c. 262v., segnalata da Casadei 1991, p. 46), che le vede nella sacrestia della locale chiesa di Sant'Agostino già frammentarie e probabilmente "ammalorate", descrivendole come "l'Angelo Custode e sant'Ambrogio" e le assegna a "Marco Palmezzano faentino". Al di là di alcune evidenti imprecisioni, la testimonianza di Oretti ha il merito, oltre a riconoscere la paternità di Palmezzano, di darci un indizio per stabilire la sede d'origine della pala. L'ubicazione nella chiesa faentina di Sant'Agostino, per quanto a oggi non suffragata da altre testimonianze, sembra convenire al soggetto, poiché il santo vescovo in veste nera è identificabile con sant'Agostino (Grigioni 1956). Un altro indizio, forse non casuale, è che il gruppo dell'Arcangelo con Tobiolo ricorra in un'altra opera di destinazione agostiniana: la pala Calzolari del 1537, già a Cesena, oggi in una collezione inglese.

Le due tavole, anche allo stato di frammento, attestano una commissione importante. Le figure campeggiano entro una sontuosa architettura con colonne e pilastri ornati da grottesche su fondo oro, che si ripetono nel cornicione del fondo. La pittura simula l'effetto illusivo dei preziosi ornamenti inseriti nella mitria e nel piviale di sant'Agostino; le epidermidi hanno una naturalezza fisica e le espressioni sono intense: meditabondo sant'Agostino, solleci-

to e affettuoso l'Arcangelo protettore di Tobiolo – raffigurato quest'ultimo in età molto inferiore rispetto all'episodio biblico, come un bambino che tiene in mano il pesce quasi a guisa di un giocattolo.

Lo stile manifesta una convinta adesione ai parametri della pittura veneta, e di Giovanni Bellini in particolare, nella fusione della pennellata, nella luce calda e avvolgente che crea il senso di una soffice penombra, nel partito cromatico intenso che sembra suggerire nelle vesti l'effetto dei velluti e delle sete. Tali caratteri denunciano l'appartenenza a una fase già assestata nel percorso di Palmezzano. In particolare, l'esuberanza e la ricchezza con cui è condotto il motivo delle grottesche hanno un confronto nella *Comunione degli apostoli* del 1506 (Forlì, Pinacoteca). La documentata attività di Palmezzano a Faenza nel 1505 nella chiesa dell'Osservanza può essere un buon punto di riferimento per la datazione delle due tavole.

Bibliografia: Oretti 1777b, c. 262v.; Calzini1895e, p. 460; Messeri, Calzi 1909, p. 532; Venturi 1913, VII- 2, p. 84, nota 1; Buscaroli 1931, p. 231; Gronau 1932, p. 182; Berenson 1936, p. 356; Grigioni 1956, pp. 113-114, 628-630; Forlì 1957, tav. XXXIV; Casadei 1991, pp. 46-47; Tambini 2003b, pp. 34- 35.

Anna Tambini

Restaurati dalla Fondazione Cassa dei Risparmi di Forlì in occasione della mostra. Laboratorio di restauro Pietro Antoni, Castelfranco Emilia (Modena).

Marco Palmezzano
(Forlì, 1459-1539)

42. *Santo Vescovo*, 1505 circa
tavola, 65,5 × 62,5 cm

San Girolamo, 1505 circa
tavola, 64,5 × 64 cm

Faenza, Pinacoteca comunale, inv. 110, 109

Le due tavole, per le misure simili e le venature del legno, come riscontrato nel recente restauro condotto da Pietro Antoni, facevano ovviamente parte di uno stesso complesso. Furono viste da Marcello Oretti (1777b, c. 262v.) nella sagrestia di Sant'Agostino insieme alle tavole con *sant'Agostino* e l'*Arcangelo Raffaele con Tobiolo* della pinacoteca faentina (cfr. scheda precedente). È possibile che fin dall'origine i pannelli rappresentassero figure a mezzo busto. In questo caso, essi potevano essere collocati nel registro superiore, sopra a figure intere, secondo un'impaginazione simile a quella della pala di Lorenzo Costa per la compagnia della Madonna delle Grazie di Faenza (oggi Londra, National Gallery), datata 1505, anche se non si conoscono altri esempi di tale tipo nel catalogo di Palmezzano.

Mentre il santo di destra è indubbiamente san Girolamo, ammantato di rosso e in atto di leggere il libro della Sacra Scrittura, difficile è l'identificazione del santo vescovo che è stato variamente interpretato come un dottore della Chiesa (Oretti 1777b, c. 262v.: "E nelli due altri scomparti due dottori di Santa Chiesa"), come sant'Agostino (Grigioni 1956, a ulteriore prova della provenienza dei quattro frammenti da due complessi distinti) e, dubitativamente, come sant'Ambrogio (Casadei 1991, p. 47; Viroli 1991b, pp. 35-36). Purtroppo di quest'ultimo santo non abbiamo referenti sicuri nel catalogo di Palmezzzano, in

quanto quello identificato come *sant'Ambrogio* (Londra presso Sotheby, 19 ottobre 1966, lot. 64) sembra piuttosto una replica del *sant'Anselmo* nella pala della *Immacolata* in San Mercuriale a Forlì (giovane, senza barba, la tunica bianca arricciata bene in vista alla scollatura, il manto ornato da un medaglione figurato con un santo cavaliere che impugna un vessillo e il modellino di una città identificabile con Forlì). La genericità dei motivi iconografici della tavola faentina non esclude neppure che si tratti di san Benedetto (Tambini 2003b), per analogie con quello affrescato da Sodoma nel 1504 a Sant'Anna in Camprena (Pienza). Un elemento decisivo per l'identificazione del santo vescovo sarebbe la conoscenza della ubicazione originaria dell'opera.

L'architettura sullo sfondo indica una struttura a peristilio aperto, come compare nella pala dei Magnoli di Domenico Veneziano e nella pittura fiorentina del Quattrocento al suo seguito. Palmezzano l'adotta nella pala di Matelica del 1501 per incorniciare il baldacchino centrale ed è probabile che anche nel nostro caso la sua funzione fosse simile. I due frammenti condividono l'accezione stilistica del *sant'Agostino e Tobiolo* per il raffinato indugio decorativo quasi calligrafico e per la pittura tonale di ascendenza veneta belliniana, anche se più emozionante è l'effetto luministico. La luce che piove dall'alto rimarca la profondità prospettica dell'archi-

tettura ed esalta le intense espressioni dei volti e il senso fisico delle epidermidi; in particolare, il *san Girolamo* si avvicina e sta alla pari con quello di Bellini nella pala di San Zaccaria a Venezia del 1505. A tali esiti conviene la data al 1505, "anno che sembra segnare un punto fermo nella migliore attività dell'artista" (Venturi 1913, p. 81).

Tuttora dibattuto è l'assemblaggio dei quattro frammenti in un'unica pala agostiniana (proposto da Calzini 1895e, p. 460; Venturi 1913, p, 84; Buscaroli 1931, p. 231; Gronau 1932, p. 182. Confutato però da Grigioni 1956, pp. 74-76 e 113-114; Tambini 2003b, pp. 34-35). A favore di tale proposta, giocherebbe la possibile identificazione del santo vescovo con sant'Ambrogio, cosicché i due frammenti si legherebbero a sant'Agostino in quanto, come lui, dottori della Chiesa. In tale ricostruzione è però problematico collocare il quarto dottore della Chiesa, san Gregorio Magno. Né sembra elemento sufficientemente probante lo stesso colore verde dello sfondo, poiché l'impaginazione architettonica dei due santi a mezzo busto non si concilia con quella delle altre due tavole, che differiscono anche per la tipologia dell'ornato a grottesche. L'assemblaggio richiederebbe quindi una deroga al rigore e alla coerenza che distinguono sempre Palmezzano "architetto". Comparirebbero poi nella stessa pala due santi (il supposto sant'Ambrogio e sant'Agostino), rappresentati con foggia e fisiono-

mia quasi identiche, rendendo difficile il riconoscimento per i devoti. Più probabile diventa quindi, a nostro avviso, l'ipotesi che i due frammenti abbiano fatto parte di una pala distinta da quella con *sant'Agostino e Tobiolo*. La sede originaria poteva essere la stessa chiesa di Sant'Agostino, ma anche, più verosimilmente, la chiesa di San Girolamo dell'osservanza, dove Palmezzano è documentato per l'esecuzione di una pala e per la pittura di una cappella nel 1505, da cui l'opera può essere emigrata in occasione delle ristrutturazioni settecentesche. In tale caso, mentre il san Girolamo corrisponde al titolare della chiesa dell'osservanza, il santo vescovo può identificarsi con sant'Agostino e ciò spiegherebbe il passaggio nella chiesa omonima.

Bibliografia: Oretti 1777b, c. 262v.; Calzini 1895e, p. 460; Messeri, Calzi 1909, p. 532; Venturi 1913, VII- 2, p. 84, nota 1; Buscaroli 1931, p. 231, Gronau 1932, p. 182; Berenson 1936, p. 356; Grigioni 1956, pp. 74-76, 113-114; Forlì 1957, tavv. XXXVI, XXXVII; Casadei 1991, p. 47; Viroli 1991b, pp. 35-36; Tambini 2003b, pp. 34-35.

Anna Tambini

Restaurati dalla Fondazione Cassa dei Risparmi di Forlì in occasione della mostra. Laboratorio di restauro Pietro Antoni, Castelfranco Emilia (Modena).

Marco Palmezzano
(Forlì, 1459-1539)

43. *Sant'Elena con la croce*, 1516
tavola, 201 × 68 cm

Forlì, Pinacoteca Civica, inv. 31

iscrizione: Marchus palmezanus pictor / foroliviensis fatiebat / MCCCCCXVI

L'opera è firmata e datata su un cartiglio dipinto illusionisticamente alla base della tavola: "MARCHUS PALMEZANUS PICTOR / FOROLIVIENSIS FATIEBAT / MCCCCCXVI". La data è stata in passato equivocata a causa del mediocre stato di conservazione del dipinto che rendeva la scritta non chiaramente leggibile. Grigioni fa riferimento a Casali e a Milanesi che lessero il 1521 (Grigioni 1956, p. 511), ma si potrebbe aggiungere anche gli errori di decifrazione dell'erudito Gaetano Giordani, i cui appunti forlivesi si conservano in due volumi della biblioteca dell'Archiginnasio di Bologna (1828, mss. B 1813, c. n.n. e B 1821, c. 198). La tradizione degli studi riferisce la provenienza della tavola al complesso dei domenicani di Bertinoro, identificabile con il monastero di Santa Maria degli Angeli documentato in un atto notarile del 1506 (Marchini 2000, p. 235). La chiesa e il convento di San Domenico, ubicati nei pressi dell'omonima porta (già porta Malatesta), furono soppressi nel 1796 e abbattuti nel secolo successivo; oggi resta memoria visiva della loro architettura cinquecentesca in un disegno del 1842 di Romolo Liverani e in un acquerello di Pietro Novaga (Marchini 1996, pp. 215, 220, 223, 236; Marchini 2000, pp. 235, 248). Dai domenicani di Bertinoro l'opera passò, presumibilmente in seguito alla soppressione napoleonica, nella collezione della famiglia Romagnoli di Forlì, dove è documentata, nel 1828, dalle *Memorie* di Giordani

(1828, ms. B 1813, c. n.n.). Il medesimo studioso ne registrerà la presenza in tale raccolta privata anche in seguito, in occasione di una seconda perlustrazione del patrimonio pittorico forlivese (1828, ms. B 1821, c. 198). La *Sant'Elena con la croce* entrò a far parte della Pinacoteca Civica di Forlì nel 1875: fu ceduta da un certo Ferdinando Benzoni per la somma di 360 lire, che gli sarà devoluta alla fine di febbraio di quell'anno (Archivio di Stato di Forlì, Archivio Storico Comunale, ragioneria, 235, XIII, 13). Da questo momento in poi tutte le pubblicazioni riguardanti la pinacoteca forlivese ne faranno menzione, anche se già al tempo di Santarelli si era perduta memoria della data di acquisto (Santarelli 1897, p. 8). L'opera versava in cattive condizioni già alla fine del XIX secolo, tanto che Calzini la diceva "del tutto ridipinta", aggiungendo che "a mala pena si riconosce per opera del Palmezzano" (Calzini 1895e, p. 64). Anche Grigioni, nel 1956, poteva osservare pesanti interventi che ne alteravano la superficie pittorica (Grigioni 1956, pp. 96-97). Oggi, dopo il restauro condotto da Adele Pompili (ottobre 2004-aprile 2005), il grado di leggibilità dell'opera si può considerare soddisfacente. Il dipinto raffigura sant'Elena che regge la croce; la sua figura si accampa solidamente in primo piano, davanti a un parapetto marmoreo oltre il quale si apre un ampio paesaggio collinare. La stessa impostazione spaziale è riscontrabile anche nel *San Rocco*

della collezione Visconti Venosta a Roma (Grigioni 1956, pp. 131-132, 658). Grigioni, dopo aver avanzato l'ipotesi che, in virtù delle sue proporzioni, potesse appartenere a un dittico o a un trittico, pone la tavola forlivese in rapporto con la *Sant'Elena e Costantino* eseguita da Cima da Conegliano nel 1502 per la chiesa di San Giovanni in Bragora a Venezia e con due opere, raffiguranti la santa imperatrice, di Palma il Vecchio, una nella Pinacoteca di Brera e l'altra a Zerman (Grigioni 1956, p. 97). Si tratta di riferimenti piuttosto generici, ai quali si potrebbe accostare piuttosto il dipinto di Bernardino da Tossignano, già di collezione Lee of Fareham, raffigurante *Elena e Costantino con i santi Francesco e Sebastiano* reso noto da Zeri e che è possibile vedere in mostra (cat. 44).
Con la *Sant'Elena* della Pinacoteca Civica di Forlì ci troviamo di fronte a un'opera di buona qualità, ascrivibile alla piena maturità di Palmezzano, il quale ha assimilato ormai da tempo le suggestioni di area veneta collocabili a monte di quella repentina virata di tecnica e stile facilmente riscontrabile nei suoi lavori di fine Quattrocento. La pennellata è morbida e fusa e anche il drappeggio dell'abito ha smussato certe asprezze giovanili, facendosi più sciolto; pure la gamma coloristica sembra essersi amalgamata. Al contempo osserviamo elementi iconografici ricorrenti che attraversano pressoché invariati fasi diverse e anche cronologicamente lontane della cospicua produzione dell'artista

forlivese: si pensi alla fisionomia del volto della santa, al suo abbigliamento o a un particolare come quello del gioiello quadrilobato sullo scollo, il cui disegno è accostabile a esemplari di cultura melozzesca e centroitaliana. Siamo nell'ambito di quella produzione palmezzanesca che si avvale di formule consolidate perfettamente rispondenti alle esigenze del mercato locale, ma nella quale si è ormai spento ogni anelito di ricerca e ogni gusto per la sperimentazione.
Il soggetto di quest'opera non è fra i più ricorrenti nella produzione di Palmezzano (Grigioni 1956, p. 151); una predella perduta con le storie di Sant'Elena è ricordata da Vasari quale gradino dell'ancona originaria della *Comunione degli apostoli* nel duomo di Forlì (Vasari 1568, V, p. 253).

Bibliografia: Giordani 1828, ms. B 1813, c. n.n.; Giordani s.d., ms. B 1821, c. 198; Calzini 1895e, p. 64; Santarelli 1897, p. 8; Calzini, Mazzatinti 1893, p. 84; Venturi 1913, VII/2, p. 14; Casadei 1928, p. 285; Arfelli 1935, pp. 14, 34, 48; Grigioni 1956, pp. 96-97, 131-132, 151, 340, 452, 511, 512, 658; Forlì 1957, p. 18; Viroli 1980, p. 66; Viroli 1991b, I, p. 47, 24 tav. 48.

Filippo Panzavolta

Restaurato dalla Fondazione Cassa dei Risparmi di Forlì in occasione della mostra. Laboratorio di restauro Adele Pompili, Bologna.

Bernardino da Tossignano
(documentato a Imola dal 1505 al 1520 circa)

44. *Elena e Costantino con i santi Francesco e Sebastiano*, 1515
tavola, 177,5 × 132,5 cm

Ro Ferrarese, Fondazione Cavallini Sgarbi

La figura ancora indefinita di questo pittore minore, Bernardino da Tossignano (attività documentata fra il 1515 e il 1520) originario di un borgo romagnolo in prossimità di Imola, è stata recuperata da Federico Zeri (1986, pp. 26-30, 1988, pp. 317-319), che ha cercato di inquadrarne criticamente la vicenda artistica.

Alla base della ricostruzione filologica di Zeri, la lettura dell'Annunciazione nella chiesa di Santa Maria della Misericordia a Rontana, la stessa per la quale Marco Palmezzano aveva realizzato uno dei suoi maggiori capolavori, l'Adorazione dei Magi. L'Annunciazione, firmata da due artisti fra loro imparentati ("Bernardinus et Antonius de Tansignano Pinxerunt Die Primo Jannuarii M.D.X.X."), è opera che traduce in termini approssimativi la composizione di un prototipo bolognese di Raffaello, conosciuto presumibilmente attraverso una stampa di Marco da Ravenna, il cui soggetto viene indicato dal Malvasia come la "Nunziata in casa di Agamennone Grassi" (*Felsina Pittrice*, vita di Francesco Francia, Bologna 1678). Nell'*Annunciazione*, la testa della Vergine riproduce in controparte quella femminile in un dipinto con Elena, Costantino e i santi Francesco e Sebastiano, ex-London University e mercato antiquario di New York, oggi presso la Fondazione Cavallini Sgarbi, la cui firma era stata ritoccata in modo erroneo ("Bernardino de Passignano Pingebat die 9 aprile 1515"). Questa seconda opera, realizzata con ogni probabilità per una confraternita dedita al culto della Croce e ispirata a una iconografia di provenienza constantinopolitana, conferma la provenienza romagnola dell'autore e ne certifica la dipendenza da Marco Palmezzano, al quale andrebbe fatto risalire più di un rimando. Il dipinto è stato accoppiato da Zeri a una predella di tre tavole con Storie di Elena e della Croce, ex-collezioni Grett e Martello, per la quale Boskovits aveva proposto una relazione con una pala di Pietro Paolo Agabiti nella chiesa di Santa Croce a Sassoferrato (cfr. Boskovits 1985, p.14).

Bibliografia: Zeri 1986, pp. 26-30.

Vittorio Sgarbi

Restaurato in occasione della mostra.
Gianfranco Mingardi Restauro
opere d'arte, Brescia.

Marco Palmezzano
(Forlì, 1459-1539)

45. *L'adorazione dei pastori*, 1520
tavola, 108 × 126 cm

Milano, Pinacoteca di Brera, inv. 5455

La tavola è in condizioni non buone. Il supporto ligneo, composto di due tavole poste orizzontalmente, è stato assottigliato e manomesso, mentre la superficie pittorica, già crivellata di cadute, ha subito una pulitura con sostanze caustiche che hanno distrutto parte delle finiture ultime della pittura. Trattandosi però di una azione localizzata, alcune zone risparmiate, come il paesaggio, il bue, i pastori, e parte delle architetture, conservano una stesura di qualità molto sostenuta. L'attuale intervento di restauro, condotto da Barbara Ferriani e diretto da chi scrive, ha comportato un rifunzionalizzazione del supporto ligneo, liberato da una vecchia parchettatura sostituita da un telaio elastico, e la rimozione dalla superficie pittorica delle ritinture diffusissime – e quasi del tutto coprenti.

Nulla si sa della storia del dipinto prima del suo ingresso nelle collezioni di Brera per dono degli eredi di Paolo Gerli nel 1982. Di questa, che è certamente una delle invenzioni compositive più impegnate e felici nell'opera di Palmezzano, si conosce – oltre a questa braidense –, un'altra versione nella Gemäldegalerie di Berlino. Quest'ultimo dipinto di formato appena più verticale e di dimensioni leggermente minori (111 × 98 cm) rispetto all'esemplare braidense è giunto nella collocazione attuale nel 1821 con la collezione Solly ed è, pertanto, noto fin dall'Ottocento alla letteratura artistica. La storia critica del quadro berlinese ha avuto inizio da una falsa lettura del cartellino e l'assegnazione a un improbabile Rocco Zoppo, ma si è indirizzata, fino all'edizione tedesca di Cavalcaselle (1873, p. 345, n. 22), che la avvicinava alla scuola umbra, ovvero a un seguace di Signorelli o Palmezzano, verso la giusta strada, per attestarsi con Adolfo Venturi (VII, 2, 1913, p. 84, n. 1) nel catalogo del forlivese, cui fu consacrata da Buscaroli

(1931, p. 209-210) e da Berenson (1932, p. 413). Grigioni (1956, p. 134, p. 668) la inserì, infine, nel suo fondamentale catalogo del pittore ormai senza alcun ombra di dubbio.

Il dipinto berlinese fu letto in chiave spiccatamente veneta da Buscaroli prima e da Grigioni poi, e datato di conseguenza molto precocemente, addirittura – seppur in forma dubitativa – entro la fine del Quattrocento. Poiché la seriazione cronologica di Palmezzano, ancorché supremamente insidiosa, è fatica che non può essere evitata qualora si voglia tentare un'interpretazione della sua opera, bisognerà cercare di mettere ordine nella questione. Si comincerà notando che, in effetti, nel dipinto di Berlino il Bambino appare quasi perfettamente sovrapponibile a quello di un dipinto verosimilmente del periodo veneto, cioè della Madonna del Museo Civico di Padova, cui anche la Vergine della *Natività* si apparenta per il manto bordato da nodi ricamati (un elemento quest'ultimo che sembra sparire nelle Madonne più tarde). Altri particolari legano il dipinto alla bellissima *Sacra Famiglia* di Baltimora: non solo la somiglianza diretta dell'acconciatura della Vergine con quella della Maddalena – e con quella della medesima santa nella pala del 1493 –, ma anche il volto squadrato e segnato del san Giuseppe. Il cielo solcato da cirri arricciolati lo si ritrova spesso nelle opere degli anni novanta, mentre i profili puntuti, ma anche sommari, dei due pastori non sembrano poter eludere il confronto con i personaggi in secondo piano, specie quelli di sinistra, nella lunetta della cappella Feo. Tuttavia, se osservata con attenzione, la stesura della tavola di Berlino appare sì smaltata e compatta, come nelle opere che dovettero seguire il soggiorno in Veneto – dall'*Incoronazione della Vergine* all'*Annunciazione*

del Carmine –, ma singolarmente monotona nei toni e nella gamma cromatica e sommaria nella resa pittorica, specie del paesaggio e delle figurine: all'invenzione molto ambiziosa, sembra seguire una esecuzione in tono minore. Molto diversa, nonostante l'infelice stato di conservazione, la qualità del quadro di Brera, cui il formato più allungato conferisce una più stringente logica compositiva, una più congrua spazialità, e che nelle parti conservate mostra una stesura di gran lunga superiore dal punto di vista qualitativo. Basti lo sperone roccioso in centro al paesaggio, la cavalcata sullo sfondo, la spaziosità del paesaggio sprofondante sulla sinistra o l'architettura arricchita da invenzioni sottili, dove le macerie sono costituite di schegge di mura antiche, composte di laterizi sottili e compatti come quelli delle fabbriche romane. Rispetto all'esemplare berlinese una donna velata s'insinua, adorante, tra il bue e l'asino.

Per il resto la composizione in entrambe le opere è ripetuta con fedeltà: la Vergine e il Bambino stanno su una balza rocciosa all'altezza degli occhi del devoto, che s'affaccia su di un primo piano assai più basso da dove salgono i pastori (a sinistra) e dove riposa San Giuseppe (a destra). Se un taglio visivo paragonabile emerge nel Bellini tardivo della *Sacra conversazione* Dolfin in San Francesco della Vigna (1507), o nella *Madonna* di Brera del 1505, dove appunto la Vergine sprofonda fin quasi alle ginocchia come il san Giuseppe di Palmezzano, l'impostazione spaziale della *Natività* deve assai di più alla trovata melozzesca nella scena parietale di Loreto (che Palmezzano vi abbia o meno partecipato come aiuto poco cambia), in particolare l'idea di far cominciare il corteo delle figure in basso dietro l'incorniciatura marmorea, e tagliandole dunque proprio come i due pastori.

Quanto all'architettura, essa appare eccezionale nell'opera di Palmezzano dove normalmente non si trova una simile precisione nell'evocare ruderi antichi e, anzi, si predilige una incorniciatura architettonica sontuosa, ma del tutto calcata su esempi contemporanei. Si veda in proposito la *Comunione degli apostoli* (1506), che traveste con una decorazione di grottesche e dorature l'impaginato di Melozzo nel vecchio affresco della biblioteca Sistina.

Quella della *Natività* allude chiaramente a una architettura teatrale antica, dove tuttavia il sussegirsi delle volte a vela dopo quella a botte dei pilastri in facciata appare piuttosto incongruo, anche se confrontato con una interpretazione, pur non certo rigorosa del tema, come la restituzione sangallesca del teatro di Marcello (Biblioteca Apostolica Vaticana, Codice Barberiniano 4424, f. 4). Una simile soluzione poteva forse alludere a quello che allora si credeva essere stato il Tempio della Pace (in verità la basilica di Massenzio), dove si alternavano volte a botte e coperture a vela, seppure di diverse quote (Londra, Sir John Soane Museum, Codice Coner, carta 59). Quanto alla facciata dell'edificio, nel dipinto di Brera è evidentissimo, molto più che in quello berlinese, che le colonne sono libere come dimostra la luce che scivola sulle murature di fondo; se letto insieme al risalto di trabeazione e alla volta cassettonata, quest'elemento non può che connotare un'architettura trionfale, ripetendo le caratteristiche salienti registrate in tutti i disegni del XV secolo. L'insieme appare, tuttavia, assai più che il resto di una fabbrica ricostruibile, una sorta di scenografia, da leggersi in parallelo, ad esempio, con quella che illustra un Vitruvio della biblioteca Ariostea di Ferrara (Classe II, n.176, carta 2), di datazione ancora incerta ma che sem-

brerebbe risalire all'inizio del Cinquecento. Infine, si noterà che un capitello composto di così assoluto rigore antiquario è unico nell'opera di Palmezzano; l'artista, infatti, preferisce i più moderni e variati esemplari moderni dei lapici attivi nei cantieri da lui visitati. Anche a Venezia un capitello del genere è utilizzato da Tullio e Antonio Lombardo a partire dalla cappella Zen in San Marco e dalla tomba di Giovanni Mocenigo ai Santi Giovanni e Paolo, cioè dal primo decennio del XVI secolo in poi.

Resta il problema di come vada dato il dipinto braidense in rapporto a quello del museo tedesco: come leggere il problema di una versione per certi aspetti precedente (Berlino), ma condotta con una stesura più fiacca e con la partecipazione della bottega, rispetto a un'opera (Milano) che riprende lo stesso schema con una qualità più alta, ma con alcune caratteristiche di stile che hanno indotto Angelo Mazza – l'unico studioso a essersi occupato del quadro di Brera – a datarlo intorno al 1520 per confronti con la pala dei minori osservanti di Brisighella.

In effetti, il volto della Vergine, profilato con assai maggiore eleganza nella curva delle gote paffute e del mento a punta, la maggiore e più generica nobiltà del volto di san Giuseppe, l'espandersi del paesaggio e dell'architettura rammentano non solo le opere dell'inizio del terzo decennio, ma financo la *Natività* di Grenoble, datata 1530. Deve essere successo, in questo caso come in molti altri, che Palmezzano abbia tenuto in bottega il cartone di un'invenzione singolarmente brillante e concepita a cavallo dei due secoli, in cui era riuscito a fondere echi della sua formazione centroitaliana con i suggerimenti tratti da quanto aveva visto in laguna, riutilizzandolo, su richiesta di un committente in anni più maturi. Il dipinto di Berlino, indubbiamente il più antico dei due, non può essere considerato completamente autografo, ma solo una delle versioni che l'artista aveva ricavato da quell'invenzione con la collaborazione industriosa di aiuti di provate capacità

Bibliografia: Crowe-Cavalcaselle 1873, p. 345, n.22; Buscaroli 1931, p. 209-210; Berenson 1932, p. 413; Grigioni 1956, p.134, p.668; Mazza 1991, pp. 293-294.

Matteo Ceriana

Restaurato dalla Fondazione Cassa dei Risparmi di Forlì in occasione della mostra. Ferriani Studio di restauro di Barbara Ferriani & C., Milano.

Marco Palmezzano
L'adorazione dei pastori
Berlino, Staatliche
Museen, Gemäldegalerie.

Marco Palmezzano
(Forlì, 1459-1539)

46. *Natività*, 1530
tavola, trasporto su tela, 213 × 144 cm

Grenoble, Musée de Grenoble, inv. MG 27

iscrizione: Marcus pame[...]nus / pictor fecit / MCCCCCXXX

Il dipinto è in discreto stato di conservazione, nonostante i danni antichi, testimoniati dalle lacune del colore specialmente nella parte inferiore del dipinto, per ovviare ai quali fu trasportato su tela nel 1896 (Chiarini, p. 80). La superficie è stata in parte impoverita da una pulitura troppo drastica. Sul cartellino fissato in primo piano sul tronco d'albero si legge "Marcus pame...nus\pictor fecit...\MCCCCCXXX".
La pala fu prelevata a Forlì nel 1811 dai commissari napoleonici Antonio Boccolari e Giuseppe Santi e inviata a Milano per la Pinacoteca di Brera dove fu inventariata con il numero 438; i due funzionari così la descrivono: "La nascita del Bambino, la Beata Vergine, S. Giuseppe e Pastori con veduta di Paesi e 4 Angeli in Gloria, Palmezzano, in tavola a olio con qualche cromature, sfregi e sollevatore" (Ceriana, p.12). La provenienza è indicata come dalla chiesa dei minori osservanti di Forlì, che non può che essere la chiesa di San Biagio in San Gerolamo. Nonostante non sia ricordata negli elenchi forlivesi di Marcello Oretti, il dipinto, come mi comunica Stefano Tumidei, è segnalata da Flaminio da Parma (1760, 3. voll. I, p.554): "Il piccolo altare di san Giuseppe dalla parte dell'epistola la tavola è la *Natività*. Nelle due fasce che formano contorno alla tavola scorgesi lo stemma gentilizio Biondini". La famiglia Biondini, eminente a Forlì, si estinse a breve,

tanto che l'altare ritornò presto di proprietà dei frati.
La storia successiva all'indemaniazione della pala è invece pianamente ricostruibile; probabilmente in quanto "doppia" rispetto a quella di San Domenico – del medesimo soggetto e anch'essa prelevata per il museo milanese – e meno ben conservata di quest'ultima, la direzione della galleria la diede a un mercante francese De Civry (che nei documenti italiani è tuttavia scritto De Sivry; Ceriana 1997, p.12) in cambio della *Samaritana al pozzo* di Battistello Caracciolo che era creduta opera di Caravaggio (un episodio che potrebbe quasi servire da piccolo anticipo sulla fortuna critica del pittore). Dal De Civry passò poi alla collezione del ricco mercante e banchiere Jacques Debon, alla cui morte fu acquistata dal municipio di Grenoble per il museo.
Un terza versione del tema è citata da Marchetti (Carte romagna 177.176) in casa Regoli: "Una tavola rappresentante la Natività di N.S. Gesù Cristo sequiato da' pastori e dappiù una gloria d'angeli in fra la quale vi è lo Spirito Santo tutte figure intere del nostro esimio pittore Francesco Melozzi".
L'aspetto forse più stupefacente della pala – pur di una qualità pittorica piuttosto sostenuta – ora a Grenoble, è il ricalco fedelissimo e imperturbabile sulla composizione del trittico domenicano del 1516 (Ceriana 1997, p. 10; Tambini 2003b, pp. 25-28). Una ripresa che a poco meno di

quindici anni di distanza è la prova del modus operandi, degli usi di bottega, del mestiere del pittore forlivese. La grande impaginazione veneta, come ad esempio nella complessa *Natività* di Cima da Conegliano in Santa Maria dei Carmini (1509-1511), più ancora che le precoci e di gran lunga troppo moderne varianti di Giorgine, aveva alla metà del secondo decennio una freschezza che a Forlì poteva ancora fare scuola, anche al centro di un trittico corredato da una grande cornice architettonica.
Ma nel 1530 l'anacronismo diviene pungente, nonostante sia mitigato da una serie di piccoli quanto "parlanti" mutamenti. Tanto per cominciare, il formato si amplia leggermente mitigando lo slancio verticale del prototipo giustificato certo anche alla struttura a polittico. L'architettura perde quasi del tutto le grottesche a fondo dorato, che sembrano aver fatto il loro tempo, e hanno forse inflazionato la piazza, per una più sobria e rigorosa declinazione delle modanature severe e delle incrostazioni marmoree – un linguaggio che a Venezia ha il momento di massima diffusione tra primo e secondo decennio –, quasi un preludio al classicismo severo della navata nella pala di Cesena del 1537. Il piccolo coro d'angeli si sporge da una finestra luminosa che ha qualche analogia con alcune soluzioni ferraresi, come nella non meno devota pittura di Garofalo: il confronto con la pala Del Pero (1525), già in

San Francesco a Ferrara, dimostra, però, che il Tisi sfruttava la mandorla luminosa con ben più perspicuo risultato atmosferico. Per alcune figure, il cartone del 1516 è sfruttato con fedeltà pedante: il san Giuseppe, il Bambino o quel pezzo di bravura inizio secolo – quasi l'Apollo del Perugino nel soffitto della sala del Cambio – che è il pastore che corre sullo sfondo a destra. Al contrario, la Madonna sembra percorsa da un fremito lineare nuovo, che provoca anzi un certo iato proporzionale e spaziale con lo sposo, vecchio e rinchiuso in una atticciata sagoma lineare.
Tutta la figura della madre è più ampia e monumentale, il rovello del manto è lievemente placato rispetto a quello del 1516 e il volto ricalca un ideale femminile più moderno, non dissimile da quello delle ultimissime opere di Palmezzano, ad esempio la citata pala di Cesena, con le gote tondeggianti e il mento puntuto, un ideale leggermente segnato da un classicismo umbro-raffaellesco, toccato finalmente da quanto Gerolamo Genga, Francesco Zaganelli, Girolamo Marchesi avevano lasciato a Forlì e in Romagna.

Bibliografia: Cavalcaselle, Crowe 1886-1908, VIII, p. 360; Grigioni 1956, p. 531-534; Chiarini 1988, pp. 78-79; Viroli 1991b, p. 52; Ceriana 1997, p. 12, n. 27, p. 40.

Matteo Ceriana

Marco Palmezzano
(Forlì, 1459-1539)

47. *Sacra Famiglia con san Giovannino e san Sebastiano*, 1515
tavola, 58 × 49,5 cm

Forlì, Collezione privata

iscrizione: Marchus palmezanus pictor / forliviensis faciebat / MCCCCCXV

La Madonna è raffigurata in mezza figura e quasi di fronte, mentre regge il Bambino che, ignudo, sta in piedi sopra il parapetto in primo piano. Il piccolo Gesù benedice san Giovannino, di cui si scorge poco più della testa. La Vergine sorregge il figlio con dita delicate. Come in altre opere del pittore, un velo bianco dalle pieghe accartocciate le circonda il capo e scende sul lato destro del volto, scivolando sul petto fino ad appoggiarsi sulla spalla sinistra, dietro la quale ci scruta l'immagine pensosa del canuto san Giuseppe. Dietro il gruppo, sul lato destro, è drappeggiato un panno rosso a guisa di tendaggio; una veduta del paesaggio si apre sul fondo a sinistra, dove a un albero dai rami spogli è legato un efebico san Sebastiano. Nel paesaggio con fitta boscaglia che si scorge sul fondo è appena visibile la minuscola figura di un santo monaco aureolato. Più lontano si scorge una distesa di colli accarezzati dalla luce.

All'estremità destra del quadro, su un cartiglio illusivamente dipinto, si legge, oltre alla firma di Palmezzano, anche la data di esecuzione ("Marchus palmezanus pictor foroliviensis faciebat MCCCCCXV"). L'opera è contenuta in un'antica anconetta lignea intagliata e dorata, con colonne addossate e fregi alla base e nella trabeazione. Grigioni (1956, p. 510) riteneva tale cornice "certamente intagliata su disegno del pittore". Pur suggestiva, l'ipotesi non è accertabile. Forse l'anconetta era provvista in origine di una cimasa oggi mancante. L'opera, chiaramente finalizzata alla prote-

zione contro il pericolo sempre incombente della peste, come indica la presenza di san Sebastiano specificamente delegato a quella difesa, risolve il suo assunto evocativo in accordi tonali di raffinata eleganza. L'accurata consultazione dei documenti dell'Archivio Albicini condotta da Arianna Facciani (che qui ringrazio per avermi gentilmente messo a disposizione l'esito delle proprie ricerche) ha consentito di appurare che questo dipinto di Palmezzano non è compreso nell'*Inventario* Albicini del 1704, dove invece sono elencati altri quattro dipinti dello stesso pittore. Il dipinto in esame è invece indicato per la prima volta nell'*Inventario di quadri della Galleria Albicini, con le stime dei pittori Giuseppe Versari e Conte Felice Cignani del secolo XVIII*, conservato nell'Archivio Albicini (Busta 72, fasc.1). In quel documento il dipinto, stimato tre scudi, è definito "in cattivo stato". Dell'opera si fa menzione in altri documenti manoscritti della famiglia Albicini. Nell'elenco di *Quadri di pittori forlivesi posseduti da Raffaello Albicini nel 1877* (Forlì, biblioteca Comunale, fondo Piancastelli, 177 CR 172) compaiono alcune osservazioni sul dipinto non prive di interesse: "Beata Vergine col Bambino, San Giovannino e San Giuseppe, mezze figure a riserva del Bambino a figura intera […]; tavola offesa da una crepatura pessimamente ritoccata nel secolo 18°. Cornice del tempo in forma di ancona e colonnette, il tutto messo in oro e turchino. Nel fregio al di sopra dei capitelli, targa di stile antico con assi o

mannaie poste in croce di Sant'Andrea. La figura del San Sebastiano […] e di suddetti due simboli, possono far presupporre che la presente ancona e quadro fossero fatti per qualche compagnia d'arti (armaioli o spadieri). Nella parte inferiore della cornice avvi il posto di uno stemma oggi mancante…". Mentre nel fregio della cornice sono ancora presenti le due targhe con assi o mannaie, non vi è più traccia del "posto di uno stemma mancante".

Al tema iconografico, e soprattutto al tipo di costruzione, si rifanno analoghe composizioni palmezzaniane, tutte dipinte dopo il 1530, che ripetono abbastanza fedelmente la composizione, con varianti nel paesaggio e nella figura di destra, che può assumere, di volta in volta, diverse identità. L'immagine di san Sebastiano compare in diverse tavole di Palmezzano, come quella già nella Kunsthalle di Karlsruhe e l'altra nel Museo Cristiano di Esztergom. Recentemente Mazza ha preso in esame il frammento di tavoletta dei depositi del Museo Civico di Padova con l'immagine di san Sebastiano (Mazza 1995-1996, pp. 39-44, figg. 41-45). Lo studioso ha ricomposto il frammento di Padova con quello raffigurante alcuni arcieri conservato nella Pinacoteca Comunale di Vicenza, riconoscendoli frammenti superstiti di un'unica tavola. Una figuretta di san Sebastiano è presente anche nel pilastrino di destra della pala di Matelica (1501), mentre lo stesso personaggio compare fra i santi del pannello laterale sulla destra del trittico della chiesa di San Biagio in San

Girolamo di Forlì. Quest'ultima figura si rivela intensa e armoniosa, vicina all'immagine dello stesso santo nella *Glorificazione di sant'Antonio Abate* della Pinacoteca Civica di Forlì.
Come già Calzini (1885e, p. 64) rilevava, entrano in quest'opera elementi che derivano da Cima da Conegliano, ricondotti da Palmezzano nell'ambito della propria personale maniera. Possiamo aggiungere che lo stesso studioso ammirava questa tavola e ne consegnava una definizione altamente encomiastica e un ricordo: "È proprio un gioiello. Raccontano gli eredi (Albicini) che il principe Girolamo Napoleone desiderasse portarla in Francia, offrendo in cambio la bella somma di venticinquemila lire, ma il proprietario non la volle cedere".

Bibliografia: Inventari Albicini con stime Versari e Cignani, sec.XVIII, Busta 72 fasc.1; *Testamento Giuseppe Albicini 6 luglio* 1791, Busta 66 fasc. 2; *Inventario Convitali 1817*, Busta 72 fasc. 6; *Quadri Raffaello Albicini 1877*; *Monografia statistica 1867*, p. 246; *Divisione dei quadri di famiglia in morte di Raffaello Albicini*, Sec.XIX, Busta 66 fasc.1; Calzini, Mazzatinti 1893, p. 27; Calzini 1895e, p. 64; *Inventario n. 239, primi decenni sec.XX*; Casadei 1928, p. 48; Buscaroli 1931, p. 228; *Galleria Albicini, Catalogo Quadri 1935*; *Inventario della Biblioteca e dei quadri della famiglia Albicini, 1941*; Grigioni 1956, pp. 95, 338 e 509-510; Forlì 1957, tav. XIII; Forlì 1986, pp. 26-27 e 167; Viroli 1991b, p. 46, tav. 46 p. 122.

Giordano Viroli

Marco Palmezzano
(Forlì, 1459-1539)

48. *Sacra Famiglia, san Giovannino e santa Caterina d'Alessandria,* fine terzo decennio XVI secolo
tavola, 57 × 78 cm

Forlì, Collezione Fondazione Cassa dei Risparmi di Forlì

Nella compressa composizione le figure si collocano in uno spazio ristretto, con un effetto di concentrazione. All'estremità inferiore del dipinto compare il caratteristico parapetto, coperto in parte da un panno rosso, che serve da piano d'appoggio e da palcoscenico per la posa di Gesù. La Madonna a mani giunte rivolge la sua preghiera al figlioletto che, tutto ignudo e accosciato sopra un drappo, tiene nella mano destra tre ben granite spighe di frumento mentre solleva l'altra puntando l'indice verso l'alto. La Vergine indossa una veste rossa orlata nel collo e nelle ampie maniche, e un manto azzurro dal risvolto violaceo, e ha sul capo un velo candido drappeggiato che le scende sul petto. Sulla sinistra compaiono la testa e il busto di san Giuseppe, vigoroso vecchio dalla barba bianca bipartita che indossa un manto giallo e con le mani si appoggia a un bastone a forma di "T". Il volto del vecchio è molto simile a quello dello stesso personaggio nella *Sacra Famiglia* della Walters Art Gallery di Baltimora, opera che si ritiene eseguita nel periodo centrale dell'attività di Palmezzano. La santa in secondo piano – occhi chini e capelli spartiti sulla fronte e raccolti in una treccia sulla nuca – esibisce come unici attributi un libro, simbolo di saggezza e conoscenza, e la palma del martirio. L'identificazione con Caterina d'Alessandria è proposta sulla base del tradizionale aspetto fisico. San Gio-

vannino, con la crocetta nella destra e la sinistra al petto, fissa lo sguardo su Gesù. Appesa alle spalle dei personaggi v'è una tenda di colore verde chiaro, rialzata ai lati. Il cartiglio in basso a destra riporta su due righe la firma del pittore, in parte abrasa, mentre nella terza riga segue una scritta ora illeggibile.

Il dipinto, con apprezzabile maestria, è interamente giocato sul rapporto di luce e ombra, che fa alternativamente emergere e sprofondare superfici diverse. La fonte luminosa rischiara la sinistra del quadro, ma viene esclusa dalla raffigurazione, provocando quasi un effetto a lume radente. La peculiare atmosfera pittorica contribuisce a determinare l'intonazione spirituale della scena. Palmezzano attribuisce ai personaggi qui ritratti – colti grazie alla vicinanza in una dimensione intima, quasi privata – un forte senso di umanità, che rende ancora più acuta la diffusa impressione di malinconia, legata al tragico destino di Cristo.

La produzione di immagini, di formato relativamente ridotto, raffiguranti la Sacra Famiglia e Santi, è legata alla richiesta di opere per la devozione privata. I quadri venivano usati dai loro proprietari come altari in miniatura e strumenti di aiuto alla meditazione. Attraverso l'atmosfera intima e silenziosa, che stimola la preghiera, di queste immagini, l'osservatore entra in contatto diretto con i protagonisti della storia

religiosa ed è invitato a immedesimarsi con loro.

La piccola tavola, che gode di un ottimo stato di conservazione, fu resa nota dalla Cassa dei Risparmi di Forlì, divenutane proprietaria nel 1981, tramite un cartoncino d'auguri realizzato per le festività natalizie di alcuni anni dopo. Fu poi esposta alla mostra dedicata alla "Presenza religiosa nell'arte forlivese" del 1986, quindi alla "I Mostra-mercato dell'antiquariato città di Forlì" (1988), in occasione della quale, in catalogo, compariva una breve scheda descrittiva di Vittorio Mezzomonaco. Lo studioso, dopo aver notato nel dipinto adeguamenti a soluzioni e cadenze venete, datava l'opera "fra la fine del XV secolo e gli inizi del XVI", e supponeva che la figura di santa Caterina sia probabilmente un "doveroso tributo alla Signora del momento, Caterina Sforza". Tuttavia, la temperie stilistico-culturale e soprattutto l'addolcimento espressivo e formale della raffigurazione sembrerebbero convenire agli stereotipi della produzione palmezzanesca dello scorcio del terzo decennio o dei primi anni del successivo, caratterizzati appunto da un'espressione più esteriorizzata di sentimenti e pervasa di tenerezze venate di malinconia. Il tratto disegnativo e la tecnica di esecuzione si riallacciano infatti, per molti aspetti, al dipinto dello stesso Palmezzano raffigurante *La Madonna col Bambino, san Giovannino e san-*

ta Caterina d'Alessandria (1533) nel Museo Borgogna di Vercelli: l'ovale del volto della Vergine ha la stessa compiaciuta rotondità e propone lo stesso ideale muliebre, mentre l'atteggiamento e i caratteri di santa Caterina appaiono pressoché identici in entrambe le opere.

Sul piano stilistico, il dipinto risulta significativo perché mostra, nei caratteri di inconfondibile e pensosa tenerezza che vi si riscontrano, gli sforzi d'aggiornamento del pittore a fatti più recenti della cultura figurativa emiliana e veneta. Tanta importanza opere come questa avranno per il pittore ravennate Luca Longhi, esordiente in quel preciso giro di anni. Fra tutti gli artisti romagnoli, Longhi sarà quello che, fin dai primi dipinti conosciuti, datati fra il 1528 e il 1531, tenterà una mediazione fra la produzione locale o più largamente romagnola, espressa soprattutto da Palmezzano, e i grandi maestri d'importazione.

Bibliografia: Forlì 1986, pp. 31, 167; Forlì 1988, pp. 14-15; Viroli 1991b, pp. 52-53, 134 fig. 61.

Giordano Viroli

Restaurato dalla Fondazione Cassa dei Risparmi di Forlì in occasione della mostra. Laboratorio di restauro Marisa Caprara, Bologna.

Marco Palmezzano
(Forlì, 1459-1539)

49. *Giuditta con la testa di Oloferne*, 1525
tavola, 59 × 94,5

Ginevra, Musées d'art et d'histoire-Beaux-arts, inv. CR 0120

iscrizione: IOHANES BELLINUS (apocrifa) / MCCCCCXXV

L'opera è entrata a far parte del Museo d'Arte e di Storia di Ginevra nel 1890, in seguito al lascito testamentario di Gustave Revilliod. Prima ancora di appartenere alla collezione privata ginevrina, si trovava in Lombardia, all'interno di una cappella privata, come testimonia un manoscritto del 1905 conservato negli archivi del museo (*Inventaire descriptif* 1905, p. 307).

Il dipinto reca entro un cartiglio dipinto a trompe-l'oeil sul cesto di vimini l'iscrizione: "IOHANES BELLINUS / MCCCCCXXV". La data sembra essere originale, mentre la firma è certamente apocrifa, per quanto le analisi recenti ne abbiano confermato l'antichità (sul problema delle firme apocrife di Giovanni Bellini, cfr. Berenson 1947, p. 19; e il saggio di Nicolini in catalogo).

Il nome di Giovanni Bellini resta, tuttavia, un'indicazione non priva di interesse, utile, se mai ce ne fosse bisogno, a rimarcare i legami con l'ambiente veneto presenti nei lavori della maturità di Palmezzano. Una firma del genere, però, ha inevitabilmente prodotto in passato una nutrita serie di attribuzioni errate. I cataloghi del museo testimoniano che la segnatura al maestro veneziano fu accolta come degna di fede almeno fino ai primi anni del Novecento (*Ariana* 1895, 302; *Ariana* 1901, 25; *Ariana* 1905, p. 227, n. 25). Reinach avanzò più tardi la

proposta di ascrivere il dipinto alla scuola di Vincenzo Catena (Reinach 1922, V, p. 35), mentre soltanto nel 1932 si giunse, con Berenson, a un'attribuzione corretta (Berenson 1932, p. 415; 1968, I, p. 315), ripresa in seguito da Gielly, seppur con alcune riserve (Gielly 1937, p. 19), e da Grigioni (1956, pp. 102, 348, 526-527). La paternità di Palmezzano, per quanto oggi possa apparire lampante, fu messa, però, in discussione da Heinemann, che riferì il dipinto a Giovanni Agostino da Lodi (Heinemann 1962, I, p. 236, n.V 126), sotto il cui nome sarà esposto per alcuni anni (Natale 1978a, p. 100; Viroli 1991, I, p. 51), fino a quando Federico Zeri (com. scritta al museo data 12 ottobre 1966) ne riaffermerà l'attribuzione all'artista forlivese, accolta nel più recente catalogo di Natale (Natale 1978a, pp. 99-101).

Conosciamo altre versioni del medesimo soggetto, la cui ripetitività iconografica, anche a una certa distanza di tempo, lascia ragionevolmente supporre l'utilizzo dei medesimi cartoni, secondo una consuetudine di bottega riscontrabile anche in altre occasioni (Viroli 1991, I, p. 52). L'esemplare più antico della serie, firmato e datato 1516 (60 × 85,1 cm) si conserva presso le collezioni Reali di Buckingham Palace ed è forse da identificarsi con l'opera appartenuta nel XVIII secolo all'abate

Jacopo Facciolati (Grigioni 1956, pp. 97, 340, 512-513; Natale 1978a, p. 100); rispetto alla *Giuditta* di Ginevra, presenta la variante della tenda alle spalle dell'eroina, particolare che si ritrova anche in un frammento (63,5 × 51 cm) passato sul mercato antiquario (Londra, Sotheby's, 9 dicembre 1981, n. 101). La tenda di Oloferne è visibile anche nella tavola di Berkeley Castel (56,5 × 83,8 cm) datata 1536 che reca la falsa segnatura di "Giacopo Palma" (Shearman 1983, p. 181), mentre non compare nella tavola (54 × 88 cm) conservata attualmente in una raccolta privata di Imperia (documentazione presso i musei di Forlì). Va ricordata, infine, la *Giuditta* di collezione privata milanese firmata in caratteri ebraici, di cui già Calzini conosceva l'esistenza (1895a, p. 65) e che Grigioni poté studiare solo dopo la pubblicazione della sua monografia, un'opera anch'essa riferibile agli ultimi anni (Pasini 1988, pp. 63-66).

La tavola in mostra rappresenta una delle versioni qualitativamente più alte fra tutte quelle prodotte da Palmezzano, la cui attività poggia, in queste date, sui ritmi intensi di una bottega assai affermata, non più al passo con le avanguardie artistiche, ma nondimeno in grado di appagare le esigenze di una committenza provinciale, in questo caso privata. L'opera presenta coloriture venete ormai pienamente assimilate, riscon-

trabili nel paesaggio, ma soprattutto nella stesura fluida e compatta dei colori. Al contempo è stata osservata l'influenza del ravennate Francesco Zaganelli, del quale viene ricordato il ritratto di Domitilla Gambara nella base del quadro dell'altar maggiore nella chiesa dell'Annunciata a Parma, firmato e datato 1518 (Natale 1978a, p. 100; Viroli 1991, I, p. 52).

L'opera, per la quale è documentato un intervento di pulitura e di integrazione delle lacune nel 1963 (Natale 1978a, p. 99), è stata restaurata in occasione della mostra.

Bibliografia: Ariana 1895, 302; Calzini 1895e, p. 65; *Ariana* 1901, 25; *Ariana* 1905, p. 227, n. 25; *Inventaire* 1905, p. 307; Reinach 1922, V, p. 35; Berenson 1932, p. 415; Gielly 1937, p. 19; Berenson 1947, p. 19; Grigioni 1956, pp. 97, 102, 340, 348, 512-513, 526-527; Heinemann 1962b, I, p. 236, n.V 126; Berenson 1968, I, p. 315; Natale 1978b, pp. 99-101; Shearman 1983, pp. 180-181; Pasini in Grigioni ed. 1988, pp. 63-66; Viroli 1991b, I, pp. 51-52, 131 tav. 58.

Filippo Panzavolta

Restaurato dalla Fondazione Cassa dei Risparmi di Forlì in occasione della mostra. Laboratorio di restauro di Victor Lopes e Jean-Albert Glatigny.

Marco Palmezzano
(Forlì, 1459-1539)

50. *Battesimo di Gesù*, 1534
tavola, 90 × 70 cm

Forlì, Pinacoteca Civica, Quadreria Piancastelli

iscrizione: Marchus palmezanus / pictor forliviensis / faciebat 1534

Fedele al testo sacro (*Mt* 3,13-17; *Mc* 1,9-11; *Lc* 3,21-22; *Gv* 1,29-34), Palmezzano raffigura il momento in cui Giovanni versa l'acqua sul capo di Gesù da una ciotola poco profonda. "Appena battezzato" racconta l'evangelista Matteo "Gesù uscì dall'acqua: ed ecco si aprirono i cieli ed egli vide lo Spirito di Dio scendere come una colomba e venire sopra di lui".
Verso il termine della sua parabola umana e artistica, Palmezzano realizza questa composizione narrativa di formato verticale, forse destinata in origine a pratiche di devozione privata, in cui le due figure protagoniste sono visibili per intero. La scena è ambientata in un lirico ambiente montano, che forma come una sorta di teatro naturale dell'evento. La figura di Cristo, seminuda, è al centro della composizione; alla sua sinistra, in posizione sopraelevata, il Battista, dal corpo asciutto e vigoroso vestito di pelle e manto rosso soppannato di giallo, allunga il braccio che regge la ciotola contenente acqua. Giovanni è girato quasi di profilo verso sinistra, stante sul piede destro e col sinistro divaricato. Il Precursore regge la sottile crocetta mentre versa l'acqua sul capo di Gesù che, mani giunte in preghiera ed espressione di calma quasi soprannaturale, sta in piedi sopra un piccolissimo tratto di roccia o terreno sabbioso asciutto sporgente

dalla tenue corrente del fiume, in una variazione iconografica della tradizione che voleva Gesù immerso fino alle ginocchia nell'acqua e Giovanni inginocchiato. Il gesto del Battista, che qui risulta elegante e insieme rispettoso, è soltanto un tramite, in quanto il vero Battesimo è la discesa dello Spirito Santo: la ciotola di ceramica bianca a fiorellini azzurri sollevata dal Battista sul capo di Gesù è sovrastata infatti dall'apparizione dello Spirito Santo in forma di colomba dalla quale partono alcuni raggi luminosi. Il collegamento visivo fra la zona celeste e quella terrena è fornito dalla linea di colline azzurre che si profilano alte all'orizzonte e dal chiarore del cielo. Come sempre, l'artista non rappresenta un cielo compatto e in tinta uniforme, ma qualcosa di mutevole, il cui colore si schiarisce e si illumina con l'avvicinarsi alla terra. Per Palmezzano, cielo e paesaggio non sono elementi di contorno, bensì portatori di sentimenti e significati, tanto quanto le figure.
I due protagonisti del dipinto sono collocati in un angolo, ma in primissimo piano, cosicché non vengono inghiottiti dall'ambiente circostante. Alle loro spalle si erge una grande rupe verticale stratificata che fiancheggia il fiume, dai cui interstizi fuoriescono arbusti privi di fronde. All'evento sacro assiste un giovane bagnante dalla pelle ab-

bronzata che, posto in un piano retrostante, il piede sinistro poggiante sopra una lastra di pietra che emerge dall'acqua, appare intento a lavarsi. Straordinaria è la resa delle ombre lunghe e della luce che, proveniente da sinistra, sfiora il cartellino con la firma, il perizoma e il corpo di Cristo, un braccio del Battista, l'interno della ciotola.
Il dipinto è completato da un pittoresco paese in una successione di quinte. Il paesaggio si apre sulla sinistra in una visione serena: giacciono al suolo un capitello corinzio e un fusto di colonna. Su rovine siedono alabardieri sommariamente schizzati; numerose altre figurette, leggibili anche in chiave simbolica, animano la scena. Nei piani arretrati, un folto d'alberi con le foglioline spruzzate di luce, un paesello con campanile, un lontanare di colli. Al di là della generale intonazione classica, numerosi elementi dell'opera tradiscono la conoscenza da parte di Palmezzano di precisi modelli romani. Nell'angolo inferiore, a destra, un cartellino reca l'iscrizione, su tre righe: "Marchus palmezanus / pictor forloviensis / faciebat 1534".
Sul piano stilistico, la tavola mostra il linguaggio di un pittore che sa guardare ad altri artisti sapendo fondere i diversi spunti in una maniera personale. L'assimilazione dei modi belliniani, ancorché filtrati, si fa ben

evidente: alla prospettiva, definita dalla quinta rocciosa e dalle masse delimitanti i vari piani del paesaggio nello sfondo, si associa il senso sicuro di una profondità che circola attorno alle figure, ma soprattutto isola, al centro, il perno volumetrico del Cristo. La figura quasi efebica di Gesù, insieme a quella più monumentale di Giovanni Battista, è invenzione poetica tratta dal Perugino, di cui la composizione in esame replica quasi alla lettera il *Battesimo* del Kunsthistorisches Museum di Vienna (cat. 4).
Il dipinto è pervenuto alla Pinacoteca con lascito Piancastelli. Il recente restauro (2000-01), condotto a Bologna dal Laboratorio di Marisa Caprara sotto la direzione di Anna Colombi Ferretti della Soprintendenza, ha restituito l'opera a condizioni di buona leggibilità risanando inoltre il supporto ligneo da un attacco fungino.

Bibliografia: Muñoz 1908, pp. 177-180; Buscaroli 1937a, pp. 26-27, fig. 11; Grigioni 1956, pp. 108-109, 361, 548-550; Forlì 1957, tav. XIX; Berenson 1968, p. 315; Viroli 1980, p. 71; Mazza 1991, p. 36; Viroli 1991b, p. 54 e fig. 65 alle pp. 138-139; Mazza 1993, pp. 109-110; Mazza 2001, p. 16.

Giordano Viroli

Marco Palmezzano
(Forlì, 1459-1539)

51. *Cristo portacroce*, 1521
tavola, 57 × 47,5 cm

Forlì, Monastero del Corpus Domini

iscrizione: Marchus palmezanus pictor/foroliviensis faciebat/MCCCCCXXI

S'ignora quale sia stata la più antica collocazione di questa tavola. Le sue dimensioni ridotte e l'argomento che vi è espresso inducono a ritenere che si tratti di un'opera commissionata per farne un uso devozionale privato. Una storia del monastero forlivese del Corpus Domini è stata tracciata da don Franco Zaghini nell'importante volume sull'ex gesuita Andrea Michelini. L'opera in esame, ospitata in ambienti di clausura, solo in anni recenti è stata offerta alla conoscenza degli studiosi. Risulta quindi pressoché inedita, ove si prescinda da una breve citazione nel catalogo della mostra dedicata alla "Presenza religiosa nell'arte forlivese" (1986), in cui fu esposta, e da una scheda critica redatta dallo scrivente, pubblicata nel primo dei due volumi, a cura della Cassa dei Risparmi di Forlì, sulla *Pittura del Cinquecento a Forlì* (Viroli 1991b).
Il dipinto raffigura Gesù, coronato di spine, che regge sulla spalla destra la croce. La fune che, come un capestro, gli è annodata intorno al

collo, allude al suo ruolo di condannato condotto al supplizio. Dalla tradizionale iconografia della salita al Calvario, Palmezzano estrae un primo piano di Cristo, creando un nuovo *Andachtsbild*. La componente narrativa della scena, presente in altre composizioni a più figure con lo stesso tema della Salita al Calvario, infatti, risulta eliminata; il pittore include nella rappresentazione soltanto un pezzo di croce, per chiarire il significato dell'immagine e accrescerne la carica drammatica, con un effetto di forte concentrazione. Allo sguardo dell'osservatore viene in tal modo affidata l'effigie, di intenso impatto emotivo, di un uomo sofferente e prossimo alla morte. Il volto di Gesù, visto quasi di profilo, è leggermente decentrato e il nostro sguardo, guidato dalla diagonale del legno, incontra simultaneamente anche l'ombra che incide i lineamenti della figura. La corona di spine segna la fronte del Salvatore, dalla quale stillano goccioline di sangue. Gli occhi sono abbassati e

dolenti, gravati da una profonda tristezza. I capelli mossi ricadono sulle spalle, toccando la tunica scarlatta. Lo scollo, la spalla e l'orlo della manica sono guarniti da una passamaneria a palmette dorate.
Il nome dell'artista è ancora ben leggibile, malgrado i danni che il dipinto ha subito, nel cartiglio dipinto sulla croce: "Marchus palmezanus pictor foroliviensis faciebat". Più in basso compare l'indicazione dell'anno di esecuzione: "MCCCCCXXI".
L'opera è in discreto stato di conservazione. Pubblicando il dipinto nel volume del 1991, chi scrive additava la presenza di vecchi ritocchi che sarebbe stato opportuno asportare. L'auspicato restauro è stato poi condotto da Marisa Caprara, a cura della Soprintendenza di Bologna, e ora il dipinto si presenta in ottime condizioni.
L'iconografia del Cristo portacroce, diffusa a cominciare dal Trecento come immagine devozionale, isola un particolare dell'andata al Calvario con riferimento alle parole di

Cristo: "Chi vuole venire con me prenda la sua croce e mi segua"(*Mt* 16, 24; *Mc* 8,54). Lo schema compositivo dell'immagine qui discussa è stato riproposto più volte da Palmezzano in diverse redazioni del tema, di piccolo e di medio formato, caratterizzate dalla variante dell'inclusione di altre figure, in genere da una a tre, oltre a quella del Cristo (come eccezione si segnala la presenza di un Cristo portacroce con due figure di sgherri, olio su tavola di 68 × 56 cm, in una collezione privata forlivese). Il tema iconografico deriva forse da un prototipo belliniano, o comunque da un disegno o spolvero esistente nella bottega o riferibile alla stretta cerchia del Bellini: il medesimo che ispirò, più tardi, consimili soggetti in Tiziano e altri.

Bibliografia: Forlì 1986, pp. 27, 167, 32 fig.;Viroli 1991b, p. 51, p. 129 fig. 56.

Giordano Viroli

Marco Palmezzano
(Forlì, 1459-1539)

52. *Andata al calvario*, 1535
tavola, 64 × 84 cm

Forlì, Pinacoteca Civica, inv. 75

iscrizione: Marchus Palmezanus / pictor forliviensis / faciebat / MCCCCCXXXV

"Sono quattro mezze figure, grandi poco meno del vero; Gesù, coronato di spine, ha sulla spalla destra la croce. Un manigoldo tira la fune che gli ha legato al collo, mentre, dietro, è un vecchio a mani giunte che pare supplichi il divin maestro di cedergli il grave peso. Di fianco a costui è una quarta figura di fronte, un vecchio con barba rasa che guarda la bella e generosa immagine del Cristo. Nel fondo, il cielo azzurro, degradantesi in luce chiara: il paese è nascosto quasi completamente dai quattro personaggi": così E. Calzini (1895e) descriveva questo dipinto di Palmezzano, che fu già di proprietà dei discendenti del pittore (Guarini 1874, p. 93; Grigioni 1956, p. 553) e ora è in Pinacoteca. Il nome dell'artista e la data di esecuzione sono ben leggibili, in carattere corsivo, nel cartiglio rappresentato in *trompe l'oeil* come fosse inchiodato sulla croce: "*Marchus Palmezanus / pictor foroliviensis / faciebat / MCCCCCXXXV*".

La fortuna in Romagna del tema del "Cristo portacroce" (o "andata al Calvario") è testimoniata dal numero notevole di esemplari, repliche e varianti di questo soggetto. Conosciamo, oltre alle numerose versioni del tema prodotte da Palmezzano, anche quelle degli Zaganelli che da Cotignola e da Ravenna "irradiarono un numero elevatissimo di esemplari" (Mazza 2001, p. 13). Anche Girolamo Marchesi concorse alla produzione di dipinti del medesimo soggetto, destinati presumibilmente a una committenza privata: fra questi si ricorda il *Cristo portacroce*, firmato e datato 1520 (o 1526) che, già facente parte della collezione Campana, si conserva oggi nel Musée du Petit Palais di Avignone (cfr. Laclot-te, Mognetti 1977, p. 168). Resta comunque accertato che in area romagnola le maggiori richieste di opere con questo tema furono rivolte a Palmezzano. Come segnala A. Mazza (2001, pp. 13-16) si contano, infatti, una ventina circa di redazioni, di piccolo e medio formato, dedicate a questo tema, uscite dalla bottega del maestro forlivese.

Proponendo un elenco di opere di Palmezzano con questo soggetto, Mazza distingue tre categorie tematiche, la prima delle quali comprende la serie di dipinti in cui compare la sola figura di Cristo portacroce. Dei dipinti appartenenti a questo primo gruppo, il più antico, essendo datato (se l'iscrizione è attendibile), è quello di Berlino (Staatliche Museen zu Berlin, Preussicher Kulturbesitz, Gemäldegalerie, tavola, 60,5 × 40,5 cm, firmato e datato 1503). Altri dipinti di questa prima serie elencati da Mazza sono i seguenti: Forlì, Convento del Corpus Domini, tavola, 58 × 48 cm, firmato e datato 1521 o 1522; Roma, Pinacoteca Vaticana, inv. 271, tavola, 54,5 × 43 cm, firmato; Leeds, City Art Gallery, tavola, 52 × 42,5 cm, firmato e datato 1535, copia del dipinto di Giovanni Bellini a Toledo (Ohio) (Mazza ritiene che l'opera sia forse da identificare con il *Cristo portacroce* firmato e datato 1535 che Mariano Guardabassi nel 1872 segnalava a Gubbio nella raccolta d'arte di palazzo Ranghiasci-Brancaleoni); Zagabria, Galleria Strossmeyer, tavola, datata 1525; un *Cristo portacroce*, presumibilmente con la sola figura di Cristo, firmato e datato 1536, è segnalato da M. Logan Berenson nel 1915 in "Rassegna d'Arte" a Cracovia nella collezione del conte Sigismondo Puslowski, quindi nel Museo d'Arte di Cracovia; Praga, Galleria Nazionale, inv. 815, firmato e datato 1534 o 1538. Mazza segnala infine, quale ultimo pezzo della serie, il *Cristo portacroce* della Goethehaus di Weimar, precisando tuttavia che tale opera, ritenuta di Palmezzano, è in realtà di Bernardino Zaganelli.

Altrettanto ricco è il gruppo di opere nelle quali il soggetto ha uno sviluppo in senso orizzontale, grazie all'inclusione di altre tre figure: il manigoldo che tiene la corda fatta passare attorno al collo di Cristo e due personaggi devotamente atteggiati nei quali è forse possibile riconoscere Nicodemo e Giuseppe d'Arimatea. Mazza inserisce in questo secondo gruppo le seguenti opere: Venezia, Museo Correr, n. 52, tavola, 54 × 92 cm, firmata e datata 1525 (l'opera dovrebbe essere l'esemplare più antico di questa composizione); Berlino, vendita Lepke del 30 novembre 1920, tavola, 63 × 84 cm: si era ritenuto che tale opera fosse stata eseguita precocemente (1504), ma Mauro Natale ha corretto tale data in 1534; Forlì, Pinacoteca Comunale, tavola, 65 × 85 cm, firmata e datata 1535; Genève, Musée d'art et d'histoire, inv. MF 3833, tavola, 61 × 92 cm; Faenza, Pinacoteca Civica, tavola, 81 × 65 cm; già a Firenze, coll. Carlo Del Chiaro: un *Cristo portacroce*, firmato e datato 1534, è segnalato in questa collezione da Milanesi nel maggio 1852; Forlì, collezione Albicini, datato 1536 a parere di Calzini, tavola, 60 × 70 cm; Lovere (Bergamo), Pinacoteca dell'Accademia di Belle Arti "Tadini", tavola, 110 × 75 cm, firmato e datato 1537; già a Londra, Sotheby's, 20 ottobre 1977, lotto 55, 56 × 73 cm.

Da ultimo, Mazza elenca le opere appartenenti al terzo gruppo, quest'ultimo meno consistente, nelle quali compaiono le figure di Cristo con lo sgherro. Fra queste la tavola, firmata, della Cassa di Risparmio di Cesena, di 52,8 × 46,5 cm (inv. 489); già a Forlì, collezione Domenico Guarini, tavola, 47 × 58 cm; già a Milano, collezione Paolo Vaccoli (forse, a parere di Mazza, identificabile con la tavoletta cesenate); già a Londra, Sotheby's, 27 marzo 1963, lotto 103, tavola, 65 × 73 cm; Londra, Christie's, 19 aprile 1996, lotto 241, tavola, 65,2 × 49,3 cm.

In tutti questi esemplari appare evidente la lezione veneto-belliniana accolta da Palmezzano. In alcune tavole l'artista ha volutamente accentuato il carattere grottesco del volto dello sgherro che tiene la fune, che ricorda certi accentuati espressionismi della tradizione tedesca, in contrasto con la dolcezza del viso di Cristo.

Bibliografia: Casali 1838, p. 50; Casali 1863, p. 52; *Monografia statistica* 1867, p. 242; Guarini 1874, pp. 93-94; Calzini, Mazzatinti 1893, p. 82; Calzini 1895e, p. 69; Santarelli 1897, p. 7; Cavalcaselle, Crowe 1886-1908, VIII, 1898, pp. 339-340; Venturi 1913, VII, parte II, p. 65; Bernardini 1916, p. 81; Casadei 1928, pp. 292-293; Buscaroli 1931, p. 230; Gronau 1932, p. 182; Arfelli 1935, pp. 16, 34 e fig. a p. 52; Berenson 1936, p. 356; Grigioni 1939, p. 1545; Grigioni 1956, pp. 109-110 e 553-554; Forlì 1957, tav. XX; Heinemann 1962b, I, p. 46; Berenson 1968, p. 314; Natale 1979, p. 98; Viroli 1980, p. 72; Mazza 1991, p. 36; Viroli 1991b, p. 54 scheda 66, fig. 66 a p. 140; Mazza 2001, p. 13.

Giordano Viroli

Giovan Francesco Maineri

(documentato a Ferrara, dal 1489-a Mantova, fino al 1506)

53. *Cristo portacroce*, 1500 circa
tavola, 50 × 45,5 cm

Modena, Galleria Estense, inv. 4165

Il dipinto apparteneva alla collezione di Giuseppe Campori e venne legato al museo nel 1894. Già riferito a Francesco Bonsignori, quindi ad Andrea Solario da Berenson (1901, p. 95), fu riconosciuto come opera del parmigiano Giovan Francesco Maineri da Adolfo Venturi (1907, pp. 37-38). L'esemplare dell'Estense si distingue entro la nutrita schiera di dipinti con *Cristo portacroce* di Maineri (riepilogata da Silla Zamboni nel 1975, pp. 55-56) come uno dei più belli e probabilmente più antichi, intorno all'anno 1500 o poco prima (così anche per Zamboni 1975: "È probabilmente la versione più antica, e anche la più eletta"; contrastante era l'opinione di Pallucchini (1945, p. 86) che lo classificava entro l'attività tarda, ma lo stesso confronto col pur bellissimo *Cristo portacroce* degli Uffizi, dalla sigla più grandiosa, dalle pieghe meno sfogliate e dai toni freddi, conferma di converso la datazione precoce). Tra le varie versioni gli si avvicina in particolare quella della collezione Carter, di notevole qualità (cfr. Mattaliano in Londra 1985, pp. 84-85, cat. 14), mentre la tavola della collezione D'Arco a Mantova è una copia. Ad arte lo scorcio sfuggente del volto, leggermente di tre quarti, risalta contro l'ombra affondata nel folto della capigliatura inanellata. La barba ramata è lanuginosa, quasi adolescenziale. Le gocce di sangue raggrumate e quelle di sudore imperlano il volto, come madido di sudore, senza eccessiva insistenza. L'ab-

bandono del capo sul legno della croce sembra suggerire lo sfinimento fisico e la perdita delle forze, e così la mano sinistra sembra sfuggire la presa (diverso il dettaglio nelle più tarde versioni degli Uffizi, della Galleria Doria Pamphilj e di Copenhagen). Si tratta di un'immagine devozionale, un'*Andachtsbild* di tono intimistico e di grande efficacia empatica, tipica di questo momento storico a cavallo tra i due secoli, specie in Italia padana. L'interpretazione soffusa di sensualità quasi sfibrata, nella dolcezza arrossata delle carni e nelle labbra schiuse, fece la fortuna enorme di questa invenzione, in assoluto una delle più felici del pittore, che perciò dovette affezionarsi a essa e replicarla a più riprese. Anche di un dipinto simile, come della *Veronica* di Lorenzo Costa, Francesco Gonzaga – della cui consorte Isabella d'Este Maineri eseguì un ritratto nel 1498 e alla cui corte mantovana cercò di inserirsi a partire dal 1503 – avrebbe detto che pareva "di mano più dolce e suave che non era quella del Mantegna". L'opinione tradizionale – specie per Berenson (1932, pp. 324) e ancora per Cogliati Arano (1965, pp. 41 e 94) – che faceva dipendere questa invenzione di Maineri da Andrea Solario è senz'altro da smentire (in questo senso: Brown 1987, p.134 nota 55; e per l'equivoco di un'ipotizzata parentela tra Solario e Maineri: Shell, in Brown 1987, p.290). Nessuna delle varie elaborazioni del tema da parte del

pittore milanese, sullo stimolo della provocazione leonardesca, assomiglia veramente all'impaginazione di Maineri. Le corrispondenze più puntuali sono semmai con una xilografia, recante il versetto evangelico "qui vult post me venire abneget semetipsum et tollat crucem suam et sequatur me", sempre ritenuta lombarda per attrazione verso un genere devozionale che un tempo si credeva esclusivo o quasi di Andrea Solario e della cerchia leonardesca milanese (cfr. Hind 1935, p. 446; Ringbon 1965, p. 150; Brown 1987, pp. 86-88), mentre ne andrà forse ripensata una collocazione ferrarese o romagnola, in forza anche delle rispondenze letterali nelle opere di Marco Palmezzano, in particolare nella tavola firmata e datata 1503, degli Staatliche Museen di Berlino, già nella collezione di Vincenzo Giustiniani. Quest'opera è in testa a una serie nutrita di varianti sul tema (riepilogate da Mazza 1991, pp. 33-37), infittite negli anni venti e trenta, con interpolazione di altre figure come sgherri o astanti compassionevoli, senza mai tradire il taglio astraente e non narrativo di *Andachtsbild* esemplare. Dei primi anni del Cinquecento e suo dovrebbe essere un *Cristo portacroce*, con lo sguardo rivolto verso il fedele, che apparteneva alla collezione Chiericati Salvioni e che era passato a un'asta di Sotheby's a Firenze (13 ottobre 1972, lotto 163), come opera di Benedetto Montagna (nella fototeca del Kunsthistorisches Institut di

Firenze sotto Zaganelli). In precedenza Palmezzano, per impaginare il *Cristo portacroce* nella tavola della Bob Jones University di Greenville, databile intorno al 1500, aveva preso in prestito la figura del Salvatore, accostata a quella di un soldato, dai *Trionfi di Cesare* di Mantegna (come si è accorto David Ekserdjian: cfr. Christiansen in Londra – New York 1992, p.157 nota 25). È probabile che nel 1503 conoscesse invece qualche esemplare dipinto da Maineri e vi si ispirasse, anche se in seguito, in un florilegio tutto retrospettivo, sembra rivisitare tanto il prototipo nobilmente composto di Giovanni Bellini (da cui non dipende però la tavola Giustiniani, contrariamente a quanto si dice talora), quanto quello che dovrebbe risalire ad Andrea Mantegna stesso (Verona, Castelvecchio; Oxford, Christ Church) e ad Antonello da Messina, dove Cristo volge drammaticamente il capo verso lo spettatore, in una fissità pensosa che lo astrae radicalmente dalla scena, come in *Francisca* di Manuel de Oliveira (così nel *Cristo portacroce* del Museo Correr, datato 1525).

Bibliografia: Berenson 1901, p. 95; Venturi 1907, pp. 37-38, Berenson 1932, p. 324; Pallucchini 1945, p. 86; Cogliati Arano 1965, pp. 41 e 94; Zamboni 1975, pp. 55-56 (con bibliografia precedente); Mattaliano in Londra 1985, pp. 84-85; Lucco in *Pinacoteca* 2003, pp. 263-264.

Andrea De Marchi

Francesco Zaganelli
(Cotignola, documentato dal 1484-Ravenna, 1532)

54. *Cristo portacroce*, 1505
tavola, 37 × 30 cm

Modena, Galleria Estense, inv. 3476

L'immagine del volto di Cristo, crudelmente coronato di spine, con le palpebre basse e le mani strette sul braccio lungo della croce, apparenta questa tavola alle numerose elaborazioni del *Cristo portacroce* da parte di Maineri e di Palmezzano. Opera di Francesco Zaganelli, cui lo ricondusse Berenson (1936, p. 520), si colloca verosimilmente verso il 1505 e va letta in parallelo con le due versioni del medesimo soggetto, pure rivolte verso destra, dipinte nello stesso giro d'anni dal fratello Bernardino, e pur diversissime, a segno dell'essenziale divergenza espressiva fra i due pittori di Cotignola: vale a dire la tavola del Goethe Nationalmuseum di Weimar (38,5 × 33,3 cm: De Marchi 1994, pp. 127-128), e quella di Brera, proveniente dal Corpus Domini di Forlì (37 × 31 cm: Mazza in *Pinacoteca* 1991, p. 313). Alla materia diafana e levigata di Bernardino, in cui si incarna la fragilità sublime e inumana del Cristo, corrisponde una figura ben più tetragona, apprezzabile come tale nonostante lo stato di consunzione della superficie, in contrasto con il manierismo calligrafico cui il pittore indulge nella sovrabbondanza delle ciocche inanellate e nella copia con cui sangue e lacrime rigano il volto. Al collo, là dove talvolta si vede un cappio di corda, Cristo è cinto da una pesante catena di ferro, con rara scelta iconografica, desunta, come ha notato Anchise Tempestini (2000, pp. 319-320), dalla lettera del Vangelo, secondo cui Cristo venne ridotto in catene prima di essere trascinato davanti a Pilato (Mt 27,2: "Et vinctum adduxerunt eum et tradiderunt Pontio Pilato"; Mc 15,1: "Vincientes Iesum duxerunt et tradiderunt Pilato"). La catena al collo compare pure in una tavola del Musée du Petit Palais ad Avignone (31 × 26 cm), in cui Cristo sembra volgersi indietro, in cerca disperata di aiuto, con idea dunque piuttosto teatrale, e diversa dalla chiave meditativa e intimistica dell'opera modenese. In un dipinto assai consunto della collezione Colonna a Roma, il Cristo è frontale e sembra pure volersi rivolgere direttamente al fedele, interrogarlo. Altre versioni sono anche peggio conservate e di paternità dubbia. Di maggiori dimensioni e taglio meno ravvicinato, sono infine due interpretazioni particolarmente intense del tema, in una tavola Visconti di Modrone depositata a Brera (95 × 55 cm), resa nota da Wilhelm Suida (1930-1931), di insolito formato verticale, dove la figura sofferente quasi soccombe sotto a un panneggio pletorico e arrovellato; e in un'altra tavola del Museo di Capodimonte a Napoli, firmata e datata 1514 (70 × 52 cm), che astrae la figura di Cristo, come sospendendo l'azione, e ce lo presenta di fronte, appesantito dalla catena di ferro al collo, col capo adagiato sul braccio della croce, più malinconico che straziato. La predilezione per il tema è confermata anche da Giorgio Vasari (1568, ed. 1966-1988, IV, pp. 555-556), secondo cui Francesco avrebbe lasciato nella chiesa ravennate di Sant'Apollinare nuovo una tavola, non più identificabile, con "Gesù Cristo quando e' porta la croce, la quale non poté finire, intervenendo la morte".

Bibliografia: Berenson 1936, p. 520; Roli 1965, p. 240; Paolucci 1966b, p. 73; Zama 1994, p. 176 (con bibliografia precedente); Tempestini 2000a, pp. 319-320.

Andrea De Marchi

Girolamo Marchesi
(Cotignola, documentato dal 1504-Bologna, documentato fino al 1531)

55. *Cristo portacroce*, 1515 circa
tela, 52 × 39,2 cm

Roma, Galleria Spada, inv. 63

Il dipinto faceva parte della collezione del cardinale Bernardino Spada (1594-1661), che era nato a Brisighella da Paolo Spada, tesoriere di Romagna, e da Diana Albicini, nobildonna forlivese, e che nel 1627-1630 fu legato apostolico a Bologna. Già riferito a Marco Palmezzano, venne restituiuto a Girolamo Marchesi da Roberto Longhi (cfr. Zeri 1954, p. 97). A conferma della bontà dell'attribuzione soccorre pure un'altra versione assai simile, e però su tavola, conservata nella collezione Campana al Musée du Petit Palais di Avignone (53 × 50 cm: cfr. Laclotte, Moench 2005, pp. 149-150, cat.180), che è iscritta sullo spessore della croce in basso "HIERONIMVS MARCHESIVS COTIGNOLA FACIEBAT". In entrambe le opere il volto di Cristo è intensamente indirizzato verso il fedele, quasi in un estremo appello, sottolineato dalla bocca retoricamente schiusa; notevoli però sono le va-

rianti, specie nel diverso gioco delle mani, abbassate e incrociate nella tavola Campana, più alte e distanziate in quella Spada. Simile deve essere il tempo in cui vennero realizzate, anche se forse la tela romana è lievemente posteriore, per via degli occhielli più morbidi e copiosi delle vesti. In ogni caso non può servire di orientamento la data MDXX o MDXXVI che era stata letta nell'Ottocento, ora illeggibile e in ogni caso implausibile, perché verso il 1520 Marchesi sta ormai mutando radicalmente pelle, ammorbidendosi in senso filo-romano e raffaellesco, in parallelo con Bagnacavallo senior e con Girolamo da Treviso il giovane. La datazione più probabile è verso il 1515, come già ben visto da Cavalcaselle (Crowe, Cavalcaselle 1912, II, p. 314 nota 2), dopo la pala votiva di Ginevra e Costanza Sforza (Milano, Pinacoteca di Brera), datata 1513, che è meno svolta. Di poco seguente e

presago dello sviluppo verso un respiro più grandioso è il *Compianto su Cristo morto* dello Szépmuvészeti Múzeum di Budapest, segnato "HIERONIMVS DE MARCHESIS DE COTIGNOLA FACIEBAT", derivato dalla cimasa della pala di Pesaro di Giovanni Bellini, cui si ispirò più volte anche Marco Palmezzano (cfr. Tempestini 1999). Alla fase giovanile di Marchesi, notevolmente incrementata dagli studi recenti (cfr. Ugolini 1992, p. 27; Mazza 1993, pp.120-121, e De Marchi 1994, pp.128-129 e 134-135 nota 32), a danno del *corpus* zaganelliano, va aggiunta una minuscola *Sacra Famiglia* già a Bruxelles in collezione Somzée (vendita 1904, lotto 321), quindi a Dortmund in collezione Cremer (vendita a Berlino 1929, lotto 117) e a Berlino in collezione Grampe (vendita 1935, come Boccaccino), e una *Donna alla toletta con ancella* del Musée Calvet di Avignone (inv. 836.16, antica-

mente riferita a Pontormo: cfr. Malgouyres, Sénéchal 1998, p.156, cat. 87, come copia da un originale veneziano dell'inizio del XVI secolo), che ne attesterebbe la precoce frequentazione di temi profani, in linea col *Suicidio di Cleopatra* di Bayeux, restituitogli da Andrea Ugolini. Della fase più moderna ci piace invece segnalare, perché ancora inedita e di grande qualità, una *Sacra Famiglia con san Giovannino e san Paolo* donata alla cattedrale di Livorno, nonché un *San Giovanni evangelista* del Musée Bossuet a Meaux, giustamente riferitogli da Jean Christophe Baudequin.

Bibliografia: Zeri 1954, p. 97 (con bibliografia precedente); Fioravanti Baraldi 1986; Ugolini 1992, p. 27; De Marchi 1994, pp. 128, 134 nota 30; Laclotte, Moench 2005, pp. 149-150.

Andrea De Marchi

Girolamo Genga
(Urbino, 1476 circa-1551)

56. *Madonna con il Bambino, san Giuseppe e san Girolamo*, 1518-1519
tavola, 58,5 × 45 cm

Venezia, Collezione privata

La notizia della provenienza di quest'opera da Cesena (Colombi Ferretti 1985, p. 54) sembrerebbe ricollegare la sua esecuzione agli anni in cui Genga risiedette nella città romagnola per eseguirvi la pala della *Disputa sull'Immacolata Concezione* nella chiesa di Sant'Agostino. Tuttavia, man mano che i legami della sua attività con la Romagna appaiono più fitti, la possibilità di indicare una datazione precisa non è poi così immediata. Due sono i documenti segnalati da Giampiero Savini nel 1985: un inventario di casa Albizi del 1606 (Bibl. Com. Cesena, ms. 164/17, vol.V, c.53v), dove la memoria di Genga come autore è conservata esattamente; un manoscritto del canonico Sassi (*Ibidem*, sec. XIX, ms. 164/70/9, p.69), in cui si fa riferimento al quadro, conservato in palazzo Ghini, e al testamento del cardinale Francesco Albizi, suo antico proprietario, che, per la devozione a quest'immagine, voleva che tutta la famiglia si riunisse la notte di Natale per accendervi davanti un cero. Nel suo testamento il dipinto è dato al Perugino o a Genga. Fu un personaggio importante, di fede giansenista (cesenate di nascita, visse dal 1591 al 1684; Ceyssens 1975).

In aggiunta a queste notizie, è possibile forse individuare il committente dell'opera: deve trattarsi di Niccolò Albizi, esule da Firenze perché condivise le sorti del padre e del nonno, nemici dei Medici. Francesco, suo padre, era stato nominato da Sisto IV tesoriere della Romagna e aveva trasferito la sua residenza a Cesena, dando inizio a una discendenza locale. Niccolò ebbe la stessa carica del padre. Risulta che sia morto a Roma nel 1527. Da lui discese Violante, nata nel 1673, sposa del conte cesenate Alessandro Ghini e nonna di Pio VII. (Litta, XI, 146, 1876). Il secondo documento parla, infatti, di un'ubicazione del dipinto in palazzo Ghini.

Un lettore interessato a proseguire il discorso su questo dipinto può passare direttamente alla fine della scheda. Il senso della presenza in questa mostra di un'opera di Genga, questa sola, richiede una qualche spiegazione, per la statura rilevante del personaggio. A Forlì resta solo la memoria delle sue pitture, distrutte nel 1793 con l'intera chiesa di San Francesco Grande, e dal piccolo quadro degli Albizi di Cesena si può misurare il notevole contrasto con la situazione di un centro tenacemente fedele a una pittura ancora di tipo quattrocentesco, come Forlì.

La maggiore opera pittorica romagnola di Genga è la *Disputa sull'Immacolata Concezione* per Sant'Agostino di Cesena. Il contratto per il grande altare è del 1513; la prima attestazione di una dimora stabile in città dell'artista con la sua famiglia è del 1516. Un pagamento pressoché esaustivo è del 1518 (riscosso tramite il fratello) e l'inaugurazione dell'opera finita è il 28 agosto 1520, per la festa di sant'Agostino. Il complesso è oggi smembrato e non si riesce a farsi un'idea esatta della sua forma, ma i pezzi che dovevano comporlo sono quasi tutti noti. A Cesena resta solo la cimasa con l'*Annunciazione*, di forma modificata; la tavola maggiore, con la *Disputa sull'Immacolata Concezione* è a Brera, e le predelle sono una a Bergamo, una a Columbia (South Carolina) e la terza (ritrovata da Morandotti, 1993) in una collezione privata. La descrizione molto esatta contenuta nel contratto lascerebbe intendere che ci dovessero essere due figurette laterali nella predella, ma non ne sappiamo niente; neppure se siano state effettivamente eseguite.

Artista mai semplice da afferrare, Genga non appartiene soltanto alla storia della pittura. La sua molteplice attività trova spiegazione soprattutto nella sua condizione di artista di corte, quella dei Della Rovere, a Urbino e a Pesaro. Sotto questa luce trovano una ragion d'essere le disparatissime sollecitazioni che egli riceveva nei più vari generi di creazioni artistiche, come pure la complessa geografia dei suoi spostamenti. Abituato a realizzare ogni sorta di apparato decorativo, sviluppò doti di coordinamento del lavoro altrui che, per limitarci al campo che ci interessa, hanno certo attinenza anche con le poche – per altro assai significative – realizzazioni pittoriche. Le occasioni in cui si riesce a metterlo a fuoco da un punto di vista propriamente stilistico vanno cercate nelle sue opere di piccolo formato, che significa eseguite di sua mano: è qui si può apprezzare quanto grande fosse la sua capacità e quanto personale la sua posizione proprio nel momento delle trasformazioni più profonde che stavano maturando nell'arte, dalle tecniche, alla funzione, alla capacità espressiva. E, ciò che più conta, a contatto diretto e personale con i massimi protagonisti.

La biografia dedicata a Genga da Vasari, per sua stessa dichiarazione, riceve impronta dall'amicizia con Bartolomeo, figlio di Girolamo. In grande evidenza viene posta la fedeltà dell'artista al duca Francesco Maria I Della Rovere. Non può essere un caso, infatti, se gli anni dell'altare di Cesena si collocano nel periodo di sfortuna politica del duca, cacciato dal suo stato dal papa Leone X, che vi aveva insediato il nipote Lorenzo de' Medici. Il vento cambiò, come è noto, alla morte del papa nel 1521. In pochissimo tempo Francesco Maria recuperò il ducato e Genga ritornò presso di lui. Qui si apre una fase relativamente più stanziale della sua attività, collegata a un evolversi del suo ruolo nel senso di vero e proprio architetto, dedicato all'edificazione dei luoghi simbolici del potere nello stato roveresco, ma in precedenza la sua formazione e le sue esperienze di lavoro erano state improntate da un inesausto dinamismo.

Nel secondo decennio del Cinquecento, il rapporto con Luca Signorelli, che a detta di Vasari (ed. Milanesi, VI, 1906, pp. 315-322) fu il suo primo maestro, lascia le ultime (e le più chiare) tracce di sé a Siena. Per altro, la mappa dei luoghi di lavoro del cortonese non sembra avere un'esatta corrispondenza con gli spostamenti di Genga. Se Vasari, oltre ai centri rovereschi, si limita a nominare Perugia, Siena, Roma, Forlì e Cesena (e Mantova, che appare solo a una lettura attenta), è utile rendersi conto che la sua *Vita* risponde ad altri scopi che non di raccolta sistematica di notizie. Piuttosto che ricercare minutamente luoghi di apprendistato artistico o di collaborazione coi suoi maestri (dopo Signorelli, il secondo è Pietro Perugino), è forse meglio seguire un altro filo interpretativo: la logica che governa l'attività di un artista di corte. Anche le occasioni formative nell'arte vera e propria della pittura saranno da vedersi come riassorbite e governate da questo ruolo. Egli stesso lo afferma con forza nei suoi anni maturi (nelle lettere che accompagnano il cantiere della villa Imperiale di Pesaro nel quarto decennio) come se tirasse le somme di una giovinezza spesa in mezzo a spostamenti e lavori di ogni genere, riconoscendovi un senso unitario, non privo di una sottolineatura morale, per la lunga fedeltà ai suoi signori (Gronau 1936, p. 137). L'inclinazione alla ricerca di esperienze e di tecniche sempre nuove sembra essersi alimentata proprio traendo vantaggio dalla stessa condizione di vita dell'artista: egli veniva "prestato" in via di favore personale da chi lo teneva presso di sé come cortigiano, e per questo viaggiava esonerato dal pagamento di tasse alle corporazioni locali e libero da ogni vincolo circa la bottega e il numero dei collaboratori da ingaggiare (Colombi Ferretti 2003, pp. 29-34).

Tornando al contratto con gli agostiniani di Cesena, nel settembre 1513, esso prevedeva che Genga risiedesse in città e non lavorasse per altri, se non con esplicita autorizzazione. Se i committenti vollero garanzie così vincolanti, la sequenza dei dati a nostra disposizione può

spiegarne in parte il perché. L'anno prima di sottoscrivere questo impegno, l'artista – dando credito alle circostanze e alla data della *Vita* di Vasari – aveva già eseguito alcuni perduti affreschi in San Francesco Grande a Forlì, nella cappella del medico Bartolomeo Lombardini. Egli stesso, che morì proprio nel 1512, ne sarebbe stato il committente. Il contratto ritrovato da Grigioni (1927), che frettolosamente dichiarò inattendibile il racconto vasariano, sembra invece riferirsi a una situazione successiva e a un lavoro diverso. Vasari, infatti, parla come di cose distinte della *Storia dello Spirito Santo*, quella eseguita per il Lombardini e della *Assunzione della Vergine*. La menzione dell'una e dell'altra opera, pur se nell'ordine scambiato, è separata dal nesso "fecevi anco". Il contratto trascritto da Grigioni parla proprio di un'*Assunzione*, registra come committenti due membri della famiglia Monsignani, cioè gli esecutori testamentari del Lombardini, ed è del 1518, precisamente subito dopo la riscossione del pagamento presso il finale dell'altare dell'*Immacolata Concezione* (Colombi Ferretti 2003b, pp. 26-27, 329). Alla lettera, le clausole contrattuali di quest'opera potevano considerarsi rispettate – e magari è vero che nel frattempo Genga non prese impegni scritti con altri committenti – ma la sua capacità di progettare e coordinare mille altri lavori destinati a essere realizzati da mani anche altrui poteva benissimo non sentirsi rinchiusa dagli atti notarili. Da alcune sporadiche tracce d'archivio e da un'attenta ricognizione degli indizi risulta che la sua permanenza fu tutt'altro che stanziale. Nella stessa Cesena, oltre alla memoria di un altro altare per la famiglia Fattiboni (non si sa per quale chiesa) che potrebbe anche essere identificabile con l'altare della *Lavanda dei piedi*, completo di lunetta, già esistente nella stessa Sant'Agostino (Tambini 1996, p. 96; ma il quadro di Strasburgo è troppo piccolo per quella destinazione pubblica, e sarà meglio intenderlo come uno studio collegabile a quell'opera; non sottoscriverei il mutamento di attribuzione in favore di Marcillat proposto da Bartalini 1996, p. 77), rimangono la testimonianza di pitture eseguite nella Badia del Monte e la documentata provenienza cesenate del dipinto esposto, appartenuto alla famiglia Albizi, e anche della *Sacra famiglia* in collezione Lechi a Brescia e di un perduto *San Domenico* (Colombi Ferretti 1985, p. 54). Una vicinanza di stile riconoscibi-

lissima riconduce al momento romagnolo anche le due tavolette da poco entrate nella Galleria Nazionale delle Marche, sulle quali manca ogni notizia antica (Del Proggetto in Urbino, 2004, pp. 312 e 337).

Le domande sul perché della presenza di Girolamo Genga in queste città romagnole forse diventano via via meno bisognose di appoggiarsi a una singola circostanza significativa, se si incomincia a tenere presente la quantità di vicende che condussero, per esempio il duca Francesco Maria della Rovere a passare e soggiornare a Forlì, di tutti gli avvenimenti della sua biografia e di quella dello zio Giulio II, che ebbero luogo in terra romagnola. Se poi, ogni tanto, si riesce a mettere in luce qualche dato in più, sarà un ulteriore invito a considerare l'articolazione veramente molteplice dei legami tra i luoghi e le persone nel corso delle complesse vicende politiche del primo ventennio del Cinquecento. Tra il 1509 e il 1512 è ormai ben nota l'opera prestata da Genga a Pandolfo Petrucci, per breve tempo investito della signoria di Siena. Amicissimo del papa Giulio II, dopo aver militato nei vari conflitti di quegli anni nello stesso schieramento di alleanze del duca di Urbino, Guidubaldo della Rovere, il nobile senese fece decorare, all'interno del proprio palazzo, una serie di stanze in occasione del matrimonio di uno dei suoi figli, Borghese, nelle quali Genga lavorò al fianco del Pinturicchio e, per l'ultima volta, di Luca Signorelli. Tra il 1512 e il 1517 un altro figlio e un nipote di Pandolfo Petrucci, Alfonso e Raffaele, ebbero, a ruota l'uno dell'altro, la nomina di vescovi ed economi nella diocesi di Bertinoro (Bonoli 1661 ed. 1826, II p. 351; Moroni 1851 pp. 249-250). Nello stesso anno, 1512, morì Pandolfo e morì anche papa Giulio II. Vasari testimonia che Genga lavorava a Forlì in quell'anno.

E poi vi è un altro dato da valutare: quanto rimane di cinquecentesco nel manomesso palazzo di via Volturno a Forlì, chiamato palazzo Petrucci, non si riconduce facilmente a tracce coeve di proprietà di quella famiglia (ben documentata due secoli dopo). Conserva, invece, al piano nobile un soffitto a cassettoni lignei in forma di lacunari classici (quelli provenienti dal palazzo senese del Magnifico Pandolfo, trasmigrati a New York, sono assai più articolati nel disegno e ornati da dipinti assai più significativi, con scene figurate, e anche di assai controversa attribuzione); e al piano terra

si vede un ambiente la cui volta, elegantissima, è caratterizzata da un motivo a ombrello, ma non continuo: è uno spazio rettangolare in mezzo a due semicerchi modulati da spicchi sottili, che terminano con peducci in cotto, in forma di piccolo mascherone (Furani 2002, pp. 119-123). Un motivo che caratterizza, tra l'altro, semplice o doppio, interrotto o continuo, alcuni altri edifici a Forlì e nei luoghi vicini (non è questo il luogo per tracciarne una mappa, ma di tutti si può trovare una ragione che rimandi alla presenza di Genga: il convento delle clarisse accanto a San Biagio, in cima alla scala dove si trovava il perduto *San Girolamo* affrescato da Menzocchi; una cappella di passaggio verso la sagrestia nella collegiata di San Rufillo a Forlimpopoli, chiesa che conserva una pala d'altare dello stesso Menzocchi; la sala capitolare dei Servi di Forlì, dove le lunette tra gli spicchi dell'ombrello, per illeggibili che siano, sembrano da ricondurre anch'esse – anche sulla scorta della letteratura locale – alla famiglia Menzocchi; l'altra sala capitolare di forma identica della Badia del Monte di Cesena; e l'elenco non sarebbe finito). Si può anche ricordare, tra i mille aspetti di vita quotidiana su cui getta luce in maniera più o meno diretta e intenzionale il *Diario* di Giovanni Battista Belluzzi, genero di Girolamo Genga, il racconto di un episodio che mostra quanto naturale, fertile e generosa fosse la capacità che l'artista possedeva di elaborare progetti sul momento e in qualsiasi circostanza, quando, in occasione di una gita coi suoi parenti, regalò alla famiglia presso cui si erano fermati un disegno rivelatosi utilissimo per migliorare la loro casa (Belluzzi ed. Egidi, 1907, p. 63). Auguriamoci che possa presentarsi un'occasione per seguire con attenzione mirata quanto si può ricostruire delle raffinatezze archeologizzanti che potrebbero ricondurre con più fondamento a Genga stesso lo svilupparsi di un nuovo gusto architettonico e decorativo a Forlì. Gli affreschi Lombardini saranno stati frutto del coordinamento di vari artisti, non soltanto locali (Timoteo Viti e Francesco Menzocchi sono i soli nomi che conosciamo). Si può pensare che la sua presenza nel cantiere della cappella si sia armonizzata anche con quella di altri documentati personaggi, come Marco Palmezzano, Bernardino Guiritti, lo scultore Pietro Barilotto o i ceramisti del pavimento. Per inciso, proprio la capacità di progettare pavimenti maiolicati, come quello del palazzo

Petrucci di Siena, o come quello Lombardini di Forlì, costituisce un aspetto di tutto rilievo nella poliedrica attività di Genga, e non di molti altri a queste date (Colombi Ferretti 2003b, pp. 27 e 64; Fiocco – Gherardi 2004, pp. 24-28).

La piccola *Natività con san Girolamo* testimonia, invece, della capacità di lui solo. Nato a Urbino come Raffaello, più giovane di lui di sette d'anni, e "di lui molto amico" (Vasari, 1568 ed. 1905, VI, p. 316), Girolamo Genga era in rapporti personali anche con Michelangelo (la *Madonna* al centro della *Disputa* di Cesena segue da vicino, e non solo nell'atteggiamento, la *Madonna* di Bruges, che poté aver visto solo nella bottega fiorentina, dalla quale la statua partì appena finita nel 1506; molto più tardi, nel 1529, Sebastiano del Piombo cerca la mediazione di Genga tra Michelangelo e il duca Francesco Maria, erede di Giulio II, per la tragica storia delle figure destinate al monumento funebre del papa; Colombi Ferretti 1985 p. 51 e 2003 p. 42). Se conoscesse o meno anche Leonardo non lo sappiamo, ma la sua pittura testimonia chiaramente che gli erano note le sue opere. E nella Firenze in cui si ponevano le basi di un così profondo mutamento dell'espressione figurativa conosceva di certo Andrea del Sarto (non lo afferma per primo, ma lo circostanzia molto bene Morandotti, 1993).

La testa della *Madonna* Albizi riprende puntualmente lo schema seguito per quella della pala dell'*Immacolata*: velata, inclinata e con gli occhi bassi. Ma nella piccola tavola non vi è nulla di statuino. Di Leonardo aleggiano nella natura l'ombra e le forme inquietanti, con un ricordo dei sedimenti orizzontali delle rocce di Andrea Mantegna. Le linee vibranti del disegno costituiscono un tratto di stile peculiarmente proprio di Girolamo Genga, in cui si scorge quanto personale sia il suo modo di intendere Raffaello: i contorni sono da vedersi sì come discrimini e indici di spazio, ma non vi è traccia di un sereno predominio sulle sembianze del mondo naturale. È un turbamento che si esprime anche in campi di colore continuamente rotti da increspature, dove la luce non avvolge unitariamente le forme, ma è vagante e mutevole di intensità. I colori sono vivi e preziosi, con accordi anche squillanti, ma non stridenti. Quello che rimane trattenuto nella pittura è un atteggiamento momentaneo delle figure, non un comporsi sovranamente fissato dei loro gesti secondo le regole che usualmente

intendiamo come classiche. È un insieme di peculiarità assai più vicine a Lorenzo Lotto che a Raffaello (su questo scambio si legga Morandotti, 1993, pp. 276, 279). Ma al posto del colore saturo da lui usato soprattutto negli incarnati, attraverso il quale la potente fisicità di Tiziano diviene sì più fragile, ma rimane sempre viva, Genga elabora un colore perlaceo della pelle, usando varie sovrapposizioni di velature semitrasparenti, dove la luminosità sembra provenire da dentro e le ombre assomigliano a un fumo vagante. È il suo modo di intendere Leonardo, qui in particolare vicino agli esiti di un leonardesco come Cesare da Sesto, più evidentemente affilato ed elegante. Questo modo di dipingere fa parte di un sostrato intimo del nipote, Federico Barocci, che imparò a disegnare in casa di suo figlio Bartolomeo, con la guida anche di Francesco Menzocchi (Turner 2000, pp. 10, 19; Colombi Ferretti 2003a, p. 17). Ma tirare in ballo il termine di manierismo, o anche solo di protomanierismo, non è utile a capire la posizione di Genga nei pochi anni e nelle poche opere in cui fu pittore, principalmente perché il problema dei modelli per lui non ha niente di obbligante. È anzi stupefacente constatare come il suo dialogo, con le grandissime personalità a lui vicine

che stavano imprimendo alla dimensione del figurativo uno dei rinnovamenti più profondi che si conoscano, rimanga sempre libero e capace di punti di vista di volta in volta nuovi.

A Forlì forse avrà dipinto altri quadretti come questo, ma l'impatto della sua presenza di certo interessò aspetti più esteriori, come modelli di figure sui tipi dei cartoni usati per le opere maggiori, o la sapienza tecnica nel maneggiare il colore a olio. E chissà se le pitture in San Francesco erano proprio affreschi o anche qui l'artista propose qualcosa di nuovo. Perché la sapienza tecnica e la capacità sperimentale sembrano appartenergli profondamente – e questo è un altro dei motivi per cui, all'interno del suo ristretto catalogo di pittore, i tratti di continuità non consentono di tracciare facilmente una linea di sviluppo che corrisponda a una cronologia.

Se nelle pitture del 1512 per Lombardini è lecito immaginare la sua fisionomia stilistica orientata come nella *Trasfigurazione* del Museo dell'Opera di Siena (coperta per l'organo della cattedrale commissionata nel 1511) le tracce della lunga frequentazione dell'ambiente senese saranno state, come qui, declinate in un'accezione tagliente, monumentale e severa, senza che rimanga agevo-

le decifrare gli specifici punti di consonanza con Girolamo del Pacchia, col Sodoma, o altri comprimari di quel complesso momento. Se, invece, le più sottili affilature e la qualità come inafferrabile delle forme possono essere indici di una cronologia – se pure di poco – più avanzata, c'è un piccolo gruppo di opere che condivide questi caratteri con la tavoletta degli Albizi: la *Sacra Famiglia con san Giovannino e san Zaccaria* di Nantes, l'altro analogo soggetto, privo della figura di san Zaccaria, in collezione privata, con qualche aspetto più senese (reso noto da Todini 1993), e la *Sacra Famiglia* Lechi, con quel tanto di spiritato che richiama il giovane Beccafumi.

Giudicando innanzitutto il punto di stile, tutte appaiono assai vicine all'*Annunciazione*, cimasa dell'altare di Sant'Agostino, rimasta a Cesena. La fattura di quest'ultima è sensibilmente diversa da quella della tavola centrale, oggi a Brera, e si può giudicare che sia eseguita senza collaboratori, verosimilmente in chiusura dell'intero lavoro.

La successiva, e ultima, impresa pittorica di Genga ha un'ubicazione e un contesto di riferimenti di nuovo radicalmente mutati: è la monumentale *Resurrezione di Cristo* per la chiesa di Santa Caterina da Siena a Roma. Il committente fu Agostino Chi-

gi e la chiesa era quella della confraternita dei senesi a Roma, per cui c'è da pensare che i legami con la città toscana abbiano trovato modo di riallacciarsi, o che non si fossero mai allentati del tutto. Il fatto è che ognuno degli ambienti in cui ritroviamo Genga al lavoro non si adatta a essere esaminato come un capitolo dai contorni ben circoscritti, in senso sia biografico sia cronologico. E l'obbiettivo da centrare – se così può definirsi un tentativo di precisazione cronologica – è mobilissimo, per la mutevolezza così rapida della maniera di Genga nelle occasioni in cui maneggiò i pennelli. Il dipinto degli Albizi non mostra somiglianze nella nuova direzione senese-romana, ma a quei pochi momenti creativi che riusciamo a mettere a fuoco intorno all'altare dell'*Immacolata*. Potrebbe convenirgli una data compresa tra il 1518 e il 1519.

Bibliografia: *Memorie*, ms. 164/17, vol. V, c.53v; Sassi, ms. 164/709, p. 69; Ceyssens 1975, pp. 343, 359; Colombi Ferretti 1985, p. 54.

Anna Colombi Ferretti

Restaurato in occasione della mostra.

4. PERSISTENZA DI UN'IDENTITÀ

Luca Longhi
(Ravenna, 1507-1580)

57. *Madonna in trono con il Bambino fra i santi Rufillo e Antonio da Padova*, 1530
tavola, 230 × 180 cm

Forlimpopoli, basilica di San Rufillo

iscrizione: Lucas de Longhis ravennas / pingebat die XV aprilis MDXXX

L'opera fa parte di una serie di pale commissionate al ravennate Luca Longhi da Antonello Zampeschi, signore di Forlimpopoli e Santarcangelo, che, intorno agli anni trenta del XVI secolo, dopo aver perso in guerra l'uso di un braccio, abbandonò le armi per dedicarsi alla gestione dei propri feudi, dando notevole impulso alle committenze artistiche nelle città di cui era signore (Ravaglia 1947).

La *Madonna in trono con il Bambino e i santi Valeriano e Lucia*, che è la prima opera nota di Luca Longhi, fu commissionata nel 1528 per la collegiata di San Ruffillo a Forlimpopoli. Nell'opera sono rappresentati i santi protettori della famiglia Zampeschi e, inginocchiato in armatura al cospetto della Vergine, il padre di Antonello, Brunoro Zampeschi, morto nel 1525. Nella volontà di palesare la famiglia committente e l'identità del personaggio effigiato, viene inserito, sulla sinistra della tavola, ben in vista lo stemma di famiglia, caratterizzato dalle due spade passate in croce di Sant'Andrea sormontate da una stella, mentre sulla destra si individua un altro blasone, che Egidio Calzini riferiva della famiglia Mignani. L'identità del cavaliere, ritratto in maniera calligrafica, è confermata dal confronto col monumento equestre in pietra d'Istria, commissionato nel 1535 da Antonello Zampeschi per celebrare il padre, sul quale si legge l'epitaffio "BRUNORUM ZAMPESCUM FORDPULIENSEM BELLICIS ARTIBUS INSIGNEM IULIO II. AC LEONI X PONTIFICIBUS MAX CARUM ANTE DIEM VITAM FUNCTUM ANTONELLUS FILIUM

SANCTORUM MAURI ET ARCANGELI OPPIDORUM PRINCEPS CLARISS. DECORAVIT. VIXIT ANNOS. LX. OBIIT MDXXV. OCT. KL. DEC.". La scultura, attribuita a Jacopo Bianchi, era in origine nell'abside di San Ruffillo, ma nel 1821 fu collocata all'esterno della chiesa, come *pendant* al monumento di Brunoro II, fatto erigere nel 1591 dalla vedova Battistina Savelli a memoria del marito, omonimo del nonno paterno e ultimo signore di Forlimpopoli (Piraccini 1974b, Gori 1990).

La seconda tavola, che è quella esposta in mostra, fu commissionata due anni dopo, per la medesima chiesa, ed è firmata e datata sul cartiglio "LVCAS DE LONGHIS RAVENNAS PINGEBAT DIE XV APRILIS MDXXX". L'impianto iconografico è quello dell'opera precedente, con qualche variazione: i santi Ruffillo e Antonio da Padova a sostituzione dei precedenti, e il ritratto del committente stesso nelle vesti del cavaliere orante, nella medesima posa e imbrigliato nella corazza con cui era stato effigiato il padre.

Nel 1531 Antonello commissionò una terza pala rappresentante la *Madonna in trono con il Bambino e i santi Francesco e Giorgio*, sul cui cartello si legge "LUCHAS DE LUNGIS DE RAVENA PINZEBAT MDXXXI", destinata alla chiesa di San Francesco dei frati conventuali di Santarcangelo (oggi in municipio), vicariato di cui era stato investito nel 1530 da Clemente VII e dal quale venne destituito dopo quattro anni. Il pittore ripropone nelle tre opere, realizzate a pochi anni di distanza

l'una dall'altra, oltre che la medesima iconografia anche l'impostazione compositiva molto simile e di semplificata simmetria: la Vergine assisa al centro, sul trono con il Bambino in braccio, due santi ai lati, lo sfondo paesaggistico relegato nelle due bande laterali, il cartiglio datato e firmato, e lo stemma araldico nella fascia inferiore del quadro, la figura miniaturizzata dell'armato, che si presenta ancora come un'effige araldica di sapore quasi neomedievale.

L'intento di Antonello è evidentemente quello di celebrare la famiglia Zampeschi, di tradizione guerriera, come rivela l'ostentazione dell'arcaico cavaliere in miniatura, inginocchiato davanti alla Sacra Conversazione, con uno scarto di scala che nel 1528 è ancora maggiore.

L'immagine si risolve in una vera e propria esibizione dei simboli del potere di un'aristocrazia terriera ormai al tramonto: lo stemma gentilizio, ben visibile all'osservatore, la spada, l'elmo, e, soprattutto l'armatura, che nelle tre opere è sempre la stessa, trasmessa dal padre al figlio, vero e proprio *status symbol* militare e politico, che indica il passaggio di eredità, non solo del bene materiale, ma anche del mestiere delle armi.

La pala commissionata da Antonello nel 1530, così come le altre della serie, presenta i caratteri del primo Luca Longhi, ancora orientato, almeno sul piano iconografico, ai modelli di Palmezzano, suo diretto referente per la composizione generale, per il minuto descrittivismo, il disegno marcato dei contorni, il paesaggio, l'altare a nicchia con la tenda sullo

schienale, che ricorda quello del Trittico Acconci, le decorazioni a candelabro, di cui il forlivese fu principale diffusore in Romagna, la figura di sant'Antonio, vicino a quello della Pala di Castrocaro, il finto cartiglio con la firma e la data, tipico del primo periodo di Longhi e successivamente abbandonato. I riferimenti a Palmezzano, tuttavia, non sono univoci nell'opera in questione, che dimostra, rispetto a quella di due anni prima, un'innegabile maturazione dell'artista, ormai prossimo ai modi del Francia e al classicismo bolognese, ben noto in Romagna. Il pittore, infatti, come ha fatto notare Serena Simoni, già a queste date, rivela la sua propensione eclettica nel rielaborare modelli anche eterogenei conosciuti direttamente (Marco Palmezzano, Francesco Francia), o in forma mediata, come nel caso delle sue prime aperture raffaellesche maturate nel contatto con Girolamo Marchesi da Cotignola.

Bibliografia: Vecchiazzani 1647, p. 278; Cappi 1849, pp. 76-77, 82; Cappi 1853, pp. 137-139; Mordani 1874, p. 117; Mordani 1879, p. 104; Calzini 1895a, p. 21; Santini 1903; Venturi 1932, p. 704; Turci 1964, p. 117; Piraccini 1974b, pp. 147, 152, 156-158; *Calendario* 1975; J. Bentini in Ravenna 1982, p. 38; Viroli 1982, p. 89; Gori 1990, pp. 129-130; Bassetti 1991, pp. 67, 72-73, 87; Viroli 1994c, p. 266; Viroli 1995b, pp. 219-220; Viroli 2000, pp. 20, 37; Simoni 2001, p. 8; Togni 2001-2002, pp. 171-173; Tumidei 2003.

Serena Togni

Anonimo del secolo XVI

58. *Ritratto di Marco Palmezzano*
tavola, 55,5 × 44,5 cm

Forlì, Pinacoteca Civica, inv. 117

La tavola ritrae Marco Palmezzano a mezzo busto con in mano il pennello e la tavolozza, si trovava in origine sulla tomba del pittore, collocata, secondo le sue disposizioni testamentarie del 1539, nella chiesa forlivese di San Giacomo Apostolo dei Domenicani, dove era la cappella di famiglia. Qui l'opera si vedeva ancora nel 1661, quando fu segnalata dal cronista Paolo Bonoli, e indicata come autoritratto dell'artista. Nel corso del Settecento i discendenti della famiglia Palmezzani ritirarono il dipinto e lo trasferirono nella propria abitazione, dove è documentato dal bolognese Marcello Oretti durante il soggiorno a Forlì del 1777. La testimonianza pare in contraddizione con la data del ritiro dalla chiesa, riferita al 1781 dalla maggior parte degli storici locali, a partire da Giovanni Casali. E non può escludersi, dunque, che causa dell'intervento fossero stati, non tanto i lavori di restauro avviati nella chiesa proprio in quell'anno, quanto quelli, ancor più radicali, promossi nei primi decenni del secolo, fra il 1715 e il 1719. È certo, invece, che nel 1781 fu rimossa da San Domenico anche la lapide del sepolcro del pittore poi reimpiegata come lastra di rivestimento di una fontana fuori Porta Schiavonia e dopo il 1860 definitivamente perduta, con le informazioni anagrafiche che poteva contenere.
Il quadro rimase presso gli eredi fino al 1854, quando Filippo Palmezzani lo vendette al Comune di Forlì per 960 scudi, sulla base di un preciso accordo con l'allora Gonfaloniere Pietro Guarini che prevedeva anche l'esborso da parte della Municipalità di una retta triennale per gli studi del figlio Giuseppe Palmezzani. Quando giunse in pinacoteca, l'opera recava la sua cornice dorata seicentesca, provvista dell'iscrizione: "MARCUS PALM. NOB. FOROL. HIC. SEMETIPSUM PINXIT OCTUA AETATIS SUAE ANNO 1536".
La testimonianza di Bonoli e una simile referenza, che si ritenne sempre derivata dalla lapide perduta, hanno orientato fra Otto e Novecento l'interpretazione del dipinto, oggi assai controversa su più fronti (identità dell'effigiato, paternità e datazione), quale indubbio autoritratto del pittore eseguito nel 1536 a ottant'anni (la poca attendibilità dell'iscrizione riguardo all'effettiva età di Palmezzano in quell'anno, sarebbe poi stata provata dalle ricerche documentarie di Grigioni).
Fu Adolfo Venturi, dopo una visita alla Pinacoteca di Forlì, nel 1893, ad aprire il dibattito sull'opera, escludendola dal *corpus* palmezzanesco per evidenti discrepanze di stile con il resto della produzione nota e identificandone l'autore nel forlivese Francesco Menzocchi, che nel 1536 era già nel fiore della maturità. L'autorevole parere fu accolto da Calzini, che rivide le sue precedenti posizioni, da Santarelli, Casadei, Laura Filippini Baldani e Adriana Arfelli, mentre mantenero l'assegnazione a Palmezzano Buscaroli e Grigioni, che riconosceva nella posa dell'effigiato quella di un artista allo specchio.
Non possono sorgere dubbi sull'identità dell'effigiato, considerata l'originaria collocazione del dipinto in San Domenico e la presenza della tavolozza e del pennello, coevi al resto della pittura (la riflettografia ha rivelato un'opera molto rovinata, in particolare nella parte centrale, pesantemente abrasa da solventi, ma non ha mostrato segni di aggiunte né ridipinture nella parte inferiore).
Il dipinto resta dunque un punto fermo nella questione, ugualmente dibattuta, dei presunti ritratti palmezzaneschi. Negli anni trenta dell'Ottocento, Reggiani individuava forti somiglianze fra il ritratto e il giovane effigiato di profilo nell'affresco parietale della cappella Feo, all'estrema sinistra, nel gruppo di astanti in costume moderno per i quali venivano fatti anche i nomi di Sigismondo Ferrarese, matematico forlivese amico di Palmezzano, per il personaggio con il compasso in mano, e dello stesso Melozzo per l'ultimo con la barba. Più tardi Francesco Filippini (1938), facendo riferimento al ritratto, pur idealizzato, del *pictor papalis*, documentato in una delle mattonelle pavimentali, già nella cappella Lombardini, propendeva, per riconoscerlo, piuttosto nell'uomo con il compasso, proposta accettata anche da Grigioni nel 1956. Le fotografie disponibili dell'affresco (che si presentava già assai consunto negli anni precedenti la distruzione), riescono a questo proposito di poca utilità. Confrontando il dipinto della pinacoteca con i lucidi e i disegni realizzati da Reggiani nel 1831-1834, non può escludersi, tuttavia, che proprio il personaggio di maggior rilievo, rappresentato con il compasso, fosse in realtà Marco Palmezzano, che del resto firmò e datò autonomamente l'affresco dopo la morte di Melozzo. Né la presenza fra le sue mani del "circino", per quanto più spesso attribuito di un architetto, sembra sconveniente all'autorappresentazione di un pittore prospettico, ancora fresco dell'omaggio tributatogli da Luca Pacioli nel 1494. Non ha avuto seguito, invece, la proposta di Grigioni, su un'indicazione di Corrado Ricci, di riconoscere un altro autoritratto di Palmezzano, databile intorno al 1522, in un dipinto già Costabili, acquistato nel 1873 da Giovanni Morelli e donato all'accademia Carrara di Bergamo come autoritratto di Garofalo. Il ritratto, confermato all'ambito ferrarese anche nell'ultimo catalogo della galleria (Rossi-Zeri 1986, pp. 108-109), presenta effettivamente qualche somiglianza con la fisionomia restituitaci nella tavola di Forlì, ma i dati stilistici sembrano escludere che possa trattarsi di un autoritratto del forlivese. Anche nel caso del dipinto in esame, del resto, l'autografia palmezzanesca va respinta con decisione sulla base dei dati tecnici, stilistici e cronologici, che inducono a crederlo piuttosto un'immagine *post mortem* commissionata dalla famiglia del pittore per la tomba in San Domenico. Caratteristiche del tutto estranee ai modi di Palmezzano si rivelano, oltre che dall'indagine stilistica anche dall'analisi riflettografica: la materia ha una consistenza oleosa ben diversa dalle stesure consuete del pittore; le ombre molto scure, rese senza tratteggio, la costruzione formale ottenuta con il solo colore e l'assenza di disegno preparatorio depongono quanto meno a favore di una datazione assai più tarda nel corso del Cinquecento. Ed è difficile ammettere che, entro la metà del secolo l'immagine di un pittore, sempre conforme piuttosto allo *status* sociale raggiunto, potesse prevedere l'esibizione in primo piano degli strumenti del mestiere, la tavolozza, il poggiamano e il pennello. Questo tipo di rappresentazione compare, episodicamente, solo nella seconda metà del Cinquecento, periodo che, a parere della scrivente, sembra più consono al dipinto della pinacoteca, forse ricavato su un'altra immagine del pittore o dalla maschera funeraria. Lo stile un po' generico del ritratto, non consente, inoltre, di confermare il riferimento venturiano a Francesco Menzocchi, pittore di maniera moderna che, in effetti, si ritrarrà in modo molto informale nel piccolo tondo oggi agli Uffizi, e di cui sono documentati i contatti con Palmezzano ancora nel 1535.

Bibliografia: Oretti 1777c, c. 17; Reggiani – Zampighi. 1831-1834; Reggiani 1834, p. 47; Casali 1844, pp. 18-19; Rosetti 1858, pp. 220-221; Grigioni 1902, p. 187; Servadei Mingozzi 1924; Servadei Mingozzi 1928, pp. 5-7; Ricci 1930; Piraccini 1974a, p. 56; Viroli 1980, p. 74, con bibliografia precedente; Forlì 1991, pp. 109-111; Mezzomonaco 2005.

Serena Togni

Apparati

Primavera romagnola, Forlì

25 maggio 1957 – 25 giugno 1957

Catalogo della Mostra delle Opere del Palmezzano in Romagna

a cura del Municipio di Forlì
Autonomia di Marco Palmezzano
Roberto Papini

Nei tempi attuali abbondano, e forse anche sovrabbondano, le celebrazioni centenarie. Vorrei pensare che il celebrare gli uomini nostri più vivi, nonostante la loro morte lontana, abbia uno scopo chiaro, sebbene nascosto fra le brume del subcosciente: quello cioè d'evadere dai momenti nei quali viviamo e che non sono precisamente adatti a conciliarci col genere umano. Evadere insomma da questi tempi che han sete di sangue e fame di denaro, che predicano libertà ed esercitano tirannia, che troppo spesso mortificano l'ideale in favore d'un interesse materiale immediato, d'una sorta d'erotismo scatenato e senza pudore. Allora l'avvicinarsi ai nostri uomini antichi ed entrare quasi nella loro familiarità, impostare colloqui con loro, serve a dimenticare una cruda realtà che ci sovrasta e che, proprio per essere di estensione internazionale provoca negli ingenui e negli sciocchi l'infatuazione, nei savii e sensibili la preoccupazione e talora lo sconforto più amaro. Ci sembra – mi si permetta di dirlo – che noi, ancora armati d'incomprensione verso il Medio Evo, viviamo in un'epoca medievale a scoppio ritardato.

Ben vengano dunque i centenari e, fra questi, quello che la città di Forlì ha voluto celebrare in onore di un suo figlio diletto: Marco Palmezzano che visse proprio sul finire dell'epoca che per convenzione scolastica si chiama Medio Evo. Devo però dire súbito che non mi pare di essere il più adatto a celebrare Marco Palmezzano per una ragione molto semplice: che io conosco chi ha scritto di Marco Palmezzano, e specialmente tre persone che mi piace di ricordare qui, due delle quali sono anche presenti. Il primo è Carlo Grigioni, il secondo è Rezio Buscaroli, il terzo è Cesare Gnudi, cioè persone che molto più di me hanno studiato il Palmezzano e quindi molto meglio di me lo conoscono e lo celebrerebbero.

Io ho un solo diritto, forse, a parlare oggi: un diritto, direi, di contrizione dei miei anni giovanili quando ero alla scuola di Adolfo Venturi, grande e carissimo paterno Maestro. In quegli anni ormai lontani noi tutti della Scuola di perfezionamento si aiutava modestamente il Maestro nelle ricerche sui pittori del Quattrocento. Quando si studiava particolarmente il vostro Melozzo, o forlivesi, era invalsa in noi discepoli una curiosa abitudine, sintomo giovanile d'una deformazione professionale: nell'esercitarci in fatto di attribuzioni delle opere che potevano essere ascritte a Melozzo e nello studiare le opere dei discepoli di lui, quando qualche opera non ci pareva degna d'essere attribuita al maestro si diceva "Diamola al Palmezzano!" con una disinvoltura di giovani scolari che non era proprio la migliore delle disposizioni per divenire storici dell'arte.

È che, in realtà, a Marco Palmezzano ha nociuto il fatto di essere passato non solo per allievo del grande forlivese, ma anche per traduttore, in linguaggio popolaresco, dello stile di Melozzo da Forlì. Questo fatto lo ha súbito messo in seconda, oppure in terza linea. Badate: in arte, le gerarchie sono sempre difficili. Stabilire il primo o il secondo o il terzo grado in cui collocare gli artisti del passato, equivale un po' a quell'eterna domanda che viene spesso rivolta a noi, studiosi dell'arte, dalla gente che ha desiderio di imparare e di capire. La domanda è questa: chi era più bravo Michelangiolo o Raffaello? Voi capite che domande di questo genere portano súbito fuori strada. Non è possibile, se si ha un certo senso di equilibrio e se si ha percezione della verità, che si possano stabilire graduatorie di tal genere.

Ora, io vorrei appunto, se mi riesce, dare a voi un'idea della personalità di Marco Palmezzano, indipendentemente dalla sua vera o presunta discepolanza da Melozzo. Domandiamoci prima di tutto quali sono le relazioni fra Melozzo e Marco Palmezzano: esistono tre testimonianze di questo discepolato. La prima è quella di Luca Paciolo; nel suo trattato, ha detto che non solo il Palmezzano era discepolo di Melozzo, ma lo ha detto suo caro allievo. Di questa testimonianza di affettività possiamo anche fare a meno. Quando si pensa che in vari tempi si sono sbagliati nomi l'uno per l'altro, quando si pensa che Giorgio Vasari ha sbagliato, nella prima edizione delle sue Vite, Melozzo da Forlì con Benozzo Gozzoli, voi potete immaginare come queste citazioni e documentazioni di passaggio possano essere accreditabili. Ma altre due testimonianze esistono, e sono due firme di Marco Palmezzano, in cui Marco Palmezzano cioè ci cognomina addirittura dal nome del suo maestro: cioè Marcus Melotius. Altre testimonianze, vere, effettive, reali, non ci sono.

E allora veniamo ai miei antichi anni di scuola quando, a partire dal Cavalcaselle ed a finire ad Adolfo Venturi, si riteneva che le due cupole della Cappella di Loreto e della Cappella Feo, purtroppo oggi distrutta a Forlì, fossero opera di Melozzo, tradotte, dicevo, in linguaggio popolaresco e corrente da Marco Palmezzano. Intanto dico, e non soltanto per fare ammenda della mia vecchia e colpevole disinvoltura di discepolo: ma è possibile un fatto di questo genere? Un artista come Melozzo il quale si impegna fino all'ultimo per la decorazione in affresco di queste due cupole e poi ne lascia l'esecuzione quasi completa a Marco Palmezzano?

Dirò di più: la differenza che esiste fra la cupola di Loreto e quella di Forlì è la prova di una stessa personalità d'artista aiutante in due tempi diversi? A me è parso sempre sinceramente di no. Una è la mano che ha lavorato a Loreto in aiuto di Melozzo e una è la mano che ha lavorato a Forlì. Di questa purtroppo s'è persa ogni vera traccia perché non esistono più se non fotografie e queste sono sempre molto fallaci per il giudizio su un'opera d'arte. Io non ho mai ritenuto possibile che un discepolo come Marco Palmezzano, potesse dipingere come scrivono i bambini facendosi reggere la mano dalla maestra o dalla mamma. Mi sembra giusto di aggiungere che nell'opera posteriore di Marco Palmezzano, dopo che egli avrebbe dato vita a due opere come quelle di Loreto e di Forlì, dovrebbe esser rimasta l'impronta dello stile del maestro suo Melozzo, l'eco profonda del linguaggio imparato in piena obbedienza da un artista ricco di esclusiva personalità, come Melozzo era. Invece debbo riconoscere che nell'opera del Palmezzano, salvo reminiscenze nelle quali non è certo estranea l'influenza dello spirito melozziano, l'impostazione coloristica o addirittura l'impasto del colore caro a Melozzo non lascia nella pittura di Marco Palmezzano un vero e duraturo ricordo. Quando Melozzo ha cessato di vivere, il presunto discepolo appare tutt'altro da quello che avrebbe dovuto essere dopo aver avuto così gran parte nelle Cupole di Loreto e di Forlì.

È diverso da Melozzo nell'impianto compositivo. Melozzo costruisce le sue figure umane in una prospettiva scorciata dal sotto in su che è l'impronta prima del suo modo di vedere, del suo impianto compositivo-prospettico di grande arditezza, specie per il suo tempo, come del resto i contemporanei avevano ben notato. E ciò non soltanto nelle cupole di Loreto e di Forlì in cui un siffatto scorcio sarebbe stato obbligatorio, ma nella grandiosa abside della chiesa dei SS. Apostoli a Roma che solo nella sua parte superiore a quarto di sfera poteva esigere uno scorcio dal sotto in su. Ebbene: di questi mezzi prospettici che sono tipici di Melozzo noi non troviamo alcuna traccia nelle opere di Marco Palmezzano posteriori al suo presunto discepolato.

È diverso nella concezione della figura umana che Melozzo concepisce in modo così grandioso e monumentale e statuario che le sue apparizioni d'uomini e d'angeli sembrano nascere dal mondo della scultura per rimanere sospese nel cielo con una vigoria e con un senso di prospettiva e di larghezza di masse e di linee che noi non sappiamo poi ritrovare nel Palmezzano, le cui figure sono più prossime alla concezione d'una trepida e pacata umanità che elegantemente cammina ma non vola.

È diverso nello spirito del paesaggio che Melozzo concepisce per larghi accenni, per particolari di secondaria importanza, dato il prevalente spazio che egli nelle proprie pitture, concede al cielo. Il senso paesistico del Palmezzano è invece fatto non d'accenni ma di leggere carezze poetiche, alla maniera quattrocentesca, non a quella barocca cui Melozzo prelude.

È poi, e soprattutto, diverso nel colore, elemento che finora - mi sembra - non è stato sufficientemente posto in rilievo. Melozzo tendeva, nelle sue visioni fantastiche, ad un senso coloristico quasi atmosferico, ad un leggero e quasi sempre tenue e trasparente e, vorrei dire, inconsistente corpo di colore che non esiste in altri dell'epoca sua, sì che le sue creature ascendenti e volanti egli le immergeva in una trasparenza atmosferica, in un'aerea vibratilità, com'è chiaro, per esempio, nel Cristo dei SS. Apostoli. Se noi guardiamo invece il senso coloristico del Palmezzano noi ne scorgiamo una sostanza corposta, densa, coagulata, oleosa che materia i corpi e non li riveste. La sostanza coloristica dà luogo ad una concezione dell'impianto luminoso dei suoi quadri che parte da quinte laterali o centrali di tono quasi cupo od addirittura cupo, ignoto a Melozzo, fino allo sfogare verso la luce, verso il paesaggio che appare come soffuso d'un biancore d'alba, con luminosità tanto più forte quanto più è saldo e sugoso il complesso dei toni nei primi e nei secondi piani.

Qual'è la conclusione? Non mi sento di formularla. Non mi sento di prendermi la responsabilità di una decisione. Il problema è complesso e non si risolve, almeno a parole, in un discorso commemorativo come quello che io faccio. Dico però che dobbiamo seriamente diffidare di questa strombazzata discepolanza di Marco da Melozzo come se fosse un qualcosa d'artifizioso, un comodo modo di attribuire all'innocente Palmezzano tutte le scorie della produzione melozziana e di quella della sua scuola. Non si può certo negare, né si nega, quella familiarità affettuosa ed ammirativa e quella devozione del Palmezzano verso il più anziano e celebrato maestro di cui si ha testimonianza nella duplice firma Marco di Melozzo; ma i due temperamenti, i caratteri psicologici dei due pittori erano così diversi che non si può supporre onestamente un semplice travaso da parte del maggiore nel minore fino a fare di questi un pedissequo seguace, un pallido e goffo imitatore.

E allora vediamo, sgombrato il primo campo d'indagine, qual sia la personalità distinta di Marco Palmezzano. Egli è - diciamolo subito - un artista nello stesso tempo sensibile ed insensibile: sensibile alle suggestioni, insensibile alle novità. Perciò egli è tipico rappresentante del tempo di trapasso fra Quattrocento e Cinquecento, quando cioè il primo secolo è già oltrepassato ed il secondo non s'è ancora affermato. Le divisioni delle epoche della storia dell'arte sono, come si sa, convenzionali e non giuste, ma per molti segni e per alquante coincidenze l'anno 1500 è cruciale nel cambiamento di linguaggio fra l'un secolo e l'altro.

Si pensi, per quanto riguarda il Palmezzano, che Raffaello, figlio del suo amico Giovanni Santi, era nato 24 anni dopo e morto 19 anni prima di Marco. Eppure sotto molti rapporti Raffaello appare dalle opere sue più discepolo del Perugino di quanto il Palmezzano non lo fosse di Melozzo.

Come si svolse la gioventù del Palmezzano che si può limitare fra gli anni 1480 e 1494? Si ha in quel periodo una grave mancanza di documenti biografici. Si può dire che egli fosse l'allievo di Melozzo ma non si può veramente precisare fino a che punto vi si conformasse. Il Palmezzano, come io lo vedo, è un giovane eccezionalmente sensibile. Egli guarda attorno a sé; guarda molto. Da principio ha amato Melozzo; ha guardato poi il Signorelli e il Perugino a Loreto apprendendone la fermezza del disegno dall'uno e la morbidezza dello sfumato dall'altro; ha visto certamente, ma non so dove, il Pinturicchio perché qualcosa gli riecheggia sempre di questo amabile divulgatore. Nel suo giovanile viaggio a Venezia, documentato, ha prima osservato con molta attenzione i maestri di Ferrara che però dovettero sembrargli troppo incisivi e nervosi; poi s'è beato della pittura veneta che per lui fu dolcissima rivelazione; e ne assorbì il colore d'impasto, il colore che si plasma con la forma, la luce che si spande ad intridere i corpi. Non potrà più dimenticarla.

Da questi fatti che sono criticamente chiari risulta che la sensibilità giovanile del Palmezzano è stata intensa e di varia indole nel guardarsi attorno. Egli ha visto cioè con lo spirito eclettico che possedeva: ha percepito quali elementi egli potesse assimilare nella sua coscienza per trovare sempre più e sempre meglio ciò che al suo particolare temperamento conveniva. Ma dalle esperienze altrui ha rifiutato le novità che gli si potevano presentare in senso, per lui, rivoluzionario. Per esempio di Raffaello non s'è accorto: eppure essendogli sopravvissuto quasi un ventennio, avendolo conosciuto bambino, avrebbe potuto giovarsene se non si fosse sentito troppo "quattrocentista" per essere "cinquecentista" e se non fosse rimasto peruginesco alquanto piuttosto che avvertire il colpo d'ala di Raffaello dallo Sposalizio al Miracolo di Bolsena.

Viene cioè innanzi una personalità del Palmezzano caratterizzata dall'essere quella d'un pittore sempre desideroso d'avvicinarsi agli artisti maggiori per imparare, attento e coscienzioso, ma per maturarsi in un pacifico e lento processo d'assimilazione senza scosse brusche o negazioni decise o pentimenti angosciosi che non erano nell'indole sua. I suoi primi amori, come dimostrano la Crocifissione che voi avete qui a Forlì nella vostra pinacoteca e nell'altra che è agli Uffizi, sono per il Perugino. Noi vediamo questo romagnolo orientarsi verso l'Umbria vicina ed il suo massimo esponente. La Crocifissione di Forlì è così vicina a quella dipinta più tardi dal Perugino in Santa Maria Maddalena dÈ Pazzi a Firenze che perfino la cerchiatura architettonica della composizione mediante l'arco e i due stipiti su cui s'imposta, è la stessa. Così poco Marco s'affiliava a Melozzo che cercava padre altrove.

Poi nell'oscuro periodo che va dalla decorazione della Cappella di Loreto intorno al 1479 a quella della Cappella di San Biagio, che è del 1493, ossia per quasi quattordici anni, dov'è il Palmezzano? Inoperoso da quando aveva 20 anni a quando ne ebbe 34? Soltanto stamani ho avuto in regalo il poderoso volume di Carlo Grigioni su Marco Palmezzano pubblicato in modo provvido ed eccellente dal Comune di Forlì. Lo leggerò come merita perché ho moltissimo da impararvi. Intanto da una prima occhiata ho avuto la conferma che in quel periodo oscuro non vi sono documenti d'attività artistica sicura. Bisogna ammettere che in quegli anni egli vedesse Roma ed a Roma quella Cappella Sistina che, sotto la volta ancora bianca, adunava l'antologia dei pittori del 1483. Sua guida fu forse quell'Antoniazzo di cui tutti i critici hanno riconosciuto più d'una traccia nell'arte di Marco.

La personalità del Palmezzano esce da questi apprendimenti come da un giro d'orizzonte da cui ha raccolto miele di varii profumi, senza peraltro assimilarlo del tutto. E bisogna ammettere che prima del 1492, almeno, egli fosse andato a Venezia se nella Pala della Galleria Walker di Liverpool, che reca gli stemmi di due famiglie veneziane, i Michiel e i Donà, egli s'esprime con un linguaggio d'impronta decisamente veneta. Né soltanto a Venezia, ma nel Veneto, a giudicare dalle impronte: a Vicenza e a Verona aveva certo visto il Montagna, a Padova il Mantegna. Marco Palmezzano - quale io lo vedo - curioso di tutto, con un temperamento pronto a scegliere qualcosa da ognuno ma nello stesso tempo con una sua indole che gli inibisce di accordarsi a qualcuno e di travestirsi perché la sua personalità è sempre visibile, riconoscibile in tutta l'opera sua, nonostante il vasto panorama pittorico da cui è impressionato. Anzi proprio perché il panorama è vasto egli è differente da quello che si è voluto far apparire, cioè, come aggiogato per sempre al carro melozziano. Soltanto se si comprende una tale formazione eclettica io penso che si possa raffigurare il Palmezzano come qualche cosa di vivo e di divulgativo nella storia della pittura italiana di quel suo tempo. Dal 1495 in poi si afferma la maturità dell'arte del Palmezzano con i segni dell'evidente e totale assimilazione degli apprendimenti sperimentati. E comincia anche il suo periodo d'oro che dura un decennio. La larga impostazione architettonica dello scenario nell'Annunciazione della vostra Pinacoteca, l'opera iniziale della felice età del vostro pittore, è già come un riassunto del guardare attorno. Non inganni il ricordo dell'Apertura della Biblioteca vaticana col Papa e il Platina, anch'essa concepita da Melozzo con un porticato ad arcate. Nella pittura vaticana l'architettura è squadrata, secca, dura, spigolosa, pur nel tentativo dei marmi policromi e delle candelabre sui pilastri. Nell'Annunciazione forlivese il portico è a colonne di marmi rari e le arcate vi poggiano senza pesare e la copertura non è piana a cassettoni ma di cupole emisferiche che si succedono finché il paesaggio del fondo splende di quella luce d'alba, che s'è già notata. Quanto poi al colore dei primi piani esso è denso, nutrito, di materia cupa preziosa dai grigi ai gialli, dai carminii ai verdi. È un colore straordinariamente interessante perché non è né fiorentino, né umbro, né veneto; non è colore fiorentino perché non è verniciatura della forma con la trasparenza del colore; non è colore umbro perché non possiede qualità di sfumato, così caratteristiche nella pittura umbra; non è colore veneto perché non ha vibrazione di impasto che è della pittura veneta, per la quale colore e forma non sono dissociate come a Firenze, ma sono completamente intrise l'una dentro l'altra.

Il colore del Palmezzano nell'Annunciazione è un colore prezioso, senza opacità; per esempio tre toni di azzurro: un azzurro cenere, un azzurro metallico e un misteriosissimo azzurro che non è né l'uno e né l'altro. Questi toni sono accordati mediante dei gialli intensi con qualche accompagnamento di rosso, messi in una generale composizione bruna. La composizione bruna ha questo interesse: che tutto ciò che è al di là, tutto ciò che è nelle lontananze, viene per contrasto ad essere cristallino e trasparente come se l'impianto scenografico del colore dell'Annunciazione di Forlì e di altri quadri del Palmezzano fosse proprio fondato su questa consonanza dei bruni, dei toni caldi, dei celesti, dei freddi per fare apparire luminosamente bianco l'orizzonte e su questo il verde tenue, il verde aspro anche del paesaggio, che viene ad essere illuminato dalla chiarità del cielo.

Guardando l'Annunciazione, si può affermare che la personalità del Palmezzano s'è sciolta dagli impacci della gioventù e, adulta, canta: canta un suo canto spiegato con accompagnamento di note gravi e solenni. Altra tappa è compiuta nella grande Pala della Pinacoteca di Faenza il cui impianto veneto è innegabile, fra i suggerimenti di Giovanni Bellini e quelli di Bartolomeo Montagna. Perciò la Madonna e il Bambino al centro hanno una così carnea soavità ed un'impronta di così sereno candore. Perciò il San Michele Arcangelo è il parente di San Giorgione (mi si perdoni il bisticcio espressivo) e tutta la composizione severa è sostanziata di colore ricco. L'opulenza coloristica veneta è ispiratrice così chiara che mi sembra doveroso accostarvi, per stile e per tempo, la deliziosa Madonna del grano della Pinacoteca di Bologna, coetanea - mi sembra - della Pala faentina. Quanto cammino e quanta individualità raggiunta in confronto a quella Incoronazione oggi a Brera, ancora quasi infantile e melozzesca su una composizione vuota sgradevolmente nel mezzo e di fattura svogliata!

Un'altra opera voi forlivesi avete, custodita gelosamente nella vostra Pinacoteca: ed è la Glorificazione di Sant'Antonio Abate, tappa fondamentale del periodo d'oro, non perché appunto d'oro si illumino i fondi delle candelabre sui pilastri del sonoro padiglione arcuato e aperto verso il paesaggio, ma perché ormai il Palmezzano tutto vi s'esprime con la maturità del proprio spirito e della raggiunta bravura.

Ma io non posso sostare davanti ad ogni opera. Il tempo che m'è assegnato non è certo sufficiente. Citerò di volo le opere di Vienna, di Milano, di Roma, di Bonn, di Sarasota per dire come il periodo aureo si chiuda con l'altra fondamentale opera del Palmezzano, cioè con la Comunione degli Apostoli della Pinacoteca forlivese. È un periodo di splendore e di propagazione della rinomanza: è l'affermazione decennale delle qualità migliori del Palmezzano.

Io non voglio - intendiamoci bene - magnificare il Palmezzano in tono di panegirico, come era d'uso nelle celebrazioni centenarie. Se anche io ve lo volessi "stroncare" come oggi si dice, con una delle solite parole brutali che nella civiltà costumano, non soltanto non sarei sincero ma farei atto di pessimo gusto. Per quanto io sia un fiorentino che fin dalla nascita ha adorato l'asciuttezza della pittura del suo paese; per quanto io sia uno studioso che, da quando ha aperto bene gli occhi alla storia dell'arte ha sensualmente gustato la pittura veneta con un entusiasmo che non cessa, dico schietto che si può gustare la pittura di Marco Palmezzano al di là del fiorentino, al di là del veneto e dell'umbro perché con sincerità veramente nativa e con ingenuità provinciale egli sa trovare un punto d'equilibrio fra le correnti formidabili dalle quali era ugualmente attratto. Nonostante tutto, nonostante ogni insegnamento che traspare nell'opera di lui, egli ha una personalità che riesce a fare una sintesi di ciò che ha appreso e di ciò che è suo; riesce ad illuminare la propria individualità con l'apprendimento più vasto che potesse desiderare.

Dopo l'età d'oro è un'altra cosa. Non so se abbiate osservato come gli italiani abbiano la forza e la virtù di resistere potentemente all'insuccesso ma anche la suprema debolezza di non saper resistere al successo, vale a dire d'infatuarsi, di montarsi la testa, di strafare oppure di sdarsi, di risparmiarsi, di non mettere più impegno, quasi che l'opera loro fosse, con l'acquisto della rinomanza, e magari della gloria, esaurita. Voi forlivesi d'un tale non resistere al successo avete avuto un esempio, l'esempio classico d'un conterraneo non facilmente dimenticabile. Ebbene: in questo senso del ritenere ormai compiuta l'attività quando la fama inebria, il Palmezzano era perfettamente italiano. Subentra per l'arte sua il periodo della bottega. Bottega oggi è un brutto nome; ma non lo era altrettanto nel Rinascimento, allorché la "bottega" era il luogo in cui gli artisti dipingevano, dove educavano gli allievi, dove si maturavano le forme di uno stile che era impresso da colui che "teneva bottega". Ora noi sappiamo dai documenti che Marco Palmezzano, pur nato in una certa agiatezza, aveva avuto tre mogli e dieci figli, famiglia pesante. Sappiamo che continuamente accettava commissioni da che il decennio dello splendore l'ha rivelato alle genti di patria e di fuorivia. Tutti fanno a gara per avere un'opera del Palmezzano. Perché dovrebbe rifiutarsi se la rinomanza frutta moneta, se le chiese hanno bisogno d'immagini e i cittadini glie le domandano? Che hanno fatto di diverso i suoi predecessori e maestri, Melozzo, Perugino, Signorelli, negli ultimi tempi della loro attività? Anche alle loro botteghe gli apprendisti e gli allievi affluiscono di continuo, attratti dalla rinomanza magistrale. La tentazione di farsi aiutare è stata palesamente così forte che nessuno dei tre maestri suddetti ha resistito, a tal punto che, dopo un certo periodo di celebrità le "opere di bottega" si sostituiscono quasi del tutto alle "opere di propria mano" del celebre autore. Da siffatti maestri il Palmezzano ha attinto, come abbiamo convenuto, molto di bene; ma altresì qualche cosa di male. Marco Palmezzano, progressivamente, dal 1505 circa in poi, assume in bottega aiuti, aiuti anonimi, aiuti mediocri; ripete le composizioni che erano piaciute al pubblico e delle quali aveva richieste incessanti. Il temperamento dell'artista, che è capo di famiglia, che invecchiando sente il bisogno degli agi, non si regola più. È beato del guadagno che affluisce; è beato della gloria, sia pure provinciale; persiste a comprare case e terreni, come i documenti coevi affermano. Le composizioni più fortunate le

ristampa. Se anche le tavole non saranno tutte di mano sua, pazienza! Le firma ormai tutte come insegna d'una fama, con coscienza assoluta d'essere il capo d'una bottega d'arte. E allora gli elementi dell'arte di Marco Palmezzano che per un decennio hanno dato luce e splendore, li vediamo pian piano attenuarsi. Ha dipinto fino ad ottant'anni; ha operato con costanza, con assoluta fedeltà al lavoro.

Dianzi, quando il vostro Sindaco parlava, dando conto di una premiazione fatta ai lavoratori per la loro laboriosa vita, pensavo che lo stesso premio della fedeltà al lavoro lo dovremmo dare proprio anche a Marco Palmezzano, lavoratore senza risparmio di forze, anche quando le forze non lo reggevano più. Quel che non si osa di rimproverare a Melozzo, al Signorelli, al Perugino perché dovremmo porlo a scapito del Palmezzano? Troppe idee sbagliate sono state iniettate al nostro tempo dall'attività dei mercanti d'arte, che sono generalmente persone rozze ed avide di guadagno, che mettono continuamente in moto il carosello ad altalena degli apprezzamenti mercantili subordinati all'effimera moda.

Marco Palmezzano, per essersi trovato in mezzo ad uomini d'altissima statura, è stato dai posteri troppo denigrato. È tempo di guardarlo per sé e di riconoscerlo come individualità a sé stante ricercando il modo che egli ha avuto di esprimere la propria fisionomia d'artista. Non sono le opere degli inizi quelle che possono influire sull'apprezzamento del suo valore, come non sono le pitture di vecchiezza e di bottega quelle nelle quali si può riconoscere la virtù dell'artista, bensì quelle della piena maturità il cui valore non ha nulla perso col tempo. Saremo proprio noi d'oggi a lamentarci delle varie esperienze di Marco Palmezzano come se fossero troppe? Proprio noi che vediamo nell'arte odierna il gioco continuo delle influenze, dei riflessi, delle superficialità d'apprendimento in scala tanto maggiore? Le opere del Palmezzano sono andate spargendosi nel mondo. Non c'è grande galleria che non ne possegga qualcuna. Ma a Forlì sono restate molte fra le migliori e maggiori. Rallegratevi che il vostro amore di conterranei le abbia conservate nella Casa di tutti voi per testimoniare che giusta è stata l'idea vostra di celebrare, nel quinto centenario dalla nascita, l'artista della vostra antica, instancabile famiglia forlivese e romagnola [1].

Roberto Papini

[1] Questo discorso fu improvvisato da Roberto Papini e fonicamente registrato il giorno 16 dicembre 1956 nell'Auditorium del palazzo Comunale, presenti le maggiori autorità civili e religiose. L'autore ne ha consentito cortesemente la stampa nella forma in cui fu pronunciato.

Giovanni Battista Cavalcaselle e il restauro degli affreschi della cappella Feo: 1876-1883

Marco Mozzo

1.
Girolamo Reggiani,
Volta della cappella Feo
da Melozzo da Forlì, già
nella chiesa di San Biagio
in San Girolamo, Forlì.
Disegno a penna nera
su carta. Biblioteca
Comunale di Forlì,
già Mss I/73
(foto G. Liverani, Forlì,
n. negativo 30689).

2.
Girolamo Reggiani,
Miracolo dell'impiccato
da Melozzo da Forlì;
*Storie e martirio di
san Giacomo* da Marco
Palmezzano, già nella
chiesa di San Biagio
in San Girolamo, Forlì.
Disegno a penna nera
su carta. Biblioteca
Comunale di Forlì, già
Mss I/73 (foto G.
Liverani, Forlì, n.
negativo 30677).

In un articolo apparso nel 1883 sulla rivista fiorentina "Arte e Storia", l'ispettore Antonio Santarelli annunciava la conclusione dei restauri al ciclo affrescato della cappella Feo, apprezzando ufficialmente l'operato del Ministero dell'Istruzione pubblica, in particolare di Giovanni Battista Cavalcaselle, cui era stata affidata la direzione dei lavori, e dei restauratori Luigi Muzio e Domenico Brizi[1].

Il recupero quasi insperato degli affreschi, degradati "a tal punto da doverli considerare perduti per sempre"[2], poneva fine a un lungo periodo d'abbandono e trascuratezza più volte denunciato in passato da studiosi ed eruditi locali, fin dai primi anni dell'Ottocento. Già nel 1831, allo scopo di "salvarne almeno la memoria", come ricordava Santarelli, il pittore forlivese Girolamo Reggiani, in collaborazione con l'ornatista Pietro Zampighi, aveva provveduto a rilevare con disegni a puro contorno l'intero ciclo pittorico, affiancando alle rappresentazioni d'insieme anche alcuni dettagli (Figg. 1-3)[3]. Sia nelle note esplicative riportate a commento dei disegni, sia nella memoria su Melozzo da Forlì apparsa nel 1834, Reggiani tracciava un quadro particolarmente allarmato della situazione conservativa. A suscitare le maggiori preoccupazioni erano le continue infiltrazioni di acqua piovana e le azzardate puliture compiute in passato sulla volta e sulla lunetta con il *Miracolo dell'impiccato*, che avevano causato la perdita irrimediabile delle decorazioni in oro e delle rifiniture[4]. Particolarmente degradati si presentavano anche gli affreschi del registro inferiore, danneggiati da abrasioni, che avevano compromesso seriamente la lettura del cartellino con la firma di Palmezzano, secondo Reggiani barbaramente "scassato con ferro puntuto"[5]; mentre un tampona-

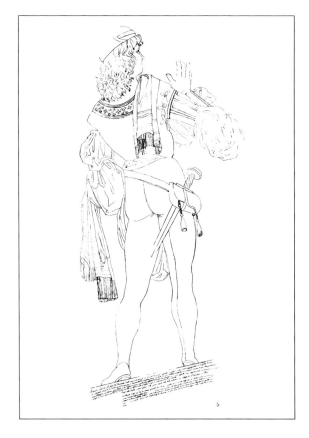

mento a muro, innalzato all'indomani del crollo della parete dove si trovava la nicchia con l'altare, aveva oscurato le finestre della cappella impedendo qualunque illuminazione al suo interno[6].

Al reiterarsi di denunce per lo stato di avanzato degrado delle pitture, da parte anche dell'erudito forlivese Giovanni Casali[7], avrebbe fatto seguito nel 1853 la chiusura degli ingressi della cappella con cancellate per impedire l'azione dei vandali[8]. Tuttavia, all'indomani dell'unità d'Italia, la situazione sembrò aggravarsi ulteriormente, come traspare da alcune testimonianze: nel 1866 la cappella rimase occupata dalle truppe militari per tre mesi[9], mentre nel 1871, nel tentativo di tamponare i danni arrecati alla stabilità della volta a causa di un violento terremoto, come riferiva Luigi Buscaroli membro della Commissione per la conservazione dei lavori pregevoli di belle arti dell'Emilia[10], il sacerdote della chiesa aveva provveduto a far "restaurare" le porzioni giudicate pericolanti, imbiancando parte della cappella[11].

Soltanto nel 1875, con l'inserimento della chiesa di San Biagio nell'*Elenco ufficiale degli edifici monumentali*, si assistette a una svolta decisiva nelle vicende conservative[12]. Il 7 novembre 1876, l'ispettore centrale per la pittura e la scultura, Giovanni Battista Cavalcaselle, scriveva al ministro dell'Istruzione pubblica per sollecitare il prefetto della città a inviare un resoconto dettagliato sullo stato di conservazione dei celebri affreschi:

"Scrivere al Prefetto di Forlì perché il Genio Civile esamini con molta cura che stato si trovano le pareti non che la volta sia all'interno come all'esterno della Cappella di San Biagio in San Girolamo di Forlì ove sono gli affreschi di Marco Palmezzano per conoscere se avessero le pareti e la volta, dal lato esterno, bisogno d'essere restaurate e poi intonacate con asfalto, onde preservarle dall'umidità. Di più se attorno a quelle pareti vi fosse bisogno d'una intercapedine, come di ventilatori. Infine suggerire tutto quello che l'arte può fare, onde impedire […] il danno a quelle pitture occorrenti col tempo. Conoscendo per esperienza come tal volta prende in simil casi il Genio Civile, lo scrivente crede che sarebbe bene indicare quanto sopra ho esposto come mezzi che al bisogno potrebbero servire. Domandare inoltre in quale stato di conservazione si trovano quegli affreschi"[13].

Da queste indicazioni traspare chiaramente il grado di conoscenza che Cavalcaselle aveva della cappella Feo, da lui studiata attentamente, anche sotto il profilo conservativo come testimoniano ampiamente i suoi disegni[14].

Alle richieste dello studioso farà seguito la risposta del prefetto di Forlì che, a fronte di un preventivo di spesa piuttosto ingente di 3000 lire, presentato dall'ingegnere capo del Genio civile Emilio Baldini[15], suggeriva di limitare i restauri alla sola salvaguardia dei cicli pittorici della cappella Feo e di quella di San Bonaventura, affidando alle mani di un "capace artista il trasporto in tela degli affreschi d'entrambi i dipintori Forlivesi Palmezzani e Menzocchi, da essere poi collocati nella Pinacoteca"[16].

L'operazione di trasporto incontrò immediatamente la ferma opposizione di Cavalcaselle che, in alternativa, consigliava il fissaggio provvisorio delle pitture fino a quando gli interventi strutturali non sarebbero stati realizzati[17], per procedere successivamente al restauro degli affreschi secondo un approccio strettamente conservativo, fissando cioè "il colore agli intonachi come gli intonachi stessi ai muri, e alla volta, laddove vi è bisogno" e chiudendo le lacune "con un nuovo [intonaco] dandovi sopra una tinta neutra tanto quanto il bianco non offenda l'occhio di chi guarda, come così deve praticarsi dove manca il colore, escludendo, sempre i ritocchi (o restauro a colori) tanto peri[col]osi alla originalità dei dipinti ed allo studio del giovane artista"[18].

Alle indicazioni di Cavalcaselle si accompagnano quelle espresse poco più tardi dall'ispettore centrale per l'architettura, Francesco Bongioannini che, in seguito alla volontà manifestata dal parroco della chiesa e dal Municipio di non prendere parte finanziariamente al progetto di restauro, consigliava di restringere le operazioni strutturali soltanto agli interventi più urgenti, finalizzati in primo luogo a restituire la necessaria ventilazione della cappella mediante l'apertura di intercapedini sui muri e delle finestre[19].

Nel settembre 1877, dopo un attento sopralluogo al-

4.
Luigi Muzio, *Predica del Santo* o *Disputa di Fileto* (?) da Melozzo da Forlì, già nella chiesa di San Biagio in San Girolamo, Forlì. Disegno a matita e acquarello. Biblioteca Nazionale Marciana di Venezia, fondo Cavalcaselle, Cod. It. IV 2041(=12282), fasc. II, c. 34v.

5.
Luigi Muzio, *Volta della Cappella Feo* da Melozzo da Forlì, già nella chiesa di San Biagio in San Girolamo, Forlì. Disegno a matita e acquarello. Biblioteca Nazionale Marciana di Venezia, fondo Cavalcaselle, Cod. It. IV 2041(=12282), fasc. II, c. 29v.

le pitture per "verificare la condizione degli intonachi coi dipinti", Cavalcaselle tornò a sollecitare il ministero per l'avvio dei lavori di recupero, ormai improrogabili, indicando nel restauratore Luigi Muzio la persona più idonea all'incarico[20].

"Abilissimo nell'arte di fissare gli intonachi", Muzio rispondeva a quel profilo di restauratore, affrancato dai modelli tradizionali del *peintre-restaurateur*[21], che, insieme ai più noti Guglielmo Botti, Antonio Bertolli, Giuseppe Uberto Valentinis, Filippo e Domenico Fiscali, si era fatto interprete ed esecutore sul campo di quelle rigorose indicazioni propugnate ormai da tempo da Giovanni Battista Cavalcaselle per un restauro strettamente "meccanico", incentrato cioè sul principio della riconoscibilità dell'intervento e sul rifiuto di qualunque integrazione pittorica, che troveranno piena formulazione nelle celebri circolari ministeriali del 1877 e del 1879[22]. Al momento dell'incarico per gli affreschi della cappella Feo, il restauratore si trovava impegnato anche su altri importanti cicli pittorici: a Corneto-Tarquinia per gli affreschi della cappella Vitalleschi nella cattedrale (dal 1878 al 1882)[23], a Viterbo per il ciclo delle *Storie di Maria* nella chiesa di Santa Maria della Verità (dal 1878 al 1882)[24] e ad Assisi per gli affreschi della basilica superiore di San Francesco, il cantiere dove dal 1874 aveva avuto modo di formarsi, lavorando prima come allievo sotto la guida di Guglielmo Botti – la figura più prestigiosa all'epoca nel campo dei restauri conservativi – e dal 1875 come responsabile degli interventi, affiancato dall'assisiate Domenico Brizi, in qualità di giovane assistente[25].

Dopo un breve periodo, dal 22 ottobre al 22 novembre 1877, trascorso per assicurare temporaneamente gli affreschi[26] in coincidenza con l'avvio delle operazioni d'intervento strutturale appaltate all'impresa di Romeo Riva[27], occorre attendere più di due anni prima del rientro a Forlì di Luigi Muzio in compagnia di Domenico Brizi. Le ragioni, anche se motivate da Cavalcaselle con l'intenzione di verificare in un lasso di tempo sufficiente l'efficacia degli interventi strutturali, dipendevano in prima istanza dai numerosi impegni professionali che impedivano al restauratore di svolgere l'incarico in modo continuativo[28].

Nonostante l'assenza di perizie e collaudi, è stato possibile ripercorrere le fasi principali dell'intervento grazie ad altre fonti documentarie. Una traccia significativa è stata offerta dagli atti di pagamento firmati dall'ispettore agli Scavi e monumenti di Forlì, Antonio Santarelli, incaricato a nome della Commissione conservatrice locale di seguire il restauro[29]. Particolarmente utili si sono rivelate anche le comunicazioni del Genio civile e del prefetto di Forlì per la costruzione e lo smontaggio dell'impalcatura lignea impiegata dal restauratore, cui bisogna aggiungere una importante documentazione visiva eseguita da

Luigi Muzio per tenere informato Cavalcaselle sull'andamento dei lavori, ora conservata presso la Biblioteca nazionale marciana di Venezia. Si tratta di cinque acquarelli, datati tra il 1880 e il 1883, raffiguranti rispettivamente le due lunette della cappella (fig. 4), un dettaglio della porzione destra dell'affresco con la *Predica di san Giacomo* o *Disputa di Fileto* (?), una porzione della volta (fig. 5) e un dettaglio della figura di san Pietro tratto da una candelabra (fig. 6), cui si aggiungono cinque disegni, eseguiti a matita o a penna, riproducenti tre profeti della volta e i motivi decorativi a candelabra dei pilastri (fig. 7)[30].

Partendo dalla lunetta con il *Miracolo dell'impiccato* nel mese di maggio 1880, il restauro si svolse lungo gli affreschi della volta, dove a distanza di due mesi venne ultimata "la gloria al centro e due figure della medesima" come riferiva Santarelli[31], ma si interruppe bruscamente entro la fine di agosto dello stesso anno, in quanto il restauratore venne chiamato d'urgenza ad Assisi[32]. Dopo una lunga pausa, i lavori ripresero soltanto il 30 ottobre 1882 e si conclusero il mese di aprile dell'anno successivo[33], portando a termine il restauro dei motivi decorativi delle candelabre posti ai lati dei pilastri e della lunetta con la *Predica di san Giacomo* o *Disputa di Fileto* (?), fino ad allora ricoperta dal "bianco e dalla calce" che i precedenti interventi strutturali avevano già messo in luce[34], mentre rimase esclusa la scena del registro inferiore[35].

6.
Luigi Muzio, *Candelabra* (dettaglio) da Marco Palmezzano, già nella chiesa di San Biagio in San Girolamo, Forlì. Disegno a matita e acquarello. Biblioteca Nazionale Marciana di Venezia, fondo Cavalcaselle, Cod. It. IV 2041(=12282), fasc. II, c. 10v.

7.
Luigi Muzio, *Candelabra* (dettaglio) da Marco Palmezzano, già nella chiesa di San Biagio in San Girolamo, Forlì. Disegno a matita e acquarello. Biblioteca Nazionale Marciana di Venezia, fondo Cavalcaselle, Cod. It. IV 2041(=12282), fasc. II, c. 11v.

La documentazione grafica di Luigi Muzio era corredata anche da brevi annotazioni che in alcuni casi informavano, spesso con un linguaggio piuttosto stentato, sulla prassi di intervento adottata e sulle scoperte emerse nel corso dei restauri, in particolare sull'identificazione di alcuni soggetti[36], sulla tecnica pittorica o su alcuni aspetti di carattere stilistico e formale. Il disegno raffigurante i motivi a candelabra delle cornici dei pilastri (fig. 8), ad esempio, era accompagnato anche da una breve comunicazione, datata 31 marzo 1883, in cui il restauratore illustrava lo stato dei lavori, accennando all'intervento compiuto sull'affresco *La predica di san Giacomo* o *Disputa di Fileto* (?), descialbato e integrato nelle parti mancanti con la cosiddetta "tinta neutra", e fornendo puntuale descrizione anche di alcune figure presenti nei motivi decorativi delle candelabre[37].

Tuttavia, le indicazioni di Muzio non sono sufficienti per procedere a un'attenta lettura critica degli interventi. Diviene dunque indispensabile il ricorso anche ad altre fonti visive, che non sempre si sono rivelate utili. Poco significativa, ad esempio, si è dimo-strata la fotografia della lunetta con il *Miracolo dell'impiccato*, pubblicata dai fratelli Alinari nel catalogo del 1887, ma retrodatabile già al 1886 (fig. 9)[38]. Il confronto tra la fotografia degli Alinari, di cui è stata rinvenuta una successiva ristampa nel fondo fotografico del Dipartimento di arti visive di Bologna[39], e il rispettivo acquarello (fig. 10), non ha permesso di chiarire la divergenza dei giudizi espressi sul restauro da Antonio Santarelli, che elogiava il perfetto stato conservativo dell'affresco e la brillantezza dei colori[40], e dall'illustre storico dell'arte August Schmarsow che, dopo un attento sopralluogo sull'affresco, riteneva eccessivo l'intervento di pulitura compiuto da Muzio, basandosi anche sull'osservazione dell'immagine fotografica scattata dagli Alinari[41].

Al contrario, la campagna fotografica Anderson, apparsa nel catalogo del 1911[42], in gran parte riservata agli affreschi della volta (fig. 11), ha rivelato un inatteso valore documentario, soprattutto se si considerano la mancanza, allo stato attuale delle ricerche, di informazioni che attestino lo svolgimento di altri interventi sulle pitture nell'arco cronologico intercorso tra la fi-

8.
Luigi Muzio, *Candelabra* (dettaglio) da Marco Palmezzano, già nella chiesa di San Biagio in San Girolamo, Forlì. Disegno a matita e acquarello. Biblioteca Nazionale Marciana di Venezia, fondo Cavalcaselle, Cod. It. IV 2041(=12282), fasc. II, c. 13r.

9.
Fratelli Alinari, *Miracolo dell'impiccato* da Melozzo da Forlì, già nella chiesa di San Biagio in San Girolamo, Forlì. Stampa alla gelatina ai sali d'argento (formato 21 × 27). Dipartimento di arti visive di Bologna, fondo Croci.

10.
Luigi Muzio, *Miracolo dell'impiccato* da Melozzo da Forlì, già nella chiesa di San Biagio in San Girolamo, Forlì. Disegno a matita e acquarello. Biblioteca Nazionale Marciana di Venezia, fondo Cavalcaselle, Cod. It. IV 2041(=12282), fasc. II, c. 9v.

11.
Domenico Anderson, *Volta della cappella Feo* da Melozzo da Forlì, già nella chiesa di San Biagio in San Girolamo, Forlì. Stampa alla gelatina ai sali d'argento (formato 21 × 27). Archivi Alinari, n. 7000.

12.
Domenico Anderson, *Volta della cappella Feo* (dettaglio) da Melozzo da Forlì, già nella chiesa di San Biagio in San Girolamo, Forlì. Stampa alla gelatina ai sali d'argento (formato 21 × 27). Archivi Alinari, n. 7006.

ne dei restauri cavalcaselliani e la pubblicazione delle fotografie[43], e la quasi totale assenza sulle immagini di ritocchi, comunemente praticati dai fotografi in passato per correggere eventuali imperfezioni della pittura o errori commessi durante le fasi di sviluppo o scatto[44]. Nonostante i limiti posti dall'osservazione di immagini monocrome, scorrendo le fotografie Anderson è, comunque, possibile avanzare alcune considerazioni che gettano nuova luce sulla prassi di intervento adottata. In particolare, si rimane colpiti dalla presenza di intonaci di tonalità diverse impiegati a chiusura delle lacune. Nella fotografia raffigurante il re David (fig. 12), ad esempio, sono riconoscibili alcuni intonaci di tonalità chiara sulle vesti e accanto al braccio sinistro piegato, che si distaccano dal contesto della pittura originale e si differenziano rispetto a quelle leggermente più scure visibili in basso a destra. Nell'immagine del profeta Daniele (fig. 13), invece, è chiaramente leggibile un intonaco di tonalità scura che

chiude la lacuna posta al centro della veste e che, a un attento esame, sembrerebbe quasi avvicinarsi al colore della pittura originale. Purtroppo non è chiaro se si tratti di intonaci dipinti, come voleva Cavalcaselle anche a Forlì[45], oppure di un impasto ottenuto da una miscela di sabbia e colori. Di certo si differenziano per tonalità cromatica e non sono omogenei tra loro.

Da questi esempi, ma se ne potrebbero segnalare anche altri, emerge una situazione conservativa che, se da un lato non trova alcun riscontro con quanto documentato dagli acquarelli di Muzio, dove nel disegno della *Predica di san Giacomo* o *Disputa di Fileto* (?), l'unico in cui vengono documentate le lacune trattate a "tinta neutra", queste risultano semplicemente dipinte di nero, dall'altro solleva alcune riflessioni, soprattutto quando la poniamo a confronto con le indicazioni che Cavalcaselle andava da tempo ripetendo sul trattamento delle lacune e sulla questione della cosiddetta "tinta neutra".

Un aiuto a riguardo può giungere dal confronto con altri interventi cavalcaselliani meglio documentati, coevi a quello forlivese. Punti di tangenza significativi emergono, ad esempio, con il restauro degli affreschi della basilica superiore di San Francesco ad Assisi, la cui ricca documentazione testuale e visiva è stata di recente oggetto di uno studio particolareggiato[46]. Anche in questo caso, infatti, è stata riscontrata la presenza di intonaci di diversa tonalità, le cui ragioni se da un lato sono state rintracciate nelle limitate capacità tecniche di una disciplina che, per i criteri legati a pratiche tradizionali o per le difficoltà di far fronte a una situazione in rapido degrado, difficilmente riusciva a tradurre nella sperimentazione concreta gli enunciati teorici di Cavalcaselle; dall'altro sembrano riconducibili anche all'eccessiva vaghezza con cui lo studioso aveva affrontato nei suoi interventi la questione del trattamento delle lacune[47]. In entrambe le circolari ministeriali del 1877 e del 1879, ad esempio, riteneva indispensabile per la buona riuscita del restauro la ricerca di un accordo cromatico fra la pittura originale e la lacuna trattata a "tinta neutra", ma non forniva ulteriori precisazioni sulle modalità e la prassi di intervento che i restauratori avrebbero dovuto impiegare[48]. In altri casi, come è stato già evidenziato anche a Forlì, non dava alcuna spiegazione su quale dovesse essere l'esito dell'intervento, limitandosi a suggerire l'applicazione sull'intonaco di una "tinta neutra per togliere il bianco che offenda l'occhio del riguardante e nulla più"[49], mentre altre volte consigliava di eseguire intonaci con tinte più chiare rispetto al tono della pittura originale[50]. Questo tipo di indicazioni, a volte contraddittorie, costrinse le istituzioni locali, specie le Commissioni conservatrici, ma anche i restauratori, a interrogarsi a lungo sulle modalità di impiego e sul giusto significato da dare al concetto di "tinta neutra", innescando un acceso dibattito fra detrattori e fautori di questo metodo che si protrasse per tutta la seconda metà dell'Ottocento, in particolare fra chi la intendeva come tinta unica, da applicare in modo uniforme su tutto il dipinto, e chi invece la interpretava quale tinta di raccordo, in grado cioè di mutare colore a seconda del contesto pittorico[51].

L'osservazione delle immagini Anderson, inoltre, solleva interrogativi anche su un altro caposaldo dell'idea di restauro di Cavalcaselle: il divieto di ricorrere a ritocchi e rifacimenti pittorici. La deroga a tale principio trova riscontro nella presenza, in alcuni casi, di interventi funzionali a una migliore leggibilità dell'affresco, rintracciati soprattutto sulle decorazioni e su alcune parti delle cornici. Un primo esempio si rileva nell'immagine che raffigura il profeta Daniele, dove la lacuna presente in basso a sinistra lungo il finto basamento della cupola risulta tamponata da un intonaco che sembra intenzionalmente richiamare la distinzione cromatica tra la cornice architettonica e lo sfondo. Un altro caso, ancora più emblematico, si osserva nell'immagine che documenta il profeta Baruch, dove a destra della figura è leggibile una lacuna chiusa da un intonaco che riproduce, seppur in modo schematico, la cornice del finto cassettone dello sfondo (fig. 14). Tuttavia, l'assenza di una documentazione fotografica precedente il restauro, quale *terminus* di confronto, non permette di spingerci oltre nell'analisi critica delle fotografie. Eppure le immagini a nostra disposizione consentono di avanzare alcune considerazioni che riguardano da un lato il riproporsi a Forlì di una pratica, quella del rifacimento delle cornici e dei motivi decorativi, cui Muzio farà ricorso anche in altre occasioni, come emerge, ad esempio, per il restauro degli affreschi giotteschi nella basilica superiore di Assisi[52], e dall'altro il problema di comprendere quanto restrittivi fossero i margini d'azione dei restauratori e la reale incidenza di quei dettami improntati sul principio della riconoscibilità dell'intervento, pronunciati da Cavalcaselle più volte anche nella normativa per il restauro dei dipinti murali, diffusa il 3 gennaio 1879: "Poco rileva che apparisca il restauro, anzi dovrebbe apparire ma quello che importa si è che si rispetta l'originale della pittura. La bugia detta anco con bel garbo dovrebbe essere tolta di mezzo"[53].

Al di là delle perplessità sollevate da Schmarsow, il giudizio che la storiografia artistica espresse nei confronti dell'esito del restauro fu generalmente positivo.

L'entusiasta opinione di Santarelli, che non esitava a considerare il lavoro di Muzio svolto "con coscienzioso impegno"[54], si univa all'apprezzamento di alcuni storici dell'arte, da Gustavo Frizzoni a Egidio Calzini, per la migliorata leggibilità che il ciclo pittorico aveva riacquistato, creando le condizioni affinché il dibattito storiografico intorno alla delicata questione attributiva, fra Palmezzano e Melozzo, potesse riprendere su basi filologicamente più attendibili[55].

Una presa di distanza sembra scorgersi soltanto nel 1892, quando il direttore dell'Ufficio regionale per la conservazione dei monumenti dell'Emilia, Raffaele Faccioli, segnalava in una comunicazione al ministero l'eccessivo disturbo visivo arrecato dalla presenza di "pezze biancastre stridenti nelle pitture della volta frescata dal Melozzo, le quali tolgono molto all'effetto di quelle importanti pitture», e consigliava di "darvi sopra una tinta unita intonata colle pitture stesse"[56]. La mancanza di altre informazioni ostacola l'esatta identificazione di queste stuccature; tuttavia, nelle critiche sollevate dal direttore, così come nella soluzione avanzata, che cercava di contemperare le istanze filologiche con quelle estetiche del restauro, è già possibile intravedere quell'atteggiamento di progressivo distacco con cui ben presto in molti – fra restauratori, studiosi e specialisti del settore – guarderanno all'indirizzo filologico e manutentivo che Cavalcaselle aveva tentato di tradurre, seppur con notevoli difficoltà, su un piano operativo anche a Forlì[57].

Desidero rivolgere un particolare ringraziamento a Massimo Ferretti, Donata Levi, Luciana Prati, Serena Togni, Elena Tonin per la disponibilità e i consigli ricevuti durante la preparazione di questo lavoro.

[1] Santarelli 1883, pp. 108-109. Antonio Santarelli, avvocato, studioso locale appassionato di archeologia e antichità, nel 1876 viene nominato membro della Commissione conservatrice dei monumenti e oggetti d'arte. La comunicazione della nomina inviata dal prefetto di Forlì, il 30 settembre 1876, si trova in Biblioteca Comunale di Forlì (d'ora in poi BCFo), fondo Santarelli, b. 1, fasc. *Ispettore Scavi Monumenti – Commissione provinciale Belle Arti e Scavi.* Due anni più tardi riceve la carica di ispettore degli scavi e monumenti della provincia di Forlì, che mantiene fino al 1907. Per ulteriori informazioni vedi Iannucci, Di Francesco 1994, in particolare p. 237.
[2] Santarelli 1883, p.108.
[3] Di vario formato, i disegni sono stati eseguiti a penna, inchiostro e matita rossa. La maggior parte dei rilievi è databile al 1831. Al mese di aprile del 1834, invece, si riferiscono alcuni rilievi fatti su carta da lucido raffiguranti il volto del presunto ritratto di Melozzo e il cartellino con la firma del Palmezzano (Reggiani, Zampighi 1831-1834). Due disegni sono apparsi in Forlì 1994, pp. 140-141.
[4] "Le figure hanno più o meno molto patito dalle piogge cagionate dall'incuria della revisione della copertura, per il che tutte le rosette, e bottoni dorati situati in detta gabbia sono per terra cadute" (Reggiani, Zampighi 1831-1834, n. 3). "Al contrario le figure dipinte nella parte della lunetta superiore e quelle della volta, benché le ultime tinte siano state date da un audace muratore, sulla presunzione di ripulirle, portate via, mostrano uno stile largo e di mano veramente maestra; e in particolare le otto figure della volta, i quattro profeti e altre tante sibille scortano meravigliosamente; e ancor si vede, benché molto perdute nel colore, che sono disegnate e dipinte con bella verità e di molto buona grazia e bravura" (Reggiani 1834, p. 9). In un lucido che raffigura i presunti ritratti di Palmezzano e Melozzo nella lunetta, Reggiani segnala come, l'affresco sia stato danneggiato soprattutto da vecchi restauri: "Due ritratti dipinti nella lunetta alquanto patiti dal tempo e più dagli uomini" (Reggiani, Zampighi 1831-1834).
[5] "Invalse l'error di credere che l'intera cappella fosse in tutto dipinta dal Palmezzani, perché nella colonna di mezzo nella prospettiva inferiore vi era un cartellino, ora per mano forse dei ragazzi quasi affatto distrutto [...]" (Reggiani 1834, p. 9). Sul degrado del cartellino interviene qualche anno più tardi anche l'autore di *Sketches of the history of Cristian Art*, Lord Lindsay, che, in visita a Forlì nel 1842, così riferiva: "At first sight you perceive that the painter has inscribed his name on a scroll attached to one of the pillars - I mounted on a bench to read it, saying to myself what fools these doctors must be to differ on a question easily settled. When imagine my disappointment at finding that some wanton vagabond had carefully erased with a sharp instrument the whole inscription reducing it to following hieroglyphic or rather blotch [...]". Inoltre, aggiunge come gli affreschi del registro inferiore fossero ormai "scratched all over by wanton hands" (Brigstocke 2003, pp. 211-212).
[6] "Nel qual sito vi era anticamente una nicchia la quale illuminava due finestre laterali guarnita di vetri colorati, e nella di cui volta era rappresentato il Padre Eterno circondato da serafini, e nei due stipiti della medesima due Vescovi, e altri ornati i quali più non esistono" (Reggiani, Zampighi 1831-1834, n. 3).Vedi anche quanto riportato da Reggiani nel 1834: "In origine l'altare s'internava nel muro a gran nicchia, e nel suo mezzo catino vi era dipinto il Padre Eterno attorniato da Serafini, e con alcuni Vescovi in piviale ne' stipiti. Due finestre dai lati illuminavano tutto il dipinto: presentemente, diroccato quel muro, se ne è alzato un altro a perpendicolo, onde la cappella è pur cieca" (Reggiani 1834, p. 10).
[7] "Fa pietà il vedere questo eccellente lavoro lasciato cadere in totale deperimento; e io scongiuro coloro cui spetta in Forlì di sorvegliare per l'esecuzione delle istruzioni date dai sommi pontefici in proposito, perché vogliano adoprarsi affinché le cose antiche sopravvissute all'oltraggio del tempo, e alla dimenticanza degli uomini, sieno in qualche conto tenute e conservate; tanto più che in codesta patria nostra pochissime ne rimangono [...]" (Casali 1844, pp. 9-10); vedi anche Casali 1838, p. 84; Casali 1863, p. 82.
[8] La notizia si ricava indirettamente dalla lettera del prefetto di Forlì inviata al ministro dell'Istruzione pubblica il 29 gennaio 1877, dove si sottolineava che la chiusura delle cancellate aveva avuto soltanto un esito parziale, proteggendo la cappella dai vandali, ma non dal degrado prodotto dagli agenti atmosferici: "È evidente che nella prima cappella detta di San Michele come pure nella seconda dedicata a S. Bernardino gravissimi danni si apportarono da vandiche mani attalché dal governo allora esistente, cioè nel 1853, si ordinò la chiusura di quelle cappelle con cancellate di ferro, le quali, se potevan difendere li affreschi dalle ingiurie degli uomini, non eran certo valevoli a salvarli da ognor crescente deperimento, atteso l'umidore dei muri, dei pianciti, nonché per la continuata mancanza di luce ed areazione", in Archivio Centrale dello Stato, Ministero della Pubblica istruzione, direzione Generale antichità e belle arti (d'ora in poi ACS, MPI, AA. BB. AA.), I versamento [1860-1890], b. 129, fasc. 1541.
[9] La notizia era stata riportata dal parroco della chiesa di San Biagio a cui fa riferimento il direttore dell'Ufficio regionale per la conservazione dei monumenti dell'Emilia in una comunicazione al ministro dell'Istruzione pubblica da Bologna, 16 novembre 1892. La presenza di truppe militari nella cappella Feo è attestata anche sotto il periodo napoleonico, come riferiva Antonio Santarelli in una comunicazione al prefetto di Forlì nel 1878: "La pittura è conservatissima, differentemente da quella sottoposta del Palmezzano scolaro di lui, giacché un'occupazione di truppe avvenuta in quella chiesa pel principio del secolo, vi recò danni immensi, e poche figure [...], rimasero superstiti", in BCFo, fondo Santarelli, b. 4, fasc. 3. Allo stanziamento dei militari, sia in epoca napoleonica che durante gli anni sessanta dell'Ottocento, accenna anche Pergoli 1926, p. 10.
[10] Comunicazione di Luigi Buscaroli al sindaco di Forlì, 6 novembre 1871, in BCFo, fondo Santarelli, b. 5, fasc. 6.
[11] In una comunicazione al sindaco di Forlì, il 28 febbraio 1877, il parroco della chiesa di San Biagio, Pietro Zanardi, riferisce di un intervento di riparazione: "È una prova si è che dopo l'ultimo forte terremoto, minacciando la Chiesa imminente ruina fui costretto per ristaurarla a fare un debito colla Cassa dei Risparmi, debito che ancora non ho estinto. E sebbene facessi istanza al R. Governo per avere un sussidio, ne ebbi 200 lire. Dico duecento che bastarono appena per l'imbiancatura", in ACS, AA. BB. AA., I versamento [1860-1890], b. 129, fasc. 1541. Inoltre, una comunicazione inviata dal Comune di Forlì al prefetto, data 26 giugno 1875, riferisce di come "nella chiesa di San Girolamo [...] sono stati fatti recentemente alcuni restauri [...]", in Archivio di Stato di Forlì (d'ora in

poi ASFo), Archivio Generale della prefettura, b. 1044, fasc. 17.

[12] A distanza di pochi giorni dall'approvazione da parte della Giunta di antichità e belle arti dell'*Elenco Ufficiale degli Edifici Monumentali*, l'11 giugno 1875, il presidente della Commissione per la conservazione dei Lavori pregevoli di belle arti dell'Emilia, Adeodato Malatesta, sollecitava Luigi Buscaroli, responsabile per il territorio forlivese, a stendere ogni sei mesi un rapporto sui monumenti che erano stati dichiarati di interesse nazionale, cioè la chiesa di San Biagio e l'affresco del *Pestapepe* di Melozzo. Il rapporto doveva informare la commissione sui "danni che li minacciassero e delle riparazioni occorrenti" (vedi la comunicazione di Adeodato Malatesta da Modena, 22 giugno 1875, in BCFo, fondo Santarelli, b. 5, fasc. 6). Sulle vicende per la compilazione dell'*Elenco Ufficiale degli Edifici Monumentali* si rimanda a Benciventi, Dalla Negra, Grifoni 1987, pp. 288-294.

[13] Comunicazione di Cavalcaselle al ministro dell'Istruzione pubblica da Roma, 7 novembre 1876, in ACS, MPI, AA. BB. AA., I versamento [1860-1890], b. 129, fasc. 1541. La figura di ispettore centrale per la pittura e la scultura, assegnata a Cavalcaselle nel 1875, insieme a quella di ispettore centrale per le architetture affidata all'ingegnere Francesco Bongioannini, era stata introdotta dal ministro Ruggero Bonghi nell'ambito di un più ampio progetto di riorganizzazione del dicastero dell'Istruzione pubblica, e in particolare del settore delle belle arti. Compito di Cavalcaselle era di svolgere un'attenta e scrupolosa attività di ricognizione e di salvaguardia delle opere d'arte, presenti sul territorio nazionale. Sull'attività amministrativa di Cavalcaselle rinvio a Levi 1988, pp. 309-368. Alcuni riferimenti sui restauri della cappella Feo sono apparsi in Parca 2005, specie p. 12.

[14] A conferma delle sue conoscenze sulla situazione conservativa degli affreschi, è possibile segnalare quanto riportato nello schizzo per le *Storie e martirio di San Giacomo*, dove era rimasto colpito dalle abrasioni presenti sulla pellicola pittorica: "Quasi tutte le teste col coltello tagliate" (Biblioteca Nazionale Marciana (d'ora in poi BMV), Cod. It. IV 2038 [=12279], fasc. 10, c. 35r); mentre nel disegno della volta, evidenziava una crepa profonda accanto al profeta Daniele, di cui scorgeva appena la sagoma : «Figura traccia manca" (in *ibidem*, cc. 30v-31r), e la lacuna presente sulla veste di un evangelista "quasi perduto" (in *ibidem*). Anche per uno dei putti posti sui pennacchi descriveva il danno prodotto dall'umidità: "salso" (*ibidem*).

[15] La spesa così ingente dipendeva dalle riparazioni necessarie per proteggere gli affreschi della cappella dalle continue infiltrazioni di umidità, provenienti sia da pavimento sia dal tetto per effetto "di qualche stillicidio che in tempo di nevi e di prolungate piogge si dubita possa penetrare". In particolare nella perizia del Genio civile si proponeva il rifacimento delle coperture della volta e della porzione di loggiato che correva direttamente lungo la facciata della chiesa in corrispondenza della parete affrescata dove si trovavano le *Storie e martirio di san Giacomo*. Inoltre, si consigliava di procedere al rifacimento completo del pavimento e della parete a sud-est dove sarebbero state riaperte le monofore. Infine si consigliava di trasferire il quadro di Guido Reni minacciato dall'umidità (perizia firmata da Emilio Baldini, Forlì 19 dicembre 1876, in ASFo, Archivio Generale della prefettura, b. 1044, fasc. 17).

[16] Comunicazione del prefetto di Forlì al ministro dell'Istruzione pubblica, 29 gennaio 1877,

ACS, MPI, AA.BB.AA., I versamento [1860-1890], b. 129, fasc. 1541.

[17] Comunicazione di Cavalcaselle al ministro dell'Istruzione pubblica da Roma, 4 febbraio 1877, in *ibidem*.

[18] Ibidem.

[19] Comunicazione di Bongioannini al ministro dell'Istruzione pubblica da Roma, 21 luglio 1877 in *ibidem*.

[20] "[…] Ho trovato che è assolutamente necessario che il Sig. Luigi Muzio da Assisi si rechi quanto prima a Forlì per assicurare, come ha fatto a Viterbo, gli intonachi dipinti, prima ancora che l'ingegnere metta mano ai lavori che dovrà fare ai muri di quella cappella, per dare luce e ventilazione conveniente. Sarà dunque necessario che il Prefetto di Forlì sia avvisato che il Muzio andrà a fare quel lavoro di pochi giorni, per ritornare poi dopo che il genio Civile avrà fatto il suo, ad assicurare in modo stabile quei dipinti. Così sarà pure da avvisare il Muzio che quanto prima può lasciare Assisi per recarsi a Forlì, e ritornare ad Assisi finito che abbia il lavoro" (comunicazione di Cavalcaselle al ministro dell'Istruzione Pubblica da Roma, 21 settembre 1877, in *ibidem*).

[21] Di lui non si conosce ancora la data di nascita. Era probabilmente originario di Roma e alcune fonti riferiscono della sua iniziale professione come "fonditore di metalli". Per la sua attività è possibile fare riferimento al breve ma intenso carteggio con Cavalcaselle, databile al 1880-1884, ora nel fondo della Marciana, e alle carte conservate presso l'Archivio Centrale dello Stato, dove la sua attività risulta documentata fino all'11 maggio 1889, anno della sua improvvisa scomparsa (Mozzo 2003, p. 105; Levi 1988, pp. 338-339). Chi scrive ha in corso di preparazione uno studio più approfondito sui restauri eseguiti da Luigi Muzio.

[22] Entrambe le circolari, che non apparvero mai sul "Bollettino Ufficiale del Ministero della Pubblica Istruzione", vennero redatte da Cavalcaselle nel 1877. La prima, intitolata *Norme per il restauro dei dipinti nelle Gallerie del Regno*, venne diffusa con la circolare n. 508bis del 30 gennaio 1877 in 500 copie ai direttori di gallerie, musei e alle Commissioni conservatrici. La seconda, dal titolo *Norme pei lavori di restauro dei dipinti a fresco*, venne resa ufficiale soltanto a distanza di due anni, nella circolare ministeriale del 3 gennaio 1879. Per le minute vedi in ACS, MPI, AA. BB. AA., I versamento [1860-1890], b. 385, fasc. 22, sf. 3 (Levi 1988, pp. 344-353; Curzi 1996, pp. 189-198; Rinaldi 1998, pp. 99-100, 105).

[23] Si veda in proposito il resoconto di Cavalcaselle del 24 gennaio 1877, in ACS, MPI, AA. BB. AA., I versamento [1860-1890], b. 564, fasc. 876, sf. 1; inoltre cfr. la documentazione conservata in ACS, MPI, AA. BB. AA., II versamento [1891-1897], II serie, b. 445, fasc. 4893-4894.

[24] Per ulteriori approfondimenti sui restauri rinvio alla documentazione conservata in ACS, MPI, AA. BB. AA., II versamento [1891-1897], b. 446.

[25] Presso il cantiere di Assisi, Muzio lavorò fino al 1889 (Mozzo 2003, pp. 109-121; Levi 1988, pp. 332-344). A lui vanno riconosciuti anche altri interventi di restauro eseguiti nel territorio umbro: nel 1880 interviene sugli affreschi della cappella delle Rose nella chiesa di Santa Maria degli Angeli ad Assisi, nell'agosto del 1887 invece è documentato sull'affresco attribuito a Giovanni Spagna nella chiesa di San Sebastiano a Campello. Infine, nel 1889, poco prima di morire, ripara la tavola dell'Alunno nel duomo di San Rufino ad Assisi (Mozzo 2003, pp. 104-107). Su Domenico Brizi, invece, vedi Parca 2005, pp. 11-29.

[26] Sull'intervento di messa in sicurezza degli affreschi non disponiamo di molte informazioni. Ca-

valcaselle accennava all'applicazione di veli per la protezione della volta e della lunetta durante lo svolgimento dei lavori di ristrutturazione: "E prima ancora che il Genio civile faccia mettere mano i lavori di muratura e di copertura di quella cappella il ministero piacendogli; manderà persona a Forlì per mettere i veli a quelle parti del colore o degli intonachi ove si riconoscesse il bisogno perché non abbiano, durante quei lavori, da cadere" (/comunicazione di Cavalcaselle al ministro dell'Istruzione pubblica da Roma, 4 febbraio 1877, in ACS, MPI, AA. BB. AA., I versamento [1860-1890], b. 129, fasc. 1541).

[27] I lavori di intervento strutturale presero il via il 24 novembre 1877 con una spesa di 1590 lire, più contenuta rispetto alla somma preventivata nella precedente perizia del Genio civile. Essi riguardarono, in particolare, la parete sud-est e la volta che, trovandosi "nello stato più deplorevole sia per effetto di cattiva costruzione che di manutenzione", venne liberata dai materiali di risulta e sottoposta a un intervento di stuccatura e copertura con asfalto. Inoltre, per garantire il massimo isolamento dall'umidità e l'areazione del locale, come chiedeva Bongioannini, venne aperta una monofora semicircolare e si procedette all'inserimento di intercapedini nelle murature per il passaggio dell'aria, all'applicazione di canali di scolo alla base dei muri esterni della cappella e alla stesura di cemento Portland nelle adiacenze dell'altare, in precedenza rimosso, e sui muri esterni (E. Baldini, *Corpo reale del Genio Civile Provincia di Forlì. Chiesa Parrocchiale di S. Biagio in S. Girolamo in Forlì. Progetto dei lavori strettamente indispensabili per la conservazione degli affreschi del Palmezzani e del Melozzo esistenti nella sopradetta chiesa*, Forlì, 24 settembre 1877, in ASFo, Archivio Generale della Prefettura, b. 1044, fasc. 17.

[28] Vedi la comunicazione di Cavalcaselle al ministro dell'Istruzione pubblica da Roma, 7 giugno 1878, in ACS, MPI, AA. BB. AA., I versamento [1860-1890], b. 129, fasc. 1541.

[29] Il primo pagamento di 268,30 lire risale al mese di novembre 1877 e riguarda l'intervento compiuto da Muzio per l'applicazione dei "veli" sugli affreschi. L'ultimo, invece, intestato a Muzio e Brizi, è datato 26 aprile 1883, in *ibidem*.

[30] BMV, Cod. It IV 2041[=12282], fasc. II, cc. 8v-13r, 29v, 34v, 40r-41v.

[31] Che per il restauro della lunetta sottolineava come sia stata "assicurata e pulita", vedi il resoconto di Santarelli compilato per la commissione conservatrice dell'Emilia, Forlì, 9 luglio 1880, in ASFo, Archivio Generale della prefettura, b. 1044, fasc. 16. Inoltre, in un acquarello, datato 15 luglio 1880, raffigurante la porzione di superficie pittorica della volta fino a quel momento restaurata, Muzio informava Cavalcaselle anche sui possibili interventi che avrebbe potuto eseguire: "Il tutto quello dentro il Rosso e tutto finito – II tutto quello dentro alle verde e da farsi – III E la lunetta e tutta finita - IIII io mi credo sicuro di fare li stacchi" in BMV, Cod. It. IV 2041[=12282], fasc. II, c. 29v, ora anche in Forlì 1994, p. 142.

[32] I lavori vennero sospesi il 14 agosto 1880, vedi la comunicazione del prefetto al ministro dell'Istruzione pubblica da Forlì, 22 agosto 1880, in ACS, MPI, AA. BB. AA., I versamento [1860-1890], b. 129, fasc. 1541. Un comunicato di Cavalcaselle, datato 24 maggio 1881, informa il ministro sull'impossibilità di Muzio di recarsi nella città romagnola, poiché impegnato ad Assisi dove alcuni affreschi della basilica superiore "minacciavano di cadere", in *ibidem*, ora anche in Parca 2005, in particolare p. 12.

[33] La ripresa dei lavori a Forlì fu resa possibile grazie all'interruzione dei restauri nella basilica assisiate, sospesi per le festività organizzate in occasione del centenario di san Francesco, co-

me riferisce Cavalcaselle al prefetto di Forlì in una comunicazione da Roma, il 23 luglio 1882, in ACS, MPI, AA. BB. AA., I versamento [1860-1890], b. 129, fasc. 1541.

[34] Cfr. la perizia compilata dal Genio civile dove si descrivevano i lavori di messa in sicurezza per salvaguardare l'arco, "già da molto tempo lesionato", della parete sud-est e "alcuni residui di affreschi che si è ora veduto esistere nelle spalle e alle imposte dell'arco" (E. Baldini, *Corpo reale del Genio Civile Provincia di Forlì*…cit., in ASFo, Archivio Generale della prefettura, b. 1044, fasc. 17). Nel descrivere l'intervento di restauro, Santarelli riferiva che Muzio aveva provveduto a "tergere i dipinti dal bianco e dalla calce sovrappostivi", sottolineando come gli affreschi erano stati rovinati per colpa di "un subito vandalismo, che si estese alla parete sottoposta affine di adattarvi un altare ora rimosso" (Santarelli 1883, p. 108). Ulteriori precisazioni si rintracciano anche nella *Storia della Pittura in Italia*: "Le altre parti di questa cappella furono coperte da più strati di bianco, nel toglier le quale si trovò soltanto parte della pittura di un'altra lunetta" (Cavalcaselle, Crowe 1898, p. 326). Il fatto che i rilievi di Reggiani non riportino alcuna notizia su questi affreschi, così come i disegni di Cavalcaselle, lascia intendere che le pitture fossero già coperte agli inizi dell'Ottocento. Un'ipotesi questa che potrebbe trovare una labile conferma nella Guida di Giovanni Casali, dove si accenna alla copertura di alcune pitture in seguito a un intervento di restauro avvenuto nel 1650: "E tutto ciò che di moderno vi si vede, devesi attribuire al restauro fatto nel 1650, per il quale fatalmente furon coperte molte pitture a fresco che la ornavano quasi tutta" (Casali 1838, p. 83).

[35] Anche se nell'articolo apparso nel 1883 Santarelli auspicava un proseguimento dei lavori su questa parte del ciclo pittorico (Santarelli 1883, p. 109).

[36] In riferimento, ad esempio, alla corretta interpretazione dei personaggi della volta. Due disegni eseguiti a matita segnalavano la posizione esatta dei cartigli ancora leggibili al di sotto delle figure dei profeti David, Baruch e Daniele, riportando anche parte dell'iscrizione. Tali informazioni saranno riprese più tardi da Cavalcaselle nella *Storia della Pittura in Italia* (Cavalcaselle, Crowe 1898, specie p. 327).

[37] BMV, Cod. It. IV 2041[=12282], fasc. II, c. 13r.

[38] L'immagine venne pubblicata sia in formato piccolo (cm 21 × 27, numero di serie 16508) che extra (cm 33 × 44, numero di serie 17731) in Fratelli Alinari, *Terza appendice al catalogo generale delle riproduzioni fotografiche pubblicate per cura dei Fratelli Alinari Fotografi – Editori, Parte seconda*, Firenze, Tipografia di G. Barbera, 1 gennaio 1887, p. 132. Un *terminus ante quem* si ricava dal volume di Schmarsow edito nel 1886, dove si accenna all'immagine fotografica degli Alinari. Nel tentativo di impedire lo svolgimento di una campagna fotografica da parte di una ditta privata, nel 1880 Antonio Santarelli proporrà al Ministero la realizzazione di una documentazione fotografica dell'affresco, appena restaurato: "Sul particolare poi osserva il detto Sig. Ispettore come farebbe buon consiglio che appena possa scostarsi il ponte su cui lavora il sunnominato Sig. Muzio, fosse dal Ministero ordinata la fotografia almeno della lunetta, s'impedisce nel frattempo che privati la ritraessero; però che gli sembra debba questo vanto che gli ebbe il merito di ridare all'ammirazione degli intelligenti così bel miracolo artistico e non rapirsi dalla volgare speculazione" (comunicazione del prefetto di Forlì al mini-

stro dell'Istruzione Pubblica da Forlì, 15 luglio 1880, in ACS, MPI, AA. BB. AA. I versamento [=1860-1890], b. 129, fasc. 1541.

[39] Si tratta di una stampa alla gelatina ai sali d'argento, formato (21× 27), n. 16826, in dipartimento di Arti visive, fondo Croci, università degli studi di Bologna. Ringrazio Simonetta Niccolini per avermi facilitato nella ricerca e nella consultazione del fondo fotografico.

[40] Santarelli 1883, p. 108.

[41] „Kuppel und Lünette sind in Sommer 1880 von Luigi Muzio im Auftrag der Regierung sorgfältig restauriert worden, wobei ich Gelegenheit hatte auf einem Gerüst dies oberen Teile genau zu prüfen. Alinari Photographie der Lünette lässt mehrfach Muzio's Schraffierungen erkennen, der auch die Fresken des Lorenzo da Viterbo in S.M. della verità daselbst, sowie die Arbeiten des Matteo da Gualdo und Mezzastris im Hospital zu Assisi restauriert hat, und neuerdings in der Oberkirche von S. Francesco beschäftigt war (1884). Leider hat diese Reinigung überall den Verlust der weichen Epidermis zur Folge gehabt!» (Schmarsow 1886, p. 282, nota 2).

[42] D. Anderson, *Iᵉ Supplement au Catalogue Général des Reproductions Photographiques publiées par D. Anderson editeur photographe, Première Partie Tableaux, fresques, dessins, mosaïques. Deuxième Partie sculptures, architectures, monuments, vues, paysages*, Rome, 7ᴬ, Via Salaria, 7ᴬ, 1911, p. 20, nn. 7000 - 7010.

[43] In questo arco di tempo si registrano soltanto alcuni interventi strutturali alle coperture esterne della cappella. Si veda, in particolare, la comunicazione inviata dal prefetto di Forlì al ministro dell'Istruzione pubblica del 22 maggio 1886, dove si fa riferimento alla conclusione dell'incarico commissionato all'impresario Romeo Riva per "riparare attentamente a coppo levato e in corrispondenza della volta, il tetto di copertura della sopradetta cappella, rimettendo quelle tegole che fossero o rotte o mancanti", in ACS, MPI, AA. BB. AA., I versamento [1860-1890], b. 129, fasc. 1541. Vedi anche la nota di spesa, inviata dal direttore dell'Ufficio regionale per la conservazione dei monumenti dell'Emilia al ministro dell'Istruzione pubblica da Bologna, il 21 gennaio 1897: "In seguito ai forti venti e alle spese piogge del trascorso anno il tetto sulla cappella di San Biagio in Forlì, ove sono gli affreschi del Melozzo, era stato danneggiato in modo da lasciare infiltrare l'acqua sopra i pregevoli affreschi. Riconoscendo esser necessario prendere un provvedimento d'urgenza, ordinai a mezzo del Signor Ispettore avv. Antonio Santarelli le debite riparazioni, per le quali invio, qui acclusa, la nota delle spese dell'importo di £. 19.88" in *ibidem*.

[44] Chi scrive ha avuto la possibilità di controllare direttamente le lastre alla gelatina ai sali d'argento (formato 21 × 27) conservate presso gli Archivi Alinari. I ritocchi a punta di pennello sono stati riscontrati soltanto in due casi che riproducono i dettagli della lunetta con il *Miracolo dell'impiccato*, vedi nn. 7010 - 7011, in Archivi Alinari. Ringrazio Üta Roster e Monica Maffioli per la disponibilità concessami nella consultazione dei fondi del Museo di storia della fotografia e della Lastroteca degli Archivi Alinari.

[45] Vedi quanto è stato già da me segnalato sopra.

[46] Vedi Levi 2002, pp. 39-43; Mozzo 2002 pp. 43-48; Tucker 2002, pp. 48-52; Mozzo 2003, in particolare pp. 74-87.

[47] E quindi in linea generale a uno scollamento tra criteri di massima e l'effettiva prassi di intervento come ha bene evidenziato anche Donata Levi (Levi 2002, p. 40).

[48] "Se oltre il colore mancasse anco l'intonaco turare quei vuoti con nuovo intonaco, e poi coprirlo con una […] tinta neutra, a guisa di acquarello, per la ragione di sopra esposta per cui è assolutamente proibito il restauro, o ritocchi, a colori supplendo le parti mancanti o deteriorate, imitando l'originale", estratto dalla minuta di Cavalcaselle, Roma 25 luglio 1877, in ACS, MPI, AA. BB. AA., I versamento [1860-1890], b. 385, fasc. 22, sf. 3, ora anche in Curzi 1996, pp. 189-198.

[49] Vedi la minuta di Cavalcaselle per il restauro degli affreschi della chiesa del Carmine a Firenze, il 15 settembre 1876 (Rinaldi 1998, p. 177). Vedi anche quanto dichiarato, l'8 febbraio 1877, per il restauro degli affreschi della chiesa di Santa Margherita a Cortona: "Tali parti dovrebbero essere coperte con tinta di color neutro onde togliere il bianco che tanto disturba l'occhio di chi guarda", in *ibidem*, p. 181. Per il restauro degli affreschi nella basilica superiore di San Francesco ad Assisi, nel 1875, riferiva: "Ove è caduto l'intonaco farne uno nuovo dandovi sopra una tinta neutra per togliere il brutto effetto che farebbe all'occhio il bianco della calce", in BMV, Cod. It. IV 2040 [=12281], fasc. 5/3, c. 29r.

[50] "Se si vuole riempire quella lacuna, si dovrà farlo tanto quanto occorre perché il bianco della mestica non offenda l'occhio di chi osserva il dipinto; ed anco se vuolsi, sia pure col lo stesso colore dell'antica pittura, ma in tal caso dovranno quelle parti essere più chiare del tono del colore originale", minuta di Cavalcaselle per il restauro della pala del Beato Angelico agli Uffizi, 16 dicembre 1878, citata in Rinaldi 1998, pp. 209-210. Vedi anche le segnalazioni riportate in proposito da Tucker 2002, p. 66, nota 183.

[51] Come ha attentamente osservato Paul Tucker (Tucker 2002, pp. 51-52).

[52] Nel marzo del 1888, il Ministero chiese a Muzio di tenere un "tono minore" quando ridipingeva le fasce decorative delle cornici, per l'effetto di eccessivo contrasto provocato dal confronto con le superfici non ritoccate. L'appello verrà reiterato pochi mesi più tardi, il 27 settembre, in un comunicato dove gli veniva ordinato "di non fare più ornati di sorta di limitarsi d'ora in avanti a saldare gli intonachi alle pareti", comunicazione del Ministero dell'Istruzione pubblica ad Alfonso Brizi, 27 settembre 1888, ora in Mozzo 2003, p. 114, nota 117.

[53] Minuta di Cavalcaselle, 25 luglio1877, in ACS, MPI, AA. BB. AA., I versamento [1860-1890], b. 385, fasc. 22, sf. 3, ora in Curzi 1996, pp. 196-197.

[54] Santarelli 1883, p. 108.

[55] Frizzoni 1888, p. 293; Calzini 1894, pp. 339-340.

[56] Comunicazione del direttore dell'Ufficio regionale per la conservazione dei Monumenti dell'Emilia al ministro dell'Istruzione pubblica da Bologna, 16 novembre 1892, in ACS, MPI, AA. BB. AA., I versamento [1860-1890], b. 129, fasc. 1541. Alla luce dei documenti presi in considerazione, la proposta non sembra aver avuto alcun seguito.

[57] In generale su questi argomenti vedi Conti 1988, pp. 307-328; Rinaldi 1998, in particolare pp. 77-91. Sulla progressiva tendenza del restauro, volta al ripristino e alla ricerca dell'originaria configurazione dell'opera, che si diffonde a Forlì nel corso dei decenni successivi, in particolare per alcuni importanti interventi architettonici, si veda Iannucci-Di Francesco 1994, pp. 237-250.

Marco Palmezzano nelle ricognizioni forlivesi di Giovanni Battista Cavalcaselle: i disegni della Biblioteca Nazionale Marciana di Venezia

Marco Mozzo

Il fondo di Giovanni Battista Cavalcaselle alla Biblioteca Nazionale Marciana di Venezia contiene un fascicolo, ancora inedito, recante sul *recto* del primo foglio l'intestazione "Marco Palmezzano"[1]. Al suo interno sono presenti fogli di vario formato disegnati a matita e a penna nera su carta bianca o azzurra, fotografie che riproducono le tavole di Palmezzano conservate presso la Pinacoteca di Brera[2], alcune pagine della biografia dell'artista forlivese tratte dall'edizione tedesca dell'*History of Painting in Italy*[3], cui si aggiunge la documentazione grafica eseguita da Luigi Muzio, durante i lavori di restauro agli affreschi della cappella Feo, diretti da Cavalcaselle tra il 1880 e il 1883[4]. L'ipotesi sull'impiego di questo fascicolo, confortata anche da alcuni indizi in esso contenuti, è che si tratti di materiali preparatori raccolti dal celebre studioso per la stesura della biografia su Palmezzano prevista nella *Storia della pittura in Italia*, pubblicata solo all'indomani della sua improvvisa scomparsa nel 1898[5].

I 34 disegni che compongono il nucleo principale dell'intero fascicolo documentano le più importanti opere forlivesi attribuite da Cavalcaselle a Marco Palmezzano e, in misura minore, agli artisti a lui coevi o successivi: Niccolò Rondinelli, Baldassare Carrari, Francesco Menzocchi e Francesco Zaganelli da Cotignola. La loro esecuzione è databile in un arco cronologico che oscilla tra la fine degli anni cinquanta dell'Ottocento e la prima metà del decennio successivo, quando lo studioso ebbe più volte l'occasione di recarsi a Forlì.

A un primo soggiorno probabilmente risalente al 1858[6] fa seguito la breve visita compiuta in compagnia del suo collega-rivale Giovanni Morelli nel 1861, in occasione del notissimo viaggio governativo finalizzato alla catalogazione del patrimonio artistico umbro-marchigiano coinvolto nei decreti di soppressione dei commissari Pepoli e Valerio[7]. Altre tappe forlivesi risalgono al 1863 e 1864[8], in coincidenza con gli impegni assunti da Cavalcaselle insieme a Joseph Archer Crowe per la prepara-

zione di *A New History of Painting in Italy*, in cui la trattazione di Palmezzano ruota essenzialmente intorno alla produzione artistica forlivese[9]. Tuttavia, la presenza sui fogli di indicazioni cronologiche posteriori[10] e di segnalazioni, in merito, ad esempio, agli spostamenti subiti dalle opere[11], dimostra come i disegni siano stati ripresi e aggiornati più volte nel corso di successive ricognizioni, nell'ambito delle quali lo studioso ebbe modo di procedere, con quella sistematicità che gli era propria, a una capillare indagine conoscitiva estesa anche ai dintorni della città di Forlì, (figg. 1-2)[12].

Rispetto all'edizione inglese, dove la biografia di Palmezzano fa quasi da compendio finale alla trattazione della vita del suo maestro Melozzo, i disegni restituiscono un quadro di maggior respiro che, al di là della schematicità con cui talvolta si presen-

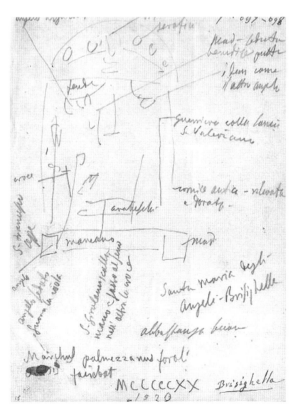

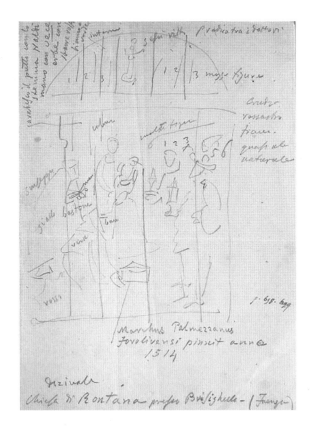

tano, ci permettono di comprendere da un lato l'ampiezza della ricerca, volta in prima istanza alla difficile redazione del catalogo del pittore, e dall'altro l'approccio metodologico dello studioso, incentrato, come di consueto, sulla verifica incrociata dei dati documentari e visivi.

Richiami puntuali, con l'indicazione talvolta anche del numero delle pagine o del nome dell'autore, si rintracciano per le principali fonti dell'erudizione artistica locale: la *Guida per la città di Forlì* di Giovanni Casali, nell'edizione del 1838, la biografia di Marco Palmezzano del medesimo autore, edita nel 1844, e quella su Marco Melozzo da Forlì curata da Girolamo Reggiani, apparsa nel 1834[13]. Non mancano le citazioni di studi ritenuti da Cavalcaselle fondamentali, come la pubblicazione di Pietro Desiderio Pasolini del 1893 in relazione al presunto ritratto di *Caterina Sforza* (fig. 3)[14], e il rimando puntuale ai documenti d'archivio, dagli atti notarili ai riferimenti araldici[15]. Particolarmente interessanti sono anche i brevi accenni a due nomi di spicco della *connoisseurship* internazionale: il direttore della National Gallery di Londra, Sir Charles Lock Eastlake, per la *Deposizione* di Francesco Menzocchi[16] e Giovanni Morelli, citato in relazione ad alcuni particolari del trittico di Palmezzano nella chiesa di San Biagio e per il *San Sebastiano* di Niccolò Rondinelli[17].

Ai richiami documentari e bibliografici, impiegati in prevalenza a scopo informativo per precisare la provenienza, l'ubicazione o l'interpretazione di alcuni soggetti meno noti, si affianca la descrizione

minuziosa dei dati morfologici e tecnici al fine di individuare i tratti distintivi della pittura di Palmezzano. Nell'analisi degli aspetti tecnico-esecutivi, frequenti sono i riferimenti alla densa matericità pittorica, considerata dallo studioso una cifra linguistica dell'artista forlivese, segnalata, ad esempio, sia nella pala di San Michelino a Faenza ("fondo colore […] grasso" – "paese grasso di colore"[18]) sia nel celebre *Autoritratto* ("colore grasso pesante viziato"[19]). Altrettanto numerose sono le annotazioni riferite al tono della tavolozza, descritto quasi sempre spento, e alla durezza del colore (figg. 4-6)[20]. Lo studioso, inoltre, non manca di sottolineare una certa discontinuità nella qualità pittorica delle opere, che si manifesta alle volte in un fare "impasticiato" (fig. 7)[21] o nella scarsa padronanza della prospettiva, come riporta per l'*Annunciazione* della chiesa di Santa Maria dei servi ("difettosa di prospettiva aerea") o per la pala di San Michelino a Faenza ("non tanta prospettiva aerea")[22].

Sotto il profilo stilistico e formale, particolarmente insistenti sono i richiami alla rigidità delle forme, di cui paradigmatica è la descrizione dei dettagli anatomici nella *Comunione degli apostoli*: le "estremità dure di legno" degli apostoli, il "piede da oca" del Cristo, la "carne rugosa" e le "vene come corde" del collo di san Pietro[23].

L'indagine conoscitiva prosegue con le annotazioni sullo stato conservativo dei dipinti, di cui si segnalano i degradi, le manomissioni e gli interventi di restauro che non sempre trovano sufficiente spazio sia nel testo inglese della *New History* che nella

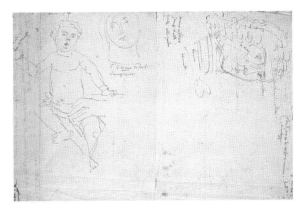

4.
Giovanni Battista Cavalcaselle, *Madonna con bambino in trono fra san Michele Arcangelo e san Giacomo minore* e nella lunetta *Padre Eterno fra cherubini* (dettaglio) da Marco Palmezzano, Pinacoteca Civica, Faenza. Disegno a penna nera su carta. Biblioteca Nazionale Marciana di Venezia, fondo Cavalcaselle, Cod. It. IV 2041(=12282), fasc. II, c. 14r.

5.
Giovanni Battista Cavalcaselle, *Madonna con bambino in trono fra San Michele Arcangelo e San Giacomo minore* e nella lunetta *Il Padre Eterno fra cherubini* da Marco Palmezzano, Pinacoteca Civica, Faenza. Disegno a penna nera e grafite su carta. Biblioteca Nazionale Marciana di Venezia, fondo Cavalcaselle, Cod. It. IV 2041(=12282), fasc. II, c. 14v.

6.
Giovanni Battista Cavalcaselle, *La comunione degli apostoli, Ritratto di Marco Palmezzano, Andata al Calvario* da Marco Palmezzano, Pinacoteca Civica, Forlì. Disegni a penna nera su carta. Biblioteca Nazionale Marciana di Venezia, fondo Cavalcaselle, Cod. It. IV 2041(=12282), fasc. II, c. 18r.

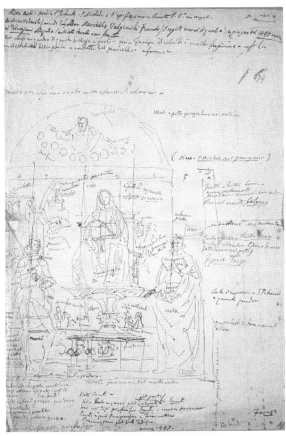

successiva edizione italiana[24]. Altrettanto puntuale è anche la trascrizione dei filatteri dei cartigli con la firma del pittore, per i quali Cavalcaselle riporta anche l'ubicazione esatta, procedendo nel contempo a una verifica dell'autenticità, che però non in-

fluisce sul giudizio di autografia. Funzionali a una più chiara delineazione della personalità artistica del Palmezzano, infine, sono i disegni tratti da alcune opere forlivesi appartenenti ad artisti a lui contemporanei o vicini alla sua sfera di influenza, tra le quali occorre citare almeno il *San Sebastiano* di Niccolò Rondinelli (fig. 8), la *Deposizione* di Baldassarre Carrari (fig. 9), la *Crocifissione* di Francesco Menzocchi e la tavola con l'*Immacolata Concezione* di Francesco Zaganelli da Cotignola (fig. 10). Su questi dipinti Cavalcaselle si sofferma a lungo nel descrivere i punti di contatto o le divergenze sia stilistiche che tecniche, elaborando una serie di appunti che troveranno una più adeguata sistemazione critica nella *History of Painting in North Italy*, apparsa nel 1871[25].

Una considerazione a parte merita, invece, l'ampia documentazione raccolta per il ciclo affrescato della cappella Feo, andato distrutto in seguito al tragico bombardamento tedesco nel 1944. Diciotto sono i disegni che descrivono la volta, la lunetta con il *Miracolo dell'impiccato* e i dipinti del registro inferiore con le *Storie e martirio di san Giacomo* (figg. 11-13). Alle visioni d'insieme[26], si accompagnano i disegni di particolari che catturano volti, intere figure (fig. 14)[27], o elementi del ricco apparato decorativo, in particolare le cornici con motivi a candelabra che ornavano i pilastri di ingresso alla cappella (fig. 15)[28]. Per una maggiore attendibilità nella traduzione grafica dei dipinti, che, prima del restauro promosso da Cavalcaselle, erano scarsamente illuminati e in cattivo stato di conservazione, è probabile che lo studioso abbia fatto ricorso anche ad altri documenti visivi. In particolare, sembrerebbe aver guardato ai rilievi grafici eseguiti tra il 1831 e il 1834 dal pittore e restauratore forlivese Girolamo Reggiani, di cui i disegni recano traccia significativa soprattutto per la scelta di certi dettagli figurativi e per la ripresa di alcune citazioni (figg. 16-17)[29]; mentre guarda con un certo distacco ai giudizi di merito e alle interpretazioni personali del Reggiani, nei confronti dei quali si assiste talvolta a una netta presa di distanza come, ad esempio, per la presunta identificazione dei ritratti di Palmezzano e Melozzo nel registro inferiore e nella lunetta[30].

Al di là di questi aspetti, i disegni contribuiscono soprattutto a chiarire meglio e più compiutamente le ragioni che spinsero Cavalcaselle ad attribuire l'intero ciclo pittorico a Palmezzano. Se per la scena del registro inferiore con le *Storie e martirio di san Giacomo* non dimostra alcuna incertezza nel riconoscere la mano del pittore forlivese, nonostante la scarsa leggibilità dovuta al precario stato di conservazione, maggiore attenzione riserva agli affreschi della volta e della lunetta con il *Miracolo del-*

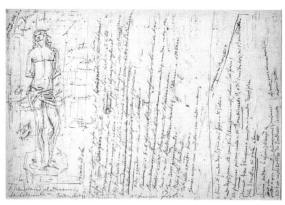

7.
Giovanni Battista Cavalcaselle, *Annunciazione, Glorificazione di Sant'Antonio Abate in trono fra i Santi Giovanni Battista e Sebastiano* da Marco Palmezzano, Pinacoteca Civica, Forlì. *L'Immacolata con il Padre Eterno in gloria e i Santi Anselmo, Agostino e Stefano* e nella lunetta la *Resurrezione* da Marco Palmezzano, abbazia di San Mercuriale, Forlì. Disegni a penna nera e matita blu su carta. Biblioteca Nazionale Marciana di Venezia, fondo Cavalcaselle, Cod. It. IV 2041(=12282), fasc. II, cc. 22v - 23r.

8.
Giovanni Battista Cavalcaselle *San Sebastiano* da Niccolò Rondinelli, cattedrale, Forlì. Disegno a penna nera. Biblioteca Nazionale Marciana di Venezia, fondo Cavalcaselle, Cod. It. IV 2041(=12282), fasc. II, c. 22r.

9.
Giovanni Battista Cavalcaselle, *Deposizione di Cristo* da Baldassarre Carrari, Pinacoteca Civica, Forlì. *Trittico della Madonna con Bambino in trono, i santi Caterina d'Alessandria, Domenico, Antonio da Padova e Sebastiano e i devoti committenti* da Marco Palmezzano, chiesa di San Biagio in San Girolamo, Forlì. Disegni a penna nera su carta. Biblioteca Nazionale Marciana di Venezia, Cod. It. IV 2041(=12282), fasc. II, c. 20v.

10.
Giovanni Battista Cavalcaselle, *Immacolata Concezione* da Francesco Zaganelli da Cotignola, Pinacoteca Civica, Forlì. *Madonna con Bambino* da Niccolò Rondinelli, Pinacoteca Civica, Forlì. Disegni a penna nera su carta. Biblioteca Nazionale Marciana di Venezia, fondo Cavalcaselle, Cod. It. IV 2041(=12282), fasc. II, c. 18v.

l'impiccato, su cui la tradizione storiografica aveva sempre oscillato tra Melozzo e il suo allievo prediletto. L'infittirsi delle note, così come il moltiplicarsi dei dettagli disegnativi, resi con incisività a penna, sui putti e sui volti dei personaggi che affollavano la scena della lunetta, testimoniano il suo interesse circoscritto a un discorso quasi esclusivamente attributivo.

In particolare, se rimane colpito dalla "durezza delle teste dei serafini", più vicini alla pala di San Mercuriale, la rigidità delle forme e dei panneggi dei profeti, messi significativamente a confronto con gli angeli dell'abside dei Santi Apostoli a Roma, rivela ai suoi occhi "difetti e caratteri di Palmezzano e non di Melozzo"[31]. Anche quando sposta la sua attenzione sul piano della costruzione prospettica, il carattere "pesante e senza sfondo" della volta e la "mancanza di prospettiva aerea" tradiscono a suo parere la mano del discepolo, meno dotato: "Cattiva scelta dei casettoni nella Cappella – Melozzo avrebbe fatto altra scelta. Palmezzano mi pare uno che non conosceva la scienza prospettica come Melozzo ma più per pratica – quasi l'aiuta l'aerea. Vedute da vicino le forme non vedesi sentimento come Melozzo – indefinito – [...]. Esaminando parte per parte non regge all'analisi è fatta con una certa facilità e pratica che ha dello spontaneo nell'esecuzione – ma non regge all'analisi. I difetti sono quelli di Marco – Palmezzano ha avanzato l'arte mecanica ma non possedeva le re-

gole di Melozzo"[32]. Analoghe considerazioni ritornano pure nell'analisi della tecnica pittorica. Certe riflessioni sulla durezza dello stile in merito, ad esempio, alle "carni tutte a tratti crude ripassate e senza la dolcezza di Melozzo"[33], contribuiscono ad avvalorare il suo giudizio finale: "Marco Palmezzano seducie gli ignoranti ma Melozzo è di gran lunga superiore"[34].

Un giudizio perentorio, destinato a rimanere pressoché invariato fino all'edizione italiana della *New History*. Anche le novità emerse durante i restauri commissionati a Luigi Muzio, in parte documentati dagli acquarelli conservati nel fascicolo della Marciana[34], pur restituendo maggiore leggibilità agli affreschi, non determinarono di fatto alcun ripensamento critico[36].

11.
Giovanni Battista
Cavalcaselle,
Volta della cappella Feo
da Melozzo da Forlì, già
nella chiesa di San Biagio
in San Girolamo, Forlì.
Disegno a penna nera,
grafite e matita blu
su carta. Biblioteca
Nazionale Marciana
di Venezia, fondo
Cavalcaselle, Cod. It. IV
2041(=12282), fasc. II,
cc. 30v-31r.

12.
Giovanni Battista
Cavalcaselle,
Miracolo dell'impiccato
da Melozzo da Forlì, già
cappella Feo nella chiesa
di San Biagio in San
Girolamo, Forlì. Disegno
a penna nera e matita
blu su carta. Biblioteca
Nazionale Marciana
di Venezia, fondo
Cavalcaselle, Cod. It. IV
2041(=12282), fasc. II,
c. 35v.

13.
Giovanni Battista
Cavalcaselle,
*Storie e martirio di
San Giacomo* da Marco
Palmezzano, già cappella
Feo nella chiesa di San
Biagio in San Girolamo,
Forlì. Disegno a penna
nera e matita blu su
carta. Biblioteca
Nazionale Marciana
di Venezia, fondo
Cavalcaselle, Cod. It. IV
2041(=12282), fasc. II,
c. 35r.

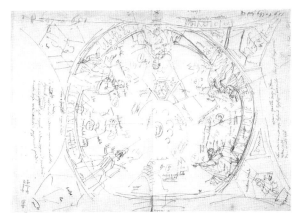

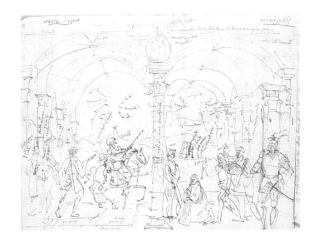

Note di trascrizione

Per ogni singolo disegno si è fornita opportuna schedatura con alcuni dati oggettivi riguardanti i riferimenti inventariali e la tecnica di esecuzione. Inoltre, si è data indicazione del dipinto da cui il disegno è tratto, precisando il titolo, la sua attribuzione corrente e la collocazione attuale, seguita da quella originaria. A queste informazioni preliminari fa seguito la trascrizione delle annotazioni che, in linea di massima, privilegia una lettura da sinistra a destra e dall'alto verso il basso, eccetto i casi in cui la complessità del disegno e il disordine delle annotazioni non hanno permesso di rispettare simile criterio. Le lacune presenti sui fogli del fascicolo provocate da macchie di inchiostro, le parole illeggibili o indecifrabili sono state segnalate nella trascrizione

convenzionalmente fra parentesi *[…]*. Nei casi più facilmente interpretabili si è proceduto a sciogliere le abbreviazioni, le sottolineature sono state mantenute, mentre le cancellature effettuate da Cavalcaselle sopra parole o intere frasi sono state riportate fra parentesi <…>, fornendo puntuale trascrizione del testo qualora leggibile. Infine, per ragioni di completezza, si è preferito fornire anche la trascrizione delle carte di Luigi Muzio, identificabili con il nome dell'autore.

Biblioteca Nazionale Marciana di Venezia,
fondo Cavalcaselle
Cod. It. IV 2041(=12282), fasc. II

c. 8v
Luigi Muzio
Grafite e acquarello su cartoncino
da Melozzo da Forlì
Predica di San. Giacomo o Disputa di Fileto (?),
particolare
Forlì, già cappella Feo nella chiesa di San Biagio
in San Girolamo

c. 9v
Luigi Muzio
Grafite, penna nera e acquarello su cartoncino
da Melozzo da Forlì
Miracolo dell'impiccato
Forlì, già cappella Feo nella chiesa di San Biagio
in San Girolamo
Trascrizione: Melozzo ? – <Palmezzani>

c. 10v
Luigi Muzio
Grafite, acquarello e penna nera su cartoncino
da Marco Palmezzano
Candelabra, particolare
Forlì, già cappella Feo nella chiesa di San Biagio
in San Girolamo
Trascrizione: Il fondo e oro – Cosi vedo lintonazione
– tutto lornato e uguale

c. 11v
Luigi Muzio
Grafite, acquarello e biacca su cartoncino
da Marco Palmezzano
Candelabra, particolare
Forlì, già cappella Feo nella chiesa di San Biagio
in San Girolamo
Trascrizione: Pilastro sinistro trovato

c. 12v
Luigi Muzio
Grafite su carta

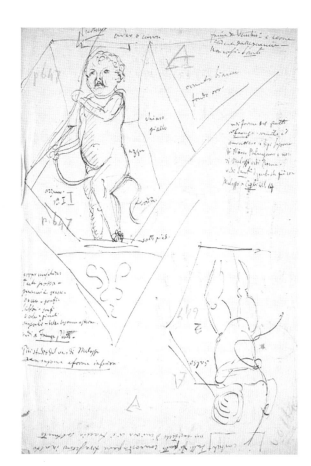

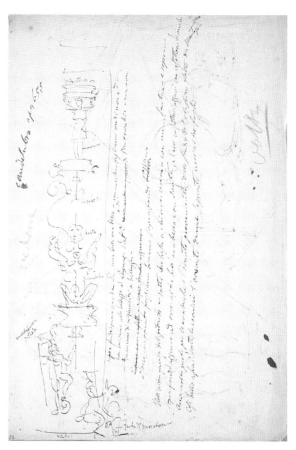

da Marco Palmezzano
Candelabra, particolare
Forlì, già cappella Feo nella chiesa di San Biagio
in San Girolamo
Trascrizione: Questo è quanto trovato a Chiaro
scuro nello Pilastro a destra

c. 13r
Luigi Muzio
Penna nera e acquarello su carta
da Marco Palmezzano
Candelabra (dettaglio).
Forlì, già cappella Feo nella chiesa di San Biagio
in San Girolamo
Trascrizione: Oro - oro - oro giallo - oro - oro - oro
giallo - Sig. G. B. Cavalcaselle li 31 marzo 1883. Ne
ho fatto la metà di tutta la pittura del primo pilastro
che Credo sia di Melozo. Contro Pilastro è lo stesso
disegno della parte decorativa meno che a S. Pavolo
lo in dicato poi quella figura che sembra o un Cristo [o un S. Giovanni], e sotto quella monaca che e
fatto con un altro in tonaco come il primo Pilastro.
Il Secondo Pilastro e un'altra mano Mi pare meno
Bona. La lunetta lo fatta cosi perche e tanto Rovinata dove ce la tinta Neutra e dove e Nero tutto questo che li mando era coperto di Bianco. Il Sig. ispettore e Molto contento io gli scrivo uno in settimana
prima di partire. La Saluto tanto unito a Domenico
e mi segna suo Servo.Lo se vede mio fratello lo Sa-
luti. Luigi Muzio

c. 14r
Penna nera su carta
da Marco Palmezzano
*Madonna con bambino in trono fra san Michele
arcangelo e san Giacomo minore* (dettaglio)
Faenza, Pinacoteca Civica, già nella chiesa
di San Michelino
Trascrizione:Vedi a S. Girolamo <u>fresco</u> - <u>putti</u> - freddo
ripassato - bianco nuovo - È il <u>cima</u> di forlì - veneziano - ritocco - ricci - ritocco - fronte ritocco - mano ritocca quasi tutta quella colla spada - rosso - armatura - ombre taglienti toni vicini alla ombra - Paese grasso di colore come *[…]* melozzo.

c. 14v
Penna nera e grafite su carta
da Marco Palmezzano
*Madonna con bambino in trono fra san Michele
arcangelo e san Giacomo minore*
Lunetta: *Padre Eterno fra cherubini*
Faenza, Pinacoteca Civica, già nella chiesa
di San Michelino
Trascrizione: Belle Arti - madonna e l'infante. S. Michele e l'apostolo Giacomo - lunetta Padre Eterno
con angeli. Archivio Notarile (avendo il Don Marcello Valgimili trovato) il rogito merci il quale à 12
giugno del <u>1497</u> veniva al <u>Palmeziani</u> allegata l'anzi-
detta tavola e una lunetta - Non vedesi un quadro di
questa bellezza a Forlì - qui a Faenza il colorito è
molto Superiore e così la modellatura delle parti a

16.
Girolamo Reggiani,
Miracolo dell'impiccato
(dettaglio dei volti dei
pellegrini) da Melozzo
da Forlì, già cappella Feo
nella chiesa di San Biagio
in San Girolamo, Forlì.
Disegno a penna nera
su carta. Biblioteca
Comunale di Forlì,
già Mss I/73 (foto
G. Liverani, Forlì,
n.negativo 30703).

17.
Giovanni Battista
Cavalcaselle,
Miracolo dell'impiccato
(dettaglio dei volti dei
pellegrini) da Melozzo
da Forlì, già cappella Feo
nella chiesa di San Biagio
in San Girolamo, Forlì.
Disegno a penna nera
e matita blu su carta.
Biblioteca Nazionale
Marciana di Venezia,
fondo Cavalcaselle, Cod.
It. IV 2041(=12282),
fasc. II, c. 24r.

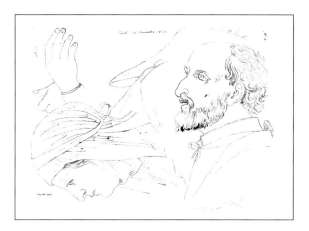

condotta del pennello e forme - p. 674 - Molti ritocchi ma credo molto esservi il colore - non bello
- Madonna e putti gruppo buono e nobile - serafini
- (Bue - S. Michele sul gargano) - 4 - 3 - 2 - 1 - 5 -
1/4 - capitello - bello - cielo ripassato pesante - mi-
naccioso - S. Michele - bue - paese bruno - rosso -
rifatto ad acquarello - volgare grassoccia - colonna
gialla - vino - Putti - Brutta bocca mano restaurata
- pano bianco nuovo - era nudo - Bue sul monte
Galgano - ali - rosso - cupo rosso - rosso - <molte
pieghe> - giallo chiaro bruno chiaro - grasso - tira-
no il bue guerrieri uno ferito - ombre ritocc[…] -
guerriero cavallo - albero - tinta bruna - 2 Santi vecchi si danno la mano - rosso - bruno caldo - giallo -
viola - testa regolare <tinta bruna> ombre ritocche
(pano bianco fatto nuovo sul putto) - figure tozze -
Costa è superiore a S. Petronio a questo quadro -
quadro basso di tono manca di rilievo - marmo giallastro chiaro macchiato giallo - marmo - elegante
come Santi a Gradara - testa - ornato - freddo marmo - non tanta prospettiva aerea - ombre ritocche
nella conetiture così attorno agli occhi - così la mano - Giovanni Santi - fondo colore grasso ma duro
smaltato - testa giovane e gentile - il fondo colore
grasso - tavola poco meno del naturale - Vedi Santi.
forse Palmezano più colorito più gusto di Santi ma
nei tipi preferisco Santi e nelle forme Santi è più Peruginesco a Ferrantino - Palmezzano più del tedesco
- Orfanotrofio delle Michelline - anno 1497 - Orlandi - Faenza

c. 15*r*
Grafite su carta
da Marco Palmezzano
Adorazione dei Magi
Lunetta: *Padre eterno fra cherubini*
Brisighella, chiesa di Santa Maria degli angeli
Trascrizione: p. 697 - 698 - angelo alza la tenda - Padre
Eterno - serafini - idem come l'altro angelo - tenda -
S. Francesco, croce, legge - angelo seduto suona la
viola - Madonna seduta benedice putto - mancano -
arabeschi - S. Girolamo colla mano e sasso al seno nel-
l'altra la croce - cornice antica rilevata e dorata - angelo - Madonna - Guerriero colla lancia S.Valeriano
arabeschi - Santa Maria degli Angeli - Brisighella -
abbastanza buona - Marchus Palmezzanus forolivensis
faciebat MCCCCCXX 1520 - Brisighella

c. 15*v*
Grafite e penna nera su carta
da Marco Palmezzano
Adorazione dei Magi
Lunetta: *Gesù tra i dottori nel tempio*
Rontana, chiesa di Santa Maria della misericordia
Trascrizione: 1, 2, 3, 1, 2, 3 - mezze figure - interno - predica tra i dottori - Gesù ritto - arabesco il putto con lo
stemma Naldi mano con <vece> erba con sbarre rosso
bianco e verde - colonna - mano - bastone - giallo - verde - verde - bianco - rosso - molte figure - 1, 2, 3, 5, 6 -
credo rossastro - tiene - quasi al naturale - p. 698 - 699 -
Marchus Palmezzanus forolivensi pinxit anno 1514 - do-
zinale - chiesa di Rontana presso Brisighella - (Faenza).

c. 16*r*
Grafite e penna nera su carta
da Marco Palmezzano
*Madonna con Bambino in trono fra i santi Giovanni
Battista e Antonio da Padova*
Cesena, Cassa di risparmio di Cesena, già collezione
Ferniani presso Faenza
Trascrizione: Ms. p. 696 - 697 - rosso - oro - giallo -
oro arabesco - grandini nero circa - benedice - dado
- S. Giovanni Battista verde - ecce agnus Dei - Mar-
chus palmezanus Pictor forolivensis fecit? senza anno
alterata manomessa - gilio - S. Antonio - legge - li-
bro - S. Antonio - discreto - Conte Anibale Fernia-
ni Faenza - vedi quella 1497.

c. 17*r*
Penna nera su carta azzurra
da Marco Palmezzano (?)
Battesimo di Gesù[37]
Già collezione Casali
Trascrizione: colomba - Marchus demelotius pictor
foroliviensis facebat - tavola ad olio, copia di questo
di Manchester o ripetizione della *[…]* a forlì - era di
Casale brutto quadro per la segnatura.

c. 18r
Penna nera su carta
da Marco Palmezzano
La comunione degli apostoli
Forlì, Pinacoteca Civica, già nella cattedrale
di Santa Croce
Trascrizione: Lunetta è a Londra. veniva da Reggiani
comperata da piazza e poi porta il nome di melozzo p.
684 - diavolo in forma di pellegrino tenta Cristo - fondo oro arabeschi - 4 -1 - 2 - 3 - 1 - 2 - 3 - 4 - ostia -
piatto - mani giunti - tavola - il manto grosso viziato -
marchus palmizanus faciebat - piedi da <u>oca</u> - vene dure <u>bello</u> - marmo giallo venuto - colore scuro - pesante - duro - figura in ginocchio tozza - S. Pietro a bocca aperta aspetta la comunione - il colo di S. Pietro e
pieno di corde righe come i polli di Credi - carne rugosa - colore tristo come il solito - molto inferiore a
quello di <Faenza> (superiore a S. Mercuriale che sono di [...]e magri) - Estremità dure di legno - vene
come <u>corde</u> - colore con corpo rilevato - Istessi caratteri tipi di difetti a S. Girolamo istesse ombre scure et
pieghe modo di fare - Credo che però si scosta <u>1535</u> -
N.B. la lunetta Cristo deposto che aveva Reggiani ora
alla Galleria di Londra - era di questo quadro.

c. 18r
Penna nera su carta
da Anonimo
Ritratto di Marco Palmezzano
Forlì, Pinacoteca Civica
Trascrizione: <u>Forlì</u> - Tavola - giallastro - giallastro - colore tristo - bianchi - nero - nero - bianco - bianco -
bianco - grandezza naturale - [...] - colore pesante
grasso viziato - ha sofferto - mani eleganti - ombre
scure biggie - in atto di colorire.

c. 18r
Penna nera su carta
da Marco Palmezzano
Andata al calvario
Forlì, Pinacoteca Civica
Trascrizione: Una altra a Venezia - colore di <u>Vino</u> -
<Rondinello> - Zaganelli - prega - rosso - Marcus pal-
mizanus pictor foroliviensis faciebat MCCCCCXXXV
<u>1535</u> - tavola ad olio - mani <u>brutte</u> - colore del Cristo
rossastro - Cristo in piccolo Leonardesco - colore solito dipinto - <u>1535</u> più vecchio del <u>1534</u> - Manchester -
vedi <u>altra all'ac.ª Faenza</u>

18v
Penna nera su carta
da Francesco Zaganelli da Cotignola
Immacolata concezione
Forlì, Pinacoteca Civica, già nella chiesa
di San Biagio in San Girolamo
Trascrizione: Quadro rovinato <u>dal restauro</u> - quadro pie-

no di sentimento elegante vedi fra Bartolomeo a <u>Luc-
ca</u> - figura molto elegante - animata colore veneziano
ma molto guasto dal restauro - Paese magnifico - ferrarese - verde - con acqua montagne - <u>S. Giovanni
Evangelista Giovane Leonardesco</u> ha il libro e la penna
- Pieghe dritte e spesse - [...] a 2 occhi un poco alla
forlivese - alberi verdi giorgioneschi Bellinesco toni -
colore crudo rossastro ombre tetre come Palmezzano
un poco - scudo - giallo sciarpa - giallo - guarda l'angelo - scudo - verde - dita - rosso - rosso - nuvoli scuri - putto come Parma - TOTA P.LCRA MARIA ET
MACULA. ORIGINAT RI?. EST. IN. TE. - suona -
suona - suona - 2 serafini - bel paese - montagne - verde - cielo ritocco tutto ripassato - alberi - <u>paese bello
ferrarese</u> - acqua - case - 2 figuretti - piano - [...] - aria
paradisia uccello con cartello - albero - S. Giov col libro - vescovo - piviale - frate - [...] - mons libani - giallo - giallo - giallo - verde - rosso - libro - azzurro - piano - stola - tavola ad olio - S. Maria Maddalena - vaso
- piviale arancio - vescovo bel tipo animato - col libro
indicando un passo si alza verso il Padre Eterno bella
testa - vedi Bologna quadro <u>Innocenzo da Imola</u> - bel
tipo studio dal vero buono - S. Girolamo animato - del
Pordenone - cotignol - <u>vedi Galleria Costabili Ferrara</u>
- Santa animata col libro - carattere dolce - <u>ombre fred-
de</u> - Rondinello al duomo - n. III - si può dire il Francia ma più animato di questi penso - quadro rovinato
dal tempo e restauro - 1513 francischius sensis. pinxit.

18v
Penna nera su carta
da Niccolò Rondinelli
Madonna con Bambino
Forlì, Pinacoteca Civica
Trascrizione: Monte rifatto - albero di forme graziosa
- verde - verde - <u>bianco</u> - arancio - arancio - rifatto
azzurro - azzurro tutto rifatto - bianco giallo arancio
- giallo - 3 <u>cerase</u> - foglie verdi - noccioli - Nicolaus
Brana. (<mar?>, Fran?) <maria?> Franciesco) Ron-
dinnlus - corpo di colore viziato - molto restaurato
per una parte della bellezza perduta - specialmente la
mano del putto testa Movimento grazioso - Putto
studio dal vero buone forme gentili - Madonna testa
gentile - bocca piccola - mani buone e movimento
corpo di colore - Tocco di pennello grasso - a Roma
Doria più Bellinesco molto - Tinta in generale accesa quadro tutto impasticciato dal restauro - Tocco
grasso assai - Rondinello Pinacoteca Forlì.

19r
Penna nera e grafite su carta
da Marco Palmezzano
*Trittico della Madonna con Bambino in trono, i santi
Caterina d'Alessandria, Domenico, Antonio da Padova
e Sebastiano e i devoti committenti* (dettaglio)
Forlì, chiesa di San Biagio in San Gerolamo

Trascrizione: p. 85 - 86 Guida per la città di forlì questo quadro con poco corpo vedi a S. Servi - colore tutte carni rossastro - chiaro - vino - un poco piatto senza rilievo - S. Sebastiano tozzo e manierato nel disegno - colore non bello - Morelli - con *[…]* Guida la concezione con angeli bella e fredda <u>Il cielo pare ritocco giallo</u> - Marchus Palmizanus pictor foroliviesis faciebat - N. Bene essere questo da Palmezano <u>pieghe stile</u> colorito - ricci - <u>senza barba</u> anno <u>35</u> ai 40 - castagno - rosso - a S. Girolamo Forlì - anni 6 - 1480 - anni 9 ai 10 - rosso

cc. 19*v* - 20*r*
Penna nera e grafite su carta
da Marco Palmezzano
Annunciazione
Forlì, Pinacoteca Civica, già nella chiesa
di Santa Maria dei servi
Trascrizione: Uomini a piedi uno a cavallo - S[pirito]. Santo - colomba sopra nuvoli portata - montagna - volo uccelli - montagna - uomo a cavallo - pastore - uomo pesca - acqua - erba - gente a cavallo - penna - cangiante chiaro - giallo - verde - verde - giallo - viola - viola - giallo - pieghe corpetto giallo un poco alla Fiorenzo - rosso - viola - verde - tavola ad olio - Marchus palmizanus pictor foroliviensis faciebat - Sentimento religioso <u>molto</u> Il modo di fare mi mostra <opera della gioventù del tempo del quadro a S. Gerolamo> ma un poco dopo perché è migliore a questo - hai di questo a S. Girolamo. Pittura sempre trista di colorito - e difettosa di prospettiva aerea. Movimento <u>composto</u> specialmente la Madonna mi pare più di <u>Rosselli</u> - bene diviso lo spazio - <u>ombre biggie scure eguali</u> - Paese bellissimo ricco. Chiesa dei Servi Forlì - Bel quadro da giovane - Pinacoteca - capelli fini - ricci - Leonardesco - Zaganelli?, Vero tipo di Marco così a S. Girolamo caratteri - Fiorenzo mi pare più angolare Marco - pieghe bene studiate *[…]* - dita gentili piccoli - Caratteri gentili Santi - colore come Santi - piccola - colore magro magro come Santi ma non nero alla prima - paese fiammingo per gli oggetti - Madonna a fresco sopra il quadro <non è più visibile> tutta ridipinta si dice Organi?

c. 19*v*
Penna nera su carta
da Francesco Menzocchi
Gesù crocifisso fra i santi Nicola, Stefano, Francesco, Girolamo e quattro angeli
Forlì, chiesa di San Biagio in San Girolamo
Trascrizione: Cristo in <u>croce</u> piccolissimo - <u>colore rosso</u> - manierato - S. Gerolamo - S. Nicola di Bari - S. Stefano - S. Francesco - 2 angeli alla croce - fare smorfioso - colore roseo dilavato - angeli caricati - Franciscus Minciochus Nardi Forliviensis F.M. - deve essere della fine del <u>1500</u> <prima del 1600> tavola molto ridipinta - altare del Crocifisso a S. Girolamo - Un altro quadro nella chiesa di S. Trinita - Padre Eterno con angeli

- sei santi tra quali S. Sebastiano - tavola - figura di Vescovo ricorda il movimento Zaganelli - Mi piace più di quello di S. Girolamo - colore roseo cupo - <u>Menzochi</u> - Vedi Eastlake lettere - chiesa di S. Girolamo.

c. 19*v*
Penna nera e matita blu su carta
da Marco Palmezzano
Madonna con Bambino fra i santi Bartolomeo e Antonio da Padova
Forlì, Pinacoteca Civica, già nella chiesa della Santissima Trinità
Trascrizione: Oro - paese - madonna col putto che benedice - S. Bartolomeo - S. Antonio - scalino - S. Trinita p. 695 - tavola in sagrestia <u>a S. Trinita</u> chiesa - *[inferiore Palmezani]* - Carattere gentile del genere di quella a S. Girolamo ma dipinto con più colore - gentile - pare Marchus melozzo - cartello non ho potuto leggere *[…]* - Sento del Costa Francia - Marcus Valerius Morolinus de Forliviensis faciebat M.D.III vedi a S. Mercuriale - Marchus Valerius…ni? pictor de for. Faciebat *[M ccc.iii]* così?? - non vedo la diversità col Palmezzano - perché non può essere lo stesso - certo si confonde ed è un poco fiacco - ricordarsi la disposizione a S. Girolamo - Morolini? a S. Trinita <u>Forlì</u>

c. 19*v*
Penna nera su carta
da Marco Palmezzano
La visitazione
Forlì, chiesa di Sant'Antonio Abate in Ravaldino
Trascrizione: Paese - mano sulla spalla - testa tonda rossastra - tavola ad olio, si danno le mani gentili - S. Anna non manca di sentimento - Palmezzano p. 46 Casali - S. Antonio Abate

c. 19*v*
Penna nera e grafite su carta
Livio Agresti
Deposizione di Cristo
Forlì, chiesa di Sant'Antonio Abate in Ravaldino
Trascrizione: Santo - santo - colore floscio - Cristo deposto - 2 angeli - tavola deta Menzocchi Francesco? Certo opera del 1500 Molto più questo Menzocchi che l'altro a S. Gerolamo - 1497 - 25 - 1472

c. 20*v*
Penna nera su carta
da Marco Palmezzano
Trittico della Madonna con Bambino in trono, i santi Caterina d'Alessandria, Domenico, Antonio da Padova e Sebastiano e i devoti committenti
Forlì, chiesa di San Biagio in San Girolamo
Trascrizione: Ms. 686 - magro di colore - fatto con molta coscienza - Putto <u>non</u> manca di sentimento bello di carattere - pare opera della <u>gioventù</u> molta diligenza ed

amore - Madonna svelta elegante di taglia testa bislunga e non <u>tonda</u> gentile - così il putto benedice - pieghe con molta cura caratteri meschinetti - colore caffe <u>latte magro</u> con poco rilievo - cornice bella antica - questo quadro si avvicina a Marco di S. Trinita pel colore e tipi - angelo <u>suona</u> sulla chitara cartello - fanciullo - fanciullo - S. frate - s. Caterina - frate - S. Sebastiano - santi - santi - apostoli e santi - cristo - santi - quadro segnato - inferiore assai a quello dei Servi a Forlì. La cappella mostra chiaro Palmezano e della gioventù così pare - <u>sia della gioventù</u> - sono attorno ad un muro un muro con quadrati azzurri e dorati <u>sopra alcuni angeli col gilio</u> - Cappella azzurra - e nel centro Madonna col putto che benedice attorno angeli - N.B. al parapetto dove sono gli angeli in piedi vedesi una <u>donna</u> ed un <u>Re</u> forse profeta e profetessa. <u>Sia della prima maniera</u>

c. 20v
Penna nera su carta
da Baldassarre Carrari
Deposizione di Cristo
Forlì, Pinacoteca Civica, già nella chiesa
di San Biagio in San Girolamo
Trascrizione: Giovane ricci di capelli - mano alla guancia Rondinello - <u>uomini</u> - vecchio buona forma tipo - bello testa tonda - 2 uomini con tenaglia e chiodi martelli - tenaglia e chiodo - verdone - giallo arancio Rondinelli caldo - piange - piange - mano al Cristo - verdone - rosso a corpo grasso - bianco - verde - <u>madonna Signorelli</u> - rosso - rosso a corpo - <Baldasar Accademia> quadro - pieghe come quelle del S. Sebastiano alla Costa Palmezzano e Rondinello maniera - Pieghe Rondinello - Cristo lungo e magro ma bene indicata (veramente) la anatomia sani principi colori tetri - Ombre carni scure - colore più magro non grasso come aveva Rondinello. Tipi sono i fondamenti dei suoi <u>Pieghe</u> ancora Credo esca dalla Scuola Palmezano Pieghe - stile e colore - Tavola che ha del Mantegnesco - <e di Palmezano più di Palmezano> colore specialmente tetro e scuro - caratteri meschini ombre scure si dice <u>Bartolomeo da Forlì</u> (+) - Nel piegare ha un poco del Costa (+) <u>anzi Rondinello</u> (Pare che Signorelli a Perugia mostra del Padovano) Paese alla Rondinello - ombre carni scure - non potrebbe esser il pittore del Sebastiano al duomo - essere questa una prima opera - ed il S. Sebastiano opera avanzata. Così penso - Si è di Rondinello <u>ma tuta</u> certo d'un Scolare - La croce è nera - I toni delle vesti come il giallo forte - i colori tristi <sono Palmezano> ma più alla Rondinello - Bene guardando non manca di buoni principi - Cristo magnifico - ma buoni principi vedi un altro quadro simile a S. Croce a <u>Ravenna</u> ma di un fare più largo. Esce dalla scuola del Palmezano? - stile pieghe - G. Casali Guida di Forlì p. 83 - a S. Girolamo Palmezano segnato

c. 21r
Penna nera, grafite e matita blu su carta
da Marco Palmezzano
Crocifisso, la Madonna e i santi Francesco, Chiara, Giovanni Evangelista e Maddalena
Forlì, Pinacoteca Civica, già nella chiesa di Santa Maria della Ripa
Trascrizione: <u>Rizoli di Cento</u> ms 688 - bello - corte - corto - giallo - elegante - albero - gialletto - gentile - gentile - soldi - S. Antonio - libro - verde - mani - verde - giallo chiaro - non bello - S. Giovanni - verde - mani - giallo - mano vera - [...] - rosso - scritto - Il ritratto 132 <u>credo Rondinello</u> - colore <u>grasso e sugoso</u>.

c. 21r
Penna nera e grafite su carta
da Marco Palmezzano
Madonna con Bambino in trono fra i santi Severo e Valeriano
Forlì, Pinacoteca Civica, già nella cattedrale di Santa Croce
Trascrizione: S. Biaggio - 124 - Madonna col Bambino S. valeriano - a 3 apostoli - quadro che ha molto sofferto [...] [detta] scuola di Melozzo - S. Valeriano come nella Cappella ma pare Palmezano - si pare esecuzione di scolare - Putti brutte forme - quadro impasticciato forse ma forse scola.

c. 21r
Penna nera e grafite su carta
da Marco Palmezzano (bottega di)
Madonna con Bambino e san Giuseppe
Forlì, Pinacoteca Civica, già collezione Guarini
Trascrizione: 123 - forse <u>scolare</u> di Palmezano - <manca credo una forma aerea> o Palmezano da giovane? - forse lo è di chi dunque era <u>scolare</u> - madonna col Bambino e S. Giuseppe - cartello senza scritto - si attribuisce alla gioventù di <u>melozzo</u> pittura brutta e meschina - sopra la quale non vi è fondamento - arida di colorito come di legno - sia il pittore di S. Trinita <u>Marco Valerio Morolini</u> certo ha già i suoi caratteri

c. 21v
Grafite su carta
da Marco Palmezzano
Sant'Elena con la croce
Forlì, Pinacoteca Civica, già nella chiesa dei domenicani in Bertinoro
Trascrizione: Sofferto - Santa Elena - marchus palmezanus forolivensis pictor faciebat MCCCCCXIV - 1516?

c. 21v
Grafite su carta
da Marco Palmezzano
Madonna con Bambino tra i santi Bartolomeo e Antonio
Forlì, Pinacoteca Civica, già nella chiesa della Santissima Trinità

Trascrizione: S. Bartolomeo - Madonna col Putto - tavola - 3/4 il vero - S. Antonio - pedistalo - Marchus Palmezanus - *[…]* cosa da poco scuola forlinense Morolini Marco Valerio - giallo - Pinacoteca - Pinacoteca - <u>Forlì</u>

c. 22r
Penna nera su carta
da Niccolò Rondinelli
San Sebastiano
Forlì, cattedrale
Trascrizione: Oro - ornato fiori - oro ed ornati - arco - colonna - oro e arabeschi - statue - statue - oro fondo - bassorilievo - guerriero - <u>2 uomini</u> - scale - cane - paese largo - ponti - acqua - S. Antonio abate figuretta - ricci - azzurro largo - San Sebastiano al Duomo di Cotignola - Rondinello Sì o Baldassare al Duomo Forlì - <u>tavola ad olio</u> - proporzioni eleganti - pieghe <che sente del Cotignola> ma più bello <se fosse Cotignola> stesso - figura *[…]* elegante svelta - colori tristi ad olio - proporzioni buone - simpatico - <Cotignola> per l'eleganza pieghe etc. - sagoma elegante - magro di colore - parla Veneziano alla <u>Palmezzano</u> si dice <u>Rondinello</u> ma il colorito è magro e sente <dello studio di Palmezzano> - <Si Rondinelli? o Cotignola? Rondinelli è meglio Sia di Bartolomeo da Forlì vedi p. 83 quadro a S. Girolamo> Vedi quadro all'Accademia a Ravenna. Perché non è del Carari Baldassarre che sente del Rondinello e del Palmezzani - vedi quadro all'ac. Forlì e vedi Rasponi di Ravenna. Questo è un bel Rondinello *[…]* tanto - Ravenna e Milano. Torace largo proporzionato - Pieghe a righe rosse Rondinello - Testa bella e ombre buone - Gamba magra vere modello - vero studio anatomico - osservazioni in Morelli N. Bene vedi quadro deposizione se è Suo o di Scolare quadro deposizione stile somiglia Palmezzano e così colore (al fresco). Si ha Palmezano primo scolare di <u>Rondinello</u>? o di imitatori di Rondinello - Certamente fresco Palmezzano - somiglia a quadro deposizione - <u>Stile e carattere di pieghe</u> e <u>toni</u> - Almeno studiare le assomiglianze - Caratteri - fondo - oro ornati vedi testa nel soffito Palmezzano a S. Girolamo - tipo da Rondinello caricato - così ombre scure vicino contorni - contorni scritti.

c. 22v
Penna nera, grafite e matita blu su carta
da Marco Palmezzano
Annunciazione
Forlì, Pinacoteca Civica, già nella chiesa
di Santa Maria del Carmine
Trascrizione: Divenuto nero - <u>bello assai</u> - ridipinto ad olio - quadro grandioso si mantiene in tutto - <u>figura non tozze ma eleganti</u> composizione buona - tipi i più belli sentono del <u>fiorentino</u> capitelli - 3 colonne - 3, 2, 1 - capitello - giallastro - alabastro - alcune teste impiasticciate nero - serafini - Cima da Conegliano - montagna scoglio - Cielo impasticiato - cielo - colom-

ba - paese <u>bellinesco</u> - bella prospettiva e girare di strada - aqua - figurette in fondo - mura - 2 eremiti si stringon la mano Faenza - testa angelo elegante - Gentili - Santi le ombre colore nero - ricci - giallo - tutto pieghe - angelo bel tipo - capelli volano - seduta - bel tipo - il più bello di Palmezzano - fronte tutta regolare - <u>ombre rifatte nere</u> - restaurato - pieghe larghe alla ferrarese - Pittura arida di colore per mano dei più belli per sagome e tipi - pieghe taglienti - impiastrato - scallino o altare - <u>cartello senza scritta</u> - Pinacoteca - quadro grandioso uno dei belli ma ha sofferto molto ed anche ritoccato - Paese Bellinesco come quello di Faenza - questo è uno dei più belli Palmizzani ma ha sofferto - angelo tipo il <u>più elegante</u> colore magro <u>però</u>.

c. 22v
Penna nera su carta
da Marco Palmezzano
Glorificazione di sant'Antonio Abate in trono fra i santi Giovanni Battista e Sebastiano
Forlì, Pinacoteca Civica, già nella chiesa di Santa Maria del Carmine
Trascrizione: Oro - oro - oro - freddo - rosso - ripassato - nero rifatto - paese - cielo - verde - giallo marmo - porco - rosso - tanto oro ed ornati arabeschi - tavola ad olio - più bellinesco di quello di <u>S. Girolamo</u> - ha sofferto di restauro nelle ombre specialmente - Caratteri gentili - eleganti - Bellinesco - proporzioni buone svelte - movimenti buoni ma duro il colore - tipi soliti carattere gentili uno degli eleganti - è Palmezzano non Melozzo - <u>il più bello è quello di Faenza</u> - è più Melozzo quello di Faenza - questo è in tutto <u>Palmezzano</u> forme di legno - vene crude ed è assolutamente Palmezzano per colore è quelli di Romagna belli - uno dei <u>belli</u> - genere di pieghe come a Milano <u>il bello</u> - azzurro 1 Stella gialla - 2 stella azzurro - 3 Stella azzurro - aquila - Marchus de melotius pictor foroliviensis faciebat - Al Carmine di <u>Forlì</u> - Pinacoteca 1877

c. 23r
Penna nera e matita blu su carta
da Marco Palmezzano
L'Immacolata con il Padre Eterno in gloria e i santi Anselmo, Agostino e Stefano
Lunetta: *Resurrezione*
Forlì, abbazia di San Mercuriale
Trascrizione: Profeta - Cristo risorto - Cima - Bellini - parte di guerriero - sasso - alla <u>Pintoricchio</u> Spello - viola nuvoli - paese - S. Mercuriale - calice - figura nuova rifatto <u>1600</u> - rifatto tutto - putto con cartello - Madonna - <Santa Madonna> - in legno tavola - S. Stefano - <u>il Santo col calice in mano in ginocchio tutto rifatto nuovo</u> - marchus Palmezanus pictor foroliviensis faciebat - Cappella dei Ferri a S. Mercuriale - vi ste mater filii me s?e pecato originali cor?pte - <u>in mano all'angelo</u> - donna coll'asino - 2 pastori - Incontro

di S. Anna con S. Gioacchino - predella - Martirio di S. Stefano - S. Paolo ed un frate - frate S. Pietro - Angeli soliti tipo come a S. Girolamo movimenti diversi Pittura arida e non bella - le storie tirate via nella esecuzione colore freddo - magro - quasi alla prima - così le storiette meccanicamente fatte Correzioni il quadro è bello ma freddo di colore. Padre Eterno più naturale di <Santi> Giovanni vedi Pintoricchio genere di comporre N.B. La figura col calice Santo è aggiunto Cappella Ferri - S. Mercuriale p. ms 693 h - Cappella dei Ferri che è la quarta a sinistra entrando S. Mercuriale

c. 23v
Penna nera e matita blu su carta
da Marco Palmezzano
Madonna con Bambino in trono fra i santi Giovanni Evangelista e Caterina d'Alessandria
Forlì, abbazia di San Mercuriale
Trascrizione: Tavola ad olio - paese - p. 694 - i - Marchus palmizanus pictor foroliviensis faciebat - pittura bassa di tono piatta - Madonna adora il putto che ha nelle ginocchia - S. Caterina colla mano sulla ruota - quindi molto inferiore a quelli al Carmine - quadro misero di colore improntato alla prima basso di tono - quadro opaco come Morolino detto a S. Trinità - Faenza capolavoro - S. Mercuriale.

c. 23v
Penna nera e matita blu su carta
da Marco Palmezzano
Il Crocifisso, san Giovanni Gualberto e la Maddalena
Forlì, abbazia di San Mercuriale
Trascrizione: <S.Gio> S. Giovanni d'Alberto giovane che presenta un guerriero che sta in ginocchio pregando davanti il Crocifisso - cristo in croce - p. 695 6 - testa ripassata - in ginocchi guerriero - testa ripassata tutta - Maddalena - mano parte ripassata - pieghe Palmezzano - tavola ad olio - <Marchus Palmezza>? - non si può leggere pictor for. si legge malamente - Sia questo il pittore di S. Trinita Morolini? quadro certamente inferiore al Palmezzano - Teste opache vino e restaurate somiglia però al quadro a S.Girolamo di Marco segnato? - quadro che ha sofferto - floscio di tinte basso - Crocifisso che non so chi sia pare però Palmezano forse Marco detto Morolini? Se togliamo questo a Palmezano quanti altri compreso quello a S. Girolamo segnato.

c. 23v
Penna nera su carta
da Baldassare Carrari
La visitazione
Forlì, abbazia di San Mercuriale
Trascrizione: In sagrestia - Donna - S. Giuseppe - 1, 2, 3 - tela - Incontro S. Elisabetta - pittura ad olio del 1500 fine - non Turra od altro ferrarese [...] ed altri - forse questa è copia di mani di Palmezani o Rondinello o Baldassari.

c. 24r
Penna nera e matita blu su carta
da Melozzo da Forlì
Miracolo dell'impiccato (dettaglio)
Forlì, già cappella Feo nella chiesa di San Biagio in San Girolamo
Trascrizione: Tutto a tratti caldi sopra - come incisore - colore eguale di tono - color biggio - capello - ani 15 oppure 12 - rosso - giallo - bianco - giallo - tratti caldi e grossi di colore - bianco - tozza - cappello - vedi p. 657 a.

c. 24v
Grafite su carta
da Marco Palmezzano
Cappella Feo, dettaglio dell'iscrizione e delle candelabre
Forlì, già nella chiesa di San Biagio in San Girolamo
Trascrizione: [...] bianco - Santo colla spada [...] - grossezza [...] - Marchus Palmizanus pictor foroli s faciebat L[...].

c. 26r
Penna nera e grafite su carta
da Melozzo da Forlì
Volta della cappella Feo (dettaglio)
Forlì, già nella chiesa di San Biagio in San Girolamo
Trascrizione: scritto

c. 27r
Penna nera e matita blu su carta
da Melozzo da Forlì
Miracolo dell'impiccato (dettaglio)
Forlì, già cappella Feo nella chiesa di San Biagio in San Girolamo
Trascrizione: Rosso cupo - ani 12 - bianco - verdi - divisione - Mantegnesco ani 18 ani <20> - bello dolce - compiaciuto - gode - presenta - ombre - elmi taglienti vicini crudi - tutte le carni a tratti - crudi [...] come il Pestapepe - pag. 658 - scuro e oro filetti - rosso - [...] - rosso - nero filetti oro - rosso cupo - giallo fascia - bianco - rosso - sforzo - carne - Palmezza più originale di Costa - Palmezano carattere proprio - giallo - rosso viola - giallo - si rivolge ai due come se fossero i esecutori e domanda loro che avete fatto?

c. 27v
Penna nera e grafite su carta
da Melozzo da Forlì e Marco Palmezzano
Miracolo dell'impiccato — Storie e martirio di san Giacomo (dettaglio)
Forlì, già cappella Feo nella chiesa di San Biagio in San Girolamo
Trascrizione: Vecchio con barba anni '70 - 80 forme tutte diverse dal Melozzo il giovane non posso giudicare - Il preteso Melozzo? - forse 25 Palmezzano -

indica nel cortile mano così - bastone - giovani 15 anni più giovane di quello sopra che mostra 25 - rosso - melozzo [...].

c.28r
Penna nera, grafite e matita blu su carta
da Marco Palmezzano (scuola di)
Volta della cappella di santa Caterina
Forlì, già nella chiesa di San Biagio in San Girolamo
Trascrizione: Va bene vedi Casali fu ritoccato il quadro ove era - 1884 - <u>Forlì</u> 5 cappella detta di S. Caterina - dove è il quadro del Palmezzano 1882 - Crowe <u>574</u> la tavola dell'altare - ed è anco ricordato il suffito - angeli - angelo con gilio rivolto alla profetessa - arabesco con angelo - luce - Madonna - figura - benedice colla sinistra nell'altra tiene il putto - fondo azzurro - Cappella di Caterina - la 5ᵃ a S. Biagio dove è il quadro di Palm. - <u>Forlì</u>

c. 29r
Penna nera su carta
da Melozzo da Forlì
Volta della cappella Feo (dettaglio)
Forlì, già nella chiesa di San Biagio in San Girolamo
Trascrizione: <u>Uccelli</u> superiori il collo rosso e mezzo petto biggio e testa scura con becco inferiore rosso e il resto biggio - uccelli al di sotto tutto <u>biggio</u> - quercia alloro e ghianda - giallo - giallo - rosso bianco - rosso bianco - 1 2 3 4 5 6 spranghe gialle - bianco biggio - Marchus palmezanus pictor forolivensis faciebat L...v - nell'archivio diplomatico in Firenze nel tomo IIᵒ esiste l'arma in filza di stemmi gentilizi a pag. 738 con il distintivo Feo.

c. 29v
Luigi Muzio
Grafite e acquarello su carta
da Melozzo da Forlì
Volta della cappella Feo
Forlì, già nella chiesa di San Biagio in San Girolamo
Trascrizione: 1 tutto quello dentro il Rosso e tutto finito - II tutto quello dentro alle verde e da farsi - III E la lunetta e tutta finita - IIII io mi credo sicuro di fare li stacchi. Io e brizi la salutiamo suo Servo Luigi Muzio forli li 15 luglio 1880.

c. 30r
Penna nera e grafite su carta
da Marco Palmezzano
Candelabre
Forlì, già cappella Feo nella chiesa
di San Biagio in San Girolamo
Trascrizione: Santi come conosceva meglio gli [...] a <u>Cagli</u> - Santi molto migliore prospettico e colore di Melozzo di <u>Palmezzano</u> - [...] - penne - Nicola - S. Girolamo - ovale - libro - scolorato

cc. 30v - 31r
Penna nera, grafite e matita blu su carta
da Melozzo da Forlì
Volta della cappella Feo
Forlì, già nella chiesa di San Biagio in San Girolamo
Trascrizione: Sono 8 evangelisti <profeti> e <u>non</u> sibile chiesa i 4 evangelisti <profeti> negli archi siedono sopra uno scabello sopra il <u>gradino</u> 4 altri evangelisti <profeti> agli angoli siedono sopra il gradino e sulla base del cerchio poggiano i piedi - vedi Benozzo vedi Lorenzo <u>Viterbo</u>? - guarda alto - mano - giovane - rotolo - rosso - quasi perduto - libri - sedile 649 p 7 7 - pag. 649 6 6 - libro - [...] - azzurro ombre brune - vecchio - ragiona - cartello - libro - pergamena - giallo - 8 8 p. 650 - ornato giallo - casettoni pesanti - 1 legge - sedile - rosso - 3 - salso 2 ornato - altare parete senza pittura colore crudo - con molto corpo togliendo il passaggio delle ombre e lumi pochi troppo vicini - contorni scritti - mani con soliti difetti - Fresco a S. Girolamo <u>Forlì</u> - belli come Loreto - serafini doppio giro - stemma gentilizio - tutti casettoni - casettoni - fondo <u>azzurro</u> - ornato - ornato - cornici - cornici - rosso verde - piede - scritta - pensa - giovane - rivolto giallo - verde - bianco - bianco - siede - piede - libro - mano - [...] - <u>Rondinello ha carricato il tipo</u> - 2 - 2 - - 3 - 3 - figura traccia sedile <u>manca</u> - uomo - 4 - 648 - guarda il vicino che manca - uomo come S. Pietro ricci - siede - mano - giallo - azzurro - piede - piede - [...] a 20 - turbante - 5 - 5 <u>sotto quasi tutto perduto</u> <u>rossa</u> - M - p. 649 - arco - casettone sfondo - ornato - ornato - n.I - azzurro - angelo - ornato oro - azzurro - ornato - grossezza - grossezza - 4 - 4 - cassettoni dipinti prospetticamente - storia - da pag. 647 a pag. 651.

c. 31v
Penna nera e grafite su carta
da Melozzo da Forlì
Volta della cappella Feo
Forlì, già nella chiesa di San Biagio in San Girolamo
Trascrizione: Il carattere delle teste dei serafini nel centro della cupola attorno allo stemma gentilizio che vedesi in rilievo - sono quelli di Palmezzano vedi anche a S. Mercuriale quadro - non quelli di Melozzo - Quella cappella a casettoni così con ornati è <u>pesante</u> e non ha né sfondo ne rottondità - ma non è cosa piata - manca di prospettiva <u>aerea</u> vedi <u>giusta</u> intelligenza nel mostrare delle forme e casettoni - cosa che Melozzo certamente non avrebbe fatto sì male. Finalmente i 8 Profeti (e <u>non Sibile</u>) hanno i difetti e caratteri di Palmezzano e non di Melozzo - in tipi - in contorni - crudezza - <u>ombre taglienti legno pieghe</u> - <u>forme di mani</u> e dita ed - duri. Le carni tutte a tratti crude ripassate e senza la dolcezza di Melozzo. Melozzo era basso talvolta di tono ma più modellato e meno crudo nei passaggi dalle ombre alle mezze tinte più <u>vero</u>. Aveva l'à prospettiva aerea che manca ha Palmezzano. Palmezzano ha

avanzato l'arte mecanica ma non possedeva le regole di Melozzo – che diferenza dallo angelo e figure a S. Pietro – Palmezzano con più colore di Melozzo è più duro e scritto – conosceva meno il chiaro scuro – Cattiva scelta dei casettoni nella Cappella – Melozzo avrebbe fatto altra scelta. Palmezzano mi pare uno che non conosceva la scienza prospettica come Melozzo ma più per pratica – quasi l'aiuta l'aerea. Vedute da vicino le forme non vedesi sentimento come Melozzo – indefinito – il colore più duro e crudo. Esaminando parte per parte non regge all'analisi è fatta con una certa facilità e pratica che ha dello spontaneo nell'esecuzione – ma non regge all'analisi. I difetti sono quelli di Marco. Vedi Melozzo a Roma ed il Pestapepe. Melozo colore più liquido maggior verità nel disegno scienza prospetica N.B. Marco nella lunetta è tutto tratteggiato come un incisore con tratti grafici di colore caldi gialli pesanti – meccanicamente non come Melozzo – vedi Roma Il pestapepe con colore liquido. Marco Palmezzano seducie gli ignoranti ma Melozzo è di gran lunga superiore. Marco il mestiere senza la intelligenza di Melozzo. Vedi Rondinello e Palmezzano somiglianza? – quercia con frutto rovere con frutto – centro – 1880.

c. 32r
Penna nera e matita blu su carta
da Marco Palmezzano
Candelabra, particolare
Forlì, già cappella Feo nella chiesa
di San Biagio in San Girolamo
Trascrizione: Candelabra a pa. 655 – vedere – frutta – uomo – [...] – testa – mostro Raffaello – uccello sulla testa – vaso – testa di montone – sopra fondo scuro verde – una bella arabesca – con mostri e fogliami verdi uva etc – non arrivano alla bellezza ed eleganza Raffaello <non certo a quello di> e di Pinturicchio – ma non mancano di originalità e bellezza. <L'arco con casetti e sopra fondo azzurro> L'arco con ornato fogliame bianco sopra fondo <bianco> azzurro – Nell'altra parete del pilastro – sotto arabesco a chiaro scuro – con un Santo e sopra sopra fondo azzurro ed oro altro bell'arabesco con Santa e l'arco casettoni azzurri con rosettoni bianchi – aveva molto gusto per le arabesche e l'ornato proveniente dallo studio del classico fatto da Mantegna – così bello assai sotto le cornici l'ornato da me segnato nell'altro foglio – volta

c. 32v
Penna nera e matita blu su carta
da Melozzo da Forlì
Volta della cappella Feo, dettaglio dei putti
Forlì, già nella chiesa di San Biagio in San Girolamo
Trascrizione: Chiara grosso – 3 – 3 – ornato – azzurro – cordella in mano – foglio A p. 647 – grossezza chiara – oro fondo ornato – n. 4 – 4 – cordella – azzurro – A – grossezza chiara – ornato – gonfio e rilasciato – corda.

c. 33r
Penna nera e grafite su carta
da Melozzo da Forlì
Miracolo dell'impiccato (dettaglio)
Forlì, già cappella Feo nella chiesa
di San Biagio in San Girolamo
Trascrizione: Tipo suo tedesco – beretto – Terrore alla interogazione o sorpresa – pare l'accusatore dell'innocenti certo ha un significato – verde – giallo – <giallo> rosso – azzurro – HICE ST. DEUS. NOSTRE. T. NON. EXT[IMABITUR] BITUR. ALIUS. ADVERSUS. FUM. – vedi Rondinello pare scolare – uomini – rosso – biancheria in mano – giallo alla Rondinello – donna – bella donna amorosa – sofferente sentimentale tipo gentile pare che dica che avete fatto voi due bianco – nuvoli – oro – azzurro verde – azzurro – questa figura viene in I piano invece che di secondo – mani giunte brutti bracci – giallo fiori rossi.

c. 33v
Penna nera e matita blu su carta
da Melozzo da Forlì
Volta della cappella Feo, dettaglio dei putti
Forlì, già nella chiesa di San Biagio in San Girolamo
Trascrizione: p. 64 – cartello – arco o curva – forme da vecchio e carne cadente dalle guancie non così <Santi> – A – ornato bianco fondo oro – chiaro giallo – azzurro – p. 647 – vl. I – I – corda – sotto piede – vedi forme del putto a Faenza simile il carattere e tipi Sagome di Marco Palmezano e non di Melozzo vedi Roma vedi Santi il quale sta più con Melozzo a Cagli del 14[...] – corpo meschino testa grossa – bocca gonfia labbri gonfi occhi piccoli – angoli delle sagome esterni vedi a Faenza Putti – Più studio del vero di Melozzo – la sagome e forme inferiori – A – A – 2 – salso – 647 – cartello – Tutti gli putti con corda pare tira però in alto un cartello di cui ora vi è traccia soltanto.

c. 34v
Luigi Muzio
Penna nera, grafite, matita blu
e acquerello su cartoncino
da Melozzo da Forlì
Predica di san Giacomo o *Disputa di Fileto* (?)
Forlì, già cappella Feo nella chiesa di San Biagio
in San Girolamo
Trascrizione: Il nero è tinta Neutra poi gli faro quella che segue sotto la lunetta che scoprirò – ms 665 in nota – ms – pp 665 in nota.

c. 35r
Penna nera e matita blu su carta
da Marco Palmezzano
Storie e martirio di san Giacomo

Forlì, già cappella Feo nella chiesa di San Biagio
in San Girolamo
Trascrizione: volta il foglio – Scomparto inferiore – nei
ms p. 661 – freddo – viola e bianco marmo a vene –
marmo giallo venato – violetto venato – 1 – 2 fredde
vene – cielo – freddo rossiccio a vene – 3 giallo a vene fredde – 4 – 5 – nuvoli – uccelli – cielo freddo – azzurro montagna – nuvoli – montagna verde – rosso –
5 – 4 – 3 – 2 – 1 – rossiccio chiaro venato giallo – manca – apicato – Santo – uomo donna pregano – due figurette – Palmezano – Melozzo? – compassi – nero –
bianco – giallo –rosso – bianco – vino rosso – bianco
– Santo – bianco – giallo – vecchio legato sul Cavallo
– uccello – manca – spada – Quasi tutte le teste col
coltello tagliate il colore – Questa parte ha sofferto
talmente che non posso giudicare – non è lo stesso
[…] – pare però che qui sotto abbia voluto nascondere i tratti e […] fatto più largamente.

c. 35*v*
Penna nera e matita blu su carta
da Melozzo da Forlì
Miracolo dell'impiccato
Forlì, già cappella Feo nella chiesa di San Biagio
in San Girolamo
Trascrizione: Giovane bello pianta bene – alla Signorelli Bellini – calzoni rossi – bianchi azzurri – oro
fondo ornato pietra – cornicione – fondo verde casettone – colonna gialla – giallo – azzurro nuvoli –
nuvoli chiari – azzurro a tratti – nuvoli spessi scuri
duri – vengono più avanti delle figure – cortile –
muro – muro – scallini – scallini – salso – arancio –
verde – dona piena di sentimento – bianco viola – si
rivolge ai due sullo stesso piano – turbante – seduto
– arancio giallo e fiori gialli – mano – piatto – bianco – galli cantano – tedesco spaventato sia l'accusatore – arancio – giallo – rosso – rosso azzurro perduto – i due di cui parla Casali? giovane salvato dalla
forca dopo morto – questo è il giovane salvato dopo esser stato alla forca – biggio bianco – giallastro
biggio – giallo fondo – ornato chiaro – uccello –
scuro – oro – oro – scuro – gattopardo – maschera –
rosso – bianco – corpo rosso – azzurro – figura più
grande – osservasi l'effetto prospettico – Le figure
staccano bene sul muro sempre però crude come
nelle pitture – Predomina la tinta fredda – ferigna –
non sentiva l'armonia del colorito – Malamente è
collocata la figura sul muro dietro al tavolo – perché
sembra sul tavolo stesso (e da qui l'errore del ciarla-
tano) – più quella figura vestita di bianco viene in
prima linea e pare sul tavolo (ma non è) manca di
giusto tono, di prospettiva aerea e questo è il difetto delle pitture (cosa che non vedesi in Melozzo a
Roma oltre di che più giustatezza nelle forme intelligenza di parte e verità) e velava non aveva il colore duro e scuro come Palmezzano) – questo sba-

glio non l'avrebbe fatto – quel vecchio <stolto> salta prima all'occhio e viene sul primo piano invece
è sul secondo – Pure quello seduto alla tavola che
col dito indica i due sul muro – così almeno – Non
è questa la Storia di S. Jacopo da Campostella – vedi S. Jacopo vicino Spoleto vedi Assisi – fresco a S.
Girolamo Forlì – p. 657 m.

c. 36*r*
Penna nera e matita blu su carta
da Lorenzo di Credi
Ritratto femminile
Forlì, Pinacoteca Civica
Trascrizione: Pilastro – cielo – albero – albero – strade
– terra – acqua – terra – albero – albero – montagna –
castello diruto – alberi – acqua – scuro – bianco –
corpetto o veste azzurra – rosso – rosso – bianco – laci – laci – bianco – scura – fiore gelsomino – Gelsomino? – grosso – scura – CATERINA SFORZA al-
l'eta di <anni> 18 anni? – 1481 – tavola attribuita a
Palmezzani nella Pinacoteca di Forl[…] – Pier desiderio Pasolini Caterina Sforza vol. I Roma Ermanno
no Loescher e c.° 1893 – Caterina Sforza Forlì – Pinacoteca Municipale – tavola attribuita a Palmezzani – seconda riproduzione capitolo II La prima eta e
le nozze – capitolo II – Caterina Sforza era nata circa 1463 – Galleria col nuovo catalogo è indicato col
n. 96 […] Pasolini nell'importante lavoro su Caterina Sforza da […] questo ritratto come tavola attribuita a Marco M.

cc. 40*r* – 41*v*
Luigi Muzio
Grafite su carta
da Melozzo da Forlì
Volta della cappella Feo, dettaglio dei profeti
Forlì, già nella chiesa di San Biagio in San Girolamo
Trascrizione: Pag. <696> 665 – p. 665 p. 668 – IERE-
MIE – sopra allarco che e di Rimpetto al Monu-
mento di Barbara Antocci del 1466 – DANIE – sopra
al cancello.

cc. 40*v* – 41*r*
Luigi Muzio
Grafite su carta
da Melozzo da Forlì
Volta della cappella Feo, dettaglio dei profeti
Forlì, già nella chiesa di San Biagio in San Girolamo
Trascrizione: Re Davide – Forli p. 665 – sopra la finestra – e cosi sa chi sono i tre Profeti perche quello sopra la lunetta il nome e cancellato – Sig. G.B. Cavalcaselle forli 14 aprile 1883 le mando il Rimanente di
quanto ho trovato e il giornale che mi ha fornito il
Sig. Santarelli che parla dei dipinti. Io spero di finire
per la fine del mese. Quando parto una settimana prima gli scrivo La Saluto S. Servo Luigi Muzio.

[1] Biblioteca Nazionale Marciana di Venezia (d'ora in poi BMV), Cod. It. IV 2041[=12282], fasc. II, cc. 1-52.

[2] *Ibidem*, sono tre fotografie scattate dalla ditta fiorentina Brogi nn. 3-38, 47.

[3] *Ibidem*, cc. 2r-7v. Vedi Crowe, Cavalcaselle 1869-1876, pp. 339-350.

[4] Si tratta di alcuni acquarelli e disegni in *ibidem*, cc. 8v-13r, 29v, 34v, 40r-41v. Due acquarelli, raffiguranti rispettivamente la volta della cappella Feo e la lunetta con *La predica di san Giacomo* o *Disputa di Fileto* (?), sono stati già pubblicati in Forlì 1994, pp. 142-142.

[5] Sul *recto* del primo foglio si legge:"Marco Palmezzano/ parte VIII da p. 646 a p. 680". L'accenno alla "parte VIII" allude probabilmente alla preparazione dell'VIII volume, dove la biografia di Palmezzano venne inclusa, tra quelle di Melozzo e Giovanni Santi, nel capitolo V (Cavalcaselle, Crowe 1898, pp. 316-361). Inoltre, alcune informazioni riportate da Luigi Muzio sulla documentazione grafica eseguita per i restauri degli affreschi della cappella Feo trovano puntuale riscontro nelle pagine della *Storia della pittura*. A questo proposito si veda il mio contributo su questo stesso catalogo.

[6] A questa data vanno riferiti alcuni disegni, tra i quali si segnalano quelli relativi al *Pestapepe* di Melozzo da Forlì, alla pala palmezzanesca della cappella Ferri in San Mercuriale, alla *Madonna con Bambino* di Niccolò Rondinelli, presenti all'interno di un taccuino, purtroppo mutilo, in gran parte riservato a opere marchigiane che Donata Levi ha ricondotto a un viaggio intrapreso da Cavalcaselle in compagnia del direttore della National Gallery di Londra Sir Charles Lock Eastlake, nel settembre del 1858, vedi in BMV, cod. IT IV 2037 [= 12278], tacc. 12, cc. 16r - 19r, 29r, 54r,- 56r. Cfr. Levi 1999, pp. 182-192.

[7] La biografia di Palmezzano, insieme a quella di Melozzo, compare nel capitolo XXIII del primo volume, Crowe, Cavalcaselle 1864, pp. 556-578.

[8] Prima di giungere nelle Marche e in Umbria per adempiere all'incarico ministeriale, i due studiosi fecero tappa a Forlì, il 26 e il 27 aprile 1861. Il resoconto, piuttosto dettagliato, di questo soggiorno si rintraccia nel taccuino di viaggio di Giovanni Morelli, che descrive i monumenti e le opere, molte delle quali di Palmezzano, osservate da entrambi. Sul taccuino di Morelli vedi Anderson 1998, in particolare p. 89; Anderson 1999, pp. 193-197; Anderson 2000, pp. 39-43. Per un approfondimento più ampio sulla vicenda del catalogo compilato dai due studiosi rimando ai contributi fondamentali di Donata Levi (Levi 1988, pp. 151-158; Levi 1993, pp. 133-148).

[9] Per il 1863 vedi in BMV, Cod. It. IV 2038 [=12279], fasc. 10, c.57r, ringrazio Donata Levi per questa segnalazione, mentre all'8 gennaio 1864 risale un'altra visita forlivese, in BMV, Cod. It. IV. 2030 [=12271], fasc. 10, c. 57r, Levi 1988, pp. 211 e 238. La tappa del 1864 è documentata anche nei disegni aggiornati con note risalenti al 1880 in BMV, cod. IT IV 2030 [= 12271], fasc. 15, cc. 1r-18r.

[10] Su un foglio di appunti si legge a matita la data "1880", in BMV, Cod. It. IV 2041[=12282], fasc. II, c. 31v. Altri riferimenti cronologici al 1882 e al 1884 si rintracciano sui disegni che descrivono alcuni particolari della volta della cappella Acconci in San Biagio, in *ibidem*, c. 28r.

[11] Per la *Glorificazione di sant'Antonio Abate*, lo studioso riporta sia la collocazione originaria nella chiesa di Santa Maria del Carmine di Forlì, sia la successiva ubicazione nella Pinacoteca Civica, accompagnata anche da un'indicazione cronologica "1877", (*ibidem*, c.22v), che probabilmente rinvia a un soggiorno forlivese di Ca-

valcaselle, in quel periodo impegnato nei lavori di restauro agli affreschi della Cappella Feo. In proposito, vedi la sua lettera al ministro dell'Istruzione Pubblica, da Roma 21 settembre 1877, in Archivio Centrale dello Stato, Ministero della Pubblica istruzione, Direzione generale antichità e belle arti (d'ora in poi ACS, MPI, AA.BB.AA.), I versamento [1860-1890], b. 129, fasc. 1541. Anche per l'*Annunciazione* in Santa Maria dei servi, Cavalcaselle aggiorna la vecchia collocazione, segnalando l'avvenuto trasferimento della tavola in pinacoteca dopo il 1864 (BMV, Cod. It. IV 2041[=12282], fasc. II, cc. 19v - 20r). Probabilmente successivi alla prima edizione dell'*History of Painting in Italy*, sono anche gli schizzi a matita realizzati sulla tavola conservata nella quadreria Ferniani di Faenza, sull'affresco della *Crocifissione* nella chiesa di Santa Maria della Ripa (osservato da Cavalcaselle quando ormai si trovava già in pinacoteca all'indomani del suo trasporto su tela nel 1865, in *ibidem*, c. 20r), sul dipinto di *Sant'Elena* e sulla tavola della chiesa della Santissima Trinità (*ibidem*, c. 21v). Le opere verranno segnalate da Cavalcaselle soltanto nella *Storia della Pittura in Italia* (Cavalcaselle, Crowe 1898, in particolare pp. 341-346)

[12] Mi riferisco ai disegni che riproducono le tavole conservate nelle chiese di Brisighella e di Rontana (*ibidem*, cc. 15r-15v).

[13] Ad esempio, riferimenti espliciti all'edizione della *Guida per la città di Forlì* di Giovanni Casali si rintracciano in BMV, Cod. It. IV 2042[=12282], fasc. II, cc. 18r, 19r-v, 20v, 28r. Accenni indiretti al testo di Reggiani, invece, sono presenti negli appunti che descrivono gli affreschi della cappella Feo, in particolare la lunetta con il *Miracolo dell'impiccato* (*ibidem*, c. 35v) e la volta (*ibidem*, c. 30v-31r). Non vi è, invece, alcun accenno all'erudito Galgano Giordani, autore di un memorandum su alcuni centri dell'Emilia Romagna, inviato all'"amico Cavalcaselle" il 4 gennaio 1861, in Levi 1988, p. 163, nota 78.

[14] Il testo di Pasolini viene citato in BMV, Cod. It. IV 2041[=12282], fasc. II, c. 36r.

[15] Per la pala di San Michelino cita il documento notarile pubblicato da Marcello Valgimigli nel *Calendario Faentino per l'anno 1857* (*ibidem*, c.14v), poi ripreso più estesamente anche nella *Storia della Pittura in Italia*, dove in nota viene trascritto l'intero documento (Cavalcaselle, Crowe 1898, pp. 333-334); per la pala di Rontana, invece, descrive attentamente lo stemma della famiglia Naldi retto da un putto posto sulla sommità di una decorazione a candelabre (*Ibidem*, c. 15v). Il fatto che Cavalcaselle dia rilievo a questo particolare e riconosca lo stemma della famiglia ci spinge a credere che fosse a conoscenza dell'atto di commissione della pala, pubblicato dal Metelli nella *Storia di Brisighella* soltanto nel 1880. Tuttavia, nella *Storia della pittura in Italia*, dove viene per la prima volta segnalata la pala di Rontana, Cavalcaselle non farà alcun accenno al volume. Per una descrizione dei dipinti vedi Viroli 1993, pp. 46 e 50.

[16] Si legge "vedi lettere Eastlake" (*ibidem*, c.19v). Non stupisce questo richiamo al direttore della National Gallery, definito da Morelli il "terribile accaparratore", la cui conoscenza con Cavalcaselle risale agli anni cinquanta dell'Ottocento, all'epoca del suo forzato esilio in Inghilterra (Levi 1988, in particolare pp. 27-28). L'interesse di Eastlake per la produzione artistica di Palmezzano è documentato almeno a partire dal 1859 quando, su suggerimento del *travelling agent* Otto Mündler, aveva assicurato al museo londinese, acquistandola presso l'artista Gismondi di Roma, la lunetta con la celebre *Pietà*

proveniente dalla pala della *Comunione degli apostoli*. Mündler aveva visto la lunetta, attribuita erroneamente a Melozzo, già nel 1856 riconoscendola senza esitazione come "one of the very finest Marco Palmezzano existing" (Robertson 1978, pp. 181-182; Dowd 1985, pp. 126, 168-169). Inoltre, nel 1864, Eastlake propose al direttore dell'orfanotrofio delle Femmine, il professor Achille Farina, "suo caro amico", l'acquisto della meravigliosa pala di San Michelino per 3000 lire (Anderson 2000, p. 15; Penny 1998, pp. 277-289; Levi 1999, pp. 182-192).

[17] Alcuni appunti relativi al volto del supposto ritratto di Girolamo Riario risultano delimitati con un segno grafico a penna, siglato "Morelli": "colore tutte carni rossastro – chiaro – vino – un poco piatto senza rilievo – S. Sebastiano tozzo e manierato nel disegno – colore non bello" (BMV, Cod. It. IV 2041[=12282], fasc. II, c. 19r). Anche per la tavola di Niccolò Rondinelli, alcune note sono evidenziate con il medesimo segno grafico con su scritto "osservazioni in Morelli": "N. Bene vedi quadro deposizione se è Suo o di Scolare quadro deposizione stile somiglia Palmezzano e così colore (al fresco). Si ha Palmezano primo scolare di Rondinello? o di imitatori di Rondinello – Certamente fresco Palmezano – somiglia a quadro deposizione" (*ibidem*, c. 21r). Anche se non siamo ancora in grado di identificare con certezza a quale soggiorno si riferiscono questi disegni, i richiami di Cavalcaselle allo studioso bergamasco potrebbero essere strettamente correlati con il viaggio del 1861. Certo sarebbe molto suggestivo pensare a un collegamento con le opinioni che i due studiosi ebbero modo di scambiarsi davanti alle opere in quell'occasione. Entrambe le tavole di Palmezzano e Rondinelli, infatti, risultano annotate anche nei taccuini di Morelli, che al trittico della chiesa di San Biagio riserva un'ampia descrizione: "S. Girolamo. 4° altare a destra. Trittico con predella. Nella tavola di mezzo Madonna in trono col nudo Bambino ritto in pie' sul ginocchio destro, benedicente ai 4 divoti al basso – marito e moglie con due figlioli e sotto il grado del trono un angelo con una tavola con una viola, sulla quale v'è il seguente cartellino: Marchus palmizanus pictor foroliviesis fatiebat Nelle tavole laterali i ss. Sebastiano e Caterina ognuno accompagnato da un santo dell'ordine francescano – nella predella Cristo coi 12 apostoli – tavola, salvo qualche tessitura e screpolatura, bene conservata" (Anderson 2000, p. 39).

[18] Vedi anche la segnalazione "fondo colore grasso ma duro smaltato" in BMV, Cod. It. IV 2041[=12282], fasc. II, cc. 14r-v.

[19] *Ibidem*, c. 18r.

[20] Per la *Comunione degli apostoli*, ad esempio, accenna al "colore scuro - pesante - duro" e al "colore tristo come il solito" (*ibidem*, c. 18r). Per la tavola di sant'Antonio abate riporta "movimenti buoni ma duro nel colore" (*ibidem*, c. 21r). Per la lunetta della cappella Feo con il *Miracolo dell'impiccato*, segnala i "nuvoli spessi scuri duri", precisando nel contempo come Melozzo "velava non aveva il colore duro e scuro come Palmezzano" (*ibidem* c. 35r). Per l'*Annunciazione* in Santa Maria dei servi, invece, riferisce: "pittura sempre trista di colorito" (*ibidem*, cc. 19v-20r).

[21] Riferito in particolare al cielo dell'*Annunciazione* dipinta per la chiesa di Santa Maria del Carmine (*ibidem*, 22v), ma anche alla tavola della *Madonna con Bambino fra i santi Severo e Valeriano*, per cui annota "quadro impasticciato forse ma forse scolaro" (*ibidem* c. 21r).

[22] *Ibidem*, cc. 14v, 20r.

[23] Interessanti sono anche le osservazioni sulle "pieghe taglienti" per le vesti dell'angelo nella

tavola dell'*Annunciazione* di Santa Maria del Carmine (*ibidem*, c. 22*v*) o sulle "forme di legno" e sulle "vene crude" dei santi nella *Glorificazione di sant'Antonio abate* (*ibidem*, c. 21*r*).

[24] Il quadro dell'*Annunciazione* nella chiesa di Santa Maria del Carmine gli appare "restaurato" e le "ombre rifatte nere" (*ibidem*, c. 22*v*). Lo sfondo nella pala di San Michelino è "rifatto ad acquarello", mentre Gesù Bambino ha la "mano restaurata", le "ombre ritocche e il "pano bianco fatto nuovo" (*ibidem*, c. 14*v*). Per l'*Immacolata* nella cappella dei Ferri in San Mercuriale non gli sfugge il rifacimento tardo cinquecentesco e per la figura al centro annota: "Figura nuova rifatto 1600" "Il Santo col calice in mano in ginocchio tutto rifatto nuovo" (*ibidem*, c. 23*r*). Al contrario, nella *History of Painting* compare soltanto un riferimento piuttosto generico sul precario stato di conservazione di questa tavola: "Four vertical splits stopped with colour spoil the heads of the saints at the sides and other parts. The flesh tints have also been retouched in some places" (Crowe, Cavalcaselle 1864, p. 572).

[25] In particolare per Niccolò Rondinelli e Francesco Zaganelli da Cotignola, si veda in Crowe, Cavalcaselle 1871, pp. 584-603.

[26] BMV, Cod. It. IV 2041[=12282], fasc. II, cc. 30*v*-31*r* (*Volta della cappella Feo*), cc. 35*r-v* (*Storie e martirio di san Giacomo e Miracolo dell'impiccato*).

[27] *Ibidem*, cc. 24*r*, 27*r*, 29*r*, 32*r*, 33*r*, 33*v*.

[28] *Ibidem*, cc. 24*v*, 30*r*, 32*r*.

[29] Si veda a questo proposito i dettagli dei volti dei due pellegrini nella lunetta (*ibidem*, c. 33*r*) o lo schizzo raffigurante lo stemma dei Feo (*ibidem*, c. 29*r*), riprodotti anche nei disegni da Reggiani (Reggiani-Zampighi 1831-1834). Inoltre, una nota archivistica riportata da Reggiani sullo stemma dei Feo ("Nell'archivio diplomatico in Firenze nel tomo II esiste l'arma in filza di stemmi gentilizi a pag. a 738 con il distintivo Feo"), viene copiata da Cavalcaselle: "Nell'archivio diplomatico in Firenze nel tomo II" esiste l'arma in filza di stemmi gentilizi a pag. 738 con il distintivo Feo" (cfr. *ibidem*, c. 29*r*).

[30] Allineandosi con le perplessità che in proposito erano state sollevate già da Giovanni Casali (Casali 1844, pp. 9-10). Per le riflessioni di Reggiani si rimanda invece a Reggiani 1834, pp. 7-8.

[31] "Che diferenza dallo angelo e figure a S. Pietro", in BMV, Cod. It. IV 2041[=12282], fasc. II, c. 31*v*.

[32] *Ibidem*.

[33] A cui è possibile affiancare ciò che Cavalcaselle sottolinea per la lunetta: "Marco nella lunetta è tutto tratteggiato come un incisore con tratti grafici di colore caldi gialli pesanti" (*ibidem*).

[34] *Ibidem*.

[35] Si veda il mio contributo sui restauri della cappella Feo in questo stesso catalogo.

[36] Cavalcaselle, Crowe 1898, in particolare pp. 316-327.

[37] Il quadro sembrerebbe quello, oggi disperso, appartenuto a Scipione Casali, poi passato di proprietà alla famiglia Croppi, come ricorda Egidio Calzini che riporta esattamente la firma dell'autore, a suo parere rimaneggiata da Girolamo Reggiani (Calzini 1894, p. 458). L'opera viene citata da Cavalcaselle nella *Storia della Pittura* (Cavalcaselle, Crowe 1898, p. 359). Una fotografia del dipinto è stata rintracciata da chi scrive presso la fototeca del Kunsthistorisches Institut in Florenz, n. 71930. Sul *verso* della foto si legge: "Wien, Artaria Verst. F. Muller, 6 Mai 1913".

Regesto dei documenti

a cura di Simona Dall'Ara e Serena Togni

1

1470 settembre 8, Forlì

Antonio Palmezzani, padre di Marco Palmezzano, detta il suo testamento con cui stabilisce quanto segue: lascia cinque lire di bolognini *pro male ablatis incertis;* chiede che la sua sepoltura sia collocata nella chiesa di San Giacomo dell'ordine dei frati predicatori di San Domenico di Forlì, la cui spesa sarà decisa dai commissari testamentari da lui nominati nelle persone della moglie Antonia e del fratello Gabriele; lascia alla figlia Bianca e al marito Giacomo della Cura di Forlì tredici lire di bolognini e dieci soldi, e alla figlia Margherita e al marito Antonio Ostoli di Forlì venti lire di bolognini, quale resto per le loro rispettive doti; lascia alla moglie Antonia Bonvicini di Forlì centoventi lire di bolognini, somma corrispondente alla sua dote di matrimonio. Nomina, infine, eredi universali i figli Marco, Sebastiano e Tommaso insieme alla loro madre Antonia, la quale con Gabriele Palmezzani, fratello del testatore, è nominata anche tutrice dei figli. L'atto è rogato nella casa del testatore posta in contrada San Tommaso Cantauriense.

"... Cum nil sit certius morte et incertius sit hora mortis quam nemo evictare potuit ea propter Antonius quondam Baptiste ser Palmizani de Palmizanis de Forlivio contrate Sancti Tome de Conturberio per gratiam domini nostri Iehsu Christi mente, sensu et intellectu licet corpore languens infirmus et iacens in lecto suarum rerum et bonorum omnium dispositionem per presens nuncupativum testamentum sine scriptis in hunc modum facere procuravit et fecit. Imprimis namque reliquid de bonis suis pro male ablatis incertis solidos quinque bononinorum. Sepulturam vero suam ellegit deputavit et esse voluit apud ecclesiam Sancti Iacobi de Forlivio ordinis fratruum predicatorum Sancti Dominici de Forlivio et in dicta ecclesia circa quam expendi voluit id quod videbitur et placebit infrascriptis suis comissariis. Quos ellegit et deputavit infrascriptum Cabrielem et infrascriptam dominam Antoniam eius uxorem quibus plenam et omnimodam licentiam, auctoritatem, arbitrium et bailiam dedit, contulit et concessit ipse testator. Item ipse testator dixit, aseruit et confessus fuit se testatorem maritasse dominam Blancham eius filiam Iacobo filio Zampetinini de la Cura de Forli-

vio et dedisse partem dotis ipsius domine Blanche ipsi Iacobo seu eius patri et dictum Iacobum seu dictam dominam Blancam restare, habere a dicto testatore debere libras XIII solidos X bononinorum pro resto dotis dicte domine Blanche unde ipse testator reliquid iure institutionis dicte domine Blanche eius filie id quod sibi dedit in dotem et dictas libras XIII solidos X bononinorum iure institutionis et pro dotibus suis. Item dixit et aseruit ipse testator se testatorem maritasse dominam Ghidam eius filiam Antonio Christofori de Hostolis de Forlivio sartori et dedisse dicto Christoforo pro dote dicte domine Ghide partem dicte dotis et restare, debere dicto Antonio pro resto dicte dotis libras viginti bononinorum unde ipse testator reliquid dicte domine Ghide iure institutionis id quod dedit et libras viginti bononinorum quas restat dare ipsi domine Ghide. Item dixit et aseruit ipse testator se contrasisse matrimonium cum domina Antonia eius uxore et filia quondam Guasparis Bonvixini de Forlivio iam diu per verba de presenti et habuisse a dicto Guasparo in dotem et dotis nomine dicte domine Antonie libras centum viginti bononinorum quas reliquid dicte domine Antonie uxori sue. In omnibus autem aliis suis bonis mobilibus et immobilibus iuribus et actionibus tam presentibus quam fucturis Marcum et Bastianum et Tomaxium fratres invicem et filios dicti testatoris et dicte domine Antonie et ipsam dominam Antoniam in vita sua donec vixerit cum dictis suis filiis sibi heredes universales instituit fecit et esse voluit pleno iure et dictos suos filios masculos sibi ad invicem substituit cuilibet decedenti seu decedentibus sine filiis et voluit et mandavit ipse testator quod dicte sue filie possint se redducere, stare et habitare in domo sua cum heredibus suis observando vitam vidualem. Tutorem et tutricem filiorum suorum filiorum suorum ellegit, deputavit et esse voluit Cabrielem filium quondam Baptiste ser Palmizani de Palmizanis de Forlivio et dictam dominam Antoniam uxorem suam et matrem dictorum Marchi, Bastiani et Tomaxii... Actum Forlivii in domo dicti testatoris posita in contrata sancti Tome de Conturberio iuxta viam communis, heredum Antonii quondam Benedicti Marzanexii de Forlivio, Petrum quondam Magnini magistri Petri frabrum de Forlivio et alios suos confines ...".

ASFo, Atti dei notai di Forlì, Filippo Asti, vol. 22 (XII), cc. 117*v*-118*r*

Bibliografia: Grigioni 1956, p. 298; Zaccaria XX secolo, cassetto n. 21, scheda n. 19365.

2

1483 dicembre 6, Forlì

Giacoma di Valdinoce e il marito Tommaso di Lugo vendono una casa, posta a Forlì in contrada Fossato vecchio, ad Antonia Bonvicini, moglie del fu Antonio Palmezzani, che agisce con i figli Marco, Sebastiano e Tommaso, per il prezzo di centosette fiorini d'oro.

"... Domina Iacoba filia quondam Nicolai de Valle nucis et uxor Thom? quondam Andre? de Lugho habitatoris[1] civis forliviensis presens cum consensu, voluntate, auctoritate et licentia dicti Thome eius viri presentis et eius consensum et auctoritatem prestantis dicte domine Iacobe eius uxori omnibus et in singulis inpresentis instrumenti contentis dicti Thomas et domina Iacoba presentes per se et eorum et cuiuslibet eorum heredes iure proprio et in perpetuum dederunt, vendiderunt et tradiderunt dominae Antoniae filiae olim Gasparis Bonvisini et uxoris olim magistri Antonii quondam Baptistae de Palmezanis de Forlivio et Marcho, Sebastiano et Thom? fratribus invicem et fliis olim dicti magistri Antonii presentibus et pro se et suis heredibus stipulantibus et recipientibus et ementibus unam domum positam in civitate Forlivii in contrata Fossati veteris iuxta viam communis ab uno et magistrum Nerium quondam Francisci de Ghirardinis ab alio et Ioannem Manzanum et heredes magistri Hieronimi de Barisanis et Gasparinum de [Pellamiis] de Ville nucis comitatus Forlivii et alios suos confines... Et hoc pro pretio et nomine pretii librarum[2] florenorum centum et septem auri boni auri et iusti ponderis ...".

ASFo, Atti dei notai di Forlì, Guglielmo Prugnoli, vol. 47 (I), cc. 93*r*-94*v*

Bibliografia: Grigioni 1956, p. 308.

3

1483 dicembre 15, Forlì

Marco Palmezzano, in età compresa fra i ventitré e i venticinque anni, con i fratelli Sebastiano e Tommaso, anch'essi minorenni, ottiene dalla madre, Antonia Bonvicini, e dai parenti Battista Palmezzani e Antonio Ostoli il consenso per la vendita di una casa, posta a Forlì in contrada San Tommaso Cantuariense, a Benedetto del fu Antonio, per il prezzo di centoquaranta lire di bolognini.

"Eodem millesimo[3], indictione prima, tempore domini nostri domini Sisti divina providentia pape quarti, die XV decembris. Constitutis coram magistro et eximio illustrissimo doctore domino Ihoanne Francisco de Rutilonibus de Tolentino honorabile potestate Marchus quondam Antonii de Palmezanis maior 23 annorum minor 25 et Bastianus quondam dicti Antonii maior XX minor viginti quinque et Thomas quondam dicti Antonii maior 18 minor XXV cum consensu, licentia et auctoritate domine

Antonie filie quondam Gasparis Bonvisini et uxoris olim dicti Antonii de Palmezanis et dictorum Marci, Bastiani et Thome matris et cum consensu Gabriellis[4] et [Batiste] de Palmezanis et Antonii quondam Cristofori de Ostolis eius... dictorum Marci, Bastiani et Thome proximiorum parentium consentientium... dictis Marco, Bastiano et Thoma et dicta domina Antonia quondam dicti Gasparis Bonvisini et... principaliter et insollidum iure proprio et in perpetuum dederunt, vendiderunt et tradiderunt Benedicto quondam Antonii... presenti et ementi pro se et suis heredibus unam domum cum uno petio terreni positam in civitate Forlivii in contrata Sancti Thome de Conturberio iuxta viam communis dictum emptorem et priorem Nicolaum de Fratano et alios penum Andree Magani et alios ad habendum cum omnibus et singulis et cum omnibus et singulis et hoc pro pretio librarum centum quadraginta bononinorum in totum et in summa quod... consoci fratruum iure et exceptis sibi non dati exceptionis ...".

ASFo, Atti dei notai di Forlì, Giacomo Morattini, vol. 210 (IX), cc. 205*v*-204*v*[5]

Bibliografia: Grigioni 1956, pp. 308-309; Zaccaria XX secolo, cassetto n. 21, scheda n. 19362.

4

1484 giugno 8, Forlì

Marco Palmezzano è presente come testimone a un atto rogato a Forlì.

"... Presentibus... Marcho quondam Antonii de Palmezani...".

ASFo, Atti dei notai di Forlì, Giacomo Morattini, vol. 210 (IX), c. 110*v*

Bibliografia: Grigioni 1956, p. 309.

5

1484 dicembre 25, Forlì

Vertenza tra Marco Palmezzano e il priore dell'ospedale *Domus Dei* di Forlì per il pagamento della pittura di quattro figure da lui eseguite nell'edificio dell'ospedale. Il pittore richiede due ducati e mezzo quale residuo della somma di tre ducati, compenso complessivo del suo lavoro, ma il procuratore del priore contesta tale richiesta di pagamento.

"Constitutus personaliter in iudicio Marchus de Palmezanis pictor et petit domino priori domus Dei ducatos duos cum dimidio auri pro resto ducatorum trium auri pro eius mercede de pictura de 4 figuris pictis per ipsum in domibus hospitalis domus Dei. Presente magistro Francisco procuratore dicti domini patris prioris et negante... et nichilominus aceptante... apparere dictum Marchum pinsisse aliqua vel aliquas assertas figuras... dicente ipsum non mereri pro eius mercede iusta... per ipsum dicente tamen... et offerente se dicto nomine ferre iudicio... picture ...".

ASFo, Atti dei notai di Forlì, Giacomo Morattini, vol. 210 (IX), c. 247*v*

Bibliografia: Grigioni 1899, p. 222; Grigioni 1956, p. 309; Zaccaria XX secolo, cassetto n. 21, scheda n. 19362.

6

1492 giugno 16, Dozza

Marco Palmezzano promette a Giovanni Mazoli di Dozza di realizzare una tavola da collocare sull'altare della sua cappella nella chiesa di Dozza. La pala dovrà rappresentare al centro la Vergine col Bambino e ai lati san Giovanni Battista e santa Margherita; dovrà essere dotata di una cornice e di un basamento in legno secondo il disegno realizzato dal pittore; dovrà essere impreziosita con oro e buoni colori e dovrà essere consegnata in Dozza entro il settembre successivo. Inoltre, nella lunetta della cappella dovrà essere dipinto il Padre Eterno con i serafini. Per il lavoro il pittore riceverà complessivamente trentatré ducati d'oro e tutte le spese saranno a suo carico eccetto quelle del trasporto, a carico del committente. Fideiussore del pittore è Giovanni Lanzi di Forlì, presente alla scrittura dell'atto.

"... Magistri Iohannis Mazoli[6]. Magister Marchus quondam Antonii de Palmezanis de Forlivio pictor promixit et pacto convenit magistro Iohanni quondam magistri Petri de [Brondeis] de Ducia presenti etc. sibi facere unam anchonam seu tabulam ad ponendam in capella ipsius magistri Iohannis supra altare in ecclesia Dutie videlicet ipsam facere altitudinis ab altare usque ad cornicem in fatie dicte capelle et latitudinis prout decet et convenit arbitrio cuiuslibet magistri et in ea pingere tres figuras magnas videlicet gloriose Virginis Marie cum filio in medio et sancti Iohannis Baptiste et sancte Margarite a lateribus et eam facere lignaminis cum cornicibus et bassis secundum designum penes dictum magistrum Iohannem manu ipsius pictoris et eam fulcire auro et bonis coloribus et ipsam anchonam dare et consignare factam per totum mensem septembris proximi in castro Dutie omnibus eius sumptibus exceptum victuram conductam datium quam ipse magister Iohannes solvere debeat et hoc arbitrio cuislibet experti boni magistri. Et etiam in medio tondi dicte capelle pingere unum Deum patrem cum seraphinis et hoc pro pretio ducatorum triginta trium auri ex quo pretio dictus magister Iohannes actualiter dedit et numeravit ducatos sexdecim auri et residuum dare et solvere promixit dictus magister Iohannes tempore consignationis dicte anchone et finis laborerii predicti cum pacto inter eos inito quod si ante dictum terminum et finem dicti laborerii contingerit ipsum pictorem mori et iam inceperit facere dictam anchonam dictus magister Iohannes tenentur eam accipere pro illo laborerio facto magistro experti declarando et secundum quod extimatum fuerit solvere. Quas promissiones et omnia contenta in presenti instrumento dictus magister Marchus et magister Iohannes promiserunt sibi ad invicem unius alteri perpetuo ratum habere etc.... et precibus dicti magistri Marci pictoris Iohannes quondam magistri Petri de Lanziis de Forlivio predicto quibus sciat se ad infrascripta non teneri etc. solempniter et legiptime fideiussit et promixit etc.... Actum Dutie ad banchum iuris presentibus Dominico filio magistri Antonii Bargatie, Guidone Gherii, fratre Iacobo de Padua ordinis Humiliatorum professo ecclesie de Dutia testibus etc.

Conservatio indemnitatis[7]. Eisdem die, loco, hora, tempore et presentibus testibus suprascriptis. Dictus magister Marchus de Palmezanis pictor promixit prefato Iohanni de Lanziis presenti etc. fideiussori obligatione eius precibus magistro Iohanni [Bondei] ipsius et eius heredes et bona indempnem et sine dampno eximere et conservare in plena forma etc. cum promissionibus et obligationibus consuetis etc. renuntians etc. iurans etc.".

SASI, Atti dei notai di Dozza, Giovanni Ferrieri, b. 1, vol. 26 (1492-1493), c. 55

Bibliografia: Galli 1933; Galli 1939, pp. 336-337; Grigioni 1956, pp. 309-311.

7

1492 settembre 14, Dozza

Marco Palmezzano consegna a Giovanni Mazoli di Dozza l'ancona destinata all'altare della cappella di Santa Margherita nella chiesa di Santa Maria di Dozza e riceve diciassette ducati d'oro, quale resto del prezzo stabilito per la realizzazione dell'opera. I contraenti dichiarano nullo il precedente atto rogato dal notaio Giovanni Ferrieri di Dozza con cui le parti si erano obbligate vicendevolmente a rispettare quanto stipulato.

"... Magister Marcus condam Antonii Palmegiani de Forlivio pictor ex parte una et magister Iohannes condam Petri Mazoli de Ducia comitatus Imole ex parte altera pro se et eorum heredibus fecerunt unus alteri et alter alteri ad invicem et vicissimi finem absolutionem etc. spetialiter de debito ducatorum decem et septem auri in quibus idem Iohannes tenebatur et obligatus erat eidem magistro Marco ex causa ressidui pretii sive mercedis et magisterii unius tabule sive anchone picte et aurate lignamine constructe et facte per dictum magistrum Marcum pro ornatu et usu altaris et capelle titulo Sancte Margarite eiusdem magistri Iohannis site in ecclesia Sancte Marie de Ducia predicta et ex altera parte de dicta tabula sive anchona bene et diligenter condita, picta, constructa et aurata ac ornata quam idem magister Marcus predicto magistro Iohanni dare, tradere et consignare tenebatur ut clarius predicti contrahentes de predictis omnibus et singulis sic vel aliter plus vel minus aut per alia verba constare dixerunt instrumento dictarum obligationum, promissionum et pactorum et aliorum scripto et rogato manu ser Iohannis de Fereriis notarii publici Ducie ad quod se retulerunt pro veritate habenda et generaliter de omnibus inde dependentibus etc. Et hoc idem fecerunt predicti contrahentes quod sic sibi bene placuit et quod etiam per se et eorum heredes fuerunt confessi et contenti videlicet dictus magister Marcus habuisse et recepisse a predicto magistro Iohanne dictam quantitatem ducatorum decem et septem auri pro ressiduo et complemento satisfactionis dicte mercedis pretii sive magisterii anchone predicte et dictus magister Iohannes habuisse et recepisse a predicto magistro Marco presenti etc. dictam anchonam sive tabulam bene et diligenter constructam, pictam, laboratam et auratam ut eidem magistro Iohanni tenebatur ex forma suprascripti instrumenti pactorum manu suprascripti ser Iohannis et illam sibi magistro Iohanni traditam et consignatam in dicto castro Ducie in predicta ecclesia et capella. Et pro omni eo et toto ad quod invicem sibi tenebantur vigore dicti instrumenti pactorum volenter et mandantes predicti contrahentes predictum instrumentum debiti et pactorum ex nunc vanum cassum esse etc.... Actum Duci? comitatus Imole sub porticu communis Ducie predicte ser Iacobo condam ser Francisci de Gentilibus de Ducia presbiter et Iohanne condam Dre? de Sancto Donato comitatus Bononie habitatore cive Ducie predicte testibus etc. ...".

SASI, Atti dei notai di Dozza, Vincenzo Ferreri, b. 4, vol. 19, c. 18r-19r

Bibliografia: Galli 1933; Galli 1939, p. 337; Grigioni 1956, pp. 311-312.

8

1492 settembre 16, Forlì

Il Capitolo della chiesa cattedrale di Santa Croce di Forlì commissiona ad Antonio marangone da Faenza la realizzazione di un'ancona per l'altare maggiore della chiesa, per la quale dovrà attenersi al disegno fornitogli dal pittore Marco Palmezzano e da Pace Bombace, presenti alla stesura dell'atto, rispettandone le dimensioni e la decorazione. Per il lavoro, Antonio riceverà diciotto ducati d'oro, impegnandosi a completare l'opera entro la Pasqua successiva.

"... Coadunato Capitulo Sancte Crucis... dederunt et concesserunt ad fabricandum et fabricari faciendum magistro Antonio de Faventia marangoni presenti et conducenti unam anconam sive tabulam pro altare maius dicte ecclesie de lignamine secundum modum et formam designi sibi dati et ultra dictum modum cum ornamentis et altitudine et longitudine prout sibi impositum fuerit per magistrum Marcum de Palmezanis pictorem et magistrum Paxii a Bambatis electos per dictos d. de Capitulo super predictis et hoc pro pretio ducatorum decem et octo auri boni auri et iusti ponderis solvendis pro... dicta tabula sive ancona quam dictus magister Antonius presens promisit dare dictis d. canonicis confectam et completam ad festum Paschatis Resurrectionis proxime future omnibus ipsius magistri Antonii sumptibus et expensis... presentibus... magistro Paxio et Marco predictis ...".

ASFo, Atti dei notai di Forlì, Giacomo Morattini, vol. 205 (IV), c. 109

Bibliografia: Calandrini-Fusconi 1993, p. 762.

9

1493 settembre 26, Forlì

Marco Palmezzano è presente come testimone a un atto rogato a Forlì dal fratello Tommaso.

"... Presentis testibus:... Marco olim Antonii de Palmizanis fratre meo...".

ASFo, Atti dei notai di Forlì, Tommaso Palmezzani, vol. 103 (III), cc. 114r-115r

Bibliografia: Grigioni 1956, p. 313.

10

1495 maggio 26, Forlì

I fratelli Marco, Sebastiano e Tommaso Palmezzani, in occasione della divisione dei beni in comune, nominano Carmignola e Tommaso Palmezzani arbitri della controversia.

"... De lite vero questione vel controversia vertente seu qu? verti sperabatur inter Marchum, Sebastianum et ser Thomam fratres invicem et filios olim Antonii de Palmezanis de Forlivio occasione divisionis bonorum communium inter eos nollentes invicem litigare compromissum fecerunt in providos viros Carmignolam de Palmezanis et Thomam quondam Ioannis de dictis Palmezanis tamque... eorum arbitros et arbitratores et amicabiles compositores etc. ...".

ASFo, Atti dei notai di Forlì, Spinuzio Aspini, vol. 250 (XII), c. 66v

Bibliografia: Grigioni 1956, p. 314.

11

1495 maggio 30, Forlì

Tommaso e Carmignola Palmezzani, precedentemente nominati arbitri nella controversia per la suddivisione dei beni in comune dei fratelli Marco, Sebastiano e Tommaso Palmezzani, pronunciano il loro lodo sulla questione.

A Sebastiano e a Tommaso sono assegnati: la casa a Forlì in contrada Fossato vecchio; tutti i debiti contratti dai tre fratelli a Forlì, escluso il debito verso Giacomo Giovanni Piccinini; un appezzamento di terra coltivata a vite, posto a Forlì in località Tisani; tutti i beni mobili esistenti a Forlì, eccetto i beni mobili contenuti nelle casse di Marco e di sua moglie. A Marco sono assegnati: i beni mobili esistenti a Forlì di proprietà sua e di sua moglie; tutti i beni mobili e tutti i crediti dei tre fratelli esistenti a Venezia; tutti gli strumenti per dipingere acquistati da Marco; il pagamento di debito verso Giacomo Giovanni Piccinini.

"... Nos Thomas quondam Iohannis de Palmezanis et Carmignola quondam Iohannis quondam Palmezani de dictis Palmezanis arbitri arbitratores et amici communes partium infrascriptarum asumpti et electi a Marco quondam Antonii de Palmezanis et a Sebastiano et ser Thoma quondam dicti Antonii de et super lite seu litibus, questionibus et controversiis inter dictas partes vertentibus causa et occasione divisionis bonorum eorum inter dictas partes dividendorum... Quia dicimus... et dividendo damus et assignamus dicti Sebastiano et ser Thome Palmezano domum cum cortile et orto positam in civitate Forlivii in contrata Fossati veteris, iuxta viam communis, magistrum Nerium Girardini, Marchionem Barisanum, Bernardum de Mangiantis et alios. Cum hac obligatione quod dicti Sebastianus et ser Thomas teneantur et obligati sint solvere omnibus eorum creditoribus existentibus in civitate Forlivii per ipsos tres factis in dicta civitate pro rebus per ipsos tres necessariis et in ipsorum trium utilitate excepto ser Iacobo Ioannis Picinini. Et pro creditoribus dictis Sebastiani et ser Thome assignamus et ipsos ser Thomam et Sebastianum condemnamus ad liberandum dictum Marcum a dictis creditoribus et ad curandum ita et taliter cum effectu quod dictus Marcus liberaretur et absolvatur a dictis creditoribus... Item dividendo damus et assignamus predictis Sebastiano et ser Thome unam petiam terre vineatam unius tornature cum dimidio... est posita in comitatu Forlivii in lateribus Tisani iuxta viam communis, heredes Gregorii de casa laparie et alios... Item dividendo damus et assignamus dictis Sebastiano et ser Thome omnia bona vel mobilia videlicet omnes pannos laneos et lineos, lectos, linteamina et masaricias et omnia bona mobilia in civitate Forlivii existentia excepta bona mobilia infrascripta in parte Marci assignanda videlicet de bonis pannis lini existentibus in forceriis et cassis dicti Marci et uxoris ipsius... Item dividendo damus et assignamus dicto Marco et in parte et pro parte dicti omnes pannos laneos et lineos a dorso ipsius Marci et uxoris ipsius et duas capsas a sponsa et forcerios per ipsum Marcum aquisitos unam pezam auri seu pectorale unam schufiam auri et sete cum omnibus anulis auri ad usum uxoris ipsius Marci... Item dicto Marco in parte et pro parte sua damus et assignamus omnia bona mobilia videlicet lectos, linteamina, copertas, tobalias et masaricias et omnes debitores ipsorum in civitate Veneciarum existentes et totum creditum in dicta civitate et omnes colores et masaricias ad artem et exercitium pingendi et ipsius Marci et per ipsum Marcum aquisitis dicto Marco assignamus et pro debitoribus dicti Marci et in totum... dicto Marco ad rei gendum et totum dictum creditum sit et esse debitor dicti Marci. Item... condenamus dictum Marcum ad dandum et solvedum ser Iacobo Iohannis Picini omnes pecuniarum quantitates in quibus dictus ser Iacobus esset creditor predictorum Marci, Sebastiani, et ser Thome usque in presentem diem et dictos ser Thomam et Sebastianum ad liberandum a dicto credito[8] debito ser Iacobi predicti ...".

ASFo, Atti dei notai di Forlì, Giacomo Morattini, vol. 222 (XXI), cc. 56r-57v[9]

Bibliografia: Grigioni 1956, pp. 315-316; Zaccaria XX secolo, cassetto n. 21, scheda n. 19361.

12

1496 aprile 19, Forlì

Marco Palmezzano è presente come testimone a un atto rogato a Forlì.

"... Actum Forlivii iuxta scalam inferiorem Pallatii magni positi in contrata Sancti Guglielmi etc. Presentibus magistro Marco quondam Antonii de Palmezanis ...".

ASFo, Atti dei notai di Forlì, Giacomo Morattini, vol. 237 (XXXVI), cc. 185v-186r

Bibliografia: Grigioni 1956, p. 316; Zaccaria XX secolo, cassetto n. 21, scheda n. 19364.

13

1497 giugno 12, Faenza

Antonio Santi e Antonio Maneghelli, priori della Società di San Michelino di Faenza, commissionano a Marco Pal-

mezzano di dipingere per l'altare della società una tavola con colori fini, oro fino e olio e di granirne la cornice. La pala dovrà raffigurare al centro la Vergine con ai lati san Michele e san Giacomo Minore, mentre nella lunetta il Padre Eterno con i serafini. L'opera dovrà essere completata entro l'aprile successivo e, sottoposta a giudizio di esperti, dovrà risultare la migliore tra quelle esistenti a Faenza. Il pittore eseguirà tutto il lavoro a sue spese, escluso il trasferimento della tavola da Forlì a Faenza a carico dei priori, e riceverà la somma complessiva di sessanta ducati.

"... Magister Antonius olim Santis a Credentiis et magister Antonius olim Siverii Maneghelle priores societatis Sancti Michilini de Faventia dederunt magistro Marco quondam Antonii Palmezani de Forlivio pictori presenti unam tabulam altaris dicte ecclesie et societatis ad pingendum coloribus finis et fino auro et cum oleo et graniendium in campis, omnibus suis magistri Marci impensis in qua tabula fiant figure gloriose Virginis in medio a lateribus figure sancti Michaelis et sancti Iacobi Minoris et in supratondo Dei Patris ornati seraphinis et talis pictura per peritos iudicetur dignior et melior quam cuiuscumque alterius tabule nunc Faventie existentis et finita sit per totum mensem aprilis proxime futuri et ita predicta omnia promisit observare magister Marcus et pro pretio promiserunt dicti priores se in hoc principaliter et de suo obligantes dare et solvere eidem ducatos sexaginta vel equivalentem in auro quantitatem de quibus ducatis LX. Dictus magister Marcus pro arra confessus est habuisse ducatos viginti, residuum videlicet ducatos quadraginta dicti magister Antonius Santis et magister Antonius Siverii de suo principaliter se obligantes promiserunt magistro Marco stipulanti solvere et numerare infrascriptis terminis videlicet in dicto termino aprilis tabule finite et seu finiende proxime futuro viginti et alios viginti ducatos per totum mensem februarii anni 1499 Faventie etc. Hoc acto quod ipse magister Marcus non teneatur reconducere tabulam a Forlivio Faventie sed ipsi faciant illam reportari suis expensis. Que omnia promiserunt ad... etc. sub pena dupli de quibus ducatis 60... pro quo magistro Marco et eius precibus et mandato Bartholomeus quondam Babini Riosti armaroli Sancti Terentii solempniter fideiussit... Actum Faventie in dicta ecclesia Sancti Michaelis presentibus Marco Salimbeni, Matheo olim Andree ab Armis et Antonio olim Vangeliste Manare et Bernardino olim Leonardi a tumbis omnibus de Faventia testibus etc. ...".

SASFa, Atti dei notai del mandamento di Faenza, Bartolomeo Torelli, vol. 212, c. 114

Bibliografia: *Calendario Faentino* 1857, p. 5; Cavalcaselle-Crowe 1898, p. 333; Calzini 1894c, p. 38; Buscaroli 1931, p. 207; Grigioni 1935b, pp. 446-447; Grigioni 1956, pp. 317-318.

14

1499 aprile 22, Forlì

Su richiesta di Antonio Orselli di Forlì, Marco Palmezzano dichiara di aver ricevuto da Marcantonio Campsori centosedici ducati d'oro, di cui cento tenuti per Ottaviano de Blancis di Cotignola, in forza dell'atto rogato dal defunto notaio Antonio Laziosi, e sedici per il guadagno derivante dalla società della robbia contratta tra loro. Tra i testimoni compare Andrea Bernardi barbiere, abitante a Forlì (è Novacula, cronista forlivese).

"...Marcus quondam magistri Antonii de Palmizanis de Forlivio presens ad instantiam Antonii quondam Laurentii de Orsellis de Forlivio presentis et instantis fuit confessus habuisse ab eo ducatos centum sexdecim auri per manus Marciantonii Campsoris videlicet ducatos 100 auri in quibus eidem tenebatur pro ser Octaviano de Blancis de Cutignola vigore instrumenti manu ser Antonii de Laciosis notarii publici defuncti et ducatos sexdecim auri pro lucro societatis rubie inter ipsos contracte... Presentibus magistro Andrea quondam Petri Bernardi de Castro Sancti Ioannis tonsore habitatore Forlivii ...".

ASFo, Atti dei notai di Forlì, Paolo Bonucci, vol. 325 (XIII), cc. 30v-31r

Bibliografia: Grigioni 1956, p. 318.

15

1500 marzo 16, Faenza

Su richiesta di Antonio Maneghelli, Antonio Santi, sarto, paga a Marco Palmezzano la somma di cinquantacinque lire di bolognini, di cui era debitore, per la pittura di una tavola.

"Antonius quondam magistri Santis a Credentiis sartor capelle Sancti Hipoliti presens ad instantiam et petitionem Antonii olim magistri Siverii Maneghelle capelle Sancte Marie Guidonis confessus fuit et contentus se esse eius debitorem in libris quinquaginta quinque bononinorum quas actualiter solvit pro eo et ad eius instantiam magistro Marco de Palmezanis de Forlivio pictori creditori dicti magistri Antonii ex causa cuisdam picture cuisdam tabule et quas libras quinquaginta quinque se ex causa puri mutui habere se constituit dictus Antonius exceptioni rei non sic existentis et non numerati dicte quantitatis et quam quantitatem librarum LV promisit dictus Antonius solvere et restituere in pecunia numerata hinc ad unum annum proxime futurum dicto Antonio Maneghelle stipulanti vel eius heredibus Faventie... Actum Faventie in domo habitationis mei notarii sita in capella Sancte Marie Guidonis iuxta magistrum Antonium Bassi et viam communis. Presentibus Petro quondam Babini Riosti capelle Sancti Terentii et Antonio olim magistri Andree ab Armis capelle Sancti Hipoliti testibus...".

SASFa, Atti dei notai del mandamento di Faenza, Bartolomeo Torelli, vol. 212, c. 242v

Bibliografia: Grigioni 1935, p. 448.

16

1500 marzo 16, Faenza

Su mandato di Marco Palmezzano, in cui dichiara di essere stato integralmente pagato per il lavoro svolto, e su richiesta di Antonio Maneghelli e Antonio Santi, priori del-

la Società di San Michele, il notaio cancella l'atto in data 12 giugno 1497.

"... Cancelatum fuit presens instrumentum debiti ducatorum 60 de mandato dicti magistri Marci et ad instantiam dictorum magistri Antonii Maneghelle et magistri Antonii Santis confessus fuit et contentus se esse integre satisfactum et solutum et etiam de omni pictura facta huchusque in societate Sancti Michaelis...Actum Faventie in domo mei notarii presentibus Petro Babini armaroli et Antonio magistri Andree ab Armis... Ipolitum... testibus etc. ...".

SASFa, Atti dei notai del mandamento di Faenza, Bartolomeo Torelli, vol. 212, c. 114v[10]

Bibliografia: *Calendario* 1857, p. 5; Calzini 1894c, pp. 38-39; Cavalcaselle-Crowe 1898, p. 333; Grigioni 1935b, pp. 447-448; Grigioni 1956, p. 318.

17

1500 marzo 27, Forlì

Marco Palmezzano è presente come testimone a un atto rogato a Forlì.

"... Presentibus magistro Marco quondam magistri Antonii de Palmezanis et Antonio filio dicti magistri Cristofori Albertini ambobus de Forlivio testibus... ".

ASFo, Atti dei notai di Forlì, Giovanni Michellini, vol. 581 (III), c. 49v

Bibliografia: Grigioni 1956, p. 319.

18

1500 aprile 4, Forlì

Marco Palmezzano è presente come testimone a un atto rogato a Forlì.

"... presentibus testibus Marco Palmizano et Iuliano de Talentis."

ASFo, Atti dei notai di Forlì, Tommaso Palmezzani, vol. 108 (VIII), c. 13v

Bibliografia: Grigioni 1956, p. 319.

19

1500 maggio 20, Forlì

Pompeo Brandoli di Forlì vende a Marco Palmezzano una casa con terreno retrostante, posta a Forlì in contrada Vigna del Vescovo, per il prezzo di duecento lire di bolognini.

"... Pompeus quondam Marci de Brandolis de Forlivio presens per se etc. iure proprio etc. dedit, vendidit et tradidit magistro Marco quondam magistri Antonii de Palmezanis de Forlivio presenti pro se etc. unam domum cum tereno post se positam in civitate Forlivii in contrata Vinee Episcopi iuxta viam comunis a duobus magistrum Rainaldum ab Organis a duobus et Cristoforum Blaxini et alios ad habendum etc. et hoc pro pretio et nomine pretii libras ducentarum bononinorum de quo pretio fuit confessus et contentus habuisse et recepisse a dicto emptore libras centum bononinorum exceptionis etc. residuum vero promisit dare et solvere ..."[11].

ASFo, Atti dei notai di Forlì, Giovanni Michellini, vol. 581 (III), c. 86v

Bibliografia: Grigioni 1956, p. 319.

20

1500 maggio 20, Forlì

Tommaso Palmezzani dichiara davanti al notaio di aver venduto, già da un anno, al fratello Marco un appezzamento di terra, posto a Forlì in località San Varano, e di aver ricevuto al momento della vendita novanta lire di bolognini, quale pagamento totale. Tale dichiarazione è resa allo scopo di tutelare lo stesso Marco.

"... Cum sit quod ser Thomas quondam Antonii de Palmezanis de Forlivio iam est annus elapsus quod vendidit et tradidit magistro Marco eius fratri et filio quondam dicti Antonii unam petiam terre vineate unius tornature cum dimidio et pro quanta est positam in comitatu Forlivii in lateribus Sancti Varani in fundo Tisani iuxta viam communis, Ioannem Mulducii[12] et alios pro precio in suma[13] libras sexaginta bononinorum pro tornatura quod capit in suma libras nonaginta bononinorum nitidarum de gabella pro parte venditionis et cum nullis exposuerit venditionis instrumentum volens agnoscere bonam fidem erga dictum Marcum per se etc. dictam petiam terre vineate ut supra positam et confinatam dicto[14] iure pro precio etc. dedit, vendidit et tradidit dicto magistro Marco presenti etc. pro dicto[15] ad habendum etc. pro dicto precio nitido de gabella pro parte venditionis quod precium fuit confessus et contentus habuisse et recepisse a dicto emptore presente etc. ...".

ASFo, Atti dei notai di Forlì, Giovanni Michellini[16], vol. 581 (III), c. 87r

Bibliografia: Grigioni 1956, p. 319.

21

1500 maggio 21, Forlì

Tommaso Palmezzani dichiara davanti al notaio di aver venduto, già da un anno, al fratello Marco un appezzamento di terra, posto a Forlì in località San Varano, e di aver ricevuto al momento della vendita novanta lire di bolognini, quale pagamento totale. Tale dichiarazione è resa allo scopo di tutelare lo stesso Marco.

"... Cum ser Thomas quondam magistri Antonii de Palmizanis de Forlivio iam est annus elapsus dederit, vendiderit et tradiderit magistro Marco eius fratri et filio quondam dicti Antonii unam petiam terre vineate unius tornature et perticarum quinque positam in comitatu Forlivii in lateribus Sancti Varani et fundo Tissani iuxta viam communis, Ioannem Molducii de villa Sancti Varani comitatus Forlivii, heredes Cristofori Gregorii de Forlivio et alios suos confines pro precio libras sexaginta bononinorum pro singula tornatura quod pretium ascendit ad summam libras nonaginta bononinorum. Et cum tempore dicte venditionis dictus ser Thomas habuerit et receperit a dicto magistro Marco totum precium dicte petie terre vineate... Et volens dictus ser Thomas ipsum magistrum Mar-

cum reddere cautum et seccurum de predictis omnibus... ratificavit, aprobavit et confirmavit et promisit dictus ser Thomas... Actum Forlivii in apoteca quam Iacobo Ihoannes Picinini de... Forlivio conducit... illustrissimi domini nostri ducis positam in contrata Sancti Gulielmi iuxta plateam et sub palatio prefati illustrissimi *ducis* ..."[17].

ASFo, Atti dei notai di Forlì, Pier Antonio Michelini, vol. 270 (XI), cc. 56r-57r

Bibliografia: Grigioni 1956, pp. 319-320.

22

1500 luglio 20, Forlì

Marco Palmezzano è presente come testimone a un atto rogato a Forlì dal fratello Tommaso.

"... Presentibus testibus Bernardino filio Georgii Castellini et Marco Palmizano fratre meo."

ASFo, Atti dei notai di Forlì, Tommaso Palmezzani, vol. 108 (VIII), cc. 25v-26r

Bibliografia: Grigioni 1956, p. 320.

23

1501 agosto, Forlì

Marco Palmezzano riceve dal canonico della chiesa cattedrale di Santa Croce di Forlì l'incarico di dipingere per la cappella grande un'ancona rappresentante il Corpo di Cristo, la quale viene collocata sull'altare maggiore nell'ottobre del 1506, in occasione della visita in città di papa Giulio II.

"Santa Maria da Santa Croce dala nostra cità de Forlivio... Dita sova capella granda fu fornita de dipinzere cercha la prima setemana d'agosto, anno Domini 1501, e fu per mane de uno maestro Marco zià d'Antonio Palmeziano. Item dite signore canonice avando fato una bela ancona per la rapresentacione dal Corpo de Criste per l'altare grande, la mesene suso cercha la prima setemana del mese d'octobre, anno Domini 1506, per la venuta dela santità de papa Zulio secondo. Et fece fare quele hochie sopra al dito altare. La quale ancona avea fate dito maestro Marco Palmezano. E i era certi dignissime cose e masime l'ostia santa che in mane Cristo avea e una policia che era dipinta, che notificava al nome del maestro e era alquante straciata; parea veramente che fuse stacata; era cosa molte memorando."[18]

Andrea Bernardi (Novacula), *Cronache Forlivesi*, BCFo, ms. I.17, c. 199v

Bibliografia: Mazzatinti 1895, pp. 309-310; Grigioni 1956, pp. 170-171

24

1501 novembre 12, Forlì

Paolino Glimori di Sadurano e la moglie Caterina Ricci vendono a Marco Palmezzano diversi appezzamenti di terra, posti nel territorio di Rocca d'Elmici, per il prezzo di duecentosettanta lire di bolognini.

"... Paulinus quondam Mathei Glimori de Sadurano districtus Forlivii et domina Caterina filia quondam Gulielmi Ritii alias Galasino de villa Piazani comitatus Roche Elmicis districtus Forlivii et uxor dicti Paulini presentis et eidem consentientis etc. presenti pro se etc. iure proprio etc. dederunt, vendiderunt et tradiderunt magistro Marco quondam magistri Antonii de Palmezanis de Forlivio presenti pro se etc. unam petiam terre terre aratorie cum domo supra area et curte et orto tornature duarum tornature et pro quanta est positam in lateribus Roche Elmicis in loco dicto Laurete iuxta viam communis, iura ecclesie de Laureto, emptorem, Christoforum Matiatii de Sancto Cristoforo et alios. Ittem unam aliam petiam terre aratorie tornaturarum duarum et pro quanta est posita in dictis lateribus in loco dicto... Ittem unam petiam terre vineatam et prative tornaturarum trium et pro quanta positam in dictis lateribus in loco dicto el Rivole... et hoc pro pretio et nomine pretii in summa librarum ducentarum et septuaginta bononinorum...”[19].

ASFo, Atti dei notai di Forlì, Giovanni Michellini, vol. 582 (IV), c. 157r e v

Bibliografia: Grigioni 1956, p. 321[20].

25

1502 aprile 22, Forlì

Marco Palmezzano si impegna con Luffo Numai a realizzare una tavola larga cinque piedi, dorata e dipinta, rappresentante la Vergine, santa Caterina e san Sebastiano. Per l'opera, da realizzarsi a spese del pittore, il committente pagherà cinquanta ducati d'oro.

“... Magister Marchus quondam Antonii Palmezani pictor de Forlivio presens per se et suos heredes promisit et convenit prefato domino Luffo quondam Guglielmi de Numais presente etc. suis expensis ipsius magistri Marci de lignamine auro et pictura facere unam anchonam latitudinis quinque pedum in vano cum 3 figuris videlicet Beata Virgine, sancta Katarina et sancto Sebastiano in cuisdem... in quibus... et auro finis et eam ponere supra altare ubi dicto Luffo voluerit per totum mensem decembris proximis futuri et hoc pro ducatis 50 auri de quibus actualiter solvit ducatos 12, residuum vero promisit solvere hoc modo ducatos 13 per totum mensem augusti et residuum finita icona et stabilita ad arbitrium boni viri... Actum in capella dicti Luffi...”.

ASFo, Atti dei notai di Forlì, Guglielmo Prugnoli, vol. 74 (XXVIII), c. 33r

Bibliografia: Grigioni 1895b, pp. 89-90; Grigioni 1956, pp. 321-322.

26

1502 ottobre 17, Forlì

Marco Palmezzano riceve da Luffo Numai cento lire per la pittura di un'ancona.

“... Magister Marcus Palmezanis fuit confessus habuisse libras 100 a dicto Luffo pro pictura anchonis ...”.

ASFo, Atti dei notai di Forlì, Guglielmo Prugnoli, vol. 74 (XXVIII), c. 76r

Bibliografia: Grigioni 1956, p. 322[21].

27

1503 aprile 24, Forlì

Antonio Maneghelli di Faenza per sè e per mandato di Marco Palmezzano si impegna, entro la successiva festa di Ognissanti, a pagare quarantacinque lire di bolognini a Cecilia, moglie di Lodovico Chellini di Forlì, quale prezzo di cinque braccia e mezzo di panno rosato veneto, acquistati dallo stesso Antonio, che risulta aver già ricevuto la merce.

“... Antonius quondam Severii Maneghelli de Faventia presens etc. ad instantiam et petitionem Lodovici quondam domini Andree de Chilinis de Forlivio et mei notarii infrascripti ut persone publice presentium, stipulantium et reccipientium nomine et vice domine Cecilie uxoris dicti Lodovici fuit confessus et contentus se esse verum ultimum debitum dicte domine Cecilie in quantitate librarum quatraginta quinque bononinorum et hoc pro pretio et nomine pretii quinque brachiorum cum dimidio panni rosati veneti sibi dati, venditi, traditi et consignati in presentia mei notari et testium infrascriptorum pro dicto pretio in summa exceptionis etc. quam quantitatem dictarum librarum quatraginta quinque bononinorum dictus Antonius et pro eo et eius precibus et mandatis magister Marchus quondam magistri Antonii de Palmezanis de Forlivio sciens etc. et quilibet ipsorum principaliter et insolidum promiserunt dare et solvere dicte domine Cecilie aut suis heredibus etc. hinc ad festum omnium sanctorum proxime venturum in civitate Forlivii... Actum Forlivii in domo heredum Petri Martiris de Ambroxiis...”[22].

ASFo, Atti dei notai di Forlì, Giovanni Michellini, vol. 584 (VI), c. 98v

Documento inedito.

28

1503 aprile 24, Forlì

Antonio Maneghelli di Faenza garantisce a Marco Palmezzano, il quale si era impegnato come suo fideiussore nel pagamento di quarantacinque lire di bolognini, quale prezzo per cinque braccia e mezzo di panno rosato veneto venduto ad Antonio da Cecilia, moglie di Lodovico Chellini di Forlì, che non incorrerà in alcun danno a causa di tale impegno.

“... Cum hodie magister Marchus quondam magistri Antonii de Palmezanis de Forlivio precibus et mandatis Antonii quondam Severii Manighelli de Faventia et cum ipso Antonio principaliter et insolidum se obligaverit et promiserit dare et solvere domine Cecilie uxori Lodovici de Chilinis de Forlivio libras quatraginta quinque bononinorum et hoc pro pretio quecumdam brachiorum quinque cum dimidio panni rosati veneti eidem Antonio per dictum Lodovicum nomine dicte domine Cecilie venditi, traditi et consignati pro ut constat etc. instrumento publico scripto et rogato manu mei notarii infrascripti et cum dicta quinque brachia cum dimidio panni rossati veneti in veritate in totum pervenerint ad manus dicti Antonii et nihil ad ipsum magistrum Marcum pro ut ipse Antonius ad instantiam et petitionem dicti magistri Marci presentis et instantis predicta

omnia et singula vera esse dixit et sponte confessus et contentus fuit et volens agnoscere bonam fidem erga dictum magistrum Marcum per se et suos heredes promisit dicto magistro Marco presenti pro se et suis heredibus stipulanti et reccipienti se liberaturum eum eius heredes et bona ab ipsa fideiussione, obligatione, promissione et debito ad dictum Antonium in dicto instrumento contentum et se facturum et... ita et taliter cum effectu omni receptione remota et penitus cessante quod ipse magister Marcus dicti debiti occasione nullum damnum incuret... Actum Forlivii in domo heredum Petri Martiris de Ambroxiis de Forlivio posita in contrata Sancti Thome de Conturberio iuxta viam communis a tribus lateribus et alios suos confines..."[23].
ASFo, Corporazioni religiose soppresse, monastero di San Mercuriale, libro Vite, 112, cc. 234v-235v
Bibliografia: Grigioni 1956, p. 322.

29
1503 agosto 11, Forlì
Marco Palmezzano concede in usofrutto per la metà dei raccolti una proprietà con casa e terra, posta a Forlì in località Pedrignano e Rocca d'Elmici, a Bartolo di villa Ogliani.
"... Magister Marchus quondam magistri Antonii de Palmezanis de Forlivio presens per se et suos heredes dedit, concessit et locavit ad medietatem fructuum percipiente Bartolo quondam Petri de villa Ogliani comitatus Roche Elmicis districtus Forlivii[24] unam possessionem cum domo supra in pluribus petiis terrarum aratorie, vineate, prative, silvate et olivate pro quanta est positam in districtu Forlivii in lateribus Pedrignani et Roche Elmicis iuxta suos quoscumque confines vel illam possessionem quam laborabat Georgius quondam Bartoli de Carpena comitatus Pedrignani. Cum modis et pactis infrascriptis videlicet im primis quod Marcus eam laborare secundum formam statutorum communis Forlivii et quelibet partium ponat medietate seminis grani, fabe et ordei aliarum vero rerum seminarum ponat dictus conductor totum semen et quod... facere fossata neccesaria et prestare quotannis dicto locatari sex toregia a dicta possessione Forlivium ad conducendum que volet dictus locator Forlivium et canone quot annis dicto locatari quatuor... de dicta possessione...".
ASFo, Atti dei notai di Forlì, Giovanni Michellini, vol. 584 (VI), c. 131r e v
Bibliografia: Grigioni 1956, p. 322.

30
1504 gennaio 11, Forlì
Marco Palmezzano è presente come testimone a un atto rogato a Forlì.
"... Presentibus testibus magistro Antonio quondam Cristofori de Azolis et magistro Marcho quondam Antonii de Palmezanis civibus de Forlivio...".
ASFo, Atti dei notai di Forlì, Giacomo Corbini, vol. 96 (IV), c. 160
Bibliografia: Grigioni 1956, p. 322.

31
1504 febbraio 27, Forlì
Cecilia, moglie di Lodovico Chellini di Forlì, dichiara di aver ricevuto quarantacinque lire di bolognini da Marco Palmezzano, agente a nome di Antonio Maneghelli di Faenza, con cui si era impegnato a soddisfare tale pagamento.
"... Domina Cecilia uxor Lodovici olim domini Andree de Chilinis de Forlivio presens cum consensu, presentia, voluntate, auctoritate et licentia dicti Lodovici eius mariti presentis et eidem domine Cecilie consensum suum prestantis in omnibus et singulis in presenti instrumento contentis sponte deliberate et excerta scientia et non per aliquem iuris vel facti erorem ductus sed pro sola veritate... ad instantiam et petitionem magistri Marci quondam magistri Antonii de Palmezanis de Forlivio presentis, instantis et aceptantis fuit confessa et contenta habuisse et reccepisse ac sibi integre datas, solutas et numeratas fuisse et esse a dicto magistro Marco libras quatraginta quinque bononinorum in quibus libris quatraginta quinque bononinorum dictus magister Marcus eidem domine Cecilie tenebatur et obligatus erat principaliter et insolidum pro Antonio quondam Severii Manighelli de Faventia et eius precibus et mandatis vigore instrumenti manu mei notarii infrascripti... Actum Forlivii in domo heredum domini Andree de Chilinis de Forlivio posita in contrata Sancti Tome de Conturberio iuxta viam communis a duobus lateribus et alios suos confines. Presentibus Hipolito quondam magistri Leonis de Cobellis de Forlivio et Bernardino quondam Iacobi Gellati de Carpo habitatore forlivii testibus...".
ASFo, Corporazioni religiose soppresse, monastero di San Mercuriale, libro Vite, 112, cc. 235v-236r
Bibliografia: Grigioni 1956, p. 323.

32
1505 aprile 18, Forlì
Marco Palmezzano paga al Comune di Forlì diciassette lire e dieci soldi, quale resto di una gabella.
"Pro magistro Marcho Palmezano depintore a intrada lire diese sete soldi 10 per resto de una gabella...".
ASFo, Archivio storico del Comune di Forlì, Libri di amministrazione, reg. 636, c. 55r
Bibliografia: Grigioni 1956, p. 323.

33
1505 agosto 14, Forlì
Marco Palmezzano riceve centotrenta lire di bolognini da Battista Olivieri di Forlì.
"... Magister Marchus quondam magistri Antonii de Palmezanis de Forlivio presens ad instantiam Baptiste quondam Iacobi de Oliveriis de Forlivio presenti et instanti dixit sit confessus fuit habuisse a dicto Baptista libras centum triginta bononinorum recepti...".
ASFo, Atti dei notai di Forlì, Francesco Numai, vol. 521 (II), c. 39v
Bibliografia: Grigioni 1956, p. 323.

34

1505 agosto 21, Forlì

Marco Palmezzano vende a Sebastiano Dieterni di Forlì quindici appezzamenti di terreno, posti a Forlì in diverse località, per il prezzo di centocinquanta lire di bolognini.

"... Magister Marchus quondam magistri Antonii de Palmezanis de Forlivio presens per se et suos heredes iure proprio et in perpetuum dedit, vendidit et tradidit Sebastiano quondam Bartolomei olim magistri Dieterni de Forlivio presenti, reccipienti et ementi pro se et suis heredibus infrascriptas petias terrarum videlicet im primis videlicet unam petiam terre aratorie, silvate, buscate et olivate cum domo supra et area, orto et furno cum via in medio tornaturarum quinquaginta et pro quanta est positam in districtu Forlivii in comitatu Pedrignani in lateribus Laureti in loco dicto Medadano, iuxta... Ittem unam aliam petiam terre aratorie, vineate, olivate, prative, arborate et salde tornaturarum viginti quinque et pro quanta est positam in districtu Forlivii in comitatu Pedrignani in lateribus Laureti in loco dicto le Chiuxure de Laurede, iuxta... Ittem unam aliam petiam terre aratorie et olivate tornaturarum quatuor et pro quanta est positam in districtu Forlivii in lateribus Flumane in loco dicto la Fontana, iuxta... Ittem unam aliam petiam terre aratorie, anurate, buscate et arborate cum una domo supra cum arcatis circum circa dictam domum tornaturarum duarum et pro quanta est positam in districtu Forlivii in comitatu Pedrignani in lateribus Laureti in loco dicto Monte Castello, iuxta... Ittem unam aliam petiam terre aratorie, arborate et olivate tornaturarum duarum et pro quanta est positam in districtu Forlivii in comitatu Pedrignani in lateribus Laureti in loco dicto Loxelara, iuxta... Ittem unam aliam petiam terre nunc aratorie et olim prative tornaturarum duarum et pro quanta est positam in districtu Forlivii in comitatu Pedrignani in lateribus Laureti in loco dicto la Fossa, iuxta... Ittem unam aliam petiam terre aratorie, arborate et olivate tornaturarum quinque et pro quanta est positam in districtu Forlivii in comitatu Pedrignani in lateribus Laureti in loco dicto Monte Castello, iuxta... Ittem unam aliam petiam terre aratorie cum una domo supra tornaturarum duarum et pro quanta est poitam in districtu Forlivii in lateribus Roche Elmicis in loco dicto Laureto, iuxta... Ittem unam aliam petiam terre aratorie tornaturarum duarum et pro quanta est positam in dictis districtu et lateribus in loco dicto Loxelara, iuxta... Ittem unam aliam petiam terre vineate et prative tornaturarum trium et pro quanta est positam in dictis districtu et lateribus in loco dicto el Rivole, iuxta... Ittem unam aliam petiam terre aratorie tornature unius cum dimidio et pro quanta est positam in dictis districtu et lateribus, iuxta... Ittem unam aliam petiam terre aratorie tornaturarum duarum cum dimidio et pro quanta est positam in dicto districtu in lateribus Flumane in loco dicto a le Valle del Ferareso, iuxta... Ittem unam aliam petiam terre aratorie tornaturarum duarum cum dimidio et pro quanta est positam in dictis lateribus Roche Elmici et Flumane in loco dicto a le Colle, iuxta... Ittem unam aliam petiam terre aratorie

unius pertice et pro quanta est positam in loco dicto Loxelara, iuxta... Ittem unam aliam petiam terre aratorie et silvate tornaturarum trium et pro quanta est positam in loco dicto a le Valle, iuxta... et hoc pro pretio et nomine pretii librarum mille et quingentarum bononinorum in summa de quo pretio dictus venditor in presentia mei notarii et testium infrascriptorum fuit confessus et contentus habuisse et reccepisse ac sibi integre datas, solutas et numeratas fuisse et esse a dicto emptore presente et instante libras mille et quatraginta bononinorum... Ressiduum vero dicti pretii quod est librarum quadrigentarum et sexaginta bononinorum dictus emptor per se et suos heredes promisit dicto venditori presenti pro se et suis heredibus stipulanti et reccipienti dare et solvere integre... ad festum nativitatis domini nostri Iesu Christi proxime venturum Lauret...".

ASFo, Atti dei notai di Forlì, Giovanni Michellini, vol. 586 (VIII), cc. 355r-358v

Bibliografia: Grigioni 1956, pp. 323-324.

35

1505 settembre 27, Faenza

Mazone Morini e Marco Palmezzano giungono a un compromesso relativamente alla pittura della cappella e della tavola nella chiesa di San Girolamo. Mazone nomina quali suoi arbitri il pittore Giovanni Battista Utili (è Giovanni Battista Bertucci) e Silvestro Rondanini, mentre il pittore nomina Carlo Mengari e Antonio Cotti.

"... Mazonus quondam Berthoni de Morinis ex una et magister Marcus de Palmezanis pictor de Forlivio ex alia super lite picture capelle et tabule in ecclesia Sancti Hieromi picte ad instantiam dicti Mazoni. Compromiserunt in Iohannem Baptistam de Glutolis pictorem et ser Silvestrum Rundaninum electos pro parte dicti Mazoni et in Carolum de Mengariis et Antonium magistri Menghi Cotti electos pro parte dicti Mazoni[25] Marci Palmezani dantes et concedentes eis plenam licentiam cognoscendi et examinandi de iure et de facto... Actum Faventia...".

SASFa, Atti dei notai del mandamento di Faenza, Bartolomeo Torelli, vol. 213, c. 157r

Bibliografia: Valgimigli 1869 ed. 1871, p. 25; Buscaroli 1931, p. 213; Grigioni 1956, pp. 324-325.

36

1506 febbraio 11, Forlì

Marco Palmezzano si dichiara debitore di Stefano del fu Lorenzo di Tissago per la somma di trentanove lire e quindici soldi, quale resto del prezzo di un paio di buoi da lui acquistati, impegnandosi a estinguere il debito entro il maggio successivo.

"... Marcus quondam Antonii de Palmizanis pictor Forlivio presens et ad instantiam Stefani quondam Laurentii de Tissago presentis et instantis fuit confessus esse suum verum debitorem in quantitate librarum XXXVIIII videlicet librarum 39 et solidorum XV bononinorum pro resto pretii unius paris bovum sibi dati et venditi exceptioni. Quam quantitatem dictarum librarum XXXIX et solidorum XV bononinorum dictus Marcus debitor presens promisit dare et solvere[26] dicto Stefano creditori predicto presenti et acceptanti etc. hinc per totum mensem maii proxime venturi etc. in civitate Forlivii...".

ASFo, Atti dei notai di Forlì, Tommaso Palmezzani, vol. 111 (XXI), c. 15
Bibliografia: Grigioni 1956, pp. 325-326.

37
1506 marzo 2, Forlì

Risultando i fratelli Andrea, Giovanni e Ludovico Menghi di Forlì debitori di Bello Palmezzani per la somma di cento lire di bolognini, quale resto di duecento lire per la dote della sorella Maddalena, moglie di Bello, ed essendo Marco Palmezzano debitore dei tre fratelli per una somma maggiore di denaro, si stabilisce che quest'ultimo sostituisca Andrea e Giovanni nel pagamento della loro parte di debito, versando a Bello, entro il successivo 6 giugno, la somma corrispondente ai due terzi di cento lire di bolognini.

"... In domo infrascripti Belli de Palmizanis in contrata Fossati veteris iuxta viam et Franciscum et dominum Nicolaum de Palmezanis. Cum Andreas, Ioannes et Ludovicus frates invicem et filii quondam Thome de Menghis de Forlivio sint veri debitores Belli quondam Francisci de Palmezanis de Forlivio in quantitate librarum centum bononinorum pro resto librarum ducentarum bononinorum pro dotibus domine Magdalene eorundem sororis et uxoris dicti Belli pro ut dictis Andreas et Ioannes presentes predicta confessi fuerunt esse vera. Et cum etiam Marcus quondam Antonii de Palmizanis de Forlivio sit verus debitor dictorum Andree, Ioannis et Ludovici de Menghis in maiori quantitate pecuniarum vigore instrumenti rogati ut dixerunt manu ser Francisci de Numaiis notarii publici forliviensis et pro ut ipse Marcus presens fuit confessus predicta esse vera cupientesque prefati Andreas et Ioannes presentes pro restis suis videlicet pro duobus tertiis eisdem tangentibus satisfacere dicto Bello pro resto dotis predicte delegaverunt dictum Marcum Palmizanum presentem, volentem et consentientem dicto Bello presenti et acceptanti in debitorem... ipsum Bellum in locum suum. Qui Marcus presens de commissione et voluntate dictorum Andree et Ioannis pro duobus tertiis ex tribus librarum centum bononinorum constitui se verum debitorem ipsius Bellis presentis et acceptantis in dictis duobus tertiis librarum centum bononinorum quas solvere promisit dicti Bello presenti et acceptanti hinc usque ad sex dies mensis iunii proxime venturi in civitate Forlivii et ubique locorum. Anullantes dicti Andreas et Ioannes dicto Marco presenti... obligationem et instrumentum manu dicti ser Francisci Numaii pro tanta summa et quantitate videlicet pro duobus tertiis centum librarum bononinorum...".

ASFo, Atti dei notai di Forlì, Tommaso Palmezzani, vol. 111 (XXI), cc. 16v-17r
Bibliografia: Grigioni 1956, p. 326.

38
1506 giugno 19, Forlì

Sebastiano Dieterni di Forlì vende a Marco Palmezzano tre appezzamenti di terra, posti a Forlì in località *Templi*, per il prezzo di millecentododici lire di bolognini e diciannove soldi, subito consegnati, parte dei quali Sebastiano doveva a Marco per un appezzamento di terra con due case da lui precedentemente acquistato.

"... Sebastianus quondam Bartolomei olim magistri Dieterni de Forlivio... dedit, vendidit et tradidit magistro Marco quondam magistri Antonii de Palmezanis de Forlivio presenti pro se et suis heredibus reccipienti et ementi unam petiam terre aratorie undecim tornaturarum unius pertice et quatuor pedum... positam in comitatu Forlivii in lateribus Templi... Ittem unam aliam petiam terre aratorie tornaturarum duarum perticarum quatuor pedum septem onciarum novem... positam in dictis comitatu et lateribus... Ittem unam aliam petiam terre aratorie tornaturarum quatuordecim perticarum duarum et onciarum quinque et... positam in dictis comitatu et lateribus... et hoc pro pretio et nomine pretii librarum quatraginta bononinorum pro singula tornatura quod pretium capit in summa libras mille et centum duodecim bononinorum et solidos decem novem bononinorum... Quod pretium totum et integrum dictus venditor in presentia mei notarii et testium infrascriptorum fuit confessus et contentus habuisse et reccepisse ac sibi integre datum et solutum fuisse et esse a dicto emptore presente et instante in partem pretii unius possessionis cum duabus dominbus supra sibi Sebastiano vendite per dictum magistrum Marcum pro ut constat ex instrumento publico scripto et rogato manu mei notarii infrascript...".

ASFo, Atti dei notai di Forlì, Giovanni Michellini, vol. 580 (II), c. 100
Bibliografia: Grigioni 1956, pp. 326-327.

39
1506 giugno 19, Forlì

Marco Palmezzano riceve da Sebastiano Dieterni di Forlì quattrocentosessanta lire di bolognini, quale resto del prezzo di cui Sebastiano era debitore per un appezzamento di terra precedentemente acquistato.

"... Magister Marcus quondam magistri Antonii de Palmezanis de Forlivio presens sponte etc. ad instantiam et petitionem Sebastiani quondam Bartolomei olim magistri Dieterni de Forlivio presentis et instantis fuit confessus et contentus habuisse et reccepisse ac sivi integre datas, solutas et numeratas fuisse et esse a dicto Sebastiano presente et instante libras quadringentas et sexaginta bononinorum in quibus libris quadringentis et sexaginta bononinorum dictus se Sebastianus dicto magistro Marco tenebatur et obligatus erat vigori instrumenti manu mei notarii infrascripti pro resto pretii unius possessionis sibi Sebastiano per dictum magistrum Marcum vendite pro ut constat ex dicto instrumento... volens dictus magister Marcus dictum instrumentum quo ad dictum debitum esse vanum cassum et cancellatum...".

ASFo, Atti dei notai di Forlì, Giovanni Michellini, vol. 580 (II), c. 102v

Documento inedito.

40

1506 luglio 20, Forlì

Marco Palmezzano è presente come testimone a un atto di quietanza di pagamento che riguarda Sebastiano Dieterni.

"... Sebastianus quondam Bartolomei olim magistri Dieterni de Forlivio presens sponte etc. ad instantiam et petitionem ser Iacobi olim dicti magistri Dieterni presentis et instantis fuit confessus et contentus habuisse et reccepisse a dicto ser Iacobo presente et instante libras ducentas et viginti sex bononinorum et solidos quinque... Presentibus magistro Petro Paulo Blondini, magistro Marco Palmezano et Terentio de Mordano testibus etc. ...".

ASFo, Atti dei notai di Forlì, Giovanni Michellini, vol. 587 (IX), c. 145r

Bibliografia: Grigioni 1956, p. 327.

41

1506 settembre 29, Meldola

I fratelli Andrea, Ludovico e Orsolina Menghi nominano loro procuratore il fratello Giovanni perché riscuota i seguenti pagamenti, destinati a formare la dote di Orsolina: da Marco Palmezzano settantanove lire e mezzo di bolognini, quale resto di una somma maggiore di cui era debitore per una casa vendutagli dai detti fratelli; da Battista, detto il Fabbrone, e da sua moglie Maddalena ventidue ducati e mezzo d'oro.

"... Spectabilis vir ser Andreas et Lodovicus frates ad invicem et filii quondam Tomasii de Menghis de Forlivio nec non honesta iuvenis domina Ursolina filia quondam dicti Tomasii et sororis dictorum ser Andree et Lodovici cum eorum presentium voluntate et consensu et quilibet ipsorum presentes omni meliori modo, via, iure, forma quibus magis melius et validus potuerunt et... fecerunt, constituerunt, ordinaverunt et creaverunt Ioannem quondam dicti Tomasii de Menghis eorum et cuilibet ipsorum fratrum invicem sponte hoc... suum verum... et legiptimum procuratorem sororem et exigendum libras septuaginta novem cum dimidio bononinorum pro resto maiori summe Marco Palmegano de Forlivio vero debitore dictorum ser Andree, Lodovici et Ioannis et eidem Ioanni predictorum ser Andree et Lodovici... occasione pretii cuisdam domus dictorum fratruum eidem Marco vendite pro ut dicta venditione instrumento manu[27]... scripti et rogati manu mei notari infrascripti et ad petendum et exigendum ducatos viginti duos cum dimidio auri a Baptista alias fabrone et a Madalena uxore dicti Baptiste... in solidum dicti ser Andree vigore instrumenti manu ser Vidalis Sassi notari publici forliviensis...".

ASFo, Atti dei notai di Meldola, Nicolò Salvolini, vol. 14 (I), c. 389v

Bibliografia: Grigioni 1956, pp. 328-329; Zaccaria XX secolo, cassetto n. 21, schede nn. 19354, 19367.

42

1506 ottobre 13, Forlì

Paolo Guarini di Forlì commissiona la costruzione di una cappella nella chiesa di San Francesco a Bernardino del fu Ponario di Ravenna (è Bernardino Guiritti) secondo il disegno fornito da Marco Palmezzano, per il prezzo di cento lire di bolognini.

"... Paulus quondam Petri de Guarinis de Forlivio presens dedit et concessit ad fabricandum et construendum unam capellam in ecclesia Sancti Francisci magistro Bernardino quondam Ponarii de Ravenna presenti et conducenti ad fabricandum dictam capellam secundum formam modelli et designi facti per magistrum Marcum Palmizanum pictorem forliviensem et hoc pro pretio et mercede dicte capelle de comuni partium concordia centum librarum bononinorum. Quas libras centum bononinorum dictus Paulus promisit dicto magistro Bernardino presenti dare et solvere infrascriptis modis et temporibus videlicet libras triginta tres bononinorum in principio dicte fabrice, libras triginta tres bononinorum constructa medietate dicte capelle, residuum vero usque ad dictas libras centum bononinorum finita dicta capella...".

ASFo, Atti dei notai di Forlì, Tommaso Palmezzani, vol. 111 (XI), cc. 77v-78r

Bibliografia: Grigioni 1956, p. 327; Montuschi Simboli 1984, pp. 168-177.

43

1506 ottobre 13, Forlì

Onofrio Framonti, a nome suo e dei fratelli Girolamo e Tommaso, commissiona la costruzione di una cappella nella chiesa di San Francesco di Forlì a Bernardino del fu Ponario di Ravenna (è Bernardino Guiritti) secondo il disegno fornito da Marco Palmezzano, per il prezzo di cento lire di bolognini.

"... Honoffrius quondam Ioannis de Framontibus presens per se et nominibus et vice Hieronimi et Thome eius fratruum pro quibus de rato promisit, dedit et concessit ad fabricandum et construendum unam capellam in ecclesia Sancti Francisci de Forlivio magistro Bernardino quondam Ponarii de Ravenna presenti et conducenti ad fabricandum dictam capellam secundum mudellum et dessignum factum manu magistri Marci de Palmizanis pictoris forliviensis et hoc pro pretio et mercede dicte capelle de comuni partium concordia librarum centum bononinorum. Quas libras centum bononinorum dictus Honoffrius presens promisit dicto magistro Bernardino presenti dare et solvere infrascriptis modis et temporibus videlicet libras triginta tres bononinorum cum inceperit dictam fabricam et libras triginta tres bononinorum facta medietate dicte capelle, residuum vero usque a dictam summam dictarum librarum centum bononinorum finita et completa dicta fabrica...".

ASFo, Atti dei notai di Forlì, Tommaso Palmezzani, vol. 111 (XI), cc. 78v-79r

Bibliografia: Grigioni 1956, pp. 327-328; Ortalli 1991, pp. 107-109.

44

1506 novembre 16, Forlì

Evangelista Aspini, procuratore di Giacoma moglie del fu Lodovico Briccioli, affida a Bernardino di Ravenna (è Bernardino Guiritti) la costruzione di una cappella, situata tra quella di Onofrio Framonti e quella di Paolo Guarini, nella chiesa di San Francesco di Forlì, per il prezzo di cento lire di bolognini. A Bernardino è commissionata, inoltre, con la fideiussione di Girolamo Morelli, l'esecuzione dell'altare e del sepolcro in detta cappella secondo il disegno fornito da Marco Palmezzano.

"... Evangelista de Aspinis presens procurator domine Iacobe uxoris quondam Ludovici Biricioli et pro qua de rato promisit, dedit ad fabricandum unam capellam in ecclesia Sancti Francisci de Forlivio videlicet secundam capellam novam iuxta capellam Honoffrii Framontis et Pauli de Guarinis magistro Bernardino de Ravenna presenti et conducenti dictam capellam ad fabricandum cum pactis et modis videlicet pro pretio librarum centum bononinorum de quo pretio dictus magister Bernardinus fuit confessus habuisse a dicto Evangelista dicto nomine libras triginta bononinorum residuum vero usque ad dictam summam centum librarum dictus Evangelista promisit solvere hoc modo videlicet alias libras triginta bononinorum facta media capella et residuum finita tota dicta capella et cum pacto... quod dictus Bernardinus teneatur facere altare dicte capelle et sepulcrum et pro dicto magistro Bernardino Hieronimus Hieronimus Morelli beccharii fideiussit et promisit facere et curare quod dictus Bernardinus predicta observabit iuxta designum et mudellum datum et factum per Marchum Palmizanum pictorem forliviensem...".

ASFo, Atti dei notai di Forlì, Tommaso Palmezzani, vol. 111 (XXI), cc. 86v-87r

Bibliografia: Grigioni 1956, p. 328; Ortalli 1991, pp. 107-109.

45

1506 novembre 18, Forlì

Marco Palmezzano, debitore di Bello Palmezzani per la somma di settantanove lire di bolognini, quale resto di cento lire di bolognini, cede a Bello un appezzamento di terra, posto a Forlì in località *Templi*, del valore corrispondente, annullando così tale debito.

"... in domo mei notarii infrascripti in contrata Sancti Petri in Schotis, iuxta Cecchum Numaium, viam. Cum Marcus quondam Antonii de Palmizanis sit debitor Belli quondam Francisci de Palmizanis in libris septuaginta novem bononinorum pro resto librarum centum bononinorum ut constat instrumento manu mei notarii infrascripti, volens dictus Marcus eidem Bello satisfacere presens iure proprio et in perpetuum dedit et tradidit in solutione et pagamento dicto Bello presenti et acceptanti tornaturas duas perticas quinque terre arratorie positas in lateribus Templi seminatas de grano salvo iure et parte laboratoris, iuxta viam a duobus, Bellum de Regio et alios ad haben-

dum pro dicta summa et pretio dictarum librarum LXXIX bononinorum... volens dictus Bellus instrumentum debiti esse nullum... Presentibus testibus Andrea quondam Thome de Menghis, Philippo quondam Nicolai Marcianesii et Angelo quondam Maffei de Palmizanis."

ASFo, Atti dei notai di Forlì, Tommaso Palmezzani, vol. 111 (XXI), cc. 87v-88r

Bibliografia: Grigioni 1956, p. 328.

46

1506 novembre 18, Forlì

Bello Palmezzani promette a Marco Palmezzano di rivendergli, entro diciotto mesi e per lo stesso prezzo di settantanove lire di bolognini, l'appezzamento di terra cedutogli con l'atto precedente, con la clausola che, se la terra sarà seminata, Bello potrà tenere la sua parte di raccolto.

"... Supradictus Bellus de Palmizanis presens sponte promisit dicto Marcho Palmizano presenti et acceptanti retrovendere dictam terram in supradicto instrumento contentam pro eodem pretio librarum septuaginta novem bononinorum in termino decem et octo mensium proxime futurorum et antea ad omnem beneplacitum dicti Marci. Cum pacto quod si dicta terra erit seminata quod dictus Bellus debeat habere recolectum videlicet partem suam recolectus dicte terre et elapso dicto termino dictorum XVIII mensium dicta terra sit libera et expedita ipsius Belli..."

ASFo, Atti dei notai di Forlì, Tommaso Palmezzani, vol. 111 (XXI), c. 88

Documento inedito.

47

1507 marzo 20, Forlì

Ludovico Menghi, per sé e a nome del fratello Andrea, dichiara di aver ricevuto da Marco Palmezzano sette lire di bolognini, quale resto di una somma maggiore di cui era debitore.

"... Ludovicus quondam Thome de Menghis de Forlivio presens pro se et nomine et vice Andree eius fratris pro quo de ratho promisit et sub pena infrascripta et obligatus omnium suorum bonorum fuit contentus et confessus habuisse et recepisse a magistro Marcho olim magistri Antonii de Palmezanis de Forlivio pictore libras septem bononinorum in quibus dictus magister Marchus tenet et obligatus sit pro parte maioris summe contente in instrumento manu mei... et pro eo et suis precibus et sumptibus Bellus olim Francisci de Palmezanis de Forlivio presens... sed volens vera et in solidum cum dicto Ludovico promisit dicto magistro Marco presenti ...".

ASFo, Atti dei notai di Forlì, Francesco Numai, vol. 522 (III), c. 26r

Bibliografia: Grigioni 1956, p. 329.

48

1508 aprile 15, Forlì

Bernardina, moglie del fu Matteo Ronchi di Forlì, e i fratelli Giovanni, Antonio e Girolamo, figli di Matteo, vendono a Marco Palmezzano un appezzamento di terra coltivata a vite, posto a Forlì in località San Varano, per il prezzo di centosessantadue lire di bolognini e dieci soldi.

"... Domina Bernardina uxor quondam Mathei de Roncho de Forlivio et Ioannes, Antonius et Hieronimus fratres invicem et filii quondam dicti Mathei presentes per se et suos heredes iure proprio et in perpetuum dederunt, vendiderunt et tradiderunt magistro Marco pictori quondam magistri Antonii de Palmezanis de Forlivio presenti pro se et suis heredibus accipienti et ementi unam petiam terre vineate tornaturarum duarum et quinque perticarum... positam in comitatu Forlivii in lateribus Sancti Varani... et hoc pro pretio et nomine pretii librarum sexaginta quinque bononinorum pro singula tornatura nitidarum de gabella pro parte venditoris. Quod pretium capit in summa librarum centum et sexaginta duas bononinorum et solidorum decem de quo pretio dictus emptor in presentia mei notari et testium infrascriptorum actualiter dedit, solvit et numeravit in auro, argento et moneta libras quatraginta quinque bononinorum... Ressiduum promisit dare et solvere dicte domine Bernardine de commissione dictorum Ioannis, Antonii et Hieronimi presentium et eidem emptore committentium[28]... et per totum presentem mensem aprilis proxime venturi ...".

ASFo, Atti dei notai di Forlì, Giovanni Michellini, vol. 590 (XII), c. 116

Bibliografia: Grigioni 1956, p. 329.

49
1508 maggio 2, Forlì

Bernardina, moglie del fu Matteo Ronchi di Forlì, dichiara di aver ricevuto da Marco Palmezzano quarantotto lire di bolognini, di cui era creditrice.

"... Domina Bernardina uxor quondam Mathei de Roncho de Forlivio presens sponte etc. ad instantiam et petitionem magistri Marci quondam magistri Antonii de Palmezanis de Forlivio presentis et instantis fuit confessa et contenta habuisse et reccepisse a dicto magistro Marco solvente actualiter in presentia mei notarii et testium infrascriptorum in auro et argento libras quatraginta octo bononinorum dicte domine Bernardine presenti... et hoc pro parte eius quod eidem domine Bernardine tenebatur et obligatus est vigore instrumenti manu mei notari infrascripti ...".

ASFo, Atti dei notai di Forlì, Giovanni Michellini, vol. 590 (XII), c. 129r

Bibliografia: Grigioni 1956, p. 329[29].

50
1508 giugno 5, Forlì

Bernardina, moglie del fu Matteo Ronchi di Forlì, dichiara di aver ricevuto da Marco Palmezzano tutta la somma di cui era creditrice per un appezzamento di terra coltivata a vite.

"... Domina Bernardina uxor olim Mathei de Roncho de Forlivio presens sponte etc. ad instantiam et petitionem

magistri Marci quondam Antonii de Palmezanis de Forlivio presentis et instantis fuit confessa et contenta habuisse et reccepisse a dicto magistro Marco presente et instante omne id et quicquid dictus magister Marcus eidem domine Bernardine tenebatur et obligatus erat pro resto contentorum in instrumento manu mei notarii infrascripti pro resto pretii unius petie terre vineate sibi magistro Marco vendite per dictam dominam Bernardinam, Ioannem, Antonium et Hieronimum filios quondam dicti Mathei pro ut constat ex dicto instrumento manu mei notarii infrascripti... volens dicta domina Bernardina dictum instrumentum esse vanum, cassum et cancellatum. Ittem dictus magister Marcus fuit confessus et contentus sibi fuisse solutum et satisfactum a dictis domina Bernardina, Ioanne, Antonio et Hieronimo presentibus de omni eo et rato quo dicta petia terre vineate fuit reperta minus dictis duabus tornaturarum et quinque perticarum...".

ASFo, Atti dei notai di Forlì, Giovanni Michellini, vol. 590 (XII), c. 156v

Bibliografia: Grigioni 1956, p. 329[30].

51
1508 ottobre 28, Cesena

Marco Palmezzano si impegna coi frati Filippo Agostino e Cornelio, rispettivamente priore e vicario del convento di Sant'Agostino, a eseguire entro la Pasqua successiva un'ancona dorata, rappresentante la Vergine con i santi Giovanni Battista e Giovanni Evangelista, per il prezzo di trenta ducati.

"... Magister Marcus de Forlivio pictor per se etc. promisit reverendis presentibus fratri Filipo Augustino priori conventus Sancti Augustini et fratri Cornelio vicario dicti conventus facere unam anconam cum tribus figuris videlicet beate Marie, sancti Ioannis Baptiste et Ioannis Ioannis Evangeliste ornatis auro et pro eius mercede predicti prior et vicarius promisserunt dare ducatos triginta ad rationem solidorum 70 pro quolibet ducato quam promisit dare fornitam ad pascam resurrectionis Domini suis sumptibus... Actum in ecclesia Sancti Augustini presentibus ser Iacobo Buschetto et Cristoforo Gableso pictore testibus ...".

SASCe, Atti dei notai di Cesena, Francesco Rosetti[31], vol. 2339, c. 66r

Bibliografia: Grigioni 1956, p. 329.

52
1509 aprile 17, Forlì

Filippo da Vercelli, abate del monastero di San Mercuriale di Forlì, e le confraternite del Corpus Domini e della Santissima Concezione commissionano a Marco Palmezzano una tavola larga nove piedi e alta ventuno da eseguirsi secondo il disegno presentato dal pittore e conservato presso il monastero. Marco si impegna a realizzare l'opera, da collocarsi sull'altare maggiore della chiesa del monastero, utilizzando azzurro ultramarino e oro fino e a consegnarla entro la Pasqua dell'anno successivo, per il prezzo di trecentosessantacinque lire di bolognini.

"... Reverendus in Christo pater dominus Phillippus Dominici de Vercellis abbas monasterii Sancti Mercurialis de Forlivio, Petrus Iacobus quondam Pinghinii de Bandezatis, Franciscus quondam Iacobi de Salaghis priores societatium Corporis Christi et societatis[32] Conceptionis Sancte Marie Virginis et domnus Iulianus de Zavatis, Bartolomeus Codiferrus, Petrus Franciscus de Albicinis, Ioannes Baptista [Facherius], ser [Marcus] de Pratis, Baptista Castellinus et Bonamentus forlovexii Bonamenti et Ioannes Franciscus alias el fra Nicolai Vaxetti[33] omnes homines dictarum societatum presentes dictis nominibus dederunt et concesserunt magistro Marco quondam Antonii de Palmezanis de Forlivio presenti, reccipienti et aceptanti ad faciendum unam tabulam sive anconam dictarum societatum latitudinis in totum novem pedum et altitudinis in totum viginti unius pedis quam dictus magister Marcus presens etc. promisit et pacto convenit supradictis presentibus etc. facere omnibus et singulis suis sumptibus laboribus et expensis tam ligna- minis et facture lignaminis et picture quam pictam et aura- tam dare promisit secundum designationem per eum fac- tam et penes priorem monasterii predicti existentem et pingere cum azuro ultra marino fino et deaurare cum au- ro fino omnibus suis expensis et perfectam tradere et con- signare dictis hominibus et ponere ad altare maius Sancti Mercurialis omni eius risgho et periculo factam et perfec- tam ut supra hinc ad festum resurectionis domini nostri Ie- su Christi proxime venturum et hoc ideo fecit pro eo quia predicti homines et... supradicti tam eorum propriis nomi- nibus de dicta societate quam nominibus et dictorum ho- minum dicte societatis promiserunt per se et eorum suc- cessores et omnibus quibus supra dicto magistro Marco pro eius mercede et labore et pro omnibus alii... pro eum fasti- diis in dicta tabula dare et solvere ducatos centum auri vi- delicet libras trecentas sexaginta quinque bononinorum hoc modo videlicet libras centum bononinorum ad om- nem voluntatem dicti magistri Marci, ressiduum vero me- dietatis hinc ad festum omnium sanctorum... et ressiduum vero quam dictam tabulam factam et perfectam in loco su- pradicto posavit in civitate Forlivii... Actum Forlivii in sa- cristia ecclesie Sancti Mercurialis. Presentibus magistro Cristoforo quondam magistri Ioannis Floris Betii et Petro Antonio filio Guasparis de Valentinis ambobus de Forlivio et Hieronimo quondam magistri Antonii de Brixia habita- tore Forlivii testibus...".[34]

ASFo, Atti dei notai di Forlì, Giovanni Michellini, vol. 591 (XIII), cc. 87r-88r

Bibliografia: Grigioni 1956, pp. 330-331.

53

1509 maggio 21, Forlì

Marco Palmezzano riceve cinquanta lire di bolognini dai priori delle confraternite del Corpus Domini e della Santissima Concezione del monastero di San Mercuria- le di Forlì.

"... Magister Marcus quondam Antonii de Palmezanis de Forlivio presens sponte etc. ad instantiam et petitionem Pe-

tri Iacobi quondam Pinghinii de Bandezatis de Forlivio et Francisci quondam Iacobi de Salaghis de Forlivio et mei notarii infrascripti ut persone publice presentium, stipulan- tium et reccipientium nomine et vice societatum Corpo- ris Christi et Conceptionis Sancte Marie Virginis sitarum in ecclesia Sancti Mercurialis de Forlivio fuit confessus et contentus habuisse et recepisse a dicta societate libras quin- quaginta bononinorum et hoc pro pretio eius quod eidem magistro Marco dicte societates tenentur et obbligate sunt vigore instrumenti manu mei notarii infrascripti... Actum Forlivii in claustro monasterii Sancti Mercurialis...".

ASFo, Atti dei notai di Forlì, Giovanni Michellini, vol. 591 (XIII), c. 102

Bibliografia: Grigioni 1956, p. 331[35].

54

1509 giugno 22, Cesena

Marco Palmezzano riceve da Cornelio, priore del conven- to di Sant'Agostino di Cesena, trenta ducati d'oro, quale ul- timo pagamento per un'ancona realizzata per la cappella del campanile nella chiesa del convento, alla realizzazione della quale i frati erano tenuti in vigore del legato disposto da An- nibale Zamarini di Cesena nel suo ultimo testamento.

"... Magister Marchus quondam Antonii de Palmizanis de Forlivio pictor per se et suos heredes fecit finem quieta- tionem, remissionem, absolutionem et pactum perpetuum de ulterius non petendo fratri Cornelio de Cesena priori conventus Sancti Augustini de Cesena et mihi Gaspari no- tario infrascripto ut publice persone presentibus, stipulan- tibus et recipientibus nomine et vice dicti conventus et fratruum Sancti Augustini de Cesena specialiter nomina- tim et expresse de ducatis triginta auri in quibus conven- tus et fratres Sancti Augustini tenebantur et obligati erant dicto magistro Marco ex causa sue mercedis sibi debite vi- gore unius ancone facte in ecclesia Sancti Augustini in ca- pella campanilis quam conventus et fratres tenebantur fa- cere vigore legati relicti dicto conventui per Hanibalem quondam domini Zamarini de Cesena in eius ultimo te- stamento scripto et rogato manu ser Petri de Pasinis et pro anima dicti Hanibanis et hoc etiam vigore obligationis facte per fratres dicti conventus dicto magistro Marco de dicta sua mercede prout constare asseruerunt ex publico instrumento scripto et rogato manu ser Roberti de Pasinis notarii publici Cesene ...".

SASCe, Atti dei notai di Cesena, Gaspare Antonini, vol. 278, cc. 75v-76r

Bibliografia: Grigioni 1913, pp. 8-9; Grigioni 1956, p. 331.

55

1510 gennaio 29, Forlì

Vesio Taroni di San Varano di Forlì vende a Marco Pal- mezzano una casa, posta a Forlì in contrada Schiavonia, per il prezzo di trentasei lire di bolognini. L'atto è rogato nel- la casa del pittore posta in contrada Torre fiorentina.

"...Vesius quondam Taroni de Taronibus de Villa Sancti Va- rani comitatus Forlivii presens iure proprio et im perpetuum dedit, vendidit et tradidit magistro Marco quondam Antonii Palmezani pictori de Forlivio presenti et ementi pro se etc. unam domum cuppatam positam in civitate Forlivii in contrata Sclavanie iuxta viam communis, heredes Pauli Taroni, Lucam Mengatii de Castiono comitatus Forlivii et Lucam Amadei et alios... et hoc pro pretio et nomine pretii librarum triginta sex bononinorum in totum nitidarum de gabella pro parte venditoris quod pretium dictus venditor ad instantiam dicti emptoris presentis fuit confessus et contentus habuisse et recepisse a dicto emptore ducatos sex auri in presentia mei notari et testium infrascrptorum... ressiduum vero dictus emptor presens promisit dicto emptori presenti dare et solvere hinc et per totum mensem martii proxime venturum... Actum Forlivii in domo dicti magistri Marchi in contrata Turris florentine iuxta vias communis a tribus, heredes Cecchi de Moratinis et alios...".

ASFo, Atti dei notai di Forlì, Andrea Baldi, vol. 487 (I), c. 4

Bibliografia: Grigioni 1956, pp. 331-332.

56

1510 luglio 18, Forlì

Ghiduccio Bendandi di Forlì nomina suo procuratore Andreolo di Russi nella causa contro Marco Palmezzano.

"... Ghidutius olim Ihoannis Bendandi de Forlivio presens omni meliori modo etc. constituit suum procuratorem ser Andreolum de Russis absentem etc. specialiter in causa quam habet cum magistro Marcho Palmezano...".

ASFo, Atti dei notai di Forlì, Bernardino Menghi, vol. 537 (II), c. 198r

Bibliografia: Grigioni 1956, p. 332.

57

1510 agosto 12, Forlì

Vesio Taroni di Forlì dichiara di aver ricevuto la somma di trentasei lire di bolognini per una casa venduta a Marco Palmezzano.

"...Vesius quondam Taroni de Taronibus de Forlivio presens sponte etc. ad instantiam et petitionem magistri Marci quondam Antonii Palmezani de Forlivio presentis fuit confessus et contentus habuisse et recepisse ac sibi fuisse integre solutum et satisfactum librarum triginta sex bononinorum in quibus eidem tenebatur vigore instrumenti manu mei notarii infrascripti pro resto pretii unius domus vendite per dictum Vesium dicto magistro Marco... Actum in domo dicti magistri Marci poxita in contrata Turris florentine iuxta viam communis a tribus, heredes Cecchi de Moratinis et alios...".

ASFo, Atti dei notai di Forlì, Andrea Baldi, vol. 487 (I), c. 20v

Bibliografia: Grigioni 1956, pp. 332-333.

58

1511 marzo 3, Forlì

Marco Palmezzano è presente come testimone al testamento di Piera Pontiroli, vedova di Andrea Paganini degli Arsendi di Forlì.

"... Honesta mulier domina Piera quondam Ludovici de Puntirolis et uxor olim Andree Paganini de Arsendis de Forlivio sana per gratia domini nostri Iesu Christi mente, sensu ac intellectu sed corpore languente suarum rerum et bonorum omnium dispositionis per presentem nucupativum testamentum... Actum Forlivii in domo dicti Raynaldi in contrata Sancte Crucis iuxta heredes Ieronimi de Latiosis, Baldasarem quondam magistri Ludovici dali ochi grossi, viam communis et alios. Presentibus ibidem magistro Antonio quondam Iacobi Gatti, magistro Marco quondam Antonii de Palmezanis, magistro Francisco quondam magistri Antonii Minchiochi, Paulo quondam magistri Antonii orificis, Alovisio filio Christofori de Puntirolis, magistro Andree quondam Ioannis Gambetti de Regio habitatore Forlivii et Gregorio quondam Baldassaris de Regio habitatore Forlivio testibus...".

ASFo, Atti dei notai di Forlì, Andrea Baldi, vol. 487 (I), c. 5r

Bibliografia: Grigioni 1956, p. 333.

59

1511 novembre 10, Forlì

Marco Palmezzano risulta confinante con la casa degli eredi di Cecco Morattini di Forlì, posta a Forlì in contrada Torre fiorentina.

"... Forlivii, in domibus heredum Cechi de Moratinis de Forlivio positis in civitate Forlivii in contrata Turris florentine iuxta viam a duobus, heredes Agnoli Zuffi de Forlivio, magistrum Marchum quondam Antonii de Palmezanis de Forlivio et alios...".

ASFo, Atti dei notai di Forlì, Giovanni Andrea Asti, vol. 472 (I), cc. 119r-120r

Bibliografia: Zaccaria XX secolo, cassetto n. 21, scheda n. 19364.

60

1512 marzo 5, Forlì

Marco Palmezzano è presente come testimone a un atto rogato a Forlì.

"... *Presentibus ser Andreas et alios, et magistro Marco quondam Antonii de Palmizanis testibus...*".

ASFo, Atti dei notai di Forlì, Vitale Sassi, vol. 992 (I), c. 105r

Bibliografia: Grigioni 1956, p. 333.

61

1512 marzo 9, Forlì

Marco Palmezzano è presente come testimone a un pagamento tra Alessandro Numai e Pierfrancesco Albicini di Forlì.

"...Alexander quondam Francisci de Numais de Forlivio habitator Ravenne presens sponte deliberate et ex certa scientia et non per aliquem iuris vel facti errorem ductus sed pro veritate tantum ad petitionem et instantiam Petrifrancisci quondam[36] de Albicinis de Forlivio presentis et instantis dixit et confessus fuit habuisse et recepisse a dicto Petrofrancisco libras quingentas et tres et solidos tredecim... Presentibus magistro Marco quondam Antonii de Palmizanis de Forlivio et Nicolao filio Thome de Menghis de Forlivio testibus ...".

ASFo, Atti dei notai di Forlì, Paolo Bonucci, vol. 337 (XXV), c. 50[37]

Bibliografia: Grigioni 1956, p. 334.

62

1512 marzo 27, Forlì

Pier Paolo Zardi di Forlì e la moglie Ludovica del fu Paolo di Moreto vendono a Marco Palmezzano, agente a nome di Domenica, vedova di Sebastiano Palmezzani, un appezzamento di terra, posto a Forlì in località Cassirano, per il prezzo di duecentodue lire e quindici soldi di bolognini.

"... Petrus Paulus quondam Maxii [Zardi] de Forlivio et domina Lodovica filia quondam Pauli de Moreto et uxor dicti Petri Pauli... dederunt, vendiderunt et tradiderunt magistro Marco quondam Antonii de Palmezanis de Forlivio et mihi notario infrascripto ut persone publice presentibus, stipulantibus, reccipientibus et ementibus nomine et vice domine Dominice uxoris olim magistri Sebastiani quondam dicti Antonii de Palmezanis de Forlivio et suorum dicte domine Dominice heredum unam petiam terre aratorie tornaturarum septem cum dimidio... positam in comitatu Forlivii in lateribus Cassirani... et hoc pro pretio et nomine pretii librarum viginti septem bononinorum et solidos decem pro singula tornatura quod pretium capiti in summa libras ducentas et duas bononinorum et solidos quindecim...".

ASFo, Atti dei notai di Forlì, Giovanni Michellini, vol. 580 (II), cc. 195r-196v

Bibliografia: Grigioni 1956, p. 334.

63

1512 agosto 16, Forlì

Marco Palmezzano, a nome dei fratelli Antonio, Alessandro e Gabriele, figli del fu Battista Palmezzani, riceve sessanta lire e dieci soldi di bolognini da Matteo Manelli di Forlì, a nome del quale agisce Lodovico Ercolani.

"... Magister Marchus quondam Antonii de Palmezanis de Forlivio presens et sponte et nominibus ac vice Antonii, Alexandri et Gabrielis fratruum invicem et filiorum quondam Baptiste de dictis Palmezanis de Forlivio pro quibus de rato et rati habitione solemniter promisit et ita facere et curare cum effectu etc. alias de suo proprio promisit sub pena et obligatione in partis ad instantiam et petitionem ser Ludovici quondam domini Sismondi de Hercolanis presentis et mei notarii stipulantis nomine ac vice Mathei alias Gatone Manelli de Forlivo fuit confessus se habuisse et recepisse a dicto Mateo libras 60 solidos 10 bononinorum in quibus tenebantur dictus Mateus et dictus ser Ludovicus et quilibet ipsorum principaliter dictis Antonio et fratribus vigore instrumenti manu mei notarii...".

ASFo, Atti dei notai di Forlì, Cristoforo Albicini, vol. 143 (XIII), c. 19r

Bibliografia: Grigioni 1956, p. 334.

64

1512 agosto 27, Forlì

Marco Palmezzano, per sé e per i suoi discendenti fino al quarto grado, si impegna con Matteo Zambondi e Silvestro Cimatti, abitanti a Forlì, a non offendere né Giovanni Battista Surlli né i suoi discendenti fino al quarto grado.

"... Magister Marcus quondam Antonii Palmezani de Forlivio presens per se, suos filios, fratres nepotes, complices et seguaces usque in quartum gradum computando gradus secundum ius canonicum et per omnibus de sue parentellis pro quibus soliti sunt corpore arma pro quibus de... promisit et sub iuramento... dedit fidem Matheo quondam Pauli Zambondi et Silvestro quondam T. de Cimattis habitatoribus Forlivii presentibus et dictam fidem acceptantibus de non offendendo nec offendi faciendo in personam contra Ioannem Baptistam quondam Masii Surlli a templo et omnes suos filios, tres nepotes, complices et seguaces usque in quartum gradum computando gradum secundum ius canonicum et omnibus et singulis de sue parentelle...".

ASFo, Atti dei notai di Forlì, Andrea Baldi, vol. 488 (II), c. 59r

Bibliografia: Grigioni 1956, pp. 334-335.

65

1513 gennaio 13, Forlì

Marco Palmezzano insieme a Bello Palmezzani presta il consenso a un atto di vendita stipulato dal nipote Antonio, figlio del fu Sebastiano Palmezzani, minore di venticinque anni.

"... Antonius quondam Sebastiani Palmezani de Forlivio maior sexdecim annis minor viginti quinque cum consensu, presentia et voluntate magistri Marci eius patrui et olim fratris dicti Sebastiani et filii quondam Antonii Palmezani et Belli quondam Francisci Palmezani de Forlivio proximiorum dicti minoris asserentium et dicentium presentem contractum... utilitatem dicti minoris iure proprio et im perpetuum dedit, vendidit et tradidit...".

ASFo, Atti dei notai di Forlì, Nanne Porzio, vol. 181 (X), c. 144r

Bibliografia: Grigioni 1956, p. 335.

66

1513 ottobre 5, Brisighella

Naldo Naldi di Brisighella commissiona a Marco Palmezzano una tavola d'altare da dipingere con colori fini e oro, rappresentante i tre Magi e, nella lunetta, altre figure a scelta del pittore, il quale si impegna a realizzare tutta l'opera a sue spese e a consegnarla nell'arco di un anno, per il prezzo di cento ducati d'oro. Nel caso in cui il committente giudichi l'opera di valore inferiore alla somma stabilita, si riserva la possibilità di nominare due pittori quali esperti per valutare il dipinto.

"... Spectabilis vir Naldus quondam Ioannis Naldi de Naldis de Braxichella omni meliori modo etc. dedit, concessit et locavit magistro Marco quondam Antonii de Palmezanis de Forlivio presenti et conducenti unam tabulam ab altare ad pingendum cum infrascriptis pactis, modis et capitulis videlicet quod dictus magister Marcus promisit dicto Naldo presenti, stipulanti et recipienti pro se et suis heredibus dictam tabulam pingere de coloribus finis cum figuris tribus ornatam[38] videlicet figure trium Magiorum cum uno medio tondo et aliis figuris pro ut videbitur dicto magistro Marco et totam aurtatam, quam tabulam dictus magister Marcus promisit dare et consignare dictam dicto Naldo finitam omnibus suis laboribus et expensis hinc ad unum annum proxime futurum et hoc fecit dictus dominus magister Marchus quoniam dictus Naldus pro se et suis heredibus promisit dicto magistro Marco presenti, stipulanti et recipienti pro se et suis heredibus pro sua mercede et labore ducatos centum auri de quibus dictus Naldus proportione solutionis dictorum ducatorum centum dedit, solvit dicto magistro Marco idest coronas viginti octo auri in presentia mei notarii et testium infrascriptorum[39] ressiduum vero promisit solvere hoc infrascripto modo videlicet tertiam partem quando dicta tabula erit aurata et aliam tertiam partem finita opera et pictura dicte tabule. Et si dictus Naldus... quod dictam tabulam non esset tanti valoris dictorum centum ducatorum ex numero dicte partis remanserit... eligere duos alios pictores peritos in simili arte constare de pretio dicte tabule eorum declarationi aut omnem promissionem dicte partes perpetuo sicut rata habere... Actum in opido Braxichelle ...".

SASFa, Atti dei notai del mandamento di Brisighella, Andrea Gallignani, vol. 1260, cc. 102v-103r (seconda numerazione)

Bibliografia: Metelli 1869-1872, p. 47; Casadei 2002-2003, pp. 199-201.

67

1513 ottobre 27, Forlì

Antonio e Alessandro Palmezzani, maggiori di diciotto anni e minori di venticinque, agenti anche a nome del fratello Gabriele, ricevono il consenso dal fratello Giovanni Francesco e da Marco Palmezzano, loro parente, per una vendita destinata a procurare la dote alla sorella, sposa a Lupidio Albertini.

"... Antonius et Alexader fratres invicem et filii quondam Baptiste de Palmezanis de Forlivio maiores decem et octo minores vero XXV annis cum consensu, presentia, auctoritate et voluntate Ioannis Francisci eorum fratris et magistri Marci quondam Antonii de dictis Palmezanis proximiorum attinentium dictorum minorum etc.... presentium, consententium et asserentium presentem contractum... in evidentem utilitatem dictorum minorum ex quo infrascripta venditione faciant pro danda et solvenda dote domine[40] eorum sororis nupte Lupidio de Albertinis per se et eorum heredes ac nomine et vice Gabrielis eorum fratris ..."[41].

ASFo, Atti dei notai di Forlì, Girolamo Albicini, vol. 288 (I), doc. n. 138
Bibliografia: Grigioni 1956, p. 335.

68

1513 ottobre 27, Forlì

Marco Palmezzano riceve in deposito duecentonovantanove lire e dieci soldi di bolognini da Antonio e Alessandro Palmezzani, agenti anche a nome del fratello Gabriele.

"... Magister Marchus quondam Antonii de Palmizanis de Forlivio presens ad petitionem et instantiam Antonii et Alexandri fratruum invicem et filiorum quondam Baptiste de Palmizanis de Forlivio et mei notarii ut publice persone stipulanti et recipienti nomine et vice Gabriellis filii quondam dicti Baptiste presentium et instantium fuit confessus et contentus se habuisse et reccepisse... a dictis Antonio, Alexandro et a me notario nomine dicti Gabriellis libras ducentas nonaginta novem solidos 10 bononinorum in depositum et causa et occasione... quod quidem depositum dictus magister Marchus presens suscepit ...".

ASFo, Atti dei notai di Forlì, Girolamo Albicini, vol. 292 (V), c. 93r
Documento inedito.

69

1513 dicembre 12, Forlì

Ghismondo di Bologna, abitante a Forlì, vende a Marco Palmezzano una casa, posta in Forlì in contrada Campi Lubaresi, per il prezzo di trentotto lire di bolognini.

"... Ghismondus quondam Marci de Bononia habitator Forlivii presens per se et suos heredes iure proprio et in perpetuum dedit, vendidit et tradidit magistro Marco quondam magistri Antonii de Palmezanis de Forlivio presenti, stipulanti, recepienti et ementi pro se et suis heredibus unam domum videlicet muros et tectum tantum ipsius reservetis sibi... vel quatuor degurentibus existentibus in dicta domo positam in comitatu[42] in civitate Forlivii in contrata Campi Lubarexii iuxta viam communis magistrum Franciscum stampatorem, habitationem venditorem et alios ad habendum etc. et hoc pro pretio et nomine pretii librarum triginta octo bononinorum. De quo pretio dictus venditor in presentia mei notarii et testium infrascriptorum fuit confessus et contentus habuisse et reccepisse libras viginti quinque bononinorum a dicto emptore presenti et instanti exceptionis etc. ressiduum promisit dictus venditor[43] emptor dare et solvere hinc et per totum mensem aprilis proxime venturum ...".

ASFo, Atti dei notai di Forlì, Giovanni Michellini, vol. 594 (XVI), c. 246r
Bibliografia: Grigioni 1956, p. 335.

70

1514 marzo 11, Forlì

Marco Palmezzano promette a Melchiorre Rizi di Castiglione che né lui né i suoi eredi né i suoi beni subiranno alcun danno.

"... Post predicta. In contenenti magister Marcus quondam Antonii de Palmezanis de Forlivio presens, sciens... factum suum proprium gerens promisit et convenit per se a dicto

Melchiori[44] presenti et pro se et suis heredibus stipulanti et conservare ipsum et eius heredes et bona indemnem et penitus sine damno...”.

ASFo, Atti dei notai di Forlì, Giacomo Maria Aspini, vol. 865 (VIII), cc. 143r-144r

Bibliografia: Grigioni 1956, p. 336.

71

1514 marzo 16, Forlì

Tiberto Brandolini di Forlì e Baldassarre Dal Porto di Bagnacavallo, nominati arbitri e compositori fra Giovanni Francesco Palmezzani da una parte, e i fratelli Antonio, Gabriele e Alessandro dall'altra, emettono un lodo arbitrale, a cui Marco Palmezzano presta il suo consenso.

“... Nos Tibertus Brandolinus de Forlivio et Baldesar a Porto de Bagnacavallo arbitri arbitratores et amicabiles compositores ellecti, asumpti et deputati a Ioanne Francisco quondam Baptiste de Palmezanis de Forlivio ex una parte et ab Antonio, Gabrielle et Alexandro fratribus invicem et filiis quondam dicti Baptiste de Palmezanis de Forlivio ex altera parte pro ut de compromisso in nos facto costat ex instrumento publico scripto et rogato manu ser Vitali Saxi notarii publici forliviensis... pro hac die, hora et loco ad videndum ferri et promulgari infrascriptum nostrum laudum et arbitramentum unde sequentes et sequi volentes viam arbitratorium tale cum consensu, presentia, voluntate et auctoritate et licentia magistri Marci Palmezani de Forlivio presentis, volentis et consentientis inter dictas partes laudum et arbitramentum dicimus et profeximus in hunc modum et formam...”.

ASFo, Atti dei notai di Forlì, Giovanni Michellini, vol. 595 (XVII), cc. 74r-75v

Bibliografia: Grigioni 1956, p. 336.

72

1514 aprile 6, Forlì

Marco Palmezzano e Antonio Palmezzani, agente anche a nome dei fratelli Gabriele e Alessandro, si dichiarano debitori di Lupidio Albertini per la somma di settanta lire di bolognini, quale dote per Cangenua, moglie di Lupidio e sorella di Antonio, Gabriele e Alessandro.

“... Cum hoc sit et fuerit quod magister Marcus quondam magistri Antonii de Palmezanis pictor de Forlivio precibus et mandatis Antonii, Gabrielis et Alexandri fratruum invicem et filiorum quondam Baptiste de dictis Palmezanis de Forlivio et quilibet ipsorum principaliter et insolidum promiserit Lupidio quondam Ioannis Baptiste de Albertinis de Forlivio nomine dotis domine Cangenue eorum sororis uxoris dicti Lupidii libras septingentas bononinorum prout Lacius dicitur constare ex instrumento scripto et rogato manu ser Ioannis Baptiste de Moratinis notarii publici forliviensis... dictus Antonius pro se et nomine et vice dictorum Gabrielis et Alexandri de quibus in dicto instrumento manu Ioannis Baptiste Morattini pro quibus de rato e rati abitione promisit se facturum et[45]... et magister Marcus presens sponte ad instantiam et

petitionem dicti Lupidii fuerunt contenti et confessi esse veros et legitimos debitores dicti Lupidii presentis...”.

ASFo, Atti dei notai di Forlì, Andrea Baldi, vol. 490 (IV), c. 33

Bibliografia: Grigioni 1956, p. 336.

73

1514 maggio 9, Forlì

Marco Palmezzano e Ottaviano Carmignola Palmezzani prestano il loro consenso a un atto di Antonio e Alessandro Palmezzani, maggiori di diciotto e minori di venticinque anni, agenti anche a nome del fratello Gabriele.

“...Antonius et Alexander fratres invicem et filii quondam Baptiste de Palmizanis de Forlivio maiores annorum XVIII et minores annorum XXV presentes cum consensu, presentia, licentia et voluntate magistri Marci quondam magistri Antonii de dictis Palmizanis et Octaviani Carmignoli de dictis Palmizanis de Forlivio presentium proximiorum attinentium dictis minoribus asserentium et dicentium presenti contractum... in evidentem utilitatem dictorum minorum per se et suos heredes et nomine et vice Gabriellis eorum fratris pro quo de rato promisserunt sub infrascripta pena iure proprio et in perpetuum dederunt, vendiderunt et tradiderunt ...”[46].

ASFo, Atti dei notai di Forlì, Paolo Bonucci, vol. 339 (XXVII), cc. 60v-62r

Bibliografia: Grigioni 1956, pp. 336-337.

74

1515 luglio 14, Forlì

Avendo Marco Palmezzano dato in sposa la figlia Antonia a Giovanni Battista, figlio di Simone del fu Domenico di Firenze, sostituisce parte delle quattrocento lire di bolognini, promesse in dote, con un appezzamento di terra coltivata a vite, posto a Forlì in località San Varano.

“... Cum hoc fuerit et sit quod proximis ellapsis temporibus providus vir magister Marchus quondam Antonii de Palmezanis de Forlivio maritaverit et nupserit Antoniam eius filiam Ioanne Baptiste filio magistri Simonis quondam Dominici de Florentia habitatore Forlivii et nomine dotis et per eius dotibus promiserit domino libras quadringentas bononinorum... dictus magister Marcus volens dictam Antoniam eius filiam de dictis dotibus comutare et in parte satisfacere presens omni meliori modo etc. dedit et tradidit in solutione et pagamento pro parte dotis... dicto magistro Simoni presenti unam petiam terre vineate perticarum XVIII et pro tanta quanta est positam... in comitatu Forlivii in lateribus Sancti Varani iuxta viam communis, Iohannem Franciscum Palmezanum, Antonium Nerii de Colxariis et alios... Actum Forlivii in domo dicti magistri Marci in contrata Turris florentine iuxta viam communis a tribus et heredes Cecchi de Moratinis et alios...”.

ASFo, Atti dei notai di Forlì, Cristoforo Albicini, vol. 146 (XVI), c. n.n.

Bibliografia: Grigioni 1956, p. 337.

75

1515 novembre 28, Forlì

Marco Palmezzano dichiara di ricevere trecento lire di bolognini da Bartolomeo Balducci, quale dote della moglie Violante, figlia di Bartolomeo. Si dichiara inoltre debitore di Violante per la somma di settantacinque lire di bolognini, corrispondenti al valore dei beni parafrenali.

"... Magister Marcus quondam magistri Antonii Palmezani de Forlivio presens sponte et ad petitionem magistri Bartholomei quondam magistri Antonii Baldutii de Forlivio et mei Baldini notarii infrascripti tamque publice persone presentis, instantis et stipulantis nomine et vice domine Violante filie dicti magistri Bartholomei et uxoris dicti magistri Marci fuit confessus habuisse et sibi solutas... a dicto magistro Bartholomeo eius socero et pro eo per manus diversarum personarum et mercatorum civitatis Forlivii in pecunia numerata libras tringentas bononinorum pro dotibus dicte domine Violante eius uxori. Item fuit confessus se esse debitorem dicte domine de libris septuaginta quinque bononinorum pro pretio... per dictum magistrum Marcum de bonis parafrenalibus sibi datis per dictum magistrum Bartolomeum pro dote predicta...".

ASFo, Atti dei notai di Forlì, Baldino Dalle Selle, vol. 403 (III), c. 194

Bibliografia: Grigioni 1956, p. 337.

76

1515 novembre 28, Forlì

Su richiesta del figlio Traiano, agente anche a nome del fratello Panfilo, Marco Palmezzano dichiara di aver ricevuto da Costanza Masini, un tempo sua moglie e madre di Traiano e Panfilo, la somma di duecentocinquanta lire di bolognini, come sua dote.

"... Magister Marcus quondam magistri Antonii Palmezani de Forlivio presens sponte etc. ad petitionem Traiani eius filii et mei Baldini infrascripti tamquam publice persone presentis et stipulantis nomine et vice Pamphili eius filii et omnium aliorum quorum interest fuit confessus habuisse a domina Constantia filia quondam... Masini quondam Andree Masini de Forlivio uxore olim dicti magistri Marci et matre dictorum Traiani et Pamphili libras docentas quinquaginta bononinorum quo dotibus dicte domine Constantie ...".

ASFo, Atti dei notai di Forlì, Baldino Dalle Selle, vol. 403 (III), cc. 194v–195r

Bibliografia: Grigioni 1956, p. 338.

77

1516 aprile 26, Forlì

Marco Palmezzano è presente come testimone a un atto rogato a Forlì.

"... Presentibus magistro Marcho quondam magistri Antonii Palmezani et magistro Georgio filio... Tornelli ...".

ASFo, Atti dei notai di Forlì, Baldino Dalle Selle, vol. 404 (IV), c. 76

Bibliografia: Grigioni 1956, p. 338.

78

1516 giugno 6, Forlì

Con atto rogato nel gennaio dello stesso anno, Marco Palmezzano aveva venduto a Francesco Brunelli di Forlì, marito della figlia Faustina, cinque tornature di terra, poste a Forlì in località Templi, del valore di duecento lire di bolognini, come parte della dote di Faustina. Ora Battista Brunelli di Forlì, agente a nome di Francesco, restituisce a Marco Palmezzano la terra ricevendo in cambio una somma di pari valore.

"... Cum de anno presenti 1516 et de mense ianuarii dicti anni magister Marchus quondam Antonii de Palmezanis de Forlivio iure proprio et in perpetuum dederit et tradiderit Francisco quondam Iacobi Brunelli de Forlivio tunc presenti pro se et suis heredibus reccipienti et aceptanti quinque tornaturas terre aratorie de una pecia maioris summe positas in comitatu Forlivii in lateribus Templi iuxta viam communis, iura mansionis Sancti Ioannis Baptiste de Forlivio, ipsum magistrum Marchum pro ressiduo dicte pecie terre extimationis de earum cum concordia tunc librarum ducentarum bononinorum pro parte dotium domine Faustine filie dicti magistri Marci et uxoris dicti Francisci pro ut de predictis constat ex instrumento manu mei notarii infrascripti et cum dictus Franciscus... ipsius promisit... omni quinque tornaturas terre restituere pro eisdem libris ducentis bononinorum pro ut constat ex alio instrumento manu mei notarii infrascripti et cum dictus magister Marcus vellit sibi restitui dictas tornaturas quinque terre aratorie id circo Baptista quondam Francisci Brunelli de Forlivio presens nomine et vice dicti Francisci et suorum heredum et pro quo Francisco et suis heredibus dictus Baptista de rato et rati habitione solemniter promisit et promisit se facere et curare et se facturum et curum ita et taliter omni ecceptione remota et... cassavit quod dictus Franciscus habebit rata et firma omnia et singula in presenti instrumento... volens observare promissa per dictum Franciscum iure proprio et in perpetuum dedit, tradidit et restituit dicto magistro Marco presenti, stipulanti, reccipienti et aceptanti pro se et suis heredibus dictas tornaturas quinque terras aratorie positas, lateratas et consuratas ut supra ad habendum etc. et hoc pro dictis libris ducentorum bononinorum in summa extimatas ut supra quas libras ducentas bononinorum dictus magister Marchus in presentia mei notarii et testium infrascriptorum actualiter dedit, solvit et numeravit in auro, argento et moneta dicto Baptiste presenti...".

ASFo, Atti dei notai di Forlì, Giovanni Michellini, vol. 597 (XIX), c. 65

Bibliografia: Grigioni 1956, p. 339.

79

1516 luglio 30, Faenza

Marco Palmezzano è presente come fideiussore a un atto rogato a Faenza, riguardante i fratelli Antonio, Gabriele e Alessandro Palmezzani.

"... Magister Marchus pictor quondam Antonii de Palmezanis de Forlivio presens et mandatis Antonii, Cabrielis

et Allexandris fratruum et filiorum quondam Baptiste de dictis Palmezanis de Forlivio fideiussor…".
SASFa, Atti dei notai del mandamento di Faenza, Girolamo Montini, vol. 194, c. 27
Bibliografia: Grigioni 1956, p. 339[47].

80

1516 settembre 16, Forlì

Marco Palmezzano dichiara di aver ricevuto per mano di Simone del fu Domenico di Firenze sessantasei lire di bolognini da Girolamo Monsignani, agente anche a nome dei fratelli Pierfrancesco e Marcolino, eredi di Bartolomeo Lombardini, quale resto di trecento lire di bolognini per la realizzazione della tavola e della cappella che Bartolomeo aveva nella chiesa di San Francesco di Forlì.

"… Magister Marchus quondam Antonii de Palmezanis de Forlivio presens per se et suos heredes sponte deliberate ad instantiam et petitionem Hieronimi quondam magistri Iohannis de Monsignano presentis pro se et suis heredibus hac nomine et vice Petrifrancisci et Marcholini eius fratruum heredum domini magistri Bartolomei Lombardini de Forlivio[48] et pro eorum heredibus stipulantis et acceptantis fuit confessus et contentus se habuisse et recepisse et pro eo et eius nomine et de eius pro Petrofrancisco, Marcolino et Hieronimo de Monsignano[49] commissione et mandato solutus et exbursatus fuisse et esse in pecunia numerata magistro Simoni quondam Dominici de Florentia libras sexaginta sex bononinorum pro residuo librarum tringentarum bononinorum in quibus dictus magister Bartolomeus tempore eius vite tenebatur et obligatus erat dicto magistro Marcho vigore instrumenti manu ser Ioannis Michilini notarii publici forliviensis pro fabricha picture tabule sive anchone et capelle dicti quondam domini magistri Bartholomei site in ecclesia Sancti Francisci de Forlivio exceptioni etc. quod instrumentum voluit esse cassum et cancellatum…".
ASFo, Atti dei notai di Forlì, Cristoforo Albicini, vol. 146 (XVI), c. 76r
Bibliografia: Grigioni 1899, p. 222; Grigioni 1956, p. 339.

81

1516 novembre 20, Forlì

La confraternita di San Domenico della chiesa di San Tommaso di Canterbury di Forlì commissiona a Marco Palmezzano l'esecuzione di un'ancona da collocare nella chiesa. Il pittore si impegna a realizzarla completamente a sue spese, a dipingervi nella parte centrale il presepe con ai lati quattro figure, a destra i santi Giovanni Battista e Tommaso di Canterbury, a sinistra i santi Domenico e Sebastiano e nella parte inferiore la storia di san Tommaso di Canterbury, a utilizzare colori fini e azzurro ultramarino, a dorarla con rilievi intagliati e a completarla entro il settembre successivo. I committenti promettono di dare al pittore l'ancona in legno suddivisa in tre parti e di pagare la somma di quaranta ducati d'oro entro il Natale del 1518.

"… Philippus quondam Nicolai Marzanexii de Forlivio massarius societatis Sancti Dominici site in ecclesia Sancti Thome de Fo[50] Conturberio de Forlivio, Baptista quondam Valeriani de Astis sotius dicti massarii, Petrus martiris quondam Iacobi Fachini de Forlivio, Hieronimus quondam domini Antonii de Baldracani de Forlivio et Andreas quondam Iacobi Benutii de Forlivio omnes de dicta societate presentes dicto nomine conduxerunt magistrum Marcum quondam Antonii de Palmezanis de Forlivio presentem, volentem et consentietem in magistrum ad faciendum unam anconam ponendam in ecclesia dicte societatis prommittens dictus magister Marchus facere dictam anconam omnibus expensis dicti magistri Marci videlicet eam pingere et facere in medio dicte ancone presepium cum figuris necessariis ad dictum presepium et lateribus vero facere quatuor figuras a latere dextro figuram sancti Ioannis Baptiste et sancti Thome de Conturberio, a latere vero sinistro figuram sancti Dominici et sancti Sebastiani, a parte vero inferiori historiam sancti Thome de Conturberio et in[51] eas pingere cum coloribus finis et maxime cum azuro ultramarino in quadris dicte ancone et eam inaurare auro fino et maxime relevos intaios et foiamen cum et hoc ideo fecit[52] quam anconam promisit complere hinc et per totum mensem septembris proxime venturum et hoc ideo fecit dictus magister Marcus pro eo quia dicti Philippus, Ioannes Baptista, Petrus martiris, Ieronimus et Andreas per se et suos heredes promiserunt eidem magistro Marco ad omnem voluntatem dicti magistri Marci anconam de lignamine divisam in tres quadros et dare et solvere pro eius magistri Marci mercede ducatos quatraginta auri de quibus dictus magister Marcus fuit confessus et contentus habuisse ducatos undecim auri ressiduum promiserunt solvere hoc modo videlicet ducatos decem auri hinc et per totum mensem maii proxime venturum ressi[53] ducatos quinque auri hinc et per totum mensem augusti proxime venturum, ressiduum vero dicti ressidui huic ad festum nativitatis domini nostri Iesu Christi proxime venturum de anno 1518 proxime venturo …".
ASFo, Atti dei notai di Forlì, Giovanni Michellini, vol. 597 (XIX), c. 150
Bibliografia: Grigioni 1956, pp. 339-340.

82

1517 marzo 3, Forlì

Simone del fu Domenico di Firenze di Forlì e il figlio Giovanni Battista dichiarano di aver ricevuto da Marco Palmezzano duecento lire di bolognini, quale resto dei quattrocento dovuti per la dote di sua figlia Antonia, moglie di Giovannni Battista.

"… Magister Simon quondam Dominici florentini de Forlivio et Ioannes Baptista eius filius cum consensu, presentia et voluntate dicti eius patris presentis et instantis[54] et sibi consentientis et presentis sponte ad petitionem magistri Marci quondam magistri Antonii Palmezanis de Forlivio presentis et instantis fuerunt confessi habuisse ab eo libras ducentas bononinorum pro resto librarum quadringentarum bononinorum pro resto[55] dotibus domine Antonie filie dicti magistri Marci et uxoris dicti Ioannis Baptiste videlicet libras centum et tres solidos sex bononinorum ab Honofrio quondam Pauli de Framontibus de Forlivio solvente nomine dicti magistri Marci et de quibus constituerat debitorem dicti magistri Simonis ex causa depositi nomine magistri Marci ut constabat ex instrumento publico manu ser Vitalis Saxi notarii publici Forliviensis. Item a dicto magistro Marco libras quadraginta bononinorum ut constat ex instrumento mano ser Ioannis Michillini. Item libras quinquaginta sex solidos quatuordecim bononinorum a Marcholino de Monsignano solvente nomine dicti magistri Marci exceptioni quo instrumento et... esse cassum et...".

ASFo, Atti dei notai di Forlì, Baldino Dalle Selle, vol. 405 (V), cc. 24v-25r

Bibliografia: Grigioni 1956, p. 341.

83

1517 marzo 12, Forlì

Marco Palmezzano vende un appezzamento di terra, posto a Forlì in località Sant'Agostino, a Pietro Martire Baldi di Forlì, agente anche a nome di Pietro Paolo e Francesco Clerici, per il prezzo di quattrocentoventisette lire di bolognini e dieci soldi.

"... Magister Marchus quondam Antonii de Palmezanis de Forlivio presens per se et suos heredes iure proprio et in perpetuum dedit, vendidit et tradidit Petro martiri quondam fratris Hieronimi Baldi de Forlivio et mihi notario infrascripto ut persone publice presentibus, stipulantibus, recipientibus et ementibus nomine et vice Petri Pauli et Francisci fratruum invicem et filiorum quondam fratris Tibaldi Clericis de Forlivio et suorum heredum unam peciam terre aratorie seminatam granum reservata parte grani laborate tornaturarum septem et perticarum quinque... positam in comitatu Forlivii in lateribus Sancti Augustini extra vel si ibi aliter diceretur iuxta viam communis heredes Berti Iacobi ser Berti de Forlivio, ser Iacobum ab Oleo de Forlivio[56] et alios suos confines. Ad habendum etc. et hoc pro pretio et nomine pretii librarum quinquaginta septem bononinorum pro singula tornatura quod pretium... mensuram predictam capit in summa librarum 427 bononinorum et solidorum decem... Actum Forlivii in domo dicti venditoris posita in contrata Turris florentine iuxta viam communis a duobus lateribus et alios...".

ASFo, Atti dei notai di Forlì, Giovanni Michellini, vol. 598 (XX), cc. 40v-41r

Bibliografia: Grigioni 1956, p. 341.

84

1517 maggio 25, Forlì

Marco Palmezzano riceve da Matteo Blasci di Forlì centodieci lire di bolognini e nove soldi, quale pagamento di un appezzamento di terra vendutogli.

"... Magister Marcus quondam Antonii de Palmezanis de Forlivio presens sponte etc. fuit confessus et contentus habuisse et recepisse a Matheo quondam Sanctis de Blascis de Forlivio libras centum et decem bononinorum et solidos novem in quibus eidem magistro Marco tenebatur vigore instrumenti manu ser Ioannis Michilini notarii publici forliviensis non obstante quod dictum instrumentum dicat de libris centum et viginti septem bononinorum et solidis decem bononinorum quia cum pecia terre de qua in dicto instrumento fuerit vendita...".

ASFo, Atti dei notai di Forlì, Giacomo Dall'Olio, vol. 603 (IV), cc. 5r-6r

Bibliografia: Grigioni 1956, p. 341[57].

85

1517 settembre 23, Forlì

Marco Palmezzano si impegna con Bernardino Maldenti, erede e legato di Cio Maldenti, a realizzare un'ancona per l'altare intitolato a San Lorenzo, posto nella chiesa di San Francesco di Forlì. L'opera dovrà rappresentare le figure della Vergine, di san Lorenzo e di san Giovanni Battista, dovrà essere eseguita su buona tavola con oro e colori fini e realizzata a spese del pittore, per il prezzo di quaranta ducati d'oro.

"... Magister Marchus olim Antonii de Palmezanis de Forlivio presens etc. promisit et convenit sine aliqua exceptione iuris vel facti se obligando Bernardino olim Cristofori de Maldentibus et heredi et legatario de[58] Cihi de dictis Maldentibus prout aparet ex testamento manu ser Iohannis Michilini notarii publici forliviensis facere et depingere unam anconam pro altare Sancti Laurentii posito in ecclesia Sancti Francisci de Forlivio cum tribus figuris videlicet cum figura sancte Marie Virginis, sancti Laurentii et sancti Iohannis Baptiste omnibus sumptibus et expensis dicti magistri Marci cum auro fino et collorum finorum cuiscumque generis sint similiter bono lignamine et omnibus aliis rebus oportunis dicte tabule cum ultima supra dictam tabulam omnibus sumptibus et expensis dicti magistri Marci prout dictum est et hoc ideo fecit dictus magister Marchus quia dictus Bernardinus promisit ei dare et solvere pro dicta fabrica dicte tabule ducatos quatraginta auri videlicet de auro in auro de quibus dictus Bernardinus dedit et solvit dicto magistro Marcho ducatos decem auri prout confessus fuit dictus magister Marchus in presentia mei notarii et testium infrascriptorum... ressiduum promisit dictus Bernardinus dare et solvere dicto magistro Marcho terminis infrascriptis videlicet ducatos quindecim quando dictus magister Marchus dorabit dictam tabulam, ressiduum ad ipsum terminum festivitatis sancti Iohannis Baptiste proximi et futuri et dictus magister Marchus promisit dicto Bernardino dare dictam tabulam depictam modis suprascriptis...".

ASFo, Atti dei notai di Forlì, Matteo Framonti, vol. 977 (I), seconda cartolazione, c. 146v

Bibliografia: Grigioni 1956, pp. 341-342.

86

1517 novembre 20, Forlì

Marco Palmezzano dichiara di ricevere da Mengone Numai per mano di Antonio Monsignani, due braccia e mezzo di panni di lana di colore nero e di altri colori per il prezzo di otto lire, sette soldi e sei denari di bolognini.

"... Magister Marchus quondam Antonii de Palmizanis presens ex licentia et... Traiani eius filii presentis ad instantiam mei notarii infrascripti publici stipulantis et recipientis nomine et vice Mengoni Numai dixit et confessus fuit habuisse et recepisse a dicto Mengono per manu magistri Antonii de Monsignano brachio duo cum dimidio panni lane coloris nigrii et aliorum collorum pretii et valoris librarum 8 et solidorum 7 et denariorum 6 bononinorum...".

ASFo, Atti dei notai di Forlì, Bartolino Prugnoli, vol. 558 (II), c. 68v

Bibliografia: Grigioni 1956, p. 342.

87

1518 giugno 15, Forlì

Marco Palmezzano è presente come testimone a un atto rogato a Forlì.

"...Actum ut supra presentibus ibidem magnifico ac generoso viro domino comite Antonio filio quondam magistri ac generosi viri domini comitis Guidonis de Malatestis de Cuserculo, Ieronimo quondam Petri de Salimbenis, magistro Marcho quondam Antonii de Palmezanis et Antonio quondam Baptiste etiam de Palmezanis de Forlivio testibus ..."[59].

ASFo, Atti dei notai di Forlì, Nanne Porzio, vol. 183 (XII), cc. 33r-34v

Bibliografia: Grigioni 1956, p. 343.

88

1518 dicembre 3, Forlì

Marco Palmezzano è presente come testimone a un atto rogato a Forlì.

"...Actum Forlivii in apoteca communis conducta per ser Bernardum Menghum etc. Presentibus magistro Marcho quondam Antonii Palmezani et Ioanne Baptista olim... de Forlivo testibus ...".

ASFo, Atti dei notai di Forlì, Nanne Porzio, vol. 183 (XII), c. 68v

Bibliografia: Grigioni 1956, p. 343.

89

1519 maggio 27, Forlì

Virgilio di Bologna abitante a Forlì, affittuario di una casa di proprietà di Marco Palmezzano, posta a Forlì in borgo Schiavonia, dichiara ad Antonio Palmezzani, rappresentante di Marco, di rinunciare a ogni diritto sulla casa.

"...Virgilius de Bononia habitator Forlivii et conductor cuiusdam domus magistri Marci Palmezani posite in burghu Sclavonie iuxta viam communis et Iolianum de... et alios renuntiavit ser Antonio Palmezano presenti et nomi-

ne et vice dicti magistri Marci recipienti... de iure non habitione promisit etc. omne ius et omnem actionem quid et quam dictus Virgilius habet et habebat in dicta domo...".

ASFo, Atti dei notai di Forlì, Bernardino Menghi, vol. 546 (XI), c. 93v

Bibliografia: Grigioni 1956, p. 343.

90

1519 dicembre 9, Forlì

Faustina, figlia di Marco Palmezzano e moglie di Battista Berti di Forlì, che prestano il loro consenso, riscuote una somma per la vendita di un appezzamento di terra.

"... Domina Faustina filia magistri Marci olim magistri Antonii de Palmezanis de Forlivio et uxor Baptiste olim magistri Righonis a Bretis de Forlivio presens sponte etc. cum consensu, presentia, voluntate et licentia dicti magistri Marci eius patris et dicti Baptiste eius mariti presentium et eidem consensum suum prestantium in omnibus et singulis in presenti instrumento contentis fuit con[60] sponte etc. ad instantiam et petitionem Petri quondam Iacobi Brunelli de Forlivio et mei notarii infrascripti ut persone publice... stipulantium et recipientium nomine et vice Lucretie filie quondam Francisci olim dicti Iacobi et suorum heredum fuit confessa et contenta habuisse et recepisse a dicto Petro solvente de propriis pecuniis ipsius Lucretie videlicet de parte pretii unius petie terre dicte Lucretie vendite...".

ASFo, Atti dei notai di Forlì, Giovanni Michellini, vol. 599 (XXI), cc. 181v-182v

Bibliografia: Grigioni 1956, p. 343.

91

1520 febbraio 2, Forlì

Nella sua casa posta a Forlì in contrada Torre fiorentina, Marco Palmezzano è presente come testimone al testamento di Andrea Berlati di Forlì.

"... Andreas quondam Christofori de Berlatis de Forlivio sanus per Christi gratia mente, sensu et intellectu... corpore languente volens de bonis sui disponere per hoc presens testamentum nuncupativum... Actum in domo magistri Marchi de Palmizanis posita in contrata Turris florentine iuxta viam communis et alios. Presentibus ibidem magistro Marcho de Palmezanis...".

ASFo, Atti dei notai di Forlì, Vincenzo Saffi, vol. 705 (I), cc. 240v-241r

Bibliografia: Grigioni 1956, pp. 343-344.

92

1520 giugno 11, Forlì

Faustina, figlia di Marco Palmezzano e moglie di Battista Berti di Forlì, che prestano il loro consenso, riscuote la somma di cento lire di bolognini da Valeriano Urselli.

"... Honesta hac commendabilis mulier domina Faustina filia magistri Marci Palmezani et uxor ad presens Batiste quondam magistri Enrici a Birectis de Forlivio presens sponte etc. cum consensu, presentia, auctoritate et voluntate dicti magistri Marci eius patris et dicti Batiste eius viri presentium consentientium in omnibus et per omnia... ad instantiam et petitionem Valeriani quondam Simonis de Ursellis presentis fuit confessa et contentas se habuisse et recepisse hac sibi integre datas, solutas et numeratas fuisse a dicto Valeriano libras centum bononinorum...".

ASFo, Atti dei notai di Forlì, Pier Andrea Raffaini, vol. 997 (II) c. 186v

Bibliografia: Grigioni 1956, p. 344.

93

1520 agosto 7, Forlì

Faustina, figlia di Marco Palmezzano e moglie di Battista Berti di Forlì, che prestano il loro consenso, riceve cinquecento lire di bolognini da Matteo e Battista Brunelli di Forlì.

"... Domina Faustina filia magistri Marci de Palmezanis de Forlivio et uxor ad presens Baptiste olim magistri Righonis a Bertis de Forlivio presens sponte etc. cum consensu, presentia, voluntate, auctoritate et licentia dicti Baptiste eius mariti et dicti magistri Marci eius patris presentium et eidem domine Faustine consensum suum prestantium in omnibus et singulis... ad instantiam et petitionem domini Mathei quondam Francisci Brunelli de Cocilallo de Forlivio presentis... fuit confessa et contenta habuisse et recepisse a dictis domino Matheo et Baptista libras quinquaginta bononinorum...".

ASFo, Atti dei notai di Forlì, Giovanni Michellini, vol. 580 (II), c. 469r

Bibliografia: Grigioni 1956, p. 344.

94

1520 novembre 8, Forlì

Marco Palmezzano è presente come testimone a un atto rogato a Forlì.

"... Actum Forlivii... Presentibus ibidem ser Antonio quondam Sebastiani Palmezanis et magistro Marcho quondam magistri Antonii Palmezani de Forlivio testibus...".

ASFo, Atti dei notai di Forlì, Nanne Porzio, vol. 184 (XIII), c. 226v

Bibliografia: Grigioni 1956, p. 344.

95

1522 gennaio 31, Forlì

Marco Palmezzano e Antonio Palmezzani per sé, i figli, i nipoti e i discendenti in grado di utilizzare le armi, stipulano una tregua con Girolamo Ravagli e i suoi fratelli valida fino alla Pasqua successiva.

"... Magister Marcus de Palmezanis et ser Antonius de dictis Palmezanis presentes per se et suos filios, nepotes, et de eorum desendentia et omnes alios de parentella dictorum de Palmizanis pro quibus arma soliti sunt capere et capiunt... faciunt mihi notario infrascripto ut publice persone presenti, stipulanti et recipienti nomine et vice Hieronimi Ravaglii et eius fratruum treguam ...ad pascha resu-

rectionis Domini Nostri Iesu Christi proxime futuri...".

ASFo, Atti dei notai di Forlì, Pier Andrea Raffaini, vol. 1000 (V), cc. 18v-19v

Bibliografia: Grigioni 1956, p. 345.

96

1522 luglio 28, Forlì

Marco Palmezzano è presente come testimone a un atto rogato a Forlì.

"... Presentibus magistro Marco Palmezano et Iuliano Mano testibus ...".

ASFo, Atti dei notai di Forlì, Baldino Dalle Selle, vol. 410 (X), cc. 105v-107r

Bibliografia: Grigioni 1956, p. 345.

97

1523 luglio 20, Forlì

Marco Palmezzano è presente come testimone a un atto rogato a Forlì.

"...Actum Forlivii... Presentibus domno Teodolo et magistro Marco Palmezano...".

ASFo, Atti dei notai di Forlì, Baldino Dalle Selle, vol. 411 (XI), c. 124r

Bibliografia: Grigioni 1956, p. 345.

98

1523 agosto 15, Forlì

Marco Palmezzano è presente come testimone a un atto rogato a Forlì.

"... Actum Forlivii... Presentibus ibidem magistro Marco quondam[61] de Palmezanis pictore de Forlivio et Petro Paulo filio Matei Antonii Zontini de Forlivio testibus...".

ASFo, Atti dei notai di Forlì, Andrea Baldi, vol. 498 (XII), c. 81r

Bibliografia: Grigioni 1956, p. 345[62].

99

1523 settembre 3, Forlì

Marco Palmezzano dichiara di aver ricevuto da Caterina Franchi di Forlì, moglie del fu Tontino Corsi di Forlì, sessanta lire di bolognini, quale acconto di centocinque lire di bolognini per la realizzazione di una tavola, come stabilito nell'atto rogato dal notaio Bartolino Prugnoli.

"... Magister Marchus quondam Antonii de Palmizanis de Forlivio presens sponte ad petitionem et instantiam domine Catherine quondam Nicolai Franchi de Forlivio et uxoris olim Tontini Corsi de Forlivio presentis et instantis fuit confessus et contentus habuisse et recepisse a dicta domina Catherina libras sexaginta bononinorum pro parte librarum centum quinque bononinorum pretii unius tabule sive ancone quam dictus magister Marchus promisit facere de pictura eidem dicte Catherine ex instrumento publico manu ser Bartholini Prugnoli notarii publici forliviensis. Computatis in dicta summa libris 25 de quibus constat instrumento manu dicti ser Bartholini et libris triginta quinque bononinorum actualiter exbursatis, solutis et numeratis per dictam dominam Catherinam eidem magistro Marcho in presentia mei notarii et testium infrascriptorum. Ressiduum vero videlicet libras 45 bononinorum dicta domina Catherina presens promisit solvere eidem magistro Marcho et hinc ad unum annum proxime venturum non obstante instrumento manu dicti ser Bartholini...".

ASFo, Atti dei notai di Forlì, Girolamo Albicini, vol. 302 (XV), cc. 91v-92r

Bibliografia: Grigioni 1899, p. 223; Grigioni 1956, p. 346.

100

1523 settembre 5, Forlì

Marco Palmezzano è presente come testimone a un atto rogato a Forlì.

"... Actum Forlivii... Presentibus magistro Marcho olim Antonii de Palmezanis, Petro Antonio olim Benedicti de Magnis ambobus testibus de Forlivio ...".

ASFo, Atti dei notai di Forlì, Matteo Framonti, vol. 977 (I), c. 289

Bibliografia: Grigioni 1956, p. 346.

101

1524 marzo 30, Forlì

Girolamo Ravagli di Forlì da una parte e Marco Palmezzano, Giovanni Francesco, Gabriele e Alessandro Palmezzani dall'altra stringono una pace tra le due famiglie. L'atto è rogato nella chiesa di San Mercuriale.

"... Magister Hieronimus olim Francisci de Ravaliis de Forlivio presens per se et eius filios, fratres, heredes et sucessores etc. ex linea masculina pro quibus de rato etc. ex parte una et magister Marcus olim Antonii de Palmegianis et Ioannes Franciscus, Gabriel et Alexander de dictis Palmegianis fratres invicem et filii olim Baptiste de Palmegianis de Forlivio ex altera presentes per se et suos filios, heredes et sucessores etc. ex linea masculina pro quibus de rato etc. et quilibet eorum deliberate et ex eorum spontanea et libera voluntate non vi etc. fecerunt sibi ad invicem et vicissim unus alteri et controverso etc. pacem, concordiam etc. oschulo pacis solemniter et vicissim interveniente... de omnibus et singulis iniuriis asaltis, percussionibus, offenssionibus et vulneribus uni per alium usque in presentem diem illatis vel factis etc. cum armis vel sine...Actum Forlivii in ecclesia Sancti Mercurialis ante altarem...".

ASFo, Atti dei notai di Forlì, Francesco Corbini, vol. 1759 (III), cc. 31v-32r

Bibliografia: Grigioni 1956, p. 346.

102

1524 luglio 29, Forlì

Marco Palmezzano si dichiara debitore di Francesco Palladini di Forlì per la somma di sette ducati d'oro, quale prezzo di un gabbano di velluto nero da lui acquistato, e promette di pagare l'intera somma entro l'agosto successivo.

"... Magister Marcus quondam magistri Antonii Palmezani de Forlivio presens sponte ad instantiam mei Baldini a Sellis notarii publici infrascripti et stipulantis nomine ac vice Francisci quondam Ioannis Baptiste Palladini... de Forlivio presentis et instantis dixit et confessus fuit se esse debitorem dicti Francisci in quantitate ducatorum septem auri largorum pro pretio unius gabani panni veluti nigri sibi dati et venditi... quos ducatos septem auri largos dictus magister Marcus presens promisit mihi notarii stipulantis ut supra solvere dicto Francisco in presentia mei notarii hinc per totum mensem augusti...".

ASFo, Atti dei notai di Forlì, Baldino Dalle Selle, vol. 412 (XII), cc. 138v-139r

Bibliografia: Grigioni 1956, p. 347.

103

1524 agosto 17, Forlì

Marco Palmezzano affitta a Matteo del fu Giovannino de Cuimano un podere con una casa, posto a Forlì in località San Varano, in luogo detto Mazzacavallo.

"... Magister Marcus quondam Antonii de Palmezanis de Forlivio presens per se etc. dedit, concessit et locavit Matheo quondam Iohanini de Cuimano comitatus Forlivii... pro se et suis heredibus recipienti et conducenti ad laborandum ad medietatem fructuum... pro uno recolecta grani et deinde ad beneplacitum ipsarum partium unam dicti magistri Marci possessionem tornaturarum 48 et pro quanta est in duobus petiis in comitatus Forlivii in lateribus Sancti Varani in loco dicto Mazacavallo et in lateribus Templi cum domo supra vel si aliter dicerentur...".

ASFo, Atti dei notai di Forlì, Pellegrino Maseri, vol. 1026 (IV), c. 249

Bibliografia: Grigioni 1956, p. 347.

104

1524 ottobre 11, Forlì

Battista Berti di Forlì incarica suo fratello Manfredo, Filippo Benerecetti di Modigliana, Marco Palmezzano e Antonio Palmezzani di dividere i beni in due parti, una spettante a Battista e l'altra a Filippo Salimbeni, Girolamo Leri e Matteo Imbetta.

"... Baptista quondam magistri Rigonis a Birctis de Forlivio presens omni meliori modo etc. fecit, constituit, creavit et solemniter ordinavit magnificum iuris utriusque doctorem dominum Philippum de Benereceptis de Mutiliana et magistrum Manfredum eiusdem Baptiste fratrem absentem tamquam presentem et magistrum Marchum quondam[63] de Palmezanis et Antonium quondam Baptiste de Palmezanis presentes... actualiter nominatim et expresse ad nominem dicti costituentis dividendum omnia et singula bona inter eum ex una et ser Philippum Salimbenum, Hieronimum Leri et Matheum Imbettam ex altera ...".

ASFo, Atti dei notai di Forlì, Bonamente Torelli, vol. 422 (IV), c. 294

Bibliografia: Grigioni 1956, p. 347.

105

1524 novembre 3, Forlì

Marco Palmezzano si dichiara interamente pagato da Caterina Franchi di Forlì della somma di quarantacinque lire di bolognini, quale resto del prezzo di un'ancona per lei dipinta.

"... Magister Marchus quondam Antonii de Palmizanis pictor forliviensis presens... ad petitionem et instantiam domine Catherine quondam Nicolai Franchi de Forlivio presentis, instantis et aceptantis fuit confessus et contentus esse integre solutum et satisfactum a dicta domina Catherina de libris quatraginta quinque bononinorum in quibus eidem tenebatur vigore instrumenti manu ser Bartholini Prognoli notarii publici forliviensis pro resto pretii unius anchone sibi picte... quod instrumentum voluit esse cassum...".

ASFo, Atti dei notai di Forlì, Girolamo Albicini, vol. 303 (XVI), c. 189r

Bibliografia: Grigioni 1956, p. 348.

106

1525 marzo 13, Forlì

Marco Palmezzano affitta a Sebastiano Bonfigli di Ladino tre tornature di terra coltivata a vite, poste a Forlì in località Foranigo.

"... Magister Marcus Palmezanus de Forlivio presens etc. deddit et locavit ad laborandum ad medietatem fructuum pro uno anno tamen et ad beneplacitum partium Sebastiano filio Pironi de Bonfilgliis de Ladino presenti et nomine dicti sui presentis conducenti unam poetiam terrae vineatae tornaturarum trium et pro quanta est poitam in comitatu Forlivii in lateribus Foranighi cum pactis, modis et conventionibus de quibus infra videlicet quod dictus Sebastianus teneatur eam putare et operas duas propaginarum facere pro qualibet tornaturarum, eam sapare, resapare, apallare totis expensis ipsius Sebastiani et ponere arundines et ligamina ac loetamen conveniens propaginibus et portare medietatem uvarum Forlivium ad domum ipsius magistri Marci...".

ASFo, Atti dei notai di Forlì, Pier Antonio Paolucci, vol. 1216 (IV), c. 24r

Bibliografia: Grigioni 1956, p. 348.

107

1526 marzo 10, Forlì

Marco Palmezzano presta testimonianza a Forlì.

"In causa ser Petri Guirini cum eius matre iuravit magister Marcus de Palmezanus de veritate dicendi ...".

ASFo, Atti dei notai di Forlì, Giacomo Maria Aspini, vol. 880 (XXIII), c. n.n.

Bibliografia: Grigioni 1956, p. 348.

108

1526 aprile 20, Forlì

Marco Palmezzano è presente come testimone a un atto rogato a Forlì.

"...Actum ad bancum iuris presentibus... et magistro Marco de Palmezanis testibus...".

ASFo, Atti dei notai di Forlì, Giacomo Maria Aspini, vol. 880 (XXIII), c. n.n.

Bibliografia: Grigioni 1956, p. 348.

109

1526 maggio 26, Forlì

Giovanni Francesco Matematici dichiara di aver ricevuto da Marco Palmezzano novanta lire di bolognini e un'ancona da lui dipinta, quale pagamento per un appezzamento di terra, coltivata a vite, vendutagli.

"... Ser Ioannes Franciscus quondam Mathei de Matematicis de Forlivio presens per se... ad instantiam magistri Marci quondam Antonii de Palmezanis de Forlivio presentis etc. fuit confessus et contentus habuisse et recepisse a dicto magistro Marco libras nonaginta bononinorum in quibus dictus magister Marcus eidem tenebatur vigore instrumenti manu mei notarii infrascripti pro resto pretii unius petie terre vineate eidem vendite et tradite et presenti date insolutum pro eius mercede unius anchone eidem ser Ioanni Francisco predictum magistrum Marcum facte... ".

ASFo, Atti dei notai di Forlì, Giacomo Maria Aspini, vol. 872 (XV), cc. 175v-176r

Bibliografia: Grigioni 1956, p. 349.

110

1526 agosto 25, Forlì

Marco Palmezzano è presente come testimone a un atto rogato Forlì.

"... Actum Forlivii ut supra presentibus magistro Marco Palmezano et Hieronymo quondam Francisci Ravagli omnibus de Forlivio testibus ...".

ASFo, Atti dei notai di Forlì, Baldino Dalle Selle, vol. 414 (XIV), cc. 81v-84v

Bibliografia: Grigioni 1956, p. 349.

111

1526 agosto 27, Forlì

Giovanni Battista Berti di Forlì dichiara di aver ricevuto da Marco Palmezzano cinquanta lire di bolognini, quale dote della moglie Faustina, figlia di Marco.

"... Ioannes Baptista quondam magistri Righi Manfredi a Biretris de Forlivio presens... ad instantiam et petitionem magistri Marci quondam Antonii Palmezani de Forlivio presentis etc. fuit confessus et contentus se habuisse et recepisse a dicto magistro Marcho libras quingentas bononinorum pro dotibus et nomine dotis honeste mulieris domine Faustine filie dicti magistri Marci et uxoris ipsius Iohannis Baptiste pro matrimonio inter ipsum et dictam dominam Faustinam contracto et carnali copula consumato pro ut... dixerunt constare publico instrumento manu ser Ioannis Michilini notarii olim publici forliviensis...".

ASFo, Atti dei notai di Forlì, Cristoforo Albicini, vol. 156 (XXVI), c. 65v

Bibliografia: Grigioni 1956, p. 349.

112

1526 settembre 1, Forlì

Marco Palmezzano è presente come testimone a un atto rogato a Forlì.

"... Comparuit magister Marcus Palmezanis pater coniucta persona domine Antonie et uxoris Ioannis Baptiste Florentini... in presentia ser Bartolini Prugnoli ...".

ASFo, Atti dei notai di Forlì, Giuliano Morattini, vol. 1127 (III), c. n.n.

Bibliografia: Grigioni 1956, p. 350.

113

1527 marzo 14, Forlì

Marco Palmezzano è presente come testimone a un atto rogato a Forlì.

"... Presentibus ser Vincentio Valerio et magistro Marco Palmezano testibus ...".

ASFo, Atti dei notai di Forlì, Pier Antonio Paolucci, vol. 1219 (VII), c. n.n.

Bibliografia: Grigioni 1956, p. 350.

114

1527 maggio 15, Forlì

Marco Palmezzano è presente come testimone a un atto rogato nella sua casa posta in contrada Torre fiorentina.

"... Actum Forlivi in contrata[64] domo magistri Marci pictoris in contrata Turis florentine iuxta viam a tribus et Ioannem Filipum de Moratinis presentibus dicto magistro Marco et Antonio Palmezanis ... testibus."

ASFo, Atti dei notai di Forlì, Aurelio Dalla Nave, vol. 390 (IV), c. 140v

Bibliografia: Grigioni 1956, p. 350.

115

1527 maggio 15, Forlì

Marco Palmezzano presta consenso a un atto della figlia Faustina, rogato nella sua casa posta in contrada Torre fiorentina.

"... dictus Baptiste et domina Faustina filia magistri Marci Palmezani de Forlivio et uxor dicti Baptiste cum consensu dictorum magistri Marci et Baptiste[65] eius patris et dicti Baptiste eius viri presentium et consententium ... Actum Forlivii in domo magistri Marci Palmezani posita in contrata Turis florentine iuxta viam a tribus et Ioannem Philipum de Moratinis et alios suos confines ...".

ASFo, Atti dei notai di Forlì, Aurelio Dalla Nave, vol. 394 (VIII), cc. 199r-200r

Bibliografia: Grigioni 1956, p. 350.

116

1527 settembre 17, Forlì

Marco Palmezzano è presente come testimone a un atto rogato a Forlì.

"... Actum Forlivi ... Presentibus testibus magistro Marcho Palmezano et Ioanne olim Mathei Zanzani omnibus de Forlivio...".

ASFo, Atti dei notai di Forlì, Bernardino Menghi, vol. 554 (XIX), cc. 130r-131v

Bibliografia: Grigioni 1956, p. 350.

117

1528 gennaio 13, Forlì

Marco Palmezzano consegna a Baldassarre Tornielli, marito della figlia Pentesilea, un appezzamento di terra, posto a Forlì in località Sant'Agostino, del valore di quattrocento lire di bolognini, corrispondente alla cifra promessa quale dote per la figlia.

"... Cum sit et fuerit quod alias contractum matrimonium inter magistrum Baldasarem quondam Melchioris de Tornellis et dominam Pantasileam filiam magistri Marci Palmezani de Forlivio et per ipsum magistrum patrem dicte domine Pantasilee promiserit dicto magistro Baldasari libras quadrigentas bononinorum videlicet libras 400 bononinorum pro dote et dotis nomine dicte domine Pantasilee unde volens dictus magister Marchus satisfacere dicto magistro Baldasari de dictis libris 400 bononinorum dictus magister Marchus presens per se et suos heredes sponte et iure proprio dedit et consignavit dicto magistro Baldasari presenti pro se et suis heredibus etc. unam petiam terre aratorie tornaturarum octo ex una petia terre maioris summe posite in comitatu Forlivii in lateribus Sancti Augustini iuxta dictum magistrum Marchum, Ludovicum de Brunis de Forlivio versus murarum et alios suos confines ... Actum Forlivii in domo dicti magistri Marchi in contrata Turris florentine iuxta viam a tribus, Ioannem Philippum Morattini et alios ...".

ASFo, Atti dei notai di Forlì, Antonio Maria Da Porto, vol. 481 (I), c. 18r

Bibliografia: Grigioni 1956, pp. 350-351.

118

1528 maggio 25, Forlì

Marco Palmezzano riceve da padre Bernardino di Bertinoro per mano di Matteo Bonauguri otto scudi d'oro, quale parte di una somma maggiore. Detto Bernardino si impegna a consegnare altri otto scudi d'oro entro l'agosto successivo.

"... Magister Marchus quondam Antonii de Palmezanis de Forlivio etc. ad instantiam reverendi patris magistri Bernardino de Bertinorio contentus et confessus fuit habuisse a dicto domino Bernardino scutos 8 auri per manus domini Matei de Bonaguris pro parte maioris summe etc. ... Reverendus pater predictus Bernardinus dixit esse debitorem predicti magistri Marci... scutorum octo auri quos promisit predicto Marco hinc dare per totum mensem augusti proxime venturum...".

ASFo, Atti dei notai di Forlì, Giacomo Numai, vol. 1711 (XI), c. 244r

Bibliografia: Grigioni 1956, p. 351.

119

1528 ottobre 15, Forlì

Marco Palmezzano riceve dal canonico forlivese Matteo Bonauguri otto scudi d'oro di cui era creditore.

"… Magister Marcus quondam Antonii de Palmezanis de Forlivio presens pro se etc. ad instantiam et petitionem domini Matei quondam Antonii Bonaguri canonicis forliviensis presentis pro se etc. fuit contentus et confessus habuisse et recepisse scutos octo auri in quibus ad tenebatur vigore instrumenti scripti et rogati manu ser Iacobi de Numais notarii publici forliviensis…".

ASFo, Atti dei notai di Forlì, Andrea Baldi, vol. 503 (XVII), c. 145r

Bibliografia: Grigioni 1956, p. 351.

120

1528 novembre 18, Forlì

Bartolomeo Maldenti di Forlì vende a Marco Palmezzano un appezzamento di terra cannetata, posto a Forlì in località *Templi*, per il prezzo di quattordici lire di bolognini, subito consegnate.

"… Bartolomeus quondam ser Bernardini de Maldentibus de Forlivio presens per se et suos heredes iure proprio etc. dedit, vendidit et tradidit magistro Marcho quondam Antonii de Palmezanis de Forlivio presenti pro se et suis heredibus stipulanti, recipienti et ementi unam petiam terre canetate pro quanta est positam in comitatu Forlivii in latere Templi vel si ibi aliter diceretur iuxta emptorem, viam communis et alios … pro pretio et pretii nomine librarum quattuordicim bononinorum in summa quod pretium dictus emptor solvit in presentiam mei notarii …".

ASFo, Atti dei notai di Forlì, Pellegrino Maseri, vol. 1030 (VIII), c. 340v

Bibliografia: Grigioni 1956, pp. 351-352.

121

1529 aprile 19, Forlì

Marco Palmezzano è presente come testimone a un atto rogato a Forlì.

"… Presentibus testibus magistro Marcho Palmizano et magistro Valentino quondam Petri Pauli de Salimbenis de Forlivio…".

ASFo, Atti dei notai di Forlì, Girolamo Albicini, vol. 307 (XX), cc. 71r-72r

Bibliografia: Grigioni 1956, p. 352.

122

1529 maggio 29, Forlì

Marco Palmezzano cede a Tommaso Dall'Olio di Forlì, marito della figlia Giulia, otto tornature di terra coltivata a grano, poste a Forlì in località Sant'Agostino, del valore di quattrocento lire di bolognini, quale dote della figlia.

"… Magister Marcus quondam magistri Antonii Palmezani pictor de Forlivio presens pro se et suos heredes iure proprio et im perpetuum dedit et traddidit et consignavit pro dotibus et nomine dotis eius filie sponse pro verba de presenti Thome quondam home[66] Petri Iacobi de Donisiis aliter ab Oleo de Forlivio… tornaturas octo de una petia terre aratorie maioris seminatas de grano…

positas in comitatu Forlivii in lateribus Sancti Augustini… pro libris quinquaginta bononinorum pro tornatura quod capit in totum libras quadringentas bononinorum pro dotibus predictis… dictus Thomas minor viginti quinque annis maior vero sexdecim cum consensu, presentia et voluntate domine Cecilie eius matris et Ioannis quondam Francisci Fabri de Mutiliana et Pauli quondam magistri Ridolfi de Ridulfis de Forlivio proximiorum, affinium et attinentium dicti minoris… pro dotibus dicte Iulie eius sponse et uxoris pro verba de presenti…".

ASFo, Atti dei notai di Forlì, Baldino Dalle Selle, vol. 416 (XVI), cc. 126v-129r

Bibliografia: Grigioni 1956, p. 352.

123

1529 agosto 9, Forlì

Marco Palmezzano si dichiara debitore di Antonio per la somma di trentaquattro lire di bolognini, quale resto di cinquantaquattro per l'acquisto di un paio di buoi, impegnandosi a consegnare la somma rimanente entro l'8 settembre successivo.

"… Magister Marcus de Palmezanis de Forlivio presens sponte confessus et contentus fuit se esse debitorem magistri Antonii… presentis in libris 34 bononinorum pro resto librarum 54 bononinorum pro uno pari bovum sibi venditorum… quas promisit solvere… ad festum Sancte Marie 8 septembris…".

ASFo, Atti dei notai di Forlì, Pier Andrea Raffaini, vol. 1008 (XIII), c. 289v

Bibliografia: Grigioni 1956, pp. 352-353.

124

1529 settembre 1, Forlì

Tommaso Dall'Olio di Forlì costituisce Marco Palmezzano, suo suocero, quale suo procuratore.

"… Thomas quondam Petri Iacobi ab Oleo de Forlivio presens omni meliori modo constituit magistrum Marcum Palmezanum eius socerum de Forlivio presentem et acceptantem suum procuratorem specialiter ad exercendum et de receptis comparendum cum clausulis opportunis et etiam iuramento in… ipsius constituentis prestando et generaliter cum pleno mandato cum potestate…".

ASFo, Atti dei notai di Forlì, Baldino Dalle Selle, vol. 416 (XVI), c. 164r

Bibliografia: Grigioni 1956, p. 353.

125

1529 settembre 4, Forlì

Marco Palmezzano è presente come testimone a un atto rogato a Forlì.

"… Actum Forlivii… Presentibus magistro Marco Palmezano et Honofrio Framonte…".

ASFo, Atti dei notai di Forlì, Baldino Dalle Selle, vol. 416 (XVI), c. 167r

Bibliografia: Grigioni 1956, p. 353.

126

1529 ottobre 1, Forlì

Marco Palmezzano vende a Giorgio Teodoli un appezzamento di terra, posto a Forlì in località Mazzacavallo, per il prezzo di novecentotrentacinque lire e sedici soldi di bolognini.

"... Magister Marcus quondam Antonii Palmezanis de Forlivio presens iure proprio et in perpetuum dedit, vendidit, tradidit domino Zeorgio quondam Thome de Teodolis... unam petiam terre aratorie... positam in comitatu Forlivii in lateribus Mazzacavalli... et hoc pro pretio et nomine pretii librarum 53 solidorum 10 bononinorum pro tornatura quod capit in summam librarum 935 solidorum 16 bononinorum...".

ASFo, Atti dei notai di Forlì, Giulio Tornielli, vol. 1234 (I), cc. 205v-206r

Bibliografia: Grigioni 1956, p. 353.

127

1529 ottobre 2, Forlì

Baldassarre Tornielli di Forlì riceve da Marco Palmezzano centocinquanta lire di bolognini quale parte della dote per la moglie Pentesilea, figlia di Marco.

"... Magister Baldesar quondam Melchioris de Tornellis de Forlivio presens... ad instantiam et petitionem magistri Marci quondam Antonii de Palmezanis de Forlivio presentis etc. fuit confessus habuisse et recepisse libras centum quinquaginta bononinorum et hoc pro parte dotium domine Pantasilee uxoris dicti magistri Baldesaris et filie dicti magistri Marci pro matrimonio inter eos contracto et carnali copula consumato...".

ASFo, Atti dei notai di Forlì, Giorgio Rasi, vol. 1433 (V), c. 169r

Bibliografia: Grigioni 1956, p. 353.

128

1529 ottobre 13, Forlì

Davanti al pretore di Forlì, Marco Palmezzano riscatta otto tornature di terra, precedentemente cedute al genero Tommaso Dall'Olio di Forlì, quale dote per la figlia Giulia, consegnandogli in cambio la somma di trecento lire di bolognini.

"... Cum sit et fuerit quod magister Marcus de Palmezanis de Forlivio dederit et consignaverit Tome quondam Petri Iacobi ab Oleo de Donesiis de Forlivio presentis tornaturas octo terre aratorie cum pacto de restituendo pro libris quadringentis bononinorum pro dote domine Iulie filie dicti magistri Marci et uxoris dicti Tome pro matrimonio inter eos contracto et carnali copula consumato... Ideo constituti personaliter coram magnifico iure utriusque doctore domino Nicolao... pretore Forlivii... Tomas predictus... retrovendidit, tradidit et consignavit dictas terras a dicto magistro Marco presenti pro dicto pretio... dictus Tomas presens... fuit confessus et contentus se habuisse et recepisse a dicto magistro Marco presenti libras trecentas bononinorum...".

ASFo, Atti dei notai di Forlì, Pier Andrea Raffaini, vol. 1008 (XIII), cc. 336bis v-338v

Bibliografia: Grigioni 1956, p. 354.

129

1529 ottobre 13, Forlì

Marco Palmezzano è presente come testimone a un atto rogato a Forlì.

"... Actum Forlivii... Presentibus ser Petro Andrea Raffaino et magistro Marco Palmezano ...".

ASFo, Atti dei notai di Forlì, Baldino Dalle Selle, vol. 416 (XVI), c. 181r

Bibliografia: Grigioni 1956, p. 353.

130

1529 ottobre 25, Forlì

Antonio si dichiara completamente pagato da Marco Palmezzano per un paio di buoi a lui venduti.

"... Magister Antonius... presens fuit confessus habuisse a magistro Marco Palmezano presenti omnes pecunias sibi debitas ut supra manu mei pro uno pari bovum...".

ASFo, Atti dei notai di Forlì, Pier Andrea Raffaini, vol. 1008 (XIII), c. 349v

Bibliografia: Grigioni 1956, p. 354.

131

1531 gennaio 28, Forlì

Marco Palmezzano vende a Bartolomeo Settebuchi di Forlì un appezzamento di terra, posto a Forlì in località *Templi*.

"... Magister Marcus de Palmezanis per se etc. dedit, tradidit et consignavit iure proprio etc. Bartolomeo quondam magistri Batiste Setebusi de Forlivio presenti et pro se stipulanti et accipienti unam petiam terre aratorie tornaturarum octo... sitam in lateribus Templi."

ASFo, Atti dei notai di Forlì, Pier Andrea Raffaini, vol. 1009 (XIV), c. 168r

Bibliografia: Grigioni 1956, p. 354.

132

1531 maggio 9, Forlì

Marco Palmezzano riceve dal notaio, agente a nome di Maria del fu Giorgio Manzi di Forlì, moglie di Marco, cento lire di bolognini quale sua dote.

"... Magister Marchus quondam Antonii de Palmezanis de Forlivio presens etc. ad instantiam et petitionem mei notarii stipulantis nomine et vice domine Marie quondam Georgii Mangii de Forlivio et eius uxoris fuit confessus habuisse ab ea libras centum bononinorum et hoc pro eius dotibus pro matrimonio inter eos contracto et nondum carnali copula consumato... quam quantitate dictarum librarum centum bononinorum dictus magister Marchus ut supra presens promissit mihi antedicto notario stipulantis nomine dicte domine Marie et eius heredibus dare, reddere et restituere eidem vel eius heredibus aut cui ius et casus dederit in omne eventum et casum dicte dotis restituende in civitate Forlivii...Actum in domo magistri Marci in contrata Turis florentine...".

ASFo, Atti dei notai di Forlì, Vincenzo Valeri, vol. 1740 (III), c. 97r[57]

Bibliografia: Grigioni 1956, p. 355.

133

1531 maggio 22, Forlì

Marco Palmezzano dichiara di aver ricevuto da Benedetto Bisighini, sindaco e procuratore del monastero di San Mercuriale di Forlì, diciannove lire e diciotto soldi di bolognini per un paio di *fiachae* da realizzare entro quattro mesi, pena la restituzione del denaro ricevuto.

"... Dominus Benedictus Bisighinis sindicus et procurator monasterii Sancti Mercurialis de Forlivio... de suo mandato dixit constare manu ser Ioannis Battiste Solumbrini... ad instantiam mei notarii infrascripti... domini Filippi de Astiis vicarii reverendi domini episcopi Forlivii et Thome quondam Petri Iacobi ab Oleo presentium et instantium dixit et confessus fuit habuisse a dictis libras 19 solidos 18 bononinorum de pecuniis... Post predicta magister Marcus Palmezanus pictor presens et ad instantiam dicti domini Benedicti presentis etc. dixit et confessus fuit habuisse a dicto domino Benedicto supradictas libras 19 solidos 18 bononinorum ad faciendum unum par fiacharum infra terminum quatuor mensium proxime futurorum alias dicto termino elapso si non fecerit dictas fiachas teneatur restituere dictos denarios cum consensu dicti domini vicarii...".

ASFo, Atti del governatore, del podestà e delle giudicature minori, Instantiae, 1529, c. 237v

Bibliografia: Grigioni 1956, p. 355.

134

1531 agosto 3, Forlì

Giovanni Battista del fu Nicola muratore di Forlì si dichiara debitore di Marco Palmezzano di novantasei lire di bolognini, quale prezzo di un paio di buoi a lui venduti, impegnandosi a versare la somma nell'arco di un anno.

"... Magister Ioannes Baptista quondam magistri Nicolai muratoris de Forlivio presens sponte etc. ad petitionem et instantiam magistri Marcii quondam Antonii Palmezani de Forlivio presentis dixit et confessus fuit se esse verum et legitimum debitorem dicti magistri Marcii in et de quantitate librarum nonaginta sex videlicet librarum 96 bononinorum et hoc pro pretio et nomine pretii unius paris bovum sibi datorum et venditorum per dictum magistrum Marchum pilaminis unus horcelli et alter robei pro dicto pretio... Quas libras 96 bononinorum dictus magister Ioannes Baptista presens etc. promisit dicto magistro Marcho presenti etc. dare et solvere eidem magistro Marcho vel suis heredibus a festo sancte Marie presentis mensis augusti proxime futuro ad unum annum proxime futurum...".

ASFo, Atti dei notai di Forlì, Bonamente Torelli, vol. 429 (XI), c. 213

Bibliografia: Grigioni 1956, pp. 355-356.

135

1532 giugno 28, Forlì

Baldassarre Tornielli di Forlì dichiara di aver ricevuto da Marco Palmezzano la somma di duecentocinquanta lire di bolognini, quale parte di quattrocento lire pattuite per la dote della moglie Pentesilea, figlia di Marco.

"... Magister Baldessar quondam Melchioris de Torniellis sartor forliviensis presens per se... ad petitionem et instantiam magistri Marchi quondam Antonii de Palmezanis de Forlivio presentis pro se etc. dixit et confessus fuit se habuisse et reccepisse hac sibi integras datas, solutas et exbursatas fuisse a supra dicto magistro Marcho libras quadringentas bononinorum hoc modo videlicet libras ducentas quinquaginta bononinorum pro ut habuit actualiter in tanto auro in mei testiumque infrascriptorum... et alias libras centum quinquaginta pro ut alias habuit virtute infrascripti manu ser Georgii de Raxiis notarii... supradictus magister Marchus eidem magistro Baldessari dare et solvere tenebatur pro docte et doctis nomine domine Phentesilee filie dicti magistri Marchi et uxoris supradicti magistri Baldessaris pro ut de promissione dicte doctis constare... ex publico documento scripto et rogato manu ser Antonii Marie a Portho notarii...".

ASFo, Atti dei notai di Forlì, Francesco Merenda, vol. 1499 (II), cc. 45v-46r

Bibliografia: Grigioni 1956, p. 356.

136

1532 ottobre 7, Forlì

Marco Palmezzano è presente come testimone a un atto rogato a Forlì.

"... Presentibus testibus magistro Marcho quondam Antonii Palmezani...".

ASFo, Atti dei notai di Forlì, Vincenzo Savoretti, vol. 1071 (III), c. 52

Bibliografia: Grigioni 1956, p. 356.

137

1532 novembre 12, Forlì

Marco Palmezzano dichiara di aver ricevuto da Giovanni Battista del fu Nicola di Forlì la somma di novantasei lire di bolognini, quale prezzo per un paio di buoi venduti.

"... Magister Marchus quondam[68] de Palmezanis pictor de Forlivio presens sponte etc. ad petitionem et instantiam Ioannis Baptiste quondam magistri Nicolai muratoris de Forlivio presentis etc. dixit et confessus fuit habuisse et recepisse a dicto magistro Ioanni Baptiste libras nonaginta sex bononinorum in quibus eidem tenebatur pro pretio unius paris bovum sibi venditorum per dictum magistrum Marchum virtute instrumenti manu mei notarii infrascripti...".

ASFo, Atti dei notai di Forlì, Bonamente Torelli, vol. 430 (XII), c. 375r

Bibliografia: Grigioni 1956, p. 356.

138

1533 ottobre 6, Forlì

Nicola Mercuriali di Forlì si dichiara debitore nei confronti di Marco Palmezzano per la somma di undici scudi d'oro e di quarantotto soldi di bolognini per un'ancona realizzata per i frati Serviti di Forlimpopoli e si impegna a versarla entro il novembre successivo.

"... Nicolaus quondam Bernardini de Mercurialis de Forlivio presens... ad petitionem et instantiam magistri Marci de Palmezanis de Forlivio presentis et aceptantis fuit confessus et contentus esse suum verum et legitimum debitorem in suma et quantitate scutorum undecim auri et solidorum 48 bononinorum et hoc pro una anchona facta fratruum Servorum de Foropopuli pro quibus dictus Nicolaus solvere se obbligavit etc. exceptioni etc. quam quantitate dictorum scutorum undecim auri et solidorum 48 bononinorum promisit dare et solvere hinc per totum mensem novembris proximis futuris in civitate Forlivii... Actum Forlivii in domo dicti magistri Marchi...".

ASFo, Atti dei notai di Forlì, Vincenzo Savoretti, vol. 1072 (IV), c. 21r

Bibliografia: Grigioni 1956, p. 357.

139

1534 febbraio 11, Forlì

Volendo pagare la somma di cinquanta lire di bolognini alla serva Antenora, Tommaso Dall'Olio e la moglie Giulia, figlia di Marco Palmezzano, vendono a Girolamo Asti di Forlì un appezzamento di terra con una casa, posto a Forlì in località Fornò. All'atto sono presenti Marco Palmezzano e Matteo Donesi che prestano il loro consenso.

"... Thomas quondam Petri Iacobi ab Oleo de Forlivio et domina Iulia filia magistri Marci de Palmezanis de Forlivio et uxor dicti Thome minoris viginti quinque annis maiores tamen decem et octo cum consensu, presentia, licentia, voluntate, auctoritate dicti magistri Marci, Michaelis quondam Matthei de Donexiis et ipsius Thome proximiorum attinentium dictorum minorum de quibus ad presente reperiri possit in civitate Forlivii... ipse Thome vult dare Antenore eius pediseque libras quinquaginta bononinorum... dederunt, vendiderunt et tradiderunt Hieronimo quondam Iuliani de Astis de Forlivio presentis pro se et suis heredibus etc. ementi tornaturas quattuor et perticas octo... cum una domo supra dictis terris poxitis in comitatu Forlivii in lateribus Fornovii...".

ASFo, Atti dei notai di Forlì, Andrea Baldi, vol. 509 (XXIII), cc. 16v-17v

Bibliografia: Grigioni 1956, p. 358.

140

1534 febbraio 11, Forlì

Giulia, figlia di Marco Palmezzano e moglie di Tommaso Dall'Olio, dichiara di aver ricevuto dal marito duecentonovantotto lire di bolognini, somma che consegna al padre a titolo di deposito.

"... Honesta mulier domina Iulia filia magistri Marci Pal-

mezani et uxor ad presens Thome quondam magistri Petri Iacobi ab Oleo minor 25 annis maior tamen 15 cum consensu dicti magistri Marci eius patris, Thome eius mariti infrascripti, magistri Michaelis Donexii proximiorum attinentium dicte minoris presenti... dixit et confessa fuit habuisse pro ut... libras ducatos nonaginta octo bononinorum a dicto Thome per manus Hieronimi Hastis quas libras 298 bononinorum dicte domine Iulie cum consensu predicti presens... Post predicta dictus magister Marcus Palmezanis presens... ad instantiam dicte domine Iulie filie ipsius et uxoris dicti Thome et cum eius consensu dixit et confessus fuit habuisse et presens se in depositum et exceptione depositi libras ducatos nonaginta octo bononinorum...".

ASFo, Atti dei notai di Forlì, Pellegrino Beatrici, vol. 1064 (VI), c. 138

Bibliografia: Grigioni 1956, p. 358.

141

1534 febbraio 12, Forlì

Simone Numai di Forlì vende a Marco Palmezzano, agente a nome della filia Giulia, tre tornature di terra, poste a Forlì in località San Leonardo, per il prezzo di quindici scudi d'oro.

"... Magnificus dominus Simon de Numais de Forlivio presens per se etc. iure proprio et im perpetuum dedit, vendidit et tradidit magistro Marco Palmezano pictori civi foroliviensi presenti et nomine et vice domine Iulie eius filie sed absentis et uxoris Thome ab Oleo stipulanti, recipienti et[69] aceptanti et ementi tornaturas tres terre arratorie et pro quanta sit in lateribus Sancti Leonardi... et hoc pro pretio in summa scutorum quindecim auri in totum ...".

ASFo, Atti dei notai di Forlì, Pellegrino Beatrici, vol. 1064 (VI), cc. 138v-139v

Bibliografia: Grigioni 1956, p. 358.

142

1534 febbraio 13, Forlì

Simone Renondini di Forlì si dichiara debitore di Giulia, figlia di Marco Palmezzano e moglie di Tommaso Dall'Olio, la quale agisce con il consenso del padre presente alla stipula.

"... Simon quondam Renondini de Forlivio presens... ad instantiam et petitionem domine Iulie filie magistri Marci Palmezani uxoris Tome quondam Petri Iacobi ab Oleo cum dicto magistro Marcho presente... dixit contentus et confessus fuit se esse verum et legitimum debitorem predicte domine Iulie cum dicto magistro Marcho...".

ASFo, Atti dei notai di Forlì, Giacomo Numai, vol. 1717 (XVII), c. 149r

Bibliografia: Grigioni 1956, p. 359.

143

1534 febbraio 21, Forlì

Marco Palmezzano è presente come testimone a un atto rogato a Forlì.

"... Magister Marcus Palmezanis testis...".
ASFo, Atti dei notai di Forlì, Giuliano Morattini, vol. 1139 (XV), cartulazione mancante
Bibliografia: Grigioni 1956, p. 359.

144

1534 aprile 24, Forlì

Marco Palmezzano dichiara di aver ricevuto undici scudi d'oro e quarantotto soldi di bolognini da Nicola Mercuriali di Forlì, fideiussore dei frati di Santa Maria dei Servi di Forlimpopoli, quale pagamento di un'ancona per loro realizzata.
"... Magister Marchus quondam[70] de Palmezanis de Forlivio presens... ad petitionem et instantiam Nicolai de Mercurialibus de Forlivio presentis et acceptantis fuit confessus et contentus esse integre solutum et satisfactum a dicto Nicolao de scutis undecim auri et solidis 48 bononinorum in quibus eidem tenebatur vigore instrumenti manu mei notari infrascripti pro una fideiussione facta per fratres Sancte Marie Servorum de Foropopuli pro una anchona sibi vendita ...".
ASFo, Atti dei notai di Forlì, Vincenzo Savoretti, vol. 1072 (IV), c. 96v
Bibliografia: Grigioni 1956, p. 359.

145

1534 maggio 16, Forlì

Marco Palmezzano è presente come testimone a un atto rogato a Forlì.
"... Presentibus magistro Marcho quondam Antonii Palmezani de Forlivio et magistro Francisco quondam Ioannis Ugulini de Forlivio testibus...".
ASFo, Atti del governatore, del podestà e delle giudicature minori, Instantiae, 1531-1535, cc. 154v-155r
Bibliografia: Grigioni 1956, p. 359.

146

1534 agosto 17, Forlì

Marco Palmezzano è presente come testimone a un atto rogato a Forlì.
"... Presentibus magistro Marcho Palmezano pictore et ser Haurelio de Fabris testibus...".
ASFo, Atti dei notai di Forlì, Vincenzo Valeri, vol. 1743 (VI), c. 282r
Bibliografia: Grigioni 1956, pp. 359-360.

147

1534 novembre 20, Forlì

Matteo Framonti di Forlì, priore della Società della Concezione della beata Vergine Maria nella chiesa di San Francesco di Forlì, commissiona al pittore di indorare la tavola della beata Vergine e di dipingerla con oro fino e azzurro ultramarino con l'immagine della Pietà e i santi Sebastiano e Rocco. Per il lavoro il pittore riceverà la somma di trenta scudi d'oro.
"... Ser Mateus quondam Ioannis de Framontibus de Forlivio prior Societatis Conceptionis beate Virginis Marie in ecclesia Sacti Francisci de Forlivio ex una et magister

Marcus Palmezanus de Forlivio pictor ex altera convenerunt insimul videlicet quia dictus magister Marcus pictor predictus per se et suos heredes promisit et convenit dicto ser Mateo presenti et consentienti ut supra indorare tabulam beate Virginis predictam et depingere cum bono auro et azuro ultra marino ponere et facere inmazinem Pietatis, sancti Sebastiani et Rochi et omnia alia facere ad arbitrium boni viri et prout convenit dictus magister Marchus cum dicto ser Mateo et alis hominibus dicte societatis et e contra predictus ser Mateus presens nomine dicte societatis promisit dare dicto magistro Marcho presenti, aceptanti et consentienti de dicta suma videlicet scudos triginta cum dimidio alterius scudi auri in auro de qua suma et pretio actualiter ipse ser Mateus dedit et numeravit dicto magistro Marcho presenti et aceptanti infrascriptas pecunias videlicet scudos quinque auri in aro ducatos tres auri in auro et in moneta solidos octo... Residuum vero dictus ser Mateus promisit nomine dicte societatis subito quando dictus magister Marchus traderit dictam tabulam indoratam et pictam...".
ASFo, Atti dei notai di Forlì, Giacomo Numai, vol. 1717 (XVII), c. 526
Bibliografia: Grigioni 1956, p. 360.

148

1534 novembre 27, Forlì

Marco Palmezzano è presente come testimone a un atto rogato a Forlì.
"... Presentibus ibidem magistro Marcho quondam Antonii de Palmezanis pictore de Forlivio et Matteo quondam Blaxii de Gambaraldis de Forlivio testibus etc....".
ASFo, Atti dei notai di Forlì, Andrea Baldi, vol. 509 (XXIII), c. 72
Bibliografia: Grigioni 1956, p. 360.

149

1534 novembre 27, Forlì

Bartolomeo Settebuchi di Forlì dichiara di aver ricevuto da Marco Palmezzano quaranta lire di bolognini per la dote di Adriana, figlia di Marco e sposa di Francesco, figlio di Bartolomeo.
"... Magister Bartholomeus quondam magistri Baptiste de Secte Buxe calciolarius de Forlivio presens pro se... ad instantiam et petitionem magistri Marci quondam Antonii de Palmezanis pictoris de Forlivio presentis pro se etc. fuit confessus et contentus habuisse et recepisse libras quadraginta bononinorum et hoc pro dote et dotis nomine domine Andriane filie dicti magistri Marci et uxoris Francisci filii dicti magistri Bartholomei pro matrimonio...".
ASFo, Atti dei notai di Forlì, Andrea Baldi, vol. 509 (XXIII), c. 72v
Bibliografia: Grigioni 1956, pp. 360-361.

150

1535 febbraio 16, Forlì

Bartolomeo Timotei di Forlì e sua moglie Giulia, figlia del

fu Alessandro de la Cura di Forlì, minori di venticinque anni e maggiori di diciotto, con il consenso di Bernardina, madre di Bartolomeo, di Marco Palmezzano e di altri loro parenti, vendono a Girolamo Manzelli di Forlì un appezzamento di terra, posto a Forlì in località Spineto, per il prezzo di milledue lire di bolognini.

"... Bartolomeus quondam Gabrielis de Timoteis de Forlivio et domina Iulia eius uxor et filia quondam ser Alexandri de la Cura de Forlivio ambo unanimiter et concorditer per se et suos heredes et quilibet ipsorum principaliter et insolidum minores viginti quinque annis maiores tamen decem et octo cum consensu, presentia, voluntate et licentia domine Bernardine dicti Bartolomei matris, magistri Marci Palmezani pictoris, Zanmarchi quondam magistri Antonii de Mediolano, Francisci quondam Thimothei Birii, Mathei quondam Iacobi Bonasegni et Iacobi quondam Pini de la Cura proximiorum attinentium dictorum minorum... iure proprio et im perpetuum dederunt, vendiderunt et tradiderunt Hieronimo quondam Iacobi Manzelli de Forlivio pro se et suis heredibus presenti, stipulanti, recipienti et ementi unam petiam terre arratorie tornaturarum quattuordecim et pro quanta est... positam in comitatu Forlivii in lateribus Spineti... et hoc pro pretio librarum sexaginta bononinorum pro qualibet tornatura quod pretio facit summam librarum mille et duarum bononinorum...".

ASFo, Atti dei notai di Forlì, Pellegrino Maseri, vol. 1039 (XVII), cc. 25r-26r

Bibliografia: Grigioni 1956, pp. 361-362.

151

1535 febbraio 25, Forlì

Bernardina Porzi, vedova di Tommaso Palmezzani, agente a nome del figlio Annibale, insieme a Giovanni Battista Albicini, a Marco Palmezzano e a Benedetto Spinelli, vende a Nicola Marchesi di Forlì un appezzamento di terra, posto a Forlì in località Fiume morto, per il prezzo di duecentoventiquattro lire di bolognini.

"... Domina Bernardina quondam Petri a Portiis et olim uxor ser Thome de Palmezanis de Forlivio presens per se et suos heredes et nomine et vice ser Anibalis eiusdem domine Bernardine et dicti quondam ser Thome filii pro quo quidem ser Anibale dicta domina Bernardina de rato et rati habitione solemniter fideiussit... Ioannes Baptista quondam ser Cristofori Albicini, magister Marcus quondam Antonii Palmezani et Benedictus quondam Vincentii Spinelli de Forlivio... dederunt, vendiderunt et tradiderunt Nicolao quondam Hieronimi Marchesi de Forlivio... unam petiam terre aratorie tornaturarum quatuor... positam in comitatu Forlivii in lateribus Fluminis mortui... et hoc pro pretio et nomine pretii librarum sexaginta bononinorum pro tornatura... quod pretium facit summam libras 224 bononinorum...".

ASFo, Atti dei notai di Forlì, Bonamente Torelli, vol. 433 (XV), c. 53

Bibliografia: Grigioni 1956, p. 362.

152

1535 marzo 3, Forlì

Marco Palmezzano agisce a nome della figlia Giulia in un atto riguardante Simone Renondini.

"... Magister Marcus Palmezanus presens per se et nomine et vice domine Iulie filie ipsius magistri Marci pro qua... Simono Renondin ...".

ASFo, Atti dei notai di Forlì, Giacomo Numai, vol. 1718 (XVIII), c. 152bisv

Bibliografia: Grigioni 1956, p. 362[71].

153

1535 marzo 22, Forlì

Tommaso Dall'Olio di Forlì, Marco Palmezzano e Tranquillo Riccomanni Fiorentini di Forlì contraggono una società della durata di tre anni per l'esercizio dell'arte della lana. Tommaso Dall'Olio investe cento lire di bolognini, parte della dote della moglie Giulia, figlia di Marco.

"...Thomas quondam Petri Iacobi ab Oleo de Forlivio ex una magister Marchus Palmezanus de Forlivio ex una et Tranquilus filius Ioannis Baptiste Richomani Fiorentini de Forlivio cum consensu, verbo et parabola ipsius Ioannis Baptiste presentis et consentientis ex alia presentes per se et eorum heredes ad dandum gloriam et honorem omnipotentis Dei sponte unanimiter et concorditer fecerunt, inchoaverunt et soleniter contraxerunt sotietatem ad comunem lucrum et danum si quod fuerit quod... pro tribus annis proxime futuris hodie incipiendorum de ut sequitur finiendorum et deinde ad bene placitum ipsorum partium in exercitio artis lane biselle et aliarum rerum pro ut eiis videbitur magis expedire in dicta sotietate in qua quidem sotietate pro suo capitali dictus Thomas de pecuniis seu de dotibus domine Iulie uxoris predicti Tome dedit, deposuit et numeravit in presentia magistri Marci ipsi Tranquilo cum consensu ut supra et ipse Tranquilus cum consensu Ioannis Baptiste ut supra habuit in pecunia numerata libras centum pro ut ipsi magister Marcus et Tranquilus dixerunt esse veritum habuisse ab ipso Tome et pro ut...Actum Forlivii in domo dicti magistri Marci in contrata Turis florentine...".

ASFo, Atti dei notai di Forlì, Giacomo Numai, vol. 1718 (XVIII), cc. 187 quater r-quinter v

Bibliografia: Grigioni 1956, p. 362.

154

1535 ottobre 3, Forlì

Marco Palmezzano è presente come testimone a un atto rogato a Forlì.

"...Actum in domo dicti magistri Francisci posita in contrata detto Mozape... presentibus ibidem eximio artis[72] artium et medicine doctore magistro Polinphemo de Cortessonis et magistro Marcho quondam Antonii Palmezani de Forlivio testibus...".

ASFo, Atti dei notai di Forlì, Francesco Merenda, vol. 1502 (V), cc. 68r-69r

Bibliografia: Grigioni 1956, p. 363.

155

1535 ottobre 3, Forlì

Marco Palmezzano, Barbaluca Cavalli, Domenico Maseri, Francesco del fu Sebastiano di San Bernardo (è Francesco Menzocchi) e Girolamo del fu Bartolomeo Orefice, tutti pittori, sono testimoni al testamento di Anna Dolci, moglie di Livio Pagnini di Forlì.

"... Honesta et commendabilis mulier domina Anna filia quondam Christofori Dulci nobilis romani et uxor ad presens Livii filii magistri Francisci de Pagninis de Forlivio... presens sana mente, sensu, visu et intellectu sed corpore languens... cum testamento suarum rerum et bonorum omnium dispositionem per presens nuncupativum testamentum sine scriptis in hunc qui sequitur modum facere, procuravit et fecit... Actum in civitate Forlivii in domo dicti magistri Francisci Pagnini posita in contrata detto moza pe ... Presentibus ibidem dono Ludovico quondam Petri Pauli Raphaini, magistro Marcho quondam Antonii Palmezani pictore, magistro Barba Lucha quondam Ludovici Cavalli de Bononia habitatore Forlivii, magistro Dominico quondam Bernardini Maserii, magistro Francisco quondam filio fratris Sebastiani de Sancto Bernardo et magistro Hieronimo quondam magistri Bartolomei aurificis pictoribus omnibus et Iacobo quondam Bernardini alias il rosso Gippono de Forlivio testibus...".

ASFo, Atti dei notai di Forlì, Francesco Merenda, vol. 1502 (V), cc. 74r-76r

Bibliografia: Grigioni 1927, p. 323; Grigioni 1956, p. 363.

156

1535 novembre 9, Forlì

Giulia, figlia di Marco Palmezzano e moglie di Tommaso Dall'Olio, con il consenso del padre riceve da Simone Renondini duecento lire di bolognini, di cui era creditrice.

"... Domina Iulia filia magistri Marci Palmezani et uxor Thome ab Oleo et dictus magister Marcus presentes etc. sponte... ad instantiam Simoni Renondini... libras 200 bononinorum in quibus ipse Simon eidem tenebatur domina Iulia et magistro Marcho vigore instrumenti manu mei notarii...".

ASFo, Atti dei notai di Forlì, Giacomo Numai, vol. 1718 (XVIII), c. 569r

Bibliografia: Grigioni 1956, p. 363[73].

157

1536 gennaio 3, Forlì

Marco Palmezzano e il figlio Panfilo stabiliscono un accordo in merito agli alimenti che il padre è tenuto a dargli.

"... Cum sit et fuerit quod verteretur discordia inter magistrum Marcum de Palmezanis de Forlivio ex una et Pamphilum eius filium partibus ex altera de et super alimentis dicto Pamphilo debitis et prestandis per dictum magistrum Marcum dicti Pamphili legittimum patrem dictusque magister Marcus nollit cum dicto suo filio in iudicio diu littigare sed vellit cum eo concordari et agnoscere veram filiationem dicti Pamphili et erga ipsum

magistrum Marcum exhibitam et tractare ipsum Pamphilum et verum eius filium et quod idem Pamphilus in domo ipsius magistri Marci eius patris comode habitare minime potest ut dicto eius patri satisfaciat. Ideo coram me notario et testibus infrascriptis personaliter constitutus dictus magister Marcus et pro eo et eius precibus et mandatis Alexander quondam Baptiste de dictis Palmezanis de Forlivio presens per se et suos heredes sciens se ad predicta non teneri sed volens efficatiter in forma iuris solita obligari et quilibet ipsorum principaliter et insolidum per se et eorum heredes omnibus melioribus modo, via, iure et forma quibus melius et efficatius de iure potuerunt et debuerunt ac eisdem licuit et licet promiserunt dicto Pamphilo presenti, stipulanti et reccipienti dare, tradere et cum effectu consignare eidem Pamphilo pro alimentis suis presentis anni aut certo eius nuncio et legittimo procuratori usque ad recollectum proxime futurum infrascriptas res et bona videlicet: imprimis duo sextaria frumenti boni et recipientis ad mensuram Communis Forlivii. Ittem unum assagium vini puri et boni et duo assagia meschiati boni ad dictam mensuram Communis Forlivii. Ittem unum scutum auri in auro pro affictus unius domuncule. Ittem unum currum lignorum deinde vero post dictum recolectum quolibet anno sequenti incipiendo a tempore dicti recollectus presentis anni dictus magister Marcus eidem Pamphilo eius filio etiam presenti et acceptanti ut supra promisit ac etiam solemniter se obligavit ut supra dare, tradere et consignare toto tempore quo dictus Pamphilus it orsum a dicto eius patre et extra domum ipsius habitaverit tempore recollectus cuiuslibet anni futuri videlicet: imprimis scutos duos aureos pro affictu dicte domuncule. Ittem assagium unum vini puri et boni. Ittem duo assagia meschiati boni et recipientis ad dictam mensuram communis Forlivii. Ittem currum unum lignorum. Ittem sextaria tria frumenti boni et nitidi ad eamdem mensuram Communis Forlivii...".

ASFo, Atti dei notai di Forlì, Giambattista Dall'Olio, vol. 1119 (I), cc. 1r-2r

Bibliografia: Grigioni 1956, pp. 364-365.

158

1536 febbraio 1, Forlì

Marco Palmezzano e Tommaso Dall'Olio di Forlì concedono a Girolamo Asti di Forlì la dilazione di un anno per saldare il debito di trecentolire di bolognini con loro contratto.

"... Cum sit quod Hieronimi quondam Iuliani de Astis de Forlivio fuit et sit debitor magistri Marci quondam Antonii de Palmezanis de Forlivio et Thome quondam Petri Iacobi ab Oleo de Forlivio in et de quantitate librarum trecentarum bononinorum pro ut constat ex instrumento scripto et rogato manu mei Andree notarii infrascripti unde hac presenti die dicti Hieronimi magister Marcus et Thome coram me notario et testibus infrascriptis constituti, volentes et intendentes... a prorogare tempus et terminum descriptus et anotatus in dicto instrumento manu mei Andree notarii infrascripti... prorogaverunt dictum tempus et terminum in dicto instrumento manu mei Andree notarii infrascripti ad solutionem fiende unum annum proxime in mediate sequente ab hodie ...".

ASFo, Atti dei notai di Forlì, Andrea Baldi, vol. 511 (XXV), c. 10*v*

Bibliografia: Grigioni 1956, p. 365.

159

1536 aprile 26, Forlì

Antonio Melchiori di Forlì, priore della Società del Corpus Domini nella chiesa di Sant'Antonio Imperiale (è Sant'Antonio Vecchio) in borgo Ravaldino a Forlì, commissiona allo scultore Pietro Barilotto di Faenza l'esecuzione della decorazione scultorea al tabernacolo della chiesa, per il prezzo di venticinque scudi d'oro. Marco Palmezzano, presente alla stipula, è nominato da entrambe le parti a giudicare se l'opera realizzata sarà del valore corrispondente al prezzo stabilito.

"... Antonius quondam Andree Melchioris de Forlivio prior sacr? Societatis corporis domini nostri Iehsu Christi in ecclesia Sancti Antonii Imperialii de Forlivio sit? presens per se et suos in dicto prioratu successores... promisit etc. magistro Petro quondam Drudi Berlotti sculptori de Faventia presenti etc. eidem etc. solvere et de pecuniis dicte societatis exborsare scutos viginti quinque auri in auro... dictus magister Petrus ex adverso presens... dicto Antonio priori presenti etc. et acceptanti facere, sculpere et erigere de medulla petr? Histri? unum adornamentum dicto corpori Christi in dicta ecclesia altitudinis pedum sex et tertiorum duorum alterius pedis pertic? Communis Forlivii incipiendo a selicato ecclesi? usque ad summum frontispicii dicti adornamentis et latitudinis pedum trium et tertii unius alterius pedis pertic? Communis Forlivii cum duabus figuris angelorum, figura una domini Patris et una figura Pietatis suis locis et cum frontispicio, cornicie, fregio, architrave, colonnis bassis, gradibus et aliis pro pulcritudine dicti adornamentis necessariis secundum disignum porrectum per dictum magistrum Petrum exceptis figuris supra frontispicium dicti adornamentis positis quod disignum remansit p?nes dictum priorem ac secundum iudicium magistri Marci Palmezani pictoris forliviensis cui presenti etc. dict? amb? partes presentes etc. dederunt plenam et facultatem etc. iudicandi dictum adornamentum pro sufficentia dictorum scutorum 25 auri quos scutos 25 auri dictus Antonius prior presens etc. promisit dicto magistro Petro presenti etc. eidem exburssare hoc modo videlicet: tertiam partem dicte mercedis in principio et antequam incipiat sculpere dictum adornamentum. Item aliam tertiam partem postquam sculpserit medium dicti adornamenti et aliam tertiam partem usque ad integram solutionem finito et erecto dicto adornamento in civitate Forlivii etc. et generaliter etc. cum pacto quod dictus magister Petrus habeat sculpere dictum adornamentum totis suis sumptibus... et manificturis et si illud errigere in dicta ecclesia ad festum omnium sanctorum proxime futurum... dictus prior teneat ad expensas fiendas careggiis in conducendo dictum adornamentum a civitate Faventie Forlivium et ad expensas gessi et ferri pro dicta erectione. Si vero ad dictum festum omnium sanctorum dictum adornamentum non fuerit finitum... dictus magister Petrus teneatur ad festum nativitatis domini nostri Iehsu Christi et non ultra illud conducere Forlivium suis sumptibus carreggiorum... Pro quo magistro Petro et eius precibus etc. Hieronimus quondam Ioannis de Monsignanis de Forlivio presens et sed etc. volens et solemniter... Actum in dicta ecclesia Sancti Antonii Imperialis posita in civitate Forlivii in burgo Ravaldini...".

ASFo, Atti dei notai di Forlì, Giulio Tornielli, vol. 1238 (V), c. 39

Bibliografia: Grigioni 1956, p. 365; Grigioni 1962, p. 110.

160

1536 maggio 24, Forlì

Marco Palmezzano, in seguito all'omicidio commesso dal figlio Fabrizio ai danni di uno dei figli di Bartolomeo dai Carri di Ferrara, nomina Natale Succi di Ferrara, detto il barbiere, suo procuratore per stringere la pace con Bartolomeo e la sua famiglia.

"... Personaliter constitutus spectabilis vir magister Marchus quondam Antonii de Palmegianis de Forlivio pater et legitimus administrator ac coniucta persona Fabritii eius filii presens omni meliori modo etc. fecit, constituit et solemniter ordinavit prudentem virum dominum Natalem de Sutiis ditto il barberio ferrariensem absentem tamquam presentem specialiter et expresse ad ipsius constituentis nomine et pro eo humiliter instandum et petendum ac accipiendum et consequendum veram et liberam pacem nomine dicti Fabritii a domino Bartholomeo a Curribus de Ferraria et ab aliis eius filiis ac ab omnibus de eius consanguiniture ac aliis quibuscumque ad quos spectat occasione allegati homicidii ut dicitur commissi per dictum Fabricium in personam unius ex filiis dicti Bartholomei vel occasione quarumcumque iniuriarum vel offensionum... per dictum Fabritium contra dictum Bartholomeum vel aliquem de eius parentella...".

ASFo, Atti dei notai di Forlì, Vincenzo Valeri, vol. 1745 (VIII), c. 296

Bibliografia: Grigioni 1956, p. 366.

161

1537 agosto 31, Cesena

Marco Palmezzano dichiara di aver ricevuto cinquanta scudi d'oro da Lucia, moglie del fu Giovanni Spenditore di Cesena, quale ultima parte del pagamento per l'esecuzione di un'ancona commissionatagli da Lucia.

"... Egregius vir magister Marcus quondam Antonii de Palmezanis de Forolivio presens per se etc. fecit finem quietationem etc. honeste mulieri domine Lucie uxoris olim magistri Ioannis spenditoris de Cesena presenti et pro se etc. stipulanti etc. in et de quantitate scutorum quinquaginta auri in quibus ipsa domina Lucia tenebatur eidem magistro Marco pro factura unius ancone ut dicitur apparere manu ser Gasparis de Aldinis notarii publici Cesene et hoc ideo fecit prefatus magister Marcus quia non vi etc. se sponte dixit et confessus fuit dicta scuta quinquaginta habuisse a prefata domina Lucia...".

SASCe, Atti dei notai di Cesena, Cristoforo Forti, vol. 596, c. n.n.
Bibliografia: Grigioni 1913, p. 10; Grigioni 1956, p. 367.

162

1537 ottobre 31, Forlì

Marco Palmezzano e Tommaso Dall'Olio di Forlì dichiarano di aver ricevuto da Andrea Grassi di Forlì cinquanta lire di bolognini, quale pagamento per un appezzamento di terra a lui venduto.

"... Magister Marchus quondam Antonii de Palmezanis de Forlivio et Thomas quondam Petri Iacobi ab Oleo de Forlivio presentes per se... ad instantiam et petititonem Andree quondam magistri Petri de Grassis de Forlivio presentis etc. dixerunt et confessi fuerunt se habuisse et recepisse a dicto Andrea libras quinquaginta bononinorum in quibus dictus Andreas dictis magistro Marcho et Thome tenebatur et obligatus erat pro pretio unius petie terre arratorie vendite per dictos magistrum Marchum et Thommam dicto Andree virtute instrumenti manu mei notarii etc. que petia terre fuit reperta tornaturarum duarum cum dimidio ...".

ASFo, Atti dei notai di Forlì, Pellegrino Maseri, vol. 1040 (XVIII), c. 68*r*
Bibliografia: Grigioni 1956, p. 367.

163

1538 gennaio 10, Forlì

Marco Palmezzano è presente come testimone a un atto rogato a Forlì.

"... Presentibus ibidem magistro Marcho Palmegiano pictore et Francesco Gambaraldo ambobus de Forlivio testibus...".

ASFo, Atti dei notai di Forlì, Vincenzo Valeri, vol. 1747 (X), cc. 332*v*-333*r*
Bibliografia: Grigioni 1956, p. 369.

164

1538 gennaio 10, Forlì

Marco Palmezzano si impegna con Costanza, moglie del fu Antonio Melchiori di Forlì, a realizzare una tavola di legno stagionato, fornita di cornice, decorata con foglie a rilievo, dotata di architrave e di due semicolonne. Sopra l'architrave dovrà eseguire un quadro con l'immagine della Trinità, il quale, sottoposto al giudizio di periti, dovrà risultare idoneo e corrispondente al prezzo stabilito in base al disegno presentato. L'opera dovrà misurare otto piedi di altezza e sei piedi e mezzo di larghezza, contenere l'iscrizione "*Ave gratia plena Dominus tecum*" e rappresentare la scena dell'Annunciazione di Maria Vergine, da realizzarsi con colori fini e oro fino, che sostituirà il colore giallo in-

dicato nel disegno. Tutta l'opera, che, sia per la carpenteria che per la pittura, sarà sottoposta al giudizio di periti, dovrà essere completamente eseguita a spese del pittore, consegnata entro il successivo mese di agosto per la festa di santa Maria e collocata nella cappella dell'Annunciazione, posta nella chiesa di Santa Maria in Valverde di Forlì. Per il lavoro il pittore riceverà trentaquattro scudi d'oro.

"... Magister Marchus Palmegianus pictor excellens forliviensis presens per se et suos heredes sponte etc. omni meliori modo etc. promissit ac solemni stipulatione convenit domine Constantie uxori olim et heredi Antonii Melchioris de Forlivio presenti ac pro se ac suis heredibus stipulanti, recipienti et acceptanti fabricare seu fabricari facere unam tabullam lignaminis de lignamine stasionato et conducenti ad infrascriptum exercitium cornisatam et fogliamatam de relevo ac architrabi et cum duabus mediis columnis et supra architrabem unum quadrum ornatum in quo possit dipingi Sancta Trinitas eo modo quo in eo capire poterit et talem qualem sit iudicatam arbitrio peritorum aptam ydoneam ac condecentem ac recipientem ad pretium infrascriptum et iuxta designum porrectum infrascripte longitudinis ab altare ad sumitatem dicte tabulle pedum octo abinde vero supra cornisonum, frigium ac architrabem iuxta iustam proportionem ac mensuram latitudinis vero capiendo totas columnas et totam latitudinem pedum sex cum dimidio altaris pedis et iuxta designum et eius proportionem quantitatem et mensuram existentem penes dictum magistrum Marchum in quo designo sunt infrascripta manu mei nottarii infrascripti scripta verba videlicet "Ave gratia plena Dominus tecum" quam quidem tabullam seu anchonam dictus magister Marchus quoque promissit et convenit pingere et deaurare que pingenda ac deauranda erant colorum finorum et aurei fini videlicet in ea pingere Annunciationem Beate Marie Virginis de coloribus finis et ipsam anchonam seu tabullam in locis ubi apparet in designo coloratam de colore giallo in hiis lociis deaurare auro fino et eam tam de lignamine quam pictura et auro subtiliter, fideliter et iuditio perite persone et periti viri omnibus dicti magistri Marci sumptibus, laboribus ac expensis fabricare, facere et stabillire hinc ad festum sancte Marie de mense augusti proxime futuri et eam factam, fabricatam et stabillitam infra dictum terminum ponere, erigere et consignare in ecclesia sancte Marie de Valle viridi in capella sub titolo Annuntiationis olim... per quondam Antonium Melchioris in suo testamento manu mei notarii infrascripti omnibus autem dicti magistri Marci laboribus, sumptibus et expensis et hoc fecit et facere promissit pro mercede ac pretio ac salario scutorum triginta quatuor auri in auro ad rationem librarum trium solidorum quindecim bononinorum pro quolibet scuto. Quidem pretium dicta domina Constantia per se et suos heredes promissit et solemni stipulatione convenit pro mercede, salario et pretio dicte operis dicto magistro Marco presenti et aceptanti... dare et solvere in pecunia numerata etc. hoc modo videlicet... deddit, solvit et numeravit in presentia mei notarii et testium infrascriptorum... dicto magistro Marco presenti ac per se et suis heredibus stipulanti, recipienti et acceptanti scutos decem auri in auro pro parte dicti pretii ac mercedis. Item promissit eidem etc. solvere scutos decem auri in auro quum idem magister Marchus deaurari vellet seu inciperet deaurari dictam tabullam. Ressiduum vero quum eam tabulam seu anchonam compleverit seu perfecerit et eam posuerit in capella Annuntiationis in dicta ecclesia Sancte Marie de Valle viridi loco eius deputato...".

ASFo, Atti dei notai di Forlì, Vincenzo Valeri, vol. 1747 (X), cc. 390r-391r

Bibliografia: Grigioni 1956, pp. 367-369.

165

1538 gennaio 24, Forlì

Marco Palmezzano insieme al figlio Panfilo è presente e dà il proprio consenso a un atto riguardante i nipoti Lucrezia e Matteo, figli di Francesco Brunelli.

"... Domina Lucretia, filia quondam Francisci alias San Georgio de Brunellis de Forlivio minor XXV annis maior tamen XX cum consensu, presentia, verbo, auctoritate et parabola discorsi viri magistri Marci de Palmegianis eius avii et Pamphilli filii dicti magistri Marci et patrui ipsius minoris proximiorum attinentium et afinium dicti minoris ibidem presentium, dicentium et asserentium presentem contractium... in evidente utilitate dicti minoris quia intendit et vult liberare et absolvere infrascriptum dominum Matheum Brunellum forliviensem[74] eius consubrinum in venditione rationis administrationis rerum et bonorum dicti minoris ...".

ASFo, Atti dei notai di Forlì, Vincenzo Valeri, vol. 1747 (X), cc. 356v-358v

Bibliografia: Grigioni 1956, p. 369[75].

166

1538 aprile 17, Forlì

Per conto di Maddalena, figlia del fu Antonio Ostoli di Forlì e moglie del fu Paolo Guarini di Forlì, Marco Palmezzano vende a Lorenzo Orceoli di Forlì un appezzamento di terra, posto a Forlì in località Branzolino, per il prezzo di centosettantotto lire di bolognini, diciotto soldi e nove denari.

"... Domina Magdalena filia quondam Antonii de Ostolis de Forlivio et uxor olim Pauli Guirini de Forlivio et pro ea et eius precibus et mandatis magister Marchus quondam Antonii Palmezani de Forlivio... dederunt, vendiderunt et tradiderunt domino Laurentio quondam Antonii de Orcellis de Forlivio presenti et ementi etc. unam petiam terre aratorie tornaturarum septem, perticarum septem et pedum octo posita in comitatu Forlivii in lateribus Branzolini... et hoc pro pretio et nomine pretii librarum viginti trium bononinorum pro qualibet et singula tornatura... quod pretium fuit sumam librarum centum septuaginta octo solidorum decem et octo et denariorum novem bononinorum ...".

ASFo, Atti dei notai di Forlì, Bonamente Torelli, vol. 435 (XVII), cc. 87v-88r

Bibliografia: Grigioni 1956, p. 369.

167

1538 luglio 20, Forlì

Marco Palmezzano è presente come testimone al testamento di Valentino Salimbeni di Forlì, rogato nel refettorio della chiesa di Santa Maria in Valverde di Forlì.

"... Magister Valentinus quondam Petri Pauli de Salimbenis de Forlivio... volens se et sua bona disponere et ordinare per hoc presens nuncupativum testamentum et pro sane scriptis dicitur in hunc modum et formam facere procuravit et fecit... Actum Forlivii in refettorio fratruum Sancte Marie Valis viridi de Forlivio in sua iura et confines presentibus... magistro Marcho Palmezano de Forlivio...".

ASFo, Atti dei notai di Forlì, Giacomo Numai, vol. 1721 (XXI), cc. 321r-323v

Bibliografia: Grigioni 1956, p. 369.

168

1538 settembre 24, Forlì

Marco Palmezzano è presente come testimone a un atto rogato a Forlì.

"... Presentibus magistro Marcho Palmezani et Livio filio... Mamini de Solumbrinis testibus...".

ASFo, Atti dei notai di Forlì, Vincenzo Valeri, vol. 1747 (X), c. 192r

Bibliografia: Grigioni 1956, p. 369.

169

1538 novembre 28, Forlì

Stando all'atto rogato il 6 agosto 1532 dal notaio Baldino Dalle Selle di Forlì, Angelo Pisano abitante a Rimini si era impegnato con Filippo Marzanesi, Giacomo Dieterni e Giovanni Battista Coltrari, tutti forlivesi e rappresentanti della Società del Santissimo Rosario nella chiesa di San Giacomo dell'ordine di San Domenico di Forlì, a realizzare una tavola per l'altare di Santa Maria del Rosario nella chiesa secondo il disegno fornito da Marco Palmezzano. Non avendo ancora Angelo eseguito l'opera, i committenti obbligano il suo fideiussore, Ludovico Paponi di Forlì, a pagare la somma di dieci scudi d'oro.

"... Quum hoc sit etc. quod alias magister Angelus quondam magistri Christophori Pisanus habitator nunc Arimini conduxerit a Philippo quondam Nicolai de Marzanesiis, ser Iacobo Deaterno et Ioanne Baptista quondam Bernardini Cultrarii omnibus civibus Forliviensibus ac nomine Societatis Sanctissimi Rosarii in ecclesia Sancti Iacobi ordinis Sancti Dominici de Forlivio locantibus ad fabricandum unam tabulam lignaminis sive anchonam pro altare Sact? Mari? Rosarii dict? Societatis in dicta ecclesia et ipsam tabulam predictus vir Angelus conductor promiserit predictis locatoribus dicto nomine presentibus perficere iuxta designum, formam ac exsemplar tunc porrectum manu magistri Marci Palmegiani pictoris de Forlivio quem dict? partes ex tunc elligerunt et promiserunt stare eius arbitrio infra certum tempus et pro quadam laboris mercede et mercedis quantitate de quibus et aliis latius constat ex instrumento scripto et rogato per ser Baldinum a Sellis olim

notarium publicum forliviensem sub die sexta augusti 1532. Et quum sit quod dictus magister Angelus dictam tabulam numquam fabricaverit et tempus ad dictam tabulam fabricandam prefixum consumptum sit absque cumque predicta tabula perfecta sit per dictum magistrum Angelum nec eidem tabule non solum extremam sed nec primam predictam manum imposuerit minimeque vi dicto instrumento per ad promissa adimpleverit pro ut tenebatur et propter ipso magistro Angelo in omnibus promissit penitus deficiente magister Ludovicus quondam magistri Antonii Paponi de Forlivio qui dicti magistri Angeli virtute dicti instrumenti in fide iussor in forma extitit coactus fuerit per suprascriptos Philuppum de Marzanesiis, Ioannem Baptistam Cultrarium et Bartolomeum filium et heredem sepulti ser Iacobi Diaterni locatores prefatos dicto nomine ad rem solvedum et ipsis exborsandum scutos decem auri...".
ASFo, Atti dei notai di Forlì, Giulio Tornielli, vol. 1238 (V), cc. 172r-173r

Bibliografia: Grigioni 1956, p. 370.

170

1539 marzo 29, Forlì

Marco Palmezzano dichiara di aver ricevuto quarantadue scudi d'oro da Costanza, moglie del fu Antonio Melchiori di Forlì, per mano di padre Nicola da Vicenza della chiesa di Santa Maria in Valverde, quale compenso per una tavola dipinta e dorata per la cappella dell'Annunciazione posta nella chiesa.

"... Magister Marchus quondam Antonii Palmegiani de Forlivio pictor presens per se etc. sponte etc. ad instantiam mei notarii stipulantis nomine et vice domine Constantie uxoris olim Atonii Melchioris de Forlivio absentis etc. confessus fuit se fuisse solutum et satisfactum ab ea in et de scutis 42 auri in duabus vicibus videlicet in una vice de scutis 41 auri et in alia vice de scuto uno auri in tanta moneta per manus reverendi patris fratris Nicolai de Vincentia provincialis Sancte Marie de Valle viridi de pecuniis tamen ipsius domine Constantie prout ipse frater Nicolaus dixit et confessus fuit in quibus scutis 42 dicta domina Constantia eidem magistro Marcho tenebatur pro eius mercede unius ancone picte et dearate sub titulo Santissime Anuntiationis beate Marie Virginis site et posite in dicta ecclesia Sancte Marie de Valle viridi eidem facte per dictum magistrum Marchum vigore instrumenti manu ser Vincentii Vale*ri notarii*...".
ASFo, Atti dei notai di Forlì, Giovanni Francesco Olivieri, vol. 1482 (V), c. 182*v*

Bibliografia: Grigioni 1956, p. 371.

171

1539 marzo 29, Forlì

Marco Palmezzano fa testamento nella sua casa posta a Forlì in contrada Torre fiorentina e dispone quanto segue: stabilisce di essere sepolto nella chiesa di San Domenico di Forlì; nomina suo esecutore testamentario il genero Francesco Settebuchi di Forlì; lascia alla Società del Corpo di Cristo nella cattedrale di Forlì venti lire di bolognini *pro male ablatis incertis;* lascia alle figlie Faustina, Antonia, Pentesilea, Adriana, Giulia e Laura quattrocento lire di bolognini, somma corrispondente alla dote; lascia alla moglie Maria, figlia del fu Giorgio Manzi, diversi appezzamenti di terra, posti a Forlì in località *Templi* e Carpena, arredi, vestiti e un vitello; nomina, infine, eredi universali i figli Panfilo, Fabrizio e Silvio.

"... Magister Marchus quondam Antonii Palmezani de Forlivio presens sanus Dei gratia mente, sensu et intellectu licet corpore languens, timens periculum mortis future nolens intestatus decedere sed sua bona ordinata relinquere per presens nuncupativum testamentum sive scriptis in hunc qui sequitur modum et formam facere procuravit et fecit videlicet. In primis namque animam suam omnipotenti Deo humiliter et devote comendavit sepulturam vero suam ellegit, deputavit et esse voluit apud ecclesiam Sancti Dominici de Forlivio circa quam expendi voluit quod iudicabitur infrascripto suo comissario comissarium autem suum et presentis testamenti executorem ellegit et esse voluit Franciscum quondam Bartolomei Ebucii eius generem de Forlivio cui dedit licentiam vendendi etc. Item reliquit dictus testator iure legati de bonis suis Societati Corporis Christi situate in ecclesia cathedrali de Forlivio solidos viginti bononinorum pro male ablatis incertis. Item reliquit dictus testator iure institutionis dominabus Faustine, Antonie, Pantasilee, Adriane, Iulie et Laure eius filiabus nuptis eius dotes quas dixit sibi dedisse pro dotibus suis et pro omni eo et toto quod dicte eius filie et qualibet earum petere possent in bonis et hereditatibus dicti testatoris iure nature et quacumque alia de causa iubens et mandans ipsas debere stare tacitas de dictis dotibus et nihil amplius petere in bonis et hereditatibus dicti testatoris. Item reliquit dictus testator iure legati de aliis suis bonis domine Marie filie quondam Zeorgii Mansii et ad presens uxori dicti testatoris unam petiam terre aratorie tornaturarum duarum et perticarum quinque et pro tanta quanta est in suma positam in comitatu Forlivii in lateribus Templi iuxta burdonum linarollum, viam communis et alios a duobus et alios. Item aliam petiam terre aratorie unius tornature et pro tanta quanta est in suma positam in dictis lateribus, iuxta iura fratruum Sancti Augustini, Marchum Livium Zolinum et alios. Item unam petiam terre canetate pro tanta quanta est in suma positam in dictis lateribus, iuxta Hieronimum de Ridulphis, capestrarum flumen, Petrum Tosium et alios. Item unam petiam terre vineate perticarum quindecim et pro tanta quanta est in suma positam in comitatu Forlivii in lateribus Carpene, iuxta magistrum Ambrosium... ferarium viam communis et alios. Item lectum unum et paria duo linteaminum et duas capsas et duas vasettas et hec in vita sua tantum ita quod fructus dictorum bonorum solumodo sint et esse debeant ipsius domine Marie in vita sua tantum post vero hoc cum conditione et pacto quod dicta domina Maria nullo modo possit aut valeat petere libras centum bononinorum in quibus dictus magister Marchus se dicte domine Marie constituit iure instrumenti publici scripti et rogati manu ser Vincentii Valerii notarii publici forliviensis quod instrumentum voluit quod dicta domina Maria teneatur cassare et annullare in forma ita quod amplius aliquid petere non possit ab heredibus suis infrascriptis post vero mortem dicte domine Marie voluit dicta omnia bona absque aliqua diminutione pervenire pleno iure ad heredes suos infrascriptos. Item reliquit dictus testator eodem iure legati eidem domine Marie omnes eius panos laneos et lineos et alia bona omnia ad usum dicte domine Marie et ipsius magistri Marcii et quod ipsa domina Maria toto tempore vite sue habeat et habere debeat habitationem in domo dicti testatoris in eius ad presens camara cubiculari absque contraditione infrascriptorum suorum heredum etc. et si et casu quo dicti infrascripti sui heredes quoquo modo venderent seu alienarent dictam domum tunc et eo casu voluit per heredes sui infrascripti teneatur et debeant sibi dare habitationem congruam et comparatam in alia domo. Item reliquit dictus testator iure legati eidem domine Marie unum vitullum ad presens existentem penes eius laboratorem quem dixit fuisse et esse ipsius domine Marie et illum emisse de suis propriis peculniis. In omnibus autem aliis suis bonis mobilibus iuribus et actionibus tam presentibus quam futuris Pamphilum, Fabricium et Silvium dicti testatoris filios legitimos et naturales sibi heredes universales instituit fecit et esse voluit pleno iure et equis portionibus et si aliquis ex dictis suis filiis dece-

deret sine filiis legitimis et naturalibus eidem sive eisdem substituit superviventes sive superviventem et superviventium sive superviventis filios legitimos et naturales in stirpem et non in capite et hanc suam ultimam voluntatem asseruit esse et esse velle quam valere voluit iure testamenti quod si iure testamenti non valeret vel valebit valeat saltem vel valebit iure codicilorum et cuislibet alterius ultime voluntatis quibus melius de iure et omni alio meliori modo valere potest et tenere etc. cassans etc. rogans etc.

Actum Forlivii in domo dicti testatoris posita in contrata Turis florentine iuxta viam communis a tribus, Iohanem Philippum Muratinum et alios. Presentibus dono Bartolomeo Papono, dono Ioanne Maria filio Bernardini Zipponi clericis forliviensibus, Christoforo quondam Antonii Pulzoni, Francisco filio Iacobi Furgosi, Francisco quondam magistri Nerii Ghirardini, Michaelle quondam fratris Thome fornarii de Forlivio et Ioanne Francisco quondam Ioannis Petri de Parma omnibus de Forlivio testibus ad predicta omnia et singula habitis vocatis et ore proprio ipsius testatoris rogatis etc. Et ego idem Bonamentus Torellus notarius rogatus scripsi et publicavi."

ASFo, Atti dei notai di Forlì, Bonamente Torelli, vol. 436 (XVIII), cc. 89r-90v

Bibliografia: Grigioni 1916, pp. 129-130; Grigioni 1956, pp. 371-374.

ABBREVIAZIONI
ASFo: Archivio di Stato di Forlì
BCFo: Biblioteca Comunale di Forlì
SASCe: Sezione di Archivio di Stato di Cesena
SASFa: Sezione di Archivio di Stato di Faenza
SASI: Sezione di Archivio di Stato di Imola

[1] *Habitatoris* è cancellato con una linea soprascritta.

[2] *Librarum* è cancellato con una linea soprascritta.

[3] Il documento è rilegato in un volume di atti rogati nel 1484, ma nel protocollo del presente atto sono specificati solamente il giorno e l'indizione, che non coincide con quella del 1484, ma che risulta corrispondere all'anno precedente. Da qui si ipotizza che l'atto sia stato rogato nel 1483.

[4] *Gabriellis* è cancellato con una linea soprascritta.

[5] Le carte sono state rilegate invertendo il loro corretto ordine.

[6] *Magistri Iohannis Mazoli* è scritto sul margine sinistro della carta.

[7] *Conservatio indemnitatis* è scritto sul margine sinistro della carta.

[8] *Credito* è cancellato con una linea soprascritta.

[9] L'atto compare in una prima stesura alle carte 54r-55r del medesimo volume. In questa sede si è trascritta la seconda redazione perché più completa.

[10] L'atto è scritto a fianco del documento, rogato in data 12 giugno 1497, a cui fa riferimento.

[11] Lo stesso documento compare in una seconda redazione in ASFo, Corporazioni religiose soppresse, Monastero di San Mercuriale, libro Vite, n. 112, cc. 117r-118v.

[12] Segue uno spazio bianco.

[13] *In suma* è cancellato con una linea soprascritta.

[14] *Dicto* è cancellato con una linea soprascritta.

[15] *Pro dicto* è cancellato con una linea soprascritta.

[16] Cfr. con doc. n. 18 (ASFo, Atti dei notai di Forlì, Pier Antonio Michelini, vol. 270 (XI), cc. 56r-57r). I due documenti presentano lo stesso contenuto, ma sono redatti da due notai diversi. Inoltre nel presente documento manca la sottoscrizione del notaio.

[17] Lo stesso documento compare in una precedente stesura redatta da Giovanni Michellini in data 20 maggio 1500 in ASFo, Atti dei notai di Forlì, Giovanni Michellini, vol. 581 (III), c. 87r.

[18] La stessa notizia compare in *Cronaca Albertina fedelmente estratta dal suo originale da me Marcantonio del fu sig. Bernardino Albicini questo anno 1720*, BCFo, ms. I.45, c. 272: "... La cappella grande fu finita di dipingere al primo de agosto 1501 per mano di maestro Marco già d'Antonio Palmeggiano. Et havendo li canonici fatto un ancona per la representazione del corpo di Christo per l'altare grande fu posta suso al primo d'ottobre 1506 per la venuta di Papa Giulio II et l'havea fatto maestro Marco Palmeggiano. Gli erano certe cose degnie come l'hostia ch'havea in mane il Salvatore nostro et una pollicia dipinta che notificava il nome del maestro et era alquanto stracciata pareva veramente destaccata ...".

[19] Lo stesso documento compare in una seconda redazione in ASFo, Corporazioni religiose soppresse, Monastero di San Mercuriale, libro Vite, 112, cc. 56r-58r.

[20] Grigioni riporta l'indicazione del documento senza trascriverlo.

[21] Grigioni riporta l'indicazione del documento senza trascriverlo.

[22] Lo stesso documento compare in una seconda redazione in ASFo, Corporazioni religiose soppresse, Monastero di San Mercuriale, libro Vite, 112, cc. 233v-234v (documento inedito).

[23] Lo stesso documento compare in una seconda redazione in ASFo, Atti dei notai di Forlì, Giovanni Michellini, vol. 584 (VI), c. 99r (documento inedito).

[24] Un segno rimanda a una postilla sul margine sinistro della carta su cui è scritto *presenti, recepienti et conducenti pro uno anno pro eius usus et ultra ad beneplacitum*.

[25] *Mazoni* è cancellato con una linea soprascritta.

[26] Un segno rimanda a una postilla presente sul margine sinistro della carta su cui è scritto *in moneta bona veneta*.

[27] *Occasione pretii cuisdam domus dictorum fratruum eidem Marco vendite pro ut dicta venditione instrumento manu* è scritto sul margine sinistro della carta.

[28] *Dicte domine Bernardine de commissione dictorum Ioannis, Antonii et Hieronimi presentium et eidem emptore committentium* è scritto sul margine sinistro della carta.

[29] Grigioni riporta l'indicazione del documento senza trascriverlo.

[30] Grigioni riporta l'indicazione del documento senza trascriverlo.

[31] L'atto è rogato dal notaio Roberto Pasini, come risulta dalla sottoscrizione "... Et ego Robertus Pasinus notarius rogatus fui et publicavi", ma è rilegato in un volume di atti di Francesco Rosetti.

[32] *Societatis* è cancellato con una linea soprascritta.

[33] *Et Ioannes Franciscus alias el fra Nicolai Vaxetti* è scritto nel margine sinistro della carta.

[34] La stessa notizia compare in *Cronaca Albertina fedelmente estratta dal suo originale da me Marcantonio del fu sig. Bernardino Albicini questo anno 1720*, BCFo, ms. I.45, c. 114.

[35] Grigioni riporta l'indicazione del documento senza trascriverlo.

[36] Segue uno spazio bianco.

[37] Lo stesso documento compare in una seconda redazione in ASFo, Atti dei notai di Forlì, Paolo Bonucci, vol. 347 (XXXV), cc. 40v e 41r.

[38] *Ornatam* è scritto sul margine sinistro della carta.

[39] *In presentia mei notarii et testium infrascriptorum* è scritto sul margine sinistro della carta.

[40] Segue uno spazio bianco.

[41] Lo stesso documento compare in una seconda redazione in ASFo, Atti dei notai di Forlì, Girolamo Albicini, vol. 292 (V), cc. 92r-93r.

[42] *In comitatu* è cancellato con una linea soprascritta.

[43] *Venditor* è cancellato con una linea soprascritta.

[44] *Melchioris quondam Rubei Tonii Rizii de Castiuno* è scritto sul margine sinistro della carta.

[45] *Pro se et nomine et vice dictorum Gabrielis et Alexandri de quibus in dicto instrumento manu Ioannis Baptiste Morattini pro quibus de rato e rati abitione promisit se facturum et* è scritto sul margine sinistro della carta.

[46] Lo stesso documento compare in una seconda redazione in ASFo, Atti dei notai di Forlì, Paolo Bonucci, vol. 340 (XXVIII), c. 101.

[47] Grigioni riporta l'indicazione del documento senza trascriverlo.

[48] *Heredum domini magistri Bartolomei Lombardini de Forlivio* è scritto sul margine sinistro della carta.

[49] *Pro Petrofrancisco, Marcolino et Hieronimo de Monsignano* è scritto sul margine sinistro della carta.

[50] *Fo* è cancellato con una linea soprascritta.

[51] *In* è cancellato con una linea soprascritta.

[52] *Et hoc video fecit* è cancellato con una linea soprascritta.

[53] *Ressi* è cancellato con una linea soprascritta.

[54] *Et instantis* è espunto e cancellato con una linea soprascritta.

[55] *Resto* è cancellato con una linea soprascritta.

[56] Segue uno spazio vuoto.

[57] Grigioni riporta l'indicazione del documento senza trascriverlo.

[58] *De* è cancellato con una linea soprascritta.

[59] Lo stesso documento compare in una seconda redazione in ASFo, Atti dei notai di Forlì, Nanne Porzio, vol. 184 (XIII), c. 49r.

[60] *Fuit con* è cancellato con una linea soprascritta.

[61] *Quondam* è seguito da uno spazio bianco.

[62] Grigioni riporta l'indicazione del documento senza trascriverlo.

[63] *Quondam* è seguito da uno spazio bianco.

[64] *Contrata* è cancellato con una linea soprascritta.

[65] *Et Baptiste* è cancellato con una linea soprascritta.

[66] *Home* è cancellato con una linea soprascritta.

[67] Lo stesso documento compare in una seconda redazione alla c. 101.

[68] Segue uno spazio bianco.

[69] *Et* è cancellato con una linea soprascritta.

[70] Segue uno spazio bianco.

[71] Grigioni riporta l'indicazione del documento senza trascriverlo.

[72] *Artis* è cancellato con una linea soprascritta.

[73] Grigioni riporta l'indicazione del documento senza trascriverlo.

[74] *Brunellum forliviensem* è scritto sul margine sinistro della carta.

[75] Grigioni riporta l'indicazione del documento senza trascriverlo.

Bibliografia generale

a cura di Serena Togni

Manoscritti

Acta 1606
Acta e Decreta Illustrissimi et Reverendissimi Domini Petri Cardinalis Aldobrandini S.R.E. Camerarii et archiepiscopi ravennatis in prima suae iusdem Ecclesiae Visitatione, ms., Ravenna, Archivio Diocesano, 1606

Acta 1680
Acta e Decretae II visitationis ab anno 1678 ad annum 1680, ms., Ravenna, Archivio Diocesano, 1680.

Bernardi ms. 1/17
Andrea Bernardi (Novacula), Cronache Forlivesi, Forlì, Biblioteca Comunale A. Saffi, ms. 1/17

Bosi 1820
Lucio Bosi, Serie ossia raccolta delle iscrizioni lapidarie antiche esistenti nelle chiese di Forlì e descrizione delle medesime chiese e descrizione di tutte le sculture e pitture che in esse vi esistono, con l'indicazione certa dei rispettivi loro autori e pittori, 1820, Forlì, Biblioteca Comunale A. Saffi, ms. F.6.38

Cantoni ms. 164.42 C
Antonio Cantoni, Memorie dell'illustre città di Cesena nella provincia di Romagna, nelle quali brevemente è compreso tutto ciò che può notarsi di più considerabile nella sua storia, e del suo stato antico, e presente, con la notizia degli illustri cesenati antichi, e viventi; compilate per servire alla descrizione di tutte le città d'Italia, 1779, Cesena, Biblioteca Malatestiana, ms. 164.42 C

Casali CR 177.203
Giovanni Casali, Appunti su vari pittori forlivesi, secolo XIX, Forlì, Biblioteca Comunale A. Saffi, Fondo Piancastelli, Carte Romagna 177.203

Casali CR 97.9
Giovanni Casali, Memorie per le biografie degli artisti forlivesi, 1858, Forlì, Biblioteca Comunale A. Saffi, Fondo Piancastelli, Carte Romagna 97.9

Cignani CR 177.179
Carlo Cignani, Pitture più celebri e cospicue di Forlì descritte dal Signor Conte Carlo Cignani 1691 copiate dal Priore Pierantonio del fu cavaliere Cristoforo Rosetti 1798, 4 luglio dal suo originale, 1691, Forlì, Biblioteca Comunale A. Saffi, Fondo Piancastelli, Carte Romagna 177.179

Crespi ms. B 384.II
[Luigi Crespi], Descrizione di molti quadri del Principe del Sacro Romano Impero Filippo Hercolani marchese di Florimonte, Cimaberlano delle MM.LL.II.RR. ed Ap. Cavaliere Principe dell'Ordine Palatino di Sant'Uberto, pubblicata in occasione delle sue nozze con Sua Eccellenza la Signora marchesa Donna Corona Cavriani [1774], Bologna, Biblioteca Comunale dell'Archiginnasio, ms. B 384.II (altra versione manoscritta conservata presso l'archivio privato Hercolani a Bologna, busta 16, dal titolo Descrizione de' quadri di Sua Eccellenza il Signor Marchese Filippo Hercolani Principe del Sacro Romano Impero, Ciamberlano delle MM.LL. II. RR. ed Ap. Cavalier Principe dell'Ordine Palatino di Sant'Uberto, publicata (sic) nell'occasione delle sue nozze con Sua Eccellenza la Signora Donna Corona Cavriani [1774])

Cronaca Albertina
Cronaca Albertina fedelmente estratta dal suo originale da me Marcantonio del fu sig. Bernardino Albicini questo anno 1720, Forlì, Biblioteca Comunale A. Saffi, ms. I.45 (e copia di mano di Fra Pier Antonio Balducci del 1807-1808, Forlì, Biblioteca Comunale A. Saffi, Fondo Piancastelli, ms. IV/18)

Divisione secolo XVIII
Divisione dei quadri di famiglia, tra i fratelli Luigi, Ludovico, Livio, in morte di Raffaello Albicini, sec. XVIII, ms., Forlì, Archivio Eredi Albicini, Busta 66, fasc.1

Fascicolo 1802
Fascicolo di documenti relativi a quadri nelle chiese di Forlì nel periodo napoleonico (1802), Forlì, Biblioteca Comunale Saffi, Fondo Grigioni, Busta II, Archivio Comunale di Forlì quaderno unico

Gabbi ms. 18
Gabbi, Chiese e conventi di Parma, inizio secolo XIX, Parma, Archivio di Stato, ms. 18

Galleria Albicini 1935
Galleria Albicini, Catalogo dei quadri 1935, Forlì, Archivio Eredi Albicini, Cartella Inventari

Giordani ms. B 1809
Gaetano Giordani, Memorie ms. intorno alla vita ed alle opere di pittori scultori architetti d'Imola raccolte l'anno 1826, Bologna, Biblioteca Comunale dell'Archiginnasio, ms. B 1809

Giordani ms. B 1810
Gaetano Giordani, Memorie diverse artistiche, storiche e letterarie raccolte da Gaetano Giordani, Bologna, XIX secolo, Biblioteca Comunale dell'Archiginnasio, ms. B 1810

Giordani ms. B 1813
Gaetano Giordani, Memorie mss. intorno alle vite ed alle opere de' pittori scultori architetti di Forlì, 1828, Bologna, Biblioteca Comunale dell'Archiginnasio, ms. B 1813

Giordani ms. B 1819
Gaetano Giordani, Ricordi di belle Arti, 1857, Bologna, Biblioteca Comunale dell'Archiginnasio, ms. B 1819

Giordani ms. B 1821
Gaetano Giordani, Zibaldone o miscellanea di memorie pittoriche da Gaetano Giordani scritte nel visitare le città di Ferrara, Modena, Reggio, Piacenza, Parma e Milano, Bergamo, Brescia, Treviso e Genova, Forlì, Ravenna, Dresda, Bologna, Bologna, Biblioteca Comunale dell'Archiginnasio, ms. B 1821

Guarini ms. I/1-16
Filippo Guarini, Diario Forlivese, 1863-1920, Forlì, Biblioteca Comunale A. Saffi, ms. I/1-16

Guarini ms. I/149
Filippo Guarini, Famiglie forlivesi, secolo XIX, Forlì, Biblioteca Comunale A. Saffi, Fondo Piancastelli, ms. I/149

Guiducci ms. II.40
Ignazio Guiducci, Notizie dell'Abbazia e Archivio di S. Mercuriale, Forlì, Biblioteca Comunale A. Saffi, ms. II.40

Inventaire 1905
Inventaire descriptif des collections de l'Ariana dressé par Godfroy Sidler au 31 décembre 1905, ms., archivi M.A.H.

Inventari secolo XVIII
Inventari di quadri della Galleria Albicini, con le stime dei pittori Giuseppe Versari e conte Felice Cignani, secolo XVIII, ms., Forlì, Archivio Eredi Albicini, Busta 72, 1

Inventarii 1613-1614
Inventarii de beni mobili di tutte le Chiese parochiali, benefitii semplici, monache, oratori, hospitali, con fraterne e collegiate della città et diocesi della Metropolitana di Ravenna, fatti l'anno 1631 nella terza visita dell'Illustrissimo Reverendissimo domino Pietro Cardinale Aldobrandino arcivescovo et della Santa Romana Chiesa Camerlengo, Ravenna, Archivio Diocesano, 1613-1614

Inventario 1817
Inventario scritto da Giuseppe e Paola Convitali nel 1817, ms., Forlì, Archivio Eredi Albicini, Busta 72, 6

Inventario secolo XX
Inventario n. 239, primi decenni del secolo XX, ms., Forlì, Archivio Eredi Albicini, cartella Inventari

Inventario 1941
Inventario della Biblioteca e dei quadri della famiglia Albicini, 1941, ms., Forlì, Archivio Eredi Albicini

Libro 1670
Libro di diversi inventari della visita fatta nell'anno 1670, Ravenna, Archivio Diocesano, 1670

Lanzi ms. 36.1
Luigi Lanzi, Viaggio specialmente del 1782 per Bologna, Venezia, la Romagna. Musei veduti, pitture di quelle scuole. Aggiunte di molte pitture e di notizie di molti pittori di scuola fiorentina antica moderna rintracciati anco in Roma nel 1794, Firenze, Biblioteca della Galleria degli Uffizi, Carte Luigi Lanzi, ms. 36.1

Malazappi 1580
Giovan Francesco Malazappi, Croniche della Provincia di Bologna de' Frati Minori Osservanti di San Francesco, 1580, Bologna, Archivio Provinciale dei Frati Minori

Marchetti C.R. 177.176
Giuseppe Marchetti, Nota delle più rare e più esposte pitture di Forlì autografo del pittore Giuseppe Marchetti, secolo XVIII, Forlì, Biblioteca Comunale A. Saffi, Fondo Piancastelli, Carte Romagna 177.176

Marchetti C.R. 177.177
Giuseppe Marchetti, Notizia esatta dei Quadri originali di Pittori celebri esistenti per le Chiese di Forlì fatta da Giuseppe Marchetti Pittore Forlivese, secolo XVIII, Forlì, Biblioteca Comunale, Fondo Piancastelli, Carte Romagna 177.177

Marchetti ms. III/73
Giuseppe Marchetti, Notizia esatta di tutti li quadri originali di molti celebri professori e anche delle loro più rare e singolari opere che esistono in tutte le chiese di questa nostra città, fatta da me Giuseppe Marchetti pittore forlivese, secolo XVIII, Forlì, Biblioteca Comunale A. Saffi, Fondo Piancastelli, ms. III/73

Memorie MS 164.17
Memorie degli Albizi, 1606, V, Cesena Biblioteca Malatestiana ms. 164.17

Oliva 1802
Luigi Oliva, Elenco e descrizione dei quadri esistenti nelle chiese di Forlì (1802): descrizione de' quadri che sono nella chiesa della Santissima Annunziata de' soppressi Carmelitani calzati della città di Forlì, Forlì, Biblioteca Comunale A. Saffi

Oretti ms. B 123
Marcello Oretti, Notizie de' Professori del disegno, Pittori, Scultori, Architetti bolognesi e forestieri della scuola, secolo XVIII, Bologna, Biblioteca Comunale dell'Archiginnasio, ms. B 123

Oretti ms. B 104
Marcello Oretti, Oretti e il patrimonio artistico privato bolognese, secolo XVIII, Bologna, Biblioteca Comunale dell'Archiginnasio, ms. B 104

Oretti 1777a
Marcello Oretti, Pitture della città di Cesena raccolte in essa città da me Marcello Oretti nell'anno 1777, Bologna, Biblioteca Comunale dell'Archiginnasio, ms. B 165.II

Oretti 1777b
Marcello Oretti, Pitture nella città di Faenza descritte da Marcello Oretti nell'anno 1777, Bologna, Biblioteca Comunale dell'Archiginnasio, ms. B 165.II

Oretti 1777c
Marcello Oretti, Pitture nella città di Forlì descritte da Marcello Oretti bolognese nell'anno 1777, Bologna, Biblioteca Comunale dell'Archiginnasio, ms. B 165.II

Oretti ms. B 291
Marcello Oretti, Pitture della Romagna e di altre città dello Stato pontificio, in Pitture dello stato ecclesiastico, secolo XVIII, Bologna, Biblioteca Comunale dell'Archiginnasio, ms. B 291

Oretti ms. B 111
Marcello Oretti, Raccolta di alcune marche e sottoscrizioni praticate da pittori e scultori, secolo XVIII, Bologna, Biblioteca Comunale dell'Archiginnasio, ms. B III

Orlandi 1710
Pellegrino Antonio Orlandi, Pitture e disegni esistenti nella Galleria di Parma del Signor Conte Carlo Sanvitale, 1710, Parma, Archivio Biblioteca Soprintendenza PSAD, ms. 118

Osservanti 1517
Osservanti di Santa Apollinare, Caps XXII S, 13 agosto 1517, Ravenna, Archivio di Stato

Pasquali ms. I/38-39
Girolamo Pasquali, Antico manoscritto di genealogie forlivesi, secolo XIX, Forlì, Biblioteca Comunale A. Saffi, ms. I/38-39

Petrignani ms. I/20
Gian Antonio Petrignani, Genealogie forlivesi, 1832, Forlì, Biblioteca Comunale Saffi, ms. I/20

Protocollo 1500
Protocollo 59 a.c. 124v, 27 aprile 1500, Ravenna, Archivio di Stato

Quadri C.R. 177.172
Quadri di pittori forlivesi posseduti da Raffaello Albicini nel 1877, Forlì, Biblioteca Comunale A. Saffi, Fondo Piancastelli, Carte Romagna, 177.172

Reggiani-Zampighi 1831-1834
Girolamo Reggiani, Pietro Zampighi, Disegni fatti da Girolamo Reggiani e Pietro Zampighi ornatista, 1831-1834, Forlì, Biblioteca Comunale A. Saffi, Sezione stampe e disegni (già in ms. I/73)

Sacre visite
Fascicoli di Sacre Visite appartenenti a Monsig. Gio. Antonio Giannotti trovati volanti e sciolti nell'archivio di questa cancelleria e che si sono raccolti e legati insieme uniti, Forlì, Archivio Vescovile, Sacre Visite I

Sassi ms. 164.701
Gioacchino Sassi, Nota dei dipinti più ragguardevoli che si trovano nelle chiese del comune di Cesena ed altrove raccolti dal can. Sassi di detta città, VII, Dall'anno 1850 all'anno 1855, Cesena, Biblioteca Malatestiana, ms. 164.70I

Sassi ms. 164.70.9
Gioacchino Sassi, Dipinti, Sculture, Fabbriche et altro, Cesena, Biblioteca Malatestiana, ms. 164.709

Scanelli ms. III/96
Pietro Scanelli, Serie, ossia Raccolta delle Edificazioni delle chiese di Forlì, non che la serie di tutte le sculture e Pitture che in esse vi esistono, colla indicazione certa dei loro rispettivi autori e pittori, XIX secolo, Forlì, Biblioteca Comunale A. Saffi, Fondo Piancastelli, ms. III/96

Scarabelli Zunti secolo XIX
Enrico Scarabelli Zunti, Materiale per una guida artistica e storica di Parma, ms., fine secolo XIX, Parma, Archivio Soprintendenza

Serie ms. II/96
Serie ossia Raccolta di tutte le lapidari iscrizioni antiche esistenti in tutte le chiese di Forlì. edificazioni delle medesime Chiese, Pitture, sculture coll'indicazione dei loro autori, e Pittori. Non che una raccolta di Quadri esistenti nelle migliori Gallerie di Forlì, secolo XIX, Forlì, Biblioteca Comunale A. Saffi, ms. II/96

Silvagni ms. II.66
Luigi Silvagni, La Badia di San Mecuriale nell'arte e nella storia, secolo XIX, Forlì, Biblioteca Comunale A. Saffi, ms. II/66

Simboli ms. II.1.1
Luigi Simboli, Memorie storiche della Chiesa e Convento di S. Pellegrino Laziosi-Forlì raccolte da P. Luigi M. Simboli dall'inizio al 1908, 1946, Forlì, Archivio del Convento di San Pellegrino dei Laziosi, ms. II.1.1

Testamento 1791
Testamento del Marchese Giuseppe Albicini, del 6 luglio 1791, ms., Forlì, Archivio Eredi Albicini, Busta 66, fasc. 2

Uberti ms. 504
Franciscus Uberti, Epigrammaton libellus, secolo XVI, Roma, Biblioteca Casanatense, ms. 504

Zaccaria secolo XX
Giacomo Zaccaria, Schedario, secolo XX, Forlì, Archivio di Stato

Zarletti ms. IV/24
Francesco Zarletti, Monumenti cesenati, in cui si parla dei conventi di questa città, secolo XIX, Forlì, Biblioteca Comunale A. Saffi, Fondo Piancastelli, ms. IV/24

Testi a stampa

Accademia 1929
Accademia di belle Arti Tadini, Catalogo dei quadri esistenti nella Pinacoteca, Lovere (Bergamo) 1929

Acquacotta 1838
Camillo Acquacotta, Memorie di Matelica, Ancona 1838

Affò 1796a
Ireneo Affò, Il Parmigiano servitor di Piazza; ovvero dialoghi di Frombola nei quali dopo varie notizie interessanti sulle pitture di Parma, si porge il catalogo sulle principali, Parma 1796

Affò 1796b
Ireneo Affò, Ricerche storico-critiche intorno alla Chiesa, il convento e la fabbrica della SS. Annunziata di Parma, Parma 1796

Agosti 1986
Giovanni Agosti, *Sui teleri perduti del Maggior Consiglio nel Palazzo Ducale di Venezia*, in "Ricerche di storia dell'arte", 1986, 30, pp. 61-87

Agosti 1995
Giovanni Agosti, *Su Mantegna. 4 (A Mantova. Nel Cinquecento)*, in "Prospettiva", gennaio 1995, 77, pp. 58-83

Agosti 1996
Giovanni Agosti, *Un amore di Giovanni Bellini*, in *Ad Alessandro Conti (1946-1994)*, a cura di Francesco Caglioti, Miriam Fileti Mazza, Umberto Parrini, Pisa 1996 ("Quaderni del Seminario di storia della critica d'arte", 6), pp. 45-83

Agostini 1984
G. Agostini, scheda n. 30, in *L'opera ritrovata. Omaggio a Rodolfo Siviero*, catalogo della mostra a cura di Beatrice Paolozzi Strozzi, Fiorenza Scalia, con la collaborazione di Laura Lucchesi, Firenze 1984, pp. 90-91

Albertario 2003
Marco Albertario, *Intagliatori e pittori a Pavia nel primo Cinquecento*, in "Bollettino della Società pavese di Storia Patria", 2003, 103, pp. 71-114

Alberti 1568
Leandro Alberti, *Descrittione di tutta Italia*, Venezia 1568

Alberti ed. 1973
Leon Battista Alberti, *De pictura*, ed. a cura di Cecil Grayson, *Leon Battista Alberti. Opere volgari*, III, Bari 1973

Albertini 1510 ed. 1972
Francesco Albertini, *Opusculum de mirabilis nove et veteris Urbis Romae*, 1510, ed. anastatica in *Five early guides to Rome and Florence*, Heppenheim 1972

Aldini 1993
Tobia Aldini, *La chiesa e il convento dei Servi in Forlimpopoli*, Forlimpopoli 1993

Altare 2000
L'altare di Santa Maria a Rontana di Marco Palmezzano. Il restauro (1996-2000), in "Le Campane del Monticino", nuova serie, settembre 2000, 5, pp. 7-10

Altomani 2004
Altomani 2004, Milano-Pesaro 2004

Amadesi 1783
Giuseppe Luigi Amadesi, *Antistitum Ravennatum chronotaxim ab antiquissimæ ejus Ecclesiæ exordiis ad hæc usque tempora perductam disquisitiones perpetuæ dissertationibus ad historiam et nonnullos veteris Ecclesiæ ritus pertinentibus illustratæ*, II, Faenza 1783

Ambrosini 2001
Anna Maria Ambrosini, *Pitture diverse nella città di Pesaro*, in *L'intelligenza della passione. Scritti per Andrea Emiliani*, a cura di Michela Scolaro, Francesco P. Di Teodoro, Bologna 2001, pp. 1-21

Ambrosini Massari 1993
Anna Maria Ambrosini Massari, *Marco Zoppo, Testa di San Giovanni Battista*, in *Musei Civici di Pesaro. Dipinti e Disegni della Pinacoteca Civica di Pesaro*, a cura di Claudio Giardini, Emilio Negro, Massimo Pirondini, Modena 1993, pp. 53-54

Amoretti 1804
Carlo Amoretti, *Memorie storiche di Leonardo da Vinci*, Milano 1804

Ancona 1981
Lorenzo Lotto nelle Marche. Il suo tempo, il suo influsso, catalogo della mostra (Ancona), a cura di Paolo Dal Poggetto, Pietro Zampetti, Firenze 1981

Anderson 1985
Jaynie Anderson, *Otto Mündler and his travel diary*, in "Walpole Society", 1985, 51, pp. 7-63

Anderson 1998
Jaynie Anderson, *I taccuini marchigiani di Giovanni Morelli*, in *Giovanni Battista Cavalcaselle conoscitore e conservatore*, atti del convegno internazionale di studi (Legnago-Verona 1997), a cura di Anna Chiara Tommasi, Venezia 1998, pp. 81-96

Anderson 1999
Jaynie Anderson, *Giovanni Santi e Giovanni Morelli*, in *Giovanni Santi*, atti del convegno internazionale di studi (Urbino, Convento di Santa Chiara, 17/18/19 marzo 1995), a cura di Ranieri Varese, Milano 1999, pp. 193-197

Anderson 2000
Jaynie Anderson, *I taccuini manoscritti di Giovanni Morelli*, coordinamento scientifico Marina Massa, Milano 2000

Anderson Galleries 1924
Original Paintings by Old Masters from the Collection of the Ehrich Galleries, New York, The Anderson Galleries, sale 1874, New York 1924

Andreani 1922-1923
Alma Andreani, *Melozzo da Forlì nelle Marche*, in "Rassegna Marchigiana", I, 1922-1923, pp. 63-67

Angelelli-De Marchi 1991
Walter Angelelli, Andrea De Marchi, *Pittura dal Duecento al primo Cinquecento nelle fotografie di Girolamo Bombelli*, Milano 1991

Angelini 2003
Angelino Angelini, *Saturnino Gatti e la congiuntura verrocchiesca a L'Aquila*, in *I da Varano e le arti*, atti del convegno internazionale (Camerino 4-6 ottobre 2001) a cura di Andrea de Marchi, Pier Luigi Falaschi, Ripatransone 2003, II, pp. 839-854

Anselmi 1894a
Anselmo Anselmi, in "Arte e Storia", XII, 1894, 24

Anselmi 1894b
Anselmo Anselmi, *Due nuovi pittori Cinquecentisti*, in "Archivio Storico dell'Arte", VII, 1894, 24, pp. 69-83

Archi 1957
Antonio Archi, *La Pinacoteca di Faenza*, Faenza 1957

Archi 1958
Antonio Archi, *Guida di Faenza*, Faenza 1958

Aretino ed. 1957-1960
Pietro Aretino, *Lettere sull'arte*, commentate da Fidenzio Pertile e rivedute da Carlo Cordie, a cura di Ettore Camesasca, 3 voll., Milano 1957-1960

Arfelli 1935
Adriana Arfelli, *La Pinacoteca e i Musei Comunali di Forlì*, Roma 1935

Argnani 1881
Federico Argnani, *La Pinacoteca Comunale di Faenza*, Faenza 1881

Ariana 1895
Ariana, catalogo del Musée d'art et d'histoire, Genève 1895

Ariana 1901
Ariana, catalogo del Musée d'art et d'histoire, Genève 1901

Ariana 1905
Ariana, catalogo del Musée d'art et d'histoire, Genève 1905

Armenini 1586
Giovan Battista Armenini, *De' Veri precetti della pittura*, Ravenna 1586

Arslan 1934
Wart Arslan, *La Pinacoteca Civica di Vicenza*, Roma 1934

Arslan 1937
Wart Arslan, *L'eredità di Melozzo*, in "Melozzo da Forlì", XV, ottobre 1937, 1, pp. 19-22

Arslan 1956
Edoardo Arslan, *Catalogo delle cose d'arte e di antichità d'Italia*, Roma 1956

Arslan 1962
Edoardo Arslan, *Studi belliniani*, in "Bollettino d'Arte", XLVII, 1962, pp. 40-58

Ascari 1977
Tiziano Ascari, ad vocem *Carrari Vincenzo*, in *Dizionario biografico degli italiani*, XX, Roma 1977, pp. 712-713

Asperen De Boer 1975
J.R.J. van Asperen De Boer, *An Introduction to the Scientific Examination of Painting*, in *Nederlands Kunsthistorisch*, 1975, pp. 1-40

Astolfi 1906
Carlo Astolfi, *Rivendicazione di un quadro di Palmezzano esistente a Treia*, in "Rivista Marchigiana Illustrata", I, 1906, pp. 310-132

Avellini-Michelacci 1994
La cultura umanistica a Forlì fra Biondo e Melozzo, atti del convegno di studi, a cura di Luisa Avellini, Lara Michelacci, Forlì 1994

Az Esztergomi 1964
Az Esztergomi Keresztény Mùzeum Képtàra, Budapest 1964

Bacchi-De Marchi 1995
Andrea Bacchi, Andrea De Marchi, *La pala di San Quintino*, in *Francesco Marmitta*, Torino 1995, pp. 255-288

Bagattoni 1917
Romeo Bagattoni, *Il beato Giacomo Primadicci*, in "La Madonna del Fuoco", III, 1917, pp. 10-11

Bagnoli 1961
Leo Bagnoli, *La Cattedrale di Cesena. Notizie storico-artistiche*, in "Bollettino mensile della Camera di Commercio, Industria e Agricoltura di Forlì", maggio 1961, 5, pp. 38-48

Baldass 1929
Ludwig von Baldass, *Die Gemäldegalerie der Sammlung Figdor*, in

"Pantheon", oct. 1929, pp. 464-472

Baldinucci 1681
Filippo Baldinucci, *Vocabolario toscano dell'arte del disegno*, Firenze 1681

Baldisserri 1900
Luigi Baldisserri, *Il Castello di Dozza. Il centenario della Madonna del Calano*, Imola 1900

Baldisserri 1907
Luigi Baldisserri, *Giulio II in Imola (1510-1511)*, Imola 1907

Balduzzi 1880
Luigi Balduzzi, *I Conti Ferniani di Faenza. Memoria genealogica*, in "Giornale araldico-genealogico", VIII, 1880, pp. 11-19

Ballarin 1962
A. Ballarin, *Cima a Treviso*, in "The Burlington Magazine", CIV, novembre 1962, 716, pp. 483-486

Ballarin 1982
Alessandro Ballarin, *Pinacoteca di Vicenza*, Vicenza 1982

Ballarin-Banzato 1991
Da Bellini a Tintoretto. Dipinti dei Musei Civici di Padova dalla metà del Quattrocento ai primi del Seicento, a cura di Alessandro Ballarin, Davide Banzato, Roma 1991

Balzani 2001
Roberto Balzani, *La Romagna*, Bologna 2001

Banker 1995
James R. Banker, *The Alterpiece of the Confraternity of Santa Maria della Misericordia in Borgo S. Sepolcro*, in *Piero della Francesca and His Legacy*, a cura di Marilyn Aronberg Lavin, Washington 1995, pp. 21-35

Barasch 1978
Moshe Barasch, *Light and Color in the Italian Renaissance Theory of Art*, New York 1978

Barberiis 1481
Filippo de' Barberiis, *Discordantiae nonnullae inter sanctum Hieronymum et Augustinum*, Roma 1481

Barbier De Montault 1870
Xavier Barbier De Montault, *Les Musées et Galeries de Rome*, Roma 1870

Barbieri 1952
Franco Barbieri, *Il Museo Civico di Vicenza*, in "Questa è Vicenza",

1952, pp. 3-15, in estratto Vicenza 1952

Barbieri 1954a
Franco Barbieri, *Il Montagna al Museo Civico di Vicenza*, in "Questa è Vicenza", 1954, pp. 185-200

Barbieri 1954b
Franco Barbieri, *Il Museo Civico di Vicenza in Palazzo Chiericati*, in "Le Vie d'Italia", LX, febbraio 1954, pp. 167-178

Barbieri 1962
Franco Barbieri, *Il Museo Civico di Vicenza. I Dipinti e sculture dal XIV al XV secolo*; II, *Dipinti e sculture dal XVI al XVIII secolo*, II, Venezia 1962

Barbieri 1981
Franco Barbieri, *Pittori di Vicenza. 1480-1520*, Vicenza 1981

Barbieri 1995
Franco Barbieri, *Il Museo di Palazzo Chiericati. Guida breve*, Vicenza 1995

Barbieri-Magagnato 1956
Franco Barbieri, Licisco Magagnato, *Il Museo Civico di Vicenza*, in *Guida di Vicenza*, a cura di Franco Barbieri, Renato Cevese, Licisco Magagnato, II ed., Vicenza 1956, pp. 170-180

Barocchi 1977
Scritti d'arte del Cinquecento, a cura di Paola Barocchi, III, Milano-Napoli 1977

Barocchi 1998
Barocchi Paola, *Storia moderna dell'arte in Italia. Manifesti polemiche documenti*, I, *Dai neoclassici ai puristi 1780-1861*, Torino 1998

Bartalini 1996
Roberto Bartalini, *Le occasioni del Sodoma*, Roma, 1996

Bartoli 1684
Daniello Bartoli, *Opere morali*, Roma 1684

Bartoli 1999
Roberta Bartoli, *Biagio d'Antonio*, Milano 1999

Baruffaldi 1844
Girolamo Baruffaldi, *Vite de' pittori e scultori ferraresi*, 2 voll., Ferrara 1844, ed. anastatica Bologna 1986

Bascapè 1940
Girolamo Carlo Bascapè, *L'Ordine Sovrano di Malta e gli ordini equestri della Chiesa*, Milano 1940
Bassani 1816

Bassani Pietro, *Guida agli amatori delle belle arti architettura, pittura, e scultura per la città di Bologna, suoi sobborghi e circondario*, I, parte prima, Bologna 1816

Bassetti 1991
Vittorio Bassetti, *Cappelle e santi venerati nella chiesa forlimpopolese di San Rufillo attraverso i secoli*, in *Forlimpopoli. Documenti e studi*, II, a cura di Tobia Aldini, Forlimpopoli 1990

Battaglia 1986
Salvatore Battaglia, *Grande Dizionario della lingua italiana*, Torino 1986

Battistelli 1974
Franco Battistelli, *Notizie e documenti sull'attività del Perugino a Fano*, in "Antichità viva", XIII, 1974, 5, pp. 65-68

Battisti 1962
Eugenio Battisti, *Il Cima e il significato storico delle sue immagini*, in "La Provincia di Treviso", V, luglio-ottobre 1962, 4-5, pp. 25-30

Bazzoli-Selli 1960
Bruno Bazzoli, Sergio Selli, *Abbazia di San Mercuriale*, Faenza 1960

Béguin 1990
Sylvie Béguin, *Une source probable pour la "Madonne au long cou"*, in *Scritti in onore di Giuliano Briganti*, Milano 1990, pp. 99-108

Bellandi 2004
Alfredo Bellandi, *Battesimo di Cristo*, in *Perugino il divin pittore*, catalogo della mostra (Perugia), a cura di Vittoria Garibaldi, Francesco Federico Mancini, Cinisello Balsamo 2004, p. 284

Belluzzi ed. 1907
Giovanni Battista Belluzzi, *Diario autobiografico (1535-1541)*, a cura di Pietro Egidi, Napoli 1907, ed. anastatica Bologna 1975

Belting 1985
Hans Belting, *Giovanni Bellini. Ikone und Bilderzählung in der venezianischen Malerei*, Frankfurt am Main 1985

Belting 1986
Hans Belting, *L'arte e il suo pubblico. Funzione e forme delle antiche immagini della Passione*, Bologna 1986

Beltrami 1783
Francesco Beltrami, *Il forestiere istruito delle cose notabili della città di Ravenna e suburbane della medesima*, Ravenna 1783

Beltrami 1791
Francesco Beltrami, *Il forestiere istruito delle cose notabili della città di Ravenna e suburbane della medesima*, Ravenna 1791

Benati 1987
Daniele Benati, *La pittura a Ferrara e nei domini estensi nel secondo Quattrocento. Parma e Piacenza*, in *La pittura in Italia. Il Quattrocento*, a cura di Federico Zeri, I, Milano 1987, pp. 256-271

Benati 1990a
Daniele Benati, *Due schede per Vicino da Ferrara*, in *Scritti in onore di Giuliano Briganti*, a cura di Marco Bona Castellotti, Luisa Laureati, Milano 1990, pp. 53-59

Benati 1990b
Daniele Benati, *Francesco Bianchi Ferrari e la pittura a Modena fra '4 e 500*, Modena 1990

Benati 1991
Daniele Benati, *Baldassarre Carrari*, in *Collezione Gianfranco Luzzetti. Dipinti, sculture, disegni XIV-XVIII secolo*, a cura di Angelo Tartuferi, Firenze 1991, pp. 85-88

Benati 2000
Tempio dell'arte. Dipinti emiliani e romagnoli dal XVI al XVIII secolo, catalogo a cura di Daniele Benati, Bologna 2000

Benati-Medica 2002
La quadreria di Gioacchino Rossini. Il ritorno della Collezione Hercolani a Bologna, a cura di Daniele Benati, Massimo Medica, Milano 2002

Bencivenni-Dalla Negra-Grifoni 1987
Mario Bencivenni, Riccardo Dalla Negra, Paola Grifoni, *Monumenti e Istituzioni*, parte prima, *La nascita del servizio di tutela dei monumenti in Italia 1860-1880*, Firenze 1987

Benedicenti 1992
Giovanni Battista Benedicenti, *Per Giovanni Bellini: una nuova lettura del ritratto di Birmingham*, in "Paragone", XLIII, 1992, 513, pp. 3-9

Benelli 1934
Sem Benelli, *Caterina Sforza. Rappresentazione storica in tre quarti e otto quadri*, Milano 1934

Benezit 1924
Emmanuel Benezit, ad vocem *Palmezzano Marco*, in *Dictionnaire des peintres, Sculpteurs, Dessinateurs et Graveurs*, XIII, Paris 1924, p. 417

Benezit 1953 ed. 1976
Emmanuel Benezit, ad vocem *Palmezzano Marco*, in *Dictionnaire critique et documentaire des peintres, sculpteurs, dessinateurs et graveurs*, VI, Paris 1953, p. 497

Bentini 1974
Il patrimonio culturale della provincia di Bologna, II, *Gli edifici di culto del contro storico di Imola*, a cura di Jadranka Bentini, Bologna 1974 (Rapporti n. 22)

Bentini 1984
Maria Rita Bentini, *Pieve di S. Apollinare*, in *Pievi rurali nel ravvenate: alle radici della nostra cultura*, Faenza 1984, pp. 95-100

Benzi 1998
Fabio Benzi, *Arte a Roma sotto il pontificato di Sisto IV*, in *La storia dei Giubilei*, II, *(1450-1575)*, Roma 1998, pp. 124-149

Berardi 2000
Paride Berardi, *Arte e artisti a Pesaro. Regesti di documenti di età malatestiana e di età sforzesca*, in "Pesaro città e contà, rivista della società pesarese di studi storici", 2000, 14

Berengo 1983
Marino Berengo, *Il governo veneziano a Ravenna*, in "Ravenna in età veneziana", a cura di Dante Bolognesi, Ravenna 1983, pp. 13-69

Berenson 1894
Bernard Berenson, *The Venetian Painters of the Renaissance: with an index to their works*, New York-London 1894

Berenson 1897a
Bernard Berenson, *The Central Italian Painters of the Renaissance*, New York-London 1897

Berenson 1897b
Bernard Berenson, *The Venetian Painters of the Renaissance*, New York 1897

Berenson 1901
Bernard Berenson, *Lorenzo Lotto. An Essay in Constructive Art Criticism*, London 1901

Berenson 1907
Bernard Berenson, *Gerolamo di Giovanni da Camerino*, in "Rassegna d'Arte", VII, 1907, 9

Berenson 1908
Bernard Berenson, *The Central Italian Painters of the Renaissance*, New York-London 1908

Berenson 1911
Bernard Berenson, *The Venetian Painters of the Renaissance*, New York-London 1911

Berenson 1916
Bernard Berenson, *Venetian Paintings in America: the Fifteenth Century*, New York-London 1916

Berenson 1919
Bernard Berenson, *Dipinti veneziani in America*, Milano 1919

Berenson 1924-1925
Bernard Berenson, *Nove pitture in cerca di attribuzione*, in "Dedalo", V, 1924-1925, 3, pp. 688-723

Berenson 1932
Bernard Berenson, *The Italian painters of the Renaissance*, London 1932

Berenson ed. 1936
Bernard Berenson, *Pitture italiane del Rinascimento*, traduzione di Emilio Cecchi, Milano 1936

Berenson 1947
Bernard Berenson, *Metodo e attribuzioni*, Firenze 1947

Berenson 1957
Bernard Berenson, *Italian pictures of the Renaissance. Venetian School*, 2 voll., London 1957

Berenson 1958
Bernard Berenson, *Pitture italiane del Rinascimento. La scuola veneta*, 2 voll., Firenze-London 1958

Berenson 1968
Bernard Berenson, *Italian pictures of the Renaissance. Central Italian and North Italian schools*, 3 voll., London 1968

Berlino 1996
Gemäldegalerie Berlin. Gesamtverzeichnis, Berlin 1996

Bernardi ed. 1895-1897
Andrea Bernardi (Novacula), *Cronache Forlivesi*, ed. a cura di Giuseppe Mazzatinti, 3 voll., Forlì 1895-1897

Bernardini 1901
Giorgio Bernardini, *Alcuni dipinti della collezione del conte Stroganoff in Roma*, in "Rassegna d'Arte", I, agosto 1901, 8, pp. 116-120

Bernardini 1902
Giorgio Bernardini, *Le gallerie dei quadri nei Musei di Padova e Vicenza*, in "Bollettino Ufficiale del Ministero della Pubblica Istruzione", Roma 1902

Bernardini 1905
Giorgio Bernardini, *I dipinti di scuola italiana nel Museo Nazionale del Louvre*, in "Rivista d'Italia", dicembre 1905

Bernardini 1909
Giorgio Bernardini, *La Nuova Galleria Vaticana*, in "Rassegna d'Arte", IX, 1909, pp. 113-120

Bernardini 1916
Giorgio Bernardini, *Spigolature nel magazzino della Galleria Vaticana*, in "Rassegna d'Arte", XVI, 1916, 4, pp. 75-83

Bernicoli 1912
Silvio Bernicoli, *Arte e artisti in Ravenna*, in "Felix Ravenna", 1912, 6, pp. 217-243

Bernicoli 1914
Silvio Bernicoli, *Arte e artisti in Ravenna*, in "Felix Ravenna", gennaio-marzo 1914, pp. 551-163

Bernicoli 1925
Silvio Bernicoli, *Una casa storica*, in "Felix Ravenna", 1925, 30, pp. 23-50

Bernicoli ed. 1999
Silvio Bernicoli, *Tesoretto*, trascritto e ordinato da Umberto Zaccarini, Ravenna 1999

Berti 1822
Giovan Battista Berti, *Guida per Vicenza ossia memorie storico-critico-descrittive di questa regia città e delle principali sue opere di belle arti estese da Giovan Battista Berti architetto vicentino*, Venezia 1822

Berti Toesca 1931
Elena Berti Toesca, *Due dipinti sconosciuti del Sodoma*, in "Dedalo", XI, 1931, pp. 1334-1338

Berti Toesca 1932
Elena Berti Toesca, *Arte Italiana a Strigonia*, in "Dedalo", XII, 1932, 2, pp. 933-960

Bertotti Scamozzi 1761
Ottavio Bertotti Scamozzi, *Il Forestiere istruito nelle cose più rare di architettura e di alcune pitture della città di Vicenza*, Vicenza 1761

Bertotti Scamozzi 1780
Ottavio Bertotti Scamozzi, *Il Forestiere istruito nelle cose più rare di architettura e di alcune pitture della Città di Vicenza arricchito di trentasei tavole incise in rame*, Vicenza 1780

Bertotti Scamozzi 1804
Ottavio Bertotti Scamozzi, *Il Forestiere istruito nelle cose più rare di architettura e di alcune pitture della città di Vicenza*, Vicenza 1804

Bertucci 1998
Sadoc Maria Bertucci, ad vocem *Dominici, Giovanni, cardinale, beato*, in *Bibliotheca Sanctorum*, IV, 1964, pp. 748-756

Bessanghi 1996
Antonella Bessaghi, *Aspetti della cultura figurativa nella "romagnolità" del ventennio fascista*, in "Memoria e ricerca", 1996, 8, pp. 241-256

Bessone Aureli 1928
Antonietta Maria Bessone Aureli, ad vocem *Palmezzano Marco*, in *Dizionario dei pittori italiani*, II edizione, Roma 1928

Bettoli 1938
Giacomo Bettoli, *Melozzo da Forlì*, in "Arte Cristiana", ottobre 1938, pp. 225-231

Bettoli 1991
Giacomo Bettoli, *La chiesa di S. Girolamo dell'Osservanza in Faenza*, Faenza 1991

Biagetti 1930
Biagio Biagetti, *L'opera di Melozzo da Forlì nella Basilica di Loreto*, in "Rassegna Marchigiana", gennaio-febbraio 1930, pp. 11-124

Biagetti 1932
Biagio Biagetti, *La Pinacoteca Vaticana*, Città del Vaticano 1932

Biagetti 1939
Biagio Biagetti, *Pitture murali: l'abside di Melozzo in SS. Apostoli*, in "Atti della Pontificia Academia Romana di Archeologia", XV, 1939 (ma 1940), pp. 255-257

Biagi Maino 2002
Donatella Biagi Maino, *Per una storia quantitativa dell'arte. Assenze e presenze nelle chiese delle Custodie di Bologna, di Ferrara e della Romagna*, in *I Cappuccini in Emilia Romagna. Storia di una presenza*, a cura di Giovanni Pozzi, Paolo Prodi, Bologna 2002, pp. 364-409

Bibliografia 1910
Bibliografia, in "L'Arte", XIII, 1910, p. 156

Bibliografia 1932
Bibliografia, in "L'Arte", XXXV, 1932, pp. 514-515

Biolchi 1967
Dante Biolchi, *La Casina del Cardinal Bessarione*, Roma 1967

Biondo ed. 1542
Roma ristaurata, et Italia illustrata di Biondo da Forlì, tradotte in buona lingua volgare per Lucio Fauno, Venetia 1542

Bode 1930 ed. 1997
Wilhelm von Bode, *Mein Leben,* I, Berlin 1930, ed. a cura di Barbara Paul, Tilmann von Stockhausen, Berlin 1997

Bolognesi 1986
Dante Bolognesi, *Patriziato e ricambio sociale. Materiali su Ravenna pontificia nei secoli XVI-XVIII,* in "Romagna Arte e Storia", VI, 1986, 18, pp. 107-124

Bolognesi 1991
Dante Bolognesi, *Le risorse e gli uomini,* in *Storia di Forlì, III, l'età moderna,* a cura di Cesarina Casanova, Giovanni Tocci, Forlì 1991, pp. 65-104

Bona Castellotti 1984
Marco Bona Castellotti, *Nicolò Rondinelli,* in *Brera dispersa,* a cura di Carlo Bertelli, Guido Lopez, Anna Ottino Della Chiesa, Milano 1984, p. 194

Bonanni 1720
Filippo Bonanni, *Trattato sopra la vernice detta comunemente cinese,* Roma 1720

Bonario 1974
Bernard Bonario, *Marco Basaiti: a study of the venetian painter and a catalogue of his works,* The University of Michigan, Ph.D. 1974

Bondi 1993
Alberto Bondi, *Un microcosmo arcaico e popolaresco: nuove ipotesi per una lettura del ciclo di affreschi nella Chiesina dell'Ospedale di Meldola,* Meldola (Forlì) 1993

Bonoli 1661
Paolo Bonoli, *Istorie della città di Forlì,* Forlì 1661

Bonoli ed. 1826
Paolo Bonoli, *Istorie della città di Forlì,* 2 voll., seconda ed. Forlì 1826, (rist. anast. Forlì 1981)

Borenius 1909
Tancredi Borenius, *The Painters of Vicenza,* London 1909

Borenius 1912
Tancred Borenius, *I pittori di Vicenza 1480-1550,* Vicenza 1912

Borghini 1584
Raffaello Borghini, *Il riposo,* Firenze 1584

Borgia 1723
Alessandro Borgia, *Istoria della Chiesa e Città di Velletri,* Nocera 1723

Bornstein 1998
Daniel Bornstein, *Marcolino da Forlì: taumaturgo locale e modello universale,* in "*Vita religiosa e identità politiche: universalità e particolarismi nell'Europa del tardo medioevo*", a cura di Sergio Gensini, Pisa 1998, pp. 263-286

Bortolan-Rumor 1919
Domenico Bortolan, Sebastiano Rumor, *Guida di Vicenza, con illustrazioni ed una carta topografica,* Vicenza 1919

Boschini 1664
Marco Boschini, *Le Minere della Pittura,* Venezia 1664

Boschini 1676 ed. 2000
Marco Boschini, *I Gioieli Pittoreschi, Virtuoso ornamento della città di Vicenza,* Venezia 1676, ed. critica a cura di Deborah Marchioro, Roma 2000

Boskovits 1985
Miklos Boskovits, *The Martello collection,* Firenze 1985

Boskovits 1998
Miklos Boskovits, in *La collezione Cagnola. I dipinti dal 13 al 19 secolo,* a cura di Miklos Boskovits, Giorgio Fossaiuzza, Busto Arsizio 1998

Bottari 1754-1773
Giovanni Bottari, *Raccolta di lettere sulle Pitture, Sculture ed Architetture,* Roma 1754-1773

Bottari 1759
Giovanni Bottari, *Le Vite di Giorgio Vasari,* Roma 1759, Livorno 1767, Firenze 1771-1772

Bottari-Ticozzi 1822-1825
Giovanni Bottari, Stefano Ticozzi, *Raccolta di Lettere sulla Pittura, Scultura ed Architettura scritte da' più celebri personaggi dei secoli XV, XVI e XVII pubblicata da M. Gio. Bottari e continuata fino ai nostri giorni da Stefano Ticozzi,* 8 voll., Milano 1822-1825

Botteon-Aliprandi 1893
Vincenzo Botteon, Antonio Aliprandi, *Ricerche intorno alla vita e alle opere di Giambattista Cima,* Conegliano (Treviso) 1893

Bottiroli-Gallone 1996
Giovanni Bottiroli, Antonietta Gallone, *Application of Microspettrofluorimetric Technique to the study of binding media in Samples from Pain-*
tings: The case of Leonardo's Last Supper, 5th International Conference of Non-destructive Testing, Budapest sep. 24-28 1996, pp. 159-171

Brandi 1933
Cesare Brandi, *La Regia Pinacoteca di Siena,* Roma 1933

Briganti 1938
Giuliano Briganti, *Su Giusto di Gand,* in "La Critica d'arte", III, 1938, pp. 104-112

Brighi 1997
Antonio Brighi, *Elementi di tradizione classica dell'arte figurativa in Romagna nella seconda metà del Quattrocento,* in *La cultura umanistica a Forlì fra Biondo e Melozzo,* atti del convegno di studi (Forlì 1994), a cura di Luisa Avellini, Lara Michelacci, Bologna 1997, pp. 137-188

Brigstocke 2003
Hugh Brigstocke, *Lord Lindsay's Travel in Italy and Northern Europe, 1841-42, for Sketches of the History of Christian Art,* in "The Sixty-Fifth volume of the Walpole Society", 2003, 65, pp. 161-258

Britt 1924
Matthew Britt, *The Hymns of the Breviary and Missal,* New York 1924

Brizio 1942
Anna Maria Brizio, *La pittura in Piemonte dall'età romanica al Cinquecento,* Torino 1942

Brizio 1955
Anna Maria Brizio, ad vocem *Cima da Conegliano,* in *Nuovo Dizionario Enciclopedico U.T.E.T.,* III, Torino 1955

Brizio 1960
Anna Maria Brizio, *Ricette di pittura: Leonardo conosceva la trementina distillata,* in "Raccolta Vinciana", 1960, pp. 159-160

Brocchi 1742 ed. 2000
Giuseppe Maria Brocchi, *Vite dei santi e beati fiorentini,* Firenze 1742, ed. anastatica Firenze 2000

Brown 1966
Clifford M. Brown, *Lorenzo Costa,* tesi PhD, Columbia University, Ann Arbor (Michigan) 1966

Brown 1969
Clifford M. Brown, *News documents concerning Andrea Mantegna and note regarding 'Jeronimus de Conradis pictor',* in "The Burlington Magazine", september 1969, pp. 538-544

Brown 1987
David Alan Brown, *Andrea Solario,* Milano 1987

Brown 2000
Katherine T. Brown, *The Painter's Reflection. Self-portraiture in Renaissance Venice 1458-1625,* Firenze 2000

Brunelli 1882
Domenico Brunelli, *Cenni storici sulla Cattedrale di Forlì scritti da mons. arcid. D. B. e continuati fino ai nostri giorni dal can. teologo Angelo Zoli,* Forlì 1882

Brunelli 1908
Enrico Brunelli, *Un'opera inedita di Marco Palmezzano,* in "L'Arte", XI, 1908, pp. 452-453

Bruschi-Maltese 1978
Scritti rinascimentali di architettura: patente a Luciano Laurana, Luca Pacioli, Francesco Colonna, Leonardo Da Vinci, Donato Bramante, Francesco Di Giorgio, Cesare Cesariano, Lettera a Leone X, a cura di Arnaldo Bruschi, Corrado Maltese, Milano 1978

Brusi 2000
Gianluca Brusi, *Serallium Colunbe. Enigmi e certezze per un'immagine di Forlì fra medioevo ed età moderna,* Forlì 2000

Budriesi 1999
Roberta Budriesi, *Viaggio nelle pievi della provincia di Ravenna,* Ravenna 1999

Buffetti 1779
L. Buffetti, in *Descrizione delle architetture, pitture e scolture di Vicenza con alcune osservazioni,* I, *Delle chiese e degli Oratori, Umiliata alli Nobilissim Signori Deputati della Magnifica Città,* II, *Degli edifici ed altre opere pubbliche e private,* a cura di Enea Arnaldi, Pietro Baldarini, L. Buffetti, O. Vecchia, 2 voll., Vicenza 1779

Burckhardt 1855 ed. 1914
Jacob Burckardt, *Der Cicerone,* edizione a cura di Wilhelm Bode, Cornelius von Fabriczy, Leipzig 1914

Burckhardt 1855 ed. 1992
Jacob Burckhardt, *Il Cicerone. Guida al godimento delle opere d'arte in Italia,* ed. a cura di Paolo Mingazzini, Federico Pfister, 2 voll, Firenze 1992

Burckardt 1884
Jacob Burckardt, *Der Cicerone,* Leipzig 1884

Burckardt 1900
Jacob Burckardt, *Der Cicerone,* III, Leipzig 1900

Burckardt 1901
Jacob Burckhardt, *Der Cicerone*, Leipzig-Berlin 1901

Burckardt 1905
Rudolf Burckhardt, *Cima da Conegliano*, Leipzig 1905

Burriel 1795
Antonio Burriel, *Vita di Caterina Sforza Riario*, 3 voll., Bologna 1795

Buscaroli 1928
Rezio Buscaroli, *Baldassarre Carrari da Forlì*, in "Forum Livii", III, settembre-dicembre 1928, 4, pp. 11-17

Buscaroli 1931
Rezio Buscaroli, *La pittura romagnola del Quattrocento*, Faenza 1931

Buscaroli 1937a
Rezio Buscaroli, *Inediti romagnoli del Rinascimento nel Palazzo Piancastelli a Fusignano*, in "Melozzo da Forlì", XV, ottobre 1937, 1, pp. 23-31

Buscaroli 1937b
Rezio Buscaroli, *Palmezzano e la Pittura Veneziana*, in "Melozzo da Forlì", XV, ottobre 1937, 1, p. 38

Buscaroli 1938a
Rezio Buscaroli, *Elenco completo delle opere*, in "Melozzo da Forlì", XVI, 1938, 6, pp. 213-220

Buscaroli 1938b
Rezio Buscaroli, *Forlì*, Bergamo 1938

Buscaroli 1938c
Rezio Buscaroli, *Melozzo da Forlì nei documenti, nelle testimonianze dei contemporanei e nella bibliografia*, Roma 1938

Buscaroli 1938d
Rezio Buscaroli, *La Mostra di Melozzo e del Quattrocento romagnolo*, in "Bollettino d'Arte", XXXI, settembre 1938, pp. 81-100

Buscaroli 1938e
Rezio Buscaroli, *La Mostra di Melozzo e del Quattrocento romagnolo-Le opere esposte*, in "Melozzo da Forlì", XVI, luglio 1938, 4, pp. 179-206

Buscaroli 1939a
Rezio Buscaroli, *Opere inedite di influsso melozziano in Romagna*, in "Melozzo da Forlì", XVII, gennaio 1939, 6, pp. 285-294

Buscaroli 1939b
Rezio Buscaroli, *Pace del Bambase architetto melozziano*, in "Melozzo da Forlì", XVII, 1939, 7, pp. 365-369

Buscaroli 1955
Rezio Buscaroli, *Melozzo e il Melozzismo*, Bologna 1955

Buscaroli Fabbri 1991
Beatrice Buscaroli Fabbri, *Carlo Cignani, affreschi dipinti disegni*, Padova 1991

Caglioti 2004
Francesco Caglioti, *Su Matteo Civitali scultore*, in *Matteo Civitali e il suo tempo. Pittori, scultori e orafi a Lucca nel tardo Quattrocento*, catalgo della mostra (Lucca), Milano 2004, pp. 29-77

Calandrini 1972
Antonio Calandrini, *Plebato di S. Apollinare in Longana*, in "Bollettino Ufficiale delle diocesi di Forlì e Bertinoro", gennaio-febbraio 1972, pp. 15-21

Calandrini-Fusconi 1985
Antonio Calandrini, Gian Michele Fusconi, *Forlì e i suoi vescovi*, I, *Dalle origini al secolo XIV*, Forlì 1985

Calandrini-Fusconi 1992
Antonio Calandrini, Gian Michele Fusconi, *La storia, dalle origini al 1939*, in *Il Seminario di Forlì*, Forlì 1992, pp. 15-46

Calandrini-Fusconi 1993
Antonio Calandrini, Gian Michele Fusconi, *Forlì e i suoi vescovi. Appunti e documentazione per una storia della chiesa a Forlì*, II, *Il secolo XV*, Forlì 1993

Calbi 1987
Emilia Calbi, *Un album di Gian Giacomo Macchiavelli, disegnatore del D'Agincourt*, in "Ricerche di storia dell'arte", 1987, 33, pp. 31-48

Calbi-Scaglietti 1984
Oretti e il patrimonio artistico privato bolognese, a cura di Emilia Calbi, Daniela Scaglietti Kelescian, Bologna 1984

Calendario 1857
Calendario Faentino per l'anno 1857, Faenza 1857

Calendario 1975
Calendario della Cassa dei Risparmi di Ravenna, Ravenna 1975, mese di Gennaio

Calì 1932
F. Calì, *Bartolomeo Montagna, pittore vicentino*, in "Vicenza", II, febbraio 1932, pp. 18-23

Calvi 1780
Jacopo Alessandro Calvi, *Versi e pro-se sopra una serie di eccellenti pitture possedute dal Signor Marchese Filippo Hercolani Principe del S.R.I.*, Bologna 1780

Calzecchi Onesti 1938
Carlo Calzecchi Onesti, in "Le Arti", I, 1938, p. 186

Calzecchi Onesti 1938-1939
Carlo Calzecchi Onesti, *L'organizzazione e i risultati della mostra di Melozzo e del Quattrocento romagnolo*, in "Le Arti", I, dicembre 1938-gennaio 1939, 2, pp. 183-197

Calzini 1892a
Egidio Calzini, *A proposito di un dipinto attribuito a Melozzo da Forlì*, in "Arte e Storia", XII, 1892, pp. 170-171

Calzini 1892b
Egidio Calzini, *Memorie su Marco Melozzo*, Forlì 1892

Calzini 1893
Egidio Calzini, *Un quadro del Melozzo a Forlì*, Forlì 1893

Calzini 1894a
Egidio Calzini, *L'arte in Forlì al tempo di Pino III Ordelaffi*, Bologna 1894

Calzini 1894b
Egidio Calzini, *In memoria di Giovanni Santi*, in "Nuova Rivista Misena", VII, luglio-agosto 1894, 7-8, pp. 124-125

Calzini 1894c
Egidio Calzini, *Il Palazzo del Podestà in Forlì*, Forlì 1894

Calzini 1894d
Egidio Calzini, *IV Centenario della morte di Marco Melozzo*, in "Cooperazione", 18 novembre 1894, 20

Calzini 1895a
Egidio Calzini, *La chiesa di San Ruffillo in Forlimpopoli*, in "Bollettino della Società fra gli amici dell'arte per la provincia di Forlì", I, febbraio 1895, 2, pp. 17-23

Calzini 1895b
Egidio Calzini, *Cronologia della vita e delle opere di Francesco Menzocchi*, in "Bollettino della Società fra gli Amici dell'Arte per la provincia di Forlì", I, 1895, 5, pp. 78-79

Calzini 1895c
Egidio Calzini, *Cronologia delle opere di Marco Palmezzano*, in "Bollettino della Società fra gli Amici dell'Arte per la provincia di Forlì", I, 1895, 4, pp. 60-63

Calzini 1895d
Egidio Calzini, *Di un affresco nella chiesa dei Servi di Cesena*, in "Bollettino della Società fra gli Amici dell'Arte per la provincia di Forlì", I, 1895, 6, pp. 95-96

Calzini 1895e
Egidio Calzini, *Marco Palmezzano e le sue opere*, Roma 1895, estratto da "Archivio storico dell'arte", VII, 1894, 3-4, pp. 185-200, 269-291, 335-358, 455-483

Calzini 1895f
Egidio Calzini, *Un quadro di Marco Palmezzano a Monaco di Baviera*, in "Bollettino della Società fra gli Amici dell'Arte per la provincia di Forlì", I, 1895, 2, pp. 28-30

Calzini 1896a
Egidio Calzini, *La Galleria Matteucci-Guarini in Forlì*, in "Arte e Storia", XV, 1896, pp. 107-108

Calzini 1896b
Egidio Calzini, *La Galleria Merenda in Forlì e le pitture del Batoni in essa contenute*, in "Arte e Storia", XV, 1896, p. 129

Calzini 1897
Egidio Calzini, *L'ex oratorio di S. Sebastiano in Forlì e Pace di Maso "del Bambase" architetto forlivese del sec. XV*, Bologna 1897, estratto da "Atti e Memorie della R. Deputazione di Storia patria per le provincie di Romagna", III, serie XV, 1897

Calzini 1901a
Egidio Calzini, in "Rassegna bibliografica dell'arte italiana", IV, 1901, pp. 216-217

Calzini 1901b
Egidio Calzini, *Francesco Menzocchi e le sue opere*, in "Rassegna bibliografica dell'arte italiana", IV, maggio-agosto 1901, 5-8, pp. 86-106

Calzini 1902
Egisto Calzini, *Documenti*, "Rassegna bibliografica dell'arte italiana", V, 1902, pp. 72-73

Calzini 1904a
Egidio Calzini, *Il Civico Museo di Camerino*, in "L'Arte", VII, 1904, p. 80

Calzini 1904b
Egidio Calzini, *Per Melozzo da Forlì*, in "Rassegna bibliografica dell'arte italiana", VII, 1904, pp. 190-191

Calzini 1904c
Egidio Calzini, *Per Melozzo da For-*

lì, in "Rivista d'Arte", II, 1904, pp. 108-119

Calzini 1905
Egidio Calzini, *Maestro Giovanni del Sega di Forlì pittore*, in "Rassegna bibliografica dell'arte italiana", VIII, 1905, pp. 11-16

Calzini 1915
Egidio Calzini, *La chiesa del Carmine in Forlì*, in "Rassegna bibliografica dell'arte italiana", XVIII, ottobre 1915, 7-10, pp. 104-111

Calzini 1916
Egidio Calzini, *Una visita a Bertinoro*, in "Rassegna bibliografica dell'arte italiana", XIX, 1916, pp. 26-30

Calzini-Mazzatinti 1893
Egidio Calzini, Giuseppe Mazzatinti, *Guida di Forlì*, Forlì 1893

Campbell 1997
Stephen J. Campbell, *Cosmè Tura of Ferrara. Style, Politics and the Renaissance City, 1450-1495*, New York-London 1997

Campbell 2002
Stephen J. Campbell, *Cosmè Tura: painting and design in Renaissance Ferrara*, Milano 2002

Camporesi 1974
Piero Camporesi, *Lo stereotipo del romagnolo*, in "Studi Romagnoli", XXV, 1974, pp. 396-401

Campri 2000-2001
Barbara Campri, *Ordini mendicanti a Forlì nel XIII secolo*, tesi di laurea, Università di Bologna, Facoltà di Lettere e Filosofia, relatore prof. Lorenzo Paolini, a.a. 2000-2001

Cannatà 1981a
Roberto Cannatà, *Francesco da Montereale e la pittura a L'Aquila dalla fine del '400 alla prima metà del '500*, in "Storia dell'Arte", 1981, 41, pp. 51-75

Cannatà 1981b
Roberto Cannatà, *La pittura*, in *Il Quattrocento a Roma e nel Lazio. Umanesimo e Rinascimento in S. Maria del Popolo*, Roma 1981, pp. 53-60

Cannatà in Roma 1982
Roberto Cannatà, scheda su Antoniazzo Romano, in *Un'antologia di restauri. 50 opere d'arte restaurate dal 1974 al 1981*, catalogo della mostra, Roma 1982, pp. 27-32

Cannatà 1983
Roberto Cannatà, *Presenze meloz-zesche e antoniazzesche*, in *Il Quattrocento a Viterbo*, catalogo della mostra, a cura di Roberto Cannatà, Carlo Strinati, Roma 1983, pp. 220-221

Cannatà 1992
Roberto Cannatà, *Il collezionismo del Cardinale Bernardino Spada*, in *La Galleria di Palazzo Spada. Genesi e storia di una collezione*, a cura di Roberto Cannatà, Maria Lucrezia Vicini, Roma 1992, pp. 25-57

Cannatà 1995
Roberto Cannatà, *Galleria di Palazzo Spada. Roma*, Roma 1995

Cannatà 1999
Roberto Cannatà, ad vocem *Gatti Saturnino*, in *Dizionario Biografico degli Italiani*, LII, Roma 1999, pp. 592-594

Cannatà-Vicini 1992
Roberto Cannatà, Maria Lucrezia Vicini, *La Galleria di Palazzo Spada. Genesi e storia di una collezione*, Roma 1992

Cantalamessa 1894
Giulio Cantalamessa, *Le Gallerie Fidecommissarie Romane*, in "Le Gallerie Nazionali Italiane, Notizie e documenti", I, 1894, pp. 80-101

Cappelletti 1989
Francesca Cappelletti, *L'affresco nel catino absidale di Santa Croce in Gerusalemme a Roma. La fonte iconografica, la committenza e la datazione*, in "Storia dell'Arte", 1989, 66, pp. 119-126

Cappi 1849
Alessandro Cappi, *Della Santa Lucia e del Santo Rofillo di Luca Longhi, discorso letto nella premiazione del 5 giugno 1844*, in *Atti di un quinquennio dell'Accademia Provinciale delle Belle Arti in Ravenna dal 1843 al 1847*, Ravenna 1849

Cappi 1853
Alessandro Cappi, *Luca Longhi illustrato*, Ravenna 1853

Carrari 1584 ed. 1854
Vincenzo Carrari, *Dell'utilità della morte. Orazione in morte di M. Luca Longhi pittor ravennate*, Ravenna 1584, ed. 1854

Carroli 1971
Domenico Carroli, *Memorie storico religiose di Brisighella*, Faenza 1971

Carunchio 1991
Tancredi Carunchio, *La Casina del Cardinale Bessarione*, Città di Castello (Perugia) 1991

Casadei 1928
Ettore Casadei, *La città di Forlì e i suoi dintorni*, Forlì 1928

Casadei 1991
Sauro Casadei, *Pinacoteca di Faenza*, Bologna 1991

Casadei 2002-2003
Caterina Casadei, *Ricerche sui committenti di Marco Palmezzano*, tesi di laurea, Università di Bologna, Facoltà di Lettere e Filosofia, relatore prof. Massimo Ferretti, a.a. 2002-2003

Casali 1838
Giovanni Casali, *Guida per la città di Forlì*, Forlì 1838

Casali 1844
Giovanni Casali, *Intorno a Marco Palmezani da Forlì ed ad alcuni suoi dipinti*, Forlì 1844

Casali 1863
Giovanni Casali, *Guida per la città di Forlì. Seconda edizione con aggiunte, note e correzioni*, Forlì 1863

Casali 1991
Elide Casali, *Astrologia e cultura*, in *Storia di Forlì*, III, *L'età moderna*, a cura di Cesarina Casanova, Giovanni Tocci, Bologna 1991, pp. 129-150

Casali 1997
Elide Casali, *Astrologia e superstizione nell'età di Melozzo*, in *La cultura umanistica a Forlì fra Biondo e Melozzo*, atti del convegno a cura di Luisa Avellini, Lara Michelacci, Bologna 1997, pp. 65-88

Casanova 1982
Cesarina Casanova, *Persistenze e trasformazioni nella Valle del Lamone. Per una storia di Brisighella in età moderna*, Imola 1982

Casanova 1991
Cesarina Casanova, *Politica e società*, in *Storia di Forlì*, III, *L'età moderna*, a cura di Cesarina Casanova, Giovanni Tocci, Bologna 1991, pp. 13-40

Casanova 1999
Cesarina Casanova, *Gentilhuomini ecclesiastici: Ceti e mobilità sociale nelle Legazioni pontificie (secc. XVI-XVIII)*, Bologna 1999

Casanova-Tocci 1999
Storia di Forlì, III, *L'età moderna*, a cura di Cesarina Casanova, Giovanni Tocci, Bologna 1991

Castelli 2000
Patrizia Castelli, *"Imagines spiran-tes"*, in *Immaginare l'autore. Il ritratto del letterato nella cultura umanistica*, atti del convegno (Firenze 26-27 marzo 1998), Firenze 2000, pp. 35-62

Cataloghi 1858
Cataloghi del Museo Campana. Classe VIII. Opere del Risorgimento della pittura. Classe IX. Opere dei capiscuola della pittura, Roma 1858

Catalogo 1892
Catalogo della R. Pinacoteca di Milano, Milano 1892

Catalogo 1895
Catalogo della galleria del regio Istituto delle Belle Arti in Siena, Siena 1895

Catalogo 1900
Catalogo della Galleria di quadri antichi dei Baroni Ravicz di Verona. Vendita nei saloni della Impresa di vendita in Milano di A. Genolini, Milano 1900

Catalogo 1925
Catalogo degli oggetti d'arte componenti la collezione Stroganoff, Roma 1925

Catalogo 2003
Catalogo Scientifico delle collezioni. I. Pinacoteca di Palazzo Chiericati. Dipinti dal XIV al XVI secolo, a cura di Maria Elisa Avagnina, Margaret Binotto, Giovanni Carlo Federico Villa, Cinisello Balsamo 2003

Catalogue 1907
Catalogue des tableaux composant la Collection Ch. Sedelmeyer, Paris 1907

Catalogue 1908
Catalogue of Pictures and other works of Art in the national Gallery and the National Portrait Gallery, Ireland, Dublin 1908

Catalogue 1914
Catalogue de la Collection de M. Le Comm. Gius. Cavalieri, Ferrare, München, Helbing 1914

Catalogue 1919
Catalogue de la Galerie Manzi, Paris 1919

Catalogue 1927
Catalogue of important Pictures of the Italian School being the First Portion of the Collection of the late Sir George Lindsay Holford, London 1927

Catalogue 1981
Catalogue sommaire illustré de peintures du musée du Louvre. II, Italie, Espagne, Allemagne, Grande Bretagne et divers, Paris 1907

Cattabiani 1996
Alfredo Cattabiani, *Florario. Miti, leggende e simboli di fiori e piante*, Milano 1996

Cavalcaselle-Crowe 1864-1866
Giovanni Battista Cavalcaselle, Joseph Archer Crowe, *A New History of painting in Italy from the II to the XVII century*, 2 voll., London 1864-1866

Cavalcaselle-Crowe 1870
Giovanni Battista Cavalcaselle, Joseph Archer Crowe, *Storia della pittura in Italia dal secolo II al secolo XVI*, II, Firenze 1870

Cavalcaselle-Crowe 1871
Giovanni Battista Cavalcaselle, Joseph Archer Crowe, *A History of Painting in Northern Italy*, VIII, Londra, 1871, pp. 316-361

Cavalcaselle-Crowe 1886-1908
Giovanni Battista Cavalcaselle, Joseph Archer Crowe, *Storia della pittura in Italia dal secolo II al secolo XVI*, 11 voll., Firenze 1886-1908, ed. anastatica Bologna 1982

Cavalcaselle-Crowe 1912
Giovanni Battista Cavalcaselle, Joseph Archer Crowe, *A History of Painting in Northern Italy*, London 1912, ed. anastatica Milano 2004

Cavalcaselle-Morelli 1896
Giovanni Battista Cavalcaselle, Giovanni Morelli, *Catalogo delle opere d'arte nelle Marche e nell'Umbria*, in "Le Gallerie Nazionali Italiane", Roma 1896

Cavallaro 1984
Anna Cavallaro, *Aspetti e protagonisti della pittura del Quattrocento romano in coincidenza dei Giubilei*, in *Roma 1300-1875. L'arte degli Anni Santi*, catalogo della mostra (Roma), a cura di Marcello Fagiolo, Maria Luisa Madonna, Milano 1984, pp. 334-346

Cavallaro 1992
Anna Cavallaro, *Antoniazzo e gli antoniazzeschi. Una generazione di pittori nella Roma del Quattrocento*, Udine 1992

Cavallaro 1997
Anna Cavallaro, *Antoniazzo Romano ritrattista della Roma curiale*, in *Le due Rome del Quattrocento. Melozzo, Antoniazzo e la cultura artistica del'400 romano*, atti del convegno internazionale di studi (Università di Roma "La Sapienza", Facoltà di Lettere e Filosofia, Istituto di Storia dell'Arte, 21-24 febbraio 1996), a cura

di Sergio Rossi, Stefano Valeri, Roma 1997, pp. 40-47

Cavallaro 1999
Anna Cavallaro, recensione a: Isabel J. Frank, *Cardinal Giuliano della Rovere and Melozzo da Forlì at Ss. Apostoli* ("Zeitschrift für Kunstgeschichte", 1996, 59), in "RR. Roma nel Rinascimento", 1999, pp. 151-152

Ceccarelli 2003
Francesco Ceccarelli, *La riforma rinascimentale del centro urbano*, in *Imola, il comune, le piazze*, a cura di Massimo Montanari, Tiziana Lazzari, Imola 2003, pp. 180-216

Celio 1638 ed. 1967
Gaspare Celio, *Memoria delli nomi dell'artefici delle pitture, che sono in alcune chiese, facciate, e palazzi di Roma*, facsimile dell'edizione di Napoli 1638, a cura di Emma Zocca, Milano 1967

Celli 1984
Sante Celli, *Un secolo di Paradiso. I primordi dei francescani a Faenza. Il convento di S. Girolamo. Storia e Arte della Chiesa della Beata Vergine del Paradiso*, Faenza 1984

Cellini ed. 1857
Benvenuto Cellini, *Trattati dell'oreficeria e della scultura*, ed. Firenze 1857

Cellini 1999
Cesena. Pinacoteca Comunale. Dipinti dal XV al XIX secolo, a cura di Marina Cellini, Cesena 1999

Cennini ed. 1982
Cennino Cennini, *Libro dell'arte*, ed. Vicenza 1982

Centanni 1906
Luigi Centanni, *Opere di Vincenzo Pagani nella Pinacoteca di Brera*, in "Rassegna d'Arte", maggio 1906

Centanni 1938-1939
Luigi Centanni, *Le rapine di opere d'arte fatte alle Romagne sotto il primo regno italico*, in "Melozzo da Forlì", XVI, ottobre 1938, 5, pp. 263-268; XVII, gennaio 1939, 6, pp. 317-320

Cerasoli 2001
Giancarlo Cerasoli, *La Casa di Dio: nascita e sviluppo dell'Ospedale Maggiore di Forlì*, in "Studi Romagnoli", LII, 2001, pp. 11-87

Ceriana 1997
Marco Palmezzano, la pala del 1493, a cura di Matteo Ceriana, Vigevano (Pavia) 1997

Ceriana 2003
Matteo Ceriana, *Gli inizi della decorazione architettonica all'antica a Venezia, 1455-1470*, in *L'invention de la Renaissance. La réception des formes "à l'antique" au début de la Renaissance*, atti del convegno (Tours, Centre d'Études Supérieures de la Renaissance), a cura di Jean Guillaume, Paris 2003, pp. 109-142

Ceroni 2001
La Pinacoteca Comunale di Ravenna, a cura di Nadia Ceroni, Ravenna 2001

Ceyssens 1975
Lucien Ceyssens, *Le cardinal Francois Albizzi (1593-1684). Son autobiographie et son testament*, in "Bullettin de l'Institut Historique Belge di Rome", 1975, 45, pp. 343 – 370

Chastel 1987
Andrè Chastel, *L'art du geste à la Renaissance*, in "Revue de l'Art", 1987, 75, pp. 9-16

Chastel 1993
Andrè Chastel, *La pala d'altare nel Rinascimento*, Milano 1993

Chattard 1762-1767
Giovanni Pietro Chattard, *Nuova descrizione del Vaticano o sia della sacrosanta basilica di S. Pietro*, 3 voll., Roma 1762-1767

Chiappini 1983
Alessandra Chiappini, *Manfredo Maladenti forlivese tra Biondo Flavio, Civis Ravennae, Venetiae et Ferrariae e Ludovico Carbone*, in *Ravenna in età veneziana*, a cura di Dante Bolognesi, Ravenna 1983, pp. 227-244

Chiappini 1998
Rudy Chiappini, *Opere d'Arte della Città di Lugano. La collezione. Dipinti e sculture*, Lugano 1998

Chiarini in *Grenoble* 1988
Marco Chiarini, in *Grenoble Musée de peinture et sculpture, Tableux italiens. Catalogne raisonné de la collection de peinture italienne XIVe-XIXe siècles*, Paris 1988, pp. 78-79

Chiarlo 1984
Carlo Roberto Chiarlo, *Gli "fragmenti della sancta antiquitate": studi antiquari e produzioni delle immagini da Ciriaco d'Ancona a Francesco Colonna*, in "Memoria dell'Antico nell'Arte Italiana", I, Torino 1984, pp. 271-297

Chiarlo 1984
Carlo Roberto Chiarlo, *Studi anti-

quari e produzione delle immagini*, in *Memoria dell'antico nell'arte italiana*, I, Torino 1984, pp. 269-297

Chiesa di San Francesco 1996
La chiesa di San Francesco in Cotignola nel V centenario della consacrazione (1495-1995), Faenza 1996

Choix d'œuvres 1960
Choix d'œuvres de la collection Wittert, Liége 1960

Cian 1931
Vittorio Cian, *L'ora della Romagna*, Bologna 1931

Ciartoso 1911
Maria Ciartoso, *Note su Antoniazzo Romano. Degli affreschi in Santa Croce in Gerusalemme e di due immagini votive*, in "L'Arte", XIV, 1911, pp. 42-47

Ciatti 1999
Marco Ciatti, *Il restauro dei dipinti su tavola*, Firenze, 1999

Ciatti-Castelli-Santacesaria 1999
Dipinti su tavola. La tecnica e la conservazione dei supporti, a cura di Marco Ciatti, Ciri Castelli, Ancrea Santacesaria, Firenze 1999

Cicconetti 1973
Carlo Cicconetti, *La regola del Carmelo: origine, natura, significato*, Roma 1973

Cieri Via 1967
Claudia Cieri Via, *Origine e sviluppi della decorazione profana fra '400 e '500*, in *La cultura artistica nelle dimore romane fra Quattrocento e Cinquecento: funzione e decorazione*, Roma 1991

Cieri Via 1982
Claudia Cieri Via, *Il tempio come "locus iustitiae": la Pala Roverella di Cosmè Tura*, in *La corte e lo spazio: Ferrara Estense*, a cura di Giuseppe Papagno, Amedeo Quondam, II, Roma 1982, pp. 577-591

Cieri Via 1988
Claudia Cieri Via, *Galeria sive loggia*, in *Galleria*, a cura di Wolfang Prinz, Modena 1988

Cieri Via 1999
Claudia Cieri Via, *A proposito della pala di Giovanni Bellini a Pesaro: considerazioni sulla simbologia del quadro d'altare*, in *Arte d'Occidente. Studi in onore di Angiola Maria Romanini*, III, Roma 1999, pp. 1031-1041

Cignani 1838
Carlo Cignani, *Cenni Storici e breve

descrizione delle principali pitture e sculture della città di Forlì, Firenze 1838

Ciscato 1870
Antonio Ciscato, *Guida di Vicenza con una carta topografica della città e principali vedute*, Vicenza 1870

Ciucciomini 1989a
Maria Francesca Ciucciomini, *Schede corali Duomo*, in *Corali miniati nella Biblioteca Malatestiana*, a cura di Piero Lucchi, Milano 1989, pp. 115-140

Ciucciomini 1989b
Maria Francesca Ciucciomini, *La serie dei corali del duomo nella miniatura dell'ultimo trentennio del Quattrocento*, in *Corali miniati nella Biblioteca Malatestiana*, a cura di Piero Lucchi, Milano 1989, pp. 37-46

Clark 1989
Nicholas Clark, *Melozzo da Forlì Pictor Papalis*, Faenza 1989 (ed. inglese London, Sotheby, 1990)

Clementini 1617-1627
Cesare Clementini, *Racconto istorico della fondatione di Rimino e dell'origine e vita de' Malatesti*, Rimini 1617-1627

Cleri 1994
Bonita Cleri, *Officina Fanese. Aspetti della pittura marchigiana del Cinquecento*, Cinisello Balsamo 1994

Cleri 1999
Bonita Cleri, *Citazioni da giovanni Santi e Pietro Perugino nella 'Officina fanese' del Cinquecento*, in *Giovanni Santi*, atti del convegno internazionale di studi (Urbino 1995), a cura di Ranieri Varese, Milano 1999, pp. 177-182

Cobelli ed. 1874
Leone Cobelli, *Cronache forlivesi dalla fondazione della città sino all'anno 1498*, a cura di Giosuè Carducci e Enrico Frati, Bologna 1874 (Monumenti Istorici pertinenti alle province di Romagna pubblicati a cura della Deputazione Storica Romagnola, Serie III)

Coffin 1979
David Robbins Coffin, *The Villa in the Life of Renaissance Roma*, Princeton 1979

Coffin 1991
David Robbins Coffin, *Gardens and Gardening in Papal Rome*, Princeton 1991

Cogliati Arano 1965
Luisa Cogliati Arano, *Andrea Solario*, Milano 1965

Colasanti 1910a
Arduino Colasanti, *Da Budapest, Visioni sconosciute d'Arte italiana*, in "Rassegna d'Arte", X, dicembre 1910, 12

Colasanti 1910b
Arduino Colasanti, *Loreto*, in "Collana Italia Artistica", Bergamo 1910

Colasanti 1932
Arduino Colasanti, recensione a: Rezio Buscaroli, *La Pittura romagnola del Quattrocento*, in "Leonardo", III, 1932, p. 9

Coletti 1935
Luigi Coletti, ad vocem *Palmezzano Marco*, in *Enciclopadia italiana*, XXVI, Roma 1935, pp. 141-42, (II ed. 1949)

Coletti 1939
Luigi Coletti, *Lotto e Melozzo*, in "Le Arti", II, aprile-maggio 1939, 4, pp. 348-357

Coletti 1959
Luigi Coletti, *Cima da Conegliano*, Venezia 1959

Coliva 1988
Anna Coliva, *L'Ascensione di Cristo di Melozzo da Forlì. Un restauro al Quirinale*, in "Art Dossier", settembre 1988, 27, pp. 30-34

Collezione 1991
Collezione Gianfranco Luzzetti. Dipinti, sculture, disegni XIV-XVIII secolo, a cura di Angelo Tartuferi, Firenze 1991

Colombi Ferretti 1985
Anna Colombi Ferretti, *Girolamo Genga e l'altare di Sant'Agostino a Cesena*, Bologna 1985 ("Rapporti" 56)

Colombi Ferretti 1988a
Anna Colombi Ferretti, *La pittura in Romagna nel Cinquecento*, in *La pittura in Italia. Il Cinquecento*, I, a cura di Giuliano Briganti, Milano 1988, pp. 278-287

Colombi Ferretti 1988b
Anna Colombi Ferretti, ad vocem *Zaganelli, Bernardino e Francesco*, in *La pittura in Italia. Il Cinquecento*, I, a cura di Giuliano Briganti, Milano 1988, pp. 867-868

Colombi Ferretti 1993
Anna Colombi Ferretti, *Una proposta per gli esordi di Bagnacavallo il Vecchio*, in "Arte a Bologna. Bollettino dei musei civici d'arte antica", 1993, 3, pp. 65-79

Colombi Ferretti 1996
Anna Colombi Ferretti, *Uno sguardo sulla pittura faentina nella prima metà del Cinquecento*, in *Baldassarre Manara faentino pittore di maioliche nel Cinquecento*, a cura di Carmen Ravanelli Guidotti, Montorio 1996, pp. 9-23

Colombi Ferretti 2003a
Anna Colombi Ferretti, *Le fonti sul Menzocchi e il percorso della critica*, in *Francesco Menzocchi. Forlì 1502-1574*, catalogo della mostra (Forlì 2003-2004), a cura di Anna Colombi Ferretti, Luciana Prati, Ferrara 2003, pp. 15-23

Colombi Ferretti 2003b
Anna Colombi Ferretti, *Percorso di Francesco Menzocchi*, in *Francesco Menzocchi. Forlì 1502-1574*, catalogo della mostra (Forlì 2003-2004), a cura di Anna Colombi Ferretti, Luciana Prati, Ferrara 2003, pp. 25-69

Coltrinari 2000
Francesca Coltrinari, *Antonio Solario: nuovi documenti sull'attività marchigiana*, in *Pittura veneta nelle Marche*, a cura di Valter Curzi, Milano 2000, pp. 139-147

Combs Stuebe 1968-1969
Isabel Combs Stuebe, *The Johannisschussel: from narrative to Reliquary to Andachtesbild*, in "Marsyas", XIV, 1968-1969, pp. 1-16

Connoisseur 1921
The Connoisseur, dicembre 1921

Consolini 1884
Francesco Consolini, *Sommario delle cose più notevoli della Storia di Brisighella e Val d'Amone di Antonio Metelli*, Firenze 1884

Conti 1987
Alessandro Conti, *Giovanni Bellini tra Marco Zoppo e Antonello da Messina*, in *Antonello da Messina* atti del convegno di studi (1981), Messina 1987, pp. 275-303

Conti 1988a
Alessandro Conti, *Quando l'imbrunimento è originale*, in "Gazzetta Antiquaria", 1988, 5, pp. 45-47

Conti 1988b
Alessandro Conti, *Storia del restauro e della conservazione delle opere d'arte*, Milano 1988

Conti 1989
Alessandro Conti, *Saggio introduttivo*, in *Corali miniati del Quattrocento nella Biblioteca Malatestiana*, a cura di Piero Lucchi, Milano 1989, pp. 9-18

Conti 1993
Alessandro Conti, *Echi di Marco Zoppo nel polittico di San Zanipolo*, in *Marco Zoppo Cento 1433-1478 Venezia*, atti del convegno internazionale di studi sulla pittura del Quattrocento padano (Cento 1993), a cura di Berenice Giovannucci Vigi, Bologna 1993, pp. 97-105

Conti 1994
Alessandro Conti, *Manuale di restauro*, Torino 1994

Cook 1888
Edward T. Cook, *A popular handbook to the National Gallery*, London 1888

Copertini 1922
Giovanni Copertini, *Intorno al Parmigianino*, in "Archivio storico per le province parmensi", XXII, 1922, pp. 287-299

Copertini 1960
Giovanni Copertini, *La "forma mentis" del Correggio e il clima culturale-artistico di Parma rinascimentale*, in "Parma per l'arte", X, gennaio-aprile 1960, 1, pp. 3-12

Corbara 1958
Antonio Corbara, *Noterelle Palmezzaniane*, in "La Piè", XXVII, 1958, 5-6, pp. 103-106

Corbara 1986
Antonio Corbara, *Gli artisti. La città. Studi sull'arte faentina*, Faenza 1986

Cordaro 1987
Michele Cordaro, *Aspetti dei modi di esecuzione della 'Camera picta' di Andrea Mantegna*, in *Quaderni di Palazzo Tè*, 1987, 6, pp. 17-18

Corna 1930
Andrea Corna, *Dizionario della Storia dell'Arte in Italia*, Piacenza 1930

Corporation of Liverpool 1928
Corporation of Liverpool, Walker art Gallery, *Catalogue of the Roscoe Collection and other Paintings, Drawings, Engravings*, Liverpool 1928

Corpus 1954
Corpus Christianorum series Latina, Turnhout 1954, CXXXVIII

Costamagna 1981
Antonio Costamagna, *'Marco Antonio pictore romano' a Rieti*, in *Aspetti dell'arte del Quattrocento a Rieti*, catalogo della mostra, a cura di Antonio Costamagna, Luisa Scalabroni, Roma 1981, pp. 76-82

Costantini 1921
Vincenzo Constantini, *La Pittura in Milano*, Milano 1921

Crocchianti 1726
Giovanni Carlo Crocchianti, *L'istoria delle chiese della città di Tivoli*, Roma 1726

Crowe-Cavalcaselle 1864-1866
Joseph Archer Crowe, Giovanni Battista Cavalcaselle, *A new history of Painting in Italy from the second to the Sixteenth Century*, 2 voll., London 1864-1866

Crowe-Cavalcaselle 1869-1876
Joseph Archer Crowe, Giovanni Battista Cavalcaselle, *Geschichte der italienischen Malerei*, Leipzig, 1869-1876

Crowe-Cavalcaselle 1871
Joseph Archer Crowe, Giovanni Battista Cavalcaselle, *A History of Painting in North Italy: Venice, Padua, Vicenza, Verona, Ferrara, Milan, Friuli, Brescia, from the Fourteenth to the Sixteenth century*, 2 voll., London, 1871

Crowe-Cavalcaselle 1873
Joseph Archer Crowe, Giovanni Battista Cavalcaselle, *Geschichte der italienischen Malerei*, V, Leipzig 1873

Crowe-Cavalcaselle ed. 1912
Joseph Archer Crowe, Giovanni Battista Cavalcaselle, *A History of Painting in Italy: Venice, Padua, Vicenza, Verona, Ferrara, Milan, Friuli, Brescia; from the Fourteenth to the Sixteenth century*, ed. a cura di Tancredi Borenius, 3 voll., London 1912

Curzi 1996
Valter Curzi, *Giovan Battista Cavalcaselle: funzionario dell'amministrazione delle Belle Arti e la questione del restauro*, in "Bollettino d'Arte", 1996, 96-97, pp. 189-198

Cyclopedia 1888
Cyclopedia of Painters and Paintings, III, New York, London 1888

D'Achiardi 1914
Pietro D'Achiardi, *La Nuova Pinacoteca Vaticana descritta e illustrata*, Bergamo 1914

Daffra-Ceriana 1995-1996
Emanuela Daffra, Matteo Ceriana, *Schede ferraresi*, in "Atti e memorie. Accademia Clementina", 1995-1996, 35-36, pp. 85-91

Dalai Emiliani 1984
Marisa Dalai Emiliani, *Figure rinasci-*

mentali dei poliedri platonici. Qualche problema di storia e di autografia, in *Fra Rinascimento Manierismo e Realtà. Scritti di Storia dell'Arte in memoria di Anna Maria Brizio*, a cura di Pietro C. Marani, Firenze 1984, pp. 7-16

Dalai Emiliani 1987
Marisa Dalai Emiliani, *Raffaello e i poliedri platonici*, in *Studi su Raffaello*, atti del convegno internazionale di studi (1984), a cura di Micaela Sambucco Hamoud, Maria Letizia Strocchi, Urbino 1987, pp. 93-109

Dalla Pozza 1949
Antonio Marco Dalla Pozza, *Museo Civico di Vicenza. Dipinti elencati secondo l'attuale collocazione*, s.l. 1949

Dal Pino 1998
Franco Dal Pino, *Pellegrino Laziosi da Forlì e l'ordine dei Servi dal 1277 al 1346*, in *Un amico del Crocifisso e dei sofferenti, san Pellegrino Laziosi da Forlì (1265-1345 ca.)*, a cura di Elio Peretto, Roma 1998

Dal Pozzolo 1997
Enrico Maria Dal Pozzolo, *Palmezzano a Venezia*, in "Paragone", XL, 1997, 571-573, nuova serie 15-16, pp. 47-57

Dal Pozzolo 1998
Enrico Maria Dal Pozzolo, *Giovanni Bonconsiglio detto Marescalco. L'opera completa*, Cinisello Balsamo 1998

D'Altri 2000
Silvia D'Altri, *Duomo di Santa Croce*, Bologna 2000

D'Altri 2003
Silvia D'Altri, *La chiesa del Carmine*, Forlì 2003

Daly Davis 1980
Margaret Daly Davis, *Carpaccio and the Perspective of Regular Bodies* in *La prospettiva rinascimentale. Codificazioni e trasgressioni*, a cura di Marisa Dalai Emiliani, Firenze 1980, pp. 183-200

Daly Davis 1996
Margaret Daly Davis, *Luca Pacioli, Piero della Francesca, Leonardo da Vinci: tra "proportionalità" e "prospettiva" nella "Divina Proportione"*, in *Piero della Francesca fra arte e scienza*, atti del convegno internazionale di studi (Arezzo, 8-11 ottobre 1992; Sansepolcro, 12 ottobre 1992), a cura di Marisa Dalai Emiliani, Venezia 1996, pp. 355-361

Danesi Squarzina 1989
Silvia Danesi Squarzina, *La Casa dei*

Cavalieri di Rodi: architettura e decorazione, in *Roma, centro ideale della cultura e dell'Antico nei secoli XV e XVI*, atti del convegno, Milano 1989, pp. 102-142

Danieli 1996-1997
Giuseppe Danieli, *Nuove ricerche per Lorenzo da Bologna e Pierantonio Degli Abati*, in "Atti e Memorie dell'Accademia Patavina di Scienze, Lettere e Arti", 1996-1997 (1997), 309, pp. 209-249

Davies ed. 1961
Martin Davies, *National Gallery Catalogues. The earlier Italian Schools*, II ed., London 1961

De Angelis 1988
Maria Antonietta De Angelis, *La Pinacoteca*, in *San Paolo fuori le mura*, a cura di Carlo Pietrangeli, Firenze 1988, pp. 255-265

De Boni 1840
Filippo De Boni, *Emporeo biografico metodico, ovvero biografia universale ordinato per classi*, Venezia 1840

De Castris 1999
Pierluigi Leone De Castris, *Museo e Gallerie Nazionali di Capodimonte. Le collezioni borboniche e post-unitarie. Dipinti dal XIII al XVI secolo*, Napoli 1999

De Hevesy 1924
André De Hevesy, *An unknown Picture by Jacopo de Barbari*, in "The Burlington Magazine", XLIV, 1924, pp. 299-300

Delbourgo-Rioux-Martin 1975
Suzy Delbourgo, Jean Pierre Rioux, E. Martin, *L'analyse des peintures "Studiolo" d'Isabelle d'Este au Laboratoire de Recherche des Musées de France*, in *Laboratoires de Recherche des Musées de France. Annales*, Paris 1975

Della Pergola 1955-1959
Paola Della Pergola, *Galleria Borghese. I dipinti*, 2 voll., Roma 1955-1959

Del Massa 1962
Aniceto Del Massa, *Cima da Conegliano a Palazzo dei Trecento di Treviso*, in "Dialoghi", 1962

De Logu 1958
Giuseppe De Logu, *Pittura veneziana dal XIV al XVIII sec.*, Bergamo 1958

Del Signore 1995
Roberto Del Signore, *Il restauro del-*

la Casina del Cardinal Bessarione, in *Gli anni del Governatorato*, a cura di Luisa Cardilli, Roma 1995, pp. 121-124

Delucca 1997
Oreste Delucca, *Artisti a Rimini fra Gotico e Rinascimento. Rassegna di fonti archivistiche*, Rimini 1997

De Marchi 1987
Andrea De Marchi, *Un'aggiunta al problema di Alvise Vivarini giovane*, in "Arte veneta", XLI, 1987, 41, pp. 123-125

De Marchi 1994
Andrea De Marchi, *Bernardino Zaganelli inedito: due 'Facies Christi'*, in "Prospettiva", 1994, 75-76, pp. 124-135

De Marchi 1995
Andrea De Marchi, *Identità di Giuliano Amadei miniatore*, in "Bollettino d'arte", 1995, 93-94, pp. 119-158

De Marchi 2005
Andrea De Marchi, *Bernardino Zaganelli*, in *Da Allegretto Nuzi a Pietro Perugino*, Moretti, Firenze 2005, pp. 142-149

De Montault 1870
Barbier De Montault, *Les Musées et Galeries de Rome*, Roma 1870

De Ricci 1913
Seymour De Ricci, *Description raisonnée des Peintures du Louvre*, I, Ecoles étrangéres, Italie et Espagne, Paris 1913

De Ris 1860
L. Clement De Ris, *Le Musée de Grenoble*, in "Gazette des Beaux-Arts", VII, luglio 1860, pp. 65-73

Descriptive 1889
Descriptive and historical Catalogue of the Pictures in the National Gallery-Foreign Schools, London 1889

De Suarez 1927
Roberto De Suarez, *Bartolomeo Montagna*, Firenze 1927

Dewez 1949
Léon Dewez, *Les peintures anciennes de la collection Wittert*, Liège 1949

Dickens 1968
Arthur Geoffrey Dickens, *The Counter Reformation*, New York 1968

Dionisotti 1968
Carlo Dionisotti, *Resoconto di una ricerca interrotta*, in "Annali della Scuola Normale Superiore di Pi-*

sa", classe di Lettere, storia e filosofia, s.II, XXXVII, 1968, pp. 259-269

Di Paola 1982
Roberto Di Paola, *L'Oratorio di San Sebastiano in Forlì e Pace di Maso architetto della "brigada" di Melozzo*, in "Bollettino d'Arte", LXVII, 1982, 6, pp. 1-26

Dizionario Bolaffi 1975
Ad vocem *Palmezzano Marco*, in *Dizionario Enciclopedico Bolaffi dei pittori, scultori, incisori italiani. Dal XI al XX secolo*, VIII, Torino 1975, pp. 285-286

Donati 1824
Paolo Donati, *Nuova descrizione della città di Parma*, Parma 1824

Donato 2003
Monica Donato, *Kunstliteratur monumentale. Qualche riflessione e un progetto per la firma dell'artista, dal Medioevo al Rinascimento*, in "Letteratura e arte", I, 2003, pp. 23-47

Dorigato 1993
Carpaccio, Bellini, Tura, Antonello e altri restauri quattrocenteschi della Pinacoteca del Museo Correr, a cura di Attilio Dorigato, Venezia 1993

Dowd 1985
The Travel Diaries of Otto Mündler 1855-1858, a cura di Carol Togneri Dowd, con una introduzione di Jaynie Anderson, in "The Fifty-First Volume of the Walpole Society", 1985

Dülberg 1990
Angelica Dülberg, *Privatporträts. Geschichte und Ikonologie einer Gattung im 15. und 16. Jahrhundert*, Berlin 1990

Duncan 1906-1907
Ellen Duncan, *The National Gallery of Ireland*, in " The Burlington Magazine for Connoisseurs ", X, ottobre 1906-marzo 1907, pp. 7-23

Dunkerton 1990
Jill Dunkerton, Jo Kirby, Raymond White, *Varnish and Early Italian Tempera Painting*, in *Cleaning, Retouching and Coatings: Reprints of the Contribution of the Brussel Congress of the International Institute for Conservation*, 3-7 septembrer 1990, London 1990, pp. 63-69

Dunkerton 1991
Jill Dunkerton, *La Musa di Londra: analisi delle tecniche pittoriche delle due stesure*, in *Le Muse e il Principe: Arte di corte nel Rinascimento padano*, a cu-

ra di Alessandro Mottola Molfino, Mauro Natale, Milano 1991, II, pp. 260-261

Dunkerton 1997
Jill Dunkerton, *Modification to the traditional egg tempera techniques in fifteenth-century Italy*, in *Early Italian Paintings Techniques and Analysis*, Maastricht 1997

Dunkerton 1999
Jill Dunkerton, *Nord e Sud: tecniche pittoriche nella Venezia rinascimentale*, in *Il Rinascimento a Venezia e la pittura del Nord ai tempi di Bellini, Durer, Tiziano*, a cura di Bernard Aikema, Beverly Louise Brown, Milano 1999, pp. 93-103

Durante 1999
Alberto Durante, *Ville, parchi e giardini in Umbria*, Perugia 1999

Dussler 1935
Luitpold Dussler, *Giovanni Bellini*, Frankfurt 1935

Dussler 1949
Luitpold Dussler, *Giovanni Bellini*, Wien 1949

Eberlein 1982
Johann Konrad Eberlein, *Apparitio regis - revelatio veritatis: Studien zur Darstellung des Vorhangs in der bildenden Kunst von der Spätantike bis zum Ende des Mittelalters*, Wiesbaden 1982

Edinburgh 2004
The Age of Titian. Venetian Renaissance Art from Scottish Collections, catalogo della mostra a cura di Peter Humfrey, Edinburgh 2004

Eigenberger 1927
Robert Eigenberger, *Die Gemäldegalerie der Akademie der bildende Künste in Wien. Textband*, Wien-Leipzig 1927

Ekserdjian 1997
David Ekserdjian, *Correggio*, Milano 1997

Elek 1937
Petrovics Elek, *Régi Olasz mesterek, Kiàllitâsa, Nemzeti Szalon Müveszeti Egyesület*, mostra d'arte antica italiana a Budapest, 1937

Elenco 1881
Elenco dei principali monumenti e oggetti d'arte esistenti nella provincia di Vicenza soggetti alla sorveglianza della Commissione Conservatrice di Antichità e Belle Arti. Pitture, Sculture, Oreficerie, Incisioni, Vicenza 1881

Emiliani 1962
Andrea Emiliani, *Carlo Bononi*, Milano 1962

Emiliani 1994
Andrea Emiliani, *La città di Melozzo*, in *Melozzo da Forlì. La sua città e il suo tempo*, catalogo della mostra (Forlì 1994-1995), a cura di Marina Foschi, Luciana Prati, Milano 1994, pp. 13-18

Emiliani 1998
Andrea Emiliani, *Giovanni Battista Cavalcaselle politico*, in *Giovanni Battista Cavalcaselle conoscitore e conservatore*, atti del convegno (Legnago-Verona 28-29 novembre 1997), a cura di Anna Chiara Tommasi, Venezia 1998, pp. 323-369

Enciclopedia 1955
Enciclopedia dei ragazzi, I, Milano 1955

Errera 1920
Isabella Errera, *Répertorire des Peintures datées*, Bruxelles 1920

Eszergomi 1964
Az Eszergomi keresztény Múzeum képtára, a cura di Miklos Boskovits, Miklos Mojzer, Andras Mucsi, Budapest 1964

Evangelisti 1987
Gino Evangelisti, *Il Santuario di S. Maria delle Grazie di Fornò. Singolarità architettoniche e iconografiche*, in "Il Carrobbio", XIII, 1987, pp. 149-152

Fabri 1664
Girolamo Fabri, *Le Sagre Memorie di Ravenna antica*, Venezia 1664

Fabri 1678 ed. 1966
Girolamo Fabri, *Ravenna Ricercata ovvero compendio istorico delle cose più notabili dell'antica città di Ravenna*, Bologna 1678, ed. anastatica Bologna 1966

Fabriczy 1910
Calr Fabriczy, *Acquisti recenti di quadri italiani per la Galleria di Francoforte*, in "Rassegna d'Arte", X, 1910, pp. 73-76

Fagnani-Sesti 1997
Delfina Fagnani, Bruno Sesti, *Note sul restauro*, in *Marco Palmezzano, la Pala del 1493*, a cura di Matteo Ceriana, Vigevano (Pavia) 1997, pp. 45-54

Fahy 2000
Everett Fahy, *L'archivio storico fotografico di Stefano Bardini. Dipinti, disegni, miniature, stampe*, Firenze 2000

Faietti 1994a
Marzia Faietti, *L'influsso della cultura fiorentina nell'evoluzione stilistica del disegno bolognese fra la fine del Quattrocento e gli inizi del Cinquecento*, in *Florentine Drawing at the Time of Lorenzo the Magnificent*, a cura di Elizabet Cropper, Bologna 1994, pp. 197- 216

Faietti 1994b
Marzia Faietti, *La pittura del Quattrocento a Ravenna*, in *Storia di Ravenna*, IV, *Dalla dominazione veneziana alla conquista francese*, a cura di Lucio Gambi, Venezia 1994, pp. 243-261

Faietti-Scaglietti Kelescian 1995
Marzia Faietti, Daniela Scaglietti Kelescian, *Amico Aspertini*, Modena 1995

Fano 1984
Pittura a Fano 1480-1550, catalogo della mostra, Fano 1984

Fantaguzzi ed. 1915
Giuliano Fantaguzzi, *"Caos" cronache cesenati del sec. XV*, a cura di Dino Bazzocchi, Cesena 1915

Fanti 1938
Goffredo Fanti, *Nel V centenario della nascita di Melozzo e la "Mostra di Melozzo e del Quattrocento romagnolo"*, Rimini 1938

Fantuzzi 1802
Marco Fantuzzi, *Monumenti Ravennati de'secoli di mezzo*, Venezia 1802

Farenga 1986
Paola Farenga, *"Monumenta memoriae" Pietro Riario fra mito e storia*, in *Un pontificato ed una città. Sisto IV (1471-1484)*, atti del convegno (Roma 1984), a cura di Massimo Miglio, Francesca Niutta, Diego Quaglioni, Concetta Ranieri, Città del Vaticano 1986, pp. 179-216

Fasolo 1940
Giulio Fasolo, *Guida del Museo Civico di Vicenza*, Vicenza 1940

Fattori 1995
Daniela Fattori, *Per la biografia del Feliciano*, in *L'antiquario Felice Feliciano veronese: tra epigrafia antica, letteratura e arti del libro*, atti del convegno di studi, a cura di Agostino Contò e Leonardo Quaquarelli, Padova 1995, pp. 27-41

Feller 1986
Robert L. Feller, *Artist's Pigments. A Handbook of their History an Characteristic*, Cambridge- Washington 1986

Ferrara 1982
La Regola e l'arte. Opere d'arte restaurate da complessi benedettini, catalogo della mostra (Ferrara), Bologna 1982

Ferrari 2002
Simone Ferrari, *Gli anni veneziani di Jacopo de' Barbari*, in "Arte Veneta", LVI, 2002, pp. 66-83

Ferrari in corso di stampa
Simone Ferrari, *Jacopo de Barbari. Un protagonista del Rinascimento fra Venezia e Nord Europa*, in corso di stampa Milano

Ferretti 1981
Massimo Ferretti, *Falsi e tradizione artistica*, in *Storia dell'arte italiana, III, Situazioni momenti indagini, Conservazione, falso, restauro*, Torino 1981, pp. 118-195

Ferretti 1982
Massimo Ferretti, *I maestri della prospettiva*, in *Storia dell'Arte Italiana*, III, *Situazioni momenti indagini, 4, Forme e modelli*, Torino 1982, pp. 459-585

Ferretti 1984a
Massimo Ferretti, *Nota su Pellegrino da Modena*, in "Bollettino d'Arte", LXIX, 1984, 24, pp. 53-58

Ferretti 1984b
Massimo Ferretti, *Pisa 1493: inizi di Nicolò pittore*, in *Studi di storia dell'arte in onore di Federico Zeri*, Milano 1984, I, pp. 249-262

Ferretti 1993
Massimo Ferretti, *In cerca di Guido Aspertini*, in "Arte a Bologna. Bollettino dei musei civici d'arte antica", 1993, 3, pp. 35-63

Ferino Pagden 1991
Die Gemälde des Kunsthistorischen Museums in Wien. Verzeichnis der Gemälde, a cura di Sylvia Ferino Pagden, Wien 1991

Filarete ed. 1972
Filarete [Antonio Averlino], *Trattato di architettura*, ed. a cura di Anna Maria Finoli, Liliana Grassi, Milano 1972

Filippini 1938
Francesco Filippini, *Il ritratto di Melozzo*, in "Melozzo da Forlì", XVI, ottobre 1938, 5, pp. 229-231

Filippini Baldani 1932
Laura Filippini Baldani, *Jacopo Bianchi di Venezia e Pietro Barilotto Faentino scultori del '500 a Forlì*, in "Il Rubicone", I, 1932, 3, pp. n.n.

Filippini Baldani 1939
Laura Filippini Baldani, *Francesco Menzocchi pittore forlivese e la Villa Imperiale di Pesaro*, in "Melozzo da Forlì", XVII, 1939, 6, pp. 303-310

Finocchi Ghersi 1991a
Lorenzo Finocchi Ghersi, *La basilica dei Santi Apostoli in Roma. Le modifiche dell'impianto medievale nel Quattrocento*, in "Quaderni del Dipartimento di Architettura", *Studi in onore del prof. Renato Bonelli*, Roma 1991, pp. 355-66

Finocchi Ghersi 1991b
Lorenzo Finocchi Ghersi, *Francesco Fontana e la basilica dei Santi Apostoli a Roma*, in "Storia dell'Arte", 1991, 73, pp. 332-42

Finocchi Ghersi 1994
Lorenzo Finocchi Ghersi, *Bessarione e la basilica romana dei Santi XII Apostoli*, in *Bessarione e l'Umanesimo*, catalogo della mostra, a cura di Gianfranco Ficcadori, Napoli 1994, pp. 129-136

Finocchi Ghersi 1997
Lorenzo Finocchi Ghersi, *Melozzo e l'architettura*, in *Le due Rome del Quattrocento. Melozzo, Antoniazzo e la cultura artistica del '400 romano*, atti del convegno internazionale di studi (Roma 1996), a cura di Sergio Rossi, Stefano Valeri, Roma 1997, pp. 65-76

Finocchi Ghersi 2000
Lorenzo Finocchi Ghersi, *Il palazzo Riario-della Rovere ai SS. Apostoli*, in *Sisto IV. Le Arti a Roma nel Primo Rinascimento*, atti del convegno internazionale di studi, a cura di Fabio Benzi e Carlo Crescentini, Roma 2000, pp. 445-457

Finocchi Ghersi 2003
Lorenzo Finocchi Ghersi, *I quattro secoli della pittura veneziana*, Venezia 2003

Finocchi Ghersi 2003-2004
Lorenzo Finocchi Ghersi, *Il rinascimento veneziano di Giovanni Bellini*, Venezia 2003-2004

Fiocco 1926
Giuseppe Fiocco, *Felice Feliciano amico degli artisti*, Venezia 1926, estratto da "Archivio Veneto-tridentino", IX, 1926

Fiocco 1929
Giuseppe Fiocco, *Un affresco melozzesco nel Battistero di Siena*, in "Rivista d'Arte", XI, aprile-giugno 1929, pp. 153-161

Fiocco-Gherardi 2004
Carola Fiocco, Gabriella Gherardi, *Ceramica forlivese della prima metà del '500: 'Petrus'*, in "Keramos", 186, 2004, pp. 9-36

Fioravanti Baraldi 1986
Anna Maria Fioravanti Baraldi, *Girolamo da Cotignola*, in *Pittura bolognese del Cinquecento*, a cura di Vera Fortunati Pierantonio, Bologna 1986, I, pp. 95-116

Fioravanti Baraldi 1995
Anna Maria Fioravanti Baraldi, *Vita artistica e dibattito religioso a Ferrara nella prima metà del Cinquecento*, in *La Pittura in Emilia e in Romagna. Il Cinquecento. Un romanzo polifonico tra Riforma e Controriforma*, a cura di Vera Fortunati, Milano 1995, pp. 105-125

Fiorini 1951
Guido Fiorini, *La Casa dei Cavalieri di Rodi al Foro di Augusto*, Roma 1951

Firenze 1992
Una scuola per Piero. Luce, colore e prospettiva nella formazione fiorentina di Piero della Francesca, catalogo della mostra (Firenze) a cura di Luciano Bellosi, Venezia 1992

Flaminio da Parma 1760
Flaminio da Parma, *Memorie istoriche delle chiese e dei conventi dei frati minori della Provincia di Bologna*, 3 voll., Parma 1760

Fogolari 1914
Gino Fogolari, *La Madonna di Casa Galvani di Giovanni Bellini*, in "L'Arte", XVII, 1914, pp. 304-306

Fogolari 1931
Gino Fogolari, ad vocem *Cima da Conegliano*, in *Enciclopedia Italiana Treccani*, X, Milano 1931, pp. 244-245

Folkerts 1998
Menso Folkerts, *Luca Pacioli and Euclid*, in *Luca Pacioli e la matematica del Rinascimento*, atti del convegno internazionale di studi (Sansepolcro 1994), a cura di Enrico Giusti, Città di Castello 1998, pp. 219-231

Fontana 1981
Walter Fontana, *Scoperte e studi sul Genga pittore*, Urbino 1981

Foratti 1908
Aldo Foratti, *Bartolomeo Montagna*, Padova 1908

Foratti 1931
Aldo Foratti, ad vocem *Montagna*,

Bartolomeo, in *Allgemeines Lexikon der bildenden Künstler*, a cura di Ulrich Thieme, Felix Becker, XXV, Leipzig 1931, pp. 74-76

Forcella 1932
Amadore Forcella, *Galleria Spada di Roma*, Roma 1932

Forlì 1938 ed. 1994
Mostra di Melozzo e del Quattrocento romagnolo, catalogo della mostra (Forlì 1938), a cura di Luisa Becherucci, Cesare Gnudi, Bologna 1938 (ed. anastatica Forlì 1994)

Forlì 1957
Mostra delle opere di Palmezzano in Romagna, catalogo della mostra (Forlì), a cura di Roberto Papini, Faenza 1957

Forlì 1982
Tommaso Minardi, disegni taccuini lettere nelle collezioni pubbliche di Forlì e Faenza, catalogo della mostra (Forlì 1982), a cura di Monica Manfrini Orlandi, Attilia Scarlini, Bologna 1981

Forlì 1986
Presenza religiosa nell'arte forlivese, catalogo della mostra (Forlì 1986), a cura di Vittorio Mezzomonaco, Forlì 1988

Forlì 1988
Prima mostra-mercato dell'antiquariato Città di Forlì, catalogo della mostra, Forlì 1988

Forlì 1989
Il monumento a Barbara Manfredi e la scultura del Rinascimento in Romagna, catalogo della mostra (Forlì), a cura di Anna Colombi Colombi Ferretti, Luciana Prati, Bologna 1989

Forlì 1991
Il San Domenico di Forlì. La chiesa, il luogo, la città, catalogo della mostra (Forlì), a cura di Marina Foschi, Giordano Viroli, Bologna 1991

Forlì 1994-1995
Melozzo da Forlì. La sua città e il suo tempo, catalogo della mostra (Forlì 1994-1995), a cura di Marina Foschi, Luciana Prati, Milano 1994

Forlì 2003-2004
Francesco Menzocchi. Forlì 1502-1574, catalogo della mostra (Forlì 2003-2004), a cura di Anna Colombi Ferretti, Luciana Prati, Ferrara 2003

Fornari Schianchi 1979
Lucia Fornari Schianchi, *Note cri-*

tiche, in *Restauri a cura della Soprintendenza ai Beni Artistici e Storici di Parma e Piacenza*, Parma 1979, pp. 1-7

Fornari Schianchi 1983
Lucia Fornari Schianchi, *La Galleria Nazionale di Parma*, Parma s.d. [ma 1983]

Fornari Schianchi 1995
Lucia Fornari Schianchi, *La scuola di Parma nel Cinquecento e gli apporti esterni*, in *La pittura in Emilia e in Romagna. Il Cinquecento. Un romanzo polifonico tra Riforma e Controriforma*, MIlano 1995, pp. 9-50

Fornari Schianchi 1997
Lucia Fornari Schianchi, *Come si forma un museo: il caso della Galleria Nazionale*, in *Galleria Nazionale di Parma. Catalogo delle opere dall'Antico al Cinquecento*, Milano 1997, pp. XXXVII-LIX

Fornari Schianchi 1998
Lucia Fornari Schianchi, *La città, il museo e la memoria. Qualche nota per una lettura del Cinquecento a Parma*, in *Galleria Nazionale di Parma. Catalogo delle opere. Il Cinquecento*, Milano 1998, pp. XIII-XXXVI

Fortini Brown 1998
Patricia Fortini Brown, *Renaissance in Venedig. Kunst und Kultur in der Stadt der Dogen*, Köln 1998

Foschi 2001
Ugo Foschi, *Case e famiglie della vecchia Ravenna*, Ravenna 2001

Foschi-Prati 1994
Marina Foschi, Luciana Prati, *Pietre, terrecotte, mattonelle:. moduli e modelli*, in *Melozzo da Forlì. La sua città e il suo tempo*, catalogo della mostra (Forlì 1994-1995), a cura di Marina Foschi, Luciana Prati, Milano 1994, pp. 221-236

Foulkes 1905a
Constance Jocelyn Foulkes, *Notizie d'Inghilterra, Vendite della primavera*, in "L'Arte", VIII, 1905, pp. 288, 398

Foulkes 1905b
Constance Jocelyn Foulkes, *Una tavola di Marco Palmezzano*, in "Rassegna bibliografica dell'arte italiana", VIII, 1905, pp. 90-91

Foulkes 1907
Constance Jocelyn Foulkes, *Un quadro di Marco Palmezzano in una collezione privata inglese*, in "Rassegna bibliografica dell'arte italiana", X, 1907, pp. 16-19

Franceschini 1928
Giovanni Franceschini, *Tesori d'arte a Vicenza*, in "Le Tre Venezie", IV, settembre 1928, 9

Francia 1964
Ennio Francia, *Tesori della Pinacoteca Vaticana*, Milano 1964

Frank 1993
Isabel J. Frank, *Melozzo da Forlì and the Rome of Pope Sixtus IV (1471-84)*, Ph. Diss., 1991, Harvard University, Ann Arbor 1993

Frank 1994
Isabel J. Frank, *La passione raccontata da Melozzo nella sagrestia di San Marco*, in *Il Santuario di Loreto: sette secoli di storia, arte, devozione*, a cura di Floriano Grimaldi, Milano 1994, pp. 77-87

Frank 1996
Isabel J. Frank, *Cardinal Giuliano della Rovere and Melozzo da Forlì at SS. Apostoli*, in "Zeitschrift für Kunstgeschichte", 1996, 59, pp. 97-122

Frassineti 1928
Antonio Frassineti, *S. Antonio a Montepaolo e a Castrocaro*, in "Il Santo, Rivista Antoniana", I, 13 giugno 1928, 1, pp. 22-30

Friedländer 1926
Max J. Friedländer, *Die Kunstsammlung von Pannwitz*, I, *Gemälde*, München 1926

Frimmel 1901
Theodor von Frimmel, *Geschichte der Wiener Gemäldesammlung*, IV, Leipzig-Berlin 1901

Frizzoni 1888
Gustavo Frizzoni, *La quinta edizione del "Cicerone" di Burckhardt, anno 1884*, in "Archivio Storico dell'Arte", I, agosto 1888, 8, pp. 289-300

Frizzoni 1889
Gustavo Frizzoni, *La Pinacoteca Comunale Martinengo in Brescia*, in "Archivio Storico dell'Arte", II, 1889, pp. 24-33

Frizzoni 1892
Gustavo Frizzoni, *La Galleria Morelli in Bergamo*, Bergamo 1892

Frizzoni 1896
Gustavo Frizzoni, *Correspondaces de l'etranger. Les échanges projetés entre les Galeries de Parme et de Florence*, in "Gazette des Beaux-Arts", XXXVII, maggio 1896, pp. 432-441

Frizzoni 1904
Gustavo Frizzoni, *La Pinacoteca Strossmayer nell'Accademia di Scienze ed Arti in Agram*, in "L'Arte", VII, 1904, pp. 425-440

Frommel 1977
Christoph Liutpold Frommel, '*Capella Iulia': Die Grabkapelle Palast Julius II in Neu-St.Peter*, in "Zetschrift für Kunstgeschichte", 1977, pp. 26-61

Frommel 1989
Christoph Liutpold Frommel, *Il cardinale Raffaele Riario e il palazzo della Cancelleria*, in *Sisto IV e Giulio II mecenati e promotori di cultura*, atti del convegno di Savona (1985), a cura di Silvia Bottaio, Anna Dagnino, Giovanna Rotondi Terminiello, Savona, 1989, pp. 73-85

Frommel 1995
Christoph Liutpold Frommel, *Raffaele Riario, committente della Cancelleria*, in *Arte, committenza ed economia a Roma e nelle corti del Rinascimento. 1420-1530*, atti del convegno di Roma (1990), a cura di Arnold Esch, Christoph Liutpold Frommel, Torino, 1995, pp. 197-211.

Frommel 1998
Sabine Frommel, *Sebastiano Serlio architetto*, Milano 1998

Fubini 1968
Renato Fubini, ad vocem *Biondo Flavio*, in *Dizionario Biografico degli Italiani*, X, Roma 1968, pp. 536-559

Furani 2002
Gabrio Furani, *Forlì*, Firenze 2002

Fusconi 2002
Gian Michele Fusconi, *Forlì e i suoi vescovi. Appunti e documentazione per una storia della Chiesa di Forlì*, III, *Il secolo XVI*, Milano 2002

Fuzzi 1937
Maria Teresa Fuzzi, *L'ultimo periodo degli Ordelaffi in Forlì*, Forlì 1937

Gaddoni 1908
Serafino Gaddoni, *La storia di un monumento a Giulio II. L'origine del Monte di Pietà in Imola. Memorie storiche imolesi*, Carpi 1908

Gaddoni 1911
Serafino Gaddoni, *I Frati Minori in Imola e i tre ordini francescani nella città e diocesi imolese*, Firenze 1911

Galassi 1999
Maria Clelia Galassi, *Indagini sul disegno sottostante di Bartolomeo Monta-*

gna. *Precisazioni sulla prima attività*, in "Arte Veneta", LIII, 1999 [edito 2001], 55, pp. 103-112

Galerie Weber Hamburg 1912
Galerie Weber Hamburg, catalogo di vendita, 20-22 febbraio 1912

Galetti-Camesasca 1951
Enciclopedia della pittura italiana, a cura di Ugo Galetti, Ettore Camesasca, I, Milano 1951

Galleria 1834
Galleria de' conti Merenda Salecchidi Forlì. Quadri, Forlì 1834

Galleria 1837-1842
Galleria Imperiale di Firenze, pubblicata con incisioni in rame da una società sotto la direzione di L. Bartolini, G. Bezzuoli, e S. Jesi, ed. illustrata da Ferdinando Ranalli, Firenze 1837-1842

Galleria 1994
Galleria Nazionale dell'Umbria. Dipinti, sculture e ceramiche. Studi e restauri, a cura di Caterina Bon Valsassina, Vittoria Garibaldi, Firenze 1994

Galleria 1997
Galleria Nazionale di Parma. Catalogo delle opere dall'Antico al Cinquecento, Milano 1997

Gallerie 1894
Le Gallerie Nazionali Italiane. Notizie e documenti, I, Roma 1894

Gallerie 1896
Le Gallerie Nazionali Italiane. Notizie e documenti, II, Roma 1896

Galli 1933
Romeo Galli, *Una ignota tavola di Palmezzano a Dozza imolese*, in "Il Resto del Carlino", 1 novembre 1933

Galli 1939
Romeo Galli, *La tavola di Dozza del Palmezzano*, in "Melozzo da Forlì", XVII, 7 aprile 1939, 7, pp. 335-337

Galizzi 1992
Alessandra Galizzi, *L'iconografia del verbo incarnato da Giovanni da Modena al Francia. Origine e sviluppo di una "pittura sospetta"*, in *Il luogo ed il ruolo della città di Bologna tra Europa continentale e mediterranea*, atti del colloquio C. I. H. A. (1990), a cura di Giovanna Perini, Bologna 1992, pp. 111-134

Galizzi Kroegel 2003
Alessandra Galizzi Kroegel, *A proposito dei santi nelle bizzarre "Annuncia-*

zioni" di Francesco Francia e Timoteo Viti: proposte per l'iconografia e la committenza, in "Notizie da Palazzo Albani", 2003, 32, pp. 47-72

Gallone 1989
Antonietta Gallone, Studio analitico dello strato pittorico nel Polittico di San Luca di Andrea Mantegna, in Il Polittico di San Luca di Andrea Mantegna nell'occasione del suo restauro, a cura di Sandrina Bandera Bistoletti, Firenze, 1989, pp. 67-68

Gallone 1997
Antonietta Gallone, Lo studio analitico dei pigmenti, in La pala di san Bernardino di Piero della Francesca. Nuovi studi oltre il restauro, a cura di Emanuela Daffra, Filippo Trevisani, Firenze, 1997, pp. 257-261

Gallone-Zanolini 1989
Antonietta Gallone, Paola Zanolini, Il restauro: modi dell'esecuzione pittorica, in Il restauro del polittico di San Luca di Andrea Mantegna nell'occasione del suo restauro, a cura di Sandrina Bandera Bistoletti, Firenze 1989

Gamba 1916
Carlo Gamba, La Cà d'Oro e la collezione Franchetti, in "Bollettino d'Arte del Ministero della Pubblica Istruzione", X, 1916, pp. 321-334

Gamba 1920-1921
Carlo Gamba, Raccolta Visconti-Venosta, in "Dedalo", I, 1920-1921, pp 506-534

Gamba 1937
Carlo Gamba, Giovanni Bellini, Milano 1937

Gardelli 1993
Giuliana Gardelli, Maiolica per l'architettura. Pavimenti e rivestimenti rinascimentali di Urbino e del suo territorio, Urbino 1993

Garnier 1901
Georges Garnier, Tre dipinti del Palmezzano, inediti, in "Rassegna d'Arte", I, 1901, 7, pp. 104-105

Garuti 1999
Alfonso Garuti, Ritrovamenti e restauri in Castello, in Hans Semper, Carpi. Una sede principesca del Rinascimento (Dresda, 1882) a cura di Luisa Giordano, Pisa 1999, pp. 379-415

Gemäldegalerie 1996
Gemäldegalerie Berlin. Gesamtverzeichnis, a cura di Henning Bock, Berlin 1996

Gengaro 1940
Maria Luisa Gengaro, Umanesimo e Rinascimento, in Storia dell'Arte Classica e Italiana, III, Torino 1940

Ghelfi 2002
Barbara Ghelfi, Vicende collezionistiche di casa Hercolani. La quadreria di Maria Malvezzi Hercolani nelle carte dell'archivio di famiglia, in La quadreria di Gioacchino Rossini. Il ritorno della Collezione Hercolani a Bologna, catalogo della mostra (Bologna), a cura di Daniele Benati, Massimo Medica, Milano 2002, pp. 15-18

Gheroldi 1997
Gheroldi, Dalle ricette alle preferenze. Esibizioni della lacca in Emilia nella prima metà del Quattrocento, in "Arte a Bologna. Bollettino dei musei civici di arte antica", 1997, 4, pp. 9-25

Gheroldi 1995
Vincenzo Gheroldi, Le vernici al principio del Settecento. Studi sul Trattato di Filippo Bonanni, Cremona 1995

Ghidiglia Quintavalle 1956
Augusta Ghidiglia Quintavalle, La Galleria Nazionale di Parma, Bologna 1956

Ghidiglia Quintavalle 1960
Augusta Ghidiglia Quintavalle, La Galleria Nazionale di Parma, Parma 1960

Ghidiglia Quintavalle 1971
Augusta Ghidiglia Quintavalle, La Galleria Nazionale di Parma, Parma 1971

Giardini 1992
Claudio Giardini, La collezione Hercolani nella Pinacoteca Civica di Pesaro. Trentotto dipinti e un marmo provenienti dall'eredità Rossini, Bologna 1992

Giardini 2002
Claudio Giardini, La collezione Hercolani nella Pinacoteca Civica di Pesaro. Trentotto dipinti e un marmo provenienti dall'eredità Rossini in La quadreria di Gioacchino Rossini. Il ritorno della Collezione Hercolani a Bologna, catalogo della mostra (Bologna), a cura di Daniele Benati, Massimo Medica, Milano 2002, pp. 25-34

Gielly 1937
Louis Gielly, La réorganisation de la section de peintures au Musée Ariana, in "Genava", 1937

Gilbert 1967
Creighton Gilbert, When did a Man

in the Renaissance grow Old ?, in "Studies in the Renaissance", XIV, 1967, pp. 7-32

Gilbert 1990
Louis Gilbert, Some Special Images for Carmelites circa 1330-1430, in Christianity and the Renaissance. Image and Religious Imagination in the Quattrocento, a cura di Timothy Verdon, John Henderson, New York 1990

Gilbert 1994
Louis Gilbert, Savoldo, Cima, Parma and the Pio family, in "Venezia Cinquecento", IV, luglio-dicembre 1994, 8, pp. 113-125

Gill 1995
Meredith Jane Gill, Antoniazzo Romano and the Recovery of Jerusalem in Late Fifteenth-Century Rome, in "Ricerche di Storia dell'Arte", 1995, 83, pp. 28-47

Gilmore 1952
Myron Piper Gilmore, The Program of Christian Humanism, in The World of Humanism, 1453-1517, New York 1952

Gironi 1833
Robustiano Gironi, Pinacoteca del Palazzo Reale delle Scienze e delle Arti di Milano, II, Milano 1833

Goffen 1989
Rona Goffen, Giovanni Bellini, London 1989

Goffen 1990
Rona Goffen, Giovanni Bellini, Milano 1990

Goffen 2001
Rona Goffen, Signatures inscribing: Identity in Italian Renaissance Art, in "Viator. Medieval and Renaissance Studies", 2001, 32, pp. 303-370

Golfieri 1957a
Ennio Golfieri, Dipinti cinquecenteschi provenienti dall'antica chiesa di s. Francesco, in "La Concezione", 8 dicembre 1957

Golfieri 1957b
Ennio Golfieri, In margine al V centenario della nascita di Marco Palmezzano, in "Arte Veneta", XI, 1957, pp. 246-247

Golfieri 1964
Ennio Golfieri, Pinacoteca di Faenza, Faenza 1964

Golfieri 1975
Ennio Golfieri, L'arte a Faenza dal

Neoclassicismo ai nostri giorni, I, Imola 1975

Golfieri 1977
Ennio Golfieri, ad vocem Carrari Baldassarre, in Dizionario Biografico degli italiani, XX, Roma 1977, pp. 710-712

Golzio-Zander 1968
Vincenzo Golzio, Giuseppe Zander, L'arte in Roma nel secolo XV, Bologna 1968

Gombrich 1964
Ernst H. Gombrich, Light Form and Texture in XVth Century Painting, in "Journal of the Royal Society of Arts", CXII, 1964, pp. 826-850

Gori 1990
Mariacristina Gori, La rocca di Forlimpopoli, Forlimpopoli 1990

Gori 1991
Mariacristina Gori, L'architettura e la scultura nei secoli XV e XVI, in Storia di Forlì, III, L'età moderna, a cura di Cesarina Casanova, Giovanni Tocci, Bologna 1991, pp. 211-234

Gori 1994a
Mariacristina Gori, Architetti e maestranze nelle fabbriche forlivesi del Quattrocento, in Melozzo da Forlì. La città e il suo tempo, catalogo della mostra (Forlì 1994-1995), a cura di Marina Foschi, Luciana Prati, Milano 1994, pp. 193-208

Gori 1994b
Mariacristina Gori, Convento della Ripa (o della Torre), in Melozzo da Forlì. La città e il suo tempo, catalogo della mostra (Forlì 1994-1995), a cura di Marina Foschi, Luciana Prati, Milano 1994, pp. 300-302

Gottschewski 1907
Adolf Gottschewski, ad vocem Antoniazzo, in Ulrich Thieme, Felix Becker, Allgemeines Lexikon der bildenden Künstler, I, Leipzig 1907, pp. 575-576

Gould 1975
Cecil Gould, National Gallery Catalogues. The Sixteenth-Century Italian Schools, London 1975

Gozzadini 1886-1889
Giovanni Gozzadini, Di alcuni avvenimenti in Bologna e nell'Emilia dal 1506 al 1511 e dei cardinali legati A. Ferrerio e F. Alidosi, in "Atti e Memorie della R. Deputazione di Storia Patria per le Provincie di Romagna", serie III, IV, 1886, pp. 67-176; VII, 1889, pp. 161-267

Grassi ed. 1886
Paride de Grassi, *Le due spedizioni militari di Giulio II tratte dal diario di Paride Grassi bolognese maestro delle cerimonie della cappella papale*, ed. a cura di Luigi Frati, Bologna 1886 (R. Deputazione di Storia Patria per le Provincie di Romagna, Documenti e studi 1)

Graziani 1990
Natale Graziani, *Fra medioevo ed età moderna: la signoria dei Riario e di Caterina Sforza*, in *Storia di Forlì*, II, *Il Medioevo*, a cura di Augusto Vasina, Forlì 1990, pp. 239-261

Graziani-Vivarelli 1987
Natale Graziani, Gabriella Vivarelli, *Caterina Sforza*, Milano 1987

Grigioni 1895a
Carlo Grigioni, *Marco Palmezzano architetto*, in "Bollettino della Società fra gli Amici dell'Arte per la provincia di Forlì", I, 1895, 4, pp. 59-60

Grigioni 1895b
Carlo Grigioni, *I monumenti di Luffo Numai a Ravenna e a Forlì*, in "Bollettino della Società fra gli Amici dell'Arte per la provincia di Forlì", I, 1895, 6, pp. 88-93

Grigioni 1896
Carlo Grigioni, *Baldassarre Carrari il giovine pittore forlivese*, in "Arte e storia", XV, 1896, pp. 91-93

Grigioni 1898
Carlo Grigioni, *Baldassare Carrari il giovine di Forlì, pittore*, in "Rassegna bibliografica dell'arte italiana", 1898, pp. 237-241

Grigioni 1899
Carlo Grigioni, *Documenti su Marco Palmezzano, pittore forlivese*, in "Rassegna bibliografica dell'arte italiana", II, settembre-ottobre 1899, 9-10, pp. 222-223

Grigioni 1900
Carlo Grigioni, *Documenti su Cristoforo Bezzi, architetto forlivese*, in "Rassegna bibliografica dell'arte italiana", III, gennaio-febbraio 1900, 1-2, pp. 12-20

Grigioni 1901
Carlo Grigioni, *La famiglia di Marco Palmezzano*, in "Rassegna bibliografica dell'arte italiana", IV, maggio-agosto 1901, 5-8, pp. 114-128

Grigioni 1902
Carlo Grigioni, *La famiglia di Marco Palmezzano*, in "Rassegna biblio-grafica dell'arte italiana", V, 1902, 10-12, pp. 177-204

Grigioni 1909
Carlo Grigioni, *Per la tavola di Girolamo Genga già nella chiesa di Sant'Agostino a Cesena*, in "Rassegna bibliografica dell'arte italiana", 1909, pp. 56-61

Grigioni 1910a
Carlo Grigioni, *Girolamo Marchesi e Girolamo Genga a Rimini*, in "L'Arte", 1910, pp. 291-293

Grigioni 1910b
Carlo Grigioni, *Per la storia della pittura in Cesena nel secolo XV*, in "La Romagna", VII, 1910, 10, pp. 389-410

Grigioni 1910c
Carlo Grigioni, *Il pittore Antonio Aleotti a Cesena*, in "La Romagna", VII, 1910, 11-12, pp. 441-451

Grigioni 1913a
Carlo Grigioni, *Nota su l'arte e gli artisti in Ravenna*, III, *Pittori del secolo XV*, in "Felix Ravenna", 1913, 9, pp. 355-365

Grigioni 1913b
Carlo Grigioni, *Per la storia della pittura in Cesena nel primo quarto del secolo XVI*, in "Rassegna bibliografica dell'arte italiana", XVI, 1913, 1-4, pp. 3-14

Grigioni 1916
Carlo Grigioni, *Il testamento e la morte di Marco Palmezzano*, in "Rassegna bibliografica dell'arte italiana", XIX, 1916, 11-12, pp. 129-130

Grigioni 1923
Carlo Grigioni, *Una pretesa opera di Marco Palmezzano e un supposto soggiorno del pittore a Roma*, in "La Romagna", XIV, novembre 1923, 9, pp. 527-531

Grigioni 1925
Carlo Grigioni, *Forlì*, in "La Romagna alla II biennale delle arti decorative a Monza", Forlì 1925, pp. 55-75

Grigioni 1927a
Carlo Grigioni, *La dimora di Girolamo Genga in Romagna e la Cappella Lombardini nella chiesa di S. Francesco a Forlì*, in "La Romagna", 1927, 10, pp. 174-183

Grigioni 1927b
Carlo Grigioni, *Documenti inediti intorno alla famiglia, alla vita e alle opere di Francesco Menzocchi*, in "La Romagna", 1927, 4-5, pp. 313-333

Grigioni 1928
Carlo Grigioni, *Giovan Batista Rosetti da Forlì e una sua tavola della 'Madonna del Fuoco'*, in "La Romagna", gennaio-aprile 1928, 1, pp. 58-65

Grigioni 1929
Carlo Grigioni, *Una Madonna sconosciuta di Nicolò Rondinelli*, in "Belvedere", 1929, pp. 287-289

Grigioni 1933
Carlo Grigioni, *Marco Palmezzano, Francesco Menzocchi, due opere ignorate*, in "Il Rubicone", II, 1933, 6-7, pp. n.n.

Grigioni 1935a
Carlo Grigioni, *Marco Palmezzano a Faenza*, in "Valdilamone", XIII, aprile-giugno 1935, pp. 48-52

Grigioni 1935b
Carlo Grigioni, *La pittura faentina dalle origini alla metà del '500*, Faenza 1935

Grigioni 1939
Carlo Grigioni, *Marco palmezzano nel quarto centenario della sua morte*, in "Le Vie d'Italia", XLV, dicembre 1939, 12, pp. 1540-1545

Grigioni 1940
Carlo Grigioni, *Una grande collezione privata viennese-La pittura italiana nella Galleria Liechtenstein*, in "Le Vie del Mondo", VIII, marzo 1940, 3, pp. 247-259

Grigioni 1947a
Carlo Grigioni, *Un altro caso di iconografia amena (nella tavola dell'Immacolata del Palmezzano)*, in "Il Nuovo Momento", XX, 15 novembre 1947, 43, pp. n.n.

Grigioni 1947b
Carlo Grigioni, *La "Crocifissione" di Marco Palmezzano in Sant'Agostino di Forlì*, in "Il Nuovo Momento", XX, 29 novembre 1947, 45, pp. n.n.

Grigioni 1947c
Carlo Grigioni, *Iconografia amena*, in "Il Nuovo Momento", XX, 25 ottobre 1947, 40, pp. n.n.

Grigioni 1947d
Carlo Grigioni, *Il pittore Aleotti a Roma*, in "Il Nuovo Momento", XX, 1 novembre 1947, 41, pp. n.n.

Grigioni 1947e
Carlo Grigioni, *La Sacra Famiglia di Casa Regoli del Palmezzano*, in "Il Nuovo Momento", XX, 11 agosto 1947, 30, pp. n.n.

Grigioni 1947f
Carlo Grigioni, *Il vero ritratto di Melozzo*, in "Il Nuovo Momento", XX, 26 settembre 1947, 35, pp. n.n.

Grigioni 1947g
Carlo Grigioni, *Gli Zampeschi a Forlimpopoli*, in "Il Nuovo Momento", XX, 4 ottobre 1947, 37, pp. n.n.

Grigioni 1948a
Carlo Grigioni, *A proposito del ritratto di Filasio Roverella nella Pinacoteca di Cesena*, in "Il Nuovo Momento", XI, 10 gennaio 1948, 2, pp. n.n.

Grigioni 1948b
Carlo Grigioni, *Un cipresso e un cedro*, in "Il Nuovo Momento", XXI, 24 gennaio 1948, 4, pp. n.n.

Grigioni 1948c
Carlo Grigioni, *Giorgio Vasari a Forlì*, in "Il Nuovo Momento", XXI, 28 febbraio 1948, 9, pp. n.n.

Grigioni 1948d
Carlo Grigioni, *Il Presepio di Marco Palmezzani all'Accademia di Brera*, in "Il Nuovo Momento", XXI, 25 dicembre 1948, pp. n.n.

Grigioni 1948e
Carlo Grigioni, *La tavola "Calzolari" di Marco Palmezzano*, in "Il Nuovo Momento", XXI, 1 aprile 1948, 14, pp. n.n.

Grigioni 1949a
Carlo Grigioni, *A Brera un altro Palmezzano?*, in "Il Nuovo Momento", XXII, 22 gennaio 1949, pp. n.n.

Grigioni 1949b
Carlo Grigioni, *Come si è formata una leggenda su Marco Palmezzano*, in "Il Nuovo Momento", XXII, 26 gennaio 1949, pp. n.n.

Grigioni 1949c
Carlo Grigioni, *Esiste a Venezia un ritratto del duca Valentino dipinto da Marco Palmezzano*, in "Il Nuovo Momento", XXII, 19 novembre 1949, pp. n.n.

Grigioni 1949d
Carlo Grigioni, *L'Incoronazione della Madonna di Marco Palmezzano nella Pinacoteca di Brera*, in "Il Nuovo Momento", XXII, 12-20 agosto 1949, pp. n.n.

Grigioni 1949e
Carlo Grigioni, *Un pannello del Palmezzani rubato a San Mercuriale*, in "Il Nuovo Momento", XXII, 1949, pp. n.n.

Grigioni 1949f
Carlo Grigioni, *La tavola di Marco Palmezzano a Monaco di Baviera*, in "Il Nuovo Momento", XXII, 2-9 luglio 1949, pp. n.n.

Grigioni 1950a
Carlo Grigioni, *Conosciamo noi le prime opere di Marco Palmezzano?*, in "Studi Romagnoli", I, Faenza 1950, pp. 197-242

Grigioni 1950b
Carlo Grigioni, *Marco Palmezzano e i Naldi*, in "Il Nuovo Momento", XXIII, 8 aprile 1950, pp. n.n.

Grigioni 1950c
Carlo Grigioni, *Marco Palmezzano e i Naldi*, in "Il Nuovo Momento", XXIII, 10 giugno 1950, pp. n.n.

Grigioni 1950d
Carlo Grigioni, *Il San Giovanni Gualberto del Palmezzano*, in "Il Nuovo Momento", XXIII, 23 dicembre 1950, pp. n.n.

Grigioni 1950e
Carlo Grigioni, *La testa recisa del Battista di Marco Palmezzano a Brera*, in "Il Nuovo Momento", XXIII, 11 marzo 1950, pp. n.n.

Grigioni 1951a
Carlo Grigioni, *Il quadro che Alfonso del Reame donò alla chiesa di San Mercuriale di Forlì*, in "Il Nuovo Momento", XXIV, 8 dicembre 1951, pp. n.n.

Grigioni 1951b
Carlo Grigioni, *La Sacra Conversazione di Marco Palmezzano a Brera*, in "Il Nuovo Momento", 10 febbraio 1951, pp. n.n.

Grigioni 1951c
Carlo Grigioni, *La tavola del San Giovanni Evangelista di Marco Palmezzano in San Mercuriale di Forlì*, in "Il Nuovo Momento", XXIV, 1 giugno 1951, pp. n.n.

Grigioni 1952
Carlo Grigioni, *Il pittore dei Presepi*, in "La Piê", XXI, 1952, 11-12, pp. 268-272

Grigioni 1953
Carlo Grigioni, *La tavola Calzolari di Marco Palmezzano deve esistere ancora*, in "La Voce Cattolica", 22 marzo 1953, pp. n.n.

Grigioni 1956
Carlo Grigioni, *Marco Palmezzano pittore forlivese nella vita nelle opere nell'arte*, Faenza 1956

Grigioni 1957
Carlo Grigioni, *La data del trittico di Marco Palmezzano*, in "La Piê", XXX, 1957, 7-8, pp. 155-156

Grigioni 1962
Carlo Grigioni, *Pietro Barilotto scultore faentino del Cinquecento. La famiglia, la vita, l'opera, l'arte*, Faenza 1962

Grigioni ed. 1988
Inediti di Carlo Grigioni, a cura di Pier Giorgio Pasini, numero monografico di "Romagna arte e storia", VIII, 1988, 24

Groen 1975
C.M. Groen, *Towards identification of brown discolouration of green paint*, ICOM 4th Triennal meeting, Venezia 1975

Gronau 1930
Georg Gronau, *Giovanni Bellini*, Stuttgart-Berlin 1930

Gronau 1932
Georg Gronau, ad vocem *Palmezzano Marco*, in *Allgemeines Lexikon der bildenden Künstler*, a cura di Ulrich Thieme, Felix Becker, XVI, Leipzig 1932, pp. 181-183

Gronau 1936
Georg Gronau, *Documenti artistici urbinati*, Firenze 1936

Grosley ed. 1774
Pierre Jean Grosley, *Observation sur l'Italie e sur les italiens donnees en 1764*, London ed. 1774

Grossato 1957
Lucio Grossato, *Il Museo Civico di Padova. Dipinti e sculture dal XIV al XIX secolo*, Venezia 1957

Gualdo 1984
G. Gualdo, ad vocem *Barbo Marco*, in *Dizionario Biografico degli Italiani*, VI, Roma 1984, pp. 249-252

Guardabassi 1872
Mariano Guardabassi, *Indice-Guida dei monumenti pagani e cristiani riguardanti l'istoria e l'arte nella provincia dell'Umbria*, Perugia 1872

Guarini 1874
Filippo Guarini, *Notizie storiche e descrittive della Pinacoteca Comunale di Forlì*, Forlì 1874

Guarino 1981
Sergio Guarino, *La formazione veneziana di Jacopo de' Barbari*, in *Giorgione e la cultura veneta tra '400 e '500. Mito, allegoria, analisi iconologica*, atti del convegno internazionale di studi, Roma 1981, pp. 186-198

Guarino 2004
Sergio Guarino, *Rinascimento a Roma. La pittura da Gentile da Fabriano al 'Giudizio' di Michelangelo*, Milano 2004

Guerrieri 1970
Francesco Guerrieri, *Una conferma per Michelozzo*, in "Antichità Viva", IX, 1970, 9, 4

Guerrini 1991
Roberto Guerrini, *Lo spazio letterario di Roma antica. IV. L'attualizzazione del testo*, Roma 1991

Guida 1838
Guida per l'I.R. Pinacoteca di Brera, Milano 1838

Guida 1872
Guida per i visitatori della Pinacoteca della R. Accademia di Belle Arti in Milano, Milano 1872

Guida 1933
Guida della Pinacoteca Vaticana, Città del Vaticano 1933

Guillaume 1980
Catalogue raisonné du Musée des Beaux-Arts de Dijon. Peintures italiennes, a cura di Marguerite Guillaume, Dijon 1980

Guglielmo Della Valle 1792
Vite de' più eccellenti Pittori, Scultori e Architetti, scritte da M. Giorgio Vasari, arricchite di rami di Giunte e di correzioni, a cura di Guglielmo Della Valle, Siena 1792

Gunn-Chottard-Riviere-Girerd 2002
Michele Gunn, Genevieve Chottard, Eric Riviere, Jean Yacques Girerd, *Chemical reactions between copper pigments and oleoresinous media*, in "Studies in Conservation", ILVII, 2002, 1, pp. 12-23

Hadeln 1912
Detlev von Hadeln, ad vocem *Cima da Conegliano*, in *Allgemeines Lexikon der bildenden Künstler*, a cura di Ulrich Thieme, Felix Becker, VI, Leipzig 1912, pp. 593-596

Hadeln 1922
Detlev von Hadeln, *Zwei unbeachetete Originalwerke des Giovanni Bellini*, in "Zeitschrift für bildende Kunst", N.F. XXXIII, 1922, pp. 112-115

Hall 1992
Marcia B. Hall, *Color and meaning: practice and theory in Renaissance painting*, Cambridge 1992

Harck 1891
Fritz Harck, *Quadri di maestri italiani nelle gallerie private di Germania, III, La Galleria Weber di Amburgo*, in "Archivio Storico dell'Arte", IV, 1891, pp. 81-91

Harck 1893
Fritz Harck, *Quadri italiani nelle gallerie private di Germania, Galleria del castello di Sigmaringen*, in "Archivio Storico dell'Arte", VI, 1893, p. 390

Haritas 1965
James Haritas, *Paintings, Drawings and Sculture in the Phoenix Art Museum Collection*, Phoenix 1965

Haskell 1976
Francis Haskell, *Rediscoveries in Art. Some Aspects of Taste, fashion and Collecting in England and France*, London 1976

Haskell 1981
Francis Haskell, *La dispersione e la conservazione del patrimonio artistico*, in *Storia dell'arte italiana*, III, *Situazioni momenti indagini. 3. Conservazione, falso, restauro*, Torino 1981, pp. 118-195

Haskell 1987
Francis Haskell, *Mecenatismo, Patronato*, in *Enciclopedia universale dell'arte*, VIII, 1987, pp. 940-956

Haskell 2001
Francis Haskell, *Antichi maestri in tournée. Le esposizioni d'arte e il loro significato*, Pisa 2001

Hautecoeur 1926
Louis Hautecoeur, *Musée National du Louvre. Catalogue des peintures*, II, Paris 1926

Hedberg 1980
Gregory Scott Hedberg, *Antoniazzo Romano and his school*, New York 1980

Heimbürger Ravalli 1977
Minna Heimbürger Ravalli, *Architettura, scultura e arti minori nel Barocco italiano. Ricerche nell'archivio Spada*, Firenze 1977

Heinemann 1962a
Fritz Heinemann, *Cima da Conegliano*, in "Kunstchronik", XV, 1962, pp. 318-324

Heinemann 1962b
Fritz Heinemann, *Giovanni Bellini e i Belliniani*, 2 voll., Venezia 1962

Heinemann 1991
Fritz Heinemann, *Giovanni Bellini e i Belliniani*, III, *Supplemento e ampliamenti*, Venezia 1991

Hermanin 1931
Federico Hermanin, *Zur Wiederoffnnung der Gemäldegalerie im Palazzo Spada*, in "Pantheon", luglio 1931, pp. XLI-XLII

Hesse-Schlangenhaufer 1986
Christina Hesse, Martina Schlagenhaufer, *Wallraf-Richartz-Museum Köln. Vollständiges Verzeichnis der Gemäldesammlung*, Mailand-Köln 1986

Hetzer 1985
Theodor Hetzer, *Venezianische Malerei von ihren Anfängen bis zum Tode Tintorettos*, Stuttgart 1985

Hind 1935
Arthur Mayger Hind, *The Art of Wood-Engraving in Italy in the Fifteenth Century*, II, London 1935

Hobbes 1949
James R. Hobbes, *The Picture Collector's Manual, being a Dictionary of Painters*, 2 voll., London 1849

Holt 1947
Elizabeth Gilimore Holt, *A Documentary History of Art*, 2 voll., New York 1947

Hoppenbrouwers 1975
Valerus Hoppenbrouwers, *Vita mariana*, ad vocem *Carmelitani*, in *Dizionario degli Istituti di perfezione*, a cura di Guerrino Pelliccia, Giancarlo Rocca, II, Roma 1975

Höss 1908
Karl Höss, *Fürst Johann II. von Liechtenstein und die bildende Kunst*, Wien 1908

Humfrey 1982
Peter Humfrey, *Cima da Conegliano a Parma*, in "Saggi e Memorie di storia dell'arte", 1982, XIII, pp. 35-46

Humfrey 1983
Peter Humfrey, *Cima da Conegliano*, Cambridge 1983

Humfrey 1987a
Peter Humfrey, *Cima da Conegliano*, in *La pittura in Italia. Il Quattrocento*, a cura di Federico Zeri, II, Milano 1987, pp. 600-601

Humfrey 1987b
Peter Humfrey, *La pittura a Venezia nel secondo Quattrocento*, in *La pittura in Italia. Il Quattrocento*, a cura di Fe-

derico Zeri, I, Milano 1987, pp. 184-209

Humfrey 1990
Peter Humfrey, ad vocem *Cima da Conegliano*, in *La pittura nel Veneto. Il Quattrocento*, II, Milano 1990, p. 742

Humfrey 1993a
Peter Humfrey, *The Altarpiece in Renaissance Venice*, New Heaven-London 1993

Humfrey 1993b
Peter Humfrey, *Marco Zoppo: la Pala di Pesaro*, in *Marco Zoppo (Cento 1433-1478 Venezia),* atti del convegno internazionale di studi sulla pittura del Quattrocento Padano (Cento 1993), a cura di Berenice Giovannucci Vigi, Bologna 1993, pp. 71-78

Humfrey 1994
Peter Humfrey, *Cima da Conegliano: un decennio di ricerche e un convegno di studi*, in "Venezia Cinquecento", IV, gennaio-giugno 1994, 7, pp. 5-18

Humfrey 1995 ed. 1996
Peter Humfrey, *Painting in Renaissance Venice*, New Haven-London 1995, ed. italiana *La pittura a Venezia nel Rinascimento*, Milano 1996

Humfrey 1996
Peter Humfrey, ad vocem *Cima da Conegliano*, in *The Dictionary of Art*, VII, London 1996, pp. 319-324

Humfrey 1998
Peter Humfrey, ad vocem *Cima da Conegliano*, in *Saur Allgemeines Künstler-Lexikon*, XIX, München-Leipzig 1998, pp. 217-220

Humfrey 1999
Peter Humfrey, ad vocem *Cima da Conegliano*, in *La pittura nel Veneto. Il Cinquecento*, III, Milano 1999, pp. 1281-1282

Huse 1972
Norbert Huse, *Studien zu Giovanni Bellini*, Berlin-New York 1972

Iannucci-Di Francesco 1994
Anna Maria Iannucci, Carla di Francesco, *L'esordio del restauro a Forlì. Memoria e conservazione, Melozzo da Forlì. La sua città e il suo tempo*, catalogo della mostra (Forlì 1994-1995), a cura di Marina Foschi, Luciana Prati, Milano 1994, pp. 237-250

Impelloso 2000
Lucia Impelloso, *L'autoritratto*, in *Il ritratto tra la storia e l'eternità*, a cura

di Stefano Zuffi, Milano 2000, pp. 285-301

Incisa Della Rocchetta 1977
Giovanni Incisa Della Rocchetta, *La 'Galleria Portatile' del p. Sebastiano Resta*, in "Oratorium Archivium historicum Oratorii Sancti Philippi Nerii", Roma, giugno-dicembre 1977, pp. 85-96

Innocenti 2000
Perla Innocenti, *La 'Pinacoteca Vaticana' nella storia della museografia. Dalle origini al progetto di Luca Beltrami*, in "Accademia Clementina. Atti e Memorie", 2000, 40, pp. 95-183

Jacobsen 1910
Emil Jacobsen, *Die Gemäldegalerie der Brera in Mailand*, in "Repertorium für Kunstwissenschaft", 1910, pp. 197-211

Jannoni 1969-1970
Aldo Jannoni, *L'influenza veneta nella pittura di Marco Palmezzano*, tesi di laurea, Università di Bologna, Facoltà di Lettere e Filosofia, relatore prof. Francesco Arcangeli, a.a. 1969-1970

Jurěn 1974
Vladimir Jurěn, *Fecit-faciebat*, in "La Revue de l'Art", 1974, 26, pp. 27-29

Kaftal-Bisogni 1978
George Kaftal, *Saints in Italian art*. III, *Iconography of the saints in the painting of North East Italy*, with the collaboration of Fabio Bisogni, Firenze 1978

Katalog 1908
Katalog der Gemälde-Sammlung der Kgl. älteren Pinakothek in München mit ein historischen Eindeitung, München 1908

Katalog 1912
Katalog der Königl. Gemälde Galerie zu Dresden, Dresden 1912

Katalog 1966
Katalog der Alten Meister der Hamburger Kunsthalle, Hamburg 1966

Keller 1969
Harald Keller, *Il Rinascimento italiano*, Firenze 1969

Kemp 1990
Martin Kemp, *The Science of Art. Optical themes in western art from Brunelleschi to Seurat*, New Haven-London 1990

Kent Hill 1974
Dorothy Kent Hill, *The Classical

Collection and its Growth*, in "Apollo", 1974, 100, pp. 352-359

Kent-Overbeck-Stylow 1973
John P. C. Kent, Bernard Overbeck, Armin V. Stylow, *Die Römische Münze*, München 1973

Khun 1970
Hermann Khun, *Verdigris and copper resinate*, in "Studies in Conservation", XV, 1970, pp. 12-36

Kirby 1988
John B. Kirby, *The preparation of early lake pigments: a survey*, in *Dyes on historical and acheological textiles*, 6th Meeting, Leeds, September 1987, Edinburgh 1988, pp. 12-18

Klesper 1957
E. Klesper, *Symbolism in an early Italian painting*, in "The Bulletin of the Walters Art Collection", X, Dicembre 1957, 3

Kockaert 1979
Leopold Kockaert, *Note on the green and brown glazes in old paintings*, in "Studies in Conservation", XXIV, 1979, pp. 69-74

Kronfeld 1927
Adolf Kronfeld, *Führer durch die Fürstlich Liechtensteinische Gemäldegalerie in Wien*, Wien 1927

Kronfeld 1931
Adolf Kronfeld, *Führer durch die Fürstlich Liechtensteinische Gemäldegalerie in Wien*, Wien 1931

Kugler 1842
Franz Kugler, *Hand-Book of the History of Painting*, London 1842

Kustodieva 1994
The Hermitage. Catalogue of Western European Painting. Italian Painting. Thirteenth to Sixteenth Centuries, a cura di Tatjana K. Kustodieva, Firenze 1994

La Moureyre Gavoty 1975
Françoise de la Moureyre Gavoty, *Institut de France Paris, Musée Jacquemart-André, Sculpture italienne*, Paris 1975

Laclotte-Moench 2005
Michel Laclotte, Esther Moench, *Peinture italienne. Musée du Petit Palais Avignon*, Paris 2005

Laclotte-Mognetti 1977
Michel Laclotte, Elisabeth Mognetti, *Avignon, Musée du Petit Palais, Péeinture Italienne*, Paris 1977

Laderchi 1841
Camillo Laderchi, *Descrizione della Quadreria Costabili*, Ferrara 1841

Lafenestre-Richtenberger 1905
Georges Lafenestre, Eugene Richtenberger, *La peinture en Europe-Rome, les Musées, les collections particulières, les palais*, Paris 1905

Lànyi 1938
Ienö Lànyi, *Un autoritratto di Melozzo da Forlì*, in "La Critica d'Arte", III, giugno 1938, 3, pp. 79-103

Lanzi 1789
Luigi Lanzi, *Storia pittorica dell'Italia*, Bassano 1789

Lanzi 1795-1796
Luigi Lanzi, *Storia pittorica dell'Italia dal Risorgimento delle belle arti fin presso alla fine del XVIII secolo*, III, Bassano 1795-1796

Lanzi 1809 ed. 1974
Luigi Lanzi, *Storia pittorica della Italia dal Risorgimento delle Belle Arti fin presso alla fine del XVIII secolo*, Bassano 1809, a cura di Martino Capucci, 3 voll., Firenze 1974

Lanzi ed. 1831
Luigi Lanzi, *Storia Pittorica della Italia dal Risorgimento delle Belle Arti fin presso al fine del XVIII secolo*, Milano 1831

Lanzi ed. 1988
Luigi Lanzi, *Viaggio nel Veneto*, ed. a cura di Donata Levi, Firenze 1988

Lasareff 1957
Victor Lasareff, *Opere nuove o poco note di Cima da Conegliano*, in "Arte Veneta", XI, 1957, pp. 39-52

Lazari 1859
Vincenzo Lazari, *Notizie delle opere d'arte e d'antichità della raccolta Correr di Venezia*, Venezia 1859

Lazzarini 1983
R. Lazzarini, *Le analisi di laboratorio*, in *La Pala Barbarigo di Giovanni Bellini*, in "Quaderni della Soprintendenza per i Beni Storici e Artistici di Venezia", 1983, 3, pp. 23-25

Lechi 1968
Fausto Lechi, *I quadri della Collezione Lechi in Brescia. Storia e documenti*, Firenze 1968

Leonetti Luparini 1923-1926
Benedetto Leonetti Luparini, *Case di Antiche Famiglie Spoletine*, in "Atti dell'Accademia Spoletina", 1923-26, pp. 199-204

Levenson 1978
Jay A. Levenson, *Jacopo de' Barbari and Northern Art of The Early Sixteenth Century*, Dissertation, Ph. D., New York University 1978

Levi 1988
Donata Levi, *Cavalcaselle. Il pioniere della conservazione dell'arte italiana*, Torino 1988

Levi 1993
Donata Levi, *Il viaggio di Morelli e di Cavalcaselle nelle Marche e nell'Umbria*, in *Giovanni Morelli e la cultura dei conoscitori*, atti del convegno internazionale di studi (Bergamo, 6/7 giugno 1987), a cura di Giacomo Agosti, Maria Elisabetta Manca, Matteo Panzeri, con il coordinamento scientifico di Marisa Dalai Emiliani, II, Bergamo 1993, pp. 133-148

Levi 1999
Donata Levi, *Autocensure e intuizioni: gli appunti di Cavalcaselle e di Crowe su Giovanni Santi*, in *Giovanni Santi*, atti del convegno internazionale di studi (Urbino, Convento di Santa Chiara, 17-19 marzo 1995), a cura di Ranieri Varese, Milano 1999, pp. 182-192

Levi 2002
Donata Levi, *Esigenze di "autenticità" fra dichiarazioni di principio e pratica di intervento: appunti sull'attività di G. B. Cavalcaselle nella Basilica Superiore di San Francesco*, in *La realtà dell'utopia*, atti del primo convegno internazionale di primavera sul restauro (Assisi, 21-24 marzo 2001), a cura di Giuseppe Basile, in "Kermes - La rivista del restauro", 2002, supplemento al n. 47, pp. 39-43

Levi D'Ancona 1977
Mirella Levi D'Ancona, *The Garden of The Renaissance: botanical symbolism in Italian painting*, Firenze 1977

Lightbown 2004
Ronald Lightbown, *Carlo Crivelli*, New Haven [u.a.] 2004

Lipparini 1938
Giuseppe Lipparini, *Melozzo e il misticismo umbro-marchigiano*, in "Melozzo da Forlì", XVI, ottobre 1938, 5, pp. 226-227

Litta 1812-1902
Pompeo Litta, *Famiglie Celebri italiane*, Milano 1812-1902

Lo Duca 1935
Giuseppe Maria Lo Duca, *Dipinti del Museo di Grenoble*, in "Emporium", I, 1935, pp. 256-258

Logan Berenson 1915
Mary Logan Berenson, *Dipinti Italiani a Cracovia*, in "Rassegna d'Arte", XV, 1915, pp. 1-4

Lollini 1991
Fabrizio Lollini, *La cappella di Bessarione ai Santi Apostoli: una riconsiderazione*, in "Arte Cristiana", LXXIX, 1991, 742, pp. 7-22

Lollini 1994
Fabrizio Lollini, *Bessarione e le arti decorative*, in *Bessarione e l'Umanesimo*, catalogo della mostra, a cura di Gianfranco Ficcadori, Napoli 1994, pp. 149-170

Lollini 1998
Fabrizio Lollini, *Volumi liturgigi miniati nel territorio di Cesena*, in *Storia della Chiesa di Cesena*, II, a cura di Marino Mengozzi, Cesena 1998, pp. 225-249

Lollini 2000
Fabrizio Lollini, *Miniatura 'romagnola': un primo status quaestionis*, in *Corali miniati di Faenza, Bagnacavallo e Cotignola. Tesori della diocesi*, a cura di Fabrizio Lollini, Faenza 2000, pp. 15-42

Londra 1985
Da Borso a Cesare d'Este. La scuola di Ferrara 1450-1628, catalogo della mostra (Londra), a cura di Emanuele Mattaliano, Ferrara 1985

Londra-New York 1992
Andrea Mantegna, catalogo della mostra (Londra, New York 1992), a cura di J. Martineau, Milano 1992

Longhi 1914
Roberto Longhi, *Piero dei Franceschi e lo sviluppo della pittura veneziana*, 1914, in *Opere complete di Roberto Longhi*, I, Firenze 1961

Longhi 1926
Roberto Longhi, *Primizie di Lorenzo da Viterbo*, in *Vita Artistica*, I, 1926, 9-10, pp. 109-114

Longhi 1927a
Roberto Longhi, *Un chiaroscuro e un disegno di Giovanni Bellini*, in "Vita Artistica", II, 1927, ora in *Opere complete di Roberto Longhi*, II, *Saggi e ricerche 1925-1928*, Firenze 1967, I, pp. 179-188

Longhi 1927b
Roberto Longhi, *In favore di Antoniazzo Romano*, in "Vita artistica", II, 1927, 11-12, pp. 226-233, ora in *Opere complete di Roberto Longhi*, II, *Saggi e Ricerche 1925-1928*, Firenze 1967, pp. 245-246

Longhi 1934
Roberto Longhi, *Officina ferrarese*, Roma 1934, ora in *Opere complete di Roberto Longhi*, V, Firenze 1968

Longhi 1947
Roberto Longhi, *Calepino veneziano: il Carpaccio e i due "Tornei" della National Gallery*, in "Arte Veneta", I, 1947, 3, pp. 188-190, ora in *Opere complete di Roberto Longhi*, X, *Ricerche sulla pittura veneta 1946-1969*, Firenze 1978, pp. 80-82

Longhi 1956
Roberto Longhi, *Officina Ferrarese, 1934, seguita da Ampliamenti 1940 e dai nuovi ampliamenti 1944-1955*, Firenze 1956, ora in *Opere complete di Roberto Longhi*, V, Firenze 1980

Lorenzetti 1926
Giulio Lorenzetti, *Venezia e il suo Estuario*, Roma 1926

Lübke 1903
Wilhem Lübke, *Die Kunst der Renaissance in Italien und im Norden*, Stuttgard 1903

Lucco 1983
Mauro Lucco, *Venezia fra Quattro e Cinquecento*, in *Storia dell'Arte Italiana*, V, *Dal Medioevo al Quattrocento*, Torino 1983, pp. 445-477

Lucco 1984
Mauro Lucco, *Un altro libro su Cima da Conegliano*, in "Arte Veneta", XXXVIII, 1984, pp. 225-228

Lucco 1985
Mauro Lucco, *La cultura figurativa padana al tempo del Codice Hammer*, in *Leonardo il Codice Hammer e la Mappa di Imola. Arte e scienza a Bologna in Emilia e Romagna nel primo Cinquecento*, catalogo della mostra (Bologna), Firenze 1985, pp. 143-175

Lucco 1987a
Mauro Lucco, ad vocem *Marco Palmezzano*, in *La pittura in Italia. Il Quattrocento*, a cura di Federico Zeri, II, Milano 1987, p. 723

Lucco 1987b
Mauro Lucco, *La pittura a Bologna e in Romagna nel secondo Quattrocento*, in *La pittura in Italia. Il Quattrocento*, a cura di Federico Zeri, I, Milano 1987, pp. 240-255

Lucco 1987c
Mauro Lucco, *La pittura del secondo Quattrocento nel Veneto occidentale*, in *La pittura in Italia. Il Quattrocento*, a cura di Federico Zeri, I, Milano 1987, pp. 147-167

Lucco 1990
Mauro Lucco, *Venezia*, in *La pittura nel Veneto. Il Quattrocento*, a cura di Mauro Lucco, II, Milano 1990, pp. 395-480

Lucco 1993
Mauro Lucco, *Marco Zoppo nella pittura veneziana*, in *Marco Zoppo: Cento 1433-1478 Venezia*, in atti del convegno internazionale di studi sulla pittura del Quattrocento padano (Cento 8-9 ottobre 1993), a cura di Berenice Giovannucci Vigi, Bologna 1993

Lucco-Pontani 1997
Mauro Lucco, Anna Pontani, *Greek inscriptions on two Venetian Renaissance paintings*, in "Journal of the Warburg and Courtauld Institutes", 1997, 60, pp. 111-129

Lukomski 1924
Giulio K. Lukomski, *La pittura italiana nel Museo Khanenko di Kiew*, in "L'esame", III, 1924, p. 70

Lukomski 1940
Giulio K. Lukomski, *L'arte italiana nel Museo di Kiew*, in "Le Vie del Mondo", VIII, novembre 1940, 11, pp. 1033-1043

Lützow 1889
Carl von Lützow, *K.K. Akademie der Bildenden Künste. Katalog der Gemälde-Galerie*, Wien 1889

Lützow 1900
Carl von Lützow, *K.K. Akademie der Bildenden Künste. Katalog der Gemälde-Galerie*, Wien 1900

Luxembourg 1995
Collections du Prince de Liechtenstein, catalogo della mostra, Luxembourg 1995

Luzern 1948
Meisterwerke aus den Sammlungen des Fürsten von Liechtenstein, catalogo della mostra, Luzern 1948

Luzio 1909
Alessandro Luzio, *Isabella d'Este e Giulio II*, in "Rivista d'Italia", XII, 1909, pp. 864-865

Luzio 1913
Alessandro Luzio, *La Galleria dei Gonzaga*, Milano 1913

Macchiavelli ed. 1964
Niccolò Machiavelli, *Legazioni e commissarie*, a cura di Sergio Bertelli, Milano 1964

Macchiavelli ed. 1997
Machiavelli, *Il Principe*, in *Opere di Machiavelli* a cura di Corrado Vivanti, I, Torino 1997

Macinelli-Nahmad 1981
Fabrizio Macinelli, Ezra Nahmad, *Musei Vaticani. Pinacoteca*, Firenze 1981

Magagnato 1953
Licisco Magagnato, *Il Museo Civico di Vicenza*, in *Guida di Vicenza*, a cura di Franco Barbieri, Renato Cevese, Licisco Magagnato, Vicenza 1953, pp. 167-180

Magagnato 1962
Licisco Magagnato, *Il Cima architetto*, in "Comunità", 1962

Maggiori 1832
Alessandro Maggiori, *Dell'itinerario d'Italia e sue più notabili curiosità d'ogni specie*, II, Ancona 1832

Magni 1901
Basilio Magni, *Storia dell'Arte Italiana*, Roma 1901

Magni 1905
Basilio Magni, *Storia dell'Arte Italiana*, Roma 1905

Magrini 1855
Antonio Magrini, *Il Museo Civico solennemente inaugurato il 18 agosto 1855*, Vicenza 1855

Magrini 1863
Antonio Magrini, *Elogio di Bartolomeo Montagna pittore vicentino*, Venezia 1863

Mahon 2004
Denis Mahon, *La 'Madonna con Gesù Bambino': storia del restauro e note tecniche*, in *Filippo Lippi. Un trittico ricongiunto*, Torino 2004, p. 32

Mai 1995
Ekkehard Mai, *Malerei der romanischen Länder von 1500 bis 1800*, Wallraf-Richartz-Museum, Köln 1995

Malaguzzi Valeri 1903
Francesco Malaguzzi Valeri, *L'ordinamento e i nuovi acquisti della Pinacoteca di Brera*, in "Emporium", XVII, gennaio 1903, pp. 24-45

Malaguzzi Valeri 1908
Francesco Malaguzzi Valeri, *Catalogo della R. Pinacoteca di Brera*, Bergamo 1908

Malaguzzi Valeri 1925-1926
Francesco Malaguzzi Valeri, *La R. Pinacoteca di Bologna riordinata*, in "Bollettino d'arte del Ministero della Pubblica Istruzione", V, 1925-1926, pp. 130-142

Malaguzzi Valeri 1927
Francesco Malaguzzi Valeri, *Il restauro del quadro del Palmezzano nella parrocchiale di Santa Maria di Rontana*, in "Bollettino d'arte del Ministero della Pubblica Istruzione", VI, giugno 1927, 12, pp. 567-571

Male 1899
Emile Male, *Quomodo Sibyllas recentiores artifices repraesentaverint*, Paris 1899

Malgouyres- Sénéchal 1998
Philippe Malgouyres, Philippe Sénéchal, *Peintures et sculptures d'Italie. Collections du Xve au XIXe siècle du Musée Calvet Avignon*, Paris 1998

Malvasia 1665
Bonaventura Malvasia, *Compendio historico della ven. Basilica dei SS. Dodeci Apostoli di Roma*, Roma 1665

Malvasia 1678
Carlo Cesare Malvasia, *Felsina Pittrice*, Bologna 1678

Mambelli 1940
Antonio Mambelli, *Un dipinto di Palmezzano da restituire a Forlì*, in "Corriere Padano", 1 settembre 1940

Manca 2000
Joseph Manca, *Cosmè Tura. The Life and Art of a Painter in Estense Ferrara*, Oxford 2000

Mancinelli-Colalucci 1983
Fabrizio Mancinelli, Gianluigi Colalucci, *Melozzo da Forlì. Affreschi distaccati raffiguranti figure di angeli e teste di apostoli*, in "Monumenti, Musei e Gallerie Pontificie. Bollettino", IV, 1983, pp. 111-120

Mancini ed. 1956-1957
Giulio Mancini, *Considerazioni sulla pittura*, a cura di Adriana Marucchi, Luigi Salerno, 2 voll., Roma 1956-1957

Mancini 1979
Fausto Mancini, *Urbanistica rinascimentale a Imola da Girolamo Riario a Leonardo da Vinci (1474-1502)*, Imola (Bologna)1979

Manni-Negro-Pirondini 1989
Arte emiliana dalle raccolte storiche al nuovo collezionismo, a cura di Graziano Manni, Emilio Negro, Massimo Pirondini, Modena 1989

Mantese 1964
Giovanni Mantese, *Memorie storiche della Chiesa vicentina. III/II. Dal 1404 al 1563*, Vicenza 1964

Maracchia 1998
Silvio Maracchia, *La geometria dei poliedri*, in *Luca Pacioli e la matematica del Rinascimento*, atti del convegno internazionale di studi (Sansepolcro 1994), a cura di Enrico Giusti, Città di Castello 1998, pp. 295-311

Marcelli 1997
Fabio Marcelli, *Piermatteo d'Amelia e la Liberalitas principis*, in *Piermatteo d'Amelia. Pittura in Umbria meridionale fra '300 e '500*, Todi 1997, pp. 11-86

Marche dispense 2005
Le Marche disperse. Repertorio di opere d'arte dalle Marche al mondo, a cura di Costanza Costanzi, Milano 2005

Marcheselli ed. 1972
Carlo Francesco Marcheselli, *Pitture delle chiese di Rimini 1754*, a cura di Pier Giorgio Pasini, Bologna 1972

Marchesi 1678
Sigismondo Marchesi, *Supplemento istorico dell'antica città di Forlì*, Forlì 1678

Marchesi 1726
Giorgio Viviano Marchesi, *Vitae Virorum Illustrium Foroliviensium*, Forlì 1726

Marchini 1996
Roberto Marchini, *La città e le mura di Bertinoro nella seconda metà del XVIII secolo*, in "Studi romagnoli", XLVII, 1996 (1999), 47, pp. 209-246

Marchini 2000
Roberto Marchini, *La sala picta nella rocca vescovile di Bertinoro: prospettive e paesaggio*, in "Studi romagnoli", LI, 2000 (2003), 51, pp. 219-294

Marconi 1997
Stefano Marconi, *Soluzione di un problema tecnico in un'opera perduta di Melozzo*, in *Le due Rome del Quattrocento. Melozzo, Antoniazzo e la cultura artistica del '400 romano*, atti del convegno internazionale di studi (Università di Roma "La Sapienza", Facoltà di Lettere e Filosofia, Istituto di Storia dell'Arte, 21-24 febbraio 1996), a cura di Sergio Rossi, Stefano Valeri, Roma 1997, pp. 84-93

Marcucci-Montanari 2004
Lara Marcucci, Guido Montanari, ad vocem *Committenza d'Architettura*, in *Iconografia e arte cristiana*, diretta da Liana Castelfranchi Vegas, Maria Antonietta Crippa, a cura di Rober-

to Cassanelli, Elio Guerriero, Cinisello Balsamo 2004, pp. 452-467

Mariette 1857-1858
Pierre Jean Mariette, *Abecedeario*, Paris 1857-1858

Marini 1963
R. Marini, *Cima da Conegliano e la sua problematica*, in"Emporium", 1963, 137, pp. 147-158

Markham Schulz 1991
Anne Markham Schulz, *Giambattista and Lorenzo Bregno. Venetian Sculpture in the High Renaissance*, Cambridge 1991

Martelli 1984
Franco Martelli, *Giovanni Santi e la sua scuola*, Rimini 1984

Martelli 1999
Cecilia Martelli, *Un affresco di Bartolomeo della Gatta a Città di Castello*, in "Prospettiva", 95-96, 1999 (2000), pp. 143-154

Martin 1993
Giuliano Martin, *Cima: Giovanni Battista da Conegliano detto "Cima": interpretazioni del suo spirito e del suo tempo*, Villorba 1993

Martin-Duval 1990
Elisabeth Martin, Alain R. Duval, *Les deux variétés de jaune de plomb et d'étain: étude chronologique*, in "Studies in Conservation", 1990, 35, pp. 117-136

Martin-Sonoda-Duval 1992
Elisabeth Martin, Naoko Sonoda, Alain R. Duval, *Contribution a l'etude des preparations blanches des tableaux italiens sur bois*, in "Studies in Conservation", 1992, 37, pp. 82-92

Martini 1875
Pietro Martini, *Catalogo delle opere esposte nella Regia Pinacoteca di Parma*, Parma 1875

Martini 1990
Egidio Martini, *Di alcune opere di Cima da Conegliano*, in "Arte Documento", 1990, 4, pp. 76-81

Marulli ed. 1961
Micahelis Marulli Carmina, edidit Alessandro Perosa, Turici 1961

Mason Perkins 1905
Francis Mason Perkins, *Pitture italiane nel Fogg Art Museum a Cambridge*, in "Rassegna d'Arte", V, 1905, pp. 65-69

Mason Perkins 1908
Francis Mason Perkins, *Alcuni appunti sulla Galleria delle Belle Arti di Siena*, in "Rassegna d'Arte Senese", IV, 1908, pp. 48-61

Mason Perkins 1911
Francis Mason Perkins, *Dipinti Italiani nella Raccollta Platt*, in "Rassegna d'Arte", VII, gennaio 1911, 1; settembre 1911, 9

Matalon 1977
Stella Matalon, *Pinacoteca di Brera*, Milano 1977

Mattaliano 1983
Emanuele Mattaliano, *La scultura a Ravenna nei luoghi e negli edifici pubblici fra Quattrocento e Cinquecento*, in *Ravenna in età veneziana*, a cura di Dante Bolognini, Ravenna 1983, pp. 321-367

Mattaliano 1998
Emanuele Mattaliano, *La collezione Costabili*, a cura di Grazia Agostini, Venezia 1998

Matteucci 1843
Sesto Matteucci, *Memorie storiche intorno ai forlivesi benemeriti della umanità e degli studi della loro patria e sullo stato attuale degli stabilimenti di beneficenza e d'istruzione in Forlì*, Faenza 1843

Matthew 1998
Louisa C. Matthew, *The Painter's Presence: Signatures in Venetian Renaissance Pictures*, in "The Art Bulletin", LXXX, 1998, 4, pp. 616-648

Mauceri 1935
Enrico Mauceri, *La R. Pinacoteca di Bologna*, Roma 1935

Mazza 1982
Angelo Mazza, *Marco Palmezzano*, in *Luca Longhi e la pittura su tavola in Romagna nel '500*, catalogo della mostra (Ravenna), a cura di Jadranka Bentini, Bologna 1982, 124-127

Mazza 1988
Angelo Mazza, *Cultura figurativa aImola tra dispersione e tutela (secoli XVIII-XIX)*, in *La Pinacoteca di Imola*, a cura di Claudia Pedrini, Imola 1988, pp. 36-70

Mazza 1991
Angelo Mazza, *La collezione dei dipinti antichi della Cassa di Risparmio di Cesena*, Cesena 1991

Mazza 1992
Angelo Mazza, *La collezione dei dipinti antichi della Cassa di Risparmio di Cesena. Guida illustrata*, Cesena 1992

Mazza 1993
Angelo Mazza, *Vicende della pittura tra Romagna e Bologna dai poteri signorili alla legazione pontificia*, in *Innocenzo di Imola. Il tirocinio di un artista*, catalogo della mostra (Imola 1993-1994), a cura di Grazia Agosti, Claudia Pedrini, Casalecchio di Reno 1993, pp. 107-124

Mazza 1995-1996
Angelo Mazza, *Marco Palmezzano: Frammenti per un San Sebastiano*, in "Accademia Clementina. Atti e memorie", 1995-1996, 35-36, pp. 39-44

Mazza 2001
Angelo Mazza, *La Galleria dei dipinti antichi della Cassa di Risparmio di Cesena*, Milano 2001

Mazzatinti 1895
Giuseppe Mazzatinti, *Della vita e delle opere di Andrea Bernardi*, in *Cronache forlivesi di Andrea Bernardi (Novacula)*, I, Bologna 1895

Mazzini 1907
Ubaldo Mazzini, *Il Carpenino e le sue opere*, in "Rassegna bibliografica dell'arte italiana", X, 1907, pp. 1-9

Mazzotti 1957
Carlo Mazzotti, *La Chiesa Prepositurale di Santa Maria Assunta in Dozza imolese: notizie storiche*, Faenza 1957

Mazzotti 1973
Carlo Mazzotti, *La Pieve di Rontana*, in "Le Campane del Monticino", 1973

Mazzotti 1975
Mazzotti Mario, *Le pievi ravennati*, Ravenna 1975, pp. 91-94

Mazzotti-Corbara 1975
Carlo Mazzotti, Antonio Corbara, *S. Maria dei Servi di Faenza, Parrocchiale dei SS. Filippo e Giacomo*, Faenza 1975

Melchiorri 1835
Giuseppe Melchiorri, *Notizie intorno alla vita ed alle opere in Roma di Melozzo da Forlì pittore del secolo XV*, Roma 1835

Meloni Trkulja 2000
Silvia Meloni Trkulja, *Le opere d'arte di San Bartolomeo a Monteoliveto*, in Silvia Meloni Trkulja- Giampaolo Trotta, *Via di Monte Oliveto. Chiese e ville di un colle fiorentino*, Firenze 2000, pp. 111-128

Meloni Trkulja-Trotta 2000
Silvia Meloni Trkulja, Giampaolo Trotta, *Via di Monte Oliveto. Chiese e ville di un colle fiorentino*, Firenze 2000

Mendogni 1996
Pier Paolo Mendogni, *La vita e il sepolcro di Bartolomeo Montini, canonico parmense del secolo XV*, in "Quaderni Utinensi", 1996, 15-16, pp. 213-227

Menegazzi 1962
Luigi Menegazzi, *Cima da Conegliano*, catalogo della mostra (Treviso), Venezia 1962

Menegazzi 1981a
Luigi Menegazzi, ad vocem *Cima da Conegliano*, in *Dizionario Biografico degli Italiani*, XXV, Roma 1981, pp. 524-527

Menegazzi 1981b
Luigi Menegazzi, *Cima da Conegliano*, Treviso 1981

Mercurelli Salari 2004
Paola Mercurelli Salari, scheda I.14, in *Perugino. Il divin pittore*, catalogo della mostra (Perugia), a cura di Vittoria Garibaldi, Francesco Federico Mancini, Cinisello Balsamo 2004, p. 200

Messeri-Calzi 1909
Antonio Messeri, Achille Calzi, *Faenza nella Storia e nell'Arte*, Faenza 1909

Metelli 1869-1872
Antonio Metelli, *Storia di Brisighella e della Valle di Amone (Lamone)*, Faenza 1869-1872

Mettica 1983
Paolo Mettica, *La società forlivese del Quattrocento dalla cronachistica cittadina*, Forlì 1983

Mettica 1990
Paola Mettica, *Cultura potere e società nei cronisti tardomedievali*, in *Storia di Forlì*, II, *Il Medioevo*, a cura di Augusto Vasina, Forlì 1990, pp. 185-207

Mezzomonaco 2004a
Vittorio Mezzomonaco, *Marco Palmezzano, partigiano degli Ordelaffi*, in "Il Melozzo", XXXVII, settembre 2004, 4, pp. 4-5

Mezzomonaco 2004b
Vittorio Mezzomonaco, *Un Palmezzano ad Avignone: il crocifisso di Sant'Agostino*, in "Il Melozzo", XXXVII, dicembre 2004, 6, pp. 3-5

Mezzomonaco 2004c
Vittorio Mezzomonaco, *Stemmi, stendardi, bandiere e gonfaloni*, in "Il Melozzo", XXXVII, novembre 2004, 5, pp. 1-3, 6

Mezzomonaco 2005
Vittorio Mezzomonaco, *Marco Palmezzano e il terzo autoritratto*, in "Il Melozzo", XXXVIII, febbraio 2004, 1, pp. 3, 6

Michel 1908
Andrè Michel, *Histoire de l'Art*, III, seconde partie, Paris 1908

Michiel 1521-1543 ed. 1884
[Marco Antonio Michiel], *Notizia d'opere di disegno*, 1521-1543, ed. a cura di Gustavo Frizzoni, Bologna 1884

Michiel ed. 1888
[Marco Antonio Michiel], *Der Anonimo Morelliano Marcantonio Michiel's Notizia d'opere del disegno*, ed. a cura di Theodor von Frimmel, Wien 1888

Middeldorf 1977
Ulrich Middeldorf, *Glosses on Thieme-Becker*, in *Festschrift für Otto von Simson zum 65. Geburtstag*, Frankfurt 1977, pp. 289-294, ora in *Raccolta di scritti that is Collected Writings*, III, *1974-1979*, Firenze 1981, pp. 133-139

Migne 1854-1865
Jacques Paul Migne, *Patrologia cursus completus, series latina* (=PL), XXXVIII, Parigi 1854-1865

Milano 1984
Raffaello a Brera, catalogo della mostra, Milano 1984

Mills-White 1976
John S. Mills, Raymond White, *The gas chromatography examination on paint media*, in *Consevation and restoration of pictorial art*, London 1976, pp. 72-77

Mills-White 1977
John S. Mills, Raymond White, *Analysis of Paint Media*, in "National Gallery Technical Bulletin", 1977, 1, p. 58

Mini 1894
Giovanni Mini, *La Madonna del Latte di Marco Palmeggiani da Forlì*, in "Erudizione e Belle arti", II, ottobre 1894, 10, pp. 193-195

Mini 1895
Giovanni Mini, *Escursioni artistiche nella Romagna toscana. La Madonna del Latte di Marco Palmeggiani*, Prato 1895

Mini 1896
Giovanni Mini, *Una visita alla Badia del Borgo presso Marradi e all'Osservanza di Brisighella*, Castrocaro 1896

Mini 1900
Giovanni Mini, *Artistica riparazione.*

Tavola di Marco Palmegiani da Forlì esistente nella chiesa arcipetrale di Castrocaro, in "Il Presente", IV, 30 giugno 1900, 164, pp. n.n.

Mini 1914a
Giovanni Mini, *Albo degli uomini illustri di Castrocaro*, Forlì 1914

Mini 1914b
Giovanni Mini, *Lo stemma dei Corbizi di Castrocaro*, Roma 1914

Mireur 1901-1912
H. Mireur, *Dictionnaire des ventes d'art faites en France et à l'Etranger pendant les XVIII & siecles*, Paris 1901-1912

Missale romanum 2002
Missale romanum, Libreria vaticana 2002

Mochi Onori 1998
Lorenza Mochi Onori, scheda n. 9, in *Capolavori della Galleria Nazionale d'Arte Antica. Palazzo Barberini*, a cura di Lorenza Mochi Onori, Rossella Vodret, Roma 1998, p. 225

Modigliani 1901
Ettore Modigliani, in "L'Arte", IV, 1901, p. 105

Molteni 1999
Monica Molteni, *Cosmè Tura*, Milano 1999

Momesso 1997
Sergio Momesso, *Sezioni sottili per l'inizio di Marco Basaiti*, in "Prospettiva", 1997, 87-88, pp. 14-41

Monografia statistica 1867
Monografia statistica, economica, amministrativa della provincia di Forlì, III, Forlì 1867

Montagna-Serra 1964
D. M. Montagna, A. M. Serra, ad vocem *Filippo Benizi*, in *Bibliotheca Sanctorum*, V, Roma 1964

Montanari 1882
Antonio Montanari, *Guida storica di Faenza*, Faenza 1882

Montanari 1956
Luigi Montanari, *Un quadro di Baldassarre Carrari il giovane nella chiesa arcipretale di S. Apollinare in Longana, presso Ravenna*, in "Studi Romagnoli", VII, 1956, 7, pp. 175-182

Montanari 1983
Montanari Giovanni, *Istituzioni religiose e vita religiosa a Ravenna*, in

"Ravenna in età veneziana", a cura di Dante Bolognesi, Ravenna 1983, pp. 69-89

Montanari 1995
Elio Montanari, *Il dossier agiografico sul beato Marcolino da Forlì*, in "Archivum fratrum praedicatorum", LXV, 1995, pp. 315-509

Montini 1995
Renzo U. Montini, *L'Ordine di Malta in Roma. La Casa dei Cavalieri di Rodi al Foro di Augusto* in "Capitolium", XXX, novembre 1955, 11, pp. 325 -334

Montuschi Simboli 1984
Bice Montuschi Simboli, *Bernardino Guiritti, architetto e decoratore*, in "Faenza. Bollettino del Museo Internazionale delle Ceramiche in faenza", LXX, 1984, 3-4, pp. 168-177

Montuschi Simboli 1995
Bice Montuschi Simboli, *Bertucci, 2. Giovan Battista*, in *Saur Allgemeines Künstlerlexikon*, X, München-Leipzig 1995, pp. 159-160 (riedito in "Manfrediana. Bollettino della Biblioteca Comunale di Faenza", 1995, 29, pp. 41-43)

Morandotti 1993
Alessandro Morandotti, *Gerolamo Genga negli anni della Pala di Sant'Agostino a Cesena*, in "Studi di storia dell'arte", 1993, 4, pp. 275-290

Mordani 1874
Francesco Mordani, *Operette*, Firenze 1874

Mordani 1879
Francesco Mordani, *Luca Longhi*, in *Degli uomini illustri della città di Ravenna*, Torino 1879

Morelli 1886
Giovanni Morelli, *Le opere dei maestri italiani nelle Gallerie di Monaco, Dresda e Berlino*, Bologna 1886

Morelli 1892
Giovanni Morelli, *Italian painters: critical studies of their works*, I, *The Borghese and Doria-Pamfili Galleries in Rome*, London 1892

Morelli 1897
Giovanni Morelli, *Della pittura italiana. Le Gallerie Borghese e Doria Pamphili in Roma*, Milano 1897

Moroni 1840-1861
Gaetano Moroni, *Dizionario di erudizione ecclesiastica*, Venezia 1840-1861

Mortari 1960
Luisa Mortari, *Museo Civico di Rieti*, Roma 1960

Moschetti 1903
Andrea Moschetti, *Il Museo Civico di Padova*, Padova 1903

Moschetti 1920-1921
Andrea Moschetti, *Un nuovo Cristo Crocifero di Marco Palmezzano*, in "Dedalo", I, 1920-1921, pp. 363-368

Moschetti ed. 1938
Andrea Moschetti, *Il Museo Civico di Padova, Cenni storici e illustrativi*, II ed. Padova 1938

Moschini 1943
Vittorio Moschini, *Giambellino*, Bergamo 1943

Mosti 1981
Renzo Mosti, *Istituti assistenziali e ospitalieri nel Medioevo a Tivoli*, in Atti e memorie della Società Tiburtina di Storia e d'Arte già Accademia degli Agevoli e Colonia degli Arcadi Sibillini, 1981, 54, pp. 87-205

Mottola Molfino-Natale 1991
Le Muse e il Principe: Arte di corte nel Rinascimento padano, a cura di Alessandro Mottola Molfino, Mauro Natale, 2 voll., Milano 1991

Mozzo 2002
Marco Mozzo, *Una nuova documentazione fotografica per gli affreschi della Basilica Superiore di San Francesco*, in *La realtà dell'utopia*, atti del primo convegno internazionale di primavera sul restauro (Assisi, 21-24 marzo 2001), a cura di Giuseppe Basile, in "Kermes-La rivista del restauro", 2002, supplemento al n. 47, pp. 43-48

Mozzo 2003
Marco Mozzo, *Cavalcaselle e il restauro della Basilica Superiore di San Francesco ad Assisi. Documentazione, conservazione e restauro: 1860-1892*, tesi di perfezionamento, relatore Paola Barocchi, Pisa, Scuola Normale Superiore, 2003

Mravik 1975
László Mravik, *Tableaux romagnols dans les collections hongroises*, in "Bulletin du Musée Hongrois des Beaux-Arts", 1975, 44, pp. 53-56

Mündler 1855-1858 ed. 1985
Otto Mündler, *The travel diaries of Otto Mündler, 1855-1858*, in "The

volume of the Walpole Society", 1985, 5, pp. 69-254

Muñoz 1908
Antonio Muñoz, *Studi su Melozzo da Forlì*, in "Bollettino d'Arte del Ministero della Pubblica Istruzione", 1908, pp. 177-180

Muñoz 1911
Antonio Muñoz, *Pièces choix de la collection du Comte Grégoire Stroganoff*, II, *Moyen Age, Renaissance, Epoque moderne*, Roma 1911

Müntz 1879
Eugene Müntz, *Les arts à la cour des papes*, Paris 1879

Müntz 1882
Eugene Müntz, *Les Arts à la Court des Papes pendant le XV et le XVI siècle*, III, *Sixte IV- Léon X 1471-1521*, I, Paris 1882

Müntz 1895
Eugene Müntz, *Histoire de l'Art pendant la Renaissance*, III, *Italie, La fin de la Renaissance*, Paris 1895

Münz 1957
Ludwig Münz, *Katalog und Führer der Gemäldegalerie*, I, Wien 1957

Muscolino 1997
Cetty Muscolino, *Complesso conventuale di San Domenico a Forlì: gli affreschi ritrovati nel refettorio*, in "Quaderni di Soprintendenza", Ravenna 1997, 3, pp. 55-58

Nagler 1841
Georg Kaspar Nagler, in *Neues allgemeines Kunstler-Lexikon*, X, München 1841

Natale 1974
Mauro Natale, *Peintures Italiennes du XIVe au XVIIIe Siècle*, Genève 1974

Natale 1978a
Mauro Natale, *Art Vénitien en Suisse et au Liechtenstein*, catalogo della mostra (Pfäffinkon-Genève 1978), a cura di Mauro Natale, Gaudenz Freuler, Genève, Milano 1978

Natale 1978b
Mauro Natale, *Catalogue des Peintures italiennes du Musée d'art et d'histoire*, Genève 1978

Natale 1979
Mauro Natale, *Musé d'Art et d'histoire, catalogue raisonné des peintures. Peintures italiennes du XIV au XVIII siècle*, Genève 1979

National Gallery 1929
National Gallery Trafalgar square Catalogue, London 1929

National Gallery 1932
National Gallery of Ireland. Catalogue of oil pictures in the general collection, Dublin 1932

National Gallery 1956
National Gallery of Ireland. Catalogue of oil pictures of the Italian School, Dublin 1956

National Gallery 1963
National Gallery of Ireland. Coincise Catalogue of the oilPaintings, Dublin 1963

National Gallery 1967
The National Gallery, January 1965 - December 1966, London 1967

National Gallery 1981
National Gallery of Ireland. Illustrated Summary Catalogue of paintings, Dublin 1981

National Gallery 1986
National Gallery. Illustrated General Catalogue, II ed., London 1986

Nebbia 1940
Ugo Nebbia, *Antologia pittorica dell'arte italiana dal XIV al XIX secolo*, Bergamo [1940]

Neff 2002
Amy Neff, *'Palma dabit palmam'. Franciscan themes in a devotional manuscript*, in "Journal of the Warburg and Courtauld Institutes", 2002, 65, pp. 22-66

Negro-Roio 1998
Emilio Negro, Nicosetta Roio, *Francesco Francia e la sua scuola*, Modena 1998

Negro-Roio 2001
Emilio Negro, Nicosetta Roio, *Lorenzo Costa 1460-1535*, Modena 2001

Neues allgemeines 1835-1852
Neues allgemeines Kunstler-Lexikon, 25 voll., München 1835-1852

New York 1985-1986
Liechtenstein. The Princely Collections, catalogo della mostra (New York 1985-1986), New York 1985

New York-Chicago-San Francisco 1982
The Vatican Collecions. The Papacy and Art, catalogo della mostra (New York, Chicago, San Francisco 1982-1983), New York 1982

Nibby 1838-1841
Antonio Nibby, *Roma nell'anno 1838*, 4 voll., Roma 1838-1841

Niccoli 2005
Ottavia Niccoli, *Anticlericalismo rinascimentale*, Bari 2005

Nicodemi 1935
Giorgio Nicodemi, *Melozzo da Forlì*, Bergamo 1935

Noehles 1973
Gisella Doerk Noehles, *Antoniazzo Romano. Studien zur Quattrocentomalerei in Rom*, Münster 1973

Nonfarmale 1979
Ottorino Nonfarmale, *Relazione tecnica del restauro*, in *Restauri a cura della Soprintendenza ai Beni Artistici e Storici di Parma e Piacenza*, Parma 1979, pp. 8-11

Notizia 1889
Notizia di cronaca, in "Archivio Storico dell'Arte", II, 1889, p. 93

Notizia 1892
Notizia di cronaca, in "Archivio Storico dell'Arte", V, 1892, p. 267

Notizia 1894
Notizia di cronaca, in "Archivio Storico dell'Arte", VII, 1894, pp. 308-309

Notizia 1895
Notizia di cronaca, in "Archivio Storico dell'Arte", seconda serie, I, 1895, p. 224

Notizia 1900
Notizia da Castrocaro, in "Arte e Storia", XVIII, 1900, p. 95

Notizia 1901
Notizia, in "Rassegna d'Arte", I, 1901, p. 157

Notizia 1909
Notizia, in "L'Arte", XII, 1909, p. 159

Notizia 1912
Notizia, in "L'Arte", XV, 1912, p. 220

Notizia 1930-1931
Notizia, in "Bollettino d'Arte del Ministero dell'educazione nazionale", X, 1930-31, p. 431

Notizia 1938
Notizia di restauro, in "Le Arti", I, ottobre-novembre 1938, 1, p. 98

Notizia 1939
Notizia di restauro, in "Le Arti", II, 1939, p. 128

Notizie 1899
Notizie di Germania, in "L'Arte", II, 1899, p. 264

Notizie 1901
Notizie d'Ungheria, in "L'Arte", IV, 1901, p. 211

Notizie 1938
Notizie di restauri, in "Le Arti", I, ottobre-novembre 1938, 1, p. 99

Novelli 1959-1960
Mariangela Novelli, *Opere venete in Emilia*, in "Arte Veneta", XIV, 1959-1960, pp. 191-194

Novelli 1963
Mariangela Novelli, *Le collezioni comunali di Forlì*, in "Antichità Viva", II, maggio-giugno 1963, 5, pp. 57-74

Okkonen 1910
Onni Okkonen, *Melozzo da Forlì und seine schule*, Helsinki 1910

Old Master 1922
150 Old Master Paintings, American Art Galleries, New York 1922

Olivieri 1993
Achille Olivieri, *'... Visibilia e ... arcana'. Ecclesiastici, eretici e vaticini nella Romagna del '500*, Quaderni degli Studi Romagnoli, 15, Bologna 1993

Ongaro 1912
Luigi Ongaro, *Museo Civico di Vicenza. Catalogo della Pinacoteca*, Vicenza 1912

Orazi 1959
Vittorio Orazi, *La Casina del Cardinale Bessarione*, in "Capitolium", XXXIV, Roma 1959, 1

Oretti ed. 1983
Marcello Oretti, *Raccolta di alcune marche e sottoscrizioni praticate da pittori e scultori, secolo XVIII*, ed. con introduzione e indice a cura di Giovanna Perini, Firenze 1983

Orlandi 1788
Pellegrino Antonio Orlandi, *Abecedario pittorico dei professori più illustri in Pittura, Scultura e Architettura*, Firenze 1788

Ortalli 1976-77
Gherardo Ortalli, *Gli Annales Caesenates tra la cronachistica canonicale trecentesca e l'erudizione storiografica quattrocentesca*, in "Bullettino dell'Istituto storico italiano per il Medio Evo e Archivio Muratoriano", LXXXVI, 1976-77, pp. 279-338,

ora in Paola Mettica, *La società forlivese del Quattrocento dalla cronachistica cittadina*, Castrocaro 1983, pp. 115-119

Ortalli 1985
Gherardo Ortalli, *Malatestiana e dintorni. La cultura cesenate tra Malatesta Novello e il Valentino*, in *Storia di Cesena, Il Medioevo*, II, *(secoli XIV-XV)*, a cura di Augusto Vasina, Bruno Ghigi, Rimini 1985, pp. 129-165

Ortalli 1991
Gherardo Ortalli, *Annales Forolivienses*, in *Repertorio della cronachistica emiliano-romagnola*, Roma 1991, pp. 107-109

Ottani Cavina 1999
Anna Ottani Cavina, *Felice Giani (1758 – 1823) e la cultura di fine secolo*, 2 voll., Milano 1999

Pacifici 1931-1932
Vincenzo Pacifici, *Un nuovo ciclo di affreschi di Melozzo da Forlì*, in *Atti e memorie della Società Tiburtina di Storia e d'Arte*, 1931-1932, 11-12

Pacioli 1494
Luca Pacioli, *Summa de arithmetica geometria proportioni e proporzionalità*, Venezia 1494, ed. anastatica Roma 1993

Packard 1970-1971
Elisabeth Packard, *A Bellini Painting for the Procuratia di Ultra, Venice: An Exploration of its History and Thecnique*, in "The Journal of the Walters Art Gallery", 1970-1971, 33-34, pp. 64-84

Padoa Rizzo 2002
Iconografia di San Giovanni Gualberto. La pittura in toscana, a cura di Anna Padoa Rizzo, Pisa 2002

Padova 2001
Donatello e il suo tempo. Il bronzetto a Padova nel Quattrocento e nel Cinquecento, catalogo della mostra (Padova), Milano 2001

Pagano 2004-2005
Barbara Pagano, *Il Santuario di Santa Maria delle Grazie a Fornò*, tesi di laurea, Università di Firenze, Facoltà di Architettura, relatore prof. Amedeo Belluzzi, a.a. 2004-2005

Pallucchini 1938
Rodolfo Pallucchini, *Melozzo da Forlì*, in "Emporium", marzo 1938, pp. 115-130

Pallucchini 1945
Rodolfo Pallucchini, *I dipinti della Galleria Estense di Modena*, Roma 1945

Pallucchini 1949
Rodolfo Pallucchini, *Giovanni Bellini*, catalogo della mostra, Venezia 1949

Pallucchini 1962
Rodolfo Pallucchini, *Appunti alla mostra di Cima da Conegliano*, in "Arte Veneta", XVI, 1962, pp. 221-228

Panzetta 1993
Alfonso Panzetta, *Palmezzano Marco*, in *Dizionario della Pittura e dei Pittori*, IV, Torino 1993, p. 123

Paoletti 1929
Pietro Paoletti, *La Scuola Grande di San Marco*, Venezia 1929

Paolucci 1966a
Antonio Paolucci, *Il diffondersi della visione prospettica*, Milano 1966 ("I maestri del colore" n. 257)

Paolucci 1966b
Antonio Paolucci, *L'ultimo tempo di Francesco Zaganelli*, in "Paragone", XVII, 1966, 193, pp.39-73

Paolucci 1990
Antonio Paolucci, *Luca Signorelli*, Firenze 1990

Paolucci 1992
Antonio Paolucci, *Antoniazzo Romano. Catalogo completo dei dipinti*, Firenze 1992

Paolucci 1995
Antonio Paolucci, *Madre prodigio: gli affreschi di Tor de' Specchi*, in "FMR", 1995, 111, pp. 77-102

Paolucci 1998
Antonio Paolucci, *San Marco in Romagna*, in *Bellini e Belliniani in Romagna*, a cura di Anchise Tempestini, Firenze 1998, pp. 9-25

Parca 2005
Sara Parca, *Domenico Brizi*, in *Restauratori e restauri in archivio, 2, Nuovi profili di restauratori italiani tra XIX e XX secolo*, a cura di Giuseppe Basile, Firenze 2005, pp. 11-40

Paris 1993
Le siècle de Titien. L'age d'or de la peinture a Venise, catalogo della mostra, Paris 1993

Parronchi 1965
Alessandro Parronchi, *Un 'Memento*

mori' di Giovanni Bellini*, in "Arte Veneta", XIX, 1965, pp. 148-150

Pasini 1918
Adamo Pasini, *Fausto Anderlini, memorie e saggi poetici*, Forlì 1918

Pasini 1925
Adamo Pasini, *Cronache scolastiche forlivesi*, Forlì 1925

Pasini 1926
Adamo Pasini, *I francescani a Forlì*, in "Forum Livii", I, agosto-settembre 1926, 3, pp. 27-33

Pasini 1929
Adamo Pasini, *Fonti della storia forlivese. Cronaca di Sebastiano Menzocchi*, Forlì 1929

Pasini 1951
Adamo Pasini, *Fausto Anderlini e la sua famiglia*, Forlì 1951

Pasini 1952a
Adamo Pasini, *Il Convento della Ripa*, in "La Piè", XXI, agosto 1952, 7-8, pp. 174-177

Pasini 1952b
Adamo Pasini, *Il San Francesco Grande di Forlì dei frati minori conventuali*, in "Miscellanea francescana", 1952, 52, pp. 581-594

Pasini 1955
Adamo Pasini, *Forlì nei versi degli umanisti. Michele Marullo. Pierfrancesco Giustolo*, in "La Piè", XXIV, 1955, 7-8, pp. 148-149

Pasini 1956
Adamo Pasini, *Forlì nei versi degli umanisti. Luffo Numai*, in "La Piè", XXV, 1956, 1-2, pp. 34-35

Pasini ed. 1982
Adamo Pasini, *Storia della Madonna del Fuoco di Forlì*, II ed. Forlì 1982

Pasini 1988
Pier Giorgio Pasini, *La bottega dei Coda e il polittico di Valdragone*, catalogo della mostra (Valdragone), San Marino 1988

Pasini 1997
Pier Giorgio Pasini, *L'ultima "Annunciazione" di Marco Palmezzano*, in "Romagna Arte e Storia", XVII, 1997, 49, pp. 85-89

Pasini-Giovanardi 1922
Adamo Pasini, Giovanni Giovanardi, *I minori osservanti a Forlì*, Forlì 1922

Pasini-Savini 1998
Pier Giorgio Pasini, Giampiero

Savini, *Eclettiche maniere. L'arte a Cesena nel Cinquecento*, in *Storia di Cesena*, V, *Le arti*, a cura di Pier Giorgio Pasini, Rimini 1998, pp. 37-70

Pasolini 1893
Pier Desiderio Pasolini, *Caterina Sforza*, 2 voll., Roma 1893, ed. anastatica Roma 1968

Passamani 1988
Bruno Passamani, *Guida alla Pinacoteca Tosio-Martinengo di Brescia*, Brescia 1988

Passavant 1860
Johann David Passavant, *Raphael d'Urbin et son père Giovanni Santi*, I, Paris 1860

Passavant ed. 1882
Johann David Passavant, *Raffaello da Urbino e il padre suo Giovanni Santi*, traduzione di Giovanni Guasti, I, Firenze 1882

Pastor 1932
Ludovico Von Pastor, *Storia dei papi*, III, Roma 1932

Pecchioli 1978
Arrigo Pecchioli, *Storia dei Cavalieri di Malta*, Roma 1978

Pedrino ed. 1934
Giovanni di Mastro Pedrino, *Cronica del suo tempo*, ed. a cura di Gino Borghezio, Marco Vattasso, con note di Adamo Pasini, II, Roma 1934

Pellegrini 1926
Anna Pellegrini, *Di alcune opere poco note di Lorenzo di Credi*, in "L'Arte", XXIX, 1926, pp. 185-194

Pellegrini 1999
Marco Pellegrini, *Congiure di Romagna. Lorenzo de' Medici e il duplice tirannicidio a Forlì e a Faenza nel 1488*, Firenze 1999

Penny 1998
Nicholas Penny, *Un'introduzione ai taccuini di Sir Charles Eastlake*, in *Giovanni Battista Cavalcaselle conoscitore e conservatore*, atti del convegno internazionale di studi (Legnago-Verona, 28/29 novembre 1997), a cura di Anna Chiara Tommasi, Venezia 1998, pp. 277-289

Pergoli 1895
Benedetto Pergoli, *L'Annunciazione n. 120 della Pinacoteca di Forlì*, in "Bullettino della Società fra gli amici dell'Arte della provincia di Forlì", I, 1895, 11, pp. 163-165

Pergoli 1926
Benedetto Pergoli, *La chiesa di San Biagio in S. Girolamo a Forlì*, in "Forum Livii", I, ottobre-dicembre 1926, 4, pp. 6-22

Pergoli 1933
Benedetto Pergoli, *Santa Maria dei Servi vulgo San Pellegrino di Forlì*, in "Il Rubicone", III, 1933, 2, pp. n.n.

Perini 1981
Giovanna Perini, *La storiografia artistica a Bologna e il collezionismo privato*, in "Annali della Scuola Normale Superiore di Pisa", classe di Lettere e Filosofia, serie III, XII, 1981, pp. 181-243

Perini 1998
Giovanna Perini, *Giovanni Ludovico Bianconi: un bolognese in Germania*, in Giovanni Ludovico Bianconi, *Scritti tedeschi*, a cura di Giovanna Perini, Minerva 1998, pp. 7-140

Perocco 1967
Guido Perocco, *L'opera completa di Carpaccio*, Milano 1967

Pesaro 1988
La pala ricostruita. L'Incoronazione della Vergine e la cimasa vaticaba di Giovanni Bellini. Indagini e restauri, catalogo della mostra (Pesaro), a cura di Maria Rosaria Valazzi, Venezia 1988

Petraroia 1987
Pietro Petraroia, *"Per far piacere a la speculatione". Dipinti sacri e profani nella dimora di Girolamo Riario, di Francesco Soderini e degli Altemps*, in *Palazzo Altemps. Indagini per il restauro della fabbrica Riario, Soderini, Altemps*, a cura di Francesco Scoppola, Roma 1987, pp. 197-240

Petrocchi 1995a
Stefano Petrocchi, *Gli affreschi del ciclo di Ercole nell'appartamento Barbo del Palazzo di Venezia a Roma*, in *Temi profani e allegorie nell'Italia centrale del Quattrocento*, Roma 1995, pp. 97-105

Petrocchi 1997b
Stefano Petrocchi, *La pittura a Roma all'epoca di Paolo II Barbo. Giuliano Amidei Papae Familiari*, in *Le due Rome del Quattrocento. Melozzo, Antoniazzo e la cultura artistica del'400 romano*, atti del convegno internazionale di studi (1996), a cura di Sergio Rossi, Stefano Valeri, Roma 1997, pp. 229-235

Petrocchi 1998
Stefano Petrocchi, *Ancora su Giulia-no Amadei, artista della corte di Paolo II*, in *Roma nel Rinascimento*, 1998 (1999), pp. 95-103

Petti 1855
Alessandro Petti, *Guida pittorica*, Napoli 1855

Pfeiffer 1997
Heinrich Pfeiffer, *Melozzo da Forlì e la dottrina cristiana sugli angeli*, in *Le due Rome del Quattrocento. Melozzo, Antoniazzo e la cultura artistica del'400 romano*, atti del convegno internazionale di studi (Roma 1996), a cura di Sergio Rossi, Stefano Valeri, Roma 1997, pp. 77-83

Pflug Harttung 1885
Julius Albert Georg Von Pflugk Harttung, *Hamburg. Die Weber'sche Gemäldesammlung*, in "Repertorium für Kuntwissenschaft", VIII, 1885, pp. 80-94

Phillips 1912
Evelyn March Phillips, *The Venetian School of Painting*, London 1912

Piccioni 1903
Luigi Piccioni, *Di Francesco Uberti umanista cesenate de' tempi di Malatesta Novello e di Cesare Borgia*, Bologna 1903

Piccioni 1912
Piccioni Luigi, *I Carmi di Francesco Uberti "umanista cesenate"*, in "Classici e Neolatini", VIII, 1912, pp. 358-362

Pietrangeli 1985
Carlo Pietrangeli, *I Musei Vaticani, cinque secoli di storia*, Roma 1985

Pietrangeli 1996
Carlo Pietrangeli, *I dipinti del Vaticano*, Udine 1996

Pietrangeli-Pecchioli 1981
Carlo Pietrangeli, Arrigoo Pecchioli, *La Casa di Rodi e i Cavalieri di Malta a Roma*, Roma 1981

Pignatti 1969
Terisio Pignatti, *L'opera completa di Giovanni Bellini*, Milano 1969

Pigorini 1887
Lucio Pigorini, *Catalogo della Regia Pinacoteca di Parma*, Parma 1887

Pilkington 1840
Mattew Pilkington, *A General Dictionary of Painters*, London 1840

Pinacoteca 1927
La Pinacoteca Tosio e Martinengo, Brescia 1927

Pinacoteca 1988a
Pinacoteca Comunale di Ravenna. Opere dal XIV al XVIII secolo, Ravenna 1988

Pinacoteca 1988b
Pinacoteca di Brera. Scuole lombarda e piemontese (1300-1535), Milano 1988

Pinacoteca 1990
Pinacoteca di Brera. Scuola veneta, Milano 1990

Pinacoteca 1991
Pinacoteca di Brera. Scuola emiliana, a cura di Federico Zeri, Milano 1991

Pinacoteca 1992
Pinacoteca di Brera. Scuole dell'Italia centrale e meridionale, Milano 1992

Pinacoteca 1993
La Pinacoteca Civica di Fano. Catalogo generale, a cura di Anna Maria Ambrosiani Massari, Rodolfo Battistini, Raffaella Morselli, Cinisello Balsamo 1993

Pinacoteca 1996
Pinacoteca di Brera. Addenda e apparati generali, Milano 1996

Pinacoteca 2001
Pinacoteca Comunale di Ravenna. Museo d'Arte della Città. La Collezione Antica, a cura di Nadia Ceroni, Ravenna 2001

Pinacoteca 2003
Pinacoteca Civica di Vicenza. Dipinti dal XIV al XVI secolo, a cura di Maria Elisa Avagnina, Margaret Bigotto, Giovanni Carlo Federico Villa, Cinisello Balsamo 2003

Pinelli 1987
Antonio Pinelli, *La pittura a Roma e nel Lazio nel Quattrocento*, in *La Pittura in Italia. Il Quattrocento*, a cura di Federico Zeri, II, Milano 1987, pp. 414-436

Pino 1548 ed. 1945
Paolo Pino, *Dialogo della pittura*, Venezia 1548, ed. anastatica Milano 1945

Pino 1548, ed. 1946
Paolo Pino, *Dialogo di Pittura*, Venezia 1548, ed. a cura di Rodolfo e Anna Pallucchini, Venezia 1946

Pino 1548 ed. 1961
Paolo Pino, *Dialogo di Pittura*, Venezia 1548, in *Trattati d'arte del Cinquecento fra Manierismo e Controriforma*, a cura di Paola Barocchi, Bari, 1961

Piraccini 1974a
Orlando Piraccini, *Il patrimonio culturale della provincia di Forlì*, II, *Gli edifici di culto del centro storico di Forlì*, Forlì 1974

Piraccini 1974b
Orazio Piraccini, *Le pitture di Forlimpopoli*, in "Studi Romagnoli", XXV, 1974, 25, pp. 145-159

Piraccini 1978
Orlando Piraccini, *Verifica e progetto: i servizi museografici della città di Cesena e del suo comprensorio*, Bologna 1978

Piraccini 1979
Orlando Piraccini, *Il restauro, metodo e programma*, Bologna 1979

Piraccini 1980a
Orlando Piraccini, in *Dieci anni di restauri per la Pinacoteca Civica di Cesena*, catalogo della mostra, a cura di Orlando Piraccini, Cesena 1980, pp. 21-22

Piraccini 1980b
Orlando Piraccini, in *Arte e pietà: i patrimoni culturali delle opere pie*, catalogo della mostra, Bologna 1980, pp. 222-223

Piraccini 1984
Orlando Piraccini, *La Pinacoteca Comunale di Cesena*, Cesena 1984

Piras-Subiali 1989-1990
Marcello Piras, Paolo Subioli, *La Casa dei Cavalieri di Rodi al Foro di Augusto*, in "Rassegna di architettura e di urbanistica", 1989-1990, 23, pp. 25-35

Pisani 2002
Linda Pisani, *Per il 'Maestro delle Madonne di marmo': una rilettura e una proposta di identificazione*, in "Prospettiva", 2002, 106-107, pp. 144-165

Pistolesi 1829-1838
Erasmo Pistolesi, *Il Vaticano descritto ed illustrato con disegni a contorni diretti da Camillo Guerra*, 8 voll., Roma 1829-1838

Pittaluga 1938
Pittaluga Mary, recensione a: *Mostra di Melozzo e del Quattrocento Romagnolo*, Forlì 1938, in "L'Arte", XLI, 1938, pp. 380-382

Pittori forlivesi 1853
I pittori forlivesi. Saggio accademico di poesia che danno gli scolari D.C.D.G. nel collegio di San Filippo in Forlì 1853, Forlì 1853

Pittura in Italia 1987
La pittura in Italia. Il Quattrocento, a cura di Federico Zeri, 2 voll., Milano 1987

Pittura in Italia 1988
La pittura in Italia. Il Cinquecento, a cura di Giuliano Briganti, 2 voll., Milano 1988

Pitture 1782
Pitture Scolture ed Architetture delle chiese, luoghi pubblici, palazzi e case della città di Bologna e suoi subburghi, Bologna 1782

Poch Kalous 1961
Margarethe Poch Kalous, *Akademie der bildenden Künste in Wien. Katalog der Gemäldegalerie*, Wien 1961

Poch Kalous 1968
Margarethe Poch Kalous, *Die Gemäldegalerie der Akademie der bildenden Künste in Wien*, Wien 1968

Poch Kalous 1972
Margarethe Poch-Kalous, *Akademie der bildenden Künste in Wien. Katalog der Gemäldegalerie*, Wien 1972

Poggiali 1957-1958
Cattaneo Poggiali, *Baldassarre Carrari*, tesi di laurea, relatore prof. Stefano Bottari, a.a. 1957-1958

Popova -Smirnova-Cortesi 1997
Olga Popova, Engelina Smirnova, Paola Cortesi, *Icone*, Milano 1997

Porcella 1931
Amadore Porcella, *Le Pitture della Galleria Spada*, Roma 1931

Porcella 1933
[Amadore Porcella], *Guida della Pinacoteca Vaticana*, Città del Vaticano 1933

Pozzo 1693
Pozzo, *Prospettiva de' Pittori e Architetti*, Roma 1693

Prampolini 1941
Giacomo Prampolini, *L'Annunciazione nei pittori primitivi italiani*, Milano [1941]

Previtali 1984
Giovanni Previtali, *La fortuna di Primitivi*, Torino 1984

Pujmanova 1987
Olga Pujmanova, *Italské Gotické a Renesančnì Obrazy. V Cekoslovenskysch Sbìrkàch*, catalogo della mostra, Praga 1987

Pungileoni 1835
Luigi Pungileoni, *Elogio storico di Timoteo Viti*, Urbino 1835

Puppi 1962
Lionello Puppi, *Bartolomeo Montagna*, Venezia 1962

Puppi 1967
Lionello Puppi, *Album Vicentino. II*, in "Arte Veneta", XXI, 1967, pp. 206-209

Puppi 1994
Lionello Puppi, *Citazioni nell'opera di Cima*, in "Venezia Cinquecento", IV, luglio-dicembre 1994, 8, pp. 5-19

Quintavalle 1939
Armando Ottaviano Quintavalle, *La Regia Galleria di Parma*, Roma 1939

Quintavalle 1948
Armando Ottaviano Quintavalle, *Mostra parmense di dipinti noti ed ignoti dal XIV al XIX secolo*, catalogo della mostra, Parma 1948

Quintavalle 1951-1952
Armando Ottaviano Quintavalle, *Precisioni e previsioni alla Mostra parmense dei dipinti noti e ignoti*, in "L'Arte", LII, nuova serie, XVIII, luglio 1951-giugno 1952, pp. 3-21

Quintavalle 1960
Armando Ottaviano Quintavalle, *Cima da Conegliano a Parma*, in "Aurea Parma", XXXXIV, 1960, 1, pp. 27-31

Rackham 1940
Bernard Rackham, *Victoria and Albert Museum. Guide Italian Majolica*, London 1940 (II edizione 1977)

Ragguaglio 1929
Ragguaglio fra le misure e i pesi delle principali città, terre e castelli dello Stato Pontificio con li pesi e misure metriche italiane, Bologna 1929

Ravaglia 1927
Francesco Luigi Ravaglia, *Notizie storiche sulla compagnia dell'Immacolata Concezione nella chiesa di San Girolamo in Forlì*, Forlì 1927

Ravaglia 1947
Francesco Luigi Ravaglia, *Gli Zampeschi di Forlimpopoli*, in "Il Nuovo Momento", XX, 1947, pp. n.n.

Ravenna 1982
Luca Longhi e la pittura su tavola in Romagna nel '500, catalogo della mostra (Ravenna), a cura di Jadranka Bentini, Bologna 1982 ("Rapporti" 34)

Redig De Campos 1932
Deoclecio Redig De Campos,

Quadri nuovi nella Pinacoteca Vaticana, in "L'Illustrazione Vaticana", III, 1 novembre 1932, p. 1065

Redig De Campos 1938
Deoclecio Redig De Campos, *Nel V centenario di Melozzo da Forlì, pittore papale*, in "L'Illustrazione Vaticana", IX, 1938, pp. 537-544

Reggiani 1834a
Girolamo Reggiani, *Alcune memorie intorno il pittore Marco Melozzo da Forlì raccolte da G.R.P.*, Forlì 1834

Reggiani 1834b
Girolamo Reggiani, *Biografia di Marco Melozzo*, in *Biografie e ritratti di XXIV uomini illustri romagnoli*, a cura di Antonio Hercolani, Forlì 1834, I, pp. 34-52

Reggiani 1838
Girolamo Reggiani, *Melozzo*, in "L'Album", IV, 1838, pp. 333-336, 338-340

Reggiani 1943
Pietro Reggiani, *Bartolomeo Lombardini medico forlivese (1430-1512) e la cappella detta la Lombardina*, in "Il Trebbo", III, 1943, 4, pp. 99-103; III, 1943, 5, pp. 127-128

Reggiani 1949-1952
Pietro Reggiani, *Forlì scomparsa La Cappella detta "La Lombardina" nel demolito tempio di S. Francesco Grande ed il monumento al medico Bartolomeo Lombardini*, in "La Piè", XVIII, maggio-giugno 1949, 5-6, pp. 106-108; XVIII, novembre-dicembre 1949, 11-12, pp. 230-233; XXII, maggio-giugno 1952, 5-6, pp. 121-124

Reifsnyder 1996
Joan Marie Reifsnyder, *A note on the traditional technique of varnish application for paintings on panels*, in "Studies in Conservation", 1996, 41, pp. 120-122

Reinach 1922
Salomon Reinach, *Répertoire de peintures du Moyen Age et de la Renaissance*, V, Paris 1922

Repertorio 1991
Repertorio della cronachistica emiliano-romagnola (secc. IX-XV), a cura di B. Andreolli, D. Gatti, R. Greci, G. Ortalli, L. Paolini, G. Pasquali, A.I. Pini, P. Rossi, Augusto Vasina, G. Zanella, Roma 1991 (Istituto storico italiano per il Medioevo. Nuovi studi storici n. 11)

Resta ed. 1958
Sebastiano Resta, *Correggio a Roma*,

a cura di Arthur Ewart Popham, Parma 1958

Ribuffi 1835
Gaspare Ribuffi, *Guida di Ravenna*, Ravenna 1835

Ricci 1896
Corrado Ricci, *La R. Pinacoteca di Parma*, Parma 1896

Ricci 1897
Corrado Ricci, *La Galleria di Ravenna*, in "Le Gallerie Nazionali Italiane. Notizie e documenti", III, Roma 1897

Ricci 1903a
Corrado Ricci, *Pintoricchio (Bernardino di Betto de Péruse)*, Paris 1903

Ricci 1903b
Corrado Ricci, *Un quadro di Jacopo de' Barbari nella Galleria Nazionale di Napoli*, in "Napoli Nobilissima", 1903, 12, pp. 27-28

Ricci 1905
Corrado Ricci, *Raccolte artistiche di Ravenna*, Bergamo 1905

Ricci 1906
Corrado Ricci, *La pittura antica della mostra di Macerata*, in "Emporium", febbraio-marzo 1906

Ricci 1907
Corrado Ricci, *La Pinacoteca di Brera*, Bergamo 1907

Ricci 1911a
Corrado Ricci, *Emilia e Romagna*, in "L'arte in Italia", Bergamo 1911

Ricci 1911b
Corrado Ricci, *Melozzo da Forlì*, Roma 1911

Ricci 1911c
Corrado Ricci, *Per la storia della pittura forlivese, I, Marco Palmezzano*, in "L'Arte", XIV, 1911, pp. 82-92

Ricci 1914
Corrado Ricci, *Guida di Ravenna*, V edizione, Bologna 1914

Ricci 1915
Corrado Ricci, *Antiche vedute di Monumenti Ravennati*, in "Felix Ravenna", ottobre-dicembre 1915, 20, p. 858

Ricci 1926a
Corrado Ricci, *La Galleria di Parma e la Camera di San Paolo*, Milano 1926

Ricci 1926b
Corrado Ricci, *Umbria santa*, Milano 1926

Ricci 1928
Corrado Ricci, *Il ritratto di Caterina Sforza*, in "Forum Livii", III, luglio-agosto 1928, 3, pp. 5-10

Ricci 1930
Corrado Ricci, *Accademia Carrara in Bergamo, Elenco dei quadri*, Bergamo 1930

Ricci 1930
Corrado Ricci, *Il Foro di Augusto e la Casa dei Cavalieri di Rodi*, in "Capitolium" 1930, pp. 157-189

Riccomini 1988
Eugenio Riccomini, *La pittura del Cinquecento nelle provincie occidentali dell'Emilia*, in *La pittura in Italia. Il Cinquecento*, a cura di Giuliano Briganti, I, Milano 1988, pp. 229-246

Riccomini 1997
Eugenio Riccomini, *Una visita alla Galleria Nazionale*, in *Galleria Nazionale di Parma. Catalogo delle opere dall'Antico al Cinquecento*, Milano 1997, pp. XIII-XXXIII

Rico 2000
Lourdes Rico, *Pigmenti del XVI secolo tra Venezia e Spagna*, in "Kermes", XIII, gennaio-marzo 2000, 37

Ridolfi 1648 ed. 1914-1924
Carlo Ridolfi, *Le Maraviglie dell'arte, overo le Vite degli illustri Pittori Veneti e dello Stato*, Venezia 1648, ed. a cura di Detlev von Hadeln, 2 voll., Berlin 1914-1924

Rinaldi 1998
Simona Rinaldi, *I Fiscali riparatori di dipinti. Vicende e concezioni del restauro tra Ottocento e Novecento*, Roma 1998

Ringbom 1965
Sixten Ringbom, *Icon to Narrative. The Rise of the Dramatic Close-up in the Fifteenth-century Devotional Painting*, Åbo 1965

Roberti 1933
Vero Roberti, *Marco Palmezzano pittore artigiano*, in "Il Rubicone", II, 1933, 3, pp. n.n.

Robertson 1961
Giles Robertson, *Some Recent Venetian Pubblications*, in "The Burlington Magazine", CIII, 1961, 699, pp. 283-284

Robertson 1968
Giles Robertson, *Giovanni Bellini*, Oxford 1968

Robertson 1971
Ian Robertson, *The Signoria of Girolamo Riario in Imola*, in "Historical Studies", XV, 1971, pp. 88-117, (ed. it. in *Caterina Sforza una donna del Cinquecento. Storia e Arte tra Medioevo e Rinascimento*, catalogo della mostra, Imola 2000, pp. 19-46)

Robertson 1978
David Robertson, *Sir Charles Eastlake and the Victorian Art World*, Princeton, New Jersey, 1978

Roettgen 2000
Steffi Roettgen, *Affreschi italiani del Rinascimento tra Quattro e Cinquecento*, (ed. or. München 1997), Modena 2000

Roio 1993
Nicosetta Roio, in *Dipinti e Disegni della Pinacoteca Civica di Pesaro*, a cura di Claudio Giardini, Emilio Negro, Massimo Pirondini, Modena 1993, p. 28

Roli 1962
Renato Roli, *Cima da Conegliano*, in "Arte Antica e Moderna", V, luglio-settembre 1962, 19, pp. VIII-X

Roli 1965
Renato Roli, *Sul problema di Bernardino e Francesco Zaganelli*, in "Arte antica e moderna", 1965, 31-32, pp. 223-243

Roma 1996-1997
Domenichino 1581-1641, catalogo della mostra (Roma 1996-1997), Milano 1996

Roma 2001
Rinascimento. Capolavori dei musei italiani. Tokyo-Roma 2001, catalogo della mostra (Roma), Milano 2001

Roma-Berlino 2001
Caravaggio e i Giustiniani. Toccar con mano una collezione del Seicento, catalogo della mostra (Roma-Berlino) a cura di Silvia Danesi Squarzina, Milano 2001

Ronen 1992
Avraham Ronen, *Iscrizioni ebraiche nell'arte italiana del Quattrocento*, in *Studi di storia dell'arte sul Medioevo e il Rinascimento nel centenario della nascita di Mario Salmi*, atti del Convegno Internazionale (Arezzo-Firenze, 16-19 Novembre 1989), Firenze 1992, II, pp. 600-624

Rosenthal 1981
Gertrude Rosenthal, *Italian Paintings XIV-XVIII Centuries from the Collection of the Baltimore Museum of Art*, Baltimore 1981

Rosetti 1894
Emilio Rosetti, *La Romagna, Geografia e Storia*, Milano 1894

Rosetti ed. 1900
Emilio Rosetti, *Forlimpopoli e dintorni*, II ed. Milano 1900

Rosetti 1858
Gaetano Rosetti, *Vite degli uomini illustri forlivesi*, Forlì 1858

Rosini 1845-1850
Giovanni Rosini, *Storia della pittura italiana esposta coi monumenti*, Pisa 1845-1850

Rossi 1904
Attilio Rossi, *Opere d'arte a Tivoli*, in "L'Arte", VII, 1904, pp. 146-157

Rossi 1589 ed. 1996
Girolamo Rossi, *Storie ravennati*, Venezia 1589, ed. a cura di Mario Pierpaoli, Ravenna 1996

Rossi 1997
Sergio Rossi, *Tradizione e innovazione nella pittura romana del Quattrocento: i maestri e le loro botteghe*, in *Le due Rome del Quattrocento. Melozzo, Antoniazzo e la cultura artistica del '400 romano*, atti del convegno internazionale (Roma 21-24 febbraio 1996), a cura di Sergio Rossi, Stefano Valeri, Roma 1997, pp. 19-39

Rossi-Valeri 1997
Le due Rome del Quattrocento. Melozzo, Antoniazzo e la cultura artistica del '400 romano, atti del convegno internazionale (Roma 21-24 febbraio 1996), Roma 1997, a cura di Sergio Rossi, Stefano Valeri, Roma 1997

Rothe 1992
Andrea Rothe, *Mantegna's paintings in distemper*, in *Andrea Mantegna*, a cura di Jane Martineau, London and New York 1992, pp. 80-87

Rothe-Carr 1998
Andrea Rothe, D.W. Carr, *La tecnica di Dosso Dossi. Poesia con pittura*, in *Dosso Dossi. Pittore di corte a Ferrara nel Rinascimento*, a cura di Andrea Bayer, Ferrara 1998

Rotondi 1938
Pasquale Rotondi, *Esempi inediti di penetrazioni romagnole nelle Marche*, in "Melozzo da Forlì", XVI, 1938, 3, pp. 131-135

Roy-Spring-Plazotta
Ashok Roy, Marika Spring, Karol Plazotta, *Raphael's Early Works in the National Gallery: painting before Rome*, in "National Gallery Technical Bulletin", London 2004, 25, pp. 4-35

Roze 1967
J.-B. M. Roze, *La légende dorée*, 2 voll., Parigi 1967

Rubus 1918
Rubus, *Il monastero di S. Maria della Ripa*, in "La Madonna del Fuoco", IV, 1918, pp. 105-107

Ruhmer 1958
Eberhard Ruhmer, *Cosimo Tura. Paintings and Drawings*, London 1958

Ruhmer 1966
Eberhard Ruhmer, *Marco Zoppo*, Vicenza 1966

Rusconi 1909
Arturo Jahn Rusconi, *Le Nouvelle Pinacothèque du Vatican*, in *Les Arts*, settembre 1909, 93

Rusconi 1937
Arturo John Rusconi, *La R. Galleria Pitti in Firenze*, Roma 1937

Rutteri 1962
Maria Grazia Rutteri, *Musei e Pinacoteche. L'attività di Brera*, in "Acropoli", II, 1962, 4, pp. 344-352

Sabatini 1968
Andrea M. Sabatini, *La chiesa del Carmine di Forlì dedicata alla Santissima Annunziata*, Forlì 1968

Sabatini 1979
Tarcisio Sabatini, *Guida: chiesa e chiostro di San Francesco in Matelica*, Fabriano 1979

Saggi 1964
Ludovico Saggi, *La Congregazione Mantovana dei Carmelitani sino alla morte del Beato Battista Spagnoli (1516)*, Roma 1964

Saitta Revignas 1978
Anna Saitta Revignas, *Catalogo dei manoscritti della Biblioteca Casanatense*, VI, Roma 1978

Salmi 1938
Mario Salmi, *Melozzo e i suoi rapporti con la pittura toscana e umbra*, in "Melozzo da Forlì", XVI, ottobre 1938, pp. 232-236

Salmi 1942
Mario Salmi, *Piero della Francesca e Giuliano Amedei*, in "Rivista d'Arte", 1942, pp. 26-44

Salvini 1945
Roberto Salvini, *Una mostra di Mu-*

sei di provincia alla Galleria Estense di Modena, in "Emporium", CII, 1945

Sambo 1995
Elisabetta Sambo, Nicolò Pisano pittore (1470- post 1536). Catalogo generale, Rimini 1995

Sandalinas-Ruiz Moreno 2004
Carmen Sandalinas, Sergio Ruiz Moreno, Lead-Tin-Antimony Yellow. Historical manufacture, Molecular characterization and identification in Seventeenth-century Italian paintings, in "Studies in Conservation", 14, 2004, pp. 41-52

Sandström 1963a
Sven Sandström, Levels of Unreality. Studies in Structure and Construction in Italian Mural Painting During the Renaissance, Uppsala 1963

Sandström 1963b
Sven Sandström, Mantegna and the Belvedere of Innocent VIII, in "Konsthistorisk Tidskrift", XXXII, 1963, pp. 121-122

Sansi 1869
Achille Sansi, Degli edifici e dei frammenti storici delle antiche età di Spoleto, Foligno 1869

Sansi 1879
Achille Sansi, Storia del Comune di Spoleto dal secolo XII al XVII seguita da alcune memorie sui tempi posteriori, Foligno 1879

Sansone 2000
Museo Diocesano di Velletri, a cura di Renata Sansone, Milano 2000

Sansovino 1581
Francesco Sansovino, Venetia Città nobilissima et singolare, Venezia 1581

Santamaria-Moioli-Seccaroni 2000
Ulderico Santamaria, Pietro Moioli, Claudio Seccaroni, Some remarks on lead-tin yellow and Naples yellow, in Art & Chimie, Paris 2000, pp. 34-38

Santangelo
Antonino Santangelo, Catalogo del Museo di Palazzo Venezia, I, I dipinti, Roma 1946

Santarelli 1857
Giacomo Santarelli, Brevi notizie storiche della chiesa di S. Maria delle Grazie volgarmente detta di Fornò, Forlì 1857

Santarelli 1883
Antonio Santarelli, Forlì, I restauri degli affreschi in S. Biagio, in "Arte e Storia", II, 8 aprile 1883, 14, pp. 108-109

Santarelli 1897
Antonio Santarelli, Galleria e Museo di Forlì, in "Le Gallerie Nazionali Italiane. Notizie e documenti", III, Roma 1897

Santarelli 1914
Antonio Santarelli, Brevi notizie storiche sulla Basilica di San Mercuriale in Forlì raccordate ai suoi periodi costruttivi, Forlì 1914

Santi ed. 1985
Giovanni Santi, La vita e le gesta di Federico di Montefeltro Duca d'Urbino. Poema in terza rima (cod. Vat. Ottob. Lat. 1305), a cura di Luigi Michelini Tocci, 2 voll., Città del Vaticano 1985

Santini 1903
Umberto Santini, Il comune di Forlimpopoli sotto la Signoria Zampeschi, in "Atti e Memorie della Deputazione di Storia Patria per le province di Romagna", III, 1903, 21

Sarchi 2004
Alessandra Sarchi, Sulle tracce di una collezione: percorsi collezionistici e dinastici del Pio in Alberto III e Rodolfo Pio da Carpi collezionisti e mecenati, atti del seminario internazionale di studi (Carpi 2002), a cura di Manuela Rossi, Udine 2004, pp. 14-29

Savorelli 2001
Andrea Savorelli, Il restauro della sala delle Ninfe, il ritrovamento dello stemma nobiliare di san Carlo Borromeo e delle virtù, Forlì s.d. [ma 2001]

Savioli-Spotorno 1973
Antonio Savioli, Pierdamiano Spotorno, Incisioni di cinque secoli per San Giovanni Gualberto, Vallombrosa 1973

Saxer 1986
Victor Saxer, Santa Maria Maddalena dalla storia evangelica alla leggenda e all'arte, in La Maddalena tra sacro e profano, a cura di Marilena Mosco, Milano-Firenze 1986

Sbrilli 1987
Antonella Sbrilli, Melozzo da Forlì, in La pittura in Italia. Il Quattrocento, a cura di Federico Zeri, I, Milano 1987, p. 709

Scaduto 1992
Mario Scaduto, L'opera di Francesco Borgia, 1565-1572, Roma 1992

Scannelli 1657 ed. 1966
Francesco Scannelli, Il microcosmo della pittura, ed. a cura di Guido Giubbini, Milano 1966

Scannelli 1657 ed. 1989
Francesco Scannelli, Il Microcosmo della Pittura, Cesena 1657, ed. anastatica con indice ragionato a cura di Rossella Lepore, 2 voll., Bologna 1989

Scardino 2000
Lucio Scardino, Tra Cesena e Ferrara. La quadreria dei conti Roverella, in "Romagna Arte e Storia", XX, gennaio-aprile 2000, 58, pp. 91-100

Scarlini 1999
Attilia Scarlini, Forlì, Biblioteca Civica, Fondo Piancastelli, "Galleria romagnola", in Felice Giani e la cultura di fine secolo, a cura di Anna Ottani Cavina, II, Milano 1999, pp. 716- 734

Scarpellini 1984
Pietro Scarpellini, Perugino, Milano 1984, II ed. Milano 1991

Scarpellini-Silvestrelli 2004
Pietro Scarpellini, Maria Rita Silvestrelli, Pintoricchio, Milano 2004

Schaeffer 1913
Emil Schaeffer, La vendita della collezione Weber a Berlino, in "Rassegna d'Arte", XIII, 1913, pp. 72-77

Schiavo 1977
Armando Schiavo, Melozzo a Roma, in Presenza romagnola, secondo quaderno di testi e di documentazioni, a cura di Armando Ravaglioli, Roma 1977, pp. 89-110

Schmarsow 1886
August Schmarsow, Melozzo da Forli. Ein beitrag zur Kunst und Kulturgheschichte italiens im 15. Jahrundert, Berlin-Stuttgart 1886

Schmarsow 1909a
August Schmarsow, Attribuzioni a Melozzo, in "Monalsh für Kunstw", 1909, 11

Schmarsow 1909b
August Schmarsow, Melozzo-Entdeckungen in Rom, in "Monatshefte für Kunstwissenschaft", 1909, pp. 501-502

Schmarsow 1912
August Schmarsow, Ioos van Gent und Melozzo da Forlì in Rom und Urbino, Leipzig 1912
Schmidt 1990

Catarina Schmidt, La "sacra conversazione" nella pittura veneta, in La pittura nel Veneto. Il Quattrocento, a cura di Mauro Lucco, II Milano 1990, pp. 703-726

Schimdt Arcangeli 1996
Catarina Schimdt Arcangeli, Cima da Conegliano e Vincenzo Catena pittori veneti a Carpi, in La pittura veneta negli stati estensi, Modena 1996, p. 97-116

Schneider 2002
Norbert Schneider, Venezianische Malerei der Frürenaissance von Jacobello del Fiore bis Carpaccio, Darmstadt 2002

Schofield 2004
Richard Schofield, Girolamo Riario a Imola. Ipotesi di ricerca, in Francesco di Giorgio alla corte di Federico da Montefeltro, atti del convegno internazionale di studi (Urbino 2001), a cura di Francesco Paolo Fiore, II, Firenze 2004, pp. 595-642

Schweikhart 1988
Gunter Schweikhart, Il Quattrocento: formule decorative e approcci al linguaggio classico, in L'architettura a Verona nell'età della Serenissima (sec. XV-sec. XVIII), a cura di Pier Paolo Brugnoli, Arturo Sandrini, I, Verona 1988, pp. 1-90

Scoppola 1997
Palazzo Altemps, a cura di Francesco Scoppola, Milano 1997

Secco Suardo 1866
Giovanni Secco Suardo, Manuale ragionato per la parte meccanica dell'arte del restauratore dei dipinti, Milano 1866

Séroux d'Agincourt 1826-1829
Jean Baptiste Séroux d'Agincourt, Storia dell'arte dimostrata coi monumenti dalla sua decadenza nel IV secolo fino al suo risorgimento nel XVI, ed. italiana a cura di Stefano Ticozzi, Prato Giachetti, 6 voll., Prato 1826-1829

Serra 1995
Aristide Serra, San Pellegrino Laziosi dei Servi di Maria, storia, culto, attualità, Forlì 1995

Serra s.a.
Luigi Serra, Le Gallerie Comunali delle Marche, Roma s.a (dopo 1924)

Servadei Mingozzi 1924
Eugenio Servadei Mingozzi, Marco Palmezzani, in "Il Momento", VI, 26 luglio 1924, 29, pp. n.n

Servadei Mingozzi 1926
Eugenio Servadei Mingozzi, La Comunione degli Apostoli di Marco Palmezzani, in "Forum Livii", I, 1 luglio 1926, 2, pp. 22-25

Servadei Mingozzi 1928
Eugenio Servadei Mingozzi, Marco Palmezzani, in "Forum Livii", II, marzo-aprile 1928, 2, pp. 15-19

Servadei Mingozzi 1935
Eugenio Servadei Mingozzi, *Il Duomo di Forlì*, Forlì 1935

Servanti Collio 1860
Severino Servanti Collio, *La Madonna col Bambino, San Francesco e Santa Caterina nella chiesa dei Minori Osservanti in Matelica*, in "L'Album", XXVI, 1860, pp. 133-136

Servolini 1953
Luigi Servolini, *Pace Bombace architetto e ricamatore*, in "La Piê", XXII, 1953, pp. 105-111

Servolini 1957
Luigi Servolini, *Marco Palmezzano alla Pinacoteca di Forlì*, in "Arte figurativa antica e moderna", V, 1957, 5, p. 32

Sgarbi 2003
Vittorio Sgarbi, *Francesco del Cossa*, Milano [2003]

Shearman 1980
John Shearman, *Correggio's illusionism*, in *La prospettiva rinascimentale. Codificazioni e trasgressioni* a cura di Marisa Dalai Emiliani, Firenze 1980, pp. 281-294, ora in *Funzione e illusione. Raffaello, Pontormo, Correggio*, a cura di Alessandro Nova, Milano 1983, pp. 171-184, 254-256

Shearman 1983
John Shearman, *The early Italian pictures in the Collection of her Majesty the Queen*, Cambridge 1983

Shearman 1992
John Shearman, *Only Connect… Art and the Spectator in the Italian Renaissance*, Washington 1992 (trad. it. *Arte e spettatore nel Rinascimento italiano. "Only Connect …"*, Milano 1995)

Signorini 1985
Rodolfo Signorini, *"Hoc opus tenue". La camera dipinta di Andrea Mantegna*, Mantova 1985

Simonetti 1989
Mirella Simonetti, *Tecniche della pittura veneta*, in *La pittura nel Veneto. Il Quattrocento*, I, Milano 1989, p. 251

Simonetti 1988
Mirella Simonetti, *Vernici e puliture: problemi di interpretazione degli strati pittorici superficiali per la loro conservazione*, in *Problemi del restauro in Italia*, atti del convegno (Roma 3-6 novembre 1986), Udine 1988, pp. 287-296

Simoni 2001
Serena Simoni, *Luca Longhi (1507 -*

1580) "pictor celeberrimus civis Ravennae", in "Romagna arte e storia", XXI, gennaio-aprile 2001, 61, pp. 5-14

Sinibaldi 1873
Lorenzo Sinibaldi, *Guida di Spoleto e i suoi dintorni*, Spoleto 1873

Siret 1848 ed. 1866
Adolphe Siret, *Dictionnaire historique des Peintres*, Paris 1848, ed. 1866

Sorrentino 1931
Antonio Sorrentino, *La Regia Galleria di Parma*, Roma 1931

Sorrentino 1950
Antonio Sorrentino, *Nuovo ordinamento della Pinacoteca di Forlì*, in "Bollettino d'arte del Ministero della Pubblica Istruzione", Roma 1950, pp. 277-279

Spahn 1932
Annemarie Spahn, *Palma Vecchio*, Leipzig 1932

Spalletti 1979
Ettore Spalletti, *La documentazione figurativa dell'opera d'arte, la critica e l'editoria nell'epoca moderna (1750-1930)*, in *Storia dell'arte Italiana*, parte prima, II, *L'artista e il pubblico*, Torino 1979, pp. 417-484

Spinelli 1980
Giovanni Spinelli, *San Mercuriale di Forlì*, in *I monasteri benedettini in Emilia Romagna*, Milano 1980, pp. 207-219

Spreti 1931
Vittorio Spreti, *Enciclopedia storico nobiliare italiana*, III, Milano 1931

Springer 1908
Antonio Springer, *Manuale di storia dell'Arte*, III, *Il Rinascimento in Italia largamente ampliato nelle illustrazioni*, Bergamo 1908

Steinmann 1899
Ernst Steinmann, *Rom in der Renaissance von Nicolaus V. bis auf Leo X*, Leipzig 1899

Steinmann 1901
Eernst Steinmann, *Die Sixtinische Kapelle*, Munchen 1901

Sterling 1939
Charles Sterling, *Le Couronnement de la Vierge par Enguerrand Quarton*, in *Chefs d'œuvres des primitifs francais*, Parigi 1939

Stockhammer 2004
Andrea Stockhammer, in *Liechtenstein Museum Vienna. Le collezioni*, a

cura di Johann Kräftner, Monaco 2004, pp. 96-133

Strohmer 1943
Erich von Strohmer, *Die Gemäldegalerie des Fürsten Liechtenstein in Wien*, Wien 1943

Suida 1930-1931
Wilhelm Suida, *Francesco Zaganelli von Cotignola und die Deutsche Kunst*, in "Zeitschrift für bildenden Kunst", LXIV, 1930-1931, pp. 248-251

Suida 1944
Wilhelm Suida, *Three newly identified paintings in the Ringling Museum*, in "Art in America", 1944, I, pp. 5-11

Suida 1949
Wilhelm Suida, *A catalogue of paintings in the John & Mable Ringling Museum of Art*, Sarasota 1949

Supan 1967
Börsch Supan, *Landschafts und Paradiesmotive in Inneraund*, Berlin 1967

Swoboda 2005
Gudrun Swoboda, *Das Ambraser Inventar 1663. Addenda zu den Provenienzen in der Gemäldegalerie des Kunsthistorischen Museum*, in "Jahrbuch des Kunsthistorischen Museum Wien", 2005, 6

Tabanelli 1973
Mario Tabanelli, *Il biscione e la rosa. Caterina Sforza Girolamo Riario e i loro primi discendenti*, Faenza 1973

Tabanelli 1975
Mario Tabanelli, *Dionigi di Naldo da Brisighella condottiero del Rinascimento*, Faenza 1975

Taia 1750
Agostino Taja, *Descrizione del Palazzo Apostolico Vaticano*, Roma 1750

Tagliolini 1980
Alessandro Tagliolini, *I giardini di Roma*, Roma 1980

Tambini 1991
Anna Tambini, *Pittura del secondo Quattrocento in Romagna*, Faenza 1991

Tambini 1993
Anna Tambini, *Documenti inediti per la storia della pittura in Romagna*, in "Studi Romagnoli", XLIV, 1993, pp. 612-629

Tambini 1996
Anna Tambini, *Testimonianze inedite*

di Gaetano Giordani sui dipinti di Rimini e Cesena, in "Romagna Arte e Storia", XVI, 1996, 46, pp. 82-102

Tambini 2000
Anna Tambini, *Un'introduzione ai corali quattrocenteschi del Duomo di Faenza*, in *Corali miniati di Faenza, Bagnacavallo e Cotignola. Tesori della diocesi*, a cura di Fabrizio Lollini, Faenza 2000, pp. 93-106

Tambini 2003a
Anna Tambini, *La pittura a Faenza al tempo di Leonardo*, in *Leonardo a Faenza*, Faenza 2003

Tambini 2003b
Anna Tambini, *Postille a Palmezzano*, in "Romagna Arte e Storia", XXIII, 2003, 67, pp. 25-42

Temeroli 1998
Paolo Temeroli, *I primordi della stampa a Forlì (1495-1507)*, in *Il libro in Romagna. Produzione, commercio e consumo dalla fine del secolo XV all'età contemporanea*, atti del convegno di studi (Cesena 23-25 marzo 1995), a cura di Lorenzo Baldacchini, Anna Manfron, Firenze 1998, I, pp. 61-101

Tanzi 1990
Marco Tanzi, *Vicenza*, in *La pittura nel Veneto. Il Quattrocento*, a cura di Mauro Lucco, II, Milano 1990, pp. 599-621

Tarlazzi 1852
Antonio Tarlazzi, *Memorie Sacre di Ravenna*, Ravenna 1852

Taylor 1936
Francis Henry Taylor, *Handbook of the Collection*, Baltimore 1936

Tempestini 1992a
Anchise Tempestini, *Giovanni Bellini, catalogo completo*, Firenze 1992

Tempestini 1992b
Anchise Tempestini, *Giovanni Bellini e Marco Palmezzano*, in "Antichità viva", XXXI, 1 dicembre 1992, 5-6, pp. 5-12

Tempestini 1994
Anchise Tempestini, *L'approccio alla civiltà classica in Cima da Conegliano e Giovanni Bellini*, in "Venezia Cinquecento", IV, gennaio-giugno 1994, 7, pp. 35-60

Tempestini 1995-1996
Anchise Tempestini, *Il pezzo mancante nella predella della pala di Niccolò Rondinelli proveniente da San Domenico di Ravenna*, in "Accademia

Clementina. Atti e memorie", 1995-1996, 35-36, pp. 45-48

Tempestini 1997
Anchise Tempestini, *Giovanni Bellini*, Milano 1997

Tempestini 1998
Anchise Tempestini, *Bellini e Belliniani in Romagna*, Firenze 1998

Tempestini 1999
Anchise Tempestini, *L'iconografia del Cristo morto nelle regioni adriatiche occidentali*, in *Giovanni Santi*, atti del convegno internazionale di studi (Urbino 1995), a cura di Ranieri Varese, Milano 1999, pp. 171-176

Tempestini 2000a
Anchise Tempestini, *Un 'Cristo con la croce' di Francesco Zaganelli*, in *L'arte nella storia. Contributi di critica e storia dell'arte per Gianni Carlo Sciolla*, a cura di Valerio Terraroli, Franca Varallo, Laura De Fanti, Milano 2000, pp. 319-321

Tempestini 2000b
Anchise Tempestini, *Giovanni Bellini*, Milano 2000

Tempestini 2001
Anchise Tempestini, *La Madonna belliniana del Museo Jacquemart-André*, in Damian Dombrowski (a cura di), *Zwischen den Welten. Beiträge zur Kunstgeschichte für Jürg Meyer zur Capellen*, Weimar 2001, pp. 40-46

Terey 1916
Gabriel Von Terey, *Die Gemälde Galerie des Museums für Bildende künste in Budapest*, Berlin 1916

Testi 1924
Laudedeo Testi, *La R. Pinacoteca di Parma*, Parma 1924

Teuffel 2001
Christa Gardner von Teuffel, *Light on the Cross: Cardinal Pedro González de Mendoza and Antoniazzo Romano in Sta. Croce in Gerusalemme, Rome*, in *Coming about …*, Cambridge 2001, pp. 49-55

Teza 2004
Laura Teza, *Pittori a Perugia tra il settimo e l'ottavo decennio del XV secolo*, in *Perugino. Il divin pittore*, catalogo della mostra (Perugia), a cura di Vittoria Garibaldi, Francesco Federico Mancini, Cinisello Balsamo 2004, pp. 55-71

Thode 1890
Henry Thode, *Pitture di maestri italiani nelle Gallerie minori di Germa-nia, III, La Kunsthalle di Karlsruhe*, in "Archivio Storico dell'Arte", III, 1890, pp. 249-252

Tiberia 1992
Vitaliano Tiberia, *Antoniazzo Romano per il Cardinale Bessarione a Roma*, Todi 1992

Tiberia 2001
Vitaliano Tiberia, *L'affresco restaurato con Storie della Croce nella Basilica di Santa Croce in Gerusalemme a Roma*, Todi 2001

Ticozzi 1832
Stefano Ticozzi, *Dizionario degli Architetti, Scultori, Pittori, Intagliatori in rame e in pietra, coniatori di medaglie, musaicisti, niellatori, intarsiatori d'ogni età e d'ogni nazione*, III, Milano 1832

Titi 1674 ed. 1987
Filippo Titi, *Studio di pittura, scoltura et architettura nelle chiese di Roma (1674-1763)*, ed. a cura di Bruno Contardi, Serena Romano, 2 voll., Firenze 1987

Todini 1987
Filippo Todini, *Niccolò di Liberatore detto l'Alunno*, Foligno 1987

Todini 1993
Filippo Todini, *Una Sacra Famiglia di Girolamo Genga*, in "Studi di Storia dell'Arte", 1993, pp. 291-294

Toesca 1938
Pietro Toesca, *Melozzo da Forlì nel V centenario della nascita*, in "La Nuova Antologia", 1 giugno 1938, pp. 314-22

Togni 2001-2002
Serena Togni, *Ritrattistica e committenza nelle pale d'altare romagnole del Cinquecento*, tesi di laurea, Università di Bologna, Facoltà di Conservazione dei Beni Culturali di Ravenna, relatore Stefano Tumidei, a.a. 2001-2002

Tonini 1895-1896
Carlo Tonini, *Compendio della storia di Rimini*, Rimini 1895-1896, 2 voll., ed. anastatica, Bologna 1969

Torino 1990
Da Biduino ad Algardi. Pittura e scultura a confronto, catalogo della mostra, a cura di Giovanni Romano, Antichi Maestri Pittori, Torino 1990

Torresi 1998
Antonio P. Torresi, *Filippo Fiscali, un restauratore fiorentino tra Emilia Romagna e Marche*, in "Romagna arte e storia", XVIII, 1998, 54, pp. 53-66

Torroncelli 1980
Annamaria Torroncelli, *Note per la Biblioteca di Marco Barbo*, in *Scrittura biblioteche e stampa a Roma nel Quattrocento. Aspetti e problemi*, atti del seminario, Città del Vaticano 1980, I, pp. 343-352

Toscano 1966
Bruno Toscano, *La fortuna della pittura umbra e il silenzio sui primitivi*, in "Paragone", XVII, 1966, 193/13, pp. 3-32

Toumanoff 1988
Cyrille Toumanoff, ad vocem *Sovrano Militare Ospedaliero Ordine di Malta*, in *Dizionario degli Istituti di Perfezione*, diretto da Guerrino Pelliccia, Giancarlo Rocca, Roma 1988

Trevisani 1980
Filippo Trevisani, *'Art Vènitien en Suisse et au Liechtenstein': n. 55. La Vergine col Bambino*, in "Arte Veneta", XXXIV, 1980, pp. 52-62

Trinkaus 1970
Charles Trinkaus, *In Our Image and Likeness. Humanity and divinity in Italian Humanist Thought*, 2 voll., Chicago 1970

Trinkaus-Oberman 1974
The Pursuit of Holiness in Late Medieval and Renaissance Religion, a cura di Charles Trinkaus, Heiko A. Oberman, Leiden 1974

Trnek 1989
Gemäldegalerie der Akademie der bildenden Künste in Wien. Illustriertes Bestandverzeichnis, a cura di Renate Trnek, Wien 1989

Trnek 1997
Renate Trnek, *Die Gemäldegalerie der Akademie der bildenden Künste in Wien. Die Sammlung im Überblick*, Wien 1997

Tucker 2002
Paul Tucker, *Nuove testimonianze sugli affreschi assisiati: gli acquarelli di Eduard Kaiser per la Arundel Society*, in *La realtà dell'utopia*, atti del primo convegno internazionale di primavera sul restauro (Assisi, 21-24 marzo 2001), a cura di Giuseppe Basile, in "Kermes-La rivista del restauro", 2002, supplemento al n. 47, pp. 48-52

Tulli 1932
Alberto Tulli, *La sala di Melozzo nella nuova Pinacoteca Vaticana*, in "L'Illustrazione Vaticana", III, 1932, pp. 1059-1062

Tumidei 1987
Stefano Tumidei, *Un'aggiunta al "Maestro dei Baldraccani" e qualche appunto sulla pittura romagnola del tardo Quattrocento*, in "Prospettiva", aprile 1987 (ma 1988), 49, pp. 80-91

Tumidei 1991
Stefano Tumidei, *La pittura nei secoli XV e XVI*, in *Storia di Forlì*, III, *L'età moderna*, a cura di Cesarina Casanova, Giovanni Tocci, Bologna 1991, pp. 151-166

Tumidei 1994
Stefano Tumidei, *Melozzo da Forlì: fortuna, vicende, incontri di un artista prospettico*, in *Melozzo da Forlì. La città e il suo tempo*, catalogo della mostra (Forlì 1994-1995), a cura di Marina Foschi, Luciana Prati, Milano 1994, pp. 19-81

Tumidei 1998
Stefano Tumidei, *Un tableau perdu de Pisanello pour l'empereur Sigismond*, in *Pisanello. Actes du colloque organisée au musée du Louvre* (1996), Paris 1998, pp. 15-27

Tumidei 1999
Stefano Tumidei, *Romagnoli in veneto: congiunture figurative e viaggi di artisti tra Quattro e Cinquecento*, in *La pittura emiliana nel Veneto*, a cura di Sergio Marinelli, Angelo Mazza, Modena 1999, pp. 59-86

Tumidei 2003
Stefano Tumidei, *Documenti e testimonianze figurative in Romagna per gli anni di Francesco Menzocchi*, in *Francesco Menzocchi. Forlì 1502-1574*, catalogo della mostra (Forlì 2003-2004), a cura di Anna Colombi Ferretti e Luciana Prati, Ferrara 2003, pp. 147-193

Tumidei 2004
Stefano Tumidei, in *Pinacoteca Nazionale di Bologna. Catalogo Generale 1. Dal Duecento a Francesco Francia*, a cura di Jadranka Bentini, Giampiero Cammarota, Daniela Scaglietti Kelescian, Venezia 2004, pp. 348-350

Turchini 1977
Angelo Turchini, *Società, banditismo, religione e controllo sociale fra Romagna e Toscana: la val Lamone nel XVI secolo*, in "Studi Romagnoli", XXVIII, 1977, pp. 257-280

Turchini 1980
Angelo Turchini, *Tracce di religione domestica in ambiente urbano. Il caso di Rimini fra XV e XVII secolo*, in "Il

Carrobbio", VI, 1980, pp. 351-364, ora in *La Romagna del Cinquecento*, I, *Istituzioni comunità mentalità*, Cesena 2003, pp. 351-387

Turchini 2003
Angelo Turchini, *La Romagna nel Cinquecento*, II, *Romagna illustrata*, Cesena 2003

Turci 1964
Renato Turci, in *Il ritorno di San Ruffillo primo Vescovo e Patrono di Forlimpopoli, ricordo della traslazione del corpo del santo da Forlì a Forlimpopoli*, Forlì 1964

Turner 2000
Nicholas Turner, *Federico Barocci*, Paris 2000

Turrelli 1985
Immagini e azione riformatrice. Le xilografie degli incunaboli savonarliani nella Biblioteca Nazionale di Firenze, a cura di Elisabetta Turrelli, Firenze 1985

Tuttle 2001
Richard J. Tuttle, *Un progetto di Giulio II per la Romagna*, Ravenna 2001

Uffizi 1979
Uffizi. Catalogo generale, Firenze 1979

Ughelli 1717 ed. 1972
Ferdinando Ughelli, *Italia Sacra*, II, Venezia 1717, ed. anastatica, II, Bologna 1972

Ugolini 1989
Andrea Ugolini, *Una mostra sammarinese e Benedetto Coda*, in "Arte cristiana", 1989, 77, pp. 309-316

Ugolini 1992
Andrea Ugolini, *Per Gerolamo Marchesi: dalla 'Concezione' di Pesaro alla 'Madonna in gloria' di Lugo*, in "Arte cristiana", LXXX, 1992, 748, pp. 25-36

Ugolini 2004
Stefano Ugolini, *Leandro Alberti di fronte al problema dei confini della Romagna*, in *Il territorio emiliano e romagnolo nella "Descrittione" di Leandro Alberti*, a cura di Massimo Donattini, Bergamo 2004, pp. 41-54

Ulivi 1994
Elisabetta Ulivi, *Luca Pacioli una biografia scientifica*, in *Luca Pacioli e la matematica del Rinascimento*, catalogo della mostra (Sansepolcro), a cura di Enrico Giusti, Carlo Maccagni, Firenze 1994, pp. 21-78

Urbino 1983
Urbino e le Marche prima e dopo Raffaello, catalogo della mostra (Urbino), a cura di Maria Grazia Ciardi Dupré, Paolo Dal Poggetto, Firenze 1983

Urbino 1992
Piero e Urbino, Piero e le Corti rinascimentali, catalogo della mostra (Urbino), a cura di Paolo Dal Poggetto, Venezia 1992

Urbino 2004
I Della Rovere. Piero della Francesca, Raffaello, Tiziano, catalogo della mostra (Urbino), a cura di Paolo dal Poggetto, Milano 2004

Vaccai 1998
Elena Vaccai, *Lorenzo Roverella: magnificenza di un alto prelato*, in "Ferrara Storia", luglio-dicembre 1998, pp. 7-10

Valazzi 1988
La pala ricostituita. L'incoronazione della Vergine e la cimasa vaticana di Giovanni Bellini. Indagini e restauri, a cura di Maria Rosaria Valazzi, Pesaro 1988

Valazzi 1990
Maria Rosaria Valazzi, *Pittori e pitture a Pesaro nel Quattrocento*, in *Pesaro tra Medioevo e Rinascimento*, Venezia 1990, pp. 305-356

Valeri 1997
Stefano Valeri, *Adolfo Venturi e Melozzo da Forlì*, in *Le due Rome del Quattrocento. Melozzo, Antoniazzo e la cultura artistica del'400 romano*, atti del convegno internazionale di studi (Università di Roma "La Sapienza", Istituto di Storia dell'Arte 1996), a cura di Sergio Rossi e Stefano Valeri, Roma 1997, pp. 55-64

Valery 1835
Antoine Claude Pasquin Valery, *Voyages historiques et litteraires en Italie, pendant les années 1826, 1827 et 1828*, Bruxelles 1835

Valesio ed. 1978
Francesco Valesio, *Diario di Roma*, 4, *1708-1728, libro settimo e libro ottavo*, a cura di Gaetana Scano, Giuseppe Graglia, Milano 1978

Valgimigli 1857
Gian Marcello Valgimigli, *Calendario fiorentino per l'anno 1857*, Faenza 1857

Valgimigli 1869 ed. 1871
Gian Marcello Valgimigli, *Dei Pitto-ri e degli Artisti Faentini de' secoli XV e XVI*, Faenza 1869, II ed. Faenza 1871

Valsecchi 1962
Marco Valsecchi, *Cima da Conegliano*, in "Lo Smeraldo", 1962

Van Marle 1931
Raimond Van Marle, *The Development of the Italian Schools of Painting. The Renaissance painters of Florence in the 15th century*, XIII, The Hague 1931

Van Marle 1934
Raimond Van Marle, *The Development of the Italian Schools of painting*, XV, The Hague 1934

Van Marle 1935a
Raimond Van Marle, *The development of the Italian Schools of Paintings*, XVII, *The Renaissance painters of Venice: 1: Ant. Vivarini, the Bellini, Cima, Basaiti*, The Hague 1935 (ed. anast. New York 1970)

Van Marle 1935b
Raimond Van Marle, *La pittura all'Esposizione d'Arte antica italiana d'Amsterdam*, in "Bollettino d'Arte del Ministero dell'Educazione Nazionale", XXVIII, aprile 1935, pp. 445-458

Varese 1969
Renato Varese, ad vocem *Bombace, Pace di Maso*, in *Dizionario Biografico degli Italiani*, XI, Roma 1969, p. 373

Varese 1994
Ranieri Varese, *Giovanni Santi*, Fiesole (Firenze) 1994

Varese 1999
Giovanni Santi, atti del convegno internazionale di studi (Urbino 1995), a cura di Ranieri Varese, Milano 1999

Varese 2003
Ranieri Varese, *Giovanni Santi e Pietro Perugino: dipendenza e alterità*, in *Venezia, le Marche e la civiltà adriatica per festeggiare i 90 anni di Pietro Zampetti*, a cura di Ileana Chiappini di Sorio, Laura De Rossi, Monfalcone 2003 ("Arte documento", 2003, 17-19), pp. 254-257

Varese 2004
Ranieri Varese, *Giovanni Santi e Pietro Perugino*, in *Pietro Vannucci, il Perugino*, Atti del convegno internazionale di studio (Perugia 25-28 ottobre 2000), a cura di Laura Teza e Mirko Santanicchia, Perugia, 2004, pp. 183-198

Vasari 1568 ed. 1878-1885
Giorgio Vasari, *Le Vite de' più eccellenti pittori scultori e architettori*, Firenze 1568, ed. a cura di Gaetano Milanesi, Firenze 1878-1885

Vasari 1568 ed. 1906
Giorgio Vasari, *Le vite de' più eccellenti pittori, scultori ed architettori italiani*, Firenze 1568, ed. a cura di Gaetano Milanesi, 8 voll., Firenze 1906 (ed. anastatica Firenze 1973-1981)

Vasari 1550, 1568 ed. 1966-1988
Giorgio Vasari, *Le Vite de' più eccellenti Pittori Scultori e Architettori nelle redazioni del 1550 e del 1568*, a cura di Rosanna Bettarini, commento di Paola Barocchi, 6 voll., Firenze 1966-1988

Vasari 1550 ed. 1986
Giorgio Vasari, *Le Vite de' più eccellenti architetti, pittori, et scultori italiani da Cimabue insino a' tempi nostri*, Firenze 1550, ed. a cura di Luciano Bellosi, Aldo Rossi, Torino 1986

Vasari 1568 ed. 1991
Giorgio Vasari, *Le Vite de' più eccellenti pittori, scultori e architetti*, Firenze 1568, ed. Roma 1991

Vasina 1990a
Augusto Vasina, *Il dominio degli Ordelaffi*, in *Storia di Forlì*, II, *Il Medioevo*, a cura di Augusto Vasina, Forlì 1990, pp. 155-183

Vasina 1990b
Augusto Vasina, *Il Medioevo forlivese nella tradizione storiografica*, in *Storia di Forlì*, II, *Il Medioevo*, a cura di Augusto Vasina, Bologna 1990, pp. 13-29

Vasina 1990c
Storia di Forlì, II, *Il Medioevo*, a cura di Augusto Vasina, Forlì 1990

Vasina 1997
Augusto Vasina, *Cronachistica forlivese dagli Ordelaffi ai Riario-Sforza*, in *La cultura umanistica a Forlì fra Biondo e Melozzo*, atti del convegno di studi (Forlì 1994), a cura di Luisa Avellini e Lara Michelacci, Bologna 1997, pp. 29-39

Vasco Rocca 1982
S. Vasco Rocca, *La pittura*, in, *Fondi e la Signoria dei Caetani*, catalogo della mostra, a cura di F. Negri Arnoldi, A. Pacia, S. Vasco Rocca, Roma 1982, pp. 69-82

Vecchiazzani 1647
Matteo Vecchiazzani, *Historia di Forlimpopoli con varie rivoluzioni dell'altre città di Romagna*, Rimini 1647

451

Venard 2000
Storia del Cristianesimo, vol. VII, Dalla riforma della Chiesa alla riforma protestante (1450-1530), a cura di Marc Venard, Roma 2000, pp. 145-292

Venezia 1946
I capolavori dei Musei veneti, catalogo della mostra, a cura di Rodolfo Pallucchini, Venezia 1946

Venezia 1962
Cima da Conegliano, catalogo della mostra, a cura di Luigi Menegazzi, Venezia 1962

Venezia 1988
La pala ricostituita. L'Incoronazione della Vergine e la cimasa vaticana di Giovanni Bellini. Indagini e restauri, catalogo della mostra, a cura di Maria Rosaria Valazzi, Venezia 1988

Ventimiglia 1773 ed. 1929
Mariano Ventimiglia, *Historia cronologica priorum generalium latinorum Ordinis B. V. Mariae de Monte Carmelo,* Napoli 1773, ed. anastatica Roma 1929

Ventimiglia 1779
Mariano Ventimiglia, *Il Sacro Carmelo italiano,* Napoli 1779

Venturi 1893
[Adolfo Venturi], *Un quadro di Melozzo a Forlì,* in "Nuova Antologia", 15 ottobre 1893

Venturi 1895
Adolfo Venturi, *Melozzo da Forlì,* in "Bollettino della società fra gli amici dell'arte per la provincia di Forlì", 1895, 7-8, pp. 97-104

Venturi 1896
Adolfo Venturi, *La Galleria Nazionale di Roma,* in "Le gallerie nazionali Italiane, Notizie e Documenti", II, Roma 1896

Venturi 1899
V. [Adolfo Venturi], *Domande e risposte,* in "L'Arte", II , 1899, p. 123

Venturi 1900
Adolfo Venturi, *I quadri di scuola italiana nella Galleria nazionale di Budapest,* in "L'Arte", III, 1900, pp. 185-240

Venturi 1903
Adolfo Venturi, *Il più antico quadro di Jacopo de' Barbari,* in "L'arte", VI, 1903, pp. 95-96

Venturi 1904
Adolfo Venturi, *Un quadro di Melozzo da Forlì nella Galleria Nazionale di*

Palazzo Corsini, in "L'Arte", VII, 1904, pp. 310-312

Venturi 1907
Adolfo Venturi, *Gian Francesco de' Maineri da Parma pittore e miniatore,* in "L'Arte", X, 1907, pp. 33-40, 148-149

Venturi 1908
Adolfo Venturi, *Storia dell'arte italiana,* VI, Milano 1908

Venturi 1913
Adolfo Venturi, *Storia dell'Arte italiana,* VII, *La Pittura del Cinquecento,* 2, Milano 1913

Venturi 1915
Adolfo Venturi, *Storia dell'Arte italiana,* VII, *La pittura del Quattrocento,* 4, Milano 1915

Venturi 1932
Adolfo Venturi, *Storia dell'Arte italiana,* IX, *La Pittura del Cinquecento,* 5, Milano 1932

L. Venturi 1907
Lionello Venturi, *Le origini della pittura veneziana,* Venezia 1907

L. Venturi 1930
Lionello Venturi, *Contributi,* in "L'Arte", XXXIII, 1930, pp. 290-291

Verdon 1984
Timothy Verdon, *Monasticim and Christian Culture,* in *Monasticism and the Arts,* a cura di Timothy Verdon, John Dally, Syracuse, New York 1984

Verdon 2003
Timothy Verdon, *Vedere il mistero. Il genio artistico della liturgia cattolica,* Milano 2003

Vertova 1962
Luisa Vertova, *The Cima Exhibition: A Festival in Treviso,* in "Apollo", LXXVI, 1962, 126, pp. 221-227

Vezzosi 1983
Leonardo e il leonardismo a Napoli e a Roma, catalogo della mostra, a cura di Alessandro Vezzosi, Firenze 1983

Viadana 2000
Ioanes Ispanus: la pala di Viadana. Tracce di classicismo precoce lungo la valle del Po, catalogo della mostra, a cura di Marco Tanzi, Viadana (Mantova) 2000

Viale 1934
Vittorio Viale, *Guida ai Musei di Vercelli,* Vercelli 1934

Vicini 1993
Sara Vicini, *Esperienze pittoriche e tessuto artistico imolese di primo Cinquecento,* in *Innocenzo da Imola il tirocinio di un artista,* catalogo della mostra (Imola 1993-1994), a cura di Grazia Agostini, Claudia Pedrini, Casalecchio di Reno (Bologna) 1993, pp. 71-86

Villa 1794 ed. 1925
Giovanni Nicolò Villa, *Guida pittorica d'Imola 1794 con note aggiunte di Guido Gambetti,* Bologna 1925 (ed. anastatica Bologna 1984)

Villa 1794 ed. 2001
Giovanni Nicolò Villa, *Pitture della città di Imola ossia Un Guazzabuglio composto di varie cose Pittoriche, Architettoniche … 1794,* a cura di Claudia Pedrini, Imola 2001

Villa 2002
Giovanni Carlo Federico Villa, *Palazzo Chiericati: cinquanta capolavori dal Trecento al Cinquecento,* Cinisello Balsamo 2002

Ville 1911
Ville de Grenoble, Catalogue del Tableux, Statues, basrelief et objets d'art exposes dans galeries du Musée de peinture et de sculpture, Grenoble 1911

Viroli 1980
Giordano Viroli, *La Pinacoteca Civica di Forlì,* Forlì 1980

Viroli 1982
Giordano Viroli, *Luca Longhi, ritrattista senza affetto,* in *Luca Longhi e la pittura su tavola in Romagna nel '500,* catalogo della mostra (Ravenna), a cura di Jadranka Bentini, Bologna 1982, pp. 79-91

Viroli 1989a
Giordano Viroli, *L'arcata dei Ferri nell'abbazia di San Mercuriale di Forlì,* in *Il monumento funebre a Barbara Manfredi e la scultura del Rinascimento in Romagna,* a cura di Anna Colombi Ferretti, Luciana Prati, Bologna 1989, pp. 65-68

Viroli 1989b
Giordano Viroli, *La scultura del Rinascimento in Romagna,* in *Il monumento a Barbara Manfredi e la scultura del Rinascimento in Romagna,* a cura di Anna Colombi Ferretti, Luciana Prati, Bologna 1989, pp. 55-189

Viroli 1990
Giordano Viroli, *L'espressione artistica,* in *Storia di Forlì,* II, *Il Medioevo,* a cura di Augusto Vasina, Forlì 1990, pp. 209-238

Viroli 1991a
Viroli Giordano, *I dipinti d'altare della diocesi di Ravenna,* Bologna 1991

Viroli 1991b
Giordano Viroli, *La pittura del Cinquecento a Forlì,* 2 voll., Bologna 1991

Viroli 1991c
Giordano Viroli, *Marco Palmezzano, Autoritratto,* in *Il San Domenico di Forlì. La chiesa, il luogo, la città,* catalogo della mostra (Forlì), a cura di Marina Foschi, Giordano Viroli, Bologna 1991 pp. 109-110

Viroli 1994a
Giordano Viroli, *Appunti su pittura e scultura a Forlì fra Quattro e Cinquecento,* in *Melozzo da Forlì. La sua città e il suo tempo,* catalogo della mostra (Forlì 1994-1995), a cura di Marina Foschi, Luciana Prati, Milano 1994, pp. 209-220

Viroli 1994b
Giordano Viroli, *Chiese di Forlì,* Forlì 1994

Viroli 1994c
Giordano Viroli, *La Ravenna artistica,* in *Storia di Ravenna,* IV, *Dalla dominazione veneziana alla conquista francese,* a cura di Lucio Gambi, Venezia 1994, pp. 263-317

Viroli 1995a
Giordano Viroli, *Palazzi di Forlì,* Forlì 1995

Viroli 1995b
Giordano Viroli, *La pittura del Cinquecento nelle Romagne,* in *La pittura in Emilia e in Romagna. Il Cinquecento,* a cura di Vera Fortunati, II, Bologna 1995, pp. 203-234

Viroli 1995c
Giordano Viroli, *La quadreria della Cassa di Risparmio di Ravenna,* Ravenna 1995

Viroli 1998
Giordano Viroli, *Pittura dal Duecento al Quattrocento a Forlì,* Forlì 1998

Viroli 2000
Giordano Viroli, *I Longhi. Luca, Francesco, Barbara pittori ravennati (sec. XVI - XVII),* Ravenna 2000

Viroli 2003
Giordano Viroli, *Scultura dal Duecento al Novecento a Forlì,* Forlì 2003

Vital 1902
Adolfo Vital, *Piccola guida pratica storico-artistica di Conegliano,* Conegliano 1902

Vitruvio ed. 2002
Vitruvio, *De Architectura*, ed. a cura di Franca Bossalino, Roma 2002

Volpe 1965
Carlo Volpe, *La pittura riminese del Trecento*, Milano 1965

Volpe 1979
Carlo Volpe, *Dipinti veneti nelle collezioni svizzere: una mostra a Zurigo e Ginevra*, in "Paragone", XXX, 1979, 347, pp. 72-77

Volpin-Lazzarini 1994
Stefano Volpin, Lorenzo Lazzarini, *Il colore e la tecnica pittorica della Pala di San Giobbe di Giovanni Bellini*, in "Quaderni della Soprintendenza per i Beni Storici e Artistici di Venezia", 1994, 19, pp. 29-37

Volpin-Stevanato 1994
Stefano Volpin, Roberto Stevanato, *Studio dei leganti pittorici della Pala di San Giobbe di Giovanni Bellini*, in "Quaderni della Soprintendenza per i Beni Storici e Artistici di Venezia", 1994, 19, pp. 39-42

Waagen 1854
G. Friedrich Waagen, *Treasures of Art in Great Britain*, London 1854

Waagen 1857
G. Friedrich Waagen, *Galleries and Cabinets of Art in Great Britain*, London 1857

Walters Art Collections 1922
The Walters Art Collections, Baltimore 1922

Walters Art Collections 1932
The Walters Art Collections, Handbook of the Collection, Baltimore 1932

Walker Art Gallery 1977
Walker Art Gallery, Foreign schools catalogue, Liverpool 1977

Warwick 2000
Genevieve Warwick, *Padre Sebastiano Resta and the market for drawings in early modern Europe*, Cambridge-New York 2000

Washington 1991
Circa 1492. Art in the Age of Exploration, catalogo della mostra, a cura di Jay A. Levenson, Washington D.C. 1991

Watson 1987
Paul F. Watson, recensione a: Peter Humfrey, *Cima da Conegliano*, in "The art bulletin", LXIX, marzo 1987, 1, pp. 139-143

Wázbínski 1963
Zygmunt Wázbínski, *Le "cartellino". Origine et avatars d'une ethiquette*, in "Pantheon", XXI, 1963, pp. 278-283

Weiss 1961
R. Weiss, ad vocem *Andrelini, Publio Fausto*, in *Dizionario Biografico degli Italiani*, Roma 1961, 3, pp. 138-141

White 1968
James White, *National Gallery of Ireland*, London 1968

Winkelmann 1989
Jurgen Winkelmann, *Marco Palmezzano*, in *Arte emiliana: dalle raccolte storiche al nuovo collezionismo*, a cura di Graziano Manni, Emilio Negro, Massimo Pirondini, Modena 1989, pp. 23-24

Wittgens 1944
Fernanda Wittgens, *Mentore*, Milano [1944]

Woermann 1896
Karl Woermann, *Katalog der Königl. Gemälde-Galerie zu Dresden*, Dresden 1896

Woods Mardsen 1998
Joanna Woods Mardsen, *Renaissance Self-portraiture*, New Haven-London 1998

Woudhuysen Keller 1995
Renate Woudhuysen Keller, *Aspects of painting technique in the use of verdigris and copper resinate*, in *Historical painting techniques, materials and studio practice: prepints of a symposium*, a cura di Arie Wallert, Erma Hermens, Maria F. J. Peek, University of Leyden, the Netherlands, 26-29 june 1995, Marina del Rey 1995, pp. 65-69

Wrangler-Troubnikoff 1909
N. Wrangler, Alexandre Troubnikoff, *Les tableaux de la collection du comte G. Stroganoff à Rome*, in "Starve Gody", marzo 1909

Wynne 1971
Mychael Wynne, *National Gallery of Ireland. Catalogue pf the paintings*, Dublin 1971

Yriarte 1891
Charles Yriarte, *Autors des Borgia*, Paris 1891

Yuen 1970
Toby E. Yuen, *The Biblioteca Greca: Castagno, Alberti and the ancient sources*, in "The Burlington Magazine", CXII, 1970, 812, pp. 725-736

Zaccaria 1996
R. Zaccaria, *Feo, Giacomo*, in *Dizionario Biografico degli Italiani*, Roma 1996, 46, pp. 163-165

Zafran 1988
Eric M. Zafran, *Fifty Old Master Paintings from the Walters Art Collection*, Baltimore 1988

Zaggia 1999
Stefano Zaggia, *Una piazza per la città del principe. Strategie urbane e architettura a Imola durante la Signoria di Girolamo Riario, 1474-1488*, Roma 1999

Zaggia 2003
Stefano Zaggia, *Il palazzo Riario ossia un palazzo per le magistrature imolesi*, in *Imola, il comune, le piazze*, a cura di Massimo Montanari e di Tiziana Lazzari, Imola 2003, pp. 220-237

Zaghini 1984
Franco Zaghini, *Le istituzioni caritative della diocesi di Forlì*, in "Ravennatensia", atti del X Congresso (1979), Cesena 1984, pp. 61-76

Zaghini 2000
Franco Zaghini, *Religiosità e vita sociale in Forlì all'epoca di san Pellegrino*, in *La piazza e il chiostro, San Pellegrino Laziosi, Forlì e la Romagna nel tardo Medioevo*, a cura di Sergio Spada, Franco Zaghini, Forlì 2000, pp. 129-147

Zaghini 2005a
Franco Zaghini, *Carità creativa nel Medioevo*, in "Scritti forlivesi", 5, Forlì 2005, pp. 67-103

Zaghini 2005b
Franco Zaghini, *Pietro Bianco da Durazzo, eremita a Forlì nel secolo XV*, in "Ravennatensia", XXI, 2005, pp. 223-240

Zama 1989
Raffaella Zama, *Zaganelli e dintorni: per una ricerca sui dipinti di Francesco e Bernardino, fra Cotignola e Ravenna*, Faenza 1989

Zama 1994
Raffaella Zama, *Gli Zaganelli (Francesco e Bernardino) pittori*, Rimini 1994

Zamboni 1975
Silla Zamboni, *Pittori di Ercole I d'Este: Giovan Francesco Maineri, Lazzaro Grimaldi, Domenico Panetti, Michele Coltellini*, Ferrara 1975

Zampetti 1989
Pietro Zampetti, *La pittura nelle Marche*, II, *Dal Rinascimento alla Controriforma*, Firenze 1989

Zani 1823
Pietro Zani, *Enciclopedia metodica critico-ragionata delle Belle Arti*, XIV, Parma 1823

Zanolini 1986
Paola Zanolini, *Il restauro del polittico di Andrea di Bartolo. La tecnica pittorica*, in *Il polittico di Andrea di Bartolo a Brera restaurato*, Firenze 1986

Zanotti 1993
Gino Zanotti, *Faenza. Chiesa e convento di S. Francesco*, Assisi 1993

Zarri 1990
Gabriella Zarri, *Pietà e profezia alle corti padane: le pie consigliere dei principi*, in *Le sante vive*, Torino 1990

Zauli Naldi 1925
Dionigi Zauli Naldi, *Dionigi e Vincenzo Naldi in Romagna (1495-1504)*, Faenza 1925

Zava Boccazzi 1965
Franca Zava Boccazzi, *Cima da Conegliano*, Milano 1965

Zenoni 1924
C. Plinio Cecilio Secondo, *Epistole scelte*, a cura di Luigi Zenoni, Venezia 1924

Zeri 1953
Federico Zeri, *Il Maestro dell'Annunciazione Gardner*, in "Bollettino d'Arte", XXXVIII, 1953, 2, pp. 233-249

Zeri 1954
Federico Zeri, *La Galleria Spada in Roma. Catalogo dei dipinti*, Firenze 1954

Zeri 1966
Federico Zeri, *The Italian Pictures Discoveries and Problems*, in "Apollo", 1966, 84, pp. 442-450

Zeri 1976
Federico Zeri, *Italian Paintings in the Walters Art Gallery*, Baltimore 1976

Zeri 1986
Federico Zeri, *Schede romagnole. Il Maestro dei Baldraccani. Bernardino da Tossignano*, in "Paragone", XXXVII, 1986, 441, pp. 22-30, ora in *Giorno per giorno nella pittura. Scritti sull'arte dell'Italia settentrionale dal Trecento al*

primo Cinquecento, Torino 1988, pp. 317-323

Zeri-Gardner 1971
Federico Zeri, Elisabeth E. Gardner, *A catalogue of the Collection of The Metropolitan Museum of Art. Florentine School*, New York 1971

Zeri-Rossi 1986
Federico Zeri, Francesco Rossi, *La*

Raccolta Morelli nell'Accademia Carrara, Milano 1986

Zippel 1921
Giuseppe Zippel, *Ricordi romani dei cavalieri di Rodi*, in *Archivio della Società Romana di Storia Patria*, XLIV, 1921, pp. 169-205

Zippel 1922
Giuseppe Zippel, *La morte di*

Marco Barbo, cardinale di San Marco, in *Scritti storici in onore di G. Monticolo*, Venezia 1922, pp. 119-203

Zippel 1929
Giuseppe Zippel, *I Cavalieri di San Giovanni di Gerusalemme a Roma*, in *atti del I congresso nazionale di Studi Romani*, I, Roma 1929, pp. 397-402

Zocca 1937
Emma Zocca, *Appunti su Bartolomeo Montagna*, in "L'Arte", XL, 1937, 3, pp. 183-191

Zocca 1960
Emma Zocca, ad vocem *Ambrosi, Melozzo degli, detto Melozzo da Forlì*, in *Dizionario biografico degli italiani*, I, Roma 1960, pp. 722-726

Referenze fotografiche

Archivi Alinari, Firenze
Archivio Fotografico Musei Vaticani, Città del Vaticano
Archivio Fotografico Soprintendenza Speciale per il Polo Museale Romano, Roma
Archivio Scala, Firenze
Remo Bardazzi Fotografo d'Arte, Firenze
Biblioteca dell'Archiginnasio, Bologna
Biblioteca Nazionale Marciana, Venezia
Bildarchiv Preussischer Kulturbesitz, Berlino
Cameraphoto Arte, Venezia
Daniele De Lonti, Milano
Foto Paritani, Rimini
Mario Gatti, Bologna
Gemäldegalerie der Akademie der bildenden Künste, Vienna
Kunsthistorisches Museum, Vienna
Giorgio Liverani, Forlì
Nicola MacGregor, Firenze
Luca Massari, Cesena
Moretti Galleria d'Arte, Firenze
Musée d'Art et d'Histoire, Ville de Genève
Musée de Grenoble, Grenoble
Musei Civici, Pesaro
Museo Civico, Vicenza
National Gallery of Ireland (photograph courtesy of), Dublino
National Gallery, Londra
Pincelli Foto, Modena
Marco Ravenna, Bologna
Sammlungen der Fürsten von und zu Liechtenstein, Vaduz
Soprintendenza per il Patrimonio Storico Artistico e Demoetnoantropologico, Milano
(su concessione del Ministero per i Beni e le Attività Culturali)
Nazario Spadoni, Forlì
The Walters Art Museums, Baltimora

Le fotografie a p. 64 sono riprodotte per concessione
dei Civici Musei d'Arte e Storia di Brescia

Per le fotografie alle pp. 52, 61, 65, tratte dalla fototeca della Fondazione Federico Zeri,
i diritti patrimoniali d'autore risultano esauriti

L'Editore ringrazia gli Autori che hanno fornito materiale fotografico

Silvana Editoriale Spa

via Margherita De Vizzi, 86
20092 Cinisello Balsamo, Milano
tel. 02 61 83 63 37
fax 02 61 72 464
www.silvanaeditoriale.it

Le riproduzioni, la stampa e la rilegatura
sono state eseguite presso lo stabilimento
Arti Grafiche Amilcare Pizzi Spa
Cinisello Balsamo, Milano

Finito di stampare
nel mese di novembre 2005